# 1914

une documentation sur les publications de la fondation nationale
des sciences politiques sera envoyée sur simple demande adressée
aux presses de la fondation nationale des sciences politiques
27, rue saint-guillaume, 75341 paris cédex 07

# 1914:

## Comment les Français sont entrés dans la guerre

Jean-Jacques Becker

Contribution à l'étude de l'opinion publique
printemps-été 1914

presses de la fondation nationale
des sciences politiques

© 1977 PRESSES DE LA FONDATION NATIONALE DES SCIENCES POLITIQUES
ISBN 2-7246-0397-4 relié

*à mes enfants*

# TABLE DES MATIÈRES

PREMIÈRE PARTIE

## A LA VEILLE DE LA GUERRE

QUATRIÈME PARTIE

**L'UNION SACRÉE, MYTHE OU RÉALITÉ ?
OU LES AMBIGUÏTÉS
DE L'UNION SACRÉE**

CINQUIÈME PARTIE
# LES ILLUSIONS PERDUES

# TABLE DES FIGURES

*Préface*

C'est un grand sujet que Jean-Jacques Becker a choisi de traiter. En est-il un plus digne de retenir l'attention que la rencontre de tout un peuple avec l'épreuve de la guerre moderne ? S'il est vrai qu'il n'y a pas d'événement qui éprouve plus radicalement sa cohésion et son endurance, c'est une des meilleures approches pour saisir certains traits de sa personnalité profonde. Telles furent bien l'ambition et l'espérance de Jean-Jacques Becker.

A l'occasion des événements qui se succèdent au cours de l'année 1914, il s'attache à restituer les sentiments et les comportements — ils sont inséparables — des Français. De tous les Français, et pas seulement, comme c'est trop souvent le cas, des Parisiens ou des seuls milieux dirigeants. Même si, parfois, on peut trouver qu'il fait la part trop belle à la classe ouvrière, c'est bien la France entière qui est l'objet de son étude. Une France encore en majorité rurale où les différences demeurent prononcées entre villes et campagnes, en particulier du point de vue de l'information qui touche de si près à l'opinion : le journal n'a encore que peu pénétré dans les villages, et sa lecture reste une habitude des villes. Une France diverse, plurielle, faite d'une multiplicité de milieux dont chacun a ses traditions, ses règles, ses modes de pensée. En conséquence, il n'y a pas à proprement parler *une* opinion française et c'est seulement par convention qu'on use du singulier. Dans la réalité, on a affaire à une multiplicité d'opinions, aussi nombreuses que le sont les régions, les professions, les écoles de pensée, les familles d'esprit. Il y a ainsi une opinion des milieux militaires et une opinion des milieux dirigeants de l'économie ; il y a peut-être une opinion paysanne et sûrement une opinion catholique. Mais chacun de ces milieux étant lui-même différencié, son opinion n'est pas absolument homogène : elle se ramifie en divers courants. De surcroît, les inclinations dominantes dans chacune de ces catégories interfèrent avec les orientations des secteurs idéologiques qui découpent le champ politique : c'est ainsi que se retrouve à l'intérieur du monde rural tout l'éventail des familles représentées dans

1

l'opinion globale. La variété est évidemment moindre des opinions qui cohabitent en plus ou moins bonne intelligence dans la communauté constituée autour de l'Eglise catholique, et pourtant, quel écart entre les catholiques intégraux, proches de *L'Action française,* et ceux qui s'évertuent à baptiser la démocratie. Ainsi en va-t-il de presque toutes les microsociétés dont se compose la nation française dans sa diversité concrète.

Sauf peut-être dans des circonstances exceptionnelles ; c'est précisément un des enjeux du sujet choisi : la crise internationale qui aboutit au premier conflit mondial n'est-elle pas l'une de ces situations exceptionnelles qui bousculent les lignes de partage habituelles, où l'opinion réagit comme un ensemble homogène et unanime ? Par le biais de cette interrogation essentielle, c'est la signification et la portée de ce qui s'est appelé l'union sacrée qui sont en cause. Illusion trompeuse, ou réalité sincère, réaction purement sentimentale ou expression d'une volonté profonde ? Ce n'est pas l'apport le moins intéressant de la grande enquête menée par Jean-Jacques Becker que la réponse à cette alternative.

Une ou diverse, l'opinion oppose à toute analyse des obstacles difficiles à surmonter : elle se dérobe à l'observation directe. Ne se livrant jamais d'elle-même au regard, elle ne peut être saisie que dans ses reflets ou perçue par son ombre portée sur les phénomènes collectifs. La difficulté est redoublée pour une période éloignée dans le temps. Pour la tourner, Jean-Jacques Becker a fait preuve d'une grande ingéniosité comme d'une extrême sagacité pour extraire du moindre matériau sa teneur en information. Il a fait flèche de tout bois, recourant aux sources classiques, mais ouvrant aussi des voies nouvelles où il aura des imitateurs. Les archives lui ont fourni leur lot habituel de données, en particulier les archives administratives, avec les rapports des préfets sur le déroulement des opérations de mobilisation et l'état des esprits dans leur département. Mais il a grandement étendu le champ des archives consultées, y incluant les rapports présentés aux conseils d'administration des banques et des grandes sociétés, les registres de la censure, les procès-verbaux des conseils de guerre... Il a exhumé de nombreux documents inédits ; telle cette lettre du cardinal Amette, archevêque de Paris, au pape Benoît XV. De larges dépouillements de presse, particulièrement provinciale, apportent des échos nombreux de l'opinion. Toutes les manifestations de l'esprit public ont été relevées, scrutées, mesurées : meetings, cortèges, retraites militaires, démonstrations de toute sorte. Le joyau de cette documentation aussi considérable que variée est probablement la collection des réponses adressées par plus de six cents instituteurs à une grande enquête sur la mobilisation et l'adaptation de la population aux nouvelles conditions créées par l'entrée dans la guerre : tous les témoignages sont interprétés avec un discernement exemplaire. Jean-Jacques Becker, qui sait quels liens étroits unissent l'opinion et le langage, prête une grande attention au vocabulaire et relève soigneusement les indices qu'il comporte : apparition de termes, diffusion, fréquence. La comparaison, à quelques jours d'intervalle, de ceux qui reviennent le plus fréquemment ou qu'emploient les instituteurs pour définir l'état d'esprit de leur commune, révèle des changements significatifs dans les sentiments dominants.

Jean-Jacques Becker traite ces matériaux disparates avec un soin méticuleux. Il est averti des incertitudes qui affectent chaque sorte de sources. Il dénombre tout ce qui se prête à décompte, mais n'a pas la superstition du quantitatif. Il fait grand cas des textes, mais il en sait la relativité et l'opacité. A chaque pas, il marque lui-même les limites de l'apport et s'avoue, trop souvent à son gré, obligé de se satisfaire d'impressions plus que de données objectives. Il a poussé le scrupule jusqu'à refaire par lui-même toutes les recherches, parcourant pour son compte les chemins tracés par ses devanciers. Il a, par exemple, calculé à nouveau les résultats des élections du printemps de 1914 et vérifié une par une toutes les circonscriptions. Effort payant : plus souvent qu'on ne croirait, pareille vérification aboutit à la révision d'idées communément reçues. Ainsi, par une patiente et minutieuse investigation, se recompose la mosaïque de l'opinion et l'auteur a-t-il fait concourir une multiplicité d'apports à cette reconstitution, au sens que l'archéologie donne à ce mot, de l'opinion française en 1914.

A n'évoquer ce beau livre qu'en termes d'opinion, on méconnaîtrait sa richesse. Il se développe en effet sur deux registres qui entrelacent leurs involutions : il traite deux sujets qui, pour être solidaires, n'en sont pas moins distincts. Ce livre est également une histoire, on peut même dire une chronique de l'année 1914. Le récit est requis par la recherche de l'opinion ; en effet, si dans les temps ordinaires, l'opinion étant relativement stable, l'attention doit se porter de préférence sur ses structures, en période de crise — et sait-on crise plus aiguë que celle qui se dénoue par la guerre ? — il importe de s'attacher à ses fluctuations : c'est presque pas à pas qu'il convient de suivre ses incertitudes, d'épouser ses retours en arrière et ses brusques revirements. Aussi l'ouvrage de Jean-Jacques Becker est-il un récit presque jour après jour de l'année 1914, des préparatifs des élections d'avril-mai jusqu'aux lendemains de la bataille de la Marne.

La démarche, qui associe intimement le récit et l'analyse, nous vaut de saisissantes descriptions, des évocations pleines de vie : ainsi le départ des régiments quand ils quittent leur ville de garnison, l'arrivée au village de la nouvelle des premiers morts au combat. Autant de pages dont la précision concrète restitue situations et comportements.

La relation enrichit notre connaissance en révélant des épisodes insoupçonnés, des aspects mal connus. Elle rectifie aussi la vision traditionnelle sur un si grand nombre de points que l'éclairage de la période

3

en est modifié et la perspective notablement renouvelée. La signification des élections de 1914 apparaît moins simple : la position des radicaux à l'égard de la loi de trois ans est plutôt ambiguë et une partie de la droite n'est pas tellement assurée dans son nationalisme. Quant aux résultats, ils ne sont pas parfaitement nets et ils laissent subsister une certaine marge d'incertitude pour la future majorité. On comprend mieux la formation du cabinet Viviani, solution d'attente que le déclenchement du conflit met soudain aux prises avec une situation insolite. On mesure le retentissement du procès Caillaux : il éclipse dans l'opinion la crise internationale dont elle ne découvre la gravité qu'in extremis et a tenu plus de place dans les journaux que la mort de Jaurès. Sur ce point, Jean-Jacques Becker corrige la légende pieuse : il n'est pas vrai que le pays ait tout entier communié dans le deuil ; trop occupés déjà par l'approche de la guerre, beaucoup n'y ont prêté qu'une attention distraite. Il établit le moment où la décision fut prise de ne pas appliquer les mesures prévues contre les inscrits du Carnet B ainsi que les influences qui se sont déployées autour de Malvy. Il sera désormais impossible d'écrire sur l'année 1914 sans se référer à ce livre.

L'essentiel reste bien cependant la reconstitution de l'opinion et de ses variations devant la guerre. Pour mobile qu'elle soit — à lire Becker on découvre à quel point la période fut riche en revirements soudains et imprévisibles — son évolution n'est pas inexplicable : si elle n'obéit pas toujours à une rationalité logique, elle n'est pas pour autant dépourvue d'intelligibilité : elle est réglée par certains mécanismes. Les contraintes externes — pression des pouvoirs publics, conditionnement par la presse — n'y ont que peu de part : l'analyse de Jean-Jacques Becker fait justice des allégations qui nous présentent une opinion chloroformée, manipulée, conduite aveuglément à la boucherie par la perfidie criminelle de ses dirigeants. Si telle était du reste la vérité, comment expliquer qu'un peuple tout entier ait pu ensuite, durant quatre longues années, supporter sans faiblir pareille épreuve ?

Sous l'apparence de revirements imprévus, la continuité du passé mémorisé a joué un rôle déterminant. Les réactions spontanées sont souvent des résurgences. La guerre de 1870 n'est pas oubliée : les souvenirs de « l'année terrible » ne sont pas étrangers à l'affolement qui saisit l'opinion à la nouvelle des premiers revers. A la lumière du passé, telle évolution dont la brusquerie déconcerte s'éclaire : ainsi, le ralliement du mouvement ouvrier à la défense nationale, qui sera interprété plus tard comme un reniement sous la contrainte ou une trahison à l'égard de l'internationalisme, se préparait de longue date et quelques observateurs perspicaces l'avaient pressenti. Surtout, l'adhésion à l'union sacrée puise et sa justification et ses motivations dans une tradition aussi ancienne que la France moderne, celle qui depuis la Révolution associait la cause de la démocratie, de la liberté, de la justice à la grandeur et à l'indépen-

4

dance de la France. C'est la fidélité aux grands souvenirs de 1792 et 1793 qui donne la clé de ce qui, sans eux, aurait pu n'être qu'un ralliement dicté par la peur ou l'opportunisme.

Divers travaux ont conforté l'idée que la France avait connu dans les années qui ont précédé la guerre un renouveau nationaliste dont on fait parfois remonter les prémisses au coup de Tanger et dont l'élection de Raymond Poincaré à la présidence de la République aussi bien que le vote de la loi de trois ans auraient été, en 1913, l'expression proprement politique. On se fonde sur l'enquête d'Agathon auprès de la jeunesse pour conclure à un retour des esprits aux notions d'ordre, de discipline, d'autorité. Les historiens que leurs sympathies inclinent à droite pensent discerner un renouveau de l'idée de Revanche ; ceux que leurs convictions orientent à gauche croient deviner des desseins impérialistes dans les milieux d'affaires. Une conjonction se dessine ainsi aux deux extrêmes pour prêter à des milieux qui ne sont pas les mêmes des dispositions à envisager une guerre sans déplaisir. On pense expliquer par là la rapidité avec laquelle le pays a accepté la mobilisation et l'absence de résistance à la guerre jusque dans les milieux antimilitaristes. La scrupuleuse enquête de Jean-Jacques Becker réduit singulièrement les proportions de ce prétendu renouveau nationaliste. S'il y eut des symptômes d'un réveil patriotique, le phénomène reste minoritaire et ne concerne que de petits groupes qui ne sont pas représentatifs de l'opinion commune. Pour ne prendre qu'un exemple, mais toujours utilisé, les jeunes gens interrogés par Agathon appartiennent tous au même milieu restreint de la jeunesse parisienne des grandes écoles et des facultés. De surcroît, le nationalisme est plus à usage interne qu'externe et, s'il prend un accent nouveau, il n'est pas pour autant belliqueux. Le thème de la Revanche et des provinces perdues est davantage un exercice littéraire ou une nostalgie sentimentale qu'un mot d'ordre politique. Quant aux milieux d'affaires, l'examen attentif des délibérations des conseils d'administration ne révèle rien qui permette de leur attribuer des visées impérialistes ou des rêves d'aventures extérieures : en tout cas, ce n'est pas de leur côté que souffle l'inspiration nationaliste ni non plus que les milieux qui cultivent l'idée d'une Revanche trouvent un soutien financier. Si le sentiment patriotique demeure vivace, si même il retrouve sans doute une expression plus affirmée, personne ne souhaite sincèrement la guerre.

Le mythe du renouveau nationaliste à droite a son pendant dans l'idée que l'antipatriotisme trouvait un large écho dans les deux branches du mouvement ouvrier, syndicale avec la CGT, politique à la SFIO. Sur ce point aussi, Jean-Jacques Becker met les choses au point. Il ramène à leur dimension, en définitive limitée, les effets de la propagande antimilitariste : il convient de faire les parts respectives des outrances verbales et des sentiments véritables. Il faut surtout distinguer entre antimilitarisme et antipatriotisme : si le premier est largement ressenti et rencontre une vaste audience, le second n'est professé que par des isolés. Le Parti socialiste est divisé sur la conduite à tenir devant la guerre, mais il n'a aucune complaisance pour le défaitisme révolutionnaire. Le sentiment dominant est le pacifisme, mais la détestation de la guerre n'empêchera pas de faire son devoir envers la patrie si son existence est en péril. Tout bien pesé, les grandes tendances de l'esprit public ne sont pas si éloignées l'une de l'autre que le porteraient à croire les schémas théoriques. L'opinion conservatrice répudie les excès du nationalisme, comme l'opinion de gauche, radicale et socialiste, réprouve les outrances de l'antipatriotisme. Ni l'une ni l'autre ne souhaitent la guerre mais, si l'Allemagne nous attaquait, on les trouverait également résolues à défendre la patrie. A ces orientations majeures s'adjoignent des harmoniques qui varient avec les familles d'esprit : la gauche défendra la patrie des droits de l'homme et de la démocratie, la droite combattra pour la fille aînée de l'Eglise et une certaine forme de civilisation, mais l'une et l'autre sont prêtes à communier dans une même ferveur.

Est-ce à dire que l'opinion a accueilli avec empressement l'irruption brutale dans son existence de la tragédie ? C'est la version accréditée par une tradition fortement enracinée : au son du tocsin qui leur apportait l'annonce de la mobilisation générale, un élan de ferveur patriotique unanime se serait soudain emparé de tous les Français. C'est même devenu une manière de lieu commun d'opposer la ferveur enthousiaste de 1914 à la résignation morose de 1939, et on n'est pas éloigné de voir dans cette différence des comportements la clé des événements ultérieurs, de la victoire de 1918 comme du désastre de 1940. Que les choses ne se soient pas tout à fait passées ainsi, Jean-Jacques Becker le montre par une investigation menée avec minutie presque heure par heure. Il met en lumière l'importance décisive de la succession des temps et les changements qui les accompagnent dans l'ordre des sentiments.

Bien qu'ils ne soient séparés que par quelques heures, l'annonce de la mobilisation et le départ des mobilisés ont lieu dans des climats psychologiques fort différents. Il n'est pas vrai que la première ait suscité une vague d'enthousiasme : le mot qui revient sous toutes les plumes, des administrateurs comme des journalistes, pour définir l'état d'esprit des populations est alors celui de consternation. Celle-ci submerge les esprits et les cœurs : chacun pressent le bouleversement qui va affecter sa vie personnelle, suppute les effets sur son métier, souffre de l'arrachement aux siens. Il n'y a pas place pour d'autres pensées. Mais quelques heures suffisent pour un de ces brusques retournements comme seules les grandes crises nationales peuvent en provoquer et on passe de la désolation à la résolution. Comme le dit Jean-Jacques Becker, on est mieux parti qu'on n'avait accueilli la mobilisation. Pourquoi ce revirement ? Parce qu'on est sûr que la France n'a aucune responsabilité dans cette guerre : c'est la faute de Guillaume II. La patrie est injustement attaquée : on

6

fera tout son devoir. La conviction d'avoir le droit pour soi, de se battre pour une cause juste ont transformé l'état d'esprit. On part sans joie, mais décidé. Tout compte fait, le contraste est-il si tranché entre la résolution des mobilisés de 1914 et la résignation de ceux de 1939 ? Dans les deux circonstances, un peuple est brusquement jeté dans une guerre qu'il n'a ni souhaitée ni provoquée : dans les deux situations, il a le sentiment d'une fatalité et la même conviction que, si la France veut survivre, il lui faut affronter l'épreuve. La principale différence vient de ce qu'en 1939 il a fait l'expérience de la guerre, et le souvenir ne s'en est pas effacé.

Observé de quelque hauteur, le comportement de l'opinion française confrontée avec la guerre illustre deux paradoxes. Le premier oppose divisions et unité. Voilà un peuple qui paraissait profondément, irrémédiablement divisé : les élections du printemps ne venaient-elles pas d'en apporter la toute récente démonstration ? L'opinion était traversée par deux guerres civiles : l'une, religieuse, opposait la France catholique, fidèle à la religion traditionnelle et à l'Ancien Régime, et la France moderne issue de la Révolution et attachée à la démocratie ; l'autre, sociale, mettait aux prises les masses laborieuses organisées autour du syndicalisme révolutionnaire, ou puisant dans le socialisme leur inspiration, au reste de la société qui entendait préserver l'initiative personnelle et la propriété individuelle. Or, du jour au lendemain, ce peuple se découvre uni devant le péril extérieur et sa cohésion ne sera pas sérieusement ébranlée avant plusieurs années. C'est l'énigme de l'union sacrée.

Elle n'est pas cette illusion lyrique qui, le temps d'un appel de cloches, aurait balayé toute querelle et miraculeusement effacé le souvenir des divisions entre les Français. Elle n'est pas davantage un mythe intéressé inventé par les dirigeants pour détourner les masses de leur combat premier. C'est une réalité qui a pris corps presque instantanément, comme on le raconte. Mais elle n'est ni reniement ni trahison : aucun camp ne fait sa reddition. L'union sacrée, c'est une trêve consentie par tous pour la durée des hostilités et pour un but précis : gagner la guerre. Tous y souscrivent, y compris les forces les plus hostiles au régime politique et à l'ordre social. L'extrême-droite antirépublicaine suspend ses attaques et les catholiques font assaut de zèle patriotique. La classe ouvrière prend sa place au combat et s'intègre dans la communauté nationale. Le Parti socialiste se montre plus soucieux de participer au consensus national que de défendre des positions prolétariennes. Mais chacun entend bien demeurer fidèle à ses convictions : les lignes de partage ne sont pas effacées et la guerre de religion n'est pas éteinte, comme on le verra bientôt avec le réveil des suspicions et la « rumeur infâme ».

Le second paradoxe est lié à la durée de cette guerre où l'on avait cru entrer pour quelques semaines. Il tient dans le contraste entre l'instabilité de l'opinion et l'endurance dont le pays va donner la preuve répétée jour après jour. Que l'opinion soit changeante et rien moins que stable, la mobilité de ses réactions dans les toutes premières semaines le manifeste avec éclat : on a déjà vu la résolution succéder sans transition à la morosité des premiers instants. Pour peu de temps : elle ne résiste pas aux premiers revers ; le moral fléchit, un vent de panique souffle sur le territoire et révèle l'extrême fragilité de l'esprit public. Mais il va se redresser aussi vite qu'il a fléchi : la bataille de la Marne rétablit la confiance dans les destinées de la France et la victoire finale. Jean-Jacques Becker reconstitue la chronologie du thème du miracle de la Marne et inventorie ses diverses connotations : les croyants y voient le signe incontestable de la protection divine qu'ils n'ont pas invoquée en vain : les incroyants y reconnaissent la preuve de la mission universelle de la France. Ensuite, la France s'installe dans une guerre qui dure et elle va révéler au fil des jours une constance dans l'épreuve, une endurance et une ténacité qui l'étonneront elle-même. D'où vient donc qu'un peuple réputé léger, si nerveux et si difficile à diriger, si prompt au découragement, ait pu manifester, quatre longues années durant, pareille capacité de résistance ? Question capitale bien propre à introduire au fond des choses.

En dehors des explications partielles qui éclairent, utilement, tel ou tel facteur subsidiaire, comme la politique d'allocations qui a soulagé les familles et rassuré les combattants, la réponse à cette question essentielle tient en deux propositions. Les Français sont dans leur droit : en résistant à l'injuste agression d'une nation de proie qui met en danger la paix du monde, ils défendent concurremment l'indépendance nationale, la liberté des peuples et la paix. Surtout, ils sont une nation. A l'heure de vérité qui sonne pour les peuples comme pour les individus, se découvre la réalité de l'unité nationale. Chaque Français prend conscience de son appartenance à une communauté de destin et s'avise qu'elle surpasse toute autre solidarité, sociale, professionnelle, idéologique, religieuse. Pour autant qu'on puisse parler d'accomplissement à propos d'une œuvre humaine et dans une histoire qui n'est jamais définitivement écrite, le comportement des Français dans l'été 1914 démontre que l'unité nationale est achevée et que la nation française existe. C'est le grand enseignement que je retiendrai de la belle étude de Jean-Jacques Becker.

René Rémond

# INTRODUCTION

On a un peu mauvaise conscience à le dire quand on songe à tout le sang versé, à l'importance inouïe des sacrifices consentis : il y a pourtant vraisemblablement peu de conflits dans l'histoire qui aient été aussi dépourvus de sens que la Grande Guerre. Comme l'a écrit André Latreille :

> « Les survivants de la trop longue épreuve s'interrogent sur les raisons, sur l'utilité du prodigieux effort que le destin leur a imposé ... [alors que] le regard des générations montantes ne peut éviter de rencontrer l'interrogation muette des innombrables monuments aux morts qui jusqu'au cœur des plus humbles villages disent l'étendue des sacrifices consentis » [1].

La réponse ne fait plus de doute pour Jean Guéhenno :

> « Il est maintenant évident que tous ces malheurs furent inutiles et qu'il eût mieux valu que tout cela n'eût pas été » [2]. « Il est clair désormais que nos camarades ne sont morts que parce que l'histoire est souvent bête et criminelle, et ce cinquantenaire ne peut être que la commémoration de la sottise et du crime » [3]. « Tout est absurde dans notre histoire ... chacun a voulu sauver son pays et a contribué à le détruire en même temps que l'Europe tout entière » [4].

Il est vrai qu'avec l'écoulement des années, il est de plus en plus difficile de comprendre comment les pays de la partie la plus riche du

---

*. Cet ouvrage est la reproduction de la thèse d'Etat soutenue le 6 février 1976, à l'Université de Paris X — Nanterre, devant un jury composé de MM. les professeurs Jean-Baptiste Duroselle, Jacques Droz, Alfred Grosser, René Rémond, Philippe Vigier, sous le titre : « L'opinion publique française et les débuts de la première guerre mondiale (printemps-automne 1914) ». Le texte intégral peut en être consulté à la Bibliothèque de cette université.
Toutefois pour en faciliter l'édition, le texte en a été substantiellement allégé, et, surtout, la dernière partie ayant trait à l'opinion publique pendant l'automne de 1914 fera l'objet d'un autre ouvrage.

1. *Le Monde*, 31 décembre 1964. Réflexions sur un anniversaire.
2. *Le Figaro*, 11-17 novembre 1968.
3. Jean Guéhenno, *La mort des autres*, Paris, Grasset, 1968, 214 p., p. 12.
4. J. Guéhenno, *op. cit.*, p. 154.

monde se sont précipités les uns sur les autres, se sont engagés dans un combat interminable où chacun mit toutes ses forces, avec le sentiment que de sa victoire ou de sa défaite dépendait sa vie même, sans que les enjeux apparaissent avec certitude au départ, tandis qu'à l'arrivée les déséquilibres créés préparaient à nouveau de dramatiques affrontements.

Avec le recul du temps, ces questions ont pris davantage de relief, mais les contemporains en avaient eu suffisamment l'intuition pour que la recherche des responsabilités de la guerre ait commencé pratiquement en même temps qu'elle, et que, depuis, les polémiques les plus ardentes n'aient à peu près jamais cessé. Récemment encore, elles opposaient sans merci des historiens allemands sur le thème des buts de guerre de l'Allemagne impériale.

Notre projet n'a pas été de nous lancer à notre tour dans cette voie. Nous avons seulement tenté d'analyser ce qu'ont pensé les Français, ce qu'ils ont ressenti, comment ils ont réagi en ce moment exceptionnel de leur histoire, mais, par un détour, cela nous a conduit aussi à apporter notre contribution à l'étude du problème majeur des origines et de la place de la Grande Guerre dans l'histoire du monde contemporain.

Il n'est pas facile de dire en effet à quel moment l'opinion publique est une force active ou un élément passif de l'histoire, quand elle en est une force consciente ou inconsciente, quand elle en est spectatrice ou actrice. Par sa variété, ses aspects multiformes, ses mutations brusques du moins en apparence, elle lance un défi permanent aux historiens. De tous les secteurs de l'histoire, c'est l'un de ceux où il est le plus difficile de *savoir*. Mais peut-on considérer comme achevée l'exploration d'une période sans avoir recherché la représentation que les contemporains se sont faite des événements qu'ils ont vécus ? Peut-on les expliquer, du moins les comprendre, si on ignore comment ils les ont compris ? Ce problème des responsabilités qui est au cœur de l'historiographie de la guerre de 1914 peut-il donc être totalement éclairé en négligeant le contexte de l'opinion publique ?

La première difficulté à laquelle nous nous sommes heurté fut de déterminer les dimensions de notre étude dans l'espace et dans le temps.

Nous n'avons jamais songé, à vrai dire, à étendre notre enquête au-delà des limites de la France, encore que nous ayons conscience de l'intérêt qu'il y aurait eu à comparer l'opinion publique étudiée suivant les mêmes méthodes, dans plusieurs pays concernés par le conflit, mais nous doutons qu'un historien puisse sérieusement espérer mener à bien une étude d'opinion publique sans avoir lui-même des liens étroits avec la communauté nationale considérée. Nous dirons même que l'historien se trouve déjà quelquefois mal à l'aise quand il doit traiter des groupes sociaux ou des familles spirituelles auxquels il est étranger.

Une recherche du type de celle que nous voulions mener aurait également pris une signification plus grande si, au lieu de se limiter à 1914-1918, elle avait pu mettre en parallèle les trois moments où la France s'est trouvée confrontée avec, au moins en apparence, des situations semblables : 1870, 1914, 1939. Mais l'histoire, en France, est affaire d'artisan — est-ce toujours un mal d'ailleurs ? — et nous n'avions pas les moyens de nous mesurer à un tel programme. Même prendre comme cadre chronologique la totalité de la durée de la guerre nous a semblé un champ trop vaste pour une histoire qui pratique plus le petit point que la vaste synthèse, qui n'a véritablement de sens que si elle atteint les unités humaines les plus réduites.

Il fallait donc choisir un moment du conflit où l'observation de l'opinion publique pourrait être la plus précieuse. Nous avons cru que l'un d'eux était celui où la guerre éclata, où se produisit ce vaste et terrifiant phénomène du basculement de la paix dans la guerre des trente-neuf millions de Français. Brusquement l'hypothétique, l'espéré, le redouté, le verbal faisaient place à la réalité.

Mais quelles devaient être les bornes précises de ce moment ? Le terme était assez facile à concevoir, le début de l'automne, lorsque, avec la fin de la guerre de mouvement, le conflit s'est enlisé et a pris des caractères nouveaux. Il était moins simple d'en déterminer le commencement, car cela impliquait un choix quant à la nature de l'opinion publique. C'est ainsi que, voulant marquer sa défiance envers les sondages d'opinion, M. André François-Poncet expliquait, lors d'une séance de l'Institut, que leur intérêt était réduit puisque l'opinion pouvait se retourner en vingt-quatre heures [5]. Si cela ne souffrait pas de discussion, il aurait suffi de commencer notre étude au moment de la crise de juillet 1914, la période précédente n'offrant pas de signification en raison de la versatilité de l'opinion. Mais est-il si vrai, même si on emploie souvent l'expression, que l'opinion se retourne facilement ? Ne faut-il pas au contraire considérer que — sauf à se limiter aux apparences — elle reste relativement stable ? Il nous est donc apparu indispensable de déterminer ses tendances profondes à la veille de la guerre. Dans ce but, nous avons choisi comme point de départ les élections de mai 1914 : elles permettent de connaître avec une assez grande précision l'état de l'opinion publique française et les forces respectives des différents courants qui la traversaient.

_____

5. *Revue des travaux de l'Académie des sciences morales et politiques*, 1er semestre 1968, p. 136.

Une fois déterminé le cadre du sujet, une question subsistait. Les sources qui permettraient de dresser un portrait de l'opinion publique existaient-elles ? En toutes circonstances, la recherche et l'exploitation des sources est pour l'historien de l'opinion publique une entreprise difficile. Elle est cependant très différente en temps de paix — du moins dans les pays où existe la liberté d'expression — et en temps de guerre.

Dans le premier cas, les manifestations de l'opinion publique sont nombreuses. La presse, les débats parlementaires, les congrès des organisations politiques ou syndicales offrent un premier moyen d'approche important. Les manifestations, les réunions publiques, les grèves, leur répartition géographique ou professionnelle, le nombre de leurs participants sont une autre source de documentation considérable. Les résultats électoraux permettent de mesurer l'influence respective des différents courants. En période de paix, le volume des sources — celles que nous venons de mentionner sont loin de former une liste limitative — est donc en principe considérable et c'est peut-être l'immensité de la matière à brasser qui risque d'être redoutable, sinon accablante pour le chercheur. Et pourtant, que d'obstacles quand il faut tirer de cette masse documentaire une certitude !

Mais, en temps de guerre, le document devient rare. Plus d'élections, plus de presse qui ne soit censurée ou inspirée, en un mot, plus d'expression libre de l'opinion publique.

Après avoir failli succomber sous le poids d'une documentation impossible à maîtriser, l'historien risque maintenant de souffrir d'inanition. Un espoir, cependant, est fondé sur le fait que les pouvoirs publics aient été avides de connaître le moral de la nation et que les traces des enquêtes nécessaires aient été conservées. Malheureusement, il n'existe rien pour les premiers mois du conflit. Ce souci n'a été celui des autorités militaires et civiles que plus tard. Dans ces conditions, sur quels documents pouvions-nous compter ?

Sur la presse malgré tout. A condition de vouloir les interroger, de scruter les titres, de pourchasser les allusions et les entrefilets, les journaux sont utiles. Même en temps ordinaire d'ailleurs, la presse exprime plus des opinions que l'opinion, et si, comme le remarque Pierre Albert, le « bourrage de crâne » pratiqué pendant la guerre de 1914 joua un rôle décisif dans la perte d'influence des journaux [6], leur influence auparavant était-elle si grande que cela et leur fonction de photographes de l'opinion si évidente ? En revanche, les informations qu'on peut glaner dans les journaux sont un des moyens d'atteindre l'opinion publique. Dans l'étude de l'opinion, il faut considérer plus la presse comme objet que comme sujet.

---

6. Communication au colloque sur la presse de l'Université de Paris-X-Nanterre, le 31 mars 1973.

Deuxième source documentaire : les rapports de l'administration. Au premier chef, les rapports des préfets. L'un d'entre eux, le préfet de Meurthe-et-Moselle, Léon Mirman, écrivait ces propos désabusés :

« Il est fort difficile pour un préfet de répondre exactement aux questions posées dans votre télégramme circulaire du 26 décembre. Le préfet est mal placé pour connaître l'état de l'opinion publique. Il n'a pas de contact avec le public. Les personnes qu'il interroge lui répondent en général dans le sens qu'elles croient conforme à son désir. Il risque donc de présenter comme le tableau de l'opinion publique ce qui n'est que la projection au dehors de sa propre pensée. Pour cette raison, je ferai de mon mieux... » [7].

Non dépourvu de bon sens, ce préfet était pourtant trop modeste. Il disposait bien de quelques moyens d'être informé en dehors de son propre avis, d'autant que l'opinion publique se traduit de toutes sortes de façons. Les résultats d'une quête faite en faveur de la défense nationale ne sont-ils pas, par exemple, plus significatifs qu'une déclaration stéréotypée ?

En outre, si le contenu des rapports d'un seul préfet peut être sujet à caution, l'analyse de l'ensemble des rapports des préfets sur un point précis fournit des éléments d'appréciation non négligeables.

A côté des rapports des préfets souvent fondés sur ceux de leurs subordonnés, sous-préfets, commissaires spéciaux, une documentation considérable est fournie par les Renseignements généraux. Ces « fiches de police » ne jouissent pas toujours d'un grand crédit : il est vrai que les qualités intellectuelles de leurs auteurs — comme de ceux des autres documents — ne sont pas sans importance ; qu'elles doivent être — autant que faire se peut — recoupées par d'autres sources. Toutefois, les informations ainsi recueillies sur le fonctionnement interne des organisations politiques ou syndicales, les notes de synthèse établies par de véritables spécialistes sont souvent pleines d'intérêt pour l'observation de l'opinion publique.

Un troisième genre de documents est constitué par les écrits des témoins, journaux réellement établis au jour le jour ou correspondances. Malheureusement, ce type de témoignage est quantitativement rare, ou tout au moins il n'est pas toujours facile de le faire émerger [8]. Il n'est

---

7. A.D. Meurthe-et-Moselle, 1 M 603. Rapport au ministre du 29 décembre 1917.

8. Dans le cadre de ses recherches sur l'opinion publique et la guerre en 1917, P. Renouvin fit publier, en 1966, un appel aux détenteurs de ces papiers privés dans cinq grands quotidiens parisiens et dans une trentaine de quotidiens provinciaux. Les résultats furent fort limités et P. Renouvin en concluait : « Il est probable qu'en répétant cet appel, il serait possible de réunir un bien plus grand nombre de réponses vraiment utiles. Pourtant ce ne seront jamais que des " échantillons " qui resteront trop peu nombreux pour autoriser des conclusions valables ». (*Revue d'histoire moderne et contemporaine*, « L'opinion publique et la guerre en 1917 », janvier-mars 1968, p. 14).
Dans cet ordre d'idées, un exemple intéressant d'utilisation de correspondances privées est fourni par M. Dargaud : « La grande bourgeoisie française devant les événements d'août 1914 », *Actes du 91e congrès national des sociétés savantes*, Rennes, 1966, T. III, p. 407-438.

d'ailleurs pas sans faiblesse. Il traduit des impressions individuelles plus souvent qu'il n'exprime des opinions collectives ; il est souvent le fait d'une personnalité, écrivain, homme politique, journaliste, dirigeant syndical, ecclésiastique, rarement celui d'un « homme quelconque ».

Or, c'est la recherche du témoignage de l'homme quelconque ou, plus encore, du groupe quelconque qui nous a semblé essentielle. Le hasard des choses a voulu que nous puissions disposer de documents de cette espèce pour les débuts de la guerre : c'est une documentation extrêmement partielle [9], ne concernant que quelques départements, et à l'intérieur d'entre eux seulement une minorité de communes. Nous estimons néanmoins que sans elle notre travail aurait perdu une part notable de sa signification.

Une étude d'opinion publique peut être irréalisable, faute de documents révélateurs. L'idée est donc venue de créer les documents manquants par l'application rétrospective de la technique des sondages d'opinion, procédé que M. Gabriel Marcel a condamné sèchement : « L'idée d'un sondage d'opinion rétrospectif est absurde... Cette méthode est donc à proscrire » [10]. Ce jugement doit être nuancé : l'emploi de cette méthode par Jacques Ozouf pour analyser la catégorie des instituteurs d'avant 1914 a donné des résultats intéressants. Quel autre moyen aurait permis de mettre à jour une telle richesse d'informations [11] ?

Il faut reconnaître cependant que les sondages d'opinion rétrospectifs ne sont pas d'un emploi commode dans toutes les circonstances : ils exigent que les survivants de l'époque étudiée soient assez nombreux ; ils s'adaptent mieux à un groupe déterminé et précis qu'à l'opinion en général ; les résultats obtenus doivent, comme pour tout autre document, être soumis à la sagacité de l'historien et recoupés par d'autres sources. Ces précautions prises et ces réserves faites, ils peuvent être précieux. Malheureusement, l'ampleur même de notre sujet rendait leur utilisation pratiquement impossible, ne serait-ce qu'en fonction des moyens matériels qu'une telle entreprise aurait exigés.

Cette recension sommaire des sources dont nous pouvions disposer montre leur ampleur et les difficultés de leur emploi. Il est presque inutile de dire que nous avons plus souvent travaillé sur des lambeaux de documentation que sur des ensembles cohérents et complets.

---

9. Voir ci-dessous, troisième partie, chapitre 1.

10. *Revue de l'Académie des sciences morales et politiques,* art. cité, p. 140.

11. Voir Jacques Ozouf, *Nous les maîtres d'école,* Paris, Julliard, Collection Archives, 1967, 269 p., et *Idem* « L'enquête d'opinion en histoire. Un exemple : l'instituteur français 1900-1914 », *Le Mouvement social,* juillet-septembre 1963, p. 3-22.

Une dernière remarque : le caractère aléatoire des sources ne rendait-il pas notre entreprise impossible ? N'était-elle pas prématurée ? Nous pensons que, comme tout travail d'histoire, le nôtre sera dans une certaine mesure éphémère, mais il aura été utile s'il fait jaillir, à l'exemple de quelques travaux déjà parus, les études régionales qui permettront un jour d'écrire la grande histoire de l'opinion publique pendant la guerre de 1914.

De toute façon, nous ne saurions terminer sans témoigner notre profonde reconnaissance au doyen Pierre Renouvin parce qu'il a bien voulu croire que le sujet que nous lui proposions était utile, nous faire confiance pour le mener à son terme et, pendant treize années, suivre et guider nos recherches. Seule la mort l'aura empêché d'en lire les dernières lignes.

*Première partie*

# A LA VEILLE
# DE LA GUERRE

Les descriptions de l'opinion française à la veille du premier conflit mondial sont assez contradictoires. La « menace de guerre »[1] fut-elle responsable, depuis 1905, d'une poussée nationaliste ? Marc Ferro souligne, dans un ouvrage récent, « l'atmosphère belliciste » de la France qui « ne se retrouve pas au même degré » ailleurs[2]. Raoul Girardet estime que le risque d'une conflagration pèse de plus en plus lourdement sur l'opinion française, « entraînant certains socialistes à accentuer leur internationalisme, à le pousser jusqu'à ses limites les plus extrêmes, développant dans d'autres milieux un renouveau passionné du sentiment patriotique »[3]. Claude Digeon défend le même point de vue dans sa thèse si importante sur « la crise allemande de la pensée française » :

> « Cette impression fondamentale que la guerre se rapproche favorise à la fois les doctrines pacifistes et bellicistes ... Dans la vie intellectuelle française, la question de la guerre pose alors un problème fondamental. L'idée d'un futur conflit suscite à la fois des protestations enflammées et une psychose belliciste. Cette double exaltation se développe régulièrement après 1905 ; elle est caractéristique de l'avant-guerre de 1914 »[4].

La poussée nationaliste ainsi conjuguée à la poussée pacifiste aurait produit en quelque sorte une polarisation de l'opinion publique aux extrêmes : deux France se dressaient face à face.

André Siegfried ne donne pas tout à fait la même signification à ces manifestations de l'opinion publique : selon lui, les événements extérieurs avaient seulement donné une nouvelle coloration à l'opposition nationalisme-pacifisme ; c'était la simple traduction du traditionnel anta-

---

1. Datée ou non, l'idée de la réapparition d'une menace de guerre est fréquemment exprimée. Ainsi Jules Isaac écrivait ultérieurement : « ...Il n'y a pas de doute : l'année 1905 marque un changement du destin ; l'acheminement de la guerre part de là. Avant on parlait de la paix et de la guerre, mais (nous du moins, ceux des générations nées après 1870), on ne savait pas de quoi on parlait : la paix était une habitude, l'air que chacun respirait sans y penser ; la guerre était un mot, un concept purement théorique. Quand soudain nous eûmes la révélation que ce concept pouvait se muer en réalité, nous éprouvâmes dans tout l'être un choc dont le souvenir n'a pu s'effacer ». (*1914. Le problème des origines de la guerre*, Paris, Rieder, 1933, 270 p., p. 22). Mais avant la guerre, un groupe de jeunes intellectuels exprimait à peu près le même sentiment : « Non seulement les « jeunes », mais presque tout le monde en France seraient restés incrédules si quelqu'un, en 1900, s'était mis à prédire que, 12 à 15 ans plus tard, l'Europe entière vivrait dans la crainte d'une guerre générale ... Quinze années ont passé et l'invraisemblable, l'impossible même est devenu vraisemblable, peut-être probable... » (Marcel Laurent, Philippe Norard, Alexandre Mercereau, *La paix armée et le problème de l'Alsace-Lorraine dans l'opinion des nouvelles générations françaises*, Paris, février 1914, 130 p., p. 13-14).
Pierre Albin résumait le souci de ses contemporains. « *Aurons-nous la guerre ?* Cette interrogation familière, sous une forme elliptique, exprime une préoccupation confuse, mais très vive, que les circonstances actuelles rendent de plus en plus angoissante pour la majorité des Français ... Le jour où le conflit éclatera est peut-être lointain. L'aube n'en luira peut-être jamais. Les gouvernements, au moment de prendre la résolution, hésiteront peut-être devant l'effroyable responsabilité de cette guerre (...). Mais que le risque de guerre existe, c'est ce qu'aucun homme impartial ne saurait nier. » (« Le risque de guerre », *Revue de Paris*, mai 1913, p. 207-224).

2. Marc Ferro, *La Grande Guerre*, Paris, Gallimard, Collection Idées, 1969, 384 p. p. 34.

3. Raoul Girardet, *Le nationalisme français* (1871-1914), Paris, A. Colin, Collection U, 1966, 277 p. p. 223.

4. Claude Digeon, *La crise allemande de la pensée française* (1870-1914), Paris, Presses universitaires de France, 1959, 568 p. p. 491.

gonisme « droite-gauche » qui s'était développé sous cette forme depuis 1890, principalement avec l'affaire Dreyfus :

> ... « La droite naguère assez terne en matière de politique étrangère ... s'affirmait agressivement ˮ nationale ˮ contre l'internationalisme de classe. A ses yeux, l'armée exprimait toutes les vertus de la hiérarchie, la saine discipline niée par l'égalité républicaine ; et derrière elle l'Eglise recommandait les vertus guerrières, comme chrétiennes et purificatrices ... Aussi la gauche était-elle entraînée, par réaction, à soutenir systématiquement les doctrines de la paix » [5].

Peut-on d'ailleurs estimer que les deux courants se sont développés parallèlement jusqu'à la guerre ? Ce n'est pas l'avis de P. Renouvin :

> « L'opinion publique qui avait été agitée par des courants nationalistes l'année précédente, venait de manifester, aux élections législatives du 26 avril et du 10 mai, son revirement. Les socialistes et les radicaux-socialistes, adversaires du ˮ militarisme ˮ et du nationalisme, avaient obtenu un large succès » [6].

La poussée nationaliste se serait donc estompée à la veille du conflit et certains vont même jusqu'à considérer que le courant pacifiste l'emportait alors largement :

> « La campagne nationaliste amorcée depuis quelques années a fait long feu ... Nonobstant l'exploitation forcenée du « joujou-patriotisme » ..., il (le peuple français) garde son hostilité foncière et salubre à l'égard du militarisme » [7].

La France de 1914 avait-elle clairement rejeté le nationalisme ? Avait-il pris, au contraire, une « importance et une autorité accrues » [8] ? Pacifisme et nationalisme s'étaient-ils mutuellement exaspérés et, proliférant l'un et l'autre, avaient-ils conquis l'ensemble de l'esprit public ? Ou bien la majorité de l'opinion publique était-elle restée étrangère à des courants seulement marginaux ? Voici quelques-unes des questions auxquelles nous avons tenté d'apporter des éléments de réponse pour, au début de cet ouvrage, apprécier l'état d'esprit des Français quand ils furent atteints par la guerre.

---

5. André Siegfried, *Tableau des partis en France*, Paris, Grasset, 1930, 245 p. (p. 107-108). Ce qui ne signifie pas évidemment qu'il n'ait eu aussi conscience de certains changements après 1905, provoqués par cette « menace d'une guerre à laquelle personne depuis quinze ans ne croyait plus... » (p. 110). Il les commentait ainsi : « ...La guerre, encore qu'ils ne la souhaitent pas délibérément, servait trop bien les principes même des militants de la droite pour qu'ils ne fussent pas tentés d'y voir et même d'y souligner une victoire de leurs conceptions ; et du même coup elle contredisait trop directement la foi nouvelle de la démocratie dans un idéal de paix pour que la gauche ne se sentît pas diminuée et comme désavouée par une politique de préparation militaire, surtout de préparation morale, qui semblait donner raison à ses adversaires », (p. 110).

6. « Les origines de la guerre de 1914 », *Le Monde*, 30 juillet 1964.

7. « Panorama de la France en 1914 », Emile Tersen, *Europe*, mai-juin 1964.

8. C. Digeon, *op. cit.*, p. 491.

*Chapitre 1*

# Le renouveau nationaliste en question [1]

Par deux fois en 1913, un courant qui pouvait être taxé de nationaliste l'avait emporté, d'une part avec l'élection de R. Poincaré à la présidence de la République, ensuite avec l'adoption d'une nouvelle loi militaire portant le temps de service de deux à trois ans.

Deux remarques sont toutefois nécessaires : que Poincaré ait représenté une volonté d'affermissement de la politique extérieure française et de resserrement de l'alliance russe [2], sans doute, mais on ne pouvait pour cela le considérer comme un nationaliste et la majorité qui l'avait porté à la présidence était au moins autant animée par des préoccupations de politique intérieure — l'opposition à l'impôt sur le revenu — que par des soucis de politique extérieure ; que la loi de trois ans ait été vivement soutenue par les nationalistes, certes, mais elle l'avait été aussi par l'ensemble de la droite, par le centre, et même par une fraction du courant radical — ainsi Clemenceau, après avoir hésité, s'y était rallié [3] — étant donné que si l'expérience a prouvé que les « troisannistes » avaient vraisemblablement tort [4], beaucoup de contemporains avaient pu être troublés par la crainte d'une attaque brusquée, idée que l'Etat-Major ne faisait rien pour réfuter [5].

---

1. Ce chapitre n'a pas la prétention d'épuiser l'étude d'un phénomène aussi important et surtout aussi complexe que le nationalisme et le renouveau du sentiment national dans cette période. Il soulève des problèmes fondamentaux dont l'ampleur justifie d'autres travaux menés actuellement. Nous n'avons donc fait ici ni œuvre complète, ni œuvre nouvelle pour l'essentiel. Il était cependant nécessaire de faire le point, c'est ce que nous avons seulement tenté de réaliser avec tous les risques de superficialité que cela comporte.

2. Jules Isaac, *op. cit.*, p. 35-44.

3. Voir Georges Wormser, *La République de Clemenceau*, Paris, éd. 1961, p. 271-272 ; Gaston Monnerville, *Clemenceau*, Paris, Fayard, 1968, p. 371.

4. Voir Henry Contamine, *La Revanche*, Paris, éd. 1957, p. 147 ; du même, *La victoire de la Marne*, Paris, Gallimard, 1970, p. 29. Egalement *Le Monde*, 19 février 1965, article du général Jousse.

5. Henry Contamine, *La Revanche, op. cit.*, p. 143. Voir aussi Hubert Tison, *L'opinion publique et la loi de trois ans*, (Mémoire d'études supérieures sous la direction de J. Droz, Paris, 1965, 292 p.), en particulier chap. premier.

Une deuxième remarque est que, même si une politique nouvelle de caractère nationaliste avait été instaurée à partir de 1913, comme le fait assez justement remarquer Georges Michon, cela s'était fait « en dehors de toute consultation électorale » [6].

Il est donc légitime de se demander si cela traduisait une poussée nationaliste de l'opinion publique française.

## Un état d'esprit nationaliste ?

Il est certain que se manifestait un renouveau d'esprit nationaliste dont les contemporains ont été conscients [7]. Mais quelles en étaient la nature exacte, les dimensions, les limites ? Etait-ce le fait de tous les Français, de la majorité d'entre eux ou seulement d'un groupe [8] ?

DÉFINITIONS DU NATIONALISME

La première difficulté est de définir ce qu'est le nationalisme. Le terme est en général employé sans grande précision et appliqué à des situations et à des sentiments fort variés. La signification la plus courante en fait une forme outrancière de patriotisme. Toutefois, ainsi défini, le nationalisme peut être à la recherche d'objectifs de politique intérieurs ou, au contraire, se donner pour but de préparer les esprits à une politique agressive. D'après Raoul Girardet, il n'y a pas à hésiter :

> « Le nationalisme des "nationalistes"de la fin du 19e et du début du 20e siècle, même s'il s'obstine dans la fidèlité aux provinces perdues, n'est plus un nationalisme conquérant, un nationalisme d'expansion. Il est avant tout mouvement de défense, repli, resserrement sur lui-même d'un corps blessé » [9].

La deuxième difficulté est de faire le départ entre la droite et le nationalisme : après avoir été de gauche pendant longtemps, le nationa-

---

6. Georges Michon, *La préparation à la guerre : la loi de trois ans (1910-1914)*, Paris, 1935, p. 89.

7. On en retrouve par exemple l'écho chez Anatole France, *La révolte des anges*, Paris, Calmann-Lévy, 1914, p. 381 : « ...Depuis *le réveil national*, on n'est plus sceptique en France ». « La grande presse, organe du *réveil national*... ».

8. Le phénomène d'une renaissance du nationalisme français dans cette période a beaucoup intéressé les historiens américains qui, davantage presque que leurs collègues français, ont cherché à l'expliquer. C'est ainsi que B.R. Leamen (« The influence of domestic politics on foreign affairs in France (1898-1905) », *Journal of modern history*, décembre 1942, p. 449 à 479) suggérait qu'il était la conséquence du désintérêt du Parti radical pour les affaires étrangères et que ce n'était pas la France qui était devenue nationaliste, mais seulement « un groupe important ou près du pouvoir ». Quant à E.M. Caroll (*French public opinion and foreign affairs*, New York, éd. 1931), il considérait que le renouveau nationaliste était « l'instrument ou la création de politiciens qui cherchent la préparation militaire, la solidité des alliances ou qui veulent simplement marquer un point dans quelques négociations en cours et qui emploient la propagande nationaliste ou en abusent pour arriver à leurs fins ». Plus récemment, Eugen Weber (art. cité, p. 114) estime ces points de vue exagérés et que « cette réponse ne suffit pas à expliquer un changement radical d'atmosphère et de politique ».

9. R. Girardet, *op. cit.*, p. 18.

lisme s'est fixé à droite depuis la fin du 19e siècle [10]. Il l'imprègne plus ou moins complètement. L'Action française, expression la plus vigoureuse du renouveau nationaliste, traduit cette ambiguïté : elle est en même temps en marge et une synthèse des courants anciens de la droite [11]. Il y a donc risque de porter au compte du nationalisme ce qui est seulement opposition de droite, de confondre sous un même vocable la pensée de droite ou d'extrême-droite et le nationalisme [12]. La démarcation est évidemment fort difficile à tracer : lorsque *L'Action française* ou *L'Echo de Paris* s'en prenaient avec virulence à Jaurès ou à Caillaux [13], ils visaient au moins autant le régime républicain que leurs « trahisons ». *L'Action française* ne s'en cachait pas [14], *L'Echo de Paris* le disait à peu près aussi clairement, à tout le moins pour la République radicale [15].

C'est bien de cette confusion des genres que Maurice Barrès semblait avoir conscience quand, dans une réunion de la Ligue des patriotes, il invitait les Ligueurs à ne plus faire de politique et à être seulement des « patriotes » [16]. C'est probablement aussi pour lutter contre cette assimilation nuisible à la cause du nationalisme que certains s'attachaient à démontrer qu'il existait un nationalisme républicain. Etienne Rey [17] s'en est fait fréquemment le porte-parole : « Voilà donc convaincue d'erreur cette affirmation absurde qui tendrait à opposer la France et la Républi-

---

10. R. Rémond, *La droite en France, op. cit.*, p. 159-160. R. Girardet, *op. cit.*, p. 16-17.

11. Cf. R. Rémond, *op. cit.*.

12. « ...Ce n'est que très exceptionnellement que l'idéologie nationaliste s'offre à l'état pur ... Il faut entendre par là que c'est mêlée à d'autres idéologies, étroitement imbriquée dans un système plus général de valeurs politiques et sociales qu'elle tend presque toujours à s'exprimer ». (R. Girardet, *op. cit.*, p. 11).

13. Ces exemples à propos de Caillaux : *L'Action française*, 18 mars 1914 (après l'assassinat de G. Calmette par Mme Caillaux) : « ...Le mari, le Caillaux, dit « Jo », vendait la France à l'Allemagne, ainsi que le traître juif Dreyfus... » ; *L'Echo de Paris*, 22 avril 1914 (commentaires sur un miroir orné de son portrait offert par Caillaux à ses électeurs) : « ...Cet élégant article de Paris, malgré la prédilection du donateur, ne porte point la marque de fabrique made in Germany... ».
A propos de Jaurès. *L'Action française*, 19 avril 1914 : « La vie politique de M. Jaurès, ses tractations perpétuelles avec l'Allemagne ..., tractations dans lesquelles il égale Dreyfus et devance Joseph Caillaux, sont faites pour inspirer plus qu'une défiance psychologique : c'est à la trahison pure et simple qu'aboutissent les avenues et les chemins conduisant à M. Jaurès... » (C. Maurras). *L'Action française*, 18 juillet : « Chacun le sait, M. Jaurès, c'est l'Allemagne ». *L'Echo de Paris*, 14 mai 1914 : Une « fiche » de Franc-Nohain. Titre : « Au service de l'Allemagne » (il est question de Jaurès et de Malvy).

14. « Nous répétons avec plus de force que jamais que, pour en finir avec de pareilles infâmies (l'assassinat de Calmette), il importe de détruire au plus tôt la première des dames qui tuent, la première des gueuses sanglantes : la République » (Léon Daudet, 17 mars 1914).

15. « ...Mais son acte même n'est-il pas en quelque sorte une des conséquences fatales de ce régime d'anarchie morale et de désagrégation sociale ? On a sapé toutes les croyances, bafoué toutes les traditions, brisé tous les liens, méconnu les sentiments de l'honneur et du devoir. Peu à peu on arriverait à faire de ce peuple ... un peuple de détraqués, d'affolés et d'amoraux... » (17 mars 1914).

16. A.N. F 7 12873. Note F/1914. Seine, Paris, le 26 novembre 1913. Dans cette réunion, Barrès s'accusait d'avoir été avec la Ligue des patriotes « boulangiste et anti-dreyfusard ».

17. *La renaissance de l'orgueil français*, Paris, 1912, 209 p. Cet ouvrage connut à l'époque un assez large succès (cf. Girardet, *op. cit.*, p. 229), il était considéré comme un des livres les plus « significatifs » du moment (cf. G. Michon, *op. cit.*, p. 116).

que » [18]. Il entendait au contraire démontrer que l'œuvre accomplie depuis quarante ans était en même temps l'orgueil de la France et l'orgueil de la République, alors que les partis conservateurs « n'ont rien fait de grand, ni d'utile », leur opposition a été stérile [19].

Il est d'ailleurs exact que le nationalisme s'étendait au-delà de la droite et du nationalisme déclaré. Barrès constatait avec satisfaction que Millerand, Poincaré, d'autres, après avoir combattu le nationalisme, « travaillaient à réaliser ce que nous demandions ». « Que nous importe que le Parti nationaliste s'efface si, dans le même moment, on voit se nationaliser les partis adversaires ? » [20]

### LES GROUPEMENTS NATIONALISTES

Que le nationalisme se soit développé en dehors des organisations nationalistes, que les effectifs de ces dernières soient difficiles à évaluer, qu'elles se réduisent par moments à de maigres troupes, pour ensuite entraîner derrière elles un nombre considérable de sympathisants et influencer de larges secteurs de l'opinion [21], ne doit pas nous dissuader cependant de rechercher d'abord si la renaissance d'un état d'esprit nationaliste s'est manifestée par l'importance des groupements nationalistes.

La Ligue des patriotes [22] était la plus ancienne des organisations nationalistes : d'abord apolitique, elle était devenue antiparlementaire avec le boulangisme [23]. A la veille de la guerre de 1914, elle apparaît plutôt comme une survivance que maintenait la personne de son président, Paul Déroulède. A la fin de l'année 1912, les services de la préfecture de police considéraient qu'elle était « en débandade » [24]. Ils l'expliquaient par le désir de la Ligue de ne plus faire de « politique » : or, pour beaucoup de ses membres, le « nationalisme » semblait un programme insuffisant. La mort de Déroulède, le 30 janvier 1914, n'améliorait pas la situation en ouvrant une succession que trois candidats se disputaient : Maurice Barrès, Henri Galli et Marcel Habert [25]. On préféra d'abord, pour éviter un éclatement de la Ligue, ne pas nommer un nouveau président et lui substituer un triumvirat. Mais très vite, faute d'une véritable direction, l'association s'émiettait et s'affaiblissait [26]. Il apparut donc

18. *Ibid.*, p. 124.

19. *Ibid.*, p. 126.

20. *L'Echo de Paris*, 13 juillet 1913.

21. R. Girardet, « Pour une introduction à l'histoire du nationalisme français », *Revue française de science politique*, 8 (3), 1958, p. 521.

22. Cf. R. Girardet, *Communication à la Société d'histoire moderne*, n° 3, 1958.

23. R. Rémond, *La droite en France*, op. cit., p. 175.

24. A.N. F 7 12873, note du 27 nov. 1912.

25. A.N. F 7 12873, note du 22 fév. 1914.

26. A.N. F 7 12873, note du 15 mai 1914.

nécessaire de porter à la présidence celui qui était le plus proche des traditions de la Ligue, Maurice Barrès, susceptible en outre de faire affluer à nouveau argent et adhésions. C'est ce que firent le 11 juillet 1914 [27] 1 000 ligueurs réunis à la salle des fêtes de la rue Saint-Martin. Divisée, ainsi qu'en témoigne la laborieuse désignation du successeur de Déroulède, faible [28], réduite à des milieux politiques assez restreints — à son comité directeur, on trouve essentiellement quelques députés de la Seine [29] et des conseillers municipaux parisiens [30], plus quelques écrivains comme les frères Tharaud et des présidents d'associations d'étudiants — la Ligue des patriotes ne saurait attester d'un renouveau nationaliste.

L'Action française donne une impression différente : « A la veille de la guerre, (elle) en était venue à être acceptée comme porte-parole du nationalisme, comme le parti nationaliste par excellence » [31]. Même les adversaires de l'idée royaliste admettaient que l'Action française avait joué un grand rôle dans la renaissance du sentiment de patrie. « En lui donnant une forme vigoureuse et combative, (elle) a préparé son réveil et pris une part des plus actives au mouvement actuel de renaissance française » [32].

Quelle était alors l'importance de l'Action française ? Il est assez difficile d'en connaître les données numériques. D'après la revue britannique, *The New Witness*, considérée comme bien informée [33], la seule chose certaine était que l'Action française pouvait « rassembler plusieurs milliers de jeunes gens en peu de temps ». *L'Almanach de l'Action française* faisait état de 182 sections et groupes en 1912 ; il y en aurait eu plus de 200 en 1913, autour de 300 en 1914 [34]. Chaque section, selon les directives de Marius Plateau, devait compter au moins 40 membres [35]. En 1910, seulement 17 départements n'avaient pas de sections de l'Action française, mais E. Weber, qui en a dressé les cartes [36], n'a pu

---

27. A.N. F 7 12873, F/509.

28. Les services de la préfecture de police escomptaient la participation de 300 à 350 personnes à la manifestation que la Ligue organisait à la statue de Strasbourg, le dimanche 12 juillet (A.N. F 7 12873, 11 juil. 1974).

29. Maurice Spronck, Gustave Poirier de Narcay.

30. Dont le président du conseil municipal, Adrien Mithouard.

31. E. Weber, *L'Action française*, Paris, Stock, 1964, 649 p. (p. 102).

32. E. Rey, *op. cit.*, p. 132. D'après lui, le tort de l'Action française est de vouloir combiner nationalisme et monarchisme : « (Elle) a accroché de nobles idées à un vieux clou qui ne tient plus ». Mais, d'après Pierre Nora (« Les deux apogées de l'Action française », *Annales, E.S.C.* 1, janvier-février 1964, p. 127-141), les raisons du succès de l'Action française sont au nombre de trois : une équipe jeune et combative, « sans liens avec les anciens mouvements royalistes », l'appui des milieux catholiques et une conjoncture internationale qui a favorisé l'illusion que l'Action française était « à l'avant-garde d'un mouvement national » (p. 130 à 132).

33. A.N. F 7 13195, juillet 1914.

34. E. Weber, *op. cit.*, p. 201 (renseignements tirés de la *Revue de l'Action française*, XXXVII (décembre 1912), 23 ; *L'Action française*, 10 février 1914), dont 44 rien qu'à Paris et en banlieue (Weber, *op. cit.*, p. 108).

35. E. Weber, *op. cit.*, p. 206.

36. *Ibid.*, p. 204.

déterminer de raison particulière à la géographie de l'Action française [37]. Elle traduit, pense-t-il, une implantation opérée de façon accidentelle. Néanmoins, en dehors de Paris, Nancy, Lyon, elle aurait été particulièrement forte dans le Sud et le Sud-Ouest, d'où étaient d'ailleurs originaires les principaux chefs, Maurras, Daudet, Pujo [38], ainsi que dans l'Ouest, en Normandie, dans les départements du Nord et du Pas-de-Calais [39]. L'opinion publique était surtout frappée par l'action des Camelots du Roi. Sous la direction théorique de Maurice Pujo, et réelle de Marius Plateau, ils étaient répartis en douze équipes embrigadant 600 jeunes gens auxquels s'en ajoutaient 1 500 « non embrigadés », c'est-à-dire qui ne payaient pas leurs cotisations [40].

Les Camelots étaient-ils surtout des étudiants, comme on l'a dit souvent [41] ? E. Weber n'en est pas persuadé : il note qu'à côté des frères Real del Sarte ou d'autres appartenant à la bourgeoisie, Marius Plateau était garçon de courses à la Bourse, Lucien Lacour, menuisier, et Louis Fargeau, commis-boucher [42]. Il remarque aussi que, parmi les cinquante Camelots arrêtés lors des manifestations du 14 juillet 1911, on dénombrait 24 employés, 5 artisans et 6 étudiants seulement : il en déduit un « recrutement socialement hétérogène » de l'Action française [43]. Il ne faut pas, nous semble-t-il, exagérer l'importance de cette remarque : traditionnellement, l'extrémisme de droite a recruté dans la catégorie des petits commerçants, employés de bureau, sans en être pour autant influencé. Même si les étudiants étaient en minorité « dans la bande de durs [44] » que formaient les Camelots du Roi, l'emprise de l'Action française s'exerçait surtout sur les gens des classes instruites dont de larges fractions avaient été séduites par l'enseignement de Maurras [45]. En revanche, l'Action française n'a trouvé que de rares partisans parmi les ouvriers et n'a atteint les paysans dans aucune province [46].

Le tirage de *L'Action française* peut également nous éclairer sur la

---

37. D'autant que plusieurs départements dépourvus de sections d'Action française étaient traditionnellement orientés à droite.

38. A.N. F 7 13195, juillet 1914, *The new witness*.

39. Pierre Nora, art. cité, p. 132.

40. A.N. F 7 13195, M/2591.

41. *Ibid.*

42. E. Weber, *op. cit.*, p. 72.

43. *Ibid.*, p. 84 (D'après le *Journal*, 15 juillet1911).

44. *Ibid.*, p. 84.

45. R. Rémond, *op. cit.*, p. 193. Pierre Nora (art. cité, p. 138-139) estime que les participants aux activités de l'Action française étaient pour 15 à 20 % des « aristocrates », pour autant des membres du clergé, mais que la majorité en fut constituée d'une part par des officiers et des membres des professions intellectuelles (avocats notamment) et d'autre part par de très petits bourgeois : « C'est là la masse où se recrutèrent les militants de quartier, provinciaux souvent montés récemment en ville et désorientés par l'impersonnalité des rapports sociaux, victimes de l'urbanisation qui se sont crus menacés par la ˮ démocratie de masse ˮ plutôt que par l'évolution du système économique ».

46. A.N. F 7 13195, M/2591.

puissance du mouvement. Le tableau dressé par E. Weber [47] fait état de 7 600 abonnés et de 20 000 exemplaires vendus au numéro pour 1913, 11 000 et 20 000 pour 1914 [48]. Sans être négligeables, à une époque où les journaux politiques avaient des tirages assez limités et souvent très faibles, ces chiffres ne témoignent cependant pas d'une très grande diffusion.

Les manifestations qu'organisait l'Action française sont un dernier moyen de mesurer son influence numérique. Mises à part des démonstrations spectaculaires et tapageuses qui avaient pour but de faire parler d'elle, plus que de mobiliser des masses importantes, la fête de Jeanne d'Arc était chaque année l'occasion de passer la revue de ses forces. En 1913, quatre cortèges se firent concurrence [49]. Celui de l'Action française, avec environ 25 000 participants, s'éleva au double des trois autres réunis. L'Action française annonça triomphalement 50 000 participants au défilé de 1914 [50], chiffre que Weber réduit à 30 000 [51]. Mais il décompte 10 000 royalistes à la réunion tenue à l'issue du congrès de la Fédération parisienne de l'Action française, 6 000 à l'enterrement de Calmette.

L'influence d'un mouvement politique ne s'exprime pas seulement par des chiffres, surtout lorsqu'ils demeurent assez vagues. On peut sans aucun doute estimer avec R. Rémond que celle de l'Action française dépassait ce que pourrait laisser supposer le tirage du journal ou l'effectif des Camelots du Roi [52]. Le *Vorwärts*, organe de la social-démocratie allemande, l'affirmait à la grande satisfaction de l'Action française [53] :

> « L'Action française est aujourd'hui incontestablement l'organisation du combat la mieux conduite en France, sans excepter, hélas, la classe ouvrière elle-même.
> *L'Action française* est incontestablement parmi les journaux non socialistes de France, le plus intéressant. Il offre le plus bizarre mélange d'intelligence, de vulgarité, de science et de stupidité... »

L'Action française n'était pas, en 1914, tout le nationalisme, mais seulement « une des expressions parmi d'autres du nationalisme des nationalistes français » [54]. Elle en était cependant une des majeures parties et beaucoup allaient à l'Action française plus par adhésion au natio-

---

47. *Op. cit.*, p. 212.

48. D'après les tableaux dressés par la préfecture de police, le tirage de *L'Action française* était de 22 000 au 1er novembre 1912 (A.N. F 7 12842).

49. Cf. Weber, *op. cit.*, p. 106. Outre celui de l'Action française, trois autres avaient été organisés par l'Action libérale et le Sillon, la Ligue des patriotes et les Jeunesses catholiques.

50. 25 mai 1914.

51. Weber, *op. cit.*, p. 108.

52. *Op. cit.*, p. 192.

53. *L'Action française*, 14 avril 1914.

54. R. Girardet, *op. cit.*, p. 198.

nalisme que par conviction monarchique[55]. C'est un mouvement jeune, dynamique, en progrès. Il donne sans conteste l'impression de canaliser à son profit un renouveau de l'idée nationaliste. Néanmoins, ni par ses effectifs, ni par les milieux sociaux qu'il influence, il ne peut être considéré comme une des principales tendances de l'opinion publique française. Son refus de participer aux élections ajoute un élément d'incertitude supplémentaire sur son audience réelle, mais sans prise sur les paysans comme sur les ouvriers ; en dehors de Paris, il n'aurait pu aspirer à de grands succès électoraux.

NATIONALISME BELLIQUEUX ?

Nationalisme de défense à l'origine, le nationalisme français n'a-t-il pas pris un tour agressif, belliqueux dans les dernières années précédant le conflit ? Certains le prétendirent à peine la guerre était-elle commencée. Le 20 août 1914, Barrès écrivait : « Combien étions-nous pour dire : " La véritable affaire, la seule affaire, c'est la préparation morale et matérielle à la guerre " »[56], mais il semble qu'il se soit mépris sur la fermeté avec laquelle il exprimait cette idée peu de temps auparavant. Ne confiait-il pas seulement quinze jours plus tôt : « " On ne voit jamais ce qu'on désire trop, disait parfois, à ses moments de mélancolie, Déroulède." Quand je serai mort, il y aura la guerre ". *Je n'ai jamais souhaité* (ce que pouvait faire un soldat comme Déroulède) les terribles leçons de la bataille, mais j'ai appelé de tous mes vœux l'union des Français autour des grandes idées de notre race ! »[57].

L'idée belliqueuse avait donc fait de rapides progrès chez Barrès en peu de temps, mais il est réel qu'elle existait au moins chez d'autres avant la guerre. Avant que le conflit n'éclatât, E. Rey avait écrit : « Les déclamations sur l'horreur de la guerre ont brusquement cessé, et nous avons compris de nouveau sa séculaire grandeur par l'exaltation qu'elle a provoquée dans les âmes »[58].

Faisant ainsi allusion à la crise de 1911, il reconnaissait aux intimidations allemandes le mérite de nous avoir rendu le « sens juste de la force », alors que la France commençait à se perdre par le « culte de la faiblesse » et la « plaie de l'humanitarisme ». Agathon, dans sa célèbre enquête[59], affirmait le même point de vue :

---

55. La référence à l'idée monarchique est plus verbale que réelle, pense P. Nora, car, « des deux notes de la mélodie maurrassienne, la première était susceptible de rencontrer dans la nation des accords profonds, mais républicains, et la seconde parut toujours plus exotique à la sensibilité populaire... » (art. cité, p. 129).

56. *L'Echo de Paris.*

57. *Ibid.* 5 août.

58. E. Rey, *op. cit.*, p. 84.

59. Cf. ci-dessous, p. 30.

« Des élèves de rhétorique supérieure à Paris ... déclarent trouver dans la guerre un idéal d'esthétique, d'énergie et de force ». « ...La guerre ! Le mot a repris soudain prestige ... La guerre est surtout à leurs yeux (les jeunes gens) l'occasion des plus nobles vertus romaines... »[60].

Toutefois d'autres, tout en reconnaissant que l'esprit public s'était habitué progressivement à l'idée d'une guerre à la suite des incidents et alertes divers, n'en étaient pas moins convaincus qu'elle restait « odieuse pourtant à la plupart »[61]. Cela doit ramener à de justes proportions les affirmations d'E. Rey concluant son ouvrage :

> « Que nous puissions aujourd'hui envisager un tel événement sans crainte et sans faiblesse, cela doit être pour nous un sujet d'orgueil légitime, et il faut que nous entretenions pieusement cet honneur du pays. Car, pour les nations comme pour les individus, la fierté est un signe de force et une promesse de gloire et c'est elle qui doit les conduire sur les routes claires de l'avenir »[62].

Poincaré et son ministre de la guerre, Millerand, avaient apporté leur contribution au développement de cet état d'esprit guerrier, en remettant à l'honneur les « retraites militaires ». Elles en furent les manifestations les plus typiques, « symbole de leur adolescence pour le Français de ma génération », note H. Contamine[63], qui juge sans tendresse « l'espèce de démagogie militariste qu'inventa le ministre de la guerre de 1912 ». Certains n'étaient pas sans redouter l'effet de boomerang que pouvaient avoir de telles initiatives, tant à l'intérieur[64] qu'à l'extérieur[65].

De cet état d'esprit nouveau, quelques-uns firent découler aussi le goût de l'offensive qui était inculqué à l'armée. « Soldats, nous avons abandonné les théories funestes de la défensive. Nous voulons agir. Pour imposer notre volonté à l'ennemi, nous l'attaquerons. Attaquer, c'est

---

60. Agathon, *Les jeunes gens d'aujourd'hui,* Paris, 1913, p. 31.

61. J. Isaac, *op. cit.,* p. 24.

62. E. Rey, *op. cit.,* p. 203.

63. H. Contamine, *La Revanche, op. cit.,* p. 132.

64. Les « retraites militaires » (cf. Michon, *op. cit.,* p. 90 et Tison, *op. cit.,* p. 136 à 140) permirent quelquefois à un enthousiasme chauvin de se manifester. A la revue du « printemps » du 10 mars 1912, certaines scènes rappelèrent le boulangisme, mais elles furent aussi l'occasion de nombreux incidents. La « Société des amis des retraites », fondée le 1er février 1913, s'était donné pour mission d'en pourchasser les adversaires et ses membres s'en prenaient même aux spectateurs dont l'enthousiasme n'était pas assez grand. Leur action contribua à accentuer les risques de troubles au point d'inquiéter les pouvoirs publics (A.N. F 7 13347, Préfecture de police, cabinet du préfet, Paris, 17 juin 1913). Les contre-manifestations furent parfois assez violentes pour entraîner l'annulation des Retraites, comme ce fut le cas à Troyes, en mai-juin 1913. Finalement, cette initiative de Millerand fut loin d'être toujours propice à créer le climat d'unanimité et de fierté nationale espéré par son auteur.

65. Le colonel Pellé, attaché militaire à Berlin, avertissait dans une lettre du 26 mai 1912 que « nos manifestations sont non seulement utilisées, mais exagérées par la presse allemande... Ainsi l'idée pourrait se développer dans ce pays qu'une guerre avec la France est inévitable ». (*Doc. dipl. français.,* 3e série, T. III, n° 45). (Cf. également H. Contamine, *La Revanche, op. cit.,* p. 132). De même, Jules Cambon rendait compte à Poincaré que Bethmann-Hollweg se montrait soucieux « de la nervosité de notre opinion publique et de son excitation contre l'Allemagne... (*Doc. dipl. français,* T.V.A. n° 475).

encore le meilleur moyen de se défendre... »[66]. E. Rey en est également convaincu : « La substitution récente d'un plan d'offensive au plan de défensive élaboré après la défaite est une marque frappante de ce retour à la confiance, de cette foi renaissante dans la destinée de nos armes »[67]. Un homme est resté le symbole de cet état d'esprit d'offensive à outrance, le colonel de Grandmaison, chef du 3e bureau de l'Etat-Major de l'armée en 1911. On en a fait, avec excès, estiment Henry Contamine[68] et Georges Merlier[69], le responsable[70] des tueries de 1914, en mettant particulièrement en relief la conclusion de ses conférences de 1911. « Il faut s'y préparer (à l'attaque) et y préparer les autres, en cultivant avec passion, avec exagération et jusque dans les détails infimes, tout ce qui porte si peu que ce soit la marque de l'esprit offensif. Allons jusqu'à l'excès et ce ne sera peut-être pas assez »[71], mais sa pensée était plus nuancée qu'il ne pouvait paraître à cette citation, et on a « trop souvent oublié que de Grandmaison s'était exprimé en termes stratégiques »[72]. Il est possible qu'on n'ait pas bien compris Grandmaison ; mais on peut supposer que le poste qu'il occupait lui permit de mettre en application ses idées réelles dans l'élaboration des plans[73]. Cependant, il faut également reconnaître que cet esprit offensif excessif n'avait pas contaminé toute l'armée. On connaît le « Attaquez, attaquez, attaquons ... comme la lune ! » du général de Lanrezac[74]. On connaît moins ce texte écrit en 1912 par le colonel Demange, membre du comité d'Etat-Major :

> « Il y a lieu de répéter encore que, dans les conditions où nous nous trouvons vis-à-vis des Allemands, un plan intégralement offensif, ou

---

66. Agathon, op. cit., p. 190, Témoignage d'un lieutenant (en annexe).

67. E. Rey, op. cit., p. 74. Il faut néanmoins remarquer que ces deux citations, surtout la première, n'impliquent pas une guerre offensive, mais seulement l'offensive stratégique en cas de guerre et que, si on en croit le maréchal Joffre dans ses Mémoires (op. cit., ch. 2), l'évolution des doctrines militaires fut provoquée par des études techniques et non par des considérations psychologiques.

68. H. Contamine, La Revanche, op. cit., p. 164 et suiv.

69. Georges Merlier, Communication à la Société d'histoire moderne du 5 juin 1966, résumée dans le Bulletin de la Société d'histoire moderne, n° 4, 1966. Cf. également général Fernand Gambiez et colonel Marcel Suire, Histoire de la première guerre mondiale, Paris, Fayard, 1968, 2 tomes, 386 et 446 p., T.I, p. 107 à 109.

70. J. Caillaux, op. cit., T.III, p. 68 : « Un officier dont il ne faut pas accabler la mémoire puisqu'il est mort glorieusement devant l'ennemi, le colonel de Grandmaison, avait développé avec acharnement cette thèse digne d'un pensionnaire des Petites-Maisons... ».

71. G. Merlier, art. cité, p. 2 Grandmaison appuyait aussi son argumentation sur des considérations d'ordre moral : « La défensive est une action d'ordre inférieur qui développe chez celui qui l'emploie une infériorité morale qu'aucun avantage matériel n'est capable de racheter ». (Cité par G. Michon, op. cit., p. 94, note 2).

72. Id., art. cité, p. 2.

73. Réponse de G. Merlier (art. cité, p. 4) à une question sur ce point : « L'influence de Grandmaison sur les méthodes d'élaboration est difficile à déterminer. On en trouve peu de traces dans les débats du Conseil supérieur de la guerre, mais les membres de ce conseil sont les premiers à déclarer que l'essentiel n'apparaît pas dans les procès-verbaux, car on parlait entre soi, à l'heure du thé, de ces questions ».

74. H. Contamine, La Revanche, op. cit., p. 164 et suiv.

mieux d'emblée offensif, c'est l'aléa le plus complet, c'est la lutte à pile ou face ...

Napoléon a dit qu'il ne fallait pas livrer bataille si l'on n'avait pas 70 chances sur 100 de la gagner. Or un pareil plan ne nous donnerait pas 50 sur 100 et il s'agit d'une bataille dont dépendra l'existence du pays ! » [75].

Il est surtout essentiel de considérer qu'une stratégie offensive ne signifie pas pour autant volonté d'agression et qu'elle peut très bien se combiner avec une guerre défensive.

On ne peut donc conclure que le nationalisme français ait pris un tour belliqueux ; toutefois, des nationalistes proclament volontiers qu'ils ne craignent pas la guerre et c'est cela qui, par rapport à la crainte de la décadence qui donnait son « pathétique » [76] au nationalisme de la fin du siècle, lui confère un accent nouveau.

## Sociologie du nationalisme

L'existence de groupements nationalistes dont un au moins montre de la vigueur et du dynamisme, l'apparition et l'expression publique de formes de pensée nouvelles, telles que l'exaltation de la guerre, les manifestations pratiques qui en découlent directement ou indirectement, témoignent assurément d'une renaissance d'un état d'esprit nationaliste. Mais il est important de déterminer quelles catégories de la population française en ont subi véritablement l'effet.

### LA JEUNESSE

Il est traditionnellement admis que la jeunesse a constitué un terrain d'élection du nationalisme français, notamment les étudiants [77], du moins jusqu'à la deuxième guerre mondiale. L'ouvrage d'Agathon [78], paru en 1913, *Les jeunes gens d'aujourd'hui,* est habituellement considéré comme la preuve formelle de ce renouveau du nationalisme dans la jeunesse française, avant 1914 [79]. Reprise d'une série d'articles publiés en 1912 dans *L'Opinion,* la matière avait été fournie par une investigation

---

75. Archives militaires, E.M.A., 3ᵉ bureau, carton nᵒ 137. En 1911, affirme le Maréchal Joffre (*Mémoires, op. cit.*, p. 33), la masse de l'armée conservait « une apathie et une indolence absolues. Sans doute on savait que l'offensive était à la mode en haut lieu, et on s'efforçait de faire " de l'offensive ", mais dans quelles conditions ! ».

76. R. Girardet, *op. cit.*, p. 32. « Nationalisme de droite, nationalisme conservateur qui se révèle surtout comme une méditation sur une décadence ». « Je sens diminuer, écrit Barrès, disparaître la nationalité française, c'est-à-dire la substance qui nous soutient et sans laquelle je m'évanouirais » (R. Girardet, « Pour une introduction à l'histoire du nationalisme français », art. cité, p. 513).

77. R. Girardet, art. cité, p. 521-522.

78. Les auteurs étaient deux jeunes « nationalistes », Alexis de Tarde et Henri Massis. Ce dernier avait 28 ans en 1914.

79. Cf. P. Miquel, *op. cit.*, p. 280 : « L'enquête d'Agathon, si révélatrice de l'état d'esprit de cette jeunesse... ». Cf. Digeon, *op. cit.*, p. 497 : « Il y a là une tendance réelle, impressionnante... ».

approfondie menée dans les milieux de la jeunesse étudiante, en général parisienne. Plusieurs dizaines de jeunes gens de 18 à 25 ans, de la génération née vers 1890, avaient été ainsi interrogés. L'intérêt porté à cette publication fut d'autant plus vif et plus justifié qu'elle peut être tenue comme une des premières enquêtes d'opinion.

Les conclusions en étaient les suivantes : la jeunesse d'aujourd'hui a le « goût de l'action » [80] par opposition au « dilettantisme et à l'intellectualisme de la génération précédente ». Elle symbolise une « renaissance française » dont les éléments sont la foi patriotique, le goût de l'héroïsme, le renouveau moral et catholique, le culte de la tradition classique et le réalisme politique. Agathon s'attachait particulièrement à analyser la « foi patriotique » de cette jeunesse [81] ; il insistait sur le réveil actuel succédant à l'éclipse du patriotisme dans les années 1890 [82] :

> « On ne trouve plus ... dans les facultés, dans les grandes écoles, d'élèves qui professent l'antipatriotisme. A Polytechnique, à Normale où les antimilitaristes et les disciples de Jaurès (étaient) si nombreux naguère ..., les doctrines humanitaires ne font plus de disciples [83]. ... A la fac. de droit, à l'Ecole des Sciences Po., le sentiment national est extrêmement vif, presque irritable... » [84].

S'inspirant en partie de l'enquête d'Agathon, E. Rey développait les mêmes conclusions : les traits de la jeunesse d'après 1870 étaient « impuissance dans l'action, excès d'intellectualisme, faiblesse de la volonté, déséquilibre et pessimisme » [85]. La jeunesse actuelle est au contraire caractérisée par la « santé » : « L'honneur en revient aux sports qui, depuis vingt ans, ont été si activement glorifiés et pratiqués... ». La jeunesse « ignore cette opposition funeste de la pensée et de l'action qui

---

80. Agathon, *op. cit.*, chap. 1.

81. *Ibid.*, chap. 2.

82. L'exemple toujours cité est l'article de Rémy de Gourmont, « Le joujou patriotique » (*Mercure de France*, 1891), écrivant à propos de l'Alsace-Lorraine : « Il me paraît qu'elle a assez duré la plaisanterie des deux petites sœurs esclaves, agenouillées dans leurs crêpes, au pied d'un poteau frontière, pleurant comme des génisses, au lieu d'aller traire leurs vaches... », mais il ne faut probablement pas exagérer l'importance d'un article publié, d'après Emile Faguet (*Revue des deux mondes*, 15 avril 1913), « dans une revue assez obscure et qui tirait des coups de pistolet pour cesser de l'être ».

83. Agathon, *op. cit.*, p. 28. C. Digeon (*op. cit.*, p. 497, note 2) fait état de ce témoignage de Romain Rolland rapporté dans son *Journal* (*De Jean-Christophe à Colas Breugnon. Pages de journal. Paris*, 1946, p. 62, puis 85) : « Il reçoit la visite d'un jeune normalien F. Rolland, qui lui dépeint l'atmosphère de l'Ecole : ˝ Un esprit nouveau s'est répandu ˝, les jeunes promotions reviennent de périodes militaires à la frontière ˝ enragées de chauvinisme ˝, la ˝ réaction ˝ est beaucoup plus forte que du temps de R. Rolland, Lucien Herr est isolé, les Normaliens sont en froid avec la Sorbonne, ne veulent plus des méthodes allemandes ; il existe parmi eux un fort noyau catholique. Romain Rolland signale que son jeune homonyme est un garçon qui lui-même ne partage pas cet état d'esprit ».

84. *Ibid.*, p. 29. G. Michon, (*op. cit.*, p. 120) donne cet exemple : « Le 21 décembre 1912, le général Lyautey, ovationné par les élèves de l'Ecole des sciences politiques, s'écriait : ˝ Ce que j'aime dans la jeunesse d'aujourd'hui, c'est qu'elle n'a pas peur de la guerre, ni du mot, ni de la chose ˝. Jacques Bardoux, qui rapportait le fait, ajoutait : ˝ L'année se termine bien pour la France. Elle revit dans cette atmosphère martiale qui lui rappelle ses gloires et ses espérances. Elle est unie, elle est calme, elle est prête ˝ ».

85. E. Rey, *op. cit.*, p. 156.

fut la tare des générations précédentes... »[86]. Elle possède « l'optimisme du qui-vive »[87]. Elle concentre toutes ces qualités dans la « foi patriotique »[88].

On retrouve cet état d'esprit de la jeunesse étudiante dans diverses manifestations dont les débats autour de la loi de trois ans furent l'occasion[89]. Des pétitions en faveur du projet de loi furent signées dans plusieurs lycées parisiens. A Condorcet, 500 signatures auraient été recueillies au bas d'un texte dans lequel les soussignés « soldats de demain et d'après-demain » assuraient le président du Conseil, Briand, qu'ils étaient « prêts à sacrifier joyeusement pour la vie et la gloire de la France trois années de leur jeunesse ». Dans plusieurs cas, des professeurs qui avaient pris parti contre la loi furent l'objet de réactions d'hostilité de la part de leurs élèves[90].

L'ensemble de ces témoignages atteste la réalité d'un mouvement de renouveau nationaliste dans une fraction de la jeunesse, mais dans une fraction seulement. Nous n'avons pas les moyens d'évaluer le pourcentage de la jeunesse étudiante et lycéenne qui fut effectivement influencé par le nationalisme, mais elle ne le fut certes pas tout entière[91] : L'Humanité signale aussi des pétitions, mais contre les trois ans, signées par des étudiants et des lycéens : elles proviennent le plus souvent d'ailleurs d'établissements provinciaux[92]. Le témoignage du doyen Pierre Renouvin, à l'époque étudiant, recueilli par H. Tison, nous a semblé particulièrement démonstratif :

> « A l'époque où j'étais étudiant (j'ai passé la licence en 1910, le diplôme d'études en 1911, l'agrégation en 1912), l'état d'esprit parmi les étudiants de la Faculté des lettres était très différent de celui qu'évoquait à ce moment l'enquête d'Agathon ... Mais à la Faculté de droit (j'y étais aussi étudiant en 1910-1912), la jeunesse universitaire ressemblait beaucoup à l'image qu'en donnait Agathon. Et c'était encore plus vrai à l'Ecole libre des sciences politiques, dont les élèves se recrutaient dans la bourgeoisie la plus fortunée (l'Ecole exigeait des droits d'inscription assez élevés). ... Lorsque j'étais agrégatif, on commençait à parler de la loi de trois ans, une pétition qui protestait contre cette éventualité a été signée par tous les agrégatifs d'histoire et de géographie (sauf par moi). Et les signataires n'étaient certes pas des extrémistes de gauche... »[93].

---

86. *Ibid.*, p. 174.

87. *Ibid.*, p. 181.

88. *Ibid.*, p. 181. Les mêmes thèmes sont également développés dans une enquête publiée par la *Revue hebdomadaire* (mars-avril 1912).

89. Cf. H. Tison, *op. cit.*, p. 114 et suiv.

90. *Ibid.*, p. 120. Egalement H. Contamine, *La Revanche, op. cit.*, p. 147 ; P. Miquel, *op. cit.*, p. 324.

91. *Ibid.*, p. 116, 122 et suiv.

92. Lyon, Lille (Institut électro-technique), Dijon (Lycée Carnot), Montpellier, Poitiers. A l'ENS de Saint-Cloud, la pétition recueillait 41 signatures sur 58 élèves (*L'Humanité*, 13 avril).

93. Cité par H. Tison, *op. cit.*, p. 116, note 1, et p. 124, note 1.

Les conclusions d'Agathon ne permettent donc pas qu'on leur fasse « un crédit illimité »[94]. Elles sont le résultat d'un témoignage « relativement partiel »[95]. Le champ de l'enquête a été fort restreint. Il faut en faire d'ailleurs grief, non aux auteurs, mais à ceux qui ont été tentés de faire un usage abusif de ces investigations limitées : Henri Massis et Alexis de Tarde n'avaient pas cherché à le dissimuler ; ils ne s'étaient intéressés qu'à « la jeunesse d'élite ». « Peut-être une enquête plus étendue sollicitant tous les jeunes Français, ceux des ateliers, des faubourgs et des champs comme ceux qui sortent des collèges, eût-elle donné des résultats différents... »[96]. Du reste, dès leur parution, les articles d'Agathon avaient provoqué de vives réactions. Non seulement on leur reprocha de ne s'être préoccupés que d'une fraction très particulière de la jeunesse, mais d'avoir, pour obtenir un effet de contraste, dressé un tableau tout à fait excessif, caricatural, du manque de patriotisme de la génération précédente[97]. On ironisa sur leur tentative de faire croire que la génération actuelle avait inventé le patriotisme[98]. Alexis de Tarde et Henri Massis furent amenés à faire état eux-mêmes des critiques qui leur avaient été adressées : « On nous a dit : " Vous parlez de patriotisme, de mariages précoces, de renaissance catholique... et voici les faits : la France se dépeuple, les séminaires manquent de prêtres, le recrutement est chaque année plus difficile... " »[99]. Leur réponse nous semble très suggestive. Leur enquête ne prétendait pas donner la « vérité du moment », mais décrivait un état « d'esprit naissant »[100]. En outre, pensaient-ils, « il n'est pas interdit de croire que l'influence d'une telle enquête importe autant que son exactitude historique... »[101] !

Ainsi, d'après les auteurs eux-mêmes, ardents défenseurs du « renouveau national », il n'est encore qu'un état d'esprit « naissant », il ne concerne qu'une catégorie très réduite de la jeunesse[102]. Tout compte

---

94. R. Rémond, *op. cit.*, p. 193.

95. R. Girardet, *op. cit.*, p. 227, note 1.

96. Agathon, *op. cit.*, p. 11.

97. En écrivant (ch. V, p. 94) : « Il y a quinze ans, la jeunesse intellectuelle ... était tout entière gagnée au socialisme international », ce qui est manifestement faux, Agathon faisait d'autant mieux ressortir le « patriotisme » de la nouvelle génération.

98. Cf. E. Faguet, « La jeunesse miraculeuse », *Revue des deux mondes* 15 mars 1913. Faguet n'était pas un adversaire des idées nationalistes, mais il écrivit des pages fort ironiques sur cette « jeunesse miraculeuse », cette « Grande Génération » dont il relève le « mépris immense de la génération qui les précède ». Et il conclut : « Les jeunes gens que connaît Agathon sont purs, pleins de sentiments élevés, ardents, courageux, amoureux de la vie et confiants en elle, dévoués à la patrie ; et tout cela doit nous enchanter et rendre moins mélancolique notre prochain départ. Mais par Saint-Georges ! Ils ne sont pas modestes ! » (p. 850).

99. Agathon, p. III et IV, note 1.

100. Agathon, p. III et IV, note 1.

101. *Ibid.*, p. V.

102. On ne peut négliger en outre le nombre réduit de lycéens et d'étudiants à cette époque. En 1913, il y avait 69 000 garçons et 20 000 jeunes filles dans les lycées et collèges publics, et 41 382 étudiants, dont 16 850 en droit, 11 481 en médecine, 6 630 en sciences et 6 380 en lettres (Cf. Antoine Prost, *L'enseignement en France* (1800-1967), Paris, Armand Colin, Collection U, 1968, 524 p. 346 et p. 243.

fait, A. de Tarde et H. Massis se montraient bien réservés dans leurs appréciations. Cela nous permet de ne pas accorder beaucoup de confiance à la formule d'E. Rey : « La jeunesse a imposé sa foi patriotique à toute la nation ! » [103]. On ne peut qu'acquiescer à l'interrogation sceptique d'Henry Contamine : « Convient-il d'attribuer une telle importance à des milieux restreints de jeunesse... ? » [104], et aux jugements de G. Michon :

> « Tels n'étaient pas les caractères et les préoccupations de la jeunesse populaire ... mais il faut reconnaître que, dans l'ensemble, le tableau présenté par Agathon reflétait assez correctement la mentalité, les tendances des fils de la bourgeoisie dirigeante... » [105],

ou de G. Guy-Grand, dans un ouvrage déjà en partie écrit avant et pendant la guerre :

> « ...Une partie de la jeune bourgeoisie ... marquait un mouvement de retour vers le trône, l'autel et la haine [106] de l'étranger ; mais c'était là une agitation qui ridait à peine l'immense nappe tranquille de la volonté populaire, résolue à maintenir la paix pour l'accomplissement des œuvres de justice » [107].

Empruntons cette conclusion à Jean Guéhenno :

> « Il se peut bien qu'ici et là une partie de la jeunesse intellectuelle et bourgeoise en Allemagne, en France même, ait voulu faire un peu parler d'elle, et une presse nationaliste ne pouvait manquer de célébrer ces chahuts d'étudiants désœuvrés. Mais l'immense majorité de la jeunesse n'avait jamais espéré la guerre. C'est tout son honneur et elle ne fut nulle part si bête que de la souhaiter » [108].

Le nationalisme d'une partie de la jeunesse étudiante a-t-il procédé de celui des universitaires ?

Un exemple est bien connu, celui d'Albert Malet [109]. Professeur au lycée Louis-le-Grand, ancien précepteur du roi Alexandre de Serbie, il avait salué avec enthousiasme les victoires serbes annonciatrices de futu-

---

103. *Op. cit.*, p. 187.

104. H. Contamine, *La victoire...*, *op. cit.*, p. 46.

105. G. Michon, *op. cit.*, p. 47.

106. Le terme paraît fort excessif.

107. Georges Guy-Grand, *Le conflit des idées dans la France d'aujourd'hui*. Paris, 1921, 269 p. p. 132.

108. Jean Guéhenno, *La mort des autres*, *op. cit.*, p. 30. Cf. également M. Laurent et al. *op. cit.*, p. 5 : « Des livres comme ceux d'Agathon ... ont le tort grave d'induire l'opinion tant française qu'étrangère en erreur. Ils traduisent peut-être assez correctement l'opinion de la génération des tout jeunes gens qui, nés depuis 1890, ne sont pour la plupart pas encore parvenus à leur majorité civile et politique. A aucun degré, ils n'expriment l'état d'âme de la génération plus âgée, quoique jeune encore, des hommes de 25 à 40 ans qui est la nôtre ».

109. G. Michon, *op. cit.*, p. 115 ; du même, *L'alliance franco-russe*. Paris, 1927, p. 209. J. Isaac, *op. cit.*, p. 43. H. Contamine, *La victoire...*, *op. cit.*, p. 43.

res victoires françaises : « La victoire des Balkaniques, c'est une victoire de la France sur l'Allemagne, c'est notre canon qui tonne là-bas » [110]. « Le soleil de la justice s'est enfin levé sur les Balkans, il faut bien que, continuant sa course, il vienne illuminer aussi les flèches de Strasbourg et de Metz » [111].

Les propos qu'il allait répétant à travers la France [112] sonnaient de façon belliqueuse. Des événements des Balkans, Malet tirait la leçon qu'ils achevaient « d'extirper les mortelles illusions du pacifisme » [113]. Il exaltait ses auditoires en évoquant les femmes et les pères serbes, roumains ou bulgares poussant leurs maris ou leurs fils au sacrifice patriotique. « Fasse Dieu qu'en des heures pareilles, les femmes de France sachent écrire de pareilles lettres » [114]. Il ne redoutait pas la guerre : « ...Beaucoup l'attendent sans émoi, je dirais presque l'espèrent » [115].

L'influence d'un homme comme Malet [116] a pu être d'autant plus importante qu'il était l'auteur d'une collection de manuels d'histoires fort répandus. Analysant les ouvrages utilisés dans l'enseignement secondaire avant 1914, Alice Gérard [117] en tire la conclusion que, dans cette période, le « nationalisme » fut « le ressort (d'une) histoire scolaire » fondée sur l'antagonisme des nations. Mais, ajoute-t-elle, « tous les auteurs de manuels restaient marqués par le patriotisme républicain des années 1880 », c'est en ce sens qu'ils sont nationalistes, tout en étant « antiboulangistes et dreyfusards ». Il est donc délicat de faire la part du patriotisme traditionnel et du « renouveau national » des dernières années. Toutefois, considérant plus particulièrement les deux manuels les plus importants du moment, le « Jallifier » et le « Malet » [118], elle montre que, si le premier manifestait un patriotisme pouvant déboucher sur un chauvinisme « ridicule » (le goût français est toujours le plus pur, le plus délicat...), il émanait du second un nationalisme « conscient et organisé », sobre et convaincant. Que disaient ces manuels de la question des trois ans [119] ? Pour Malet, ce sont les « provocations répétées de

110. *Le Rappel*, 30 octobre 1912.

111. « Conférence au foyer », 25 novembre (*Revue du foyer*, décembre 1912).

112. Par exemple à Rouen, dans une conférence faite à la Société normande de Géographie, le 25 février 1913 (*Conférence sur la guerre des Balkans*, Rouen, 1913, 27 p.).

113. *Ibid.*, p. 24.

114. *Ibid.*, p. 25.

115. *Ibid.*

116. Qui ne se contenta pas, comme d'autres, d'être un prophète de la revanche, mais en fut aussi un acteur puisque, engagé comme simple soldat en 1914, à 53 ans, il fut porté disparu le 25 septembre 1915.

117. Alice Gérard, « La représentation de l'histoire contemporaine dans les manuels de l'enseignement secondaire (1902-1914). Communication à la Société d'histoire moderne — 1er mars 1970 », *Bulletin de la Société d'histoire moderne*, 1970, n° 14, p. 13.

118. Alice Gérard, art. cité, p. 11.

119. Nous avons retenu les manuels publiés en 1913 : Albert Malet, *L'époque contemporaine. Classe de troisième*, Hachette, 1913 (Le Cours de Philosophie n'est paru qu'après 1914) ; Régis Jallifier et H. Vast, *Histoire contemporaine. Cours de Philosophie*, Garnier, 1913.

l'Allemagne de 1905 à 1911 à propos du Maroc », « ses formidables armements » qui « ont contraint la France, pour ne pas demeurer exposée aux pires périls, à rétablir le service de trois ans... »[120]. Pour Jallifier : « Aux Français qui parlent de désarmement, nous répondrons : Que Messieurs les Allemands commencent »[121]. « La menace de l'Allemagne ... a forcé la France à revenir au service de trois ans... »[122]. Ainsi, pas d'hésitation dans ces manuels. Sans la moindre ambiguïté, ils ont pris parti dans une querelle qui pourtant, au moment où ces ouvrages étaient écrits, divisait grandement l'opinion.

L'influence des manuels ne peut cependant être uniquement déduite de leur contenu. Etaient-ils lus ? P. Renouvin est assez sceptique[123], estimant que la plupart des professeurs se souciaient peu des manuels et que les élèves se contentaient du cours[124].

Assez curieusement, l'enseignement de la géographie eut, pendant un certain temps, un caractère volontiers nationaliste[125]. Il avait été en effet considéré après 1870 que la France devait « s'ouvrir rapidement à des disciplines modernes qui faisaient la force de l'Angleterre et de l'Allemagne : la géographie, les langues vivantes et la ... gymnastique »[126]. Cette géographie était orientée vers l'histoire de la géographie avec pour but de justifier les frontières de la France et son expansion coloniale, ou bien encore vers la géographie « stratégique ». C'est ainsi « que la direction du CAF[127], empressée d'aider toutes les entreprises se rattachant

---

120. Malet, *op. cit.*, p. 700.

121. Jallifier, *op. cit.*, p. 829.

122. *Ibid.*, p. 830.

123. Intervention lors de la discussion de la communication, *Bulletin de la Société d'histoire moderne*, 1970, p. 13.

124. Au surplus, il est nécessaire de ne pas projeter dès avant 1914 l'influence qu'eut par la suite le « Malet-Isaac » sur les générations suivantes. Il fut rédigé dans un esprit tout différent du premier « Malet ». Le « ton militaire » de Malet fut « grandement atténué » quand la collection fut reprise par J. Isaac (H. Contamine, *La victoire...*, *op. cit.*, p. 19).

125. Cf. Numa Broc, « Histoire de la géographie et nationalisme en France sous la IIIᵉ République (1871-1914) », *L'Information historique*, janvier-février 1970.

126. N. Broc, art. cité, p. 21. On peut noter à ce propos le caractère particulièrement « nationaliste » donné alors à la pratique de la gymnastique. Il suffit de feuilleter *Le Gymnaste*, organe hebdomadaire des Sociétés de gymnastique, pour s'en convaincre. Quelques exemples : dans le numéro du 10 mai 1913, un article « Pour la Patrie » attaquant les pacifistes et exaltant le culte de la patrie ; dans celui du 30 mai 1914, un autre intitulé « Suis-je prêt ? ». « Telle est la question que devrait se poser à lui-même tout jeune Français, à l'aube de sa dix-huitième année, alors que la Patrie doit pouvoir compter sur lui pour la servir utilement, et au besoin la défendre contre toute éventualité ».
Le but majeur de la gymnastique devait être de faire de bons soldats. Aussi le président de l'Union des sociétés de gymnastique, Charles Cazalet, adresse-t-il « l'adhésion enthousiaste de tous (ses) camarades gymnastes à la prolongation du service militaire... » (Discours du 11 mai 1913, *Le Gymnaste*, 24 mai), « afin d'assurer à toute heure et en tout lieu le respect de ces deux sentiments auxquels nous devons tout sacrifier, la dignité nationale et la fierté française » (Discours du 13 mai 1913, *Le Gymnaste*, 24 mai).
Il faut cependant souligner également que, dans le même discours, le président des gymnastes français rappelait que l'Union avait été fondée, quarante ans plus tôt, « pour relever la race » et « contribuer à réparer les malheurs de la patrie » et que la première subvention accordée par l'Etat datait de 1898. On ne peut donc considérer cet état d'esprit comme relevant du « réveil national » des dernières années. (Cf. Louis Thomas, *L'évolution de l'activité gymnique et les problèmes d'organisation-gestion*, Secrétariat d'Etat chargé de la Jeunesse et des sports, 1972, multigraphié, 149 p., plus annexes).

127. Club alpin français.

aux montagnes (mit) à la disposition de la Société de géographie de Lyon une somme de 100 francs, ajoutée au prix de 500 francs fondé par celle-ci pour l'exploration des Alpes grenobloises dans un *but stratégique* [128] ». Il faut souligner cependant que cette initiative n'était pas liée au renouveau nationaliste de la dernière période, puisqu'elle datait de ... 1874 ! A la veille de la guerre, une nouvelle tendance se dégage. Des maîtres plus jeunes comme Vidal de la Blache ont commencé à s'éloigner de cette conception de la géographie [129] : en 1913, le *Bulletin de géographie historique* prend le nom de *Bulletin de la section de géographie* et ce fut l'annonce du « déclin rapide » que la géographie historique connut après la guerre [130].

L'enseignement de l'histoire et de la géographie a certainement tenu une place dans le maintien d'idées nationalistes. Pourtant, on peut affirmer que, d'une façon générale, le nationalisme ne se reconnaît pas dans l'université et que de nombreux universitaires, en contrepartie, ne l'apprécient guère [131]. Il suffit de rappeler les invectives dont Ernest Lavisse fut l'objet de la part de Péguy : il était coupable de haute trahison, il avait corrompu et détruit la France. L'écrivain condamnait l'historien devenu en quelque sorte le symbole officiel de la République laïque [132], au nom de sa mystique nostalgique de l'ancienne France. On peut en rapprocher les attaques véhémentes portées par *Le Temps* contre Seignobos et Séailles en raison de leur opposition à la loi de trois ans [133], celles d'Henri Massis [134].

Patriote, le monde universitaire l'était certes, d'un patriotisme que P. Nora estime fondé sur trois notions différentes, « une notion historique, la Patrie, une notion politique, la République, une notion philosophique, la Liberté » [135], mais il n'était pas nationaliste, surtout dans le sens que lui donnait une fraction de la jeunesse. Le nationalisme des

---

128. N. Broc, art. cité, p. 24.

129. Vidal de la Blache, « La conception actuelle de l'enseignement de la géographie », *Annales de géographie*, 1905.

130. N. Broc, art. cité, p. 25.

131. Cf. Tison, *op. cit.*, p. 117 à 119. De nombreux professeurs signèrent une pétition contre le projet de trois ans de service militaire : Paul Langevin (Collège de France), Seignobos, Andler, Séailles, Brunschvig, Durkheim, Guignebert, Lévy-Bruhl (Sorbonne), Mauss, Aphandéry (Hautes études), Marcel Cohen (Langues orientales), Charles Richet (Médecine)... (*L'Humanité*, 16 mars 1913).

132. Cf. Pierre Nora, « Lavisse, son rôle dans la formation du sentiment national », *Revue historique*, 1962, p. 87-88.

133. 19 avril 1913, Gabriel Séailles répliquait vivement aux jeunes nationalistes : « Des jeunes gens pressés célèbrent leur propre héroïsme avant d'avoir eu l'occasion d'en apporter aucune preuve ... On peut quarante années durant mourir pour la Patrie sans se porter plus mal ». (Discours prononcé le 22 février 1913 au restaurant de Roncerdy dans un banquet organisé par les Sociétés françaises de la Paix (G. Séailles, *Une affirmation de la conscience moderne, le vrai patriotisme*, Paris,s.d., 29 p., p. 14 et 15).

134. H. Massis, *L'université d'hier contre la loi de trois ans*, 15 mars 1913 (cf. *Avant-Postes [Chronique d'un redressement, 1910-1914]*, Paris, Librairie de France, 1928, 179 p., p. 108 à 110).

135. P. Nora, art. cité, p. 102.

étudiants était une réaction spécifique et non le résultat de l'influence de leurs maîtres.

## LES ÉCRIVAINS

Il en est un peu comme pour la jeunesse : il fait maintenant partie des idées reçues que le renouveau nationaliste fut particulièrement sensible dans les milieux littéraires. La thèse de C. Digeon est venue renforcer cette impression [136]. Elle souffre pourtant d'un certain nombre d'a priori discutables. Ainsi, quand C. Digeon affirme qu'après 1905 « la guerre est devenue le grand souci national », que « tout un peuple sait qu'il y participera et que son souvenir dépendra du sort des armes », que « cette prise de conscience collective explique que l'étonnement et le désarroi de 1870 ne se soient pas reproduits en 1914 » [137], nous pensons que, dans une très large mesure, ceci ne correspond pas à la réalité, comme nous avons déjà essayé de le montrer et comme nous le montrerons encore. Ecrire qu'« une nouvelle attitude morale ... caractérise la jeunesse » [138], n'est-ce pas prendre une petite partie pour le tout ?

Toutefois, si on restreint ces considérations au monde des écrivains, il est certain que celui-ci a été vivement perturbé par l'attitude à prendre envers la question allemande ; certains ont rejoint le « camp » nationaliste, d'autres, celui du pacifisme et de l'internationalisme [139]. Il n'est pas moins certain qu'on peut accumuler une série d'observations manifestant une renaissance nationaliste dans le domaine des lettres.

Les romans « alsaciens », *Oberlé* de Bazin en 1901, *Au service de l'Allemagne* et *Colette Baudoche,* en 1905 et 1909, de M. Barrès, *Just Lobel, Alsacien,* en 1911, d'André Lichtenberger, ou encore des romans consacrés à l'Allemagne, comme *M. et Mme Moloch* (1906), de Marcel Prévost, ont voulu traduire l'antagonisme irréductible des deux races. Significative également, la disparition de la vogue des romans antimilitaristes illustrés par Lucien Descaves [140], Abel Hermant [141], Georges Darien [142], au profit de romans militaires [143], mais il est toutefois caracté-

---

136. C. Digeon, *op. cit.*, chapitre X. La rénovation des doctrines.

137. *Ibid.*, p. 532.

138. *Ibid.*

139. *Ibid.*

140. *Sous-offs,* roman militaire, Paris, 1889.

141. *Le cavalier Miserey,* 21ᵉ *Chasseurs, Mœurs militaires contemporaines,* Paris, Charpentier, 1887.

142. *Biribi, discipline militaire,* Paris, Savine, 1890.

143. Paul Acker, *Soldat Bernard,* Paris, Plon, 1910. Capitaine Fabien Mougenot, *Un sabre,* Paris, Figuière, 1913. Il faut cependant noter que, pour autant qu'elle ait jamais cessé, la publication de romans militaires n'était pas un fait récent. Dans la période précédente, on peut citer Art-Roe (colonel Patrice Mahon), *Pingot et moi,* Paris, Berger-Levrault, 1893, et surtout l'œuvre abondante du capitaine Danrit (Commandant Driant). *La guerre de demain* est publiée en 1889-1891.

ristique qu'ils s'attardent moins à annoncer la Revanche qu'à célébrer
« le devoir militaire et la guerre » [144].

La période fut aussi marquée par des ralliements sensationnels au
nationalisme : les plus célèbres sont ceux de Charles Péguy [145] et d'Ernest
Psichari [146]. Leurs parcours n'ont pas été identiques, mais ils présentent
d'importants points de ressemblance. Le premier avait d'abord
« détesté » l'Eglise, le nationalisme, l'armée, la guerre, il avait été socialiste et dreyfusard ; il est devenu le défenseur intolérant des idées contraires. Au fil des années, il manifeste une « exaspération » nationaliste
croissante. L'alerte de 1905 aurait été le signal de cette profonde mutation et C. Digeon en trouve l'explication dans une « extrême sensibilité à
un phénomène social, à une émotion latente dans tout le pays » [147].

Ernest Psichari, plus jeune — il n'a que dix-sept ans en 1900 quand
Péguy en a déjà vingt-sept —, n'a pas connu tout à fait le même cheminement : mais petit-fils de Renan, élevé dans un milieu dreyfusard, il
devient très vite un ardent « patriote », abandonnant ses études pour
être soldat. Il faut toutefois remarquer que c'est en 1903 qu'E. Psichari
s'engagea dans l'artillerie coloniale : nous sommes tenté de penser que
dans son évolution, mais probablement aussi dans celle de Péguy, la
crise de 1905 n'a pas l'importance qu'on lui a attribuée [148]. On a plutôt
l'impression que la tension internationale est davantage venue alimenter
un nationalisme qui s'était déjà exprimé ou qui n'attendait que cela. En
outre, c'est un nationalisme d'une tonalité très particulière, très différente de celui de Barrès ou de Maurras : la notion de guerre est au premier plan. Ceci est vrai pour Péguy : « La gloire militaire, la plus complète, la plus vérifiable, la plus ancienne conception humaine de la
gloire... », « Si affreuses que puissent devenir les misères de la guerre,
au moins elles peuvent être compensées. Il y a l'honneur de la guerre. Et
il y a la grandeur de la guerre » [149]. Jean Guéhenno nous le rappelle [150] :

> « La seule idée de la guerre le rassérène. Il n'espérait plus qu'en elle.
> Elle venait. Il la sentait venir. Tous ses livres d'alors sont pleins d'étran-
> ges prémonitions ; il tenait prêts ses godillots et s'entraînait avec applica-
> tion comme officier de réserve. Quand Millerand devint ministre de la
> guerre, il lui écrivit : " Puissions-nous avoir, sous vous, cette guerre qui,
> depuis 1905, est notre seule pensée " » [151].

---

144. C. Digeon, *op. cit.*, p. 495.
145. *Ibid.*, p. 498 à 514.
146. *Ibid.*, p. 514 à 518.
147. C. Digeon, *op. cit.*, p. 504.
148. C. Digeon interroge : « Y a-t-il (chez Péguy) des raisons lointaines à cette prise de conscience quasi instantanée du danger allemand ? » (*op. cit.*, p. 504).
149. Cité par G. Michon, *op. cit.*, p. 116. Extraits de *L'Argent* (suite), p. 235.
150. Jean Guéhenno, *op. cit.*, p. 64.
151. Cité par Henri Guillemin, « Malheureux Péguy », *Europe*, n° 423, p. 264.

Romain Rolland le pensait également : « ... La guerre avait illuminé, rasséréné, pacifié son cœur tourmenté. Elle lui fut un bien. S'il avait vécu, il eût connu, je le crains, de cruelles années... » [152].

Psichari poussa encore plus loin l'exaltation de la guerre. Dans un roman fortement autobiographique, *L'Appel des armes* [153], il célèbre l'armée en tant que telle, l'armée de métier, force au-dessus de la nation, seul refuge de la pureté. Il tourne en dérision les idées humanitaires et pacifiques représentées par le père, un maître d'école. Il est nécessaire de se préparer à la guerre, non pour atteindre un but quelconque, mais pour la valeur même de la guerre.

C'est ce qu'exprime aussi un autre contemporain, Abel Bonnard, en 1912 :

> « Il faut l'embrasser (la guerre) dans toute sa sauvage poésie. Quand l'homme se jette en elle, ce ne sont pas seulement les instincts qu'il retrouve, mais des vertus qu'il reprend... C'est dans la guerre que tout se refait » [154].

Il est indéniable qu'un courant nationaliste, ultra-nationaliste même, a existé dans le monde des lettres [155]. Mais il célèbre davantage la grandeur du savoir militaire qu'il n'exalte l'idée de la revanche et il est discutable de le faire partir de l'alerte de 1905. Il plonge ses racines auparavant. En outre, si le couple Péguy-Psichari prend un relief particulier pour la postérité, ne serait-ce que par la mort des deux hommes à quelques jours d'intervalle [156], on ne doit généraliser ni leurs prises de positions, ni les sentiments qu'ils ont ressentis. Jean Guéhenno affirme n'avoir « rien connu, rien senti dans ces années 1905 de ces rancunes, ni de ces colères et je ne les ai pas non plus senties vivantes autour de moi, parmi les miens, dans le petit peuple dont j'étais... » [157]. Il en a été de même de Romain Rolland, pourtant au contact de Péguy. C. Digeon le cite :

> « La menace de guerre m'a, à cette époque, très peu touché. J'en avais été tant de fois saturé pendant ma soucieuse jeunesse ! ... Même notre bon maître, l'historien grave et pondéré, Gabriel Monod, périodiquement nous avertissait de nous tenir prêts pour les mois prochains ... A force d'y croire, je n'y croyais plus... » [158].

---

152. Romain Rolland, *Journal des années de guerre (1914-1919)*, Paris, Albin Michel, 1952, 1910 p. (p. 1568). (Jean Guéhenno, *op. cit.*, p. 75, note 1).

153. Paris, 1912.

154. *Le Figaro*, 29 octobre 1912.

155. Cela se traduit pour E. Weber (*op. cit.*, p. 70) par la croissance de l'influence de l'Action française dans ces milieux. Il cite comme exemple ceux de Jules Renard qui, vers 1908, « goûtait assez *L'Action française* », de l'adolescent qu'était encore Jacques Rivière écrivant à son ami Alain Fournier qu'il aimait toujours mieux l'Action française que les radicaux-socialistes.

156. Charles Péguy fut tué le 5 septembre 1914, Ernest Psichari l'avait été le 22 août.

157. Jean Guéhenno, *op. cit.*, p. 57.

158. C. Digeon, *op. cit.*, p. 519, tiré de *Péguy*, T.I, p. 118.

De l'enquête faite par Emile Henriot en 1912 [159], *A quoi rêvent les jeunes gens ?*, C. Digeon tire la conclusion : « La hantise de la guerre ne touche certes pas toute la jeunesse littéraire » [160]. Leur premier souci est la littérature. Dans leurs réponses, les problèmes politiques, et en particulier le problème allemand, ne sont pas évoqués [161]. A dire vrai, le questionnaire adressé par Henriot à un certain nombre de jeunes gens ne leur demandait pas leur opinion sur les questions politiques. Aussi, attaqué par un écrivain d'Action française, Henri Clouard, [162], l'auteur assurait :

> « Si nous quittons ce plan des lettres qui m'est cher, je vous assure que je n'ai jamais songé à nier ce magnifique mouvement de " renaissance " nationaliste et français qui ... a éclaté avec un si bel ensemble, au cours de l'été dernier » [163].

Il n'en concluait pas moins que la période était marquée « par le triomphe de l'anarchie dans les lettres. Et si ce mot choque ... plus simplement que c'est l'avènement de ... l'individualisme » [164], ce qui est contradictoire avec l'opinion précédente !

Enfin, beaucoup d'écrivains parmi les plus grands, Romain Rolland, Anatole France, échappèrent au courant nationaliste... On conçoit mal Zola qui, au moment de sa mort, se préparait à écrire *Justice* dans la série des Quatre Evangiles [165], se ralliant au nationalisme [166].

Il serait un peu vain d'essayer de mesurer l'importance des écrivains nationalistes et celle de ceux qui ne l'étaient pas ou qui se désintéressaient de ces problèmes, mais il est cependant nécessaire de faire la part des choses : quelques noms illustrent le nationalisme, des écrivains témoignent par leur ralliement à ses thèmes du regain d'intérêt qu'il rencontra depuis la fin du 19e siècle sous sa forme nouvelle. Ils ne faisaient pas à eux seuls toute la littérature. Ils ont pu cependant en donner parfois l'impression au point de provoquer l'inquiétude, voire l'indignation de certains :

---

159. Emile Henriot, *A quoi rêvent les jeunes gens* ? Paris, Champion, 1913, 148 p., reprise d'articles parus d'abord dans *Le Temps*, 23, 24 avril, 7, 13, 27 mai, 4 juin 1912.

160. Digeon, *op. cit.*, p. 495.

161. Quand on lit la correspondance laissée par Louis Pergaud, prix Goncourt 1911, qui, à quelques mois près, connut le même destin que Péguy ou Psichari, on ne trouve aucune allusion aux faits politiques et internationaux jusqu'à la crise de juillet 1914 (cf. Louis Pergaud, *Correspondance (1901-1915)*, Mercure de France, 1955).

162. Celui-ci affirmait que le « mot nationalisme serait la meilleure dénomination » de notre jeunesse littéraire (E. Henriot, *op. cit.*, p. 131).

163. E. Henriot, *op. cit.*, p. 138.

164. *Ibid.* p. 117.

165. Cf. Emile Zola, *Œuvres complètes*, T. VIII, Paris, Edition du Cercle Précieux, 1968. Dans les notes préparatoires « pour *Justice* » on relève par exemple ceci : « Montrer l'Humanité allant vers la Paix par le travail. Les premiers temps du monde, la guerre, l'être nu qui se défend. Contre son semblable, contre la nature ; et le travail de paix se faisant peu à peu » (p. 1519).

166. Nombreux furent également les intellectuels à signer la pétition contre le projet de loi des trois ans, publiée dans *L'Humanité* du 16 mars 1913. Louis Descaves, Anatole France, Emile Durkheim, Chartier (Alain), Charles Vildrac, Albert Doyen, Henri Doucet, Gaston Gallimard...

« Le peuple français, malgré ses entraînements passés, était foncièrement républicain, démocrate, pacifique, et la littérature faisait croire que le conservatisme, le royalisme, le goût des aventures recommençaient à mordre sur lui » [167].

## L'ARMÉE

Il est à peu près naturel que l'armée, c'est-à-dire les officiers, ait été particulièrement sensible au nationalisme [168]. La question présente cependant deux faces. L'armée était-elle objet du nationalisme ou était-elle nationaliste elle-même ? La réponse au premier terme de la question est assez aisée.

Au 19e siècle, la « droite » n'a pas toujours eu pour l'institution militaire une sympathie sans limites, mais « en 1900, plus rien ne subsiste de ces réticences, ni de ces méfiances » [169]. R. Girardet s'est particulièrement préoccupé de déterminer la place de l'armée dans le nouveau nationalisme. Il souligne la « mystique de l'armée » [170] dont il est pénétré. « La personne du soldat (est devenue) celle du sauveur trop longtemps attendu, l'instrument quasi providentiel d'un grand espoir national ». Pour tous les maîtres à penser du nationalisme, Faguet, Lemaître, Barrès, Maurras, le culte de l'armée constitue le principe fondamental du nationalisme [171]. Mais cette conjonction qui s'est réalisée entre les milieux conservateurs et le nationalisme est liée à l'idée plus ou moins consciente que l'armée pouvait être le moyen pour eux de ressaisir le pouvoir politique. L'exaltation de l'armée n'est donc plus seulement l'expression du patriotisme, mais aussi celle des espoirs d'une revanche, non plus sur l'Allemagne, mais sur des adversaires politiques [172]. Ce trait ne peut ainsi être mis en rapport avec un renouveau national qui aurait été de peu antérieur à la guerre. Il est pour l'essentiel un élément dans le jeu politique intérieur, il illustre les nouvelles conceptions qui l'emportent à droite depuis la fin du 19e siècle.

Il est plus délicat de déterminer si l'armée rendait aux nationalistes le sentiment qu'ils lui portaient.

On peut, sans risque d'erreur, penser que dans leur majorité les officiers étaient acquis au nationalisme. Et Joffre, nommé chef d'état-major

---

167. Georges Guy-Grand, *op. cit.*, p. 94. Cette remarque est extraite du chap. V du Livre I (Avant la guerre : la France divisée), intitulée « Le divorce intellectuel » et qui a pris justement pour thème le divorce entre l'opinion publique et la littérature. C. Digeon traduit cette impression en opposant au renforcement du nationalisme littéraire les socialistes qui avaient « l'appui du pays » (p. 491), ce qui est d'ailleurs également excessif.

168. Cf. René Rémond, *op. cit.*, p. 160-161 ; Raoul Girardet, *La société militaire dans la France contemporaine (1815-1919)*, Paris, Plon, 1953, 333 p.

169. R. Rémond, *op. cit.*, p. 161.

170. R. Girardet, *op. cit.*, p. 190.

171. *Ibid.* p. 209.

172. Et par un phénomène d'interaction, l'idolâtrie du soldat par les nationalistes renforce la fureur des attaques antimilitaristes d'une partie de la gauche et réciproquement (Cf. Girardet, *op. cit.*, p. 212).

général de l'armée en 1911, en partie en raison de ses attaches radicales [173], n'échappait pas à la règle [174].

Mais est-ce bien le nationalisme des nationalistes ? Lisons ce témoignage d'un officier supérieur :

> « Que de fois me suis-je au cours de ma carrière militaire posé la question : " A quoi sers-tu ici-bas ? Quels services rends-tu à la société ? N'est-ce pas le dernier des métiers qu'être militaire ? "... Espère-t-on se battre un jour pour la défense du Pays ? Et si ce jour n'arrive pas !
>
> J'avais dix ans quand la guerre de 1870 éclata ; mon père ardent patriote, douloureusement meurtri des malheurs de la Patrie, m'inculqua de bonne heure l'idée que je devais être soldat pour reprendre l'Alsace-Lorraine et en effet je n'eus jamais l'idée de faire autre chose dans la vie. Cependant je faillis arriver à la retraite avant d'avoir réalisé le but de ma vie.
>
> Je croirais blasphémer en disant que j'applaudissais à la déclaration de guerre ... Néanmoins je dois avouer qu'au fond de moi-même j'éprouvais une satisfaction profonde de voir enfin se réaliser le but de toute ma vie : la guerre pour la *Revanche* et pour la *reprise de l'Alsace-Lorraine*.
>
> Enfin j'allais pouvoir être utile » [175].

Deux points nous ont paru essentiels : l'absence d'allusion à un rôle politique de l'armée, le sentiment d'une vie gâchée ou du moins professionnellement inutile, si la possibilité de la Revanche ne s'était pas réalisée. Ce nationalisme, en réalité, est celui de la Ligue des patriotes des années 1880. Il n'a guère de points communs avec le nouveau nationalisme. Fut-il celui de beaucoup d'officiers ? Nous ne pouvons en apporter la preuve ; nous n'avons pas non plus de raison d'en écarter l'hypothèse.

Chez d'autres officiers, le nationalisme, comme nous avons déjà pu le constater à propos de Psichari, est plus d'inspiration métaphysique que politique. Dans les bibliothèques de garnison, des ouvrages proclamaient que la guerre était génératrice du droit, animatrice des progrès de l'humanité [176], force par excellence de la concurrence vitale [177]. Le combat devait donc être considéré comme un idéal [178]. Chez certains de ces officiers-écrivains, cela pouvait conduire, souligne André Merlier, à des

---

173. H. Contamine, *La Revanche*, op. cit., p. 124.

174. *Ibid.*, *La victoire...*, op. cit., p. 59. Question posée à Joffre en 1912 : « La guerre, mon général ! Vous n'y pensez pas ? — Si j'y pense, j'y pense même toujours : nous l'aurons, je la ferai, je la gagnerai ». Même volonté de guerre chez un autre futur maréchal, Fayolle (p. 59).

175. Général Antoine Defontaine, *Mes souvenirs de guerre* (1914-1918). 5 cahiers, inédit, cahier, annexe 1. L'auteur, lieutenant-colonel en 1914, commandait alors le 4e régiment d'infanterie à Auxerre.

176. Général Charles Kessler, *La guerre*, Berger-Levrault, Paris, 1909, 145 p. A la page 3, l'auteur écrivait : « L'humanitarisme et le pacifisme sont de dangereux narcotiques avec lesquels les doctrinaires de la paix à tout prix atrophient la virilité des peuples en leur faisant croire que les guerres marquent un temps d'arrêt dans les progrès de la civilisation ; l'histoire prouve le contraire. » Le premier chapitre s'intitulait : « Le droit de la force ». Le second chapitre : « Le droit de la guerre ».

177. Général Henri Bonnal, cité par H. Contamine, *La Revanche*, op. cit., p. 20.

178. H. Contamine, *La Revanche*, op. cit., p. 19.

« textes d'un chauvinisme échevelé » [179]. J. Caillaux dans ses *Mémoires* a insisté sur la distance excessive qui, d'après lui, séparait « la plupart des officiers généraux » du « bon sens » [180]. « Misère de leurs conceptions », « indigence de vue » [181]. Jugement excessif, sans aucun doute. H. Contamine a signalé des officiers, « rares dans leur corporation », dont « la manière de penser » les rattachait à ceux qui considéraient la guerre comme « un désastre moral » [182]. On ne peut oublier également le groupe de généraux qui manifesta son hostilité aux trois ans [183].

Il est certain que ces derniers ne formaient qu'une faible minorité et que le nationalisme militaire fut un des aspects les plus compacts de la tendance nationaliste. Toutefois, c'est un nationalisme divers, toutes ses composantes sont loin d'être l'émanation d'un esprit nouveau. Au contraire, le nationalisme d'une partie des officiers serait plutôt suranné.

## L'ÉGLISE

On ne peut guère séparer le renouveau nationaliste d'une fraction de la jeunesse, des écrivains ou des officiers du renouveau catholique : Psichari n'en est-il pas le symbole ?

Cette conjonction entre catholicisme et nationalisme est fortement soulignée dans l'enquête d'Agathon [184]. « Il ne s'agit pas d'une religiosité vague ..., c'est dans la forme traditionnelle et franche du catholicisme que s'affirme la sensibilité religieuse des nouveaux venus... » [185]. Un passage célèbre de *Jean Barois* lui est consacré :

---

179. A. Merlier, *Communication à la Société d'histoire moderne*, p. 2. Allusion, entre autres, au lieutenant Laure, *L'offensive française*, Paris, Lavauzelle, 1912, 262 p., dont voici l'avant-propos :
« En avant ! Soldats français...
Haut-les-cœurs ! Souvenez-vous que, vaincus d'hier par accident, vous êtes les combattants de l'armée la plus victorieuse par tradition.
Vous avez le plus beau des tempéraments guerriers, et maudit soit le sort qui vous fit croire un jour à la désespérance.
Demain — car vous croyez bien, n'est-il pas vrai, qu'il puisse y avoir un lendemain de guerre à vos pacifiques veillées — demain, vous vaincrez de nouveau parce que vous saurez, comme au temps jadis, " vouloir vaincre ".
Ah ! « vouloir vaincre » !... Vous tous, mes camarades, vous tous qui sentez battre dans vos poitrines de soldats des cœurs de Français, je vous en conjure, poussez avec moi ce cri de guerre que vous inspire d'instinct votre tempérament : " Nous voulons vaincre ", et son corollaire : " L'offensive ! ".
Et vous, clairons, sonnez : vos accents simples, nets, hardis, vibrants, perçants — oui, perçants surtout — sont la meilleure définition de l'offensive française ».
Ou au lieutenant-colonel d'André, conférences réunies sous le titre *Les franges du drapeau*, Paris, Berger-Levrault, 1914, 266 p. Du même, *Quatre batailles*, Berger-Levrault, 1913, 104 p., qu'il conclut ainsi : « Toute l'épopée renaîtra, épanouie sous notre étendard, lorsque demain, s'il plaît à Dieu, nous y ajouterons en lettres d'or le nom du village inconnu ramassé à la pointe de nos lances sur la carte d'Allemagne » (p. 104). Le reste de l'ouvrage est de la même encre !

180. J. Caillaux, *op. cit.*, T.III, p. 65.

181. *Ibid.*, p. 66.

182. H. Contamine, (*La Victoire...*, *op. cit.*, p. 57) cite ainsi les lettres du capitaine Henches, tué pendant la guerre, du colonel Lebaud, *Actes de guerre* (1914-1917), Paris, Lavauzelle, 1932, IX-300 p.

183. Cf. Michon, *op. cit.*, p. 145. Percin, Pedoya, Peigne, Goiran, Rouvroy, Godard (plus de nombreux officiers, affirme-t-il).

184. Agathon, *op. cit.*, ch. IV, « La Renaissance catholique ».

185. *Ibid.*, p. 65.

« ...Seul le catholicisme apporte à notre génération ce dont elle a besoin ! ...

Pour stimuler notre volonté d'action, il nous faut, de toute nécessité, une discipline morale. Il nous faut un cadre moral ...

Eh bien, la religion catholique nous offre tout ça. Elle étaye notre responsabilité ... Elle exalte notre sens de l'action ... Il nous faut aujourd'hui une foi capable de décupler notre activité » [186].

La constatation de cette renaissance catholique conduit à plusieurs interrogations. Quelle fut d'abord son importance, en particulier dans la jeunesse ? On ne dispose pas, là non plus, de beaucoup d'éléments pour la mesurer [187]. Toutefois, on est amené à penser que ce mouvement est encore partiel ou à peine ébauché, puisque la chute du chiffre des ordinations se poursuit [188], ou tout au moins qu'il ne concerne qu'une catégorie sociale assez limitée.

Mais quelle fut surtout la nature de cette renaissance catholique ? Il va de soi que la conception du catholicisme et de son intégration dans la réalité sociale n'était pas la même pour tous [189]. Pour certains, la religion était seulement un idéal de vie intérieure. Mais pour beaucoup, pénétrés du sentiment de la « décrépitude nationale » et persuadés de la gravité des périls qui menaçaient la société et la patrie, les moyens spécifiquement politiques apparaissaient insuffisants pour y porter remède [190]. De là, on glissait facilement à la conception d'une Eglise « utile » à des buts qui n'étaient pas de caractère spirituel, « élément de la structure du pays » [191]. R. Rémond estime que l'« Eglise sera plus utilisée que servie » par une partie de la droite, que les rapports entre les nationalistes et l'Eglise relevaient plus « de la tactique que des convictions ». « La nouvelle génération de droite nationaliste est plus cléricale que religieuse » [192]. L'attitude de Maurras, lui-même incroyant [193], est typique

---

186. Roger Martin du Gard, *Jean Barois*, Paris, 1913 (Edition de poche Gallimard, 1964), p. 428 à 433 et 437. Controverse entre deux jeunes gens porteurs de la nouvelle idéologie, nationalisme, catholicisme, goût de l'action, et Jean Barois, type de l'intellectuel rationaliste de la fin du XIX⁰ siècle. On ne peut considérer à proprement parler l'œuvre romanesque de Martin du Gard comme un travail historique, mais on sait qu'en général il faisait preuve de beaucoup de méticulosité dans sa documentation. « Document particulièrement suggestif », dit à ce propos A. Dansette, *Histoire religieuse de la France contemporaine*, Paris, Flammarion, 1965, 892 p., p. 696. Cf. également l'enquête du *Mercure de France*, 1911, sur l'évolution du sentiment religieux.

187. A. Dansette, *op. cit.*, p. 703. Voir également André Latreille, René Rémond, *Histoire du catholicisme en France*, T.III, *La période contemporaine*, Paris, Spes, 1964, 709 p. (538-540).

188. Le chiffre des ordinations tombe de 1 508 en 1904 à 1 114 en 1909 et à 704 en 1914 (cf. Latreille-Rémond, p. 544).

189. A. Dansette, *op. cit.*, p. 701.

190. *Ibid.*, p. 700.

191. *Ibid.*, p. 704.

192. R. Rémond, *op. cit.*, p. 162. En contrepartie, certains catholiques comme Albert de Mun pensaient que la renaissance de l'idée de patrie favoriserait le retour à la religion traditionnelle (cf. Latreille-Rémond, p. 531).

193. « Sa philosophie était aussi peu chrétienne que possible ... Mais, comme théoricien de science politique, Maurras s'était convaincu de l'utilité sociale du catholicisme » (Latreille-Rémond, *op. cit.*, p. 521).

de cet état d'esprit et les propos d'un des « héros » nationalistes de Martin du Gard en sont une bonne illustration. Il explique comment même des incrédules se font les défenseurs de la religion : « S'ils défendent une foi qu'ils ne partagent pas ..., c'est qu'ils ont reconnu ses vertus actives » [194]. Jean Barois rétorque : « Oui... Sous ces grands mots d'ordre de courage national, il y a un peu ce que vous croyez y mettre ; mais il y a encore autre chose : un assez vulgaire instinct de conservation ! » [195].

On est confronté une nouvelle fois ici à l'ambiguïté du nationalisme et à la difficulté de le distinguer de l'idéologie traditionnelle de la droite ; il en est de même de ce néo-catholicisme prêt « à faire bon accueil à l'extrémisme sans nuance de la droite nationaliste » [196]. Lorsqu'on consulte, par exemple, la collection du *Pèlerin* de 1914, on est, en effet, frappé de la virulence du nationalisme qui y est professé : les chroniqueurs habituels sont Barrès, de Mun, Driant ; certaines des caricatures qu'il publie manifestent une âpreté et une violence révélatrices envers les adversaires des trois ans [197]. Comme le souligne André Latreille : « (La) réaction nationaliste est ... plus commune, plus absolue chez les catholiques qui dans l'ensemble n'éprouvent aucun doute sur la liaison entre les deux causes de Dieu et de la Patrie et aucune indulgence à l'égard de tout ce qui ressemble à l'Internationalisme » [198].

## LA « BOURGEOISIE »

Les avis concordent à faire de la bourgeoisie la catégorie la plus favorable au nationalisme. Pacifiste au 19e siècle, elle « est devenue nationaliste, très anti-allemande, cocardière » [199], sans que d'ailleurs elle accepte pour autant les sacrifices matériels que cette politique pourrait entraîner, tout au moins c'est ce qu'affirme G. Guy-Grand [200]. Mais toute la bourgeoisie, autant qu'on puisse la définir, est-elle concernée ? G. Guy-Grand ne le précise pas [201], Georges Michon guère plus ; toute-

---

194. R. Martin du Gard, *op. cit.*, p. 435.

195. *Ibid.*, p. 442.

196. R. Rémond, *op. cit.*, p. 162.

197. A titre d'exemple, *Le Pèlerin* (7 juin 1914), en page 16. Le dessinateur a représenté un groupe de députés socialistes et un groupe d'Allemands devant le Palais-Bourbon. Légende : « Les Allemands : Fife les Unifiés ! A pas les drois ans ! Les Socialistes Unifiés : Ne criez pas si fort : on croirait que nous sommes de mèche ».

198. Latreille-Rémond, *op. cit.*, p. 542. La liaison particulière entre nationalisme et catholicisme est soulignée également par la réserve dans laquelle se tiennent au contraire les milieux protestants. Le pasteur Louis Lafon écrit dans *Evangile et Liberté* du 2 mai 1914 : « ...Un protestant cesserait de l'être s'il n'était plus patriote ... Ce qui distingue néanmoins le patriotisme protestant d'un certain autre, c'est que cet amour de la patrie ne se déforme pas en haine de l'étranger et que le vrai protestant ne conçoit pas la France grande par la violence, l'oppression des faibles, la conquête et la guerre. Il rêve la force française au service du Droit et de la Paix ».

199. G. Michon, *op. cit.*, p. 103.

200. *Op. cit.*, p. 103.

201. *Ibid.*, p. 101.

46

fois, il note que le nationalisme reflétait assez bien « l'état d'esprit de la bourgeoisie, de l'Etat-Major et du monde des affaires »[202]. Raoul Girardet a cherché à serrer la vérité de plus près : il situe « le centre de gravité du public nationaliste » « au niveau de la petite et moyenne bourgeoisie » et il énumère petits employés, comptables, commerçants, artisans, officiers, retraités... [203]. Par contre, il ne croit pas que la haute bourgeoisie ait jamais été sérieusement « entamée », ni la haute administration, ni les « grands intérêts ».

Les milieux d'affaires avaient-ils intérêt à un conflit européen ? Quelle était la situation économique ? La solution d'éventuelles difficultés se trouvait-elle dans une politique belliqueuse ? Les rapports des conseils d'administration d'un certain nombre d'entreprises financières et industrielles offrent un moyen d'investigation des sentiments des chefs d'entreprises sur ces points. Il est vrai que tout n'est pas dit dans ces rapports : nous pensons toutefois que l'impression d'ensemble qui s'en dégage est utile.

Une première question se pose. Quel était le jugement des conseils d'administration sur la conjoncture économique, en 1913 et au début de 1914 ? L'impression de *La Semaine financière*, organe économique et boursier, n'était pas très favorable : « L'année qui finit a été, à bien des points de vue, une mauvaise année »[204].

Les rapports des conseils d'administration sont plus nuancés. Les remarques glanées à travers ces rapports[205] ne sont pas toutes convergentes : elles sont même, dans un certain nombre de cas, contradictoires. Elles font cependant apparaître qu'après une année 1912 souvent décrite comme excellente, l'année 1913 vit surgir des difficultés dans le domaine économique. Elles ne sont d'ailleurs pas générales, mais affectent plutôt les entreprises du secteur métallurgique, encore que, même là, ce soit loin d'être la règle. Souvent les rapports, tout en se félicitant des résultats obtenus, se montrent inquiets pour 1914, bien qu'au vu de l'activité des premiers mois, il ne semble pas que ces craintes aient été justifiées[206].

---

202. G. Michon, *op. cit.*, p. 115.

203. R. Girardet, « Pour une introduction ... », art. cité, p. 522.

204. 3 janvier 1914. Editorial « 1913 ».

205. Voir en particulier, compte rendu présenté à l'assemblée générale des actionnaires de la Banque de France (29 janvier 1914), rapports des conseils d'administration aux assemblées générales de 1914 et 1915 (Exercices 1913 et 1914) du Crédit lyonnais, du Comptoir national d'escompte de Paris, de la Compagnie des Forges, Châtillon-Commentry et Neuves-Maisons, des Hauts-Fourneaux Forges et Aciéries de Denain-Anzin, des Tréfileries et Laminoirs du Havre, de la Société des Aciéries de Longwy, des Aciéries de Pompey, des Forges et Aciéries de la Marine et d'Homécourt, de la Compagnie des Mines, Fonderies et Forges d'Alais, de Fives-Lille, de Peñarroya, de la Manufacture des Glaces et Produits chimiques de Saint-Gobain, Chauny et Cirey, de l'Air liquide, de Thomson-Houston, des Chantiers et Ateliers de Saint-Nazaire, de la Compagnie du Nord, de la Compagnie de Suez, de la Compagnie générale transatlantique, des Messageries Maritimes...

206. Le président de la Chambre de commerce de Paris notait dans un article publié par *Le Matin* du 3 février 1914 : « La crise économique qui sévit depuis un certain temps en Europe et en Amérique

On peut donc admettre que la situation économique ait été ressentie comme moins bonne fin 1913-début 1914 qu'elle n'avait été dans les mois précédents, mais certes pas dans des proportions qui auraient pu faire souhaiter aux milieux d'affaires la recherche d'une solution dans quelque aventure. De plus, si on essaie de mettre en rapport la poussée nationaliste et le mouvement des affaires, on est amené à constater que le renouveau nationaliste s'était manifesté au moment même où l'activité économique était particulièrement encourageante et qu'il aurait eu tendance à s'estomper au moment où cette activité économique ressentait quelques faiblesses. C'est-à-dire en partie à contresens si on voulait expliquer le nationalisme par une influence des « grands intérêts ».

Les rapports des conseils d'administration permettent d'apporter une réponse à une deuxième question, complémentaire de la première. Comment expliquent-ils les difficultés dont certaines entreprises subissent les effets ?

Le Crédit lyonnais a cru reconnaître les indices « qui annonçaient l'une de ces crises périodiques qui suivent les époques de très grande prospérité » [207]. Mais il est presque le seul à avancer cette interprétation structurelle. Dans la plupart des autres rapports, on constate une étonnante convergence au profit d'une explication de caractère conjoncturel. *La Semaine financière* donne le ton : la responsabilité doit être imputée aux troubles apportés à l'équilibre européen par les affaires marocaines, la guerre italo-turque, les guerres balkaniques [208]. D'où ce souhait que l'année qui succède à cette année néfaste « apporte des solutions pacifiques aux problèmes posés. Jamais le monde n'a senti un tel besoin d'équilibre et de tranquillité » [209]. Les conflits balkaniques sont particulièrement accusés : « Pendant l'année 1913, le conflit balkanique a déterminé de telles perturbations, il a laissé tant d'incertitudes que le cours normal des transactions purement financières s'est trouvé presque suspendu » [210] ; « l'année qui vient de s'écouler a cependant souffert, ainsi que la précédente, de la situation troublée, dont la guerre entre la Turquie et les Etats balkaniques a été la cause » [211] ; « après la guerre balkanique, survenue pendant les derniers mois de 1912 ..., il était permis d'espérer que la conférence de Londres amènerait une période d'apaisement et un réveil des affaires si éprouvées par les événements

---

semble en voie de s'atténuer... » Il ajoutait cependant qu'en France il était à craindre que cette amélioration ne tarde à se faire sentir, en particulier à cause des inquiétudes provoquées par les discussions sur l'impôt sur le revenu.

207. *Assemblée générale du 29 avril 1915.*

208. C'est aussi l'avis de David-Mennet, président de la Chambre de commerce de Paris. Parmi les causes passagères de la crise, il insiste sur les « inquiétudes nées ... de la guerre balkanique et de ses conséquences éventuelles... » (*Le Matin*, 3 février 1914).

209. 3 janvier 1914.

210. *A.G. des actionnaires de la Banque de France*, 29 janvier 1914.

211. *A.G. Crédit lyonnais*, 23 mars 1914.

d'Orient » [212]. Malheureusement, note ce rapport, la reprise des guerres en 1913 a prolongé le malaise [213]. Et, au début de 1914, on en subissait encore les conséquences [214]. Même les conseils d'administrations satisfaits font ressortir que le bilan est satisfaisant, « malgré les troubles apportés par les guerres balkaniques à la marche générale des affaires industrielles et commerciales » [215]. D'autres visent les mêmes causes avec plus d'imprécision dans leur formulation : la « dépression des commandes dans le deuxième semestre de l'exercice (est) due aux événements de la politique extérieure » ; « les troubles de la paix en Europe ont influé sur la marche générale des affaires » [216].

Le sentiment du monde des affaires est donc clair. Pour que les choses reprennent un cours normal, il fallait qu'une atmosphère de paix se rétablisse en Europe. Il est intéressant de noter que ce point de vue est aussi celui des métallurgistes, qui pourtant pourraient tirer des satisfactions d'éventuelles commandes militaires. Certains ne cachent d'ailleurs pas l'importance pour eux de ces fabrications. Châtillon-Commentry signale que « les produits militaires ont été l'objet d'une demande fort soutenue » et que l'usine de Montluçon « reste abondamment pourvue de travail » [217]. Les Forges de la Marine et d'Homécourt se félicitent des grosses commandes que leur vaut la construction des tourelles des cuirassés en construction et des forts de l'Est [218]. On n'a cependant pas l'impression, au vu des rapports dont nous disposons, même si certains peuvent être les bénéficiaires des effets de la loi de trois ans [219] ou des fournitures supplémentaires de matériel de guerre, que les milieux d'affaires estiment que cela soit favorable à la marche générale de l'économie. Comme l'écrit *La Semaine financière*, pourtant partisan de la loi militaire, [la France] « a fourni un grand effort en s'imposant le service de trois ans, mais elle n'a pas solutionné la crise qui en est résultée » [220]. Les difficultés qu'infligent au fonctionnement de l'économie les troubles internationaux apparaissent bien plus redoutables que les bénéfices qu'on pourrait éventuellement en espérer.

Nous ne nous dissimulons pas le caractère partiel de notre enquête [221]. Le point de vue qui s'en dégage ne nous paraît pas cependant dénué de vérité : la situation économique ne poussait pas à une

---

212. *A.G. Comptoir national d'escompte*, 30 mars 1914.

213. *Ibid.*, 24 avril 1915.

214. *A.G. Tréfileries et laminoirs du Havre*, 29 novembre 1913.

215. *A.G. Compagnie des Forges et Aciéries de la Marine et d'Homécourt*, 13 novembre 1913.

216. *A.G. Manufacture des Glaces et Produits Chimiques de Saint-Gobain*, 22 mai 1914.

217. *A.G.* du 14 mai 1914.

218. *A.G.* du 13 novembre 1913.

219. Cf. G. Michon, *op. cit.*, p. 148.

220. 3 janvier 1914.

221. Toutes les grandes firmes françaises n'étaient pas des sociétés anonymes, donc n'étaient pas astreintes à tenir des assemblées générales et à faire des rapports de leurs activités.

politique agressive, les milieux financiers et industriels, même les « marchands de canons », y sont hostiles [222].

Toutefois les milieux économiques ne pouvaient-ils être sensibles au nationalisme, même si leurs intérêts ne les y poussaient pas particulièrement ? Nous n'avons pas beaucoup de moyens de le savoir. Le dépouillement des archives des Chambres de commerce permet tout de même d'apporter quelques renseignements. Ainsi cette anecdote. Faisant le compte-rendu du 6e congrès international des Chambres de commerce qui venait de se tenir, le président de la Chambre de commerce de Paris rapporta ce qui s'était passé au Creusot où les congressistes avaient fait une excursion :

> « ... On nous a montré [...] des batteries de campagne et, notamment une batterie qui a été mise en place en une minute. Nous avons pu constater la rapidité du tir de cette batterie, et ... c'était une chose qu'il n'était pas mauvais de faire voir à tous ceux qui nous entouraient ».

« Très bien », soulignèrent tous les membres de la Chambre de commerce [223].

L'élection de Poincaré à la présidence de la République combla assurément leurs vœux. Ils exprimèrent leur satisfaction : « Respectueux des volontés de l'Assemblée nationale appelée à élire le président de la République, nous avons eu la bonne fortune de voir son choix répondre à nos propres désirs et se porter sur un homme d'Etat qui avait su de longue date conquérir la confiance du monde économique » [224]. Or c'est en particulier la politique extérieure que Poincaré incarnait qui est approuvée :

> « Rappelant les paroles de M. Poincaré que, pour avoir l'assurance de la paix, il fallait être prêt à la guerre (le président de la Chambre de commerce) a dit que les commerçants étaient disposés à accepter tous les sacrifices personnels et financiers que le gouvernement jugerait nécessaires pour la défense nationale » [225].

Alors que les prises de position politique sont excessivement rares dans les délibérations des Chambres de commerce, l'assemblée des présidents des Chambres de commerce du mois de mars 1913 émettait un vœu pour approuver le service militaire de trois ans : « L'assemblée s'est montrée unanimement disposée à accepter les charges nouvelles résultant du projet sur le service militaire de trois ans » [226].

---

222. Conversation du 13 novembre 1967 avec M. Escarra, ancien directeur général du Crédit lyonnais de 1926 à 1950.

223. Archives de la Chambre de commerce de Paris. *Procès-verbaux des séances.* 8 juillet 1914, p. 536.

224. *Bulletin de la Chambre de commerce de Paris*, 15 novembre 1913, p. 1649-1650. Discours du président David-Mennet lors d'un banquet offert à R. Poincaré.

225. *Bulletin de la Chambre de commerce de Paris*, 1er mars 1913, p. 250.

226. Vœu adopté par les représentants de 101 Chambres de commerce. *Bulletin de la Chambre de commerce de Paris*, 15 mars 1913, p. 366.

En réalité, cette unanimité approbatrice n'allait pas sans nuances et un second paragraphe d'apparence anodine manifestait quelques réticences :

> « Elle (l'assemblée) a estimé toutefois qu'il serait désirable de permettre aux jeunes gens ayant les aptitudes physiques nécessaires d'accomplir leur service militaire par anticipation dès l'âge de dix-huit ans, et sans avoir à contracter un engagement de quatre ans, ainsi que le prévoit le projet » [227].

En effet, si l'assemblée n'avait guère discuté des principes de la loi de trois ans, elle avait au contraire eu un long débat sur les modalités d'application. Après que le président de la Chambre de commerce de Meaux se soit montré préoccupé de la disposition qui obligeait les jeunes gens désireux de devancer l'appel à faire quatre ans de service, ce fut surtout le président de la Chambre de commerce de Saint-Quentin, par ailleurs sénateur, qui exposa ses inquiétudes :

> « Nous n'avons pas à discuter les questions militaires, mais nous sommes en face d'un problème extrêmement angoissant ... J'avoue franchement que, tout patriote que je sois, ce n'est pas sans un serrement de cœur que je voterai la loi de trois ans, parce que j'estime qu'elle va coûter terriblement cher au pays. Au point de vue économique, elle va, en raréfiant la main-d'œuvre, renchérir la vie, car tout se tient. Je le répète, cette loi sera effroyable non seulement par l'impôt du sang, mais pas la diminution des forces vives dont le pays a tant besoin.
> Il rentre dans les attributions des Chambres de commerce de demander que, sans diminuer les charges individuelles, on cherche tout au moins à atténuer des répercussions de la loi sur la prospérité du pays » [228].

On a donc l'impression que les milieux économiques étaient accessibles aux idées nationalistes, mais qu'ils avaient assez paradoxalement conscience que cette attitude n'allait pas dans le sens de leurs intérêts.

En revanche, les appréciations sont concordantes pour affirmer le manque d'assises du nationalisme dans le monde rural, mis à part certains milieux de notables provinciaux ou de nobles campagnards, et dans le monde ouvrier [229].

Le nationalisme est essentiellement un phénomène urbain [230]. Dans un certain nombre de régions, le respect pour l'armée et pour l'ordre établi était une constante, comme le souligne E. Weber, sans que celui-ci

---

227. *Ibid.*

228. *Assemblée des présidents des Chambres de commerce.* Compte rendu in extenso, 10 mars 1913, 20ᵉ point de l'ordre du jour.

229. R. Girardet, art. cité, p. 522. Cf. aussi G. Guy-Grand, *op. cit.*, p. 104. Pour ce dernier, les paysans n'étaient pas anti-patriotes, mais a-patriotes, « peu exaltés par la vie collective ».

230. R. Girardet, art. cité, p. 522. E. Weber, art. cité, p. 115.

puisse être imputé au renouveau national : c'est le cas des départements situés à l'Ouest d'une ligne allant de la Seine-Inférieure à la Vendée, des départements de l'Est, de ceux du Sud du Massif central, des Basses-Pyrénées... [231]. Ce sont des régions qui votaient traditionnellement à droite ou, comme les départements de l'Est, y ont glissé progressivement, mais bien avant cette période. En réalité, le seul fait important à mettre au compte du nationalisme est sa récente implantation parisienne : « le nationalisme de 1905-1914 fut un produit de Paris » [232] avec une tendance à irradier dans le Bassin parisien. C'est là la seule nouveauté de la géographie électorale, l'apparition à Paris « d'une majorité nettement orientée contre la gauche » [233], encore que depuis le boulangisme l'électorat parisien avait montré sa sensibilité aux incitations nationalistes. Pouvons-nous émettre cette hypothèse : le « renouveau national » ne doit-il pas une bonne part de sa renommée à ce qu'il fut un fait parisien ?

Le renouveau nationaliste en France dans les années qui précèdent la guerre est donc un phénomène indéniable, complexe, difficile à situer dans le temps et limité.

Indéniable parce qu'il a remis à l'honneur et a donné une certaine résonance à un « programme », « un vocabulaire », qui n'étaient que partiellement nouveaux, mais qui avaient été assez démodés pendant une période [234]. Complexe parce qu'il se distingue mal des courants traditionnels de la droite, parce que, mouvement de défense nationale, il est aussi et pour certains surtout un mouvement de conservation sociale. Une fraction de la bourgeoisie apprécie chez les nationalistes des défenseurs de l'ordre établi [235]. Difficile à situer dans le temps, parce que la date de 1905 n'est pas le point de départ si souvent indiqué, mais les événements de cette année ont favorisé le développement d'un néo-nationalisme déjà éclos. Limité, parce que cet état d'esprit n'est celui que de catégories peu nombreuses [236] et de régions, sauf Paris, traditionnellement acquises aux idées conservatrices. Renouveau nationaliste, oui, mais encore et très largement un phénomène minoritaire.

---

231. E. Weber, art. cité, p. 115-116.

232. *Ibid.*, p. 115.

233. *Ibid.*, p. 117. Egalement R. Girardet (art. cité, p. 522, note 35) : « En fait, on est frappé du caractère nettement parisien de toutes les campagnes d'agitation nationaliste depuis la fin du 19e siècle ».

234. E. Weber, art. cité, p. 115.

235. Certains y voyaient une cause de faiblesse du nationalisme : « Triste malentendu de notre histoire intérieure : les hommes qui voulaient la justice ne croyaient pas à la guerre ; et ceux qui voyaient venir la guerre, ne voulant pas tous la justice, manquaient d'autorité pour se faire écouter » (G. Guy-Grand, *op. cit.*, p. 99).

236. Mais dont l'influence peut cependant être supérieure à leur nombre.

# Chapitre 2

# Les limites du renouveau nationaliste

## Revanche et Alsace-Lorraine

Toutes les idéologies ont besoin d'être entretenues pour maintenir leur crédibilité. L'espoir de la revanche et de la reconquête de l'Alsace-Lorraine pouvait être pour le nationalisme français une source inépuisable de renouvellement.

« Pendant plus de quarante ans, cette pensée de la revanche constitue l'élément fondamental de la politique française », écrivait Barbara Tuchman, il y a peu d'années, dans un livre à succès [1]. Elle pensait probablement ne faire que constater une évidence. En réalité, il est très douteux que l'opinion publique française ait encore été désireuse de revanche [2]. Après que Déroulède se soit éteint au début de 1914, même les nationalistes les plus ardents avaient la conviction qu'il n'était plus possible d'en faire sérieusement, publiquement état. Lorsque les troupes françaises entrèrent, pour peu de temps d'ailleurs, dans Mulhouse, Albert de Mun s'écria : « ... La Revanche ! Mot vibrant, si longtemps refoulé dans nos âmes et qu'il nous était défendu de crier tout haut... » [3]. Nous sommes donc tenté d'accepter cette remarque de G. Guy-Grand : « Est-ce à dire qu'il y eût, au cœur de la plupart des Français, la haine tenace, recuite de " l'ennemi héréditaire " ? Quelle

---

1. Barbara W. Tuchman, *Août 1914*, Paris, Presses de la Cité, 1962, 441 p. (p. 36).

2. C'est en particulier la conclusion à laquelle est arrivé Gilbert Ziebura, combattant ainsi les thèses traditionnelles allemandes sur l'idée de revanche en France, dans son étude sur « la question allemande dans l'opinion publique française » (*Die deutsche Frage in der öffentlichen Meinung Frankreichs von 1911-1914*, Berlin-Dalhem, Colloquium Verlag, 1955, 224 p. Cf. également compte rendu d'Alfred Grosser, in *Revue française de science politique*, 1, janvier-mars 1956, p. 195).

3. *L'Echo de Paris*, 9 août.

erreur ce serait de se représenter ainsi la France d'avant la guerre ! ...
La génération de la Revanche, qui avait subi la défaite, ne pensait qu'à
elle ... avait en partie disparu »[4], confirmée par l'autorité de H. Contamine. Il ne rejette pas en effet, même s'il la trouve un peu restrictive,
cette affirmation du colonel Lebaud : « La Revanche, de rares exaltés y
pensaient »[5].

Cela ne signifie évidemment pas que la notion de revanche ait été un
mythe. Toutefois, elle n'était plus « aussi présente, aussi simpliste qu'au
lendemain du traité de Francfort »[6], elle était dans une sorte de réserve
sentimentale, parce que même le grand pacifiste d'Estournelles de Constant pouvait dire, en 1913 : « L'oubli est aussi impossible que la Revanche »[7].

Oublier la revanche était cependant plus facile qu'oublier l'Alsace-
Lorraine. Pourtant, même là, les sentiments de l'opinion publique française étaient moins simples qu'on ne l'a dit par la suite. Ils auraient pu
être le simple reflet de ce que pensaient de leur propre sort les Alsaciens-
Lorrains.

L'ouvrage récent de Jean-Marie Mayeur a fait le point sur la question[8], et avec d'autant plus l'opportunité que l'histoire de l'Alsace-
Lorraine pendant la période allemande est mal connue en France[9]. Il
existait en Alsace un très large consensus, estime J.-M. Mayeur :

> « Tous, ou presque, demandent l'autonomie ; tous, autant dire, esti-
> ment qu'une Alsace-Lorraine autonome doit être le fondement d'un rap-
> prochement franco-allemand, tous préfèrent le maintien de la paix à un
> conflit qui rouvrirait " la question d'Alsace-Lorraine ". Tous acceptent les
> " faits accomplis ", affirmant leur loyalisme envers l'Empire et professent
> un " sentiment de piété "envers la France. Tous professent leur attache-
> ment au particularisme alsacien »[10].

Toutefois, une étude minutieuse de l'opinion publique alsacienne
en 1913 et 1914 serait nécessaire pour affirmer ou infirmer qu'il y ait eu
un changement pendant cette dernière période[11]. On pourrait, en effet
estimer qu'après le pas en avant qu'avait été, dans une certaine mesure,
la Constitution de 1911, les incidents comme ceux de Saverne en 1913 et
le durcissement du régime en 1914, ont modifié les sentiments des Alsa-

---

4. G. Guy-Grand, *op. cit.*, p. 121.

5. H. Contamine, *La victoire...*, *op. cit.*, p. 58 (Colonel Lebaud, *Notes de guerre, 1914-1917*).

6. H. Contamine, *La Revanche*, *op. cit.*, p. 22.

7. *Ibid.*.

8. Jean-Marie Mayeur, *Autonomie et politique en Alsace*, Paris, Armand Colin, 1970, 212 p.

9. Cf. *Le Monde*, 20 déc. 1970.

10. J.-M. Mayeur, *op. cit.*, p. 188. Les élections au Landtag de 1912 confirment ce point de vue
(cf. Mayeur, 3e partie). Cf. également François G. Dreyfus, « Communication à la Société d'histoire
moderne », 12 avril 1970, *Bulletin de la Société d'histoire moderne* 1, 1971, p. 2. « En 1911, une partie
importance de la population alsacienne s'est ralliée au régime allemand ».

11. Jean-Marie Mayeur, *op. cit.*, p. 188 note 1.

ciens. En réalité, comme le dit Michèle Deudon : « L'Alsace se cabre non pas tellement contre le fait d'appartenir à l'empire allemand, mais plutôt contre la domination prussienne tracassière et exigeante » [12].

Les témoignages recueillis confirment ces propos et attestent du profond pacifisme des populations alsaciennes [13].

Les informations dont pouvait disposer le public français allaient pour l'essentiel dans ce sens [14]. Une fois la guerre commencée, l'abbé Wetterlé, pourtant représentant de l'aile nationaliste de l'opinion alsacienne [15], tout en se réjouissant que l'heure de la délivrance allait sonner, le répéta avec force : « Non, nous ne voulions pas que la guerre, avec son cortège lamentable de deuils et de ruines, fût la rançon de notre affranchissement » [16].

L'opinion publique française, ou tout au moins ce qu'on peut en saisir à travers les prises de position politiques, réagissait-elle cependant en

12. Michèle Deudon, *La question d'Alsace-Lorraine dans la presse française*, mai 1911-juin 1914, DES, Paris, 1962 (sous la direction de P. Renouvin), p. 223.

13. Le témoignage de Charles Spindler nous a semblé particulièrement significatif. Les notes prises au jour le jour par ce peintre alsacien de Saint-Léonard (près d'Obernai) ont été publiées en 1925 (*L'Alsace pendant la guerre*, Strasbourg, XI, 763 p.), c'est-à-dire à une époque où on pouvait oublier que la situation des esprits en Alsace n'avait pas été exactement conforme à l'image « patriotique » qu'on voulait s'en faire a posteriori en France. Comme le dit l'auteur de la préface, André Hallays, la franchise de M. Spindler scandalisera peut-être le lecteur français : « ...Alsacien pacifiste si jamais il en fut, il est rattaché à la France par des affinités sentimentales et des traditions de famille, mais il n'éprouve aucune animosité contre l'Allemagne où justice est rendue à son talent ; il a de bons amis parmi les immigrés ; son rêve est de voir la France se rapprocher de l'Allemagne et vivre en bonne intelligence avec elle » (p. X).
« 25 juillet (1914) : « ...Je suis persuadé que personne ne désire la guerre ... et je me tranquillise avec la note du journal (*Le Journal d'Alsace*) disant que la France et l'Allemagne unissent leurs efforts pour conjurer le péril » (p. 3). Puis les notes des jours suivants montrent l'espoir du maintien de la paix disparaissant progressivement, le désarroi d'une population où les couples d'Allemands et d'Alsaciens n'étaient pas rares, la tristesse du départ des mobilisés, mais qui ne songent pas à se dérober, la confiance très réduite dans un succès possible de la France, même si on le souhaite. Une anecdote que conte Spindler ne doit certainement pas être généralisée, mais elle atteste de la complexité des attitudes : le fils de sa cuisinière, réfractaire au service militaire et installé à Paris, rentre en Alsace à l'annonce de la mobilisation ! (p. 13). Spindler était pourtant l'ami de A. Laugel, un des tenants du « nationalisme » français en Alsace (cf. A. Laugel, *La culture française en Alsace*, Conférence de la Ligue des jeunes amis de l'Alsace, Paris, 1912, 32 p..
Autres témoignages : celui de Mgr Frey, curé de Colmar, en date du 29 juillet (probablement juin ?) : « Hier 28 juin, horrible attentat à Sarajevo ... N'en sortira-t-il pas une guerre européenne ? C'est à craindre. Alors gare aux pauvres nations. Ce sera une boucherie entre Chrétiens et Chrétiens... » (*Annuaire de la Société historique et littéraire de Colmar*, 1964. Les débuts de la guerre 1914-1916, vus et vécus par Mgr Etienne Frey, p. 18) ; celui d'Edouard Richard, futur maire de Colmar : « Du 29 juin au 23 juillet 1914 ..., on vécut tantôt dans l'espoir que la paix serait sauvée, tantôt dans la certitude que la catastrophe ne saurait être évitée... » (*Annuaire de la Société historique et littéraire de Colmar*, 1964, p. 9).

14. Cf. Michèle Deudon, *op. cit.*, p. 130 à 132. Voir en particulier, *La Revue de Paris*, 15 janvier 1914 (article d'un « Alsacien » anonyme), *La Dépêche de Toulouse*, 19 avril 1913. L'enquête d'André Morizet dans *L'Humanité*, interviews d'une série de personnalités alsaciennes (23 mars, 24 mars, 27 mars, 10 avril, 14 avril, 21 avril, 25 avril 1913). Voir aussi Auguste Lalance, *Mes souvenirs 1830-1914*, Paris-Nancy, 1914, 77 p. (paru d'abord dans la *Revue de Paris*, 1er au 15 février 1914). Lalance était le dernier survivant des députés « protestataires ».

15. Une des principales figures de la vie politique alsacienne à la veille de la guerre. Parmi les fondateurs du *National Bund* en 1911, très proche des nationalistes français. L'insuccès de ce mouvement aux élections au Landtag de 1912 fut péniblement ressenti par la presse de droite en France. Une partie de l'opinion alsacienne avait considéré son action comme dangereuse pour la paix (cf. J.-M. Mayeur, *op. cit.*, et Michèle Deudon, *op. cit.*, p. 53 et suiv.).

16. *L'Echo de Paris*, 21 août 1914.

fonction de l'opinion publique alsacienne ou de considérations purement nationales ?

L'objectif de la gauche était le rapprochement franco-allemand. La question d'Alsace-Lorraine était un obstacle. Il fallait donc trouver un moyen de le réduire. Deux approches étaient possibles : privilégier le rapprochement franco-allemand qui permettrait par contrecoup de régler la question d'Alsace-Lorraine, ou chercher une solution à la question d'Alsace-Lorraine qui entraînerait un rapprochement franco-allemand.

Les conférences de Berne en mai 1913 et de Bâle en mai 1914 [17] procèdent de la première méthode. A Berne, de 120 à 150 [18] parlementaires français, socialistes, républicains socialistes, radicaux et radicaux-socialistes, républicains de gauche, rencontrèrent une délégation allemande composée de 41 membres du Reichstag, socialistes, libéraux, catholiques, dont plusieurs élus de l'Alsace-Lorraine [19]. De cette réunion sortit un Comité franco-allemand [20] qui se réunit l'année suivante à Bâle. Tant à Berne qu'à Bâle, des déclarations furent élaborées en faveur d'un rapprochement franco-allemand [21].

Les socialistes et les radicaux français attachèrent un grand intérêt à ces réunions. Le groupe socialiste au Parlement publie une déclaration se félicitant de l'œuvre réalisée à Berne et à Bâle [22]. *L'Humanité* mit en valeur les interviews de plusieurs délégués allemands [23], en particulier celles du socialiste Scheidemann [24] et du catholique alsacien, Ricklin [25]. *Le Radical*, sans pour autant cacher la complexité et les difficultés de

---

17. Cf. compte rendu de la Conférence interparlementaire franco-allemande tenue à Berne, *Nache den Texten und der Stenographie veröffentlicht von Organisationkomittes*, Bern, 1913. Cf. Michèle Deudon, *op. cit.*, p. 134 à 154, *La Conférence de Berne*, et aussi Gilbert Ziebura, *op. cit.*, p. 141 à 152 et p. 152 à 154.

18. Les chiffres donnés par les journaux sont variables.

19. Le député du centre, Ricklin, des députés socialistes, Boehle, Emmel, Peirotes, Weill.

20. Le Comité franco-allemand était composé du côté français par les sénateurs radicaux de La Batut, d'Estournelles de Constant, Gaston Menier, les députés radicaux ou républicains-socialistes, Auganneur, Emile Bender, Franklin-Bouillon, Alphonse Chautemps, Dumesnil, Justin Godart, Long, général Pedoya, H. Schmidt et les députés socialistes, Groussier, Jaurès, Sembat et Albert Thomas. (cf. *L'Humanité*, 28 mai 1914).

21. « La première conférence des parlementaires français et allemands réunis à Berne le 11 mai 1913 répudie énergiquement toute solidarité dans les détestables campagnes d'excitations chauvines de toutes sortes et les coupables spéculations qui menacent des deux côtés de la frontière d'égarer le bon sens et le patriotisme des populations.

Elle sait et elle proclame que les deux pays, dans leur immense majorité, sont fermement attachés à la paix, condition absolue de tout progrès.

Elle s'engage à une action incessante pour dissiper les malentendus, prévenir les conflits, et elle remercie de tout cœur les représentants de l'Alsace-Lorraine d'avoir facilité par leurs nobles déclarations, votées à l'unanimité, le rapprochement des deux pays par une œuvre commune de civilisation ».

22. *L'Humanité*, 2 juin 1914.

23. *Ibid.*, 1er juin 1914.

24. « L'idée d'une entente de la France et de l'Allemagne poursuit sa marche victorieuse, garantie de la paix européenne ».

25. « Alsacien-Lorrain, j'ai toujours défendu cette idée que le rapprochement et la réconciliation de la France et de l'Allemagne sont indispensables et j'ai toujours combattu l'idée d'une guerre entre les deux pays. L'évolution nouvelle qui se dessine de plus en plus prépare la réalisation d'un de nos rêves les plus chers ».

l'œuvre entreprise, ne s'en réjouissait pas moins de l'effort de rapprochement réalisé [26].

Le même esprit présida à la grande manifestation socialiste internationale qui se déroula le 12 juillet 1914 à Condé-sur-Escaut. 4 000 personnes vinrent y écouter une phalange d'orateurs, parmi lesquels le Français Jean Longuet et l'Allemand Karl Liebknecht, exalter le rapprochement franco-allemand [27].

Des affaires, comme celle de Saverne en 1913 ou comme l'arrestation du dessinateur alsacien Hansi en 1914, rendaient plus difficiles les efforts de rappochement. Mais, tout en réprouvant la brutalité et l'arbitraire des autorités allemandes, les journaux socialistes et syndicalistes estimèrent qu'une fraction de la presse française voyait surtout là l'occasion d'exciter au chauvinisme et qu'on ne pouvait pas en rendre responsable l'ensemble du peuple allemand [28]. La visite des souverains britanniques et l'enthousiasme qu'elle provoqua dans les journaux nationalistes leur permirent de faire remarquer qu'il s'adressait à un « ennemi héréditaire » tout récent et qu'il serait bon de ne pas attendre trop lontemps pour se rendre compte de la « niaiserie » de la haine pour l'Allemand [29].

Aussi, quand le député socialiste Wendel cria « Vive la France » au Reichstag [30], ou quand un tribunal allemand débouta un éditeur dont la publication avait été qualifiée par un journaliste de « camelote patriotarde » [31], les mêmes journaux ne manquèrent pas de le célébrer.

Des efforts furent faits également pour diffuser largement dans l'opinion publique les témoignages de cette volonté de rapprochement. Le manifeste commun élaboré par le *Parteivorstand* (comité directeur du Parti social-démocrate allemand), le groupe socialiste au Reichstag, la CAP du Parti socialiste et le groupe socialiste parlementaire, non seulement fut publié dans *L'Humanité* [32], mais son affichage fut décidé dans toutes les communes de France [33].

Tous les socialistes ne considéraient pas comme satisfaisante cette méthode pour régler le différend franco-allemand : en particulier Gus-

---

26. *Le Radical*, 31 mai 1914.

27. A.N. F 7 12945, *Rapports du commissaire spécial* de Valenciennes, 26 juin 1914 et 13 juillet 1914.

28. *La Bataille syndicaliste*, 13 janvier, 21 mai 1914. *L'Humanité*, 2 mai 1914. *La Guerre sociale*, 27 mai, 2 juin 1914.

29. *Le Bonnet rouge*, M. Almereyda, 21 avril 1914.

30. *L'Humanité*, 23 mai ; *Le Bonnet rouge*, 16 mai. En grand titre : « Au Reichstag : " Vive la France " !. On crie " Vive la France ! " au Reichstag allemand. Sensationnelles déclarations de MM. Wendel, Gothein et du Prince Schoenach-Carolath »...

31. *La Guerre sociale*, 29 avril au 5 mai 1914.

32. 1ᵉʳ mars 1913. Le texte du manifeste était publié simultanément en français et en allemand dans les deux premières colonnes de la première page.

33. Cf. Alexandre Zevaes, *Le Parti socialiste de 1904 à 1923*, Paris, 1923, 264 p. (p. 81). Dans une lettre du 14 avril 1968, M. Antoine Perrier nous signalait que dans les premiers mois de 1914, on pouvait encore apercevoir des fragments d'affiches de ce manifeste sur les portes de quelques granges dans des communes rurales limousines.

tave Hervé. D'après lui, le rapprochement franco-allemand ne pouvait procéder que d'un règlement préalable de la question d'Alsace-Lorraine, ne serait-ce que, estimait-il, parce que l'opinion radicale [34] n'admettrait pas « avant cinquante ans » que le règlement de la question d'Alsace-Lorraine découle seulement d'une entente préalable avec l'Allemagne [35]. Mais la position d'Hervé semble assez isolée, et malgré ses efforts [36], il ne parvient guère à intéresser le congrès socialiste de juillet 1914 [37].

C'est donc finalement la première approche qui l'emportait chez les socialistes et, d'une façon plus générale, dans la gauche française. 70 intellectuels français qui « refusaient toute allégeance politique et en particulier socialiste », mais qui appartenaient en fait à diverses tendances de gauche, proclamaient que la France ne saurait « sans violation de la parole donnée aux Alsaciens-Lorrains après la guerre avoir d'autre désir que celui de seconder la politique adoptée par les Alsaciens-Lorrains eux-mêmes ». Ils estimaient nécessaire de déclarer publiquement que « l'espoir du retour des deux provinces à la France est un idéal chimérique que l'examen des faits et la conviction intime des Alsaciens-Lorrains ... font écarter comme contraire à toute probabilité et à tout espoir raisonnables... » [38].

Les positions défendues par Hervé étaient — malgré leur réalisme apparent — considérées comme irréalistes parce qu'elles supposaient un renoncement de l'Allemagne inconcevable dans l'immédiat [39]. La gauche française était donc conduite à adopter le même point de vue que l'opinion publique alsacienne. Elle acceptait que l'arrangement se fasse entre Alsaciens-Lorrains et Allemands dans le cadre de l'empire allemand. Elle l'acceptait, mais sans plaisir, sans véritable conviction, parce qu'il n'y avait pas d'autre voie à emprunter. On a cependant l'impression que même pour la gauche, il était encore trop tôt pour que la question puisse

---

34. En réalité il n'est pas très facile de discerner « l'opinion radicale ». Beaucoup de parlementaires radicaux ont participé à la conférence de Berne, ce qui prouve, contrairement à ce que dit Hervé, leur intérêt pour la démarche entreprise. Pour le reste, au Congrès de Pau à la fin de 1913, aucune allusion n'est faite à l'Alsace-Lorraine, ni dans le discours de Caillaux, ni dans celui de Camille Pelletan (cf. Albert Milhaud, *Histoire du radicalisme*, Paris, 1951, 416 p., p. 284-286 et 286-289). Dans les 468 pages de l'ouvrage qu'Armand Charpentier consacra en 1913 au Parti radical (*Le Parti radical et radical-socialiste à travers ses congrès — 1901-1911*) et où l'auteur étudie les positions des radicaux par thème, non seulement il n'évoque nulle part le thème de l'Alsace-Lorraine, mais dans le chapitre XVI « Le patriotisme et le pacifisme », le nom de l'Alsace-Lorraine n'apparaît même pas.

35. *La Guerre sociale*, 17-23 juin 1914. Le croire, c'est « retarder » de cinquante ans la conclusion du rapprochement franco-allemand, c'est nous river à l'alliance russe qui « nous entraînera un beau matin à la guerre ».

36. Gustave Hervé avait publié en 1913 un ouvrage sur l'Alsace-Lorraine. *Le Matin* lui avait ouvert ses colonnes (15 décembre 1913) et il ne se passe guère de semaines sans qu'il y consacre un article dans son journal (*La Guerre sociale*, 11-17 mars 1914, 22-28 avril, 27 mai-2 juin, 3 juin-9 juin, 17-23 juin, 29-30 juin, 1-7 juillet, 22-28 juillet).

37. Compte rendu de *L'Humanité*, 16 et 17 juillet 1914.

38. Marcel Laurent, et al., *op. cit.*, p. 3 et 4. Parmi les signataires, Albert Mathiez, Louis Pergaud, Henri Guilbeaux, Fernand Léger.

39. En marge d'un rapport de von Schoen sur la conférence de Berne et mentionnant la question d'Alsace-Lorraine, Guillaume II avait écrit : « L'Alsace-lorraine n'est plus une question pour nous ». (*Grosse Politik*, vol. 39, n° 15703).

être définitivement réglée. L'opinion de gauche réagissait en fonction des sentiments prêtés aux Alsaciens-Lorrains — et qui semblent bien avoir été les vrais —, mais non sans un certain malaise.

A droite, les positions étaient plus claires : on n'envisageait ni de rechercher, ni d'accepter un rapprochement avec l'Allemagne. Alibi ou conviction, l'Alsace-Lorraine avait le mérite de fournir l'argument sans réplique. Rien ne pouvait être changé en raison de la « violation de notre droit » [40].

Dans sa réunion du 11 juillet 1914, la Ligue des patriotes précisait la ligne à suivre : s'opposer par tous les moyens à la « conspiration politico-financière qui tente actuellement un rapprochement franco-allemand, qui cherche à détruire la loi de trois ans, l'alliance russe, l'entente anglaise » [41]. Barrès condensait l'argumentation de la façon suivante : « Notre pays ne peut devenir le vassal du Kaiser et jamais nous n'oublierons l'Alsace-Lorraine ».

Il est significatif d'observer avec quelle persévérance, quelle méticulosité, la presse de droite soutient et illustre ce point de vue. Le Temps et L'Echo de Paris en offrent de bons exemples.

Les allusions directes à l'Alsace-Lorraine sont assez rares, encore plus celles aux sentiments des populations alsaciennes et lorraines. Lorsque Franc-Nohain [42] s'indigne que L'Humanité se réjouisse de l'échec de Daniel Blumenthal à la mairie de Colmar [43], il ne tire aucune signification politique de l'éviction par le suffrage universel d'un homme dont les idées étaient les plus proches de celles des nationalistes français. En réalité, l'Alsace est considérée non comme sujet, mais comme objet, comme un « bien français ».

Les thèmes développés sont simples et cohérents. « Aucun Français conscient ne saurait ... souscrire » [44] à une entente politique avec l'Allemagne ; d'ailleurs, l'amélioration des rapports franco-allemands, même si elle était souhaitable, ne dépendait que de l'Allemagne [45].

Que faut-il penser des manifestations de bonne volonté de certains Allemands, comme le « Vive la France » du député socialiste Wendel ? Une hirondelle ne fait pas le printemps [46] !

---

40. *Le Temps*, 16 mai 1914.

41. A.N. F 7 12873, F/509 Seine. *Note* du 11 juillet 1914 sur l'élection de M. Barrès à la tête de la Ligue des patriotes.

42. *L'Echo de Paris*, 20 mai 1913.

43. Maire sortant, il est battu aux élections municipales de 1914.

44. *Le Temps*, 9 juillet 1914. « Une entente politique avec l'Allemagne annulant l'effort de quarante ans et désertant les voies où notre diplomatie a retrouvé la sécurité et la liberté, aucun Français conscient ne saurait y souscrire... »
Cf. également *L'Echo de Paris*, 14 juillet 1914 : « Il est vrai que M. Jaurès nous parle toujours comme étant le suprême remède d'une entente avec l'Allemagne, mais sur quelle base et à quel prix ? » (André Melvil).

45. *Le Temps*, 16 mai 1914.

46. *Le Temps*, 16 mai 1914 ; *L'Action française* (16 mai 1914), elle, va encore beaucoup plus loin. J. Bainville estime que cela entre dans le cadre de la grande conspiration allemande « poussant en

L'Allemagne s'est « effectivement montrée pacifique depuis quarante ans » ? Il ne faut pas exagérer pour autant les preuves de sa bienveillance [47] !

Les réunions de Berne et de Bâle qui visent à améliorer les relations entre les deux pays ? Des « réunions ridicules » [48], des « parlotes sans sanction » [49], pour un « soi-disant effort d'apaisement » [50] !

Les déclarations qui sortent de ce qu'on y appelle des travaux [51] ? Une « suite de phrases sonores et de généralités vagues... » [52] ! Les députés allemands n'ont aucun poids dans la direction de leur pays [53] ; les députés « alsaciens-lorrains » présents à Berne et à Bâle ? En réalité, des Allemands [54] !

La participation à ces conférences de députés français relevait d'une « naïve fatuité » [55], de l'« l'aveuglement » [56], de la « candeur », de la « puérilité » [57].

Les radicaux, comme d'Estournelles de Constant ou Gaston Menier, n'étaient que « les suiveurs bénévoles de M. Jaurès » [58], ses « complices » ou ses « dupes » [59].

Il était « humiliant » de signer des textes attribuant à la France autant de responsabilités qu'à l'Allemagne dans la tension des dernières années [60]. C'était une « laide besogne », une « mauvaise action » [61] ; elle n'était inspirée que par l'esprit « d'abdication » [62], par « l'amour des capitulations » [63].

Tous les arguments avancés par *Le Temps* et *L'Echo de Paris*

---

France un ministère germanophile Jaurès-Caillaux et en Russie de même avec un ministère Witte, ce qui lui permettrait de vassaliser la France ».

47. *Le Temps*, 18 mai.

48. *L'Echo de Paris*, 10 juin (Albert de Mun).

49. *Le Temps*, 31 mai.

50. *Ibid.*, 1er juin.

51. *Ibid.*

52. *L'Echo de Paris*, 31 mai (Gérard Bauer).

53. *Le Temps*, 31 mai.

54. *Ibid.*,. C'était exact pour ceux que *Le Temps* citait, mais non pour d'autres qui étaient à la fois députés et Alsaciens. Mais même les « soi-disant » Alsaciens avaient bien été élus par une majorité de « vrais Alsaciens ».
Le recensement de décembre 1910 faisait apparaître environ 400 000 immigrés sur les 1 870 014 habitants du Reichsland. En outre, les chiffres ne rendent pas complètement compte d'une réalité complexe : la bourgeoisie alsacienne resta très fermée, mais les mariages entre immigrés et indigènes furent fréquents dans les milieux populaires (cf. M. Deudon, *op. cit.*, p. 10).

55. *Le Temps*, 1er juin.

56. *L'Echo de Paris*, 7 juin.

57. *L'Echo de Paris*, 10 juin.

58. *Le Temps*, 1er juin.

59. *Ibid.*, 31 mai.

60. *Ibid.*, 1er juin.

61. *Ibid.*, 31 mai.

62. *Ibid.*, 16 mai, 31 mai.

63. *L'Echo de Paris*, *30 mai*. Cf. également M. Deudon, *op. cit.*, p. 148 à 152, qui fait le recensement de la presse hostile à ces conférences.

n'étaient pas dénués de force. Il est réel que le Reichstag n'avait pas une influence décisive sur les grandes décisions, que l'efficacité de conférences comme celles de Berne et de Bâle pouvait légitimement être mise en doute. Cela n'échappait d'ailleurs pas à leurs promoteurs. Mais la volonté de n'accepter aucune concession, aucune ouverture, nous a semblé révélatrice d'une certaine attitude.

La question d'Alsace-Lorraine restait donc d'un grand poids parce qu'elle permettait aux uns de refuser tout accommodement [64] et rendait difficile aux autres d'en trouver les chemins. Elle n'était plus la justification d'une revanche éventuelle [65] : rares étaient ceux qui, comme ce lieutenant, affirmaient : « Tant que l'Alsace et la Lorraine seront " à eux ", il ne faut pas parler de paix, il faut préparer la guerre, être constamment prêts à la déclarer » [66]. Mais elle restait, davantage pour les Français que pour les Alsaciens eux-mêmes, semble-t-il, le problème sans solution.

C'était d'ailleurs, pense J. Ozouf, le sentiment que devaient suggérer à leurs jeunes lecteurs les manuels scolaires utilisés dans l'enseignement primaire [67]. Ils insistaient sur les sentiments de tristesse qu'inspiraient l'Alsace et la Lorraine, sur le danger pour la paix européenne que la situation de force imposée par l'Allemagne faisait subsister, mais ils n'en rejetaient pas moins tout recours à une solution belliqueuse, aboutissant ainsi à la formule « Ni guerre, ni renoncement » [68].

C'était également l'esprit de la réponse que le pasteur Louis Lafon faisait à un correspondant qui insistait pour que les Eglises accroissent leurs efforts pour un rapprochement franco-allemand [69].

---

64. « En 1911 et 1912, les journaux s'intéressent à l'Alsace-Lorraine pour elle-même. De 1913 à 1914, tous les événements alsaciens deviennent le prétexte à des considérations sur la politique franco-allemande. La question de la loi militaire ... se mêle presque toujours aux commentaires sur l'Alsace-Lorraine ». (M. Deudon, *op. cit.*, p. 223-224).

65. Lorsque la *Revue des deux mondes* fait allusion à l'Alsace-Lorraine, le souvenir est douloureux, mais « il n'est pas fait appel au moindre sentiment belliqueux » (cf. Micheline Wolkowitsch, art. cité, p. 488-489).

66. Cité par Agathon, *op. cit.*, p. 189. H. Contamine, (*La victoire, op. cit.*, p. 56) mentionne une conversation avec des amis français le 27 juillet 1914, rapportée par le futur général anglais Spears : « Jamais la France n'entreprendrait une guerre rien que pour reprendre l'Alsace-Lorraine ... Le passé était le passé, la cruelle blessure était presque cicatrisée... »

67. J. Ozouf, « Le thème du patriotisme dans les manuels scolaires », *Le Mouvement social*, 49, oct.-déc. 1964, p. 25-29.

68. Sur un ton légèrement plus vif, les manuels de l'enseignement secondaire développent un point de vue semblable. Jallifier (*op. cit.*) affirme que la « question d'Alsace-Lorraine est toujours la plaie saignante à notre flanc » (p. 855), mais il envisage les combinaisons qui permettraient de régler pacifiquement la situation, tout en rappelant un propos d'Auguste Lalance rejetant toute guerre de revanche pour l'Alsace-Lorraine. Quant à Malet, il remarquait qu'en Alsace même on parlait « beaucoup d'autonomie et moins de protestation » (*op. cit.*, p. 630).

69. « Les chemins de la paix », *Evangile et Liberté*, 7 mars 1914. « Aucun chrétien inspiré de l'esprit du Christ ne voudra une guerre de revanche. Mais nous saurons attendre sans jamais reconnaître les droits de la force ... Nous attendrons sans espoir prochain, s'il le faut, plutôt que de souscrire à l'iniquité. Et c'est là ce qui distingue les pacifiques chrétiens d'un grand nombre de pacifistes qui mettent, eux, la paix avant la justice. Le rapprochement franco-allemand est, quoi qu'on fasse, étroitement lié à la question d'Alsace-Lorraine. Aussi longtemps que l'Allemagne n'aura pas désavoué et réparé son crime de lèse-humanité, ce rapprochement ne sera que superficiel et instable. C'est là ce qu'il faut dire enfin, ce que les Eglises doivent crier ».

On ne peut souscrire au jugement que portait un autre pasteur, John Viénot, alors que la guerre était commencée depuis longtemps : « ...La grande injustice de 1871 » était la raison profonde de cette guerre, mais il se rapprochait des sentiments d'une partie importante de l'opinion publique française en déclarant : « Non, en dépit des apparences, la France ne pouvait pas oublier ni ses provinces perdues, ni la défaite du droit » [70].

En cette année 1914, l'idée de revanche paraît bien être sinon disparue, du moins en grande partie éteinte dans l'opinion publique française. La guerre n'allait pas éclater dans un climat de revanche. Les sentiments envers les Allemands ne sont pas uniformes. On reconnaît leurs qualités, leurs réalisations. Certains même estimaient que, dans sa grande majorité, le peuple français n'avait pas « d'animosité contre le peuple allemand » [71]. Mais la question d'Alsace-Lorraine maintenait une atmosphère plus ambiguë. Le refus de faire la guerre pour les provinces perdues était général, de sorte que la question était assoupie ; mais elle subsistait en demi-teinte. Elle n'alimentait plus le nationalisme d'un flux puissant, mais elle était encore capable d'empêcher les courants pacifistes et internationalistes de se développer pleinement. Elle ne pouvait plus, toutefois, interdire le développement d'un courant de réconciliation franco-allemande. Les chemins pouvaient en être explorés, des initiatives se manifester, des solutions imaginées [72].

## Les élections de 1914

Il est rare que les mouvements d'opinion du passé puissent être mesurés avec précision : seules les compétitions électorales le permettent dans une certaine mesure. Dans une certaine mesure seulement, parce qu'une élection n'est pas un référendum. L'électeur ne répond pas à une seule question, mais à un ensemble de questions, et il est amené à choisir un candidat dont il partage certaines idées, mais pas toutes les idées. En

---

70. Discours prononcé à l'Oratoire, 8 novembre 1914.

71. G. Guy-Grand, *op. cit.*, p. 128/130/131.

72. L'analyse que l'ambassadeur allemand von Schoen faisait dans une note du 5 février 1914 (*Grosse Politik*, vol. 39, nº 15667, p. 250-251) nous a semblé assez réaliste :
« La pensée gagne davantage de terrain que le salut de la France est à chercher dans de meilleurs rapports avec l'Allemagne. Cette pensée constituant un point plus ou moins explicite du programme de la gauche républicaine, actuellement au pouvoir, ne contribue pas peu à augmenter leurs chances très grandes aux prochaines élections. Il est caractéristique que les socialistes, dans leur congrès tenu à Amiens récemment, aient décidé de soutenir ceux des radicaux qui se prononceraient ouvertement contre une entreprise belliqueuse et un rapprochement avec l'Allemagne dans le sens de la conférence de réconciliation de Berne ... Le désir d'une revanche militaire tel qu'il était personnifié par Boulanger et Déroulède appartient à un temps révolu. Il existe encore aujourd'hui, certes, mais dans un sens purement théâtral. La blessure de 1871 brûle encore dans tous les cœurs français, mais nul n'est disposé à risquer sa vie ou celle de son fils pour l'Alsace-Lorraine ; il faudrait créer toute une combinaison diplomatique qui offrirait des chances favorables ou même dépourvues de risques pour le succès d'un tel coup. Mais cela devient plus que jamais improbable... »

outre, joue le poids des habitudes et des traditions, de l'environnement sociologique qui freine la rapidité des évolutions politiques, de la personnalité du candidat indépendamment même des options qu'il défend, et de bien d'autres facteurs...

Toutefois, les élections de 1914 sont plus que d'autres susceptibles d'être utilisées comme thermomètre de l'opinion française, car les questions en discussion étaient assez bien délimitées : établissement ou non de l'impôt sur le revenu, maintien ou non de la loi de trois ans. L'hostilité des partisans des trois ans à l'impôt sur le revenu et inversement rend assez clairs les clivages de l'opinion publique [73].

Le débat sur la loi de trois ans n'avait pas été clos par le vote intervenu le 19 juillet 1913, parce que la minorité qui s'était opposée à la prolongation du service militaire n'était pas négligeable [74] et que le succès de ses partisans n'avait été rendu possible que par le manque de discipline des radicaux [75]. Or le Parti radical venait de réunir son congrès à Pau, du 16 au 21 octobre 1913 : en même temps qu'il portait Joseph Caillaux à sa présidence [76] et qu'il établissait la règle suivant laquelle les candidats aux prochaines élections désireux de porter l'étiquette radicale devraient être inscrits au parti, le congrès avait élaboré un programme minimum. Le premier point concernait la défense nationale et réclamait « toutes mesures propres à permettre le retour à la loi de 1905 », c'est-à-dire au service de deux ans [77]. Il y avait donc un risque sérieux que la majorité favorable aux trois ans ne se retrouvât pas.

Quelques semaines seulement s'écoulèrent avant que le débat ne fût rouvert par le biais du financement de la nouvelle loi : le gouvernement

73. La question de la représentation proportionnelle créait une démarcation différente et elle opposait les socialistes et les radicaux à peu près d'accord sur les autres problèmes, mais elle n'a pas joué un rôle très important dans cette campagne électorale.

74. Le contre-projet Augagneur, fondé sur le maintien de la loi de deux ans, repoussé par 339 voix contre 214, — le contre-projet Painlevé proposant d'abaisser l'âge de l'incorporation de six mois en octobre 1913 et de six mois en octobre 1914, par 323 voix contre 232, — le contre-projet Paul-Boncour-Messimy proposant un allongement du service militaire de seulement six mois, par 312 voix contre 266. Le projet gouvernemental fut finalement adopté par 358 voix contre 204.

75. Au congrès de Pau, un des principaux dirigeants radicaux, le sénateur du Nord, Charles Debierre, signalait que la gauche radical-socialiste comprenait 257 députés à la Chambre, mais que seulement 136 d'entre eux étaient inscrits rue de Valois, au parti lui-même. (cf. A. Milhaud, op. cit., p. 152). Les groupes politiques n'existaient officiellement à la Chambre des députés que depuis 1910. Les radicaux s'étaient alors répartis entre le groupe des « Républicains radicaux-socialistes » (150 députés) et le groupe de la « Gauche radicale » (113 députés), d'après le Journal officiel, Annales de la Chambre des députés, p. 540-541, 5 juillet 1910. Cf. Alain Bomier-Landowski, Les groupes parlementaires de l'Assemblée nationale et de la Chambre des députés français de 1871 à 1914, DES, 1952 (sous la direction de M.P. Renouvin).

76. En remplacement d'Emile Combes et contre Camille Pelletan.

77. Le premier point du « programme de Pau » était ainsi présenté : Préparation militaire de la jeunesse. Organisation des réserves. Rajeunissement du commandement. Suppression des embusqués. Perfectionnement de l'armement. Amélioration des conditions de mobilisation et de mise en état de résistance de la frontière. En général toutes mesures propres à permettre le retour à la loi de 1905, appliquée dans son esprit, portant à leur maximum les forces défensives de la nation, au service d'une politique de paix dans la dignité, et sans péril pour son développement économique. Suppression des conseils de guerre en temps de paix. Cf. Georges Lachapelle, Elections législatives des 26 avril et 10 mai 1914, Paris, 1914, 288 p. (p. 238).

Barthou tombait le 2 décembre 1913 et était remplacé par un gouvernement présidé par Gaston Doumergue, dont Joseph Caillaux, ministre des Finances, était la plus forte personnalité. Moins de six mois après l'adoption de la loi, ses adversaires revenaient au pouvoir. Barthou avait été bon prophète lorsque, en avril 1913, il assurait l'ambassadeur allemand inquiet que les tendances nationalistes s'effaceraient après le vote des trois ans [78]. Toutefois, la nouvelle équipe gouvernementale, bien qu'à dominante radicale, n'entendait pas dans l'immédiat remettre en cause la loi militaire [79] et, pour cette raison, les socialistes préférèrent s'abstenir de voter la confiance au ministère [80]. Les partisans des trois ans n'en étaient pas rassurés pour autant [81].

A dire vrai, leurs craintes étaient expliquées par la campagne contre les trois ans qui — autant qu'elle ait jamais cessé — avait repris de plus belle avec les épidémies qui sévissaient dans un certain nombre de casernes. Les adversaires de la loi s'étaient déchaînées contre l'incurie de ses auteurs qui avaient entassé dans les casernes des soldats trop jeunes [82] et trop nombreux.

L'Humanité [83], Bataille syndicaliste [84] dénonçaient le « scandale » et ne cachaient pas leur espoir que « l'œuvre funeste et stupide des réacteurs conjurés » se retournerait contre eux [85]. Un radical, Edouard Lachaud [86], interpellait le gouvernement le 13 février.

Les partisans des trois ans estimaient en revanche que cette campagne n'était que l'exploitation « d'épidémies en somme peu redoutables » [87] ; on jouait « du cadavre » [88], on exploitait la mort [89], et ceci dans un seul but, s'en prendre aux trois ans [90].

---

78. H. Contamine, *La Revanche, op. cit.*, p. 153.

79. Dans sa déclaration d'investiture, Gaston Doumergue avait écrit : « Nul d'entre vous n'attend que nous proposions de rouvrir le débat sur la loi militaire récemment votée. C'est la loi. Nous entendons l'appliquer loyalement » (cf. R. Poincaré, *op. cit.*, T.III, p. 346).

80. Leur abstention fut dictée par leur approbation de la politique financière du nouveau gouvernement, et par leur refus de sa politique militaire (cf. J.-J. Fiechter, *op. cit.*, p. 190).

81. Cf. G. Michon, *op. cit.*, p. 180-181. Egalement dans la *Revue des deux mondes* (1er février 1914) où le rédacteur de la « Chronique de la quinzaine » croit en outre discerner dans le pays « comme un remous contre la loi militaire » (M. Wolkowitsch, art. cité., p. 500).

82. A la suite des mutineries qui avaient eu lieu dans quelques garnisons, il avait semblé préférable d'appeler plus tôt une nouvelle classe, donc à 20 ans, que de garder une année de plus la classe libérable. (Cf. J.-J. Becker, *Le carnet B, op. cit.*, p. 40, et H. Tison, *op. cit.*, p. 146 à 150).

83. Jaurès consacrait à ce thème ses articles des 13 et 15 février : « Les hommes qui ont bâclé la loi des trois ans ... ont une responsabilité terrible. Avant peu, la France les maudira, comme les familles les maudissent... » (13 février).

84. *La Bataille syndicaliste* ouvrait le 10 février une rubrique quotidienne : « Les casernes de la mort ». Chaque jour elle publiait un nouveau bilan des soldats décédés de la rougeole, scarlatine, méningite cérébro-spinale...

85. *L'Humanité*, 15 février.

86. Député de la Corrèze, médecin et spécialiste parlementaire des problèmes de santé militaire.

87. *L'Echo de Paris*, 14 février.

88. *Ibid.*, 16 février. A. de Mun.

89. *Le Temps*, 15 février.

90. Clemenceau, pourtant partisan des trois ans, n'était pas convaincu que l'on pouvait considérer la campagne sur l'état sanitaire dans l'armée uniquement sous l'angle polémique. Il ironisait sur les pro-

On se préparait évidemment de part de d'autre à l'échéance électorale[91], dont il était loisible de penser qu'elle serait dominée par la question des trois ans. Les Renseignements généraux approuvaient sur ce point l'avis du journaliste allemand, Max Nordau, correspondant parisien de *La Gazette de Voss*, qui le formulait ainsi : aux prochaines élections générales en France, « on mettra de côté toutes les questions telles que défense laïque, réforme électorale, etc., avec lesquelles on a fait depuis quatre ans tant de charlatanisme. Trois ans ou deux ans de service, telle sera la question qui dominera tout »[92].

Plus que l'impôt sur le revenu, la loi militaire allait être le point central de l'activité politique[93]. Aussi, à droite comme à gauche, elle devait déterminer les programmes et les alliances électorales.

C'est au mois de janvier, dans ses congrès départementaux et dans son congrès national tenu dans les locaux de l'Ecole supérieure d'Amiens[94], que le Parti socialiste définit les conditions de sa participation au combat électoral.

La résolution que le congrès mit au point[95] désignait comme principaux objectifs : lutter contre la loi de trois ans, le chauvinisme, le nationalisme, et travailler au rapprochement franco-allemand, seul « capable d'assurer la paix du monde ». Jaurès le répéta au moment de l'ouverture de la campagne électorale[96].

D'accord sur les buts à atteindre, les socialistes étaient divisés sur la tactique à adopter. Certains, comme Gustave Hervé, voulaient reconstituer le bloc des gauches avec les radicaux ; Guesde et ses partisans s'y opposaient carrément[97]. Le congrès les suivit et rejeta le bloc au moins en paroles : « Personne dans le parti ne considère comme possible un pacte ou une combinaison quelconque avec un parti bourgeois », proclama Jaurès[98], mais il l'accepta dans les faits, au niveau électoral[99]. Au

---

pos d'A. de Mun qui ne voyait dans la mortalité qu'un malheur de la « destinée » (*L'Homme libre,* 19 février).

91. La note de synthèse sur l'activité du Parti socialiste au mois de février 1914 (A.N. F 7 13074) mettait en valeur sa très grande vitalité : « Il n'y a pas eu à Paris moins de 80 réunions préparatoires à la campagne électorale... » dont un des thèmes préférés était la protestation contre les épidémies dans les casernes.

92. A.N. F 7 12822, M/581, 28 février 1914.

93. E. Weber, art. cité, p. 120. Dans un article que publiait le *Journal* (15 avril), le député socialiste M. Sembat écrivait ; « Tous les partis aujourd'hui sont d'accord pour la (loi de trois ans) mettre au premier plan ».

94. 25, 26, 27 et 28 janvier.

95. Cf. *L'Humanité,* 29 janvier 1914.

96. *L'Humanité,* 6 avril 1914.

97. H. Goldberg, *op. cit.,* p. 510.

98. *L'Humanité,* 28 janvier 1914, cité par Goldberg, *op. cit.,* p. 510.

99. « Et le congrès socialiste d'Amiens en 1914 avait beau déclarer impossible une reconstitution du bloc, celui-ci se reconstitue en fait aux élections dans la même année sur la base de l'impôt sur le revenu et du service de deux ans ». B.W. Shaper, *Albert Thomas. Trente ans de réformisme social.* Paris, Presses universitaires de France, 1960, 380 p. (p. 93).

premier tour, le Parti socialiste décidait de présenter un candidat dans chaque circonscription mais, au second tour, il s'emploierait à mettre en échec « la réaction militariste ». Il donnerait librement son concours aux candidats des autres partis « à proportion de la vigueur et de la netteté du combat mené par eux contre la loi de trois ans, contre la guerre, contre le chauvinisme, contre la coalition militaire et cléricale... » [100]. Compte tenu des déceptions subies du fait des radicaux dans la dernière période, il fallait que les socialistes attachent une importance capitale à la question et que le tournant amorcé à Pau leur inspire une certaine confiance pour qu'ils préconisent une procédure contraire aux sentiments de beaucoup [101].

Le Parti républicain socialiste [102] tint son congrès le 8 février 1914 devant une centaine de délégués. Il adopta sur les trois ans une position qui ne manquait pas d'ambiguïté. Si les candidats de cette formation étaient invités à ne se désister au deuxième tour que pour des républicains qui avaient dans leur programme les trois points suivants : retour à la loi de deux ans, réforme fiscale et politique de défense laïque et scolaire [103], il suffisait pour le premier tour qu'ils adhèrent au programme général élaboré ... en 1911 [104]. En outre, l'appel adressé aux électeurs par la commission administrative était étonnamment vague et parfaitement silencieux sur le problème des trois ans. La seule allusion, sibylline, était que la politique préconisée devait être réalisée dans « un pays organisé pour sa défense » [105].

Le programme électoral du Parti radical n'était pas non plus exempt d'une certaine ambiguïté. Il ne reniait pas les formules nettes et tranchantes du programme de Pau, mais il ne les reprenait pas non plus. A vrai dire, il était le reflet d'un parti dont des membres dirigeaient un gouvernement appliquant une loi qu'officiellement il désapprouvait. Dans ces conditions, l'appel lancé aux électeurs républicains, radicaux et radicaux-socialistes par le comité exécutif du Parti radical fut assez circonspect. Le paragraphe traitant de la défense nationale rappelait le patriotisme des radicaux et leur attachement au mot de Patrie ; ils étaient prêts à « tous les sacrifices nécessaires pour protéger l'intégrité du sol », mais ils entendaient proscrire « tout gaspillage d'hommes et

100. A.N. F 7 13074, *Rapports d'ensemble sur le mouvement socialiste*, janvier 1914. Cf. également *L'Humanité*, 29 janvier, H. Goldberg, *op. cit.*, p. 511.

101. Les Renseignements généraux s'étonnaient de l'unanimité qui s'était faite sur ce point : « Contrairement à ce qu'on aurait pu supposer, aucune division ne se produisit au congrès d'Amiens du Parti socialiste unifié au sujet du choix définitif de la tactique suivant laquelle les socialistes seraient appelés à mener la prochaine bataille électorale ». (A.N. F 7 13074, *Rapport du mois de janvier 1914*).

102. Représenté à la Chambre par le groupe « républicain-socialiste », fort d'une trentaine de membres, souvent d'anciens socialistes qui avaient préféré rester indépendants au moment de l'unification : les plus connus étaient René Viviani, Paul-Boncour, Augagneur... (cf. A. Bomier-Landowski, *op. cit.*).

103. A.N. F 7 13074, *Rapports sur le mouvement socialiste*, février 1914.

104. *Ibid.*

105. Cf. Lachapelle, *op. cit.*, p. 240-241.

d'argent ». « Ce que nous voulons, c'est la mise en œuvre de la conception de la Nation méthodiquement armée et l'application des réformes essentielles qui, seules, permettront de réaliser par étapes la réduction du service sous les drapeaux »[106].

La différence est perceptible entre les programmes électoraux de la gauche socialiste et de la gauche radicale. Pour les uns, les trois ans sont au cœur du débat, pour les autres, ils souhaiteraient qu'ils n'y soient pas trop !

Une même démarcation apparaît au centre de l'échiquier politique : l'Alliance républicaine démocratique, dont les membres s'éparpillent des frontières du radicalisme à celles de la droite[107], proclama dans son programme électoral que « la loi de trois ans (s'était) imposée comme un sacrifice immédiat et inéluctable » et qu'il ne fallait pas en faire « l'enjeu à la fois criminel et vain des luttes électorales »[108].

Ce n'est pas le point de vue de la Fédération des gauches. La constitution de ce groupement, le 13 janvier 1914[109], fut le fait le plus significatif de la préparation des élections. Composé en partie d'hommes venus de la gauche — ses figures les plus en vue furent Briand[110], Barthou, Millerand, Etienne, Klotz, J. Reinach... — il avait mis comme point central de son programme la défense active[111] de la loi militaire. La loi de trois ans « était une question de vie ou de mort » pour le pays. Qu'on puisse la modifier plus tard, peut-être, mais l'application intégrale de la loi s'imposait pour le moment. On ne pouvait tolérer « qu'on subordonne aux surenchères politiques la sécurité et la dignité de la France »[112].

Les différents partis de droits soulignaient l'intangibilité de la loi militaire, mais ils donnaient toujours à ce choix une valeur défensive : en outre, au moins dans les programmes électoraux, l'accent n'était pas particulièrement mis sur la loi de trois ans. Ainsi la Fédération républicaine expliquait assez laborieusement que la loi de trois ans devait être maintenue « aussi longtemps que l'exigent les circonstances dont nous ne

---

106. G. Lachapelle, *op. cit.*, p. 235 à 238.

107. Cf. G. Lachapelle, *L'Alliance démocratique*, Paris, Grasset, 1935, 62 p.

108. G. Lachapelle, *Les élections de 1914, op. cit.*, p. 228. Ce manifeste était signé du président de l'Alliance, Adolphe Carnot.

109. Cf. G. Michon, *op. cit.*, p. 184. H. Tison, *op. cit.*, p. 221 et suiv.

110. Qui en fut le président.

111. Les créateurs de la Fédération des Gauches avaient entrepris immédiatement une campagne en province pour développer leurs idées. Au Havre, le 16 février 1914, la venue de Briand et de Barthou provoqua de violentes manifestations de la part de « syndicalistes » munis de sifflets à roulette. Le compte rendu des incidents et des discours occupa deux colonnes en première page, trois en deuxième et une en quatrième du *Journal* (16 février 1914), pourtant assez discret en général sur les événements politiques.

112. Manifeste électoral de la Fédération des Gauches (11 avril 1914). (G. Lachapelle, *op. cit.*, p. 230 et suiv.). Sur les six paragraphes du programme, l'un d'entre eux s'intitulait « la loi de trois ans ».

sommes pas maîtres », « pour que la France soit couverte contre toute agression, au prix des sacrifices nécessaires » [113].

Quant à l'Action libérale populaire, le problème religieux était sa préoccupation majeure. Elle demandait simplement que « la loi militaire (restât) au-dessus de toute atteinte, tant que la sécurité ne sera pas pleinement assurée » [114].

La lecture des programmes des partis de droite laisse l'impression que leurs rédacteurs ne semblaient pas convaincus que les élections de 1914 leur offriraient l'« admirable tremplin électoral » que leur avait promis Déroulède peu avant sa mort [115].

De l'analyse des programmes électoraux, il ressort que deux formations seulement sont à la fois nettes et offensives : les socialistes contre la loi militaire, la Fédération des gauches pour. Quand aux autres groupements, quel que soit leur choix, ils restent assez discrets. Ils hésitent à heurter un électorat dont, en fait, ils ignorent les sentiments profonds. Les radicaux ne savent pas quelles sont les limites du pacifisme de leurs électeurs, mais les partis de droite ne sont pas plus confiants dans le militarisme des leurs. La lecture des manifestes électoraux laisse l'impression que les partisans des trois ans étaient plutôt sur la défensive .

L'analyse de la campagne électorale confirme cette observation. Il est très rarement signalé [116] que les réunions des partisans du retour aux deux ans aient été troublées par leurs antagonistes. Les adversaires des trois ans firent preuve, en revanche, de beaucoup plus de pugnacité, et les candidats de la Fédération des gauches furent souvent les victimes de cette ardeur : ainsi, par exemple, Alexandre Millerand à Rueil [117], ou Louis Barthou, à Paris [118].

Autre confirmation apportée par la campagne électorale, la détermination des candidats socialistes à dénoncer la loi militaire, ce que La Petite République traduisait ainsi : « Seuls les socialistes demeurent les adversaires irréductibles de la loi de trois ans... » [119]. Au contraire, les candidats radicaux offrirent une très grande diversité dans leur prises de position. De même dans l'autre camp, si les candidats du centre et de droite étaient tous partisans des trois ans, ils l'affirmaient dans leurs

---

113. Manifeste de la Fédération républicaine, signé pour le Comité directeur par C. Benoist, député de la Seine (Lachapelle, *op. cit.*, p. 225) : la Fédération républicaine avait succédé au groupe des Républicains progressistes et comprenait des hommes comme Louis Marin, le marquis de Moustier...

114. Appel du Comité directeur de l'Action libérale populaire, sous la signature de J. Piou, Albert de Mun (G. Lachapelle, *op. cit.*, p. 221).

115. A.N. F 7 12873. *Note F/1603 Seine. Paris, 16 mai 1913. D'un correspondant.*

116. A.N. F 7 12822.

117. *Le Petit Parisien*, 22 avril.

118. A.N. F 7 12822, 8 mai 1914.

119. 14 avril.

réunions avec une certaine circonspection, sauf du moins les candidats de la Fédération des gauches.

Au total, parmi les 2 451 candidats répertoriés dans 590 circonscriptions sur les 602 existantes, 1 265 étaient partisans de la loi des trois ans, y compris 150 qui l'étaient avec réserve ou qui désiraient un retour progressif à la loi de deux ans, et 1 085 lui étaient hostiles ; la position d'une cinquantaine n'avait pu être déterminée. Les deux camps étaient donc à peu près égaux au niveau des candidatures. Mais cela cachait une grande diversité régionale. En utilisant des renseignements assez imprécis [120], nous avons pu dresser un croquis (cf. fig. 1). Il fait apparaître que, dans la France du Centre et du Sud-Est, les candidatures hostiles aux trois ans étaient les plus nombreuses, mais qu'elles étaient en minorité dans une vaste couronne des Pyrénées à la Lorraine, en passant par la région parisienne. Les proportions sont également très diverses : écrasantes en faveur des trois ans dans le Nord-Est, huit contre une environ en Meurthe-et-Moselle et dans la Meuse [121], elles ne le sont guère moins en sens opposé dans d'autres départements, une candidature favorable aux trois ans contre cinq dans le Rhône et la Saône-et-Loire [122].

Une telle statistique doit être utilisée avec précaution parce qu'il va de soi que des candidats sans influence et sans espérance y tiennent une place égale à celle des compétiteurs les plus importants. Toutefois, une inclination naturelle conduit les candidats à ne pas chercher à se mettre en contradiction avec les sentiments supposés de leurs électeurs éventuels : on peut donc estimer que globalement, à l'échelle de la France, le débat était suffisamment ouvert pour qu'aucune grande tendance ne puisse être assurée à l'avance des sentiments de l'opinion publique.

## LES RÉSULTATS

252 sièges sur 602 étaient en ballottage après le premier tour de scrutin, preuve de l'indécision du suffrage universel, selon des observateurs [123]. *Le Temps* et *L'Echo de Paris* assurèrent cependant que

---

120. Donnés par le *Petit Parisien* (23 avril) d'après une enquête de l'Argus de la Presse, ils sont en général présentés par région et ne sont pas ventilés par département.

121. Pour le département de la Meuse, le *Journal* (16 avril) notait : « La seule question qui importe ici, c'est la loi de trois ans, et encore ... tout le monde en est partisan ».

122. D'après l'Argus :
Est : majorité des candidats *pour* les trois ans : 4 contre 3
Sud-Est : majorité des candidats *contre* les trois ans : 4 contre 3
Sud-Ouest, Ouest, Nord, Nord-Est : majorité pour (sans précision)
Centre (Indre-et-Loire, Loir-et-Cher, Loiret, Yonne, Nièvre, Indre, Cher, Allier, Creuse, Haute-Vienne, Puy-de-Dôme, Loire, Corrèze, Lot, Aveyron, Cantal, Lozère, Haute-Loire) majorité contre : 5 contre 3
Seine : Sur 300 candidats, 90 sont défavorables à la loi.

123. G. Lachapelle, art. cité, p. 633. Ne pourrait-on également expliquer de cette façon que le taux d'abstentions, sans être particulièrement élevé (22,7 %), n'en ait pas moins été légèrement plus important qu'en 1910 (22,5 %) ? (Cf. Alain Lancelot, *L'abstentionnisme électoral en France*, Paris, Presses de la Fondation nationale des sciences politiques, 1968, 290 p., p. 14, 15 et 152), alors que les problèmes posés étaient à la fois plus clairs et plus pressants ! Des électeurs, incertains de la réponse à donner, ont pu se réfugier dans l'abstention.

**Fig. 1. Les candidats aux élections et les trois ans**

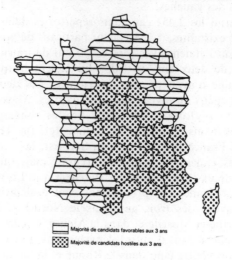

Majorité de candidats favorables aux 3 ans

Majorité de candidats hostiles aux 3 ans

**Fig. 2. Les élections de 1914 et la question des trois ans**

Plus de 50 % des suffrages exprimés pour les candidats favorables aux 3 ans

Plus de 50 % des suffrages exprimés pour les candidats hostiles aux 3 ans

Ni les uns ni les autres n'ont obtenu 50 % des suffrages exprimés

le suffrage universel avait consacré la victoire des trois ans. « Quant à la loi de trois ans, s'il y a une évidence dans la journée électorale d'hier, c'est que le suffrage universel l'a comprise, adoptée et consacrée »[124]. « Avant tout autre résultat, il faut noter celui qui réjouira tous les bons

---

124. *Le Temps*, 28 avril 1914.

Français et tous les amis de la France dans le monde : la consécration définitive de la loi de trois ans par le suffrage universel, par la Nation » [125].

Toutefois, *L'Action française*, plus soucieuse de réalisme politique et moins engagée dans le jeu parlementaire, mettait en doute ce diagnostic : « Tous les commentaires optimistes des élections de dimanche portent la trace de cette audacieuse insincérité », affirma Charles Maurras [126] et il accusait leurs auteurs de dissimuler l'insuccès général par des succès particuliers. Ce procédé pouvait être particulièrement imputé au *Temps*, qui n'avait pas craint de mettre en parallèle les succès d'Aristide Briand et de Louis Barthou, solidement installés dans leurs circonscriptions de la Loire et des Hautes-Pyrénées, et la défaite du général Percin [127] qui affrontait pour la première fois le suffrage universel dans la circonscription traditionnellement conservatrice de Neuilly [128]. Le journal en tirait la conclusion que le pays n'avait pas tenu rigueur à ceux qui lui avaient demandé un lourd sacrifice, « qu'il avait préféré la dure vérité à ceux qui lui offraient un dangereux présent d'insouciance trompeuse » [129].

Sans pour autant reconnaître une quelconque défaite, *L'Humanité* répondit avec une certaine prudence. Elle mettait en garde ses lecteurs « contre les statistiques plus ou moins frelatées par lesquelles les journaux bourgeois, toujours si prompts à tenir leurs désirs pour des réalités, représentent le scrutin d'avant-hier comme ayant apporté à la loi de trois ans la suprême consécration du pays » [130]. Mais, tout en affirmant que les propos des « journaux réactionnaires » dissimulaient « leur inquiétude et leur malaise », Jaurès restait circonspect : « Même s'il était vrai qu'elle a pour elle en ce moment une majorité », disait-il de la loi de trois ans, la minorité était particulièrement importante [131].

Après le second tour, la presse put commenter les résultats avec moins d'arrière-pensées [132]. Elle le fit clairement : les élections avaient été

---

125. *L'Echo de Paris*, 28 avril.

126. *L'Action française*, 28 avril.

127. « Qui couvrait de son nom et de son grade les surenchères démagogiques contre la loi militaire » (*Le Temps*, 28 avril).

128. *Le Temps*, 28 avril.

129. *Ibid.*

130. *L'Humanité*, 28 avril.

131. *Ibid.*, 30 avril, « Illusions puériles ».

132. En outre, les prises de position plus vigoureuses avaient levé certaines ambiguïtés. Le Parti radical, sous la signature d'Henri Michel, sénateur des Basses-Alpes, avait appelé très fermement au désistement en faveur des socialistes quand c'était nécessaire. (*Programmes, professions de foi et engagements électoraux de 1914, 11ᵉ législature*, Paris, Chambre des députés, 1919, 1356 p., p. V). La Fédération des Gauches avait précisé : « Vous ne voterez que pour des hommes qui ne séparent pas les intérêts de la République de ceux de la Patrie », ce qui excluait tout vote pour un adversaire des trois ans (Barodet, p. IX). Il en était de même pour l'Alliance démocratique : « La loi de trois ans ... reste la sauvegarde de l'honneur national », tandis que la Fédération républicaine sonnait l'alarme : « En vérité, depuis quarante-quatre ans, depuis 1870, jamais l'heure n'a été aussi grave » et appelait à

défavorables au service de trois ans. Le titre du *Bonnet rouge*, « Le nationalisme en déroute »[133], était excessif, mais Jaurès estimait que « dès maintenant » « la France désavoue l'œuvre mauvaise ». Et il sous-entendait qu'elle l'aurait fait bien davantage si elle avait eu plus de temps pour sentir tous les effets néfastes de la loi sur la vie de la nation[134]. Même *La Bataille syndicaliste,* qui n'affiche habituellement que mépris pour les joutes électorales, convient « sans grande illusion » qu'il y a eu une poussée à gauche[135]. Clemenceau, partisan résigné des trois ans, affirme qu'on ne peut accepter qu'ils soient remis en cause, ce qui signifie qu'il y avait risque qu'ils le soient[136]. A droite, c'est la déso-lation. Jules Delafosse, député du Calvados, écrit dans *L'Echo de Paris* que « le service de trois ans va être remis en cause » et, apocalyptique, il décrit « les dernières heures de la nationalité française » « à l'ombre des drapeaux rouges de M. Jaurès »[137]. Albert de Mun joue aussi la carte de la dure réalité : « La situation est parfaitement claire. Il ne sert à rien d'essayer en ergotant sur les résultats de rassurer l'opinion publique », et il en annonce les redoutables conséquences[138]. Pas plus d'optimisme au *Pèlerin*[139], ou dans *La Semaine financière* qui prévoit que la loi allait être remise « sur le tapis »[140]. *L'Action française* pense également que l'existence de la loi militaire est menacée[141]. Quant au *Temps*, qui a oublié les accents triomphaux des lendemains du premier tour, il souli-gne amèrement que le « ballottage a tenu toutes les promesses du pre-mier tour de scrutin et particulièrement les mauvaises... »[142]. Il main-tient cependant que l'opinion française est incertaine de la signification des élections et il insiste sur le sens que leur donne la presse allemande qui, sans être assurée pour autant que la loi militaire sera abrogée, salue

---

l'union de tous les « troisannistes », délimitant ainsi les frontières de la nouvelle majorité, puisque c'était le point sur lequel ils étaient tous d'accord : « Vous appelez-vous Fédération des Gauches, Alliance républicaine démocratique, Fédération républicaine, vous tous qui vous appelez Français, nous vous conjurons de ne plus songer qu'à la France ! » (Barodet, p. XVI).

133. *12 mai.*

134. *L'Humanité,* 13 mai, « L'aveu ».

135. Charles Malato, 12 mai.

136. *L'Homme libre,* 11 mai.

137. *L'Echo de Paris,* 12 mai.

138. *L'Echo de Paris,* 14 mai, « Pour ou contre M. Jaurès ». « Mais cette abrogation de la loi des trois ans, est-ce que c'est seulement le crime contre la défense nationale, l'armée jetée dans le décourage-ment et l'impuissance ? C'est bien plus encore. C'est, par le triomphe de M. Jaurès et de son parti, toute la politique de la France désorientée et bouleversée, au dehors livrée à l'humiliation de l'entente avec l'Allemagne, à la capitulation devant ses volontés, à la menace d'une rupture avec la Russie ... Ainsi la loi de trois ans est à l'heure présente le criterium de toute la politique. Sa chute, c'est l'avène-ment de M. Jaurès avec tout son programme de désorganisation intérieure et extérieure... ».

139. 17 mai, p. 26 : « ...Cette vérité, c'est que nous sommes sur la pente de toutes les ruines, faute du principe fondamental sur lequel reposent l'ordre social et la victoire sur les appétits individuels, c'est-à-dire Dieu et la religion. Le vrai, le seul remède est le retour à Dieu ».

140. 16 mai.

141. 11 mai.

142. 12 mai.

avec satisfaction le succès des adversaires des trois ans [143]. D'autres journaux reprennent ce même type de commentaire [144].

Ce concert de lamentations, l'excès de certaines analyses, conduisent à penser qu'au « bluff à la victoire » avait succédé un « bluff à la défaite ». En exagérant le succès de l'adversaire, en faisant un sort à la satisfaction des Allemands, ne tente-t-on pas de frapper l'opinion publique pour que, par un choc en retour, ses réactions rendent impossible une révision de la loi ?

Le comportement de la presse ne permet donc pas de déceler avec sûreté la réponse de l'opinion publique : il est nécessaire de scruter avec attention les résultats électoraux. Parmi ceux qui les ont étudiés, certains concluent à la victoire de la gauche [145], d'autres ne croient pas qu'on puisse attribuer à l'un des deux blocs antagonistes un avantage décisif [146]. « Les résultats des élections n'étaient pas aussi clairs que les combattants se l'étaient d'abord imaginé », a finalement jugé E. Weber [147], ce qui avait été l'opinion exprimée dès la proclamation des résultats par G. Lachapelle : il n'accordait pas plus de clarté à ces élections qu'à celles de 1906 ou de 1910 [148].

*Le Temps* [149], immédiatement après les élections, publia les statistiques suivantes :

*Pour la France entière :*

| | |
|---|---|
| Maintien intégral de la loi ......... | 4 644 286 voix. |
| Pour, mais avec modification ...... | 612 767 » . |
| Contre ...................... | 2 936 041 voix |
| Douteux ou inconnus ............ | 133 712 » |

*Pour la Seine*

| | |
|---|---|
| Maintien intégral de la loi ......... | 366 913 » |
| Pour, mais avec modification ..... | 68 774 » |
| Contre...................... | 266 785 » |
| Douteux ou inconnus ............ | 7 254 » |

Ces chiffres faisaient donc apparaître une avance assez sensible des partisans des trois ans, plus faible d'ailleurs dans la Seine où le mouvement nationaliste semblait pourtant avoir été le plus important.

---

143. 14 mai.

144. Par exemple *L'Echo de Paris*, 13 mai.

145. « Soupçonneuse, sceptique et raisonnable, la masse des Français avait refusé de suivre Briand et Barthou où ils voulaient la conduire ; elle avait entendu les tonnerres du nationalisme et les sirènes du conservatisme, mais elle avait voté à gauche » (H. Goldberg, *op. cit.*, p. 516-517). — « Les élections législatives constituaient un éclatant désaveu de la politique suivie depuis le début de 1912. La Fédération des Gauches, ses chefs et derrière ceux-ci Poincaré lui-même, furent les plus atteints » (G. Michon, *op. cit.*, p. 195). — « C'était un échec flagrant des Droites et de la Fédération des Gauches... » (H. Tison, *op. cit.*, p. 227).

146. G. Guy-Grand, *op. cit.*, p. 106.

147. Art. cité, p. 121.

148. G. Lachapelle, art. cité, p. 624.

149. 28 avril.

Peut-on accorder une valeur sans réserve aux calculs du *Temps* [150] ? Leur présentation est discutable. Classer comme favorables aux trois ans, même avec réserve, les voix qui s'étaient portées sur des candidats partisans d'un retour progressif aux deux ans ou d'un abandon le plus tôt possible nous a semblé un abus, surtout sur le plan des idées. En outre, un certain nombre d'erreurs ou d'interprétations fausses peuvent être décelées [151]. Il nous a donc paru nécessaire de reprendre, circonscription par circonscription, l'ensemble des pointages. Il est assez facile, en théorie du moins, de déterminer la position des élus, grâce à leur profession de foi publiée dans le Barodet [152]. Pour les candidats battus, il a été nécessaire de se fier aux affirmations du *Temps,* quitte à rectifier certaines erreurs flagrantes. L'étiquette politique a permis de réduire au minimum les risques d'inexactitude.

Les résultats que nous avons obtenus sont les suivants :

*Pour la France entière :*

Partisans du maintien des trois ans ............ 4 613 642, soit 55,45 % des suffrages exprimés.
Adversaires à des degrés divers de la loi militaire 3 617 780, soit 43,48 %.
Douteux, inconnus, divers .................... 88 694, soit 1,07 %.

*Pour la Seine :*

Partisans du maintien........................ 362 298, soit 50,06 %.
Contre ..................................... 329 921, soit 45,58 %.
Douteux.................................... 11 984.

Ils ne sont pas contradictoires avec ceux du *Temps,* ils les corrigent en diminuant de façon notable l'écart entre les deux parties de l'opinion : ils font apparaître que celle-ci était, somme toute, bien près d'être partagée en deux fractions égales.

Le décompte des voix après le deuxième tour n'aurait pas apporté d'éléments très significatifs, puisque le jeu des désistements modifie la manifestation des sentiments d'un pourcentage notable d'électeurs. En revanche, les statistiques portant sur les sièges permettent d'apprécier le rapport des forces institué par les élections.

---

150. Repris par de nombreux journaux : *Le Journal* (29 avril), *La Semaine financière* (2 mai), *Le Pèlerin* (3 mai)..., en général favorables aux trois ans, ils sont contestés par leurs adversaires. *L'Humanité* met en garde contre ces statistiques (28 avril). *Le Radical* (29 avril) estime — bon prince — que les statistiques n'ont été sollicitées que pour environ un demi-million de voix et les traite de «*fantaisistes* ». *Le Temps* protesta avec vivacité de son honnêteté (30 avril).

151. Pour ne prendre que cet exemple, *Le Temps* classe parmi les partisans des trois ans les quatre députés élus dans le Lot-et-Garonne. Si cela était exact pour deux d'entre eux, Cels et Leygues, les deux autres, Jacques Chaumié (Marmande) et Maurice Rontin (Nérac) étaient en fait partisans d'un retour progressif aux deux ans. Ils sont classés ainsi par G. Lachapelle (*Les élections de 1914, op. cit.,*), et la lecture du Barodet (p. 629 à 634) le confirme.

152. Elles ont été soigneusement étudiées par G. Lachapelle (*Les élections législatives..., op. cit.*), nous avons pu le vérifier, même si, comme il l'indique, elles ne sont pas toujours parfaitement claires. Il est exact qu'il faut parfois s'y prendre à plusieurs reprises pour percer le sens sibyllin des formules employées par certains députés.

D'après *Le Journal* [153], 307 élus étaient pour le maintien de la loi, 50 pour des modifications, 232 contre et 11 douteux, soit d'un côté 307, de l'autre, le cas échéant, 293.

Georges Lachapelle dénombra 140 députés partisans d'une réduction immédiate du service militaire, et 135, d'un allègement progressif, soit 275 au total, chiffre modifié en 281 [154] sur 602 élus.

Un rapport de l'attaché militaire russe, cité par E. Weber [155], fait état de 292 députés favorables à la révision et de 310 partisans du maintien de la loi. Se rapportant au Barodet, Weber a décompté 147 déclarations favorables au retour immédiat au service de deux ans, 136 à un retour graduel, mais, ajoute-t-il, 29 élus qui avaient l'investiture du Parti radical ne faisaient pas allusion à la loi, ce qui donnerait un chiffre maximum de 302, dépassant dans ce cas la moitié des sièges de la Chambre des députés.

Ainsi on peut admettre que les adversaires des trois ans étaient, avec plus ou moins de conviction, très près d'être la moitié des nouveaux députés. Ce rapport leur est plus favorable que celui des voix obtenues au premier tour, ce qui explique d'ailleurs en partie la mauvaise humeur de la presse « troisanniste » après le second tour. Cela tient à ce que les électeurs d'un radical « troisanniste » n'ont pas hésité à reporter leur voix sur un socialiste « deuxanniste », comme nous avons eu l'occasion de le constater dans la Nièvre. Cela tient aussi, et probablement davantage, à la répartition des voix dans chaque circonscription. Celle-ci est évidemment très variable, mais (cf. croquis 2, 3, 4) on peut noter un certain nombre de faits.

*Les candidats favorables aux trois ans obtiennent :*

plus de 90 % des voix dans   7 départements
plus de 70 %    »      »      » 21      »
plus de 50 %    »      »      » 48      »

*Les candidats hostiles :*

plus de 90 % des voix dans   0 départements
plus de 70 %    »      »      » 12      »
plus de 50 %    »      »      » 39      »

Dans les départements où une majorité se dégage en faveur des trois ans, elle est donc en général plus massive que dans les départements où la tendance contraire est majoritaire. Ceci explique que le décompte des voix soit plus favorable aux trois ans que le décompte des sièges.

---

153. 12 mai. Chiffres également publiés par *La Dépêche de Toulouse* de ce jour.

154. Lachapelle fait état des premiers chiffres dans l'article qu'il consacra aux élections (p. 640) et il les modifia en 147 et 134 dans son ouvrage sur le même sujet.

155. E. Weber, art. cité, p. 122, d'après Gordon Wright, *Poincaré and the presidency*, Stanford, 1942, p. 113, note 29.

**Fig. 3. Les élections de 1914 et la question des trois ans, les suffrages exprimés**

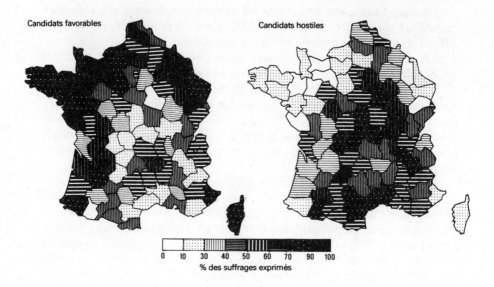

Candidats favorables

Candidats hostiles

0  10  30  40  50  60  70  90  100
% des suffrages exprimés

**Fig. 4. Les élections de 1914 et la question des trois ans, les députés élus**

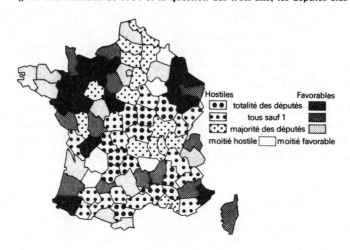

Hostiles                    Favorables
●● totalité des députés
※● tous sauf 1
◌● majorité des députés
moitié hostile ☐ moitié favorable

Mais cette première constatation conduit à remarquer que, si le pays est divisé en deux, dans beaucoup de départements l'unanimité ou presque s'est faite dans un sens ou dans un autre : ainsi, dans la Mayenne, les partisans des trois ans obtiennent 100 % des voix, faute d'adversaires, tandis que dans l'Hérault, leurs concurrents en réunissent 89,56 %.

Des observations du même ordre peuvent être faites à propos de la répartition des élus.

| | | | |
|---|---|---|---|
| Départements dont la représentation est totalement favorable aux Trois ans | | | 16 |
| » | » | sauf un député | 13 |
| » | » | favorable en majorité | 14 |
| Départements dont la représentation se divise en deux parties égales | | | 5 |
| Départements dont la représentation est totalement hostile aux Trois ans | | | 12 |
| » | » | sauf un député | 13 |
| » | » | hostile en majorité | 14 |

Dans 43 départements, la représentation était, au moins, en majorité favorable aux trois ans, et dans 39 elle était, au moins, majoritairement hostile.

Cette répartition, tant des voix que des élus, se traduit par une véritable opposition géographique.

Les croquis (cf. fig. 2, 3, 4) établis d'après le nombre de voix recueillies montrent que la France « troisanniste » formait un vaste arc de cercle depuis les Basses-Pyrénées jusqu'au Doubs, se prolongeant jusqu'à la Corse par l'intermédiaire des Savoies et des Alpes provençales, laissant d'un côté le département du Nord, de l'autre toute la France depuis la région parisienne (sauf Paris) jusqu'à la Méditerranée. A l'intérieur de cette zone, cependant, la bordure orientale et méridionale du Massif central formait un bastion « troisanniste ».

Le croquis dressé d'après le nombre d'élus (cf. fig. 4) est plus nuancé : il fait apparaître un puissant secteur d'opposition à la loi au Centre et à l'Est-Sud-Est de la France et deux zones très favorables au Nord-Est et à l'Ouest, le reste du pays : Bassin parisien, Bassin aquitain et Nord, se partageant assez équitablement entre les deux tendances. Ces croquis sont dans leurs grandes lignes comparables à celui établi d'après le nombre de candidatures (cf. fig. 1).

Cependant, quelle que soit la façon dont on procède à l'examen du scrutin, voix, élus, répartition géographique des uns et des autres, on en arrive toujours à la même conclusion : les deux camps n'étaient pas séparés par une marge très importante, elle était variable suivant le mode d'approche, mais si un camp marquait un avantage sur l'autre, c'était tout de même celui des défenseurs des trois ans. Alors, pourquoi les contemporains ont-ils eu l'impression d'une défaite de ces derniers ? Elle fut provoquée vraisemblablement plus par la tendance qui se dégageait des élections que par leurs résultats bruts.

Un succès des radicaux n'apparaît pas avec netteté. Le courant radical avait sans doute progressé depuis les élections de 1910 [156], mais l'expression en est floue car, pour rendre possible la comparaison, il a fallu additionner les voix qui s'étaient portées sur les candidats radicaux unifiés à celles qu'avaient obtenues les radicaux indépendants [157]. Les décomptes ne sont pas plus simples au niveau des sièges. Les journaux en attribuèrent environ 250 aux différentes nuances du radicalisme [158], mais si on retient comme critère les inscrits au groupe du Parti radical-socialiste, on peut noter qu'ils sont passés de 147 en 1913 à 172 en 1914 [159]. Comme Joseph Caillaux, lors du débat sur la loi de trois ans, n'avait pris la parole qu'au nom de 140 députés hostiles au projet — socialistes exclus — [160], la progression des adversaires des trois ans au sein du radicalisme est sensible. D'après des observateurs c'est même la mollesse de certains candidats radicaux envers les trois ans qui expliquerait leur échec au profit de candidats socialistes [161].

Le recul de la droite, par contre, est certain. 13 départements nouveaux se sont abstenus d'élire aucun membre de la droite [162]. Une statistique publiée par *Le Pélerin* fait ressortir cet échec en attribuant aux diverses formations de droite 21 sièges perdus pour 5 gagnés [163]. Quant à la Fédération des gauches, avec 23 inscrits au groupe qu'elle formait, ses résultats étaient sans commune mesure avec l'effort déployé pour défendre les trois ans, même si elle comptait quelques nouveaux élus d'avenir, André Tardieu, P.-E. Flandin...

Incertitude des gains radicaux, échec du centre, recul de la droite, seul — et c'est ce qui frappa l'opinion publique — le Parti socialiste remportait un franc succès. Les socialistes étalèrent leur satisfaction. Le 27 avril, *L'Humanité* titrait : « Un grand succès pour notre Parti », « 55 000 voix gagnées dans la Seine » ; le 28 avril, « Notre victoire », « Le Parti socialiste a gagné 280 000 voix ». Le 29 avril, *L'Humanité* présentait une statistique de la progression des voix socialistes dans le pays :

---

156. D'après Antoine Olivesi et André Nouschi, *La France de 1848 à 1914*, Paris, Fernand Nathan, 1970, 272 p., p. 189, les radicaux avaient obtenu en 1906, 28 % des suffrages exprimés en 1910, 24,7 %, en 1914, 26 %.

157. G. Lachapelle (art. cité,) attribuait suivant des statistiques qu'il jugeait lui-même sujettes à caution, 1 496 058 voix aux radicaux-unifiés et 1 396 447 voix aux radicaux-indépendants.

158. *Le Radical* (12 mai) : 266 ; *Le Bonnet rouge* (13 mai) : 245 ; *Le Temps* (14 mai) : 256.

159. Voir Alain Bomier-Landowski, *op. cit.*

160. 19 juillet 1913.

161. Voir G. Guy-Grand, *op. cit.*, p. 143-144.

162. E. Weber, art. cité, p. 123-124.

163. 17 mai.

| 22 conservateurs | : perte 1. |
| 57 libéraux | : gain 5. |
| 55 progressistes | : perte 13. |
| 68 républicains indépendants | : perte 7. |

```
1906........     877 999
1910........   1 100 000
1914........   1 400 000 sur 8 328 876 suffrages exprimés, soit 16 %
```

La satisfaction socialiste ne fut pas moindre après le deuxième tour : *L'Humanité*[164] publia une carte de la « France socialiste » en 1914, sous le titre de « La vague rouge ». Elle célébra les « Cent élus » obtenus[165].

Les gains socialistes — près de trente sièges (76 députés en 1910) — sont soulignés par toute la presse, d'autant que la difficulté à dénombrer les gains et les pertes — réelle pour les autres formations — n'existe pas pour les socialistes[166]. Cette progression est « un élément d'inquiétude », « les partis de conservation sociale feraient bien de donner toute leur attention à cette situation... »[167]. « Le Parti socialiste a certainement gagné près de 300 000 suffrages ». « A s'en rapporter aux chiffres, ce serait le seul parti qui aurait fait des conquêtes appréciables... »[168]. Les Renseignements généraux mettent sur le compte de la « vitalité » du parti « le réel avantage » qu'il a obtenu aux dernières élections[169].

La victoire socialiste ne peut être attribuée à sa seule action contre les trois ans. Elle s'inscrit dans une phase ascendante de ce parti. Mais il serait erroné de ne pas prendre en compte son attitude face à la loi militaire. « Ce succès tenait principalement au fait que le Parti socialiste avait eu, au sujet de la loi militaire, une attitude beaucoup plus nette que le parti radical » ; il l'avait combattue à fond, il s'était montré délibérément partisan du retour à la loi de deux ans et du principe de la « nation armée »[170]. *Le Radical* estima, avec d'autant plus de mérite que c'était entre les deux tours : « Les socialistes devront au moins vingt ou trente sièges à l'hostilité irréductible qu'ils lui (à la loi militaire) ont manifestée... »[171].

L'impression laissée aux contemporains par ces élections s'éclaire. En tout cas, dans un premier temps, ils ont moins vu les résultats globaux qui ne modifiaient pas fondamentalement l'équilibre politique existant auparavant que la progression spectaculaire — mais tout de même non décisive — du parti qui avait pris les positions les plus tranchantes sur la question des trois ans. Du point de vue qui nous préoccupe, c'est évi-

---

164. 8 mai 1914.

165. 11 mai. En fait 102, plus un socialiste « révolutionnaire », Auguste Berthon, élu dans le Var.

166. Les socialistes gagnaient 39 sièges, plus cinq dans des circonscriptions nouvelles, mais en perdaient 18 (*Le Temps*, 13 mai).

167. *La Semaine financière*, 2 mai : « En huit ans, elles (les voix socialistes) ont à peu près doublé ».

168. G. Lachapelle, art. cité, p. 633. L'auteur souligne son avance dans la Seine, le Nord, la Haute-Vienne.

169. A.N. F 7 13074, *Rapport sur le mouvement socialiste*, avril et mai 1914.

170. G. Guy-Grand, *op. cit.*, p. 104. La remarque a d'autant plus de poids que l'auteur ne s'en félicite pas. Il ajoutait : « Et il avait groupé autour de lui tous les partisans du moindre effort. On s'étonne seulement qu'ils n'aient pas été plus nombreux ».

171. 28 avril.

demment aussi l'essentiel. Il y avait probablement dans le pays une majorité au moins résignée au maintien d'un service militaire de trois ans, toutefois cette majorité était non en expansion, mais en régression. Là encore, les conséquences du « renouveau nationaliste » apparaissent mal.

## LA FORMATION DU GOUVERNEMENT VIVIANI

La clarté de la tendance qui se dégageait des élections était contrariée par l'incertitude des résultats d'ensemble. La loi de trois ans avait été votée par 358 voix contre 204. Les « troisannistes » perdaient une cinquantaine de sièges [172] : cela leur laissait en théorie une courte majorité, mais, comme un nombre important de députés plutôt favorables aux trois ans appartenait à la gauche par leur sensibilité politique et la rejoignait sur les autres problèmes, la constitution d'une majorité dans un sens ou un autre était fort aléatoire. D'où les palinodies auxquelles allaient se livrer les milieux politiques dans les semaines qui suivirent les élections. La situation était encore compliquée par l'attitude des socialistes, divisés sur une participation éventuelle à un gouvernement : certains souhaitaient prolonger ainsi l'alliance électorale de fait qu'avaient conclue socialistes et radicaux-socialistes pendant la campagne [173], d'autres y étaient résolument hostiles [174]. La perspective d'un changement de ministère, matérialisée par la démission de Gaston Doumergue, le 3 juin 1914, avait maintenu à un diapason très élevé les polémiques sur l'avenir de la loi de trois ans. Le général Percin, nullement découragé par son échec personnel, ne cessait d'argumenter avec une grande ardeur dans *Le Bonnet rouge* [175]. *Le Radical* tenait solidement sa position [176]. Jaurès surveillait attentivement les efforts de Poincaré pour sauver les trois ans [177],

---

172. *L'Humanité*, reprenait le 13 mai cette statistique de *La Guerre sociale* :
Troisannistes sortants battus : 73.
Sièges gagnés par les adversaires des trois ans : 74.
Pertes des *deuxannistes* : 24.
G. Lachapelle (*op. cit.*, p. 638) attribue aux socialistes, radicaux-socialistes et républicains-socialistes environ 250 à 260 députés, mais il faut tenir compte, comme nous l'avons déjà vu, que certains d'entre eux n'étaient pas hostiles aux trois ans, ou tout au moins n'étaient pas très déterminés à remettre en cause si vite une loi votée contre eux, mais tout de même votée.

173. *La Guerre sociale*, 13-19 mai, 20-26 mai. Articles de G. Hervé. « Après la victoire », « Au pied du mur ». Il considérait que la présence de Jaurès au Ministère des affaires étrangères serait plus utile « pour préparer l'entente cordiale franco-allemande » que d'aller « réciter à la tribune du Palais-Bourbon des versets de l'Évangile selon Saint Karl Marx, revu, corrigé et un peu déformé par Jules Guesde, notre bon maître... » (13-19 mai).

174. Ainsi de Maurice Allard, *L'Humanité*, 22 mai 1914, « Une erreur », opinion qu'il partageait avec les « guesdistes », Cachin, Compère-Morel, Bracke...

175. 7, 9, 10, 11 mai : « Pour la libération de la classe 1913 », 12 mai : « L'équivoque de l'attaque brusquée », 17 mai : « Que reprochez-vous aux réservistes ? »

176. 22 mai : « ...Nous ne pouvons pas devenir troisannistes ... parce que nous sommes plus que jamais persuadés que la loi de trois ans est contraire aux intérêts de la Patrie... ».

177. *L'Humanité*, 3 juin. « Quel est ce jeu ? »

dénonçait les équivoques [178], polémiquait avec Clemenceau [179], s'indignait de la formule que Viviani tentait de faire prévaloir lors de sa première tentative de former un gouvernement [180].

De leur côté, Albert de Mun stigmatisait le « complot » contre les trois ans [181], *Le Temps* faisait état de l'inquiétude de « l'opinion publique » russe à l'idée d'un retour possible aux deux ans [182], insistait à nouveau sur la satisfaction de la presse allemande devant cette possibilité [183]. Quand Ribot, succédant à Viviani, tenta de former un gouvernement, *Le Temps* lui promit la faveur de « tous les amis de la France » à l'extérieur [184], le soutien de « toute l'opinion publique » à l'intérieur [185]. Sa chute le jour même de sa présentation devant la Chambre des députés [186] fut douloureusement ressentie par les partisans des trois ans : « Sinistre journée », « Crime de lèse-patrie » [187], « Nos blocards unifiés sont enchantés de la chute du ministère Ribot, les Allemands aussi » [188],« Par la chute de M. Ribot, c'est la loi de trois ans qui est menacée » [189]. Jaurès, au contraire, salua l'événement « comme une grande date de l'histoire de France » [190].

En réalité, l'échec du ministère Ribot avait moins été provoqué par son désir de maintenir les trois ans que parce qu'il était apparu comme un gouvernement de droite, ce qui était évidemment un paradoxe après des élections dont le caractère le plus sûr avait été de témoigner de l'orientation à gauche du pays. La formation du ministère Viviani quelques jours plus tard allait bien le montrer. Si Albert de Mun manifestait d'abord son inquiétude devant l'arrivée au pouvoir d'un homme qui avait voté contre les trois ans, « Qui trompe-t-on ? », demandait-il [191], l'extrême-gauche put bientôt lui répondre : « Nous ». « Ne soyons pas

178. *Ibid.*, 8 juin. « Pas d'équivoque ! On est pour ou on est contre les trois ans. »

179. *Ibid.*, 5 juin. Clemenceau répondit dans *L'Homme libre* du 7 juin : « Encore et toujours les trois ans. »

180. Le groupe parlementaire socialiste avait d'abord considéré avec sympathie la tentative de Viviani, tout en n'entendant faire aucune concession sur le retour aux deux ans (cf. A.N. F 7 13074, M/860 U, 2 juin 1914), mais Jaurès considéra que la formule proposée par le président pressenti : réviser la loi de trois ans quand la situation extérieure le permettrait, était « un outrage et une insultante moquerie », puisque la thèse qu'il défendait était justement que la loi militaire compromettait la Défense nationale et qu'il était d'autant plus urgent de l'abolir que la situation extérieure serait plus inquiétante (*L'Humanité*, 7 juin).

181. *L'Echo de Paris*, 21 mai.

182. 6 juin, *Bulletin de l'Etranger*. « L'opinion russe et la France ».

183. 9 juin, *Bulletin de l'Etranger*.

184. 11 juin, *Bulletin de l'Etranger*.

185. 10 juin : « Ce ne sont pas ces hommes-là qui ouvriront nos frontières ».

186. 12 juin. Sur l'ordre du jour Puech-Dalimier.

187. *L'Echo de Paris*. 14 juin.

188. *Ibid.*, 17 juin.

189. *Ibid.*, 13 juin.

190. *L'Humanité*, 13 juin.

191. *L'Echo de Paris*, 16 juin.

dupes », avertissait Jouhaux [192], « la France est jouée », affirmait Maurice Allard [193]. Quant aux radicaux, ils étaient fort embarrassés. *Le Radical* ne pouvait manquer de parler de malaise, d'inquiétude, de regretter les incertitudes et les équivoques de la déclaration ministérielle [194], même s'il convenait que « le pays ne récla(mait) pas que l'on revienne sans tarder à la loi de deux ans », même s'il souhaitait seulement « qu'on lui promette loyalement d'étudier les moyens de réduire la durée du temps de service... » [195].

A vrai dire, les formules proposées par Viviani n'avaient avec celles de Ribot qu'une différence importante, celle de provenir d'un homme étiqueté à gauche. « Le programme Viviani, c'est encore le maintien des trois ans approuvé cette fois par les gens du programme de Pau » [196]. C'était bien l'avis de *L'Echo de Paris* [197] ou du *Temps* [198], qui ne cachaient pas leur satisfaction.

Investi par 362 voix contre 139, Viviani avait réussi à pousser très loin « l'équivoque » [199] : il recueillait la presque totalité des voix radicales et du centre-droit, la droite s'abstenant [200] ; son cabinet était composé de dix ministres qui avaient voté pour les trois ans [201], de cinq contre [202] et de deux qui s'étaient abstenus [203].

Le succès de Viviani était-il le résultat d'une capitulation devant la résistance du président de la République [204], était-il dû à l'évolution de certains députés qui, après avoir promis l'abrogation des trois ans, la jugeaient pour le moment incompatible avec les nécessités de la défense nationale [205] ? La réalité nous semble différente : malgré leur progression, il n'y aurait pas à la Chambre une majorité de députés favorables à un retour immédiat aux deux ans, il n'y avait pas eu non plus de majorité pour établir les trois ans ... si cela n'avait été déjà fait. L'équi-

---

192. *La Bataille syndicaliste*, 16 juin.

193. *L'Humanité*, 18 juin.

194. 17 juin.

195. 14 juin.

196. *La Bataille syndicaliste*, 15 juin.

197. 17 juin : « Pour aujourd'hui, nous voulons nous contenter d'enregistrer un résultat heureux, une victoire française dont notre patriotisme se réjouit... ».

198. 18 juin : « Le vote d'hier est un vote décisif et salutaire ».

199. *L'Humanité*, 17 juin, Jaurès.

200. L'ordre du jour adopté, muet sur les trois ans, précisait que le gouvernement s'appuyait « sur une majorité exclusivement républicaine ». Avaient voté contre les socialistes, quelques radicaux et quelques députés de droite (A. de Mun, Piou...).

201. Bienvenu-Martin, Couyba, Noulens, Messimy, Renoult, Thomson, Fernand David, Jacquier, Lauraine, Abel Ferry.

202. Gauthier, Viviani, Augagneur, Malvy, Ajam.

203. Raynaud (avait voté le contre-projet Painlevé), Dalimier (avait voté les contre-projets Augagneur et Painlevé).

204. G. Michon, *op. cit.*, p. 203.

205. H. Tison, *op. cit.*, p. 235.

libre du ministère Viviani reposait sur la nécessité d'attendre [206], faute d'avoir tiré du suffrage universel des orientations décisives. C'est çe qu'un autre quotidien radical, *L'Aurore*, expliquait avec un certain bon sens [207].

Quelques jours plus tard, un « deuxanniste » convaincu, le général Pédoya, était élu à la présidence de la Commission de l'armée. *L'Humanité* y voyait « une victoire de la loi de deux ans » [208]. Mais, obtenue d'extrême justesse, 22 voix contre 21, cette élection illustrait le désaccord qui existait à la Chambre et en fait dans le pays sur les questions militaires.

Peu sensible aux séductions du nationalisme — en tout cas rien ne permet de croire à l'extension de son influence, au contraire — l'opinion publique française restait fort divisée sur l'opportunité des mesures militaires qui avaient été votées l'année précédente, compte tenu qu'aucune des grandes formations politiques françaises, socialistes compris, ne mettait en doute que la défense nationale devait être assurée et que, pour ceux qui croyaient à la possibilité d'une « attaque brusquée », seul l'allongement de la durée du service militaire permettait de trouver la parade.

---

206. Comme le faisait remarquer Jaurès : « La question redeviendra aiguë à la *rentrée d'octobre* quand le gouvernement déposera les projets promis et annoncés sur l'éducation de la jeunesse et l'organisation des réserves. Alors toute l'institution militaire sera naturellement soumise à révision ... Ce jour-là qui est proche, la question des trois ans se posera à nouveau. Et ce sera pour les dirigeants un moment difficile à passer » (*L'Humanité*, 11 juillet).

207. « Il faut bien se rendre à l'évidence : le retour immédiat au service de deux ans ne peut pas trouver une majorité à l'heure actuelle. Il y a bien une majorité pour toutes les mesures susceptibles de préparer ce retour, mais la plupart de ceux qui désirent très sincèrement une atténuation de nos charges militaires ont peur d'eux-mêmes. En vérité ils sont excusables. Sur cette question d'une technicité redoutable, ils marchent comme sur des œufs... » (17 juin).

208. 2 juillet 1914.

*Chapitre 3*

# Antimilitarisme et pacifisme

## Un « antimilitarisme » en déclin

Face à un « renouveau nationaliste » fort contestable, les courants contraires de l'antimilitarisme et du pacifisme manifestaient-ils une plus grande vigueur à la veille de la guerre ?

L'antimilitarisme, presque toujours lié à cette époque à l'antipatriotisme, du moins au niveau de la terminologie, fut par excellence le domaine de la Confédération générale du travail[1]. A partir de 1906, sous l'influence des syndicalistes-révolutionnaires, l'antimilitarisme y était devenu « total », mettant en cause la notion même de patrie. A vrai dire, ces prises de position étaient loin d'y faire l'unanimité, puisque la motion d'Amiens, votée par le congrès de la CGT de cette année et qui devait dorénavant être le texte de base dans ce domaine, ne recueillit que 488 mandats contre 310 et 44 blancs[2]. Même si dans les années suivantes, la tendance fut renforcée par la décision prise au congrès de Marseille (1908) de préconiser la grève révolutionnaire en cas de guerre, les moyens de diffuser les théories antipatriotiques dans les masses ouvrières restèrent assez limités.

Peut-on, dans ces conditions, apprécier les résultats de la propagande antimilitariste et antipatriotique ?

---

1. Voir Henri Dubief, *Le syndicalisme révolutionnaire*, Paris, Armand Colin, 1969, 316 p ; Jean Maitron. *Histoire du mouvement anarchiste en France (1880-1914)*, Paris, Société universitaire d'éditions et de librairie, 1951, 744 p. Jacques Julliard, « La CGT devant le problème de la guerre (1900-1914) », *Le Mouvement social*, 49, octobre-décembre 1964. Jean-Jacques Becker, *Les pouvoirs publics et l'antimilitarisme, le carnet B, op. cit.*

2. H. Dubief, *op. cit.*, p. 152-155. J. Julliard, art. cité, p. 49.

84

Les pouvoirs publics prenaient l'affaire au sérieux[3] : une lourde machine administrative avait été montée, destinée à « ficher » dès le temps de paix les révolutionnaires susceptibles d'entraver une mobilisation et à les arrêter au moment voulu, c'est le « Carnet B »[4]. Mais il était du devoir des autorités de prendre plus de mesures de précaution que la situation ne pouvait l'exiger. Aussi l'existence du Carnet B ne suffit pas à prouver l'efficacité de la propagande antimilitariste. Jean Maitron croit en trouver une preuve plus tangible dans la progression du chiffre des déserteurs et insoumis[5]. Lors du débat parlementaire provoqué par la création d'une Caisse du Sou du Soldat chez les instituteurs[6], Adolphe Messimy[7] avait évoqué cet argument. Évaluant le déficit dû à la désertion et à l'insoumission, il s'était écrié : « Deux corps d'armée sur pied de guerre » ! Il était absurde — ce que Messimy ne faisait d'ailleurs pas — de mettre cela au compte des instituteurs syndiqués[8]. Toute-

---

3. Cf. J.-J. Becker, *op. cit.*

4. Cf. J.-J. Becker, *op. cit.*, deuxième partie, et J.-J. Becker et Annie Kriegel, *Les inscrits au Carnet B.* Communication au congrès des Sociétés savantes de Rennes, 1966, Actes du 91e Congrès, 1969, p. 359 à 376.

5. J. Maitron, *op. cit.*, p. 342. 1902 : 5 991, 1907 : 14 067, 1912 : 12 à 13 000. Au 31 décembre 1911, il y avait 76 723 déserteurs et insoumis recherchés par la police.

6. Œuvre de solidarité, en principe, le « Sou du Soldat » était versé par les syndiqués pour permettre aux Bourses du Travail d'adresser de temps à autre une petite somme à leurs membres appelés sous les drapeaux. Sa création avait été décidée au congrès de Paris (1900) et Georges Yvetot consacra des efforts incessants à lui donner vie et réalité. H. Dubief (*op. cit.*, p. 146) estime que le Sou du Soldat n'était pas antimilitariste par nature. Il est vrai que sa « nature » a été entourée d'équivoques, et que dans de nombreux cas les Bourses du Travail, qui possédaient une caisse du Sou du Soldat, envoyaient l'argent sans commentaires. C'est ce que confirme ce rapport du commissaire de police de Toulon, en février 1914 : « Bien que née d'une idée antimilitariste, la caisse du « Sou du Soldat » fut appliquée à Toulon, dans un but de propagande syndicaliste, afin d'attirer les adhésions des jeunes ouvriers du port au syndicat par l'appât d'une prime mensuelle de cinq francs, à toucher pendant la durée de leur service militaire.
Je n'ai jamais entendu dire que le conseil d'administration de ce syndicat (Syndicat des Travailleurs réunis du port de Toulon) ait profité de ces envois périodiques d'argent pour y ajouter soit des brochures, soit des conseils contraires au devoir militaire » (A.D. Var, 4 M 43).
Mais, dans de nombreux cas également, l'envoi d'argent était accompagné de circulaires violemment antimilitaristes (cf. J.-J. Becker, *op. cit.*, 1re partie, chapitre 1). Connaissant d'ailleurs l'antimilitarisme « viscéral » d'Yvetot, il serait douteux qu'il ait consacré tant d'efforts à une œuvre qui n'aurait pas été antimilitariste.
Cf. J.-J. Becker, *op. cit.*, p. 21 et suiv. ; Max Ferré, *Histoire du mouvement syndicaliste révolutionnaire chez les instituteurs.* Paris, 1955, p. 161 et suiv. ; François Bernard, Louis Bouet, Maurice Dommanget, Gilbert Serret, *Le syndicalisme dans l'enseignement*, T.I chap. IX, p. 186. *Chambéry, le congrès du scandale.* Au congrès du Syndicat des instituteurs à Chambéry, les 16 et 17 août 1912, une motion en faveur de la création d'un « Sou du Soldat » des instituteurs avait été votée. Ceci avait déclenché un « scandale » : campagne de presse, décision du gouvernement de dissoudre les syndicats d'instituteurs qui étaient tolérés, mais illégaux, débat parlementaire en novembre et décembre 1912...

7. Député radical de l'Ain, ministre de la Guerre dans le cabinet Caillaux en 1911 et de nouveau dans le cabinet Viviani au moment de la déclaration de guerre.

8. Le député nationaliste de la Seine, Paul Pugliesi-Conti, avait, lors des débats (*Journal officiel. Débats parlementaires*, 1912, p. 2422 et suiv.) fait le décompte suivant : la Fédération des instituteurs syndicalistes compte 6 000 adhérents ; à 20 élèves par classe, c'est chaque année 120 000 petits Français formés par des instituteurs « dévoyés ». En réalité, outre que ces 6 000 instituteurs ne formaient qu'une faible partie du total des instituteurs (121 182 en 1906-1907, cf. Mona Ozouf, *L'Ecole, l'Eglise et la République (1871-1914)*, Paris, Armand Colin, 1963, 304 p., p. 273), ils étaient bien loin d'être tous acquis aux doctrines antipatriotiques. Commentant le propos de Chalopin, le secrétaire du Syndicat de la Seine qui affirmait : « Non, non ..., nous ne sommes ni antimilitaristes, ni antipatriotes... », Max Ferré (*op. cit.*, p. 163) indique : « Ce n'étaient pas là formules de circonstances destinées à tirer la Fédération d'un mauvais pas : il faut le dire nettement, c'était l'opinion de la majorité des instituteurs

fois il n'est pas niable qu'il y a eu dans cette période une progression de l'insoumission et de la désertion. Les causes en sont certainement diverses ; il n'y a pas de raison de penser que la propagande antimilitariste n'a pas eu sa part d'influence.

Autre élément d'appréciation : la grève générale contre la guerre qui eut lieu le 16 décembre 1912, après avoir été décidée par le congrès extraordinaire de la CGT réuni à Paris les 24 et 25 novembre. Elle rencontre un certain succès, voire un grand succès dans les Ardennes et à Lyon, un succès « honorable » à Paris ; elle eut peu de retentissement ailleurs, sauf dans les régions minières [9]. Sans toutefois vouloir tirer des conclusions excessives d'un effort fait « à froid », à propos d'événements où la France n'était pas directement impliquée, J. Julliard estime que ces résultats assez minces montrent le « décalage considérable entre les efforts des dirigeants syndicaux et leurs effets limités dans la classe ouvrière ». Les dispositions qui avaient été prises, les interdictions de manifestations et de meetings prononcées par les maires et les préfets ne lui paraissent pas des circonstances atténuantes, mais au contraire aggravantes, car quelle pouvait être en cas de guerre l'attitude d'un prolétariat qui reculait devant de telles mesures en temps de paix [10] ?

Cette condamnation nous semble sévère. Le Ministère de l'intérieur commentant l'événement, portait un jugement nuancé :

> « ...Il est certain qu'une assez vive agitation s'est produite sur tout le territoire mais, grâce à la fermeté des pouvoirs publics, cette grève qui avait été annoncée à grand fracas par voies d'affiches ou de manifestes, comme devant ¨ paralyser complètement pendant 24 heures la vie, non seulement de la région parisienne, mais de la France entière ¨, ne donna pas tous les résultats escomptés ... » [11].

D'après la même source d'information, il y aurait eu 30 000 « chômeurs » à Paris, 50 000 en province. Sans s'alarmer outre mesure, le Ministère de l'intérieur ne tint pas ces résultats pour négligeables.

On ne peut évidemment parler de levée en masse de la classe ouvrière à cette occasion. Mais qu'il y ait eu alors en France plusieurs dizaines de milliers d'ouvriers très décidés à agir contre la guerre, au risque de subir des sanctions, de perdre leur emploi, et cela pour un objectif abstrait, puisqu'il n'y avait pas de péril imminent, est révélateur d'un courant appréciable.

---

syndiqués ». Les auteurs du *Syndicalisme dans l'enseignement* (*op. cit.*, p. 186), pourtant très engagés, confirment : « Les congressistes qui, le 18 août 1912, s'en allèrent excursionner vers les beaux lacs de Savoie et les Alpes ensoleillées ... ne soupçonnaient aucunement qu'ils eussent fait choses extradordinaires et que, par eux, dût naître le scandale ».

9. A.N. F 7 13328 et A.N. F 7 13329.

10. J. Julliard, art. cité, p. 57.

11. A.N. F 7 13348, *Les projets de sabotage de la mobilisation.*

Il ne faut pas exagérer toutefois l'importance de la fonction de la classe ouvrière que le courant influençait et ce n'est pas contradictoire avec le fait qu'à la conférence extraordinaire des Bourses et Fédérations tenue en octobre 1911, sur quarante délégués qui prirent la parole sur ce thème, trente-neuf déclarèrent qu'ils ne pouvaient pas compter sur leurs syndicats pour une grève générale en cas de guerre [12]. En outre, antimilitarisme, antipatriotisme et simple pacifisme ne se recouvraient pas exactement. Dans quelle mesure faire la grève le 16 décembre 1912 signifiait-il qu'on était prêt à « s'insurger » contre la guerre le cas échéant ? R. Trempé ne le pense pas pour les mineurs de Carmaux : ils ont fait la grève le 16 décembre 1912, mais leur internationalisme était trop tiède, leur patriotisme trop vif pour qu'ils acceptent de suivre les syndicalistes révolutionnaires dans leur antipatriotisme systématique [13]. En réalité, l'antipatriotisme ne pouvait être largement mobilisateur parce qu'il reposait sur une pétition de principe discutable : « Les prolétaires n'ont pas de patrie ». Par la suite, G. Dumoulin en tira la leçon :

> « Notre propagande antimilitariste, plus tapageuse que réelle, nous a trompés. Les succès, les applaudissements des meetings nous ont aveuglés. Nous nous sommes trompés en nourrissant notre orgueil dans des congrès bruyants avec des motions boursouflées et pleines de suffisance. Nous avons cru que la masse était derrière ceux qui ne voulaient pas être moins révolutionnaires qu'Yvetot ... . Oui, nous avons fait des antimilitaristes, des ennemis de la caserne et du gradé qui pouvaient mesurer leur force avec les retraites militaires de M. Millerand » [14].

Le syndicalisme avait incontestablement fabriqué des antimilitaristes : il est beaucoup plus douteux qu'il ait produit de réels antipatriotes. Toutefois, il est plus important encore de déterminer si ce courant avait tendance à s'amplifier ou au contraire déclinait à l'approche du conflit.

Or, à la veille de 1914, la CGT était en crise, une crise que les pouvoirs publics suivaient avec attention. Un informateur parlait en janvier 1914 de « malaise », de « piétinement » [15]. « On ne constate aucune amélioration de la crise qui sévit depuis plusieurs mois déjà au sein du syndicalisme », disait un autre en avril [16]. En juillet, il était fait mention qu'un dirigeant de la CGT était chargé d'établir un rapport sur la crise de l'organisation [17]. Les chefs syndicaux ne songeaient d'ailleurs pas à dissimuler leurs difficultés. Lors de la réunion extraordinaire de la section des fédérations, le 14 janvier, Jouhaux annonça qu'il allait « expo-

---

12. A.N. F 7 13853, M/6079, *Rapport* du 3 octobre 1911.
13. *Op. cit.*, p. 905.
14. G. Dumoulin, *Les syndicalistes français et la guerre*, Paris, 1921, 40 p., p. 21.
15. A.N. F 7 13574, M/8612, 7 janvier 1914.
16. *Ibid.*, *Note de synthèse* sur le mouvement syndicaliste, avril 1914.
17. *Ibid.*, M/9382, 2 juillet 1914.

ser, sans fard, la vérité nue » [18]. Au mois de septembre 1913, *La Vie ouvrière* avait employé les termes de « malaise général » [19].

Cette « crise générale du syndicalisme-révolutionnaire » [20] se traduit par le recul des effectifs. Le dernier chiffre connu avec une assez grande probabilité est celui de 1911, 687 463 syndiqués à la CGT [21]. Par la suite, le nombre des adhérents, semble-t-il, n'a cessé de décroître pour être aux alentours de 300 000 en 1914. C'est tout au moins le chiffre avancé par Dumoulin [22]. Les effectifs connus de certaines fédérations confirment ce déclin. De 40 000 cotisants en 1911, les syndiqués du Bâtiment dans la Seine sont passés à 17 000 en 1914, la fédération tout entière ne dépassant pas 45 000 membres [23]. Les adhérents de la Fédération des métaux sont environ 25 000 ; leur nombre diminue lentement, mais le noyau stable n'est que de 15 000 syndiqués, les autres ne faisant que passer sans qu'il soit possible de les retenir [24]. L'implantation du syndicalisme dans les usines d'automobiles est particulièrement faible [25].

Le tirage de *La Bataille syndicaliste* baisse en même temps que l'organisation décline. A plusieurs reprises, au mois de janvier 1914, le journal annonce sa prochaine disparition, et sa situation financière ne s'améliore pas, ce qui attriste vivement, et sincèrement, semble-t-il,... l'Action française [26] ! Les chiffres donnés par le quotidien de la CGT ne brillent pas par la clarté, ni par la cohérence [27], mais ils montrent sans conteste la diminution de la vente. Le pessimisme de *La Bataille*

---

18. *Ibid.*, M/8640, 14 janvier.

19. 20 septembre 1913, cité par C. Gras, « La Fédération des métaux en 1913-1914 », *Le Mouvement social,* 77, octobre-décembre 1971, p. 85.

20. C. Gras, art. cité, p. 98. Cf. également H. Dubief, *op. cit.*, p. 48 et suiv. ; Bernard Georges et Denise Tintant, *op. cit.*, p. 123 : « En 1914, la CGT est totalement épuisée et isolée ». Cf. aussi Raffaëli, *Le mouvement ouvrier contre la guerre*, mémoire de maîtrise, Université de Nanterre, 1969, sous la direction de René Rémond, 317 p., p. 109. Etudiant le département de la Loire, les auteurs remarquent : « On a en effet tendance à voir dans la guerre la cause de l'effondrement des syndicats. Pour ce qui concerne notre département, le schéma est entièrement faux. Bien avant la mobilisation, les syndicats ont périclité ».

21. Annie Kriegel, *La croissance de la CGT* (1918-1921), Paris, Mouton, 1966, 254 p. (p. 67). En fait, il est extrêmement difficile de savoir même avec une précision relative le nombre réel de syndiqués (cf. A. Kriegel, *op. cit.*, p. 21 et B. Georges et Denise Tintant, *op. cit.*, p. 81 et suiv. ; cf. également M. Drachkovitch, *Les socialistes français et allemands et le problème de la guerre (1870-1914)*, Genève, 1953, 385 p., p. 150.

D'après un tableau des effectifs du mouvement syndical international publié par *La Bataille syndicaliste* (6 avril 1914), il y avait en France 450 000 syndiqués en 1911, 387 000 en 1912, soit 63 000 en moins (14 %). Parallèlement, les effectifs syndicaux étaient passés en Allemagne de 2 339 785 à 2 553 162 (plus 213 377, plus 9,12 %).

22. G. Dumoulin, *Les syndicalistes français...*, *op. cit.*, p. 21.

23. A.N. F 7 13574, M/8612, 7 janvier 1914.

24. C. Gras, « La Fédération des métaux », *art. cité, p. 86 et suiv.*

25. *Ibid.*, p. 96. 1,1 % des ouvriers en 1913, d'après *La Vie ouvrière* (5 mars 1913), *La Bataille syndicaliste* (31 décembre 1913).

26. 9 janvier 1914.

27. *La Bataille syndicaliste,* 17 mars 1914. Vente de *La Bataille syndicaliste* en 1913 : Tirage : 43 205 (janvier) — 41 610 (décembre). Vente : 16 589 (janvier) — 15 590 (décembre). *La Bataille syndicaliste,* 10 janvier 1914. Vente : 16 000 (décembre 1912). Vente : 10 000 (décembre 1913).

*syndicaliste* était-il exagéré ? C'est ce que pensait Alfred Rosmer [28]. Il est vrai que, finalement, le journal continua de paraître grâce à une souscription et à une certaine reprise de ses ventes [29], mais sa situation restait précaire et présentait chaque mois un déficit [30].

Les actions entreprises par la CGT rencontraient, dans ces conditions, moins d'écho : les pouvoirs publics constatèrent le « calme inaccoutumé » du 1er mai 1914, « la voie publique conserva pendant toute la journée sa physionomie habituelle et la fête du travail passa complètement inaperçue » [31] ; le nombre d'ouvriers qui firent pointer leur carte fut en légère diminution [32] ; des 23 meetings de la région parisienne, le plus important réunit 650 auditeurs à Saint-Denis ; quant à celui du soir, salle Wagram, son chiffre de participation fut inférieur à celui de l'année précédente.

Le nombre des mouvements de grève ne diminua pas, il augmenta au contraire si on prend l'exemple des métallurgistes, mais le pourcentage d'échecs s'accrut, surtout dans les entreprises importantes [33]. En 1913, les grèves ont échoué chez les mécaniciens, les boulangers, les tisseurs, les dockers, dans « la voiture »... [34].

La crise de la CGT a des explications diverses : dans un rapport que les services gouvernementaux attribuèrent à un dirigeant de la Confédération [35], six causes étaient énumérées :
— la lassitude des actions « révolutionnaires », l'excès des appels à la violence, aux meetings, aux manifestations ; les travailleurs étaient fatigués par les exhortations perpétuelles faites à leur solidarité, par les luttes stériles dans lesquelles ils avaient été trop souvent jetés [36] ; cette « gymnastique » « essoufflait » la classe ouvrière [37] ;
— la peur de nouvelles trahisons à la suite de la découverte d'agents gouvernementaux dans les rangs de la CGT ;
— la méfiance envers les « fonctionnaires syndicaux », c'est-à-dire les

---

28. *La Bataille syndicaliste*, 3 janvier, « Ayons confiance ».
29. *La Bataille syndicaliste*, 22 mai 1914. Moyenne de vente pendant le premier trimestre 1914.

|                          | Janvier | Février | Mars   |
|--------------------------|---------|---------|--------|
| Tirage                   | 42 000  | 40 000  | 40 000 |
| Vente (Paris-banlieue)   | 16 129  | 15 527  | 17 784 |
| Province et abonnements  | 8 961   | 9 213   | 9 723  |
| Total                    | 25 000  | 24 740  | 27 507 |

30. A.N. F 7 13574, *Rapport de synthèse sur le mouvement syndicaliste juin 1914*.
31. *Ibid.*, juin 1914.
32. 1914 : pointage de 15 245 cartes (Paris et banlieue). 1913 : pointage de 15 320 cartes.
33. C. Gras, art. cité, p. 88 et suiv.
34. A.N. F 7 13574, M/8612, 7 janvier 1914.
35. *Ibid.*, M/9382, 2 juillet 1914.
36. *Ibid.*, *Note de synthèse sur le mouvement syndicaliste* (avril 1914).
37. A.N. F 7 13333, M/8974.

dirigeants qui tendaient à devenir des permanents de l'organisation, mais le remplacement fréquent des responsables entraînait une baisse croissante de leur qualité ;

— la résistance patronale de plus en plus vigoureuse ;

— le défaut de moyens de résistance des syndicats : ils n'avaient ni caisse de grève, ni caisse de chômage. Les ressources produites par les cotisations étaient très irrégulières : 80 % des adhérents ne payaient que pendant trois mois, six mois ou un an ;

— la répression gouvernementale très vigoureuse depuis 1906, avec en dernier lieu le procès intenté à un certain nombre de militants du Sou du Soldat [38].

Le rapport se terminait en montrant que la CGT cherchait à redonner confiance aux travailleurs, avec « un peu moins de surenchère révolutionnaire, un peu plus de souci de la réalité, enfin par l'éloignement des anarchistes les plus compromettants... ».

Il semble bien que le nœud de la crise soit là. La majorité révolutionnaire de la CGT, d'ailleurs largement fictive [39] et qui n'avait jamais été très cohérente [40], s'était dissociée : bon nombre de syndicalistes pensaient qu'il fallait mettre un terme à une ligne erronée qui avait conduit à des résultats désastreux pour l'organisation, puisqu'elle n'avait réussi à gagner qu'une petite fraction des ouvriers en éloignant la masse des adhérents éventuels.

Il était d'ailleurs facile de se rendre compte que la crise affectait beaucoup moins les syndicats « modérés » : ainsi l'union départementale du Nord — dirigée par les socialistes [41] — qui tint son congrès à Valenciennes le 28 juin 1914, faisait état du bilan suivant :

```
Juin 1913................  73 syndicats 19 680 syndiqués
Décembre 1913...........  126    »      51 000     »
Juin 1914...............  130    »      53 000     »          42
```

Sans pour autant en tirer de conclusions, G. Dumoulin constatait qu'un certain nombre de grandes fédérations avaient vu leurs effectifs croître depuis 1906, cheminots, transports, textiles, sous-agents des PTT, cuirs-et-peaux [43]. Compte tenu que cette augmentation depuis 1906 ne signifiait pas qu'un mouvement de baisse ne s'était pas amorcé dans les

---

38. Cf. J.-J. Becker, *op. cit.*, p. 38. La Fédération des instituteurs est un bon exemple de ce « malaise » que Max Ferré (*op. cit.*, p 173-174) attribue aux sanctions qui se multipliaient contre les instituteurs syndicalistes et au relâchement général dans les milieux révolutionnaires.

39. Le système de représentation utilisé favorisait les petits syndicats où les éléments révolutionnaires étaient les plus nombreux (cf. H. Dubief, *op. cit.*, p. 43).

40. H. Dubief, *op. cit.*, p. 42 et suiv.

41. Son secrétaire général était Charles Saint-Venant qui fut candidat socialiste aux élections législatives de 1914, et élu en 1919.

42. A.N. F 7 13574, M/9510.

43. *La Bataille syndicaliste*, 1er juillet 1914.

années immédiatement précédentes, il faut remarquer qu'il s'agissait principalement de syndicats qualifiés de « réformistes ».

Aussi, sous des dénominations et des apparences diverses, à l'opposition traditionnelle entre syndicats « réformistes » et syndicats « révolutionnaires » était venu s'ajouter un conflit à l'intérieur de la fraction révolutionnaire. Une droite et une gauche s'y affrontaient. La Fédération des métaux fut particulièrement le théâtre de cette rivalité [44]. Alphonse Merrheim, le secrétaire de la fédération, fut exclu, en septembre 1913, par le Syndicat des métaux-Seine, un des groupements les plus révolutionnaires de la fédération ; celle-ci ripostait en juin 1914 en excluant les Métaux-Seine ! Au congrès, la « tendance révolutionnaire » subissait « une série d'échecs catastrophiques » [45]. Tous les organismes dirigeants passaient entre les mains des modérés. C. Gras considère que la Fédération des métaux a alors connu un incontestable tournant « droitier », tournant dont il estime qu'il était d'ailleurs voulu par les masses ouvrières. « Que pèsent quelques dizaines de révolutionnaires face à des milliers de modérés » [46] ?

La CGT a-t-elle connu alors le même tournant « droitier » que la Fédération des métaux ? Si on appelle ainsi un certain retour au sens des réalités, il est incontestable que la CGT, dans les dernières années avant 1914, connaît une évolution très sensible [47] ; le congrès prévu à Grenoble pour le mois de septembre 1914 l'aurait vraisemblablement fait apparaître encore davantage [48].

L'évolution de deux hommes joua un grand rôle dans le recul de l'antipatriotisme : Gustave Hervé et Alphonse Merrheim.

Le retournement ultérieur [49] de G. Hervé tend à altérer l'idée de son rôle et de son influence avant 1914. « Très aimé dans les milieux ouvriers pour sa bonhommie et sa violence... » [50], il avait été dans une large mesure responsable du courant antipatriotique. Or « l'influence hervéiste avait cessé. Cet espèce de souffle révolutionnaire, antimilitariste, antiguerrier, antipatriote n'avait été qu'un souffle... » [51]. Gustave Hervé, comme il le disait lui-même, avait « rectifié le tir » et il ne cessait d'expliquer pourquoi il l'avait fait [52]. Son argumentation était la sui-

---

44. C. Gras, art. cité, notamment p. 85-86, 103-104, 105-106 et suiv.

45. *Ibid.*, p. 102.

46. Art. cité, p. 111.

47. Cf. B. Georges et D. Tintant, *op. cit.*, h. III, La CGT en question.

48. A.N. F 7 13574, M/9832.

49. Cet « antipatriote », le « Sans-Patrie », devient en août 1914 « patriote à la mode de 1792-1793 pour finir ensuite dans un nationalisme effréné... » (A. Perrier, in Le *Mouvement social*, oct.-déc. 1971, p. 78).

50. C. Favral, *op. cit.*, p. 43. On pourrait ajouter « pour son courage » : il passa le plus clair de son temps en prison !

51. G. Dumoulin, *Les syndicalistes...*, *op. cit.*, p. 8.

52. Cf. par exemple La *Guerre sociale*, 4 au 10 février 1914, 6 au 12 mai, 10 au 16 juin, 17 au 23 juin...

vante : jusqu'à l'accord de 1911 entre la France et l'Allemagne, il y avait un risque que les deux nations « s'égorgent pour les beaux yeux de deux bandes de requins de la finance »[53] ; il fallait donc ameuter les peuples, les appeler à l'insurrection contre ce risque. Depuis l'accord franco-allemand du 15 novembre 1911, « mon cauchemar était fini »[54]. Le danger le plus vif devenait celui de la « peste cléricale et nationaliste »[55]. Contre lui, il fallait rassembler toute la gauche, donc se montrer modéré. En outre, une insurrection se prépare. Or, tout en criant : « Plutôt l'insurrection que la guerre », on n'en avait jamais rien fait. « Il n'y avait pas plus de tentative insurrectionnelle que de cheveux sur le crâne de Caillaux »[56]. Enfin, la CGT s'est aperçue « depuis deux ans » que le vieux monde capitaliste était plus dur à entamer qu'elle ne l'avait imaginé »[57]. Pour faire bonne mesure, G. Hervé soulignait qu'on ne pouvait en aucun cas compter sur la social-démocratie allemande, donc sur les forces syndicales de ce pays.

Toutes les raisons de G. Hervé n'étaient pas d'une égale solidité. Affirmer que l'accord de 1911 avait marqué un tournant décisif était sûrement aller un peu vite en besogne. En revanche, il était réaliste de reconnaître que les conditions d'une insurrection contre une guerre éventuelle n'étaient pas réunies et qu'il était sage de renoncer à l'excès de certaines formulations.

G. Hervé avait également raison de rappeler qu'il « avait vu accourir » autour de lui « tous les éléments impulsifs et violents de notre classe ouvrière, impulsifs et violents certes, mais enthousiastes, généreux, idéalistes... »[58], et qu'en grande partie, ils s'étaient également « démobilisés ». Une fraction de son équipe sous la direction d'Almereyda avait fondé un autre journal, *Le Bonnet rouge*, qui, à la veille de la guerre, est partiellement financé par J. Caillaux. De même un autre de ses compagnons, Henri Fabre, le directeur des *Hommes du jour*[59], avait à son exemple « affaibli ses positions anarchistes »[60].

Aussi significative, même s'ils n'emploient pas la formule, fut la rectification de tir des dirigeants de la CGT. Elle fut, en fait, antérieure à celle d'Hervé. On peut la dater de 1909[61]. A peine sorti de prison, à la fin de 1908, le secrétaire-général de la CGT, Victor Griffuelhes, dénon-

53. *La Guerre sociale*, 4 au 12 juin 1914.

54. *Ibid.*, 28 janvier — 3 février 1914.

55. *La Guerre sociale*, 4 au 12 juin 1914.

56. *Ibid.*, 17 au 23 juin 1914.

57. *Ibid.*, 6 au 12 mai 1914.

58. *La Guerre sociale*, 4 au 10 février 1914.

59. Cf. Antoine Perrier, *Le Mouvement social*, oct.-déc. 1971. p. 78 et Raymond Manevy, *Histoire de la Presse* (1914-1939). Paris, 1945, 360 p. (p. 26). (Parmi les collaborateurs, Victor Meric, Maurice Allard, le dessinateur H.P. Gassier).

60. Antoine Perrier, art. cité, p. 78.

61. Julliard, art. cité, p. 52.

çait « les braillards ». Léon Jouhaux, qui le remplaçait bientôt à la tête de l'organisation syndicale, comprit très vite qu'il fallait mettre une sourdine à l'antimilitarisme et aux violences verbales, et ramener la CGT de l'action « sociale » à l'action « économique » [62]. Mais ce fut surtout Merrheim qui détacha la CGT de la « surenchère antimilitariste » [63]. Au congrès extraordinaire de 1912, les décisions prises à Marseille quatre ans plus tôt furent en principe confirmées. L'insurrection en cas de guerre ne fut pas reniée, mais Merrheim fit adopter une motion qu'il commenta ainsi : « Nous avons voulu signifier à la classe ouvrière que le jour d'une déclaration de guerre, il n'y aurait pas de CGT, pas de mot d'ordre » [64].

Ainsi la CCT dégageait par avance sa responsabilité. L'insurrection en cas de guerre ne pouvait être le fait que des masses ouvrières elles-mêmes. Elles n'avaient pas à attendre d'initiatives de la direction confédérale [65].

Le congrès de la Fédération des métaux, en septembre 1913, fait encore davantage apparaître la nouvelle ligne de la CGT. Avant même qu'il soit réuni, le bureau fédéral et la commission exécutive firent écarter de l'ordre du jour les questions de l'antimilitarisme et de la grève générale que quatre syndicats voulaient y faire figurer [66]. Le congrès eut une tonalité « économiste et corporative ».

Il est légitime qu'on puisse se demander si l'attitude de la CGT en août 1914 n'était pas préparée depuis longtemps [67], ou affirmer qu'un « examen de ses prises de position antérieures rend l'attitude de la CGT au mois de juillet 1914 aussi peu surprenante que possible » [68].

Une contradiction demeure cependant. Cette modification du comportement de la CGT n'apparaît guère dans la vie quotidienne.

Les pouvoirs publics n'en sont pas conscients, puisque c'est à la suite d'une circulaire de septembre 1911 que la mention « à surveiller » portée sur les fiches des inscrits au Carnet B est remplacée par celle de « à arrêter » [69]. Dans les années suivantes, les ministres de l'Intérieur ne cessent d'adresser des instructions aux préfets pour qu'ils surveillent et répri-

---

62. B. Georges, D. Tintant, *op. cit.*, p. 99-100.

63. J. Julliard, art. cité, p. 52.

64. *La Voix du peuple*, 1er décembre 1912.

65. Le théoricien et révolutionnaire allemand Paul Mattick, jugeant de la propension des organisations syndicalistes-révolutionnaires à s'en remettre à la spontanéité, concluait qu'elles « cherchaient (ainsi) à donner un tant soit peu de « réalité » à une mission qu'elles étaient bien en peine de remplir, à excuser leur inactivité forcée, à justifier leur intransigeance ». (*Intégration capitaliste et rupture ouvrière*, Paris, EDI, 1972, XIX — 269 p., p. 87).

66. C. Gras, art. cité, p. 99-100, d'après le procès-verbal de la commission exécutive du 11 juillet 1913.

67. C. Gras, art. cité, p. 85.

68. J. Julliard, art. cité, p. 53.

69. J.-J. Becker, *op. cit.*, p. 89.

ment les activités antimilitaristes. Les autorités n'ont pas relâché leur attention, au contraire.

En vérité, même si la CGT avait renoncé à la propagande antipatriotique, l'image qu'elle avait imposée d'elle ne pouvait pas s'effacer sans délai. Une organisation politique et syndicale conserve longtemps une réputation qui peut n'être plus justifiée. D'autre part, les choses n'étaient ni simples, ni claires, car si certains manœuvraient pour dégager la CGT de l'antipatriotisme, d'autres n'entendaient pas y renoncer. Dans un article qu'il publie dans *La Bataille syndicaliste*, en juin 1914, G. Yvetot rappelait avec vigueur la résolution de congrès d'Amiens de 1906 : « Le Congrès affirme que la propagande antimilitariste et antipatriotique doit devenir toujours plus intense et plus audacieuse ». Le congrès de la Fédération du bâtiment se prononçait en 1914 pour la continuation de la propagande antimilitariste [70]. La note de synthèse d'avril 1914 sur le mouvement syndicaliste [71] soulignait que les condamnations qui avaient frappé un certain nombre de responsables du Sou du Soldat ne semblaient pas avoir porté atteinte à l'institution, que l'Union des charpentiers de la Seine joignait à chacun de ses envois trimestriels une lettre rédigée en termes violents, que le Comité de défense sociale se montrait toujours actif [72]...

Le 27 mars, *La Bataille syndicaliste* fut obligée, malgré l'avis contraire du gérant du journal, Marie, et de Jouhaux, de publier une circulaire extrêmement violente du Syndicat du bâtiment de la Seine pour protester contre les condamnations dans l'affaire du Sou du Soldat [73].

Le langage restait volontiers si virulent [74] qu'il fallait être très au fait

---

70. A.N. F 7 13574. *Le Prolétaire*, organe du Syndicat du bâtiment de la Seine, publiait en mai 1914 un article « La crosse en l'air » : « L'idée de patrie est un non-sens, une absurdité, une folie... ». L'article appelait à mettre « la crosse en l'air » et se terminait par « A bas la Patrie, la guerre et l'Armée ». (A.N. B.B. 18/2531, 128 A 1914, 29 juin 1914, *Communication du procureur général de Paris au Garde des Sceaux*).

71. A.N. F 7 13574.

72. Il se préoccupait principalement de la défense des soldats condamnés par les tribunaux militaires. Le procureur général de Douai signale la tenue à Lille, le 21 juin 1914, d'une réunion du « Comité de défense sociale de la région du Nord », annoncée par des affiches titrées « A l'aide, à l'assassin ». Devant 300 personnes, parlèrent notamment Rousset, qui traita les officiers de « brutes galonnées », et Thuillier, secrétaire du comité de Paris, qui fit « l'apologie de l'antipatriotisme », qualifia le drapeau de « loque nationale » et termina en criant « A bas l'armée ». Ensuite, une brochure fut distribuée aux assistants. Editée en mai 1913 par la Fédération communiste anarchiste, elle reprenait les thèmes habituels de l'antipatriotisme (A.N. B.B. 18/2531, 128 A 1914, 26 juin 1914).
Tout un dossier de correspondance entre le même procureur général et le garde des Sceaux a trait à un autre orateur du meeting, Juvigny, auteur d'articles antimilitaristes dans deux petites publications anarchistes. *Le Combat* à Roubaix, *Le Cri du Peuple* à Lille (cf. également ci-dessous p. 169, note 117 (A.N. B.B., 18/2531, 128 A 194, mars à juin 1914).

73. A.N. F 7 13048, M/9095, 28 mars 1914.

74. Le secrétaire de la Bourse du Travail de Nice, dans une réunion tenue le 8 février 1914 à Cannes, accusa la magistrature, la police, l'armée d'être « composées en majeure partie d'individus qui valent moins que nous, déclassés, avachis, loques humaines qui se réfugient dans ces fonctions parce qu'ils sont incapables de faire autre chose ». Le procureur général d'Aix remarqua avec philosophie que « tout en étant empreints de l'exagération habituelle à ces sortes de discours, ces propos ne comportent pas de caractère de violence particulière » (A.N. B.B. 12/2531, 128 A 1914).

des difficultés internes du syndicalisme pour s'apercevoir de son changement d'attitude.

De plus, la mise en veilleuse, au moins par quelques-uns, de l'antipatriotisme ne signifiait pas l'abandon de la lutte contre la guerre, ni contre le militarisme. Comme nous l'avons vu, le passage d'un de ces thèmes aux autres n'était pas toujours très discernable. Or la CGT mena une lutte très vive contre les trois ans, même si, comme le dit Dumoulin, « il n'y avait plus chez les militants, chez les chefs cette flamme d'action, cet esprit de sacrifice de l'époque passée », même si le comité confédéral n'avait plus comme ressource que d'essayer d'impressionner « la masse ouvrière » pour cacher sa faiblesse réelle[75], même si la campagne de la CGT était plus motivée par des raisons corporatives, par la défense des intérêts des travailleurs que par la solidarité internationale[76].

Aussi la responsabilité de l'agitation que la crainte de la prolongation du service provoqua dans quelques garnisons en mai 1913[77] fut imputée aux syndicalistes. « Au cours des perquisitions opérées à la fin du mois de mai 1913, tant à Paris qu'en province, les pièces qui sont saisies soit chez les individus, soit au siège des groupements anarchistes ou syndicalistes, soit même dans un grand nombre de casernes, fournissent une preuve indiscutable qu'on se trouve en présence d'un complot contre la sûreté de l'Etat », avertissaient les Renseignements généraux[78] avant d'ajouter : « Personne ne doutait que les soldats n'étaient devenus mutins qu'à la suite des excitations prolongées des socialistes et de la CGT, par le moyen des journaux pénétrant dans les casernes ou des circulaires accompagnant le Sou du soldat : les perquisitions l'avaient du reste établi sans conteste ».

Tant dans les débats à la Chambre des députés que dans la presse, l'accusation fut souvent reprise : Francis Charmes, dans la *Revue des deux mondes*[79], par exemple, imputait la « cruelle machination » à la CGT et aux organes de sa propagande, le *Sou du soldat*, le *Nouveau manuel du soldat*[80] surtout, « le plus abominable catéchisme d'anarchie et d'antipatriotisme qu'on ait vu dans aucun temps et aucun pays »[81].

---

75. G. Dumoulin, *Les syndicalistes...*, *op. cit.*, p. 9.

76. J. Julliard, art. cité, p. 58. Une note de synthèse sur le mouvement syndicaliste, de juin 1914 (A.N. F 7 13574) faisait écho à des articles d'Yvetot dans *La Voix du peuple*, de Paul Ader et Parnier dans *La Bataille syndicaliste*, et de Jaurès dans *l'Humanité*, suivant lesquels la nouvelle loi militaire était responsable de l'invasion de travailleurs étrangers. Or une note du 19 mai 1914 (A.N. F 7 13574 M/9224) indiquait que les ouvriers français accusaient les patrons d'en profiter pour baisser les salaires et elle soulignait que « des incidents » étaient « probables » à « bref délai », malgré les efforts des militants confédéraux pour éviter « l'éclosion de sentiments nationalistes », entre ouvriers français et ouvriers étrangers accusés d'être venus remplacer les jeunes Français partis à la caserne.

77. Cf. H. Tison, *op. cit.*, p. 146 à 155.

78. A.N. F 7 13348. *Les projets de sabotage de la mobilisation.*

79. 1ᵉʳ juin 1913, p. 709 à 720, « Chronique de la quinzaine ».

80. Décidée au congrès d'Alger en 1902, la rédaction de cet opuscule fut confiée à Yvetot. Les thèmes antimilitaristes et antipatriotiques qu'il contenait ont été inlassablement repris par les militants

On peut être sceptique, sinon sur l'influence de la propagande anti-militariste, tout au moins quant à la réalité de l'intervention directe de la CGT dans des « mutineries » qui, pour être graves dans une institution fondée sur une stricte discipline, n'avaient d'ailleurs guère dépassé le stade de la bousculade. La prolongation imprévue de leur temps de service pour des soldats arrivés à son terme suffisait à expliquer cette bouffée de colère.

La poursuite de la campagne contre les trois ans, même après que la loi eut été votée [82], les protestations contre les condamnations qui frappèrent les « mutins » [83], contre les épidémies qui sévirent dans les casernes pendant l'hiver 1913-1914 [84] se combinent avec les considérations rituelles contre l'armée pour maintenir le tonus antimilitariste de *La Bataille syndicaliste* à un niveau élevé. Presque chaque jour, caricatures, articulets s'en prennent au comportement des officiers : brutalité des sanctions, injustices, sévices, le tout placé sous le titre ironique « La grande famille ». Dans les dernières semaines qui précédèrent la guerre, on peut relever ces exemples évocateurs :

> « ... Sous leur impulsion généreuse (celle des jeunes gens sortis de Saint-Cyr et de Polytechnique), l'armée s'enfoncera un peu plus dans la soudarderie et le gâtisme » [85].
> « Comment officiers et sous-officiers s'y prennent pour charger et perdre un honnête homme ! »
> « ... Ce qui précède démontre et au-delà que le glorieux uniforme d'officier et de sous-officier de la glorieuse armée française est souvent endossé par des fripouilles » [86].

Le 12 juin, *La Bataille syndicaliste* dénonçait encore les « crimes du militarisme », le 27 juin : « Non, jamais nous ne le dirons assez ... Le militarisme est la plaie dont il faut guérir l'humanité », et, le 26 juin, titrait « Les soudards chez eux ».

L'action syndicale continuait d'ailleurs à rencontrer quelque écho, si on en croit le quotidien syndical : 9 000 travailleurs auraient participé à une série de meetings organisée le 28 janvier [87]. Les meetings du 14 mars

---

syndicalistes dans leurs discours, proclamations, articles... En 1908, on en était à la 16e édition, avec un tirage total de 165 000 exemplaires (cf. J.-J. Becker, *op. cit.*, 1re partie, chap. 3).

81. *La Revue des deux mondes*, 1er juin 1913, p. 710-711, « Chronique de la quinzaine ».

82. Le 6 mars 1914, *La Bataille syndicaliste* s'attaque à « la loi criminelle ». Le 18 mars, elle rend compte des manifestations contre « la loi criminelle ».

83. Le 28 janvier 1914, grand placard en première page de *La Bataille syndicaliste*. Les « Travailleurs parisiens » sont conviés par l'Union départementale de la Seine à une réunion à Wagram pour affirmer le droit au Sou du soldat, et réclamer la libération des mutins, l'abrogation des trois ans. Le 8 mars, dans un numéro spécial gratuit, un titre sur toute la largeur de la page : « Qu'on libère les derniers mutins ! ».

84. Cf. *supra*, p. 117-118.

85. 3 juillet 1914.

86. 7 juin 1914.

87. *La Bataille syndicaliste*, 29 janvier. Il faut faire évidemment la part de l'exagération.

ont eu également du succès. Presque toute la presse a fait le silence, y compris *L'Humanité*, mais *La Bataille syndicaliste* [88] peut citer avec satisfaction ce commentaire du *Radical* qui, avec *La Lanterne*, fut le seul quotidien parisien à y faire allusion :

> « L'application de la loi de trois ans, l'incorporation des jeunes soldats de vingt ans et la mortalité qui sévit dans l'armée ont, comme on sait, provoqué partout, et plus particulièrement dans les milieux ouvriers, le plus vif et le plus légitime mécontentement. C'est ce qu'il a été facile de constater hier soir dans les vingt-deux meetings organisés tant à Paris que dans la banlieue, par l'Union des syndicats de la Seine... »

Au surplus, l'attitude antimilitariste n'est pas seulement le fait des organisations ou des journaux syndicaux. Il suffit de consulter les dossiers conservés dans les archives départementales, comme nous l'avons fait par exemple pour le Calvados [89], pour se rendre compte que, dans les milieux populaires, il fallait peu de chose, un incident mineur, quelques libations pour que s'expriment des sentiments peu amènes envers l'institution militaire, et notamment envers les officiers.

Ainsi l'antipatriotisme s'est incontestablement atténué ; il n'en a pas été de même de l'antimilitarisme. La conséquence fut que, sauf pour des observateurs très attentifs, il était difficile de se rendre compte que la vague antipatriotique était passée. Le maintien de l'antimilitarisme masquait les réalités. La nature du phénomène était pourtant profondément différente : ce n'était pas à la Patrie qu'on s'en prenait, mais à l'armée dans l'acceptation stricte du terme.

Une autre conséquence fut qu'on ne se rendit pas compte non plus que les déclarations tonitruantes faites par les organisations syndicales les années précédentes étaient restées finalement au stade des déclarations de principes. La CGT n'avait jamais précisé sa position sur des points essentiels : ferait-elle la grève si la France était attaquée ? La ferait-elle si son attitude restait isolée internationalement ? [90] Or, sur ce dernier point, il y avait assez longtemps que les syndicalistes français savaient qu'ils n'avaient pas à compter sur les autres. Dès 1906, Griffuelhes s'était plaint du peu de travail fait par les conférences syndicales de Stuttgart et de Dublin, du peu de succès qu'il avait rencontré quand, à propos des incidents du Maroc, il était allé à Berlin [91] proposer à la confédération syndicale allemande l'organisation de démonstrations communes contre la guerre [92]. Du congrès syndical qui se tint à Zurich

---

88. 18 mars 1914.
89. J.-J. Becker, *op. cit.*, p. 76.
90. Cf. J. Julliard, art. cité, p. 61.
91. Janvier 1906.
92. P. Monatte, *op. cit.*, p. 124. Le socialiste allemand Karl Legien, secrétaire du secrétariat syndical international », était peu « sensible » au syndicalisme révolutionnaire.

en 1913, G. Dumoulin avait emporté « le souvenir d'un grand nombre de discours confus qui ne voulaient pas dire grand chose... » [93].

Les anarchistes, malgré une détermination apparente, ne sont pas beaucoup plus sûrs d'eux que les syndicalistes. Ils n'ont ni programme d'action, ni doctrine définie [94]. A plusieurs reprises, Kropotkine a affirmé qu'un nouvel écrasement de la France serait un malheur pour la civilisation [95]. La plupart des anarchistes n'admettent pas cette position, mais leur antipatriotisme n'était cependant pas sans failles.

Face à une guerre éventuelle, les intentions de la CGT étaient donc beaucoup moins claires qu'on ne l'a souvent dit ou cru. Dans ce couple complexe que formaient l'antimilitarisme et l'antipatriotisme, le premier terme était profondément ressenti, le second beaucoup plus artificiel. Une CGT puissante, en phase ascendante, aurait peut-être pu agir, même à partir d'une doctrine confuse. Mais ce n'était pas le cas. La prise de la CGT s'était affaiblie sur une classe ouvrière, en fait allergique à une phraséologie excessivement révolutionnaire ; nombre de ses dirigeants s'interrogeaient sur le bien-fondé d'une orientation qui avait été la leur ou qui leur avait été imposée dans les années précédentes.

Comme l'a écrit M. Drachkovitch :

> « Il fallait une secousse violente pour qu'apparût clairement le fait que le syndicalisme français en 1914 n'était que l'image pâle d'une ardente et virile utopie qui, durant quelques années, avait enthousiasmé une poignée d'hommes courageux mais qui, comme toute utopie, devait disparaître devant les impératifs de la réalité » [96].

Diagnostic qu'E. Rey avait en fait formulé dès 1912 : considérant le courant antimilitariste comme une « protestation contre l'emploi de l'armée dans les grèves » et comme « un moyen d'action contre une politique extérieure provocante dont le pays ne veut pas », il ajoutait : « Mais dans une guerre défensive et nationale, il perdrait presque tout son pouvoir sur la classe ouvrière » [97].

C'est aussi la conclusion à laquelle était parvenu Louis Gravereaux dans une thèse de droit soutenue le 26 mai 1913 :

> « Si en dernière analyse on se demande quelle serait l'attitude du prolétariat le jour où la patrie serait menacée, la réponse est impossible à formuler. Evidemment, les docteurs de l'antipatriotisme affirment que la classe ouvrière ne " marchera " pas. Qu'en savent-ils ? Nous pensons, au contraire, que les considérations humanitaires seront délaissées ce jour-là et que syndicalistes, révolutionnaires et réformistes "marcheront"... » [98].

---

93. *Carnets de route, op. cit.*, p. 63.
94. J. Maitron, *op. cit.*, p. 342.
95. Notamment dans les *Temps nouveaux*, 4 novembre 1905.
96. *Op. cit.*, p. 153.
97. Etienne Rey, *op. cit.*, p. 74.
98. Louis Gravereaux, *Les discussions sur le patriotisme. et le militarisme dans les congrès socialistes*, Thèse de droit, Paris, 1913, 255 p., p. 246-247.

## Un pacifisme indécis

Laissant l'antipatriotisme à la CGT, le Parti socialiste était profondément pacifiste. Les socialistes n'étaient pas les seuls à se proclamer pacifistes, mais le pacifisme, pour n'être pas qu'un vœu pieux et respectable, avait besoin de s'appuyer sur une force politique importante et combative, capable de transformer le souhaitable en réel. Parmi les pacifistes, seuls les socialistes disposaient de cette force [99].

Contrairement à la CGT en crise, le Parti socialiste était alors une force montante. Tout témoignait de sa progression : non seulement ses succès électoraux [100], mais le gonflement de ses effectifs et l'augmentation de la diffusion de ses journaux. Cela n'était pas seulement proclamé par les dirigeants socialistes [101], mais constaté également par les services des Renseignements généraux [102]. L'accélération de l'accroissement du nombre des adhérents du parti était particulièrement impressionnante : après être passés assez lentement de 53 928 au congrès de Nîmes (février 1910) à 72 765 au congrès d'Amiens (janvier 1914), les effectifs venaient de faire un bond pour atteindre le chiffre de 90 725 adhérents au congrès de Paris (juillet 1914) [103] ; celui de 100 000 était bientôt escompté [104]. Même en tenant compte de la remarque de J.-J. Fiechter que la progression était plus forte dans les années d'élections législatives pour ralentir ensuite [105], le Parti socialiste donnait l'impression d'être animé par une grande force ascensionnelle (fig. 5). Les progrès de la vente de *L'Humanité* n'étaient pas moins remarquables (fig. 6). Compère-Morel pouvait affirmer que le quotidien socialiste était devenu le premier journal politique de Paris : il envisageait le doublement de sa vente d'ici le début de 1915 [106]. Autre signe de vigueur : Louis Dubreuilh

---

99. Il y a bien eu quelques pacifistes chrétiens comme le Lyonnais Vanderpol, autour de qui se regroupa la « Ligue des catholiques français pour la paix », mais le nombre de ses membres et son influence furent faibles (cf. Jean-Marie Mayeur, *Histoire du peuple français*, T.V., *Cent ans d'esprit républicain*, Paris, 1967, 614 p., (p. 167).
Dans le *Bulletin* des universitaires chrétiens, Joseph Lotte conteste violemment la possibilité d'un pacifisme catholique : « Les idées pacifistes ... sont nées chez les gens qui, depuis quinze ans, mènent contre notre religion la plus opiniâtre des guerres et la plus meurtrière. Non, votre mouvement ne prend pas sa source dans les profondeurs de la conscience chrétienne. La conscience chrétienne est trop spécifiquement française » (André Latreille, René Rémond, *op. cit.*, p. 543).
Parlant de l'abbé Demulier, Charles Julliard remarquait : « N'est-il pas le seul prêtre pacifiste existant en France en 1914 ? » (Communication à la Société d'histoire moderne le 5 novembre 1972, *Un prêtre pacifiste, l'abbé Demulier*).

100. Cf. *supra*, p. 78 et suiv.

101. *L'Humanité*, 25 mai 1914. Louis Dubreuilh.

102. A.N. F 7 13074, M/1967 U, Paris, le 18 juillet 1914.

103. Jean-Jacques Fiechter, (p. 269) et Compère-Morel, *Encyclopédie socialiste. La France socialiste*, T.I, p. 78 et *op. cit.* suiv.

104. *L'Humanité*, 25 mai 1914.

105. J.-J Fiechter, *op. cit.*, p. 269, note 1. Le grand effort de propagande fait pendant les campagnes électorales était évidemment favorable au recrutement de nouveaux adhérents.

106. *L'Humanité*, 27 juin 1914.

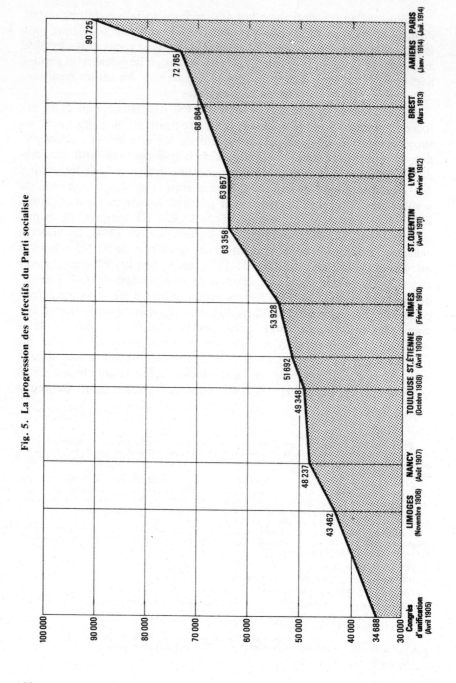

Fig. 5. La progression des effectifs du Parti socialiste

Fig. 6. La progression de *L'Humanité*

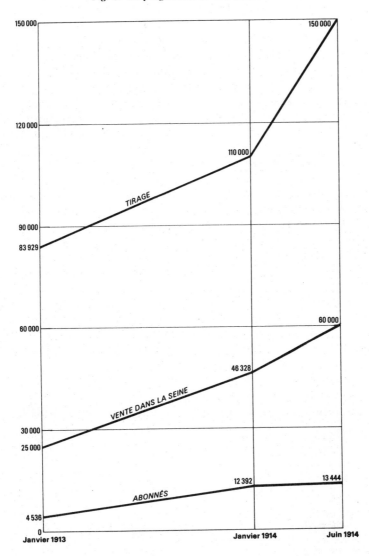

estimait à 40 ou 50 000 personnes le dernier cortège en l'honneur de la Commune [107].

Tout concordait donc pour démontrer l'influence grandissante du Parti socialiste en France. Son pacifisme pouvait ainsi ne pas avoir seulement valeur de témoignage, mais être porté par une force d'action. Il pouvait imprimer sa marque sur l'évolution des événements.

Toutefois, une autre condition était nécessaire : que la nature et les buts du pacifisme des socialistes soient clairement déterminés. De ce point de vue, la situation était infiniment moins favorable. Les positions étaient différentes, voire contradictoires, d'un socialiste à l'autre. D'une façon générale, les socialistes furent peu sensibles à l'antipatriotisme. Les violences de « l'hervéisme » [108] avaient beaucoup impressionné à l'extérieur du parti. Albert Thomas s'en plaignait encore en 1913 : « Le Parti socialiste demeurait pour tous le parti du désarmement, le parti de l'insurrection et de la trahison » [109]. Pourtant, note M. Drachkovitch [110], si la propagande d'Hervé n'était pas restée sans influence sur l'attitude de la majorité des membres du parti, ses théories n'avaient jamais recueilli dans les congrès qu'un nombre de voix très limité, même au moment où son audience semblait la plus importante à Nancy en 1906 ou à Limoges en 1907 [111]. Au surplus, comme nous l'avons déjà vu, depuis 1912, sans pourtant renier son action passée, G. Hervé avait modifié son orientation politique.

Dans le long rapport que les services de police consacrèrent aux projets de sabotage de la mobilisation [112], ils convenaient que, parmi les socialistes, seuls les hervéistes avaient été un temps séduits par cette éventualité. Ils faisaient bien état de quelques déclarations « insurrectionnalistes » que publiait encore *La Guerre sociale* en 1912 [113] ; ils mentionnaient aussi quelques propos virulents tenus par divers militants socialistes lors de la campagne contre la guerre de l'automne 1912 [114], mais le Parti socialiste ne pouvait être, sans excès, accusé de vouloir saboter une éventuelle mobilisation.

Les principaux dirigeants du Parti n'avaient jamais caché leur hosti-

---

107. *Ibid.*, 25 mai 1914.

108. M. Drachkovitch, *op. cit.*, ch. IV, p. 87 à 92.

109. Albert Thomas, *La politique socialiste* (*Les Documents du socialisme*, nᵒ XIII, Paris, 1913, p. 33), cité par M. Drachkovitch, *op. cit.*, p. 92. L'auteur ajoutait : « Heureux quand nous n'étions considérés que comme des utopistes ! ».

110. *Op. cit.*, p. 90.

111. *Ibid.*, p. 92.

112. A.N. F 7 13348. Cf. notre analyse, *op. cit.*, p. 35 et suiv.

113. Notamment 16-22 octobre, 30 octobre-5 novembre, 6-12 novembre.

114. Ainsi lors d'un meeting au Pré-Saint-Gervais, un conseiller municipal de Paris, Jean Morin, ancien cheminot révoqué en 1910, s'exclama : « Plutôt que d'aller servir de chair à canon pour le seul bénéfice du capitalisme, il faudra répondre à l'appel du gouvernement par un mutisme complet, refuser d'obéir à tout ordre de mobilisation et descendre dans la rue pour l'insurrection dernière » (*Rapport de la préfecture de police*, 17 novembre 1912).

lité à l'antipatriotisme. Jules Guesde, sans aucune nuance [115], Jaurès de façon plus complexe, au point d'être accusé, mais par Péguy, d'avoir donné en quelque sorte une caution morale à l'hervéisme [116]. Sommé à la tribune de la Chambre de le désavouer, Jaurès s'y était refusé, « parce que, comme le souligne Madeleine Rebérioux, il (avait pris) peu à peu conscience du rôle que les sentiments exprimés par l'hervéisme (pouvaient) jouer pour maintenir la paix ». Il estimait qu'ils étaient des « facteurs de résistance au chauvinisme, au nationalisme » [117]. En outre, Jaurès voulait que toutes les tendances puissent s'exprimer à l'intérieur du parti [118]. Mais il n'en avait pas moins défini clairement sa position par rapport à l'antipatriotisme, et cela depuis longtemps. Dans un débat public qui s'était déroulé à l'Elysée-Montmartre en 1905, Jaurès avait plaidé pour la réalité nationale, pour la réalité de la patrie ; il avait jugé que les affirmations de Marx et d'Engels, « les travailleurs n'ont pas de patrie », ne pouvaient plus s'appliquer à l'époque actuelle [119]. Jaurès pensait que l'erreur d'Hervé n'était pas tant de s'attaquer à la patrie que de méconnaître la « valeur et la force de l'Etat-nation » [120]. Dans l'ouvrage qu'il allait bientôt publier sur la guerre de 1870 [121], il soulignait justement la puissance des mouvements nationaux et le fait que nulle force ne pouvait s'y opposer durablement. Pour cette raison, il rejetait la responsabilité de la guerre de 1870 sur la France qui, en voulant s'opposer à l'unité allemande, avait commis le « crime d'une nation contre une autre » [122]. Aussi Jaurès ne cessa jamais de s'élever contre les accusations d'antipatriotisme lancées contre les socialistes. En 1913, encore, il repoussait avec véhémence les attaques de Millerand : « Malheur à ceux qui ont besoin de calomnier leur parti d'hier pour se justifier eux-mêmes » [123]. Bien loin d'être antipatriotes, les trois têtes du socialisme français, Vaillant, Jaurès et Guesde, étaient profondément patriotes, même si cela n'allait pas quelquefois sans ambiguïtés ou contradictions, ne serait-ce que parce qu'ils étaient convaincus du rôle progressiste de la France [124].

---

115. Cf. M. Drachkovitch, *op. cit.*, ch. IV, p. 93 et suiv.

116. Charles Péguy, *Notre Jeunesse. Cahiers de la quinzaine*, 12e Cahier, IIe série, Paris, 1910, 222 p., (p. 150-151). « Ce qui fut dangereux dans Hervé et dans le hervéisme, mortellement dangereux, ce ne fut point tant Hervé lui-même, ce ne fut point tant le hervéisme. Ce fut Jaurès et le jaurésisme, car ce fut cette incroyable capitulation perpétuelle de Jaurès devant Hervé, cet aplatissement, cette platitude infatigable ».

117. Jean Jaurès, *La Guerre franco-allemande* (1870-1871), préface de J.-B. Duroselle, postface de M. Rebérioux, Paris, Flammarion, 1971, 311 p. (p. 299).

118. M. Drachkovitch, *op. cit.*, p. 91.

119. Cf. Harvey Goldberg, *op.cit.*, p. 400-401, et note 108 p. 581-582.

120. *Ibid.*, p. 400.

121. Cf. note 117. Cet ouvrage fut publié en 1908.

122. Jean Jaurès, *op. cit.*, p. 60.

123. *L'Humanité*, 15 mai 1913.

124. Cf. Annie Kriegel, *Aux origines du communisme français*, 1964, Paris-La-Haye, Mouton, 995 p. (p. 46-48).

Mais le « patriotisme » des socialistes n'était-il pas contradictoire avec leurs manifestations d'antimilitarisme ? N'était-il qu'un « patriotisme honteux » [125] ? En réalité, l'antimilitarisme n'était chez eux que « l'aspect le plus radical de l'antimilitarisme d'une partie considérable de la gauche républicaine bourgeoise en général » [126] ; il visait l'armée, non en tant qu'instrument de défense du pays, mais en tant qu'institution. L'armée, c'est-à-dire le corps des officiers, était dénoncée à la fois comme « foyer de cléricalisme et de monarchisme » et comme une « école d'inhumanité » [127]. La presse radicale stigmatisait autant que la presse socialiste l'oppression subie par les soldats de la part « d'apaches galonnés » [128], même si elle était plus réservée dans le choix de ses expressions ! · Pour remédier à ces tares, les socialistes n'entendaient pas supprimer l'armée comme le réclamaient les syndicalistes ou seulement la « républicaniser » comme le souhaitaient les radicaux, mais voulaient en transformer les structures : *L'armée nouvelle* de Jaurès fut l'expression la plus élaborée de cette volonté de réforme [129]. Il ne nous appartient pas ici de juger de la valeur militaire des propositions faites [130], mais de l'esprit qui y présida. Deux phrases le résument :

> « Comment porter au plus haut, pour la France et pour le monde incertain dont elle est enveloppée, les chances de la paix ? Et si, malgré son effort et sa volonté de paix, elle est attaquée, comment porter au plus haut les chances de salut, les moyens de victoire ? » [131]

Ces formules représentent bien l'ambivalence de sentiments qui caractérisaient les socialistes : d'un côté, ils n'entendaient pas refuser de défendre leur pays ; comment imaginer sans cela que le principal dirigeant des socialistes français ait consacré tant de travail à élaborer un projet d'organisation de la défense nationale ? Mais, de l'autre, ils n'aimaient pas l'armée, telle qu'elle existait, et ils voulaient vouer les plus grands efforts à maintenir la paix [132].

---

125. M. Drachkovitch, *op. cit.*, p. 178.

126. *Ibid.*, p. 351.

127. Madeleine Rebérioux, *Introduction*, p. 15 de Jean Jaurès, *L'Armée nouvelle*, Paris, 10/18, 1969, 315 p.

128. Expression fréquemment utilisée dans les milieux antimilitaristes, employée par exemple par le maire du Kremlin-Bicêtre, Thomas, dans une réunion publique, le 14 novembre 1912 (*Rapport préfecture de police*, A.N. F 7 13348).

129. *L'Armée nouvelle* fut publiée en librairie en 1911, mais il y avait eu d'abord une édition « parlementaire » en 1910 (cf. M. Rebérioux, *op. cit.*, p. 8).

130. Cf. H. Contamine, *La Victoire...*, *op. cit.*, p. 43-44 ; H. Goldberg, *op. cit.*, p. 438-443.

131. Jean Jaurès, *L'Armée nouvelle, op. cit.*, p. 46.

132. Cette ambivalence n'était pas le fait de cercles restreints de dirigeants nationaux, mais était représentative de l'ensemble du Parti socialiste. Dans une analyse récente du contenu du *Midi socialiste*, le quotidien socialiste de Toulouse, Alain Lévy (*Un quotidien régional*, « *Le Midi socialiste* » (1908-1920). Mémoire de maîtrise, Toulouse, s.d., 215 p.) fait apparaître ces mêmes traits : « antimilitariste virulent », grande méfiance envers l'armée de métier, mais sans exclure le souci de défendre la patrie.

Cette combinaison de patriotisme, d'antimilitarisme et de pacifisme ne comportait pas de contradiction, du moins en théorie. Comme l'écrivait Jaurès : « L'organisation de la défense nationale et l'organisation de la paix internationale sont solidaires »[133]. Dans la pratique, il était probablement plus difficile d'en équilibrer les différents éléments. De grandes qualités de synthèse étaient nécessaires : « S'il était possible d'amalgamer la loyauté envers le sol national et la loyauté envers l'humanité, alors Jaurès ferait cet amalgame »[134]. Ce mélange de « patriotisme et d'internationalisme » fut la « pierre angulaire de toute la pensée de Jaurès et des socialistes français »[135]. Il a exprimé toute l'originalité, toute la complexité de leur pacifisme. Il en explique aussi peut-être toute l'inefficacité. En effet, si un combat politique doit être clair, facile à percevoir pour être efficace, on peut douter que ce fut le cas de celui-ci. Les contradictions effacées par la théorie ne pouvaient manquer de réapparaître dans la pratique. A la vérité, l'ambiguïté du pacifisme socialiste n'était que le reflet de l'ambiguïté de l'ensemble de la politique socialiste, rigide dans les principes, souple dans l'application ; elle n'était que l'image d'un Parti socialiste qui voulait bouleverser la société sans pour autant se placer dans une position de rupture par rapport à cette même société. Elle n'était que l'illustration pathétique de la volonté d'appliquer démocratiquement des principes simples et raisonnables à un monde complexe et passionné.

Le pacifisme des socialistes français devait en outre s'intégrer dans le concert du socialisme international. On aurait pu penser qu'il pourrait surmonter ses difficultés dans le cadre de la Deuxième Internationale, c'est le contraire qui se produisit.

Au cours des congrès successifs de l'Internationale (1907, Stuttgart, 1910, Copenhague, 1912, Bâle), ne cessèrent de s'affronter ce que M. Drachkovitch appelle « le réalisme national » du socialisme allemand et « les équivoques jauressistes » du socialisme français[136], équivoques ou contradictions que J. Guesde d'ailleurs ne se privait pas de condamner[137]. Le différend s'était en partie cristallisé sur « l'amendement » proposé à Copenhague par Edouard Vaillant, associé au Britannique Keïr-Hardie, et qui proposait l'emploi contre la guerre de la grève géné-

---

133. J. Jaurès, *L'Armée nouvelle, op. cit.*, p. 62.
134. H. Goldberg, *op. cit.*, p. 401.
135. M. Drachkovitch, *op. cit.*, p. 102 ; cf. également Goldberg, p. 433.
136. *Op. cit.*, p. 323.
137. Jules Guesde critiquait vivement une position qui, d'après lui, était contradictoire ; il la qualifiait de « super-patriotique », dans un premier temps, alors que dans un second temps elle envisageait les mesures les plus révolutionnaires contre la guerre. En effet Jaurès et Vaillant invitaient d'une part la classe ouvrière à défendre l'indépendance nationale et d'autre part l'appelait à faire la grève générale et l'insurrection contre la guerre. Ce que Guesde schématisait ainsi : « Si on fait la grève générale, on ne court pas à la frontière, et si on court à la frontière, on ne fait pas l'insurrection » (cf. Drachkovitch, *op. cit.*, p. 95-96).

rale, notamment dans les industries d'armement [138]. Les Allemands reprochaient aux Français de brandir des menaces de grève générale alors qu'ils étaient incapables de la réaliser. En réalité, les protagonistes ne se plaçaient pas sur le même plan. Une remarque de H. Goldberg est révélatrice des sentiments de Jaurès lorsqu'il apportait son appui à une proposition comme celle de Keïr-Hardie-Vaillant. Il rapporte une conversation de Bernstein et de Jaurès lors du congrès de Stuttgart. « Jaurès essaya de me gagner à son point de vue sur la grève générale. Toutes mes objections concernaient l'impossibilité pratique de l'appliquer, mais il ne cessa de revenir à l'effet moral que pourrait avoir un tel engagement ». Admettant le côté limité de la vision des sociaux-démocrates (allemands), Bernstein eut cette réflexion : « Quelquefois notre manque d'imagination nous conduit à de graves erreurs ».

« Jaurès, commente H. Goldberg, croyait à la puissance de l'idéal, à la force de la conviction morale ; tout calcul pratique semblait démontrer que l'action approuvée à Stuttgart était impossible ; mais si l'idéalisme des masses était réveillé, si leurs espoirs étaient allumés, alors l'action pourrait se révéler pratique et promise au succès » [139].

En d'autres termes, tous les paradoxes du pacifisme des socialistes français, et de Jaurès en particulier, s'éclairent, si on comprend leur approche du problème. Dans l'angoisse que l'altération des rapports internationaux provoquait, il leur semblait légitime de faire feu de tout bois. Il leur importait peu de savoir si on pouvait faire ce qu'on disait, si le seul fait d'en brandir la menace empêchait l'irréparable d'arriver, ou du moins avait une chance de l'empêcher. Dans le cas où la catastrophe surviendrait, par rapport à l'ampleur du désastre, quelle différence y aurait-il, sauf pour l'histoire, entre n'avoir rien fait conformément à ce qu'on avait dit ou n'avoir rien pu faire contrairement à ce qu'on avait dit ?

### LE CONGRES SOCIALISTE DE JUILLET 1914

Les socialistes français eurent encore une dernière occasion d'éclaircir la nature de leur pacifisme puisque, guère plus d'une quinzaine avant le déclenchement de la guerre, ils tinrent à Paris un congrès préparatoire au congrès international prévu à Vienne, en août 1914.

Traditionnellement, l'Internationale se trouvait tiraillée entre socialistes allemands et socialistes français, ou tout au moins entre les majorités des deux partis. La préparation du congrès de 1914 se fit dans un climat différent, en raison des changements qui affectaient la social-démocratie allemande. Jusqu'à présent, qu'on l'ait admis de bonne ou de mauvaise

---

138. Voir texte de l'amendement ci-dessous, p. 113.
139. *Op. cit.*, p. 435-436.

grâce, qu'on ait considéré la social-démocratie allemande seulement « comme une admirable machine à voter ou à cotiser », mais sans aucune aspiration révolutionnaire [140], qu'on n'ait pas porté une « admiration outrée » à la « puissance numérique des forces ouvrières allemandes » [141], il n'en restait pas moins que par sa masse [142], elle dominait la vie de l'Internationale. Malgré l'existence de courants divers, l'unité était maintenue par la forte personnalité d'August Bebel. A la suite de sa mort [143], beaucoup de socialistes français eurent l'impression que les choses allaient changer, que les jeux ne seraient plus faits à l'avance dans les congrès internationaux, que dans ces conditions des décisions nouvelles et lourdes de conséquences pouvaient sortir du congrès de Vienne [144].

En juillet 1914, tous les socialistes français n'ont d'ailleurs pas le même point de vue sur les suites possibles de la « libération » de la social-démocratie allemande. Ils manifestent beaucoup d'indécision et, même pour certains, d'inquiétude. Inquiétude parce qu'ils ont conscience que même Jaurès ne saurait recueillir l'autorité qui était celle de Bebel. Inquiétude aussi pour l'unité du Parti social-démocrate allemand [145]. Hésitation sur l'orientation future de la social-démocratie : elle sera plus modérée encore, pensent les uns, ou en tout cas dans la droite ligne de la pensée de Bebel : n'est-ce pas ce que semble indiquer la nomination d'Ebert à la direction du parti ? D'autres pensent au contraire qu'elle sera plus révolutionnaire : au congrès d'Iéna, les discours de Rosa Luxemburg et de Karl Liebknecht ont été fortement applaudis, ce qui montre le nombre important de leurs partisans [146]. Certains, prenant leurs désirs pour des réalités, considèrent que la social-démocratie a déjà pris un tournant révolutionnaire en décidant d'adopter le principe de la grève générale pour obtenir le suffrage universel en Prusse [147]. En tout cas, les Allemands ne devraient plus voter d'un seul bloc aux

140. G. Hervé à Stuttgart, cité par Drachkovitch, op. cit., p. 326.

141. Léon Jouhaux, La Bataille syndicaliste, 16 juillet 1914.

142. En 1913, la social-démocratie allemande revendiquait 982 850 adhérents (1 065 905 en 1914) ; les syndiqués au nombre de 2 421 000 lui étaient étroitement liés. Aux élections de 1912, elle obtenait 4 250 329 suffrages, soit 34,8 % des exprimés, et 110 sièges au Reichstag, c'est-à-dire que le groupe parlementaire socialiste était le plus nombreux. Sa presse comprenait 110 journaux dont 90 quotidiens distribués à 1 500 000 abonnés. Le Vorwärts à lui seul avait 160 000 abonnés. Le parti disposait de ses propres imprimeries. Un peu partout en Allemagne existaient des « maisons du Parti ». (cf. Drachkovitch, op. cit., p. 194-195 ; Pierre Broué, Révolution en Allemagne (1917-1923), Paris, Editions de Minuit, 1971, 988 p., p. 26 ; L'Humanité, 28 juin 1914).

143. 13 août 1913.

144. A.N. F 7 13074, M/967 U, 18 juillet 1914.

145. A.N. F 7 13069, M/213 U, 14 août 1913.

146. A.N. F 7 13074, M/273 U, 22 septembre 1913.

147. A.N. F 7 13074, M/9670 U, 18 juillet 1974. En réalité, au congrès d'Iéna, la proposition de R. Luxemburg en ce sens avait été rejetée par 333 voix contre 142, ce qui d'ailleurs représentait une importante minorité (cf. Drachkovitch, op. cit., p. 203-206).

congrès internationaux, les Révolutionnaires se sépareront des Modérés « donnant ainsi une orientation nouvelle à l'Internationale ouvrière » [148].

Ces spéculations n'étaient pas dépourvues de fondements. M. Drachkovitch estime qu'à Iéna « l'unité du parti était spirituellement brisée », que « la majorité de la social-démocratie allemande ne songeait à aucun acte radical et encore moins révolutionnaire, et que, dans le parti, se développaient inévitablement les germes de futures scissions [149]. Le dirigeant socialiste allemand Scheidemann le confirme ultérieurement : « La guerre a amené la scission au sein du parti ; elle se serait, je crois, produite sans la guerre » [150].

Exacte ou erronée, l'idée que se faisaient de nombreux socialistes français de l'évolution de la social-démocratie allemande fut favorable à la manifestation de positions plus révolutionnaires puisqu'elles avaient ainsi une chance d'aboutir devant le congrès international. A de nombreuses reprises, les militants appuyèrent leur argumentation sur cette éventualité, même si des représentants autorisés de la social-démocratie en contestèrent immédiatement la possibilité [151].

C'est ainsi que la disparition du grand socialiste allemand et ses conséquences ambiguës allaient peser sur les décisions des socialistes français.

Le congrès national extraordinaire avait été fixé aux 14, 15 et 16 juillet 1914, au Palais des fêtes, 199, rue Saint-Martin. L'ordre du jour était celui du congrès international de Vienne (23-29 août) et comportait cinq points : 1°. Le chômage (rapporteur à la commission : Vaillant). 2°. La cherté. 3°. L'impérialisme et l'arbitrage (rapporteur à la commission : Jaurès). 4°. L'alcoolisme. 5°. La situation des prisonniers en Russie [152].

Seul le troisième point avait véritablement de l'importance. Il s'agissait de prendre position sur l'amendement présenté par Edouard Vaillant et James Keïr-Hardie à Copenhague en 1910, ou, pour parler clairement, comme disait G. Hervé, sur « les moyens pour les socialistes d'empêcher la guerre » [153].

Avant l'ouverture du congrès, on avait attendu avec intérêt le choix que feraient les deux fédérations les plus importantes du parti, celles du Nord et de la Seine [154]. De tendance guesdiste, la fédération du Nord

---

148. A.N. F 7 13074, M/273 U, 22 septembre 1913.

149. *Op. cit.*, p. 206.

150. *Ibid.*, p. 281.

151. K. Kautsky et Scheidemann par lettres lues à la commission exécutive de la Fédération de la Seine (A.N. F 7 13068, *Rapport de la préfecture de police* du 1er juillet 1914).

152. A.N. F 7 13069, M/879 U, 9 juin 1914.

153. *La Guerre sociale*, 24-30 juin, « Avant le congrès socialiste ».

154. Au congrès de Lyon (1912), la fédération du Nord avançait le chiffre de 11 530 cotisants, celle de la Seine, 8 500, soit à elles deux près d'un tiers des effectifs du parti. La troisième fédération était celle du Pas-de-Calais (2 312 adhérents) dépassant d'une courte tête celle du Gard (2 300). (Cf. *Encyclopédie socialiste, op. cit.*, p. 78 à 81).

repoussa à une grande majorité la proposition Vaillant et reprit purement et simplement les textes votés à Stuttgart et à Copenhague [155]. La fédération de la Seine prit la position inverse : la commission des résolutions du congrès fédéral avait adopté par 31 voix contre 6 la motion Keïr-Hardie-Vaillant [156], qui fut défendue non seulement par son auteur, mais par Albert Thomas et Pierre Renaudel [157]. Les observateurs du Ministère de l'intérieur, qui avaient pu croire, après le congrès de la Seine, que les guesdistes se contenteraient d'une opposition de principe, en furent détrompés par le congrès de la fédération du Nord et ils émirent l'avis que, lors du congrès national, la motion Keïr-Hardie-Vaillant l'emporterait probablement, mais que les débats seraient mouvementés [158].

Le congrès [159] rassembla 158 délégués, porteurs de 2 908 mandats, représentant 79 fédérations départementales [160]. En trois jours, *L'Humanité* consacra à son compte rendu [161] 19 colonnes, soit un peu plus de 17 % de sa surface totale [162]. Sans toutefois faire disparaître le reste de l'information [163], la relation des assises socialistes occupe une place majeure dans le journal. Environ la moitié en fut affectée aux débats sur les problèmes de « l'impérialisme et de la guerre », ce qui, là encore, les place au premier plan, même si les autres questions ne furent pas totalement négligées.

15 délégués intervinrent, mais certains plusieurs fois, sur l'amendement Keïr-Hardie-Vaillant. 8 parlèrent pour : Jaurès, Vaillant, Paul Louis, Rappoport, Sembat, Verfeuil [164], Noël Hardy, de la fédération de Seine-et-Oise, et Henri Laudier, de celle du Cher ; 7 contre : Compère-Morel, Jules Guesde, Alexandre Varenne [165], Gustave Hervé, Jean-Baptiste Lebas, de la fédération du Nord [166], Deslinières [167], Paoli, de la

---

155. A.N. F 7 13074, M/938 U, 2 juillet 1914.

156. A.N. F 7 13074- M/938 U, 2 juillet 1914.

157. A.N. F 7 13348, M/925 U, 23 juin 1914.

158. A.N. F 7 13074, M/938 U, 2 juillet 1914.

159. Cf. également J.-J. Fiechter, *op. cit.*, p. 196 et suiv. ; H. Goldberg, *op. cit.*, p. 527 et suiv. ; A. Kriegel et J.-J. Becker, *1914...*, *op. cit.*, p. 39 à 47.

160. *L'Humanité*, 15 juillet, p. 6.

161. Compte rendu établi par A. Luquet et Maurice Camin. Cf. A. Zevaes, *Le Parti socialiste en France, op. cit.*, p. 102, note 1.

162. Donc un pourcentage sensiblement plus élevé de sa superficie proprement rédactionnelle.

163. On peut remarquer que, le 16 juillet, le compte rendu du congrès ne l'emporta en première page que de peu (trois colonnes contre deux) sur les préparatifs du championnat du monde de boxe qui devait opposer en Angleterre l'Américain Gunboat Smith et le Français Georges Carpentier.

164. Raoul Lamolinaire dit Verfeuil, militant socialiste du Tarn-et-Garonne, collaborateur du *Midi socialiste*.

165. Député du Puy-de-Dôme.

166. Conseiller général et maire de Roubaix.

167. Lucien Deslinières, journaliste originaire de Vierzon. Guesdiste, militant de la fédération des Pyrénées-Orientales (cf. *Encyclopédie socialiste. La France socialiste*, T. II, p. 491 et suiv.).

fédération de la Seine. Paradoxalement, le vieux révolutionnaire, Vaillant, recevait le concours non seulement de Jaurès, mais de la fraction « modérée » du parti, tandis qu'en face s'établissait un front non moins étrange entre les guesdistes, défenseurs de l'orthodoxie marxiste et l'ancien insurrectionnaliste Hervé, toujours prêt à ricaner de « Saint Karl Marx » [168].

Les titres de *L'Humanité* : « Un important débat est engagé sur l'Impérialisme et la Guerre » [169], « Contre l'Impérialisme et la Guerre » [170], « La question de l'Impérialisme devant le Congrès socialiste » [171] reflètent mal le vrai débat. Si quelques orateurs, Vaillant, Jaurès, s'employèrent à cerner la notion d'impérialisme, le congrès ne s'intéressait qu'à une seule question, celle de la grève générale en cas de guerre. Les arguments sont un véritable condensé de tout ce qui avait été dit sur ce sujet depuis que, quatre ans plus tôt, Keïr-Hardie et Vaillant avaient déposé leur amendement.

Les opposants au projet soutinrent leur point de vue de deux façons principales. Un premier argument avait été souvent développé par la social-démocratie allemande : c'était le pays où la classe ouvrière était la mieux organisée qui serait écrasé militairement par celui, arriéré économiquement et socialement, dont la classe ouvrière ne pourrait jouer le rôle attendu. Il fut repris par Compère-Morel et Deslinières, et Jules Guesde y revint avec force pendant tout le congrès [172]. Un autre orateur ajouta que, d'ailleurs, les trois quarts des nations représentées à Vienne étaient incapables de réaliser une quelconque action de masse [173].

Le second argument principal fut qu'il ne fallait pas voter de motions qu'on était incapable d'appliquer [174] ; or, si on se référait à l'expérience, pourquoi pourrait-on faire ce qui n'avait pu être réalisé pour le Maroc [175], pourquoi pourrait-on utiliser ce moyen contre la guerre alors qu'on était impuissant à l'employer pour la « libération

---

168. *La Guerre sociale*, 23-30 juin 1914. Dans le même article, G. Hervé réaffirmait avec vigueur son opposition à la motion Keïr-Hardie-Vaillant.

169. 16 juillet, 1re page.

170. *Ibid.*, 6e page.

171. 17 juillet, 1re page.

172. *L'Humanité*, 16 juillet, 6e page. Intervention dans l'après-midi du 15 : « Le danger, ... ce serait de livrer la nation la plus socialiste à celle qui le serait le moins. Ce serait assurer l'écrasement du socialisme et de la civilisation. Ce serait livrer la civilisation socialiste allemande aux flots de l'armée de l'autocratie russe. C'est pour cela que, dans un Congrès socialiste, jamais, jamais, jamais, la grève générale en cas de guerre ne sera votée par un socialiste conscient ». Jules Guesde reprenait encore le même thème dans son intervention du 16 (*L'Humanité* du 17, 1re page) : « Et cela, c'est un crime de haute trahison contre le socialisme ».

173. Paoli, *L'Humanité*, 16, 6e p.

174. Compère-Morel, le 15 juillet. *L'Humanité* du 16, 1re colonne. Paoli renforçait cet argument en faisant remarquer que la bourgeoisie sachant bien qu'on ne l'appliquerait pas, la position du Parti socialiste s'en trouverait affaiblie par rapport à elle (*Humanité*, 16 juillet, 6e p.).

175. Compère-Morel (*L'Humanité*, 16 juillet, 1re p.) ; Paoli (*Ibid.*, 6e p.).

totale », c'est-à-dire pour la révolution sociale [176] ? Comment une telle grève, comme le disaient certains, pourrait-elle ne pas être « insurrectionnelle » [177] et comment pouvait-on prendre des décisions « insurrectionnelles » alors qu'il n'y avait pas d'« insurrectionnels » [178] ?

A ces deux objections fondamentales, les adversaires de l'amendement ajoutaient une série de critiques concernant les modalités de la grève. Pourquoi désignait-on à la répression les ouvriers des transports et de l'armement, en les mentionnant plus particulièrement [179] ? Devait-on faire la grève générale dans le cas d'une guerre défensive [180] ? Or la France était pacifique [181] ! La grève générale ne pouvait être le fait que du prolétariat du pays agresseur [182], mais comment discerner avec certitude le pays d'où viendrait l'agression [183] ? La simultanéité internationale de la grève était impossible [184], encore plus quand on saurait que la social-démocratie allemande n'y était pas prête [185]. Enfin, si la grève n'avait pour but que de conduire à un arbitrage, par quels moyens les décisions prises pourraient-elles être imposées à une grande puissance [186] ? Au surplus, souci de politique intérieure, l'adoption d'un tel amendement allait de nouveau faire traiter les socialistes « d'antipatriotes » [187] ; trait polémique, il était surprenant qu'une telle proposition soit soutenue par la « fraction modérée » du parti, en particulier par Albert Thomas, connu comme « ministérialiste » [188].

Que répondirent les partisans de l'amendement ? Aux faits énoncés par leurs adversaires, ils opposèrent d'abord des arguments politiques, voire « sentimentaux ». Il était nécessaire de faire un pas de plus dans la lutte contre la guerre, faute de quoi on reculerait [189]. Le moyen naturel, le moyen habituel pour les travailleurs de montrer leur force, de faire pression sur les gouvernements, était la grève et, dans ce cas, la grève générale [190]. Etait-ce matériellement possible ? Jaurès rétorquait :

176. Compère-Morel (*L'Humanité*, 16 juillet, 1ʳᵉ p.).
177. Compère-Morel (*L'Humanité*, 16 juillet, 1ʳᵉ page).
178. G. Hervé (*L'Humanité*, 16 juillet, 6ᵉ p.).
179. Compère-Morel (*L'Humanité*, 16 juillet, 1ʳᵉ p.).
180. *Ibid.*
181. Deslinières (*L'Humanité*, 16 juillet, 6ᵉ p.).
182. *Ibid.*
183. Compère-Morel (*L'Humanité*, 16 juillet, 6ᵉ p.).
184. Deslinières (*Ibid.*).
185. Lebas (*Ibid.*).
186. Deslinières (*L'Humanité*, 16 juillet, 6ᵉ p.).
187. Lebas (*Ibid.*).
188. Deslinières (*Ibid.*).
189. Vaillant (*Ibid.*).
190. Jaurès (*Ibid.*). « ...Mais quand les nuées monteront, car les travailleurs seront menacés, il est impossible qu'ils ne se souviennent pas qu'ils sont une force et qu'ils n'affirment pas bien haut leur volonté de paix. Et en fait, malgré les dissentiments théoriques, nous sommes d'accord pour dire que la cessation du travail est un moyen d'émouvoir et d'avertir les gouvernants. S'il est vrai que dans tous les

« J'ai entendu dire qu'il n'était pas une seule force nationale assez organisée pour apporter aux autres la garantie nécessaire? Je le sais. Mais est-ce que nous apportons ici une vanterie, une recette mécanique ? Nous apportons une direction et nous savons que l'histoire récente nous a déjà réservé des surprises... » [191].

Une surprise qui pourrait venir de l'attitude de la social-démocratie. Plusieurs orateurs reprennent ce point capital qu'est la progression supposée de l'idée de la grève chez les socialistes allemands et de la possibilité qu'ils se rallient à cette conception [192]. Plus la social-démocratie est forte, et elle l'est beaucoup plus qu' il y a sept ans, plus elle peut être tentée par ce moyen d'action [193].

Sur les modalités, les partisans de la grève générale s'employèrent à réduire les objections de leurs adversaires.

La grève générale devait être le fait de toutes les corporations. Si certaines avaient été indiquées, c'est parce que leur action pourrait être plus efficace que celle d'autres, mais il n'était pas question de les laisser isolées [194]. La grève générale ne pouvait être que simultanée. Les orateurs insistèrent avec beaucoup de vigueur sur ce point [195]. Si cela n'était pas, l'attaqué devrait se défendre [196]. Elle n'était ni une grève insurrectionnelle, ni une grève révolutionnaire [197], ce qui la différenciait de l'action proposée dans le passé par Hervé. Elle n'entendait donc pas répondre à une déclaration de guerre, mais essayer de l'empêcher : c'était une grève préventive [198], elle n'était concevable qu'avant une déclaration de guerre, elle devenait impossible ensuite [199]. Pourquoi était-il nécessaire de préciser publiquement le moyen qu'on souhaitait employer ? Ne pas le faire empêchait la classe ouvrière de se pénétrer de sa nécessité ; il en était de même de la formule vague sur « tous les moyens » [200]. Sur un point de détail, il était fait remarquer que la grève n'avait pu être utilisée contre la conquête du Maroc, parce que celle-ci n'avait été entreprise que petit à petit [201].

A vrai dire, les antagonistes ne se situaient pas sur le même plan.

---

pays, à certaines heures de crise, c'est à la grève générale que les travailleurs ont recours, il est impossible qu'ils ne recourent pas à ce moyen contre la guerre ».

191. *L'Humanité*, 16 juillet, 6ᵉ p.

192. Paul Louis, *L'Humanité*, 16 juillet, 1ʳᵉ p. ; Vaillant, Rappoport, Sembat, *L'Humanité*, 16 juillet, 6ᵉ p.

193. Paul Louis, 16 juillet, 1ʳᵉ p.

194. Vaillant, *Ibid.*, 6ᵉ p.

195. Paul Louis, *Ibid.*, 1ʳᵉ p. ; Sembat, Vaillant, *Ibid.*, 16 juillet, 6ᵉ p.

196. Noël Hardy, *Ibid.*, 1ʳᵉ p.

197. Laudier, Vaillant, *L'Humanité*, 16 juillet, 6ᵉ p.

198. Noël Hardy, *L'Humanité*, 16 juillet, 1ʳᵉ p. ; Laudier, Vaillant, Jaurès, Sembat, *Ibid.*, 6ᵉ p.

199. Jaurès, *Ibid.*,.

200. Vaillant, *Ibid.*,.

201. Paul Louis, *Ibid.*, 1ʳᵉ p.

Autour de Guesde, les uns parlaient faits, réalités, conditions du moment ; les autres, autour de Jaurès, répliquaient probabilités, avenir, ce qui sera... D'un côté, un réalisme froid, un constat objectif de la situation ; de l'autre, la foi, la foi dans la force montante de la classe ouvrière, la foi dans les progrès du socialisme et de la fraternité internationale. Les uns employaient les arguments de la raison, les autres, ceux du cœur. Guesde était irréfutable, Jaurès convaincant.

Mais était-il encore temps de se donner le luxe de l'irréalisme ? C'est en grande partie l'originalité de ce congrès, son caractère fantomatique et dérisoire, qu'on y discute académiquement des moyens de riposter à une guerre éventuelle, sans qu'un seul délégué ait conscience que cette guerre était pour demain !

Les discussions ne furent cependant pas sans conséquences. Lorsque l'heure vint de conclure, Jaurès, au nom de la majorité de la commission des résolutions, présenta non plus la motion Keïr-Hardie-Vaillant, mais un texte qui en était substantiellement différent [202]. La grève générale ne devait plus simplement prévenir et empêcher la guerre, mais « imposer aux gouvernements le recours à l'arbitrage ». La grève générale serait celle de toute la classe ouvrière : elle apparaîtrait donc comme une démonstration contre la guerre, et non plus, en mettant en évidence les industries d'armement et des transports, comme un moyen, qu'on le veuille ou non, d'empêcher la mobilisation et le ravitaillement en armes des belligérants, donc un moyen révolutionnaire. Il était ajouté, enfin, que la grève générale devait être « simultanément et internationalement organisée dans les pays intéressés », ce qui était peut-être impliqué dans la motion Keïr-Hardie-Vaillant, mais ce qui n'y était certes pas dit.

Ces modifications n'échappèrent pas à l'œil vigilant des critiques. Compère-Morel observe que « la motion présentée ... n'était plus en rien conforme à la motion Keïr-Hardie-Vaillant » [203]. Quant à Guesde, il reconnut qu'elle se trouvait ainsi améliorée, mais il n'en continue pas moins à lui opposer deux objections. Une de forme : le congrès de l'Internationale avait été appelé à se prononcer, non sur ce texte, mais bien sur la motion Keïr-Hardie-Vaillant. Une de fond : quelle que soit la façon dont on la présentait, il contestait formellement que la grève géné-

---

202. *Amendement Keïr-Hardie-Vaillant* : « Entre tous les moyens employés pour prévenir et empêcher la guerre, le congrès considère comme particulièrement efficace la grève générale ouvrière, surtout dans les industries qui fournissent à la guerre ses instruments (armes, munitions, transports, etc.) ainsi que l'agitation et l'action populaires sous leurs formes les plus actives ».
*Texte de la motion Jaurès (L'Humanité, 17 juillet, 1<sup>re</sup> p.)* : « Entre tous les moyens employés pour prévenir et empêcher la guerre et pour imposer aux gouvernements le recours à l'arbitrage, le congrès considère comme particulièrement efficace la grève générale ouvrière simultanément et internationalement organisée dans les pays intéressés, ainsi que l'agitation et l'action populaires sous les formes les plus actives ».
203. *L'Humanité*, 17 juillet, 1<sup>re</sup> p. Jaurès le conteste d'ailleurs. Il a simplement voulu faire disparaître les risques de malentendus (*L'Humanité*, 17 juillet, 1<sup>re</sup> p.).

rale fût le moyen le plus efficace contre la guerre, il persévérait à le trouver lourd de périls [204].

Le vote final vit le succès de la motion soutenue par Jaurès, mais seulement par 1 690 mandats contre 1 174 à la motion Compère-Morel [205], 83 abstentions et 24 absents. Les socialistes s'étaient divisés en deux fractions : la majorité était étroite pour une question si importante.

Les réactions de la presse à l'issue du congrès furent souvent très vives [206]. La presse de droite surtout s'indignait et stigmatisait l'esprit de trahison, dont une fois de plus Jaurès se faisait le porte-parole. La presse radicale manifestait moins d'émotion : tout en estimant que ce type de motion n'avait pas grande importance pratique, elle jugeait qu'elle était plutôt en retrait sur ce qu'on avait pu craindre.

Les attaques véhémentes que subit à ce propos le dirigeant socialiste eurent l'avantage de l'amener à clarifier au maximum son interprétation du texte qu'il avait présenté. A quelques jours du début d'une crise qu'il ne pressentait pas, dans une série d'articles [207], Jaurès définit sans aucune ambiguïté la position qu'il incarnait, et à laquelle, après son assassinat, ses amis eurent la conviction de se conformer fidèlement :

> « ...Il n'y a aucune contradiction à faire l'effort maximum pour assu-
> rer la paix et, si la guerre éclate malgré nous, à faire l'effort maximum
> pour assurer, dans l'horrible tourmente, l'indépendance et l'intégrité de la
> nation. Tant pis pour ceux qui ne croiraient pas à la possibilité de combi-
> ner cette double action. Ils se condamneraient eux-mêmes ou de la race
> humaine ou de la patrie » [208].

Nous serions tenté de penser qu'il y avait bien contradiction, mais pas celle que certains dénonçaient. Affirmer à l'avance que le terme de

---

204. *L'Humanité*, 17 juillet, 1re p.

205. « Considérant les résolutions votées à l'unanimité par les congrès internationaux de Stuttgart et Copenhague, résolutions confirmées au congrès international de Bâle et portant ce qui suit : « Si une guerre menace d'éclater, c'est un devoir de la classe ouvrière dans les pays concernés, c'est un devoir pour leurs représentants dans les parlements, avec l'aide du Bureau socialiste international, force d'action et de coordination, de faire tous leurs efforts pour empêcher la guerre par tous les moyens qui leur paraîtront le mieux appropriés et qui varient selon l'acuité de la lutte des classes et la situation politique générale. Au cas où la guerre éclaterait néanmoins, c'est leur devoir de s'entremettre pour la faire cesser promptement et d'utiliser de toutes leurs forces la crise économique et politique créée par la guerre pour agiter les couches populaires les plus profondes et précipiter la chute de la domination capitaliste ».
Considérant qu'en déclarant « plus particulièrement efficace » la grève générale, surtout dans les industries qui fournissent à la guerre ses instruments (armes, munitions, transports, etc.), la proposition Keïr-Hardie-Vaillant, sans ajouter aux moyens d'action contre la guerre, ne peut que servir de prétexte à des lois d'exception, contre tout ou partie des travailleurs organisés et qu'au cas où par impossible elle serait adoptée par le congrès de Vienne, sa mise en pratique ne pourrait qu'assurer la défaite du pays dont le prolétariat sera le mieux organisé et le plus fidèle aux décisions de l'Internationale au bénéfice du pays le moins socialiste, le plus indiscipliné. — Le congrès déclare s'en tenir aux résolutions des congrès internationaux de Stuttgart, Copenhague et Bâle ».

206. Cf. notre analyse in Annie Kriegel et Jean-Jacques Becker, *1914... op. cit.*, p. 42 à 47.

207. *L'Humanité*, « Les furieux » (18 juillet), « ridicule sophisme » (19 juillet). « Ce qu'ils oublient » (20 juillet).

208. *L'Humanité*, 18 juillet 1914.

la lutte pour la paix était marqué par la déclaration de guerre, n'était-ce pas assurer les gouvernements que l'action socialiste était surtout un combat pour l'honneur, sans véritable conséquence, et dans ces conditions n'était-ce pas, en fait, condamner par avance l'action pacifique à l'échec ?

Mais le problème qui nous importe principalement ici est de déterminer au plus près la nature du pacifisme socialiste. D'une façon générale, la presse s'est assez peu demandée pourquoi Jaurès s'était fait le défenseur d'une motion qui, bien que très édulcorée, utilisait la formule magique de « grève générale ». L'analyse du *Radical* [209] fut la suivante : « ...Ceux qui ont cru devoir y souscrire l'ont fait par crainte de la CGT, par soumission au rite révolutionnaire, et aussi, semble-t-il, mûs par le désir de mettre au pied du mur les socialistes allemands... »

Ce sont encore les services des Renseignements généraux qui ont le plus tenté d'approfondir la question. Dans une longue note de synthèse consacrée au congrès socialiste [210], on peut retenir ces remarques :

> « A la vérité, Jaurès et ses amis ont beaucoup trop d'esprit pour ne pas avoir volontairement rédigé une motion aussi obscure ; et cette motion ne constituerait pour eux qu'un prétexte destiné à faire admettre par un congrès socialiste le principe de la grève générale ».

Après avoir expliqué quelles étaient les différentes écoles existant parmi les socialistes français, le rédacteur poursuivait :

> « Ces derniers (les jauressistes) n'abandonnaient pas l'espoir de rallier les organisations syndicales. Comment y parvenir, sinon en adoptant à leur tour le terrain de lutte qu'adoptèrent les travailleurs syndiqués ? C'est tout simplement ce qu'ont fait les jauressistes au congrès qui vient de clore ses travaux ».

Une dernière observation étayait ce propos : « Les dirigeants de la CGT affectent de voir, dans le vote du congrès, un hommage rendu à l'efficacité de leur méthode favorite. Ils n'en sont pas moins inquiets de cette concurrence inattendue » [211].

Les deux analyses que nous avons citées, bien que l'exprimant de façon un peu différente, développent le même point de vue. L'attitude de Jaurès était ramenée à une grande manœuvre de politique intérieure « ouvrière ». L'occasion a été saisie de se rapprocher de la CGT. Cette hypothèse n'est pas à mépriser : depuis longtemps, Jaurès souhaitait l'union des différentes forces ouvrières, gage d'une action efficace. Elle

---

209. 18 juillet.

210. A.N. F 7 13348, M/9509, 18 juillet 1914, *La grève générale en cas de guerre*.

211. Il était fait allusion au long article de L. Jouhaux dans *La Bataille syndicaliste* de ce jour (18 juillet) où il louait les jaurésistes, stigmatisait l'impuissance des guesdistes, se félicitait du vote socialiste, « loin d'en tirer ombrage », ce qui laissait entendre qu'il pouvait en ressentir quelque dépit.

explique pourquoi, à l'étonnement ou à l'indignation de certains « modérés », il soutenait une position apparemment extrémiste.

Que ce souci de rassemblement du mouvement ouvrier — bien différent de la volonté guesdiste de subordonner les syndicats à l'organisation politique — ait été présent dans la pensée de Jaurès, assurément. L'explication, toutefois, ne se trouve pas complètement là. Un comportement déjà ancien [212] montre que Jaurès pensait — et il l'avait encore exprimé au congrès — que, pour préparer les chemins de l'avenir, il ne fallait pas craindre d'avancer des propositions dont la réalisation pouvait paraître parfaitement utopique dans l'immédiat. La motion qu'il avait soutenue procédait largement de cette conception.

Quelles étaient donc la nature et les limites du pacifisme des socialistes français ? Étaient-ils, comme l'a écrit M. Drachkovitch, contrairement aux socialistes allemands, « des pacifistes à outrance, allant jusqu'au désarmement de leur propre pays au nom du progrès de l'humanité » [213] ? Cette formule nous paraît difficilement acceptable.

Les socialistes français étaient très divisés sur ce qu'ils devraient faire en cas de menace de guerre. En supposant que la représentation au congrès ait été correcte, près de la moitié du parti rejetait catégoriquement tout recours à la grève générale, l'autre moitié en défendait le principe, mais en l'entourant de toutes sortes de garde-fous. De plus, une bonne part le faisait vraisemblablement pour des raisons tactiques, compte tenu qu'il n'y avait guère de risque à voter un texte qui n'avait aucune valeur exécutoire, car il serait sûrement rejeté au congrès de Vienne. Par contre, aucune voix ne s'était élevée — depuis le renoncement de l'hervéisme — pour proposer quoi que ce soit qui ressemblerait au défaitisme révolutionnaire. Tous étaient d'accord — s'il n'en avait pas toujours été ainsi — pour, une fois la guerre déclarée, défendre la patrie, quitte à rechercher les moyens pour mettre rapidement un terme au conflit.

Les socialistes français étaient donc des pacifistes convaincus, mais le point au-delà duquel ils n'iraient pas était également clair et précis.

Une dernière question demeure [214]. Quel écho les prises de position socialistes avaient-elles dans les masses ouvrières que le parti influençait ?

D'après la note de synthèse que nous avons déjà citée [215], la décision du congrès socialiste provoqua « une forte émotion » dans les milieux ouvriers. Le rédacteur estimait que, par une pente naturelle, le PSU

---

212. Cf. *supra*, entretien Jaurès-Bernstein à Stuttgart, p. 218.
213. *Op. cit.*, p. 352.
214. Cf. A. Kriegel, *op. cit.*, t I, p. 51.
215. A.N. F 7 13348, M/4509.

116

s'engageait dans une voie nouvelle et que la grève générale, telle qu'elle avait été envisagée, n'était qu'un premier pas, que « la classe ouvrière était divisée jusqu'ici sur la tactique à employer en vue d'une révolution sociale ou du sabotage de la mobilisation : elle ne le sera bientôt plus ».

L'hypothèse de l'établissement de nouvelles tendances dans la classe ouvrière pour un avenir plus ou moins proche ne peut être rejetée. Mais dans l'immédiat ? Les guesdistes fondaient toute leur argumentation sur l'impossibilité pratique de faire une grève générale. Quant aux jauressistes, ils disaient à peu près la même chose, sauf qu'à leur avis ce n'était pas une raison pour ne pas la proposer. Ils misaient simplement sur le développement des forces ouvrières [216] :

> « Le vieux Metternich ... aurait parlé de magie si on lui avait dit qu'au début du siècle suivant l'Internationale socialiste, représentant les prolétaires organisés du monde entier, se réuniraient dans son Autriche. Magie de l'histoire ! Magie des forces populaires qu'une grande idée évoque et ordonne... » [217].

Mais Jaurès ne croyait certainement pas que dix jours suffiraient pour que la magie qu'il évoquait eût le temps d'opérer ! Même s'il est difficile d'en apporter la preuve scientifique, on peut conclure, sans guère de crainte de se tromper, que pris au pied de la lettre, les textes votés au congrès socialiste étaient plutôt en avance sur les masses qu'en retard.


D'après Eugen Weber, le parti nationaliste avait cessé de compter en France après l'affaire Dreyfus, puis « une double menace amena une réaction » en sa faveur : la crise de Tanger, en 1905, qui fit prendre conscience au public du danger allemand, et l'attitude du Parti socialiste après son unification qui, par sa constante « surenchère », provoqua la dérive des radicaux vers le centre. Ainsi se forma un bloc conservateur qui trouva dans le nationalisme une doctrine à opposer à celle des marxistes. Le « patriotisme » « redevint à la mode », et malgré un succès tout de même limité, il créa une atmosphère où « la guerre même ... pouvait être acclamée avec une certaine allégresse » [218].

Cette analyse nous semble assez largement contestable. A défaut d'une étude d'ensemble, un certain nombre d'indications montrent que l'année 1905 n'a pas eu l'importance qu'on lui accorde souvent quant à la résurgence du sentiment nationaliste. Celle-ci s'inscrit dans la filiation

---

216. « Nous ne sommes pas des fanfarons et nous savons que la tâche est formidable ... Mais nous savons aussi que (le) prolétariat européen grandit tous les jours en organisation et en cohésion » (*L'Humanité*, 18 juillet 1914).

217. *L'Humanité*, 20 juillet 1914.

218. E. Weber, art. cité, p. 127-128.

du mouvement né à la fin du 20ᵉ siècle, la réapparition du « danger allemand » ne venant apporter qu'un élément supplémentaire. Le renouveau nationaliste peut donc être admis, à condition de le maintenir dans des limites très strictes. Il n'existe cependant pas de preuves objectives qu'il ait eu une résonance notable dans le pays. Ni l'élection de Poincaré, ni le vote des trois ans ne constituent autre chose que des présomptions. Dans les faits, ils ne sont que le produit de majorités parlementaires de circonstances, dont une fraction n'avait pas été élue pour cela. On peut cependant accepter l'idée qu'ils ont traduit une poussée temporaire de nationalisme consécutive à la crise de 1911, mais qui très rapidement s'estompa. Le seul indice véritablement objectif dont nous disposions — quelles que soient les limites de sa signification — est constitué par les élections de 1914. Elles ne représentent d'aucune façon une quelconque progression d'un courant nationaliste. La seule formation dont personne ne conteste le franc succès est celle qui lui est le plus fortement opposée. Même s'il est évident que le succès socialiste a aussi d'autres causes, qu'il s'inscrit dans une phase ascendante de ce parti, comment admettre qu'il puisse signifier que l'opinion publique ait été sensible à un renouveau de l'idée nationaliste ? De même, si l'opinion publique française n'était pas imperméable à un certain péril germanique, cela ne dément pas que l'esprit de revanche ait été largement éteint, que l'idée d'un retour de l'Alsace-Lorraine à la France ne soit apparue d'autant plus chimérique que l'on savait ses habitants à peu près résignés à leur sort.

En contrepartie, l'antipatriotisme n'avait connu qu'une courte flambée. L'antimilitarisme demeurait, mais son objet était bien davantage les défectuosités de la vie militaire, l'utilisation de l'armée dans les conflits sociaux qu'un refus éventuel de défendre la patrie.

Le sentiment dominant semble bien avoir été le pacifisme, un pacifisme dont le socialisme s'était fait le héraut, mais qui dépassait largement ses frontières [219]. Ce pacifisme refusait l'antipatriotisme, il avait fixé ses limites, celles où la patrie serait menacée.

On en arrive ainsi à la conclusion que, malgré la violence des affrontements verbaux, les grandes tendances de l'opinion publique française n'étaient pas si éloignées les unes des autres. Lorsque Déroulède mourut, G. Hervé écrivit : « Oserais-je avouer que j'ai toujours eu un faible pour Déroulède » ? [220]. Ce n'était pas pour les idées de Déroulède que G. Hervé avait de la sympathie, mais pour l'homme, pour sa sincérité, pour son désintéressement. On peut penser aussi que l'héritage jacobin dont la gauche française était porteuse lui faisait apprécier, même si elle

---

219. « Celui qui sonde les reins et les cœurs sait que notre nation résolument pacifiste ne défiait personne en Europe ». W. Monod, *Sermon* prononcé le 2 août 1914. *La veillée d'armes*.

220. *La Guerre sociale*, 4 au 10 février 1914.

s'en défendait, certains accents « patriotiques »[221]. Comment expliquer autrement qu'elle passât si facilement, sans rupture, de la défense de la paix à la défense de la patrie[222] ?

Jacques et Mona Ozouf[223] ont cherché à retrouver la clef de cette attitude dans les manuels scolaires de l'enseignement primaire[224]. L'équilibre qu'ils proposaient à la jeunesse française était le suivant : « L'horreur de la guerre, l'admiration pour les héros des guerres justes, le rêve de paix universelle, la préparation de la guerre de défense »[225]. On conçoit que ce schéma, critiqué aussi bien par ceux qui y voyaient « l'apologie du militarisme » que par ceux qui y dénonçaient « la démission pacifiste »[226], ait été assez bien adapté à la conscience moyenne des Français. Mais, demandent J. et M. Ozouf, pourquoi l'éducation donnée par l'école laïque l'a-t-elle emporté sur l'éducation syndicaliste[227] ?

En réalité, « l'éducation syndicaliste » reçue par un petit nombre pouvait-elle contrebalancer celle que donnait à tous l'école laïque ? Cette dernière n'avait-elle pas l'immense avantage d'être le résultat non de théories récentes, mais de traditions lentement établies. Dans ces conditions, le patriotisme, « position naturelle », c'est-à-dire aboutissement d'un long atavisme, ne pouvait manquer de l'emporter sur un internationalisme mal défini, confus et de fraîche date.

Il est en fin de compte peu étonnant que, dans leur très grande majorité, au-delà même des choix politiques, les Français de 1914 apparaissent comme un peuple équilibré dans un pacifisme qui n'excluait pas le patriotisme, rejetant tout à la fois les excès du nationalisme et ceux de l'antipatriotisme.

---

221. G. Hervé n'écrivait-il pas également : « ...C'est la gloire impérissable de ce Don Quichotte du patriotisme d'avoir incarné pendant 43 ans la protestation nécessaire... » (*La Guerre sociale*, 4 au 10 février) et *La Bataille syndicaliste* elle-même (31 janvier 1914), tout en moquant la sincérité naïve de Déroulède, la trouvait « touchante ».

222. Tout naturellement, à ce moment, les accents de la « grande Révolution » reviennent sous la plume des journalistes, « aujourd'hui comme en 1792... » (*La Guerre sociale*, 30 juillet), « La Patrie en danger » (*La Guerre sociale*, 31 juillet).

223. « Le thème du patriotisme dans les manuels scolaires », *Le Mouvement social*, oct.-déc., 1964, p. 5-31.

224. Ce dépouillement a porté sur ceux utilisés à partir de la fin du siècle.

225. Art. cité, p. 20.

226. Art. cité, p. 21.

227. Art. cité, p. 31.

*Deuxième partie*

# SOUS LA MENACE
# DE LA GUERRE

« En songeant aux événements de 1914, je me suis souvent remémoré le mot de Luther : "Il y a des heures où Dieu se lasse de la partie et jette les cartes sur la table." »

J. CAILLAUX

L'interprétation de la crise de juillet 1914 et des réactions qu'elle provoqua dans l'opinion publique est rendue difficile par les a priori que la « tradition » a accumulés depuis.

L'éclatement du conflit est souvent considéré comme l'aboutissement logique et inéluctable des crises successives des dix années précédentes et de la montée parallèle des nationalismes. Cela peut paraître satisfaisant au niveau d'une histoire qui embrasse l'évolution des sociétés par grandes tranches. Mais ce schéma ne s'impose plus avec la même certitude au niveau de l'individu pour qui une année est déjà une longue période : les impressions s'effacent vite, remplacées ou modifiées par de nouvelles, la vie au jour le jour l'emporte sur les grandes constructions intellectuelles et sur les vues planétaires.

Comme nous avons essayé de le montrer dans notre première partie, la poussée nationaliste était loin d'avoir eu, au moins en France, cette universalité que certains ont cru discerner ; elle n'était certes pas de nature à conduire les gouvernements à saisir la première occasion de conflit. En contrepartie, le courant pacifiste n'avait cessé de clamer son hostilité à la guerre, mais il n'avait pas défini avec une grande précision les moyens de s'y opposer.

D'ailleurs cette guerre, y croyait-on, y croyait-on surtout en ce mois de juillet 1914 ? L'opinion publique avait-elle conscience d'une « montée des périls » qui lui aurait imposé une vigilance sans relâche ? Il faut répondre non. La surprise provoquée par la crise, surprise générale car elle affecta autant les gouvernants que les gouvernés, n'est pas une des moindres explications des réactions ou du manque de réactions de l'opinion publique, en ce mois de juillet 1914. Parmi les raisons multiples qui ont empêché une mobilisation contre la guerre, elle nous paraît être une des premières à souligner.

# Chapitre 1

# L'insouciance

## La surprise

Tous les témoignages concordent. Le « mois de juillet fut paisible »[1]. La consultation des journaux ne laisse pressentir aucun danger immédiat. Dans *L'Humanité* par exemple, les débats du congrès du Parti socialiste ont tenu une grande place[2], et tout particulièrement les problèmes de la guerre. Mais ils ont été abordés de façon académique. Personne parmi les délégués n'imaginait que c'est moins de quinze jours plus tard qu'il faudrait passer de la théorie à la réalité. Même la querelle des trois ans connaît une pause. C'est à juste titre que Jules Isaac put s'étonner par la suite : « C'est vrai. Comment expliquer que la guerre, tant de fois prévue, prédite depuis 1905, quand elle éclata dans l'été 1914, parut tomber sur le monde comme une avalanche ? »[3].

Pourtant les signes avant-coureurs n'auraient pas dû être ignorés. L'assassinat de l'archiduc François-Ferdinand, le 28 juin, ne pouvait-il fournir un *casus belli* à qui le désirait ? La justice impose de donner acte à quelques-uns d'en avoir eu conscience. Dans le « Bulletin de l'Étranger » du 9 juillet, le chroniqueur du *Temps* se montrait perspicace. Clemenceau aussi sentit le danger[4]. Mais la plupart des journalistes et des

---

1. Jean Guéhenno, *La mort des autres*, Paris, Grasset, 1968, 214 p., p. 30. Henri Contamine, *La victoire de la Marne*, Gallimard, (coll. Trente journées qui ont fait la France, 1970, 460 p.) cite p. 31 cette phrase de Winston Churchill : « Le printemps et l'été de 1914 furent marqués en Europe par une tranquillité exceptionnelle » . W. Churchill ajoutait : « Ever since Agadir the policy of Germany towards Great Britain had not only been correct, but considerate ... The personalities who expressed the foreign policy of Germany seemed for the first time to be men to whom we could talk and with whom common action was possible. The peaceful solution of the Balkan difficulties afforded justification for the feeling of confidence... » (*The world crisis (1911-1918)*, Londres, Macmillan 1943, 820 p. (1ʳᵉ édition 1931) p. 103.

2. Voir première partie, chapitre 3.

3. Jules Isaac, *Un débat historique. 1914, le problème des origines de la guerre*, Rieder, Paris, 1933, 270 p. (p. 61).

4. *L'Homme libre*, 3 juillet 1914.

hommes politiques se contentèrent d'épiloguer sur la personnalité du défunt. Jaurès, quant à lui, considéra l'événement comme l'aboutissement logique des méthodes qui prévalaient en Europe et particulièrement dans sa partie orientale [5].

On n'a pas cru, en général, que l'assassinat de l'archiduc puisse déboucher sur une guerre européenne. L'intérêt porté aux malheurs de la famille impériale d'Autriche retomba rapidement, d'autant que l'opinion publique manifestait peu de curiosité pour les affaires extérieures [6]. Cette méconnaissance de la politique étrangère était particulièrement forte lorsqu'il s'agissait des réalités yougoslaves dont la plupart des Français, même éclairés, « ne savaient à peu près rien » [7].

En outre, la conception d'une guerre entre puissance européennes pouvait légitimement sembler un anachronisme. La France et l'Allemagne ne s'y étaient plus engagées depuis quarante-quatre ans, l'Autriche depuis près d'un demi-siècle, la Russie et l'Angleterre depuis soixante ans. Les conflits qui surgissaient entre les États encore mal formés des Balkans ou les guerres coloniales n'étaient pas de même nature. J. Caillaux estimait que toutes les grandes questions internationales pouvaient être réglées par des méthodes pacifiques [8]. D'après Emile Ludwig, on ne décelait aucune raison « mercantile » ou « éthique », « matérielle ou morale » qui rendait nécessaire une grande guerre [9]. Cela n'empêchait pas de craindre la guerre, de redouter qu'elle éclatât, parce que la conscience humaine restait encore pénétrée de la fatalité des guerres mais, contrairement à ce que l'on croit ou à ce que l'on dit habituellement, il semble qu'on considérait souvent qu'un tel événement ne pouvait avoir encore lieu. Tout au moins, c'est la seule explication satisfaisante de la

---

5. « Violences déchaînées », *L'Humanité*, 30 juin.

6. La commission chargée de publier les documents diplomatiques français en a eu conscience puisque, après avoir primitivement prévu de choisir la date du 28 juin 1914 comme terme du volume de l'avant-guerre, elle lui a subs:itué la date du 23 juillet où l'ultimatum autrichien fut notifié à la Serbie, et elle s'en explique ainsi : « ...Il est apparu, après examen des documents que cette coupure (celle de l'attentat de Sarajevo), pour être consacrée par la tradition, n'avait pourtant pas eu, au point de vue de la politique française, toute l'importance qu'on est tenté de lui attribuer. Dans les trois premières semaines de juillet, en effet, les questions traitées dans la correspondance diplomatique sont les mêmes *qu'avant le 28 juin...* ». *Documents diplomatiques français*, 3ᵉ série, T. 10, 17 mars-23 juillet 1914. Avant-Propos.
L'analyse faite par Micheline Wolkowitsch de la *Revue des deux mondes* (art. cité) confirme ce point de vue : « On a beaucoup parlé de la « surprise » de la guerre en août 1914. C'est un fait dont on peut nuancer l'explication, mais qui semble incontestable » (p. 497) et elle ajoute : « Nous ne pouvons savoir quand exactement les collaborateurs de la *Revue des deux mondes* ont perçu que tout espoir de paix était perdu. Mais nous pouvons affirmer qu'ils furent surpris de voir s'embraser l'Europe des coups de feu de Serajevo ... Les crises balkaniques elles-mêmes avaient lassé la vigilance la plus aiguë par la monotonie de leurs complications » (p. 507).

7. Henry Contamine, *La victoire de la Marne*, op. cit., p. 19.

8. Caillaux, *op. cit.*, T. III, p. 38.

9. E. Ludwig, *Guillaume II*, Paris, Payot, 1930, 446 p. (p. 383). La tension qui avait existé entre la Grande-Bretagne et l'Allemagne avait considérablement diminué. La « panique navale » qu'avait créée en 1909 la croissance de la flotte allemande « était déjà loin » (H. Contamine, *op. cit.*, p. 37). « Naval rivalry had at the moment ceased to be a cause of friction » (W. Churchill, *op. cit.*, p. 103).

confiance, de l'insouciance même qui régnait dans les milieux les plus divers.

L'embarquement du président de la République, le 15 juillet, en compagnie du président du Conseil et ministre des Affaires étrangères, pour une longue croisière à destination de la Russie et des pays scandinaves montre que les milieux politiques dirigeants français n'étaient pas inquiets. La sérénité de certains ministres ne fut même pas affectée par les débuts de la crise : le préfet du Nord rapporte l'entrevue qu'il eut le 29 juillet avec le ministre des Travaux publics, René Renoult : « ...La physionomie du ministre ne trahissait aucune émotion. Je me hasardai cependant à le questionner sur l'entretien, rapporté par la presse, qui avait eu lieu la veille au Ministère de la justice entre M. Bienvenu-Martin, vice-président du Conseil des ministres, et M. de Schoen, ambassadeur d'Allemagne. Il se borna à me répondre que les choses suivaient leur voie normale. " Leur voie vers la guerre ? ", répliquai-je. Une pareille hypothèse parut l'étonner beaucoup. Il me regarda avec un sourire railleur. " Vous y croyez donc à la guerre ? Nous n'en sommes pas là, heureusement... " » [10].

Les hommes politiques de l'opposition n'étaient guère plus soucieux. Jules Guesde était, en cette fin du mois de juillet, en vacances chez son ami, le Dr Fraissex [11], quand il reçut une dépêche de Bracke [12] lui demandant de rentrer à Paris. Sa réaction est vive : « Quoi ? Le congrès d'Amsterdam n'ouvre que le 31 ; ils pourraient bien me laisser tranquille ces quelques jours ! » [13].

On imagine mal cependant les professionnels de la diplomatie, les grands ambassadeurs, vivant dans la quiétude. Pourtant, Jules Cambon écrivait, le 12 juin, de Berlin (avant l'attentat, il est vrai) : « Je suis loin de penser qu'en ce moment il y ait dans l'atmosphère quelque chose qui soit une menace pour nous, bien au contraire » [14]. Les milieux financiers, très attentifs par intérêt professionnel à la conjoncture politique, donnent la même impression. *La Semaine financière*, dans son numéro du 25 juillet, ne consacre que quelques lignes à l'ultimatum autrichien et n'en tire aucune conséquence particulière [15]. Aussi la surprise que reflète le numéro suivant n'est pas feinte : « Il a suffi d'une semaine pour mettre l'Europe à la veille d'une catastrophe unique dans l'histoire » [16]. Le

---

10. A.N. 96 A.P. *Papiers Félix Trépont*, Journal, p. 6.

11. Conseiller général socialiste d'Eymoutiers en Haute-Vienne.

12. Alexandre-Marie Bracke-Desrousseaux, savant helléniste et député socialiste de Paris.

13. Dr Fraissex, *Au long de ma route*, Limoges 1946, 133 p. (p. 77). Le narrateur a probablement voulu écrire Vienne et non Amsterdam.

14. Cité par Pierre Renouvin, *Le Monde*, 30 juillet 1964.

15. « Si le gouvernement impérial (autrichien) croit en agissant ainsi à l'égard de la Serbie rehausser son prestige près des populations slaves de la monarchie, il se trompe étrangement ».

16. *La Semaine financière*, 1er août 1914.

même étonnement est exprimé par les rapports des conseils d'administration d'un certain nombre de banques. Les dirigeants du Crédit lyonnais, rappelant leur rapport de l'année précédente, soulignent : « Nous ne pensions pas être à la veille d'événements qui semblent devoir égaler par leur importance les plus grands que l'histoire ait connus ». On pouvait prévoir que l'attentat de Sarajevo accroîtrait l'hostilité entre l'Autriche et la Serbie, mais pas qu'il aggraverait la situation à ce point [17]. Même sentiment au Comptoir national d'escompte de Paris. Si le conseil d'administration ne veut pas admettre avoir connu quelques difficultés pour faire face à l'afflux des demandes de remboursement, il concède : « Certes nous étions loin de prévoir le danger qui menaçait notre pays... » [18]. La Banque nationale du commerce, quant à elle, déplore des événements qui sont venus la « surprendre en plein développement, au moment où commençaient à se réaliser les espérances conçues lors de la création de (l') établissement » [19]. Une autre remarque du rapport du Comptoir national d'escompte nous a semblé particulièrement convaincante. Le 7 juillet 1914 avait eu lieu l'émission attendue depuis longtemps de l'Emprunt français, représentant 805 millions en rentes françaises 3,5 %. « Les conditions dans lesquelles cette émission a été réalisée, dit ce rapport, démontrent à l'évidence que ni le monde des affaires, ni le public, ne pressentaient à ce moment les événements qui allaient se produire avant même que les versements de répartition de la souscription fussent effectués » [20]. Ces observations, même peu nombreuses, nous sont apparues révélatrices de la surprise des milieux d'affaires et de leur impréparation au conflit [21], sauf du moins en ce qui concerne la Banque de France [22].

---

17. Rapport du conseil d'administration du Crédit lyonnais à l'assemblée générale du 29 avril 1915 sur l'exercice de 1914.

18. Rapport du conseil d'administration du Comptoir national d'escompte de Paris à l'assemblée générale du 24 avril 1915.

19. Rapport du conseil d'administration de la Banque nationale du commerce à l'assemblée générale du 21 juin 1915.

20. Rapport du 24 avril 1915. En réalité, cela est plus symptomatique de l'esprit des milieux d'affaires que du public car, comme d'habitude, les souscriptions avaient été faites principalement par les banques. Ainsi la Société générale s'était engagée pour une somme considérable et la guerre arriva avant que le placement en fût réalisé (conversation avec M. Escarra, cf. note suivante).

21. Nous recevant, le 13 novembre 1967, M. Escarra, ancien président-directeur général du Crédit lyonnais, nous confirmait la totale impréparation financière dans laquelle les grands établissements bancaires français avaient été surpris par l'éclatement du conflit : même dans les agences les plus proches des frontières, aucune précaution n'avait été prise. C'est d'ailleurs cette situation qui obligea le gouvernement à décider un moratoire sur les paiements et M. Escarra nous indiqua que, pendant un ou deux mois, ce fut la « panique financière ».

22. Le rapport présenté par le gouverneur de la Banque de France, Georges Pallain, le 28 janvier 1915, résonne de façon différente : « ...Elles (nos opérations) s'étaient poursuivies normalement, pendant tout le premier semestre, lorsque, brusquement, notre pays a dû, malgré sa volonté si manifestement pacifique, accepter l'épreuve d'une guerre nationale et montrer au monde, une fois de plus dans l'Histoire, de quel effort héroïque et décisif la France demeure capable ... Nous savions quelle tâche incombait à la Banque. Nous l'avons abordée avec une entière sécurité parce que la Banque, avait, elle aussi, très attentivement préparé sa mobilisation. Vous savez que c'est surtout en vue d'une pareille éventualité que notre encaisse en or avait été *depuis longtemps méthodiquement accrue*, afin d'assurer

Pas plus que les banquiers, les syndicalistes n'ont prévu la tourmente. Certains se sont attribué les mérites de la clairvoyance, ainsi le groupe de *La Vie ouvrière* autour de Pierre Monatte, en reconnaissant néanmoins qu'on pouvait se demander si le mouvement ouvrier avait seulement vu s'approcher les forces de guerre [23]. Il ne semble pas. Léon Jouhaux l'avoue tout uniment : « On croyait écartées toutes les menaces immédiates contre la paix européenne et l'incident surgit inattendu !... » [24]. *L'Ecole émancipée,* organe des syndicats d'instituteurs, faisant retour sur les événements lorsqu'il reprit sa parution en octobre 1914, n'en disconvient pas : « ...La guerre sur(vint) comme un coup de foudre » [25]. Petit fait significatif, la Bourse du travail de Bourges, une des plus engagées traditionnellement dans le combat pacifiste, avait préparé un grand meeting pour le 1er août 1914, « contre la répression » et « contre les trois ans ». Dans les affiches l'annonçant, pas un mot sur la situation internationale. La préparation de cette réunion avait eu évidemment lieu avant que l'ultimatum autrichien ne soit connu, cela montre cependant qu'on ne se souciait guère d'un danger de conflit [26]. Comme le dit le secrétaire-adjoint de la CGT, Georges Dumoulin, « la guerre ... semblait une chose tellement inouïe (qu'on avait) peine à croire qu'elle pût jamais éclater » [27]. Colette Chambelland et Jean Maitron concluent : « Les militants, s'ils ont parlé à l'époque, et souvent, de l'événement " guerre ", n'ont pas réalisé qu'il pourrait surgir, ne se sont pas représenté concrètement le phénomène, bref n'y ont pas cru » [28].

Il est normal que la surprise, ressentie par ceux qui auraient dû être les mieux avertis, ait été encore plus manifeste pour l'ensemble de la

une base de plus en plus large aux émissions de billets exceptionnels que devait entraîner la guerre. *Depuis plus d'un an,* nous suivions avec attention toutes les mesures financières qui pouvaient être l'indice de complications internationales et nous nous prémunissions autant qu'il se pouvait, en augmentant encore notre réserve d'or de près d'un milliard de F en quelques mois. Nous devions penser aussi que la thésaurisation privée de toutes les espèces en circulation aurait pour résultat de provoquer, dès la veille du conflit, une crise monétaire particulièrement gênante pour toutes les petites transactions. Le conseil général avait voté en temps utile tous les crédits permettant de constituer un approvisionnement considérable de billets de 20 F et de 5 F. Ces billets furent fabriqués et répartis à l'avance sur tous les points du territoire. Au moment voulu, leur émission put commencer sans retard et la crise était, au bout de peu de jours, entièrement et définitivement conjurée... » La Banque de France ne peut donc être accusée d'imprévoyance. Cependant, si elle avait mis sur pied un véritable plan de mobilisation comparable à celui de l'armée, cela ne signifie pas pour autant qu'elle ait particulièrement attendu la crise de juillet, mais qu'elle avait tenu compte des crises diplomatiques précédentes.

23. Pierre Monatte, *Trois scissions syndicales,* Paris, Editions ouvrières, 1958, 256 p. (p. 132). En 1914, Pierre Monatte était membre du comité confédéral de la CGT et dirigeait une petite revue très vivante, *La Vie ouvrière.* Cf. Jean Maitron et Colette Chambelland, *Syndicalisme révolutionnaire et communisme. Les archives de Pierre Monatte,* Paris, Maspero, 1968, 462 p.

24. *La Bataille syndicaliste,* 26 juillet 1914.

25. *L'Ecole émancipée,* 3 octobre 1914.

26. A.N. F 7 13348. Les orateurs prévus étaient Emile Rousset, « la victime des conseils de guerre », et Georges Yvetot, secrétaire de la CGT.

27. Georges Dumoulin, *Carnets de route, 40 années de vie militante,* Lille, Editions de l'avenir, s.d., 320 p. (p. 65).

28. J. Maitron et C. Chambelland, *op. cit.,* p. 18.

population. Les témoignages en sont multiples. Témoignages de ceux qui, en pleine crise, n'y croient toujours pas, ainsi Louis Pergaud écrivant à son frère, le 27 juillet : « Nous en serons quittes pour la peur, en supposant que nous ayons eu peur »[29]. Témoignages plus tardifs de ceux qui ne s'expliquent pas qu'on ait été surpris, mais qui sont bien obligés de le constater. « Non, nous n'aurions pas dû être surpris parce que, depuis 1911, on avait frisé la guerre ». « Oui, nous avons été surpris par la guerre parce que, depuis 1871, il n'y en avait pas eu ; alors on pensait que, fatalement, ça s'arrangerait... », disait récemment l'inspecteur général Gadrat[30]. Un capitaine de territoriaux, Joachim Merlant, explique dans ses souvenirs que « depuis des semaines » la menace s'alourdissait, qu'il existait à nos portes un peuple de rapaces pour finalement conclure : « Pourtant, on ne croyait pas à la guerre »[31]. Pour des esprits qui font profession de rationalisme, il y a là motif d'inquiétude. Comme l'écrit une revue de tendance socialiste, les plus graves événements ont pu se préparer, se nouer, se précipiter « sans que l'immense majorité d'une nation ... en ait eu le moindre soupçon... »[32]. Moins pédagogues, des administrateurs pensent simplement que l'opinion publique était trop habituée à la paix pour, comme nous l'avons déjà souligné plusieurs fois, croire à la guerre. C'est l'avis du préfet de l'Yonne : « Quarante-quatre années consécutives de paix avaient chassé de presque tous les esprits la perspective d'une nouvelle guerre »[33], ou du secrétaire général de la préfecture des Basses-Alpes décrivant cette paix « demi-séculaire » que nul ne s'attendait sérieusement à voir troubler[34].

Il faut donc bien admettre que l'opinion publique française a été surprise par le conflit, aussi bien dans ses cadres politiques, syndicaux, financiers, intellectuels que dans son ensemble. Pourquoi, cependant, la tradition historique, et au-delà d'elle la conscience collective, ont-elles

---

29. Louis Pergaud, *Correspondance*, Paris, Mercure de France, 1965, 252 p. (p. 110). Cité également par J. Allègre : « Les instituteurs », *Europe*, mai-juin 1964, p. 26.

30. *Bulletin de la Société d'Histoire Moderne*, n° 2, 1964. Discussion de la communication de G. Castellan, Histoire et mentalité collective : essai sur l'opinion publique française face à la déclaration de guerre de 1914, p. 8. Dans son intervention, M. Gadrat ajoutait ceci : « Même les menaces si graves depuis 1905 s'étant dissipées, on croyait au début, jusqu'à l'ultimatum autrichien, que cette crise se terminerait comme les autres. Personne ne pensait que Sarajevo entraînerait la guerre : le 20 juillet on n'en parlait plus ; dans mon régiment, la moitié des officiers était en permission et nous, nous ne « fichions rien », ce dont nous nous félicitions (...) Le seul souvenir que j'ai gardé d'un souci causé par Sarajevo date du lendemain même de l'attentat : mon capitaine, sachant que j'étais agrégé d'histoire, s'arrangea pour chevaucher à côté de moi et me demanda si cet attentat ne risquait pas d'amener la guerre. Je le rassurai, je savais trop d'histoire... Bonne affaire que la disparition d'un éventuel fauteur de troubles. Le militaire, intuitivement, avait été plus clairvoyant... »

31. Joachim Merlant, *Souvenirs des premiers temps de guerre*, Paris, Berger-Levrault, 1919, 61 p., en date du 1er août.

32. *Revue de l'enseignement primaire*, 30 août 1914, art. de M.T. Laurin, pseudonyme de Marius Tortillet, instituteur et militant socialiste de l'Ain (cf. *Encyclopédie socialiste. Les fédérations socialistes*, p. 14).

33. Gabriel Letainturier, *Deux années d'efforts de l'Yonne pendant la guerre* (août 1914-août 1916), XXXII-452 p.(p. X.).

34. A.D. Basses-Alpes, C × 1672, *Rapport du secrétaire général* du 24 sept. 1915, p. 15.

retenu le contraire ? Plusieurs raisons peuvent en rendre compte. A peine la guerre engagée, la plupart des formations ou des hommes politiques des bords les plus différents ont établi comme un dogme qu'elle était attendue, attendue chaque jour, soit pour affirmer qu'ils l'avaient prévue, soit pour accabler ceux qui n'avaient pas su se préparer au conflit ou l'empêcher, soit pour asseoir telle ou telle idéologie. En outre, l'idée que la guerre était inévitable fut en quelque sorte prouvée, a posteriori, par l'éclatement du conflit, effaçant le fait pourtant réel qu'on ne le croyait pas en ce mois de juillet 1914, ou du moins qu'on ne le croyait plus. Cette interprétation est d'autant plus acceptable que deux temps différents ont été amalgamés : on a assimilé les dix dernières années où plusieurs fois s'était dessiné un risque de guerre et l'année 1914, où incontestablement les choses allaient mieux. L'amélioration qui s'était alors produite dans les relations internationales, renforçant le sentiment qu'une guerre européenne n'était plus de saison, permet également de mieux comprendre la contradiction apparente entre d'un côté cette idée souvent exprimée avant 1914 qu'un conflit européen était possible, et de l'autre la constatation que l'esprit public y était peu préparé, au point même de rester incrédule une fois la crise ouverte.

## Le procès de M^me Caillaux

Les hasards de l'histoire, presque de la « petite histoire », jouèrent aussi leur rôle pour détourner l'attention de l'opinion publique française de ce qui se passait au-delà des frontières. Mme Caillaux, l'épouse du président du Parti radical [35], avait assassiné quelques semaines auparavant Gaston Calmette, directeur du *Figaro*, alors que ce journal menait contre son mari une violente campagne dont elle craignait qu'elle mît en cause sa vie privée. Son procès s'ouvrit à Paris le 20 juillet 1914. Il semble bien que ce fut l'affaire qui passionna alors les Français [36]. Les journaux lui consacrèrent une place considérable. La mesurer et la comparer à celle qu'ils accordèrent à la crise internationale nous ont paru révélateurs. Nous avons utilisé à cet effet six journaux, quatre parisiens : *Le Temps*, un de grande information, *Le Petit Parisien*, un de gauche, *L'Humanité*, un de droite, *L'Echo de Paris* ; et deux provinciaux : *Le Petit Dauphinois* [37] et *L'Est Républicain* [38]. Après avoir déterminé le

---

35. Au moment des faits, Joseph Caillaux était en outre ministre des Finances dans le gouvernement Doumergue.

36. Il serait évidemment possible de montrer que des affaires politico-judiciaires, ou même simplement judiciaires, ont à d'autres moments accaparé l'attention de même façon, mais cela confirme qu'en cette fin de juillet l'actualité était suffisamment calme pour qu'on puisse se repaître sans arrière-pensée des « lettres intimes » de J. Caillaux...

37. Publié à Grenoble.

38. Publié à Nancy.

# Fig. 7. L'évolution de l'importance accordée au procès de Mme Caillaux et à la crise européenne dans la presse

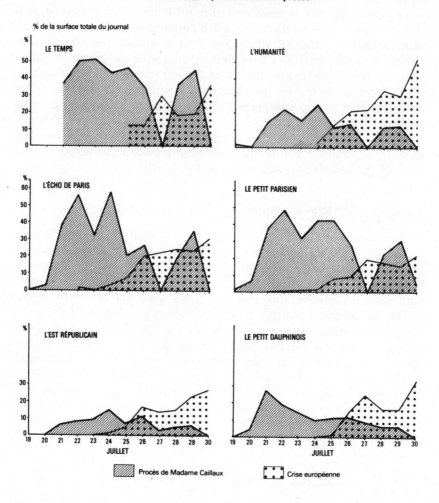

% de la surface totale du journal

LE TEMPS

L'HUMANITÉ

L'ÉCHO DE PARIS

LE PETIT PARISIEN

L'EST RÉPUBLICAIN

LE PETIT DAUPHINOIS

JUILLET

JUILLET

Procès de Madame Caillaux          Crise européenne

pourcentage de la surface que ces journaux attribuèrent chaque jour, entre le 19 et le 30 juillet, à l'un et à l'autre thèmes, il nous a été possible de construire des graphiques faisant apparaître l'importance accordée aux deux affaires et mettant en valeur l'évolution de cet intérêt (fig. 7) [39].

Première observation : la presse a réagi tardivement à la crise européenne. Jusqu'au 24 juillet inclus, les comptes rendus du procès de Mme Caillaux prévalurent de façon presque totale. Les premières marques de la crise sont apparues dès le 22 juillet dans *Le Petit Parisien* [40] et *L'Echo de Paris* [41], mais seulement le 24 dans *L'Humanité* [42] ainsi que dans *L'Est Républicain* [43], le 25 dans *Le Petit Dauphinois* [44]. Le 24 aussi dans *Le Temps* [45], mais ce dernier lui accorde immédiatement une place importante — 13 % du journal — lui consacrant notamment le « Bulletin de l'étranger ».

Il aurait été concevable qu'à partir de ce moment la crise européenne ait chassé des colonnes des journaux les comptes rendus du procès ou tout au moins les ait réduits à la portion congrue. Il n'en est rien. Jusqu'au prononcé du jugement, relaté dans les journaux du 29 — trois jours avant la mobilisation générale —, le « procès » rivalisa souvent victorieusement avec « la crise ». Le 29 encore, il l'emportait dans *Le Petit Parisien, L'Echo de Paris, Le Temps* [46]. La longueur des plaidoiries de deux maîtres du barreau, M[es] Labori et Demange, l'explique en partie ; a posteriori, cela n'en surprend pas moins.

Les nouvelles de la crise sont néanmoins passées progressivement des pages intérieures à la première page : dès le 23 dans *Le Petit Parisien*, seulement le 25 dans *Le Petit Dauphinois, L'Echo de Paris* et

---

39. Différentes raisons expliquent quelques anomalies dans les graphiques et tableaux : il n'y a pratiquement pas de commentaires sur le procès dans les journaux du 27 parce que, le 26, un dimanche, il n'y avait naturellement pas eu d'audience. La baisse très sensible des informations sur le procès dans *Le Petit Dauphinois* des 24 et 25, ainsi que la très faible place accordée aux nouvelles internationales, sont dues aux graves inondations qui venaient de ravager une partie du Dauphiné, et à qui le journal donne la priorité. Enfin, on peut estimer que *Le Temps* aurait consacré dans son numéro du 30 une place plus grande aux nouvelles de la crise, si une partie de ses colonnes n'avait été réservée à la mort de son directeur, Adrien Hébrard.

Il convient de noter que les proportions ont été calculées par rapport à la surface des journaux, sans tenir compte de la place réservée aux annonces et à la publicité. Ceci a pour conséquence de diminuer légèrement le pourcentage réel consacré aux deux affaires par rapport à la partie proprement rédactionnelle du journal, mais le volume des annonces et de la publicité était en général assez réduit.

40. Moins d'un quart de la troisième colonne de la troisième page sous le titre : « Le comte Berchtold soumet à l'Empereur le projet d'ultimatum austro-hongrois ».

41. Une demi-colonne en troisième page : « L'Autriche contre la Serbie : la note autrichienne à Belgrade ».

42. La troisième colonne entière en troisième page, c'est-à-dire seulement 3 % de la surface du journal : « La note de l'Autriche à la Serbie a été remise hier soir ».

43. Un peu moins de la moitié de la cinquième colonne de la deuxième page.

44. En troisième page : « Un ultimatum autrichien est remis à la Serbie », (1 % du journal).

45. Numéro daté du 25.

46. Respectivement 30 et 15 % de la surface du journal, 35 et 23 %, 45 et 19 %.

*L'Humanité*, le 26 dans *L'Est Républicain*[47]. Mais jusqu'au 30 exclu, seule *L'Humanité* leur a consacré, et uniquement dans un numéro[48], plus de 30 % de son lignage ; elle est suivie d'assez près par *Le Temps*, 29 % dans son numéro du 27 — jour où le procès fait relâche : néanmoins, cette proportion est très inférieure à celle qui est occupée les autres jours par les comptes rendus du procès. On peut donc estimer qu'involontairement le procès de Mme Caillaux a détourné l'opinion publique française de préoccupations plus impérieuses. Involontairement ? La date du procès avait été évidemment fixée sans qu'on puisse imaginer qu'éclaterait à ce moment une grave crise européenne, mais une fois celle-ci manifeste, n'était-il pas possible aux rédacteurs en chef de lui accorder la priorité par rapport à une affaire que l'actualité rendait secondaire ? Comme ils ne l'ont pas tous fait, on peut retenir que, si le procès de Mme Caillaux a détourné involontairement l'opinion publique de la crise, certains responsables de l'information n'ont volontairement rien fait pour qu'il en soit autrement. Il est vrai cependant que l'attitude des six journaux étudiés ne fut pas identique. Ils n'ont pas tous accordé la même place aux comptes rendus du procès[49]. Le record appartient à *L'Echo de Paris* du 24 juillet : près de 60 % du journal !, suivi par *Le Temps* du 22[50] : plus de la moitié, et *Le Petit Parisien* de ce même jour : un peu moins de la moitié. En revanche, les trois autres journaux : *L'Humanité, Le Petit Dauphinois*, et surtout *L'Est Républicain*, maximum 15 % le 24, ont été beaucoup plus réservés.

La place respective donnée aux deux sujets n'a pas été la même non plus dans les différents journaux. Dès le 25, dans *L'Humanité*, dès le 26, dans *L'Est Républicain* et *Le Petit Dauphinois*, la crise européenne occupa plus d'espace que le procès de M^me Caillaux et il en fut de même par la suite. En revanche, dans *L'Echo de Paris*, la crise ne l'emporte sur le procès que dans les numéros du 27 et du 28 ; dans *Le Petit Parisien* et *Le Temps*, seulement dans celui du 27.

Il apparaît ainsi que les journaux qui, dès le début, ont donné une importance primordiale aux comptes rendus du procès, n'ont pas modi-

---

47. Habituellement, *L'Est Républicain* ne consacrait pas sa première page aux nouvelles les plus importantes.

48. 28 juillet.

49. Place respective accordée au procès :

| | Pourcentage maximum procès | (du 19 au 30 juillet exclu) | Pourcentage maximum crise |
|---|---|---|---|
| L'Humanité | 25 | | 33 |
| Le Petit Parisien | 48 | | 19 |
| Le Temps | 51 | | 29 |
| L'Echo de Paris | 58 | | 24 |
| L'Est Républicain | 15 | | 17 |
| Le Petit Dauphinois | 27 | | 25 |

50. Numéro daté du 23. *Le Temps* a jugé l'affaire d'un intérêt suffisant pour lui consacrer des suppléments de 2, 3 ou 4 pages suivant les jours, distribués le soir même, de sorte que ses lecteurs disposaient immédiatement après l'audience d'un compte rendu sténographique complet.

fié de façon sensible leur comportement après que la crise eut éclaté. Au contraire, ceux qui dès le début avaient été plus mesurés dans leurs relations du procès purent consacrer plus d'attention à la crise européenne. Comment peut-on expliquer ce double comportement ? Assurémment par des raisons politiques, mais par des raisons de politique intérieure ! Si nous laissons de côté les journaux provinciaux, dont on peut supposer que la clientèle était moins friande des scandales parisiens, il faut constater que c'est la presse de droite ou de grande information — mais n'est-elle pas souvent orientée discrètement à droite ? — qui donna à l'affaire Caillaux le plus grand relief. On peut être assuré qu'elle escomptait qu'un adversaire politique en sortirait diminué. Peut-on supposer, au surplus, qu'elle a maintenu volontairement l'éclairage sur une affaire de politique intérieure pour détourner l'opinion des problèmes extérieurs, pour chloroformer l'opinion publique, pour l'empêcher de se dresser contre la guerre ? Nous ne le croyons pas, car il est bien douteux que les rédacteurs de ces journaux aient pensé qu'une opinion, même informée, se soit levée contre la guerre. En réalité, le maintien de la priorité à une affaire de politique intérieure est une manifestation supplémentaire de l'état d'esprit que nous avons déjà décrit : ce n'est que très lentement que l'opinion publique, y compris ceux qui étaient chargés de l'éclairer, a pris conscience qu'il s'agissait non pas d'une crise, mais de « la » crise. Ceci justifie que les dirigeants de ces journaux n'aient pas cru nécessaire de réduire de façon drastique [51] la place consacrée à un événement qui devait avoir le mérite supplémentaire de donner une grande impulsion à la vente !

Pourtant ce ne fut pas le fait de tous les journaux : les graphiques intéressant *L'Humanité, Le Petit Dauphinois* et *L'Est Républicain* (fig. 7) montrent nettement une baisse progressive de la place accordée au procès au bénéfice de celle accordée à la crise. Mais, même dans ce cas — nous l'avons dit — la place réservée à la crise européenne reste faible. Ainsi il fallut attendre le numéro du 30 pour que, dans *L'Humanité*, elle passe de 30 % à plus de 50 % du journal.

En dernière analyse, on peut douter que ce soit le procès de Mme Caillaux qui ait détourné l'opinion publique de la crise ; n'est-ce pas plutôt l'opinion publique qui, en grande partie inconsciente du danger, n'éprouva aucun besoin de se détourner du procès [52] ?

La preuve : quand, quelques jours plus tard, il fut clair pour tous que la guerre menaçait, cette affaire retentissante sembla immédiatement appartenir à une époque révolue.

---

51. En fait, sauf pour *Le Temps*, il y a, à partir du 25-26, une baisse sensible de la place occupée par les comptes rendus du procès.

52. Déterminer sur quoi le lecteur se jetait avec le plus d'avidité, les nouvelles de la crise ou celles du procès, serait un utile complément des pourcentages que nous avons pu établir.

Tout s'est cependant passé comme s'il avait fallu que le rideau retombât sur le procès à grand spectacle pour que la presse et l'opinion publique pussent se consacrer au conflit imminent.

## Un gouvernement médiocre mais pacifique

Bien que surprise par la soudaineté des événements, l'opinion publique aurait pu jouer un rôle dans leur déroulement si la crise s'était prolongée [53]. Eviter une issue rapide et fatale de la crise dépendait en partie de l'ingéniosité et de la volonté des hommes d'Etat responsables. Comme l'a écrit J. Caillaux : « C'est lors de ce dernier moment que l'action d'hommes imbus d'une volonté tenace de paix eût été décisive si elle avait pu s'exercer. » [54]

Le hasard des choses a voulu qu'il n'y eût pas alors en Europe de dirigeants susceptibles de s'opposer à la guerre. On a déjà noté [55] parmi les causes immédiates du conflit [56] la médiocrité des gouvernements. Celui de la France n'échappait pas à la règle.

Le succès de la gauche aux élections de 1914 aurait dû ramener au pouvoir Joseph Caillaux. Bien que réélu député, il ne pouvait cependant reprendre la direction des affaires avant qu'aient eu lieu le procès de sa femme et son acquittement éventuel. Un ministère Caillaux aurait-il sauvé la paix ? Dans la pensée de l'ancien président du Conseil, ce devait être un ministère Caillaux-Jaurès, fondé sur un programme de politique extérieure recherchant « les bases d'une large conciliation européenne ». Dans une conversation— la dernière qu'il aurait eu avec Jaurès — celui-ci avait admis qu'« étant donné l'imminence et la gravité du danger, il convenait d'écarter la scolastique de parti », c'est-à-dire d'accepter la participation ministérielle [57]. Caillaux aurait-il obtenu à

---

53. « Jamais nous n'avons été pris d'aussi court et jamais notre action n'était plus difficile... », Alfred Griot (Rosmer) à P. Monatte, le 28 juillet 1914. Cité par C. Chambelland et J. Maitron, *op. cit.*, p. 19.

54. J. Caillaux, *op. cit.*, T. III, p. 166.

55. Louis Cadars, « L'Europe décapitée », *Cahiers de l'histoire. L'An 1914*, p. 35 et suiv.

56. Mais, comme l'écrit H. Contamine (*op. cit.*, p. 50) : « Comment oublier qu'une guerre n'a peut-être jamais que des origines immédiates ! ».

57. A l'appui de ses dires, J. Caillaux produit le témoignage de C. Paix-Séailles, *Jaurès et Caillaux. Notes et souvenirs*, préface d'Henri Barbusse, Paris, s.d., 190 p. (p. 139-140). D'après Paix-Séailles, qui était à la fois l'ami de Caillaux et de Jaurès, la conversation aurait eu lieu « un jour de juin ». Le livre a été écrit alors que Caillaux était en prison depuis près de deux ans, donc en 1919-1920. Caillaux avait été arrêté en janvier 1918. Peut-on admettre la réalité de cet entretien ? Les termes peuvent prêter à contestation, comme toujours ceux d'une conversation rapportée. Ainsi Jaurès a-t-il vraiment dit : « Etant donné l'imminence et la gravité du danger » ? Mais comme le contexte renvoie la réalisation de la combinaison ministérielle envisagée à plusieurs mois, on peut en déduire que cette imminence était conçue de façon relative ! Et quand on sait combien Jaurès, à la fin de sa vie, était angoissé par les problèmes de la paix, on peut admettre l'esprit de ce propos. Ce qu'on sait également de la psychologie et des conceptions politiques de Jaurès n'est pas contradictoire avec la prise en considération de la proposition de J. Caillaux. Jaurès s'était soumis à la décision du congrès d'Amsterdam, condamnant la participation ministérielle, parce qu'il avait fait passer la discipline de parti et les avan-

l'automne la collaboration de Jaurès ? Il est difficile de le dire avec certitude, mais la politique qu'il comptait suivre était incontestablement proche de celle des socialistes sur le plan international. De plus, s'il y a un peu d'excès dans son affirmation que « les trois syllabes du mot Agadir symbolisèrent pendant des années et des années la politique de paix et d'accords européens », il faut lui donner acte qu'il est un des premiers à avoir exprimé la nécessité d'un rapprochement avec l'Allemagne. Comme l'a écrit H. Contamine, dans un portrait pourtant sans complaisance, Caillaux « avait mieux que d'autres mesuré les conséquences (d'une guerre) pour le pays et pour l'Europe »[58].

Face à la crise, on peut estimer, presque à coup sûr, que Caillaux aurait eu une politique différente de celle qui fut suivie : cela ne signifie nullement que l'issue en eût été différente.

Quoi qu'il en soit, un ministère Caillaux étant pour le moment impossible, il fallut constituer un gouvernement de « transition » suivant Caillaux, de « vacances » selon Poincaré[59], et le France fut dirigée pendant cette période par un ministère Viviani[60]. Etait-il adapté à la situation ? On ne recueille guère d'appréciation favorable sur son compte. Son chef René Viviani était un brillant orateur. Pour le reste « un nerveux, presque un malade, un phraseur »[61].

La seule personnalité forte était — quel que soit le jugement que l'on porte sur son rôle[62] — celle du président de la République, encore que

---

tages qui en découlaient pour les progrès de l'idée socialiste avant ses convictions personnelles, mais il ne l'avait pas approuvée pour autant et il souffrait de ne pouvoir utiliser pleinement ses capacités à un poste de responsabilité. C'était d'ailleurs le point de vue de tous ceux qui regrettaient qu'une des plus fortes personnalités politiques françaises restât à l'écart des décisions. Marcel Sembat rappelait dans *L'Humanité* du 2 août 1914 : « ...J'ai vu les ministres l'interroger, solliciter ses avis, s'inspirer de ses conseils... » et Marcel Cachin rapportait ce propos d'Abel Ferry (*L'Humanité*, 1er août) : « Comme je regrette, M. Jaurès, que vous ne soyez pas au milieu de nous, pour nous aider de vos conseils ! ».

En outre, le programme défini par les radicaux-socialistes sous l'impulsion de Caillaux lors de leur congrès de Pau, très proche du programme immédiat des socialistes, favorisait un rapprochement entre les deux partis, d'autant qu'à l'intérieur du Parti socialiste certains, comme Gustave Hervé, bien que minoritaires, poussaient à la reconstitution du bloc des gauches. L'épisode Clemenceau effacé, une nouvelle collaboration entre radicaux et socialistes n'était donc pas invraisemblable. Elle était également possible au niveau des hommes. Comme l'a écrit H. Goldberg (*op. cit.*, p. 483) : « Le fossé entre ce technicien réaliste (Caillaux) et le visionnaire socialiste qu'était Jaurès ne permettait évidemment pas des relations de collaboration étroite entre les deux hommes. Pourtant, dans ces années d'avant-guerre, devant l'opiniâtreté du conservatisme et de l'ultranationalisme, Jaurès et Caillaux en vinrent par étapes à une sorte d'alliance de raison... ». Un dernier motif de rapprochement entre les deux hommes était la haine identique qu'ils soulevaient dans les milieux nationalistes. Si la mort allait désarmer les ennemis de Jaurès (du moins en apparence), même l'union sacrée ne fléchit pas les adversaires de Caillaux (cf. quatrième partie, ch. 2, p. 828).

58. Contamine, *op. cit.*, p. 41.

59. Caillaux, *op. cit.*, T. III, p. 152.

60. Voir *supra*, première partie, chapitre deuxième.

61. Michel Baumont, « Un trésor négligé : les débats parlementaires à l'Officiel pendant la guerre de 1914-1918 », *L'Information historique*, mai-juin 1971, p. 20.

62. On sait que les polémiques sur les responsabilités de R. Poincaré dans l'éclatement de la guerre ont été très vives après le conflit. On l'accusa d'ailleurs plutôt de ne pas avoir voulu empêcher la guerre qui « passait » que de l'avoir provoquée (voir J. Caillaux, *op. cit.*, T. III, Alfred Fabre-Luce, *La Victoire*, Paris 1924, 428 p. ; cf. aussi Jules Isaac, *op. cit.*). Toute une campagne eut lieu dans les années 1920 sur le thème *Poincaré-la-guerre*, autour de la revue *Vers la Vérité*, mensuel consacré aux

cet avis ne soit pas partagé par tous [63]. Cela pourrait paraître secondaire puisque la tradition veut que le président de la République n'ait eu qu'une influence modeste : en réalité, la « tradition » exagère, surtout lorsque l'Elysée était habité par un homme comme Raymond Poincaré. Toutefois, on ne sait si, en juillet 1914, il avait pris tout à fait la mesure de l'événement. Ne serait-ce que pour des raisons de fait. Revenant de Russie par la voie maritime, Poincaré est mal informé de la situation [64]. Ce n'est qu'en débarquant à Dunkerque, le 29 juillet, qu'il est mis au courant des mesures préventives décidées par les ministres restés à Paris, ce n'est qu'en arrivant à la gare du Nord que Messimy peut l'informer du détail des mesures militaires [65]. Cela explique peut-être pourquoi les appréciations sur ce que pensait ou a dit Poincaré à ce moment sont si contradictoires.

Le président de la République a consacré plusieurs pages de ses Mémoires à réfuter les affirmations de ceux qui l'accusaient d'avoir déclaré au sénateur Trystram [66] que ce serait un grand malheur d'éviter la guerre dans des circonstances aussi favorables [67]. Il aurait eu au contraire l'attitude exactement inverse : « Ce qui me frappe, c'est qu'ici beaucoup de personnes semblent croire à la guerre imminente. Pendant notre traversée, nous étions certes très tourmentés, mais à peser nos craintes et nos espoirs, ceux-ci l'emportaient, je crois, sur celles-là... » [68]. A. Ferry d'ailleurs le confirme : « A leur débarquement à Dunkerque, ni Viviani, ni Poincaré ne voulaient croire à la guerre » [69]. Ils ont même trouvé que Ferry avait un peu exagéré en demandant le retour de trop de troupes du Maroc. Mais ce n'est pas du tout ce que prétend Caillaux. Rapportant les propos que le ministre des Travaux publics d'alors, René Renoult, lui aurait tenus plus tard dans les couloirs de la Chambre des

---

origines des responsabilités de la guerre, publié d'avril 1923 à mars 1924 sous la direction d'Ermenonville (Gustave Dupin) et animée par ce dernier, par Georges Demartial, par Gouttenoire de Toury.

Récemment encore, la polémique rebondissait entre Pierre Renouvin, « Les origines de la guerre de 1914 », Le Monde, 30 juillet 1964, et Alfred Fabre-Luce, « Controverse sur le problème des responsabilités », Le Monde, 12 août 1964.

63. Se faisant l'écho d'Hanotaux, Georges Louis (qui ne l'aimait pas) écrit dans ses carnets : « Poincaré est un faible », Les Carnets de Georges Louis, Paris, Rieder, 1926, T. I, 253 p. ; T. II, 266 p. ; T. II, p. 106.

64. Dans ses Mémoires (Au service de la France, T. IV, ch. 8 et 9), Poincaré fait état des rapports aussi suivis que possible avec Paris par radio-télégrammes, ce qui permettait aux deux présidents de connaître en principe la situation et de donner des instructions. Mais il se plaint à plusieurs reprises de la mauvaise qualité des communications ; beaucoup de documents, lorsqu'ils parvenaient, étaient incompréhensibles. Poincaré accuse même les autorités allemandes d'avoir volontairement brouillé les liaisons (p. 328).

65. Messimy affirma plus tard, dans une interview accordée à Raymond Recouly, que les présidents ne purent être consultés sur l'opportunité des mesures prises (Les heures tragiques d'avant-guerre), Paris, La Renaissance du Livre, 1922, 343 p. (p. 61).

66. Jean Trystram, sénateur du Nord de 1905 à 1924.

67. Poincaré, op. cit., T. IV, p. 363 et suiv.

68. Ibid., p. 361-362.

69. A. Ferry, op. cit., p. 24.

députés, il indique que ce 29 juillet, Poincaré rétorqua aux espoirs d'arrangement du ministre : « Non, ça ne peut pas s'arranger, ça ne peut pas s'arranger » [70]. Connaissant le parti pris de Caillaux, nous aurions eu tendance à douter de l'authenticité de ce témoignage. Mais il est appuyé par celui du préfet du Nord, Félix Trépont. Il écrit ceci : « ...Lorsque Poincaré et Viviani arrivent, leur attitude indique qu'ils ne croient plus à une solution pacifique ». Et quelques lignes plus loin, il rapporte ce propos que lui adressa Poincaré : « Oui, regagnez sans plus tarder Lille, où votre présence est nécessaire ». De sorte que lorsque rentré dans sa préfecture, il est interrogé par ses collaborateurs : « C'est la guerre ?... », il ne peut que hocher la tête [71].

Alors qui devons-nous croire ? Si nous préjugeons de la bonne foi des uns et des autres, il faut en déduire que l'attitude de Poincaré, même en ce court moment, débarquement et rentrée à Paris, est plus incertaine qu'il ne veut bien le dire lui-même, puisqu'elle a été susceptible de donner lieu à des interprétations aussi contradictoires.

On peut donc admettre qu'un des seuls hommes d'Etat d'envergure de l'Europe de 1914 fut, lui aussi, peu en mesure de peser les événements. En outre, les Français semblent bien avoir été convaincus de la volonté pacifique de leur gouvernement.

L'opinion publique n'a pas d'abord discerné, semble-t-il, une intention délibérée de conflit, du moins de conflit européen. Elle a cru simplement à un règlement de comptes entre l'Autriche et la Serbie, ce qui n'impliquait pas d'y participer. Pour les journaux, ce n'était qu'un « conflit austro-serbe ». Les premiers titres consacrés à la crise en témoignent [72]. Les rapports des préfets ou des commissaires spéciaux sur

70. Caillaux, *op. cit.*, T. III, p. 168.

71. A.N. 96 A.P. *Journal du préfet du Nord*, Félix Trépont, p. 13 et p. 22.

72. En voici quelques exemples :
*L'Humanité.*
— 24 juillet : « La note de l'Autriche à la Serbie a été remise hier soir ».
— 26 juillet : « Le conflit austro-serbe ».
*La Bataille syndicaliste.*
— 23 juillet : « La tension austro-serbe ».
— 24 juillet : « La tension austro-serbe : l'Autriche pourrait revenir à quelque modération ».
*Le Bonnet rouge.*
— 25 juillet : « Le conflit austro-serbe ».
*Le Temps.*
— 25 juillet : « Menace austro-hongroise ».
— 26 juillet : « Les affaires d'Orient : la tension des relations entre l'Autriche et la Serbie ».
*Le Petit Parisien.*
— 22 juillet : « Le comte Berchtold soumet à l'Empereur le projet d'ultimatum austro-hongrois ».
— 23 juillet : « Ce qu'on pense en Russie de la tension austro-serbe » (1re page).
« La tension austro-serbe » (3e page).
*Le Petit Dauphinois.*
— 25 juillet : « Un ultimatum autrichien est remis à la Serbie ».
— 26 juillet : « Le conflit austro-serbe ».
*L'Est Républicain.*
— 24 juillet : « La réponse serbe à la note autrichienne ».

l'esprit public portent souvent également en titre : « Le conflit austro-serbe » [73]. Ce n'est qu'avec un décalage sensible qu'apparut l'idée de la possibilité d'un conflit européen. Les titres des journaux révèlent ce retard [74].

On conçoit que l'opinion publique fit retomber sur l'Autriche la responsabilité du déclenchement de la guerre, parce que le motif central du drame restait son agression contre la Serbie, dont tout le reste avait découlé.

En réalité, il n'est pas sûr que, dans le couple germano-autrichien, le principal responsable soit l'Autrichien. Il est certain que les Français oublièrent bientôt la responsabilité autrichienne pour ne plus voir que l'ennemi allemand, mais ce ne fut pas le cas dans les premiers moments, même si quelques-uns ont rapidement vu se profiler l'Allemagne derrière l'Autriche. Les incertitudes sur l'étendue des responsabilités allemandes qui, si longtemps après, mettent aux prises les historiens [75], expliquent qu'il ait fallu du temps à l'opinion publique française pour être persuadée que l'Allemagne était pleinement engagée dans la crise.

Responsabilité autrichienne, responsabilité allemande, responsabilité conjointe des deux puissances germaniques ? L'opinion publique française est par contre assurée que le gouvernement de la France n'est pour rien dans l'enclenchement du conflit. Il faut reconnaître que les apparences au moins étaient pour lui. Comme nous l'avons déjà souligné, les deux présidents français partis pour la Russie le 15 juillet ne devaient être de retour à Dunkerque que le 31 juillet à 16 heures [76]. On imagine mal les responsables du pays se livrant aux joies d'un tourisme, même politique, après avoir machiné l'éclatement d'une guerre européenne ! Les circonstances obligèrent à écourter le voyage : Poincaré et Viviani débarquèrent dans la journée du 29 et ils purent réunir le conseil des ministres, le soir même, de 17 h 30 à 19 h 30. Ce retour précipité ne leur

---

73. Ainsi les rapports du commissaire spécial de Bordeaux au directeur de la Sûreté générale des 30 et 31 juillet (A.N. F 7 12936).

74. L'idée de la guerre européenne n'apparaît guère dans les titres de *L'Humanité*. Dans *Le Temps* du 27 juillet, le Bulletin de l'Etranger est intitulé : « L'Allemagne veut-elle la guerre ? », mais le gros titre du numéro du 1er août : « La guerre austro-serbe et la tension européenne » reste très modéré. Dans *Le Matin* du 29 juillet, un des trois titres proclame : « La guerre européenne peut encore être évitée ». Certains journaux ont montré le danger assez tôt, ainsi *La Bataille syndicaliste* du 25 juillet : « Un orage dans le ciel de l'Europe », ou *Le Bonnet rouge* du 26 : « La paix de l'Europe en péril ».

75. Depuis quelques années, l'historien allemand Fritz Fischer (*Griff nach der Weltmacht* et *Krieg der Illusionen*, ouvrages cités), son élève Immanuel Geiss (« Julikrise und Kriegsausbruch 1914 », *Eine Dokumentensamnlung*, 2 vol., 1963-1964 ; cf. aussi le déclenchement de la première guerre mondiale, *Revue historique*, oct.-déc. 1964) ont cherché à montrer l'étendue des responsabilités allemandes dans le déclenchement de la guerre, entendant secouer « l'image flatteuse et confortable » que leurs concitoyens « se faisaient de leur passé » (J. Droz : Introduction de l'édition française de F. Fischer, *La marche vers la domination mondiale, op. cit.*, p. 12). En contrepartie, les historiens français trouveraient maintenant exagérées et trop systématiques les interprétations de Fischer qui estomperaient les responsablités des autres Etats.

76. Le programme initial était le suivant : départ de Paris, 15 juillet ; arrivée en Russie, 20 juillet ; départ de Russie, 23 juillet ; Stockolm, 25 juillet ; Copenhague, 27 juillet ; Christiania, 29 juillet ; Dunkerqué, 31 juillet.

évita pas les sarcasmes de la presse ou tout au moins d'une partie d'entre elle [77]. Mais si les journaux mettaient ainsi en cause la perspicacité des gouvernants absents de France au moment où s'ouvrait une crise majeure, ils ne s'en prenaient pas à leur bonne foi et l'opinion publique leur emboîtait le pas. Dans les jours qui suivirent, des témoignages en vinrent des horizons les plus variés. Des évêques de La Rochelle : « Tous les peuples civilisés rendront hommage à la loyauté, à la dignité de notre attitude... » ou de Nevers : « La France n'a pas voulu la guerre » [78], au pasteur Paul Doumergue : « ...Il y a dans nos âmes...la certitude claire que la France n'a pas voulu cette guerre, qu'elle a jusqu'à la dernière minute espéré la paix, travaillé à la paix... » [79]. Des milieux financiers : « L'Autriche-Hongrie avait annoncé que la note qu'elle présenterait à la Serbie pour lui demander de punir les meurtriers de l'archiduc François-Ferdinand serait des plus conciliantes. Sur ces assurances, la diplomatie de la Triple Entente s'était endormie. MM. Poincaré et Viviani partirent pour Saint-Pétersbourg, la Russie s'occupait de ses grèves, l'Angleterre de l'Ulster... » [80], aux milieux syndicaux : « Le comité confédéral donne de son attitude une définition analogue à celle des gouvernements : en France, personne n'a voulu la guerre ; en France, nous avons tout fait pour éviter le conflit armé » [81], c'est toujours l'expression de la même conviction. Même lorsque le maire socialiste de la petite localité de Buxières-les-Mines, dans l'Allier, flétrit, au nom de ses administrés, « les criminels (sic) manœuvres de l'impérialisme, auteur principal du conflit », il n'en félicite pas moins « le gouvernement français de l'effort qu'il fait pour amener une solution pacifique du grave conflit actuel... » [82]. Ainsi le préfet du Var peut résumer l'état d'esprit de la population de son département : « Chacun a compris que le conflit était devenu inévitable malgré les efforts de la France en faveur de la paix... » [83].

Ces quelques exemples qui pourraient facilement être multipliés met-

---

77. *Le Temps* avec sérieux déclarait : « La France peut-elle attendre une semaine encore le retour de ceux qui ont charge de ses affaires ? » (27 juillet), tandis que Gustave Hervé, indigné, interrogeait : « Félix-Faure-Poincaré sait-il que depuis trois jours, grâce à lui, la France est la risée de l'Europe ? » (*La Guerre sociale*, 28 juillet — 4 août). Clemenceau en profita pour régler quelques comptes avec le gouvernement : « ...En ce qui nous concerne, le fait le plus notable est que nous n'avons pas même l'apparence d'un gouvernement à l'heure même où nous aurions le plus besoin d'avoir à notre tête un homme de jugement et de volonté. A l'Elysée, comme au quai d'Orsay, si les ambassadeurs accourent, anxieux, ils se heurtent à un écriteau : « Parlez au concierge ». Toute conversation diplomatique est paralysée. Je ne dis rien du Ministère de la guerre où M. Messimy apporte toute autre chose qu'une stabilité de vues, ni de la marine où M. Gauthier fait consciencieusement ses premières études sur l'art de la navigation ... Nous sommes un pays abandonné... » (*L'Homme libre*, 26 juillet).

78. *La Semaine religieuse* : 15 août.

79. *Le christianisme au XXᵉ siècle*, 6 août 1914 ; l'article est daté du 30 juillet.

80. *La Semaine financière*, 1ᵉʳ août 1914.

81. G. Dumoulin, *Les syndicalistes français et la guerre*, op. cit., p. 14.

82. A.N. F 7 12937, transmis par le préfet de l'Allier, le 4 août.

83. A.N. F 7 12939, rapport du préfet du Var du 3 août.

tent en évidence que, pour l'opinion publique, la France et son gouvernement ne voulaient pas la guerre et que le gouvernement français faisait tout le nécessaire pour qu'elle n'éclatât pas, qu'il avait donc été totalement pacifique et qu'il l'avait été activement.

Cette conviction de l'opinion publique que le gouvernement français était profondément pacifique a encore été renforcée par la discrétion qui a entouré les mesures de précaution prises [84]. Certains ont eu conscience qu'elles étaient inhabituelles : ainsi le directeur de l'école de Sablet, dans le Vaucluse, note, en date du 28 juillet, que les gendarmes ont informé les soldats permissionnaires qu'ils devaient rejoindre leurs régiments « d'urgence et sans délai ». Il ajoute que cette mesure, qui n'avait pas été appliquée à des moments où la situation extérieure paraissait critique, inquiète la population [85]. Mais la presse n'a pu se faire l'écho de ces dispositions : en effet, si les premières instructions ont été adressées dans la matinée du 25 [86], c'est-à-dire à un moment où la relation de la crise était encore très limitée dans les journaux, dès le lendemain en fin d'après-midi les préfets étaient invités à intervenir confidentiellement auprès des directeurs de journaux pour qu'ils gardent le silence, « silence et discrétion au sujet des préparatifs militaires », recommandait le ministre de la Guerre [87], silence complet sur les mesures de toute nature qui sont ou seraient prises, indiquait le ministre de l'Intérieur [88]. En même

---

84. L'annexe n° 2 à l'Instruction sur la préparation à la mobilisation du 15 février 1909, mise à jour le 4 avril 1914, avait établi un mémento de mesures pouvant être prescrites en cas de tension politique et destiné aux généraux commandant les corps d'armée. Il répertoriait 27 mesures réparties en 6 groupes depuis le groupe A (Mesures de précaution) jusqu'au groupe F (Mesures préparatoires aux opérations) (A.M. 7 N 1972, anciennement carton 3306 des Archives du 3e bureau de l'Etat-Major).

85. A.D. Vaucluse J 13.

86. En fait, il est assez difficile d'en connaître la date exacte. Messimy explique (voir Recouly, op. cit., p. 61 et suiv.) que les dispositions qu'il a prises l'ont été en fonction des premières nouvelles inquiétantes reçues dans la nuit du 25 au 26 juillet et des télégrammes arrivés dans la matinée du dimanche 26 confirmant « cette mauvaise impression ». D'après un dossier de télégrammes chiffrés envoyés par le 3e bureau de l'Etat-Major (A.M. 7 N 1972), les mesures de précaution 1 et 2, c'est-à-dire prévoyant de surseoir aux déplacements de troupes projetés et suspendant les autorisations d'absence pour les officiers et la troupe, ont été notifiées le 25 juillet à 13 h 15. Mais d'après le Journal de mobilisation du 3e bureau, c'est-à-dire le cahier d'enregistrement des ordres prescrivant l'exécution de mesures prises pour le cas de tension politique, le télégramme d'application des mesures 1 et 2 a été envoyé le 26 juillet à 13 h 15. Toutefois, il avait été précédé par un télégramme envoyé directement par le cabinet du ministre, le 25 juillet à 22 h 15, prescrivant le rappel à leur poste des officiers généraux et chefs de corps absents (A.M. 7 N 1972). Par ailleurs, si on se réfère aux mesures d'ordre civil qui furent alors édictées et dont un dossier des Archives des Deux-Sèvres (A.D. 4 M 6/29) a conservé la nomenclature, c'est le 25 juillet à 10 heures que le ministre de l'Intérieur invita les préfets et leurs collaborateurs à ne plus quitter leurs postes ou à les rejoindre immédiatement, à 12 h 05 que la même instruction était adressée aux commissaires de police municipale et aux commissaires spéciaux, à 12 h 35 que les préfets recevaient recommandation de revoir soigneusement les instructions secrètes dont ils disposaient, de veiller à ce que puissent être appliquées dès que l'ordre en serait donné les mesures prescrites dans l'instruction secrète sur le dispositif restreint de sécurité et dans l'instruction du 1er novembre 1912, c'est-à-dire celle prévoyant en particulier l'arrestation des inscrits au Carnet B.

87. A.M. 7 N 1972.

88. A.D. Deux-Sèvres 4 M 6/29. Dans ce département, le préfet répercutait immédiatement auprès des sous-préfets de son département en leur demandant « de voir personnellement les directeurs de journaux de (leur) arrondissement, afin que par sentiment patriotique aucune note ne soit publiée par eux concernant les mesures qui pourraient être prises en prévision d'un conflit austro-serbe et de nature à inquiéter l'opinion publique » (27 juillet).

temps, d'ailleurs, les préfets étaient informés que le ministre des PTT invitait les directeurs des Postes à leur soumettre les télégrammes privés contenant des renseignements de nature à compromettre la sécurité et la tranquillité publiques. Les préfets devaient, suivant les cas, retarder ou interdire [89].

On peut évidemment s'étonner que des mesures de limitation de l'information [90] aient été prises aussi tôt. En fait, elles pouvaient être justifiées de plusieurs façons. Ne pas renseigner l'adversaire éventuel sur les dispositions prises en France [91], éviter les « difficultés diplomatiques » [92], mais elles le furent aussi par la volonté de ne pas « énerver l'opinion publique » [93]. Il faut, disait le ministre de l'Intérieur, « éviter soigneusement toutes mesures ostensibles qui seraient de nature à inquiéter l'opinion publique » [94]. L'explication la plus simple est que le gouvernement pensait inutile d'affoler les Français pour rien, dans la mesure où la crise serait résolue sans drame. Toutefois en procédant ainsi, les pouvoirs publics se privaient du soutien de l'opinion publique qui, en manifestant sa fermeté, aurait pu impressionner l'adversaire. Il semble cependant que ce soit le sentiment inverse qui ait prévalu. Certains membres du gouvernement, convaincus très vite qu'on s'acheminait vers la guerre, ont pu vouloir empêcher que les sentiments pacifistes, dont ils surévaluaient l'importance, affaiblissent la position de la France en se manifestant trop vivement [95]. Tout gouvernement aurait eu d'ailleurs ce souci en semblables circonstances. D'autant qu'il pouvait être craint non pas seulement la manifestation de sentiments pacifistes, mais véritablement l'organisation d'un mouvement de résistance à la guerre : il est caractéristique que, dès le 25 juillet, l'attention des préfets ait été particulièrement attirée sur le texte prévoyant l'arrestation des inscrits au Carnet B en cas de mobilisation [96]. En définitive, qu'elles qu'aient été les

---

89. Dans les Archives de la Haute-Saône figure ce télégramme retenu par les autorités, daté du 1er août, 7 h 20, et ainsi libellé : « 4 classes réserves rappelées — très grave — Jaurès assassiné ».

90. On ne peut encore véritablement parler de censure de l'information. « Usez de ce droit avec sagesse », dit le ministre à ses préfets à propos du contrôle des télégrammes (A.D. Deux-Sèvres, 4 M 6/29, 26 juillet, 18 h 35), mais c'était le premier pas dans cette direction.

91. En fait, on était très vite averti du côté français des mesures prises du côté allemand (cf. R. Recouly, *op. cit.*, p. 62) ; on peut estimer qu'il en était de même du côté allemand pour les mesures françaises !

92. A.M. 7 N 1972. Note adressée par le 3e bureau de l'Etat-Major au 2e bureau (26 juillet 1914).

93. A.D. Deux-Sèvres 4 M 6/29. Télégramme du Ministère de l'intérieur du 26 juillet 19 h 45.

94. A.D. Deux-Sèvres 4 M 6/29. Télégramme du Ministère de l'intérieur du 25 juillet 12 h 35. Messimy insiste également sur la discrétion nécessaire dans l'application des mesures préventives « de façon à ne pas inquiéter les populations encore très tranquilles, très confiantes dans l'issue de la crise. Car vous vous souvenez, peu de gens, durant ces premières journées, se rendaient exactement compte de la gravité et même de l'imminence du péril » (R. Recouly, *op. cit.*, p. 64).

95. J. Caillaux avait fait montre du même souci pendant la crise d'Agadir (voir J. Caillaux, *op. cit.*, T. II, p. 83-94).

96. Dans le répertoire des mesures prévues par l'Etat-Major de l'armée en cas de tension politique, « demander au ministre de l'Intérieur de faire procéder immédiatement à l'arrestation des individus inscrits au Carnet B » portait le n° 10 (voir A.M. 7 N 1972).

raisons véritables de l'attitude adoptée, le résultat en fut le même : en dissimulant au maximum les mesures prises, en évitant d'alerter l'opinion publique, les ministres provoquèrent le retard avec lequel elle prit conscience du danger et, consciemment ou inconsciemment, l'empêchèrent de se mobiliser éventuellement contre la guerre. Ils renforcèrent également dans l'opinion publique française le sentiment d'un gouvernement français pacifique.

Cela signifie-t-il que rien ne puisse laisser penser que certains aient eu des doutes, dès ce moment, sur le pacifisme du gouvernement français et du président de le République, que personne n'ait cru à leurs responsabilités dans l'éclatement du conflit ? Les traces en sont rares, elles ne sont cependant pas inexistantes. C'est ainsi qu'une note de police rapporte que dans une réunion de la coopérative du Progrès à Sceaux, le député socialiste Jean Longuet a affirmé que le Kaiser était pacifique jusqu'à l'élection de Poincaré, mais que cette élection et le renouveau nationaliste qui l'avait suivi l'avaient conduit à changer d'opinion [97]. Néanmoins, cette assemblée n'a eu lieu qu'en septembre 1915. On peut penser qu'elle traduisait une opinion autre, car elle n'est pas immédiatement contemporaine de l'événement. Cette remarque du préfet de la Gironde au moment où le gouvernement était replié à Bordeaux est plus significative : « L'humeur du public et celle des parlementaires est sombre. Leur indignation éclate en reproches contre le gouvernement, spécialement le chef de l'Etat. On prétend que ce dernier n'a pas fait ce qu'il fallait pour empêcher la guerre, mais l'a désirée... » [98]. Enfin cette dernière indication ; le procureur général de Besançon a ouvert une information contre un négociant de Salins, dans le Jura, qui, le 7 août, avait déclaré en public : « Les Français sont des lâches. Guillaume est trop pacifique pour vouloir la guerre. Ce sont Poincaré et le Czar qui l'ont voulue » [99]. Ces indices sont si peu nombreux qu'ils ne permettent pas de déceler une tendance de l'opinion ; il faut songer cependant que, pour une réflexion connue parce qu'elle a donné lieu à poursuites judiciaires, combien n'ont évidemment été mentionnées nulle part.

---

97. A.N. F 7 13961.

98. O. Bascou, *op. cit.*, p. 128.

99. A.N. B B 18 / 2531 / 126 A 14. Quelques jours plus tard, la Chancellerie faisait savoir que les propos étaient « odieux », mais qu'ils ne pouvaient donner lieu à poursuites. Dans les Archives des conseils de guerre que nous étudierons plus tard (cf. IIIᵉ partie), on trouve aussi quelques rares allusions aux responsabilités de R. Poincaré. Un cultivateur est, par exemple, partisan de « couper la tête à M. Poincaré » (conseil de guerre de Clermont-Ferrand, liasse du 5 au 24 novembre), tandis que, dans le cadre d'une affaire plus importante, on peut relever le propos du secrétaire du Syndicat des terrassiers qui déclara, en octobre 1914, que Poincaré avait été préparer la guerre en Russie (2ᵉ conseil de guerre de Paris, affaire jugée le 17 octobre 1914).

Il ne dépend pas seulement de l'opinion publique qu'une guerre éclate ou non. Néanmoins, la pression de l'opinion peut encourager un gouvernement aux aventures guerrières ou au contraire l'en dissuader. En ce mois de juillet 1914, les circonstances se sont conjuguées pour empêcher l'opinion publique française de peser de façon importante sur les événements. S'attendant si peu à la crise, en mesurant si mal la gravité qu'elle ne se détourna même pas d'une affaire à sensation, victime, comme les autres Etats européens, d'un gouvernement de médiocre valeur, incapable de ralentir le processus engagé, confiante cependant dans son pacifisme qui ne semblait guère faire de doutes, même si ce n'était pas complètement vrai, convaincue de la responsabilité adverse, l'opinion française fut mal placée pour intervenir dans la crise et pour manifester de manière efficace son opposition à la guerre.

# Chapitre 2

# Contre la guerre

Dans un contexte défavorable à la mobilisation de l'opinion publique contre la guerre, « c'est l'attitude des milieux ouvriers qui doit surtout retenir l'attention » [1]. Il n'y aurait pas de raison de privilégier les réactions du monde ouvrier, particulièrement dans un pays où les ruraux étaient encore majoritaires, si le mouvement ouvrier n'avait été porteur d'idéologies dénonçant dans le capitalisme le responsable des guerres, et s'il ne s'était donné comme mission de s'opposer à une conflagration éventuelle. Dans ces conditions, les masses ouvrières devaient être au cœur d'un mouvement d'opposition à la guerre, s'il avait lieu.

Au mois de juillet 1914, ce mouvement échoua. On peut en trouver l'explication à deux niveaux, à celui des dirigeants ou à celui des masses : ou bien les dirigeants n'ont pas su ou n'ont pas voulu mobiliser les masses, ou bien les masses n'ont pas répondu aux impulsions qui leur étaient données, ou bien il y a eu conjonction des deux.

Cette étude perdrait cependant beaucoup de son intérêt, sauf au plan des idéologies, si le mouvement d'opposition à la guerre avait non seulement échoué, mais n'avait pas existé du tout. On pourrait le supposer, à constater son faible retentissement historique [2]. En réalité, l'omission qui en est faite assez habituellement s'explique d'abord par des raisons matérielles : les traces en sont fort éparses et difficiles à retrouver. La presse parisienne a donné une certaine place à ce qui se passa à Paris mais sauf, dans une certaine mesure, la presse socialiste et ouvrière, a

---

1. P. Renouvin, *Le Monde*, art. cité, 30 juillet 1964.

2. Pour ne mentionner que les synthèses les plus récentes, Marc Ferro (*La grande guerre, 1914-1918*, Gallimard, coll. Idées 1969, 384 p.) n'en parle pas, et Henry Contamine (*La victoire de la Marne*, *op. cit.*, p. 34) lui consacre neuf lignes un peu condescendantes qui ont tout de même le mérite de ne pas laisser ignorer son existence.

ignoré, ou presque, les manifestations provinciales. La presse de province, de son côté, en a rendu compte de façon très lacunaire et très capricieuse. Telle manifestation bretonne a trouvé un écho dans un journal lyonnais et a été passée sous silence dans les journaux de la région. En outre, comme le délai était souvent assez long entre un événement local et sa publication dans les journaux, l'arrivée entre-temps de l'ordre de mobilisation enlevait tout intérêt au compte rendu d'une manifestation contre la guerre. Le récolement de toutes les actions qui eurent lieu est donc une entreprise ardue et presque désespérée. Pour les historiens, comme cela le fut pour les contemporains, il est difficile de prendre conscience de l'ensemble du phénomène.

Aux raisons matérielles sont venues s'ajouter des raisons psychologiques également appréciables. On peut en effet considérer que le mouvement avorté d'agitation contre la guerre fut effacé de la mémoire des contemporains par les événements qui suivirent immédiatement[3]. De plus, personne dans le mouvement ouvrier n'eut intérêt ultérieurement à en exhumer le souvenir : ni les socialistes, à qui on aurait pu reprocher de ne pas avoir su utiliser l'agitation contre la guerre pour sauver la paix et donc ainsi faire la démonstration de leur « trahison », ni leurs adversaires communistes, à qui l'inexistence de mouvement permettait justement de montrer que « la SFIO, enlisée dans le bourbier du parlementarisme, infectée d'illusions démocratiques, s'employa jusqu'à l'ultime minute à propager dans les larges masses ouvrières la croyance funeste que les intentions de la bourgeoisie étaient pacifiques, au lieu de les dresser de toutes leurs forces contre l'ennemi de classe... »[4].

Pourtant, une agitation dont il nous appartiendra de mesurer l'ampleur se développa pendant la courte période qui précéda la mobilisation. La rapidité des événements rendit difficile aux « chefs » du mouvement ouvrier d'en être les organisateurs et, comme nous le verrons, ils eurent plutôt tendance à suivre qu'à précéder les « masses ». C'est pourquoi il nous a semblé que c'était d'abord au niveau de ces dernières que nous devions mener notre enquête[5] : nous l'avons fait en distinguant entre la province et la région parisienne où, par la force des choses, la présence des directions ouvrières diminua la part de spontanéité et rend donc plus difficile de déterminer la volonté d'action ou non des masses populaires.

---

3. Evoquant les troubles ou les risques de troubles, H. Contamine remarque : « Le drame national allait tout étouffer » (op. cit., p. 34).

4. Claude Servet et Paul Bouton, *La trahison socialiste de 1914*, Paris, Bureau d'éditions, 1931, 160 p.

5. Voir, pour les problèmes méthodologiques posés par ce type d'étude, Antoine Prost, « Les manifestations du 12 février 1934 », *Le Mouvement social*, janvier-mars 1966, p. 6-27.

**Fig. 8. Les actions de protestation contre la menace de guerre en province**

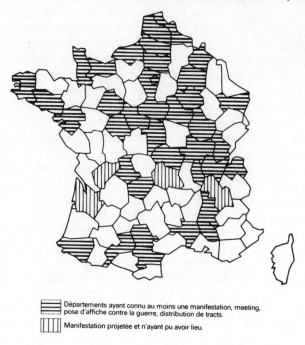

Départements ayant connu au moins une manifestation, meeting, pose d'affiche contre la guerre, distribution de tracts.

Manifestation projetée et n'ayant pu avoir lieu.

**Fig. 9. Les élus socialistes à la Chambre des députés en 1914**

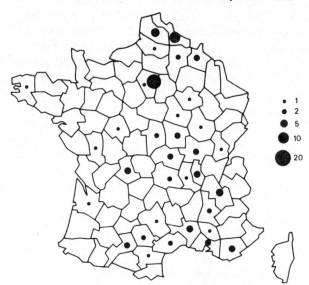

## En province

D'après les renseignements que nous avons rassemblés, des actions d'opposition à la guerre ont eu lieu dans 36 départements[6]. Dans quatre autres, les manifestations prévues furent interdites ou furent devancées par la mobilisation[7] (fig. 8). Ces départements sont situés en majorité au Nord de la Loire et sont ceux, mis à part les Bouches-du-Rhône et la Loire[8], où se trouvent les plus grandes villes et les plus importantes concentrations ouvrières. Dans cinq groupes de départements, par contre, rien ne se passa : ceux de l'Ouest et du Centre-Ouest, sauf le Finistère, le Morbihan, la Loire-Inférieure, d'une grande partie du Sud-Ouest, des bordures Sud et Est du Massif central, du Midi méditerranéen, du Nord-Est, sauf les Vosges. Ce sont plutôt des régions à prédominance rurale, mais d'orientation politique variée : trois d'entre elles votaient de préférence à droite, les deux autres, Bassin aquitain et Midi méditerranéen, votaient à gauche ou à l'extrême-gauche.

L'opposition à la guerre se serait ainsi plus manifestée dans les régions urbaines et ouvrières, avec de très importantes exceptions cependant, que dans les régions à prédominance rurale, ce qui s'explique assez bien. L'interprétation politique de cette répartition géographique est plus ambiguë. En 1914, 32 départements provinciaux avaient élu au moins un député socialiste (fig. 9) : dans 21 d'entre eux, il y eut une action contre la guerre, dans trois, elle avait été prévue, dans huit, il n'y eut rien. Parmi ces derniers figurent notamment plusieurs départements méditerranéens : l'Hérault, les Bouches-du-Rhône et le Var, qui avaient élu près de 10 % de la représentation socialiste à la Chambre des députés et qui formaient un des principaux bastions du PSU dans la France de cette époque. En contrepartie, dans 16 départements qui ne comptaient aucun élu du Parti socialiste, il y eut des manifestations contre la guerre. De sorte qu'on hésite à conclure que l'importance de l'implantation socialiste ait eu un rôle déterminant dans les manifestations d'hostilité à la guerre, même si, comme nous le verrons, il a toujours fallu que des éléments socialistes ou syndicalistes en prennent l'initiative. Il en est de même, d'une façon plus générale, du vote à gauche : la France du Nord, traditionnellement plus modérée sur le plan politique, a davantage manifesté que la France du Midi, traditionnellement plus avancée : le Bassin aquitain, un des fiefs du radicalisme, s'est montré particulièrement réservé.

---

6. Non compris la Seine et la Seine-et-Oise.

7. Ainsi, à Bordeaux, un « meeting pour la paix » avait été prévu pour le dimanche 2 août à 3 heures (*France de Bordeaux et du Sud-Ouest*, 1er août). A Grenoble, un « grand meeting de protestation contre la guerre » aurait dû avoir lieu ce même jour à 3 h 30 (*Droit du peuple*, 1er août).

8. « C'est à peine si à Saint-Etienne, avant la déclaration de guerre, quelques réunions ont eu lieu. Aucun meeting, encore moins une manifestation de rue », Michèle et Gérard Raffaëlli, *Le mouvement ouvrier contre la guerre, op. cit.*, p. 309.

**Fig. 10.** Tableau des actions de protestation contre la menace de guerre en province

Abréviations utilisées : U.D., Union départementale des syndicats ; B.D.T., Bourse du travail ; B.S., *La Bataille syndicaliste* ; H., *L'Humanité.*

| Date | Département | Ville | Type d'action | Organisateurs | Nombre de participants et sources du renseignements | Observations |
|---|---|---|---|---|---|---|
| 27 juillet | **Ain** | OYONNAX | Meeting Manifestation | U.D. et socialistes | 1 000 (B.S.) 500 + 300 (Dépêche de Lyon) | |
| 31 juillet | **Allier** | MONTLUÇON | Meeting | Socialistes | 10 000 (Préfet) | |
| — | . | BUXIÈRES-LES-MINES | Meeting | Socialistes | 2 000 (Maire) | |
| 29 juillet | **Ardennes** | MONTHERMÉ | Meeting | Syndicats | 150 (Préfet) | |
| 30 juillet | — | CHARLEVILLE | Affichage (pour une manifestation) | Syndicats | | |
| — | — | MONTHERMÉ | Idem | Syndicats | | |
| 1er août | — | CHARLEVILLE | Meeting | ? | | Interdit |
| 31 juillet | **Aube** | TROYES | Meeting | Syndicats, socialistes | 2 000 (B.S.) | |
| 30 juillet | **Aude** | NARBONNE | Affichage | B.D.T. | | Donne lieu à poursuites |
| 26 juillet | **Aveyron** | DECAZEVILLE | Meeting | Socialistes | 500 (Préfet) | Fête socialiste prévue avant les événements |
| 1er août | — | — | Distribution de journaux avec appel de la C.G.T. contre la guerre | | | |

| Date | Département | Ville | Type d'action | Organisateurs | Nombre de participants et sources du renseignement | Observations |
|---|---|---|---|---|---|---|
| 30 juillet | **Calvados** | CAEN | Meeting | Syndicats | Foule nombreuse (B.S.) Environ 100 personnes (Commissaire) | |
| — | — | VIRE | Affichage, Meeting | Socialistes et syndicat du bâtiment | 200 (dont des membres du Parti " réactionnaire ") (Commissaire) | Tentatives d'obstruction |
| 2 août | — | MONDEVILLE | ? | | | N'a pas eu lieu |
| 1er août | **Charente** | COGNAC | Meeting | Socialistes, syndicats | | Interdit |
| 29 juillet | **Cher** | BOURGES | Affichage Meeting | B.D.T. | 2 000 (H.) | |
| — | — | — | | | | |
| 28 juillet | **Côte-d'Or** | DIJON | Manifestations | Syndicats (?) | 100 (Préfet) Un certain nombre (H.) | Dispersés par la police. 8 arrestations |
| 29 juillet | **Drôme** | ROMANS | Meeting | Syndicats, Socialistes | 1 200 (Droit du Peuple) | |
| 28 juillet | **Finistère** | BREST | Meeting | Socialistes, B.D.T. | 3 000 (Commissaire) 5 000 (B.S.) | |
| — | — | — | Manifestation (à la sortie) | | Une centaine de jeunes gens (Commissaire) Manifestations dans toute la ville (B.S.) | Dispersés par la gendarmerie. Des arrestations |

| Date | Département | Ville | Type d'action | Organisateurs | Nombre de participants et sources du renseignement | Observations |
|---|---|---|---|---|---|---|
| 29 juillet | **Gard** | ALAIS | Affichage<br>Meeting<br>Manifestation | Syndicats | 3 000 (B.S.)<br>6 000 (*Populaire du Midi*)<br>La " foule " dans tous les quartiers (*Populaire du Midi*) | |
| — | — | NIMES | Meeting<br>Manifestation | Socialistes, B.D.T. | | Interdit<br>Incidents avec la gendarmerie |
| — | — | — | | | | |
| 29 juillet | **Haute-Garonne** | TOULOUSE | Manifestation | Antimilitaristes (Préfet) | ? | |
| 1ᵉʳ août | — | — | Meeting | Socialistes | | Interdit |
| 2 août | **Gironde** | BORDEAUX | Meeting | Syndicats, socialistes | | Annulé (vraisemblablement) |
| 30 juillet | **Indre-et-Loire** | TOURS | Affichage<br>Meeting | Syndicats<br>Syndicats | 1 200 (Préfet) | |
| — | | — | | | | |
| 31 juillet | **Isère** | VIENNE | Meeting | Syndicats | | Interdit |
| 2 août | — | GRENOBLE | Meeting | Socialistes, syndicats | | Annulé (vraisemblablement) |
| 30 juillet | **Jura** | SAINT-CLAUDE | Meeting | Syndicats, socialistes | 3 000 (B.S. - H.) | |
| 30 juillet | **Loiret** | ORLÉANS | Meeting | Syndicats | Plus de 1 200 (B.S.) | |

| Date | Département | Ville | Type d'action | Organisateurs | Nombre de participants et sources du renseignement | Observations |
|---|---|---|---|---|---|---|
| 30 juillet | **Loire-Inférieure** | SAINT-NAZAIRE | Meeting | ? | ? | Pas d'indication s'il a eu lieu |
| 31 juillet | — | NANTES | Affichage | Syndicats | Une multitude d'affiches et de tracts | |
| — | — | — | Tracts Manifestation | Antimilitaristes et libertaires (Syndicats) | " Piteuse " (*Nouvelliste de Bretagne*) Arrestations | Interdite. Manifestants dispersés par la police. |
| 29 juillet | **Manche** | CHERBOURG | Meeting | ? | 3 000 (H.) | |
| 29 juillet | **Marne** | REIMS | Affiches manuscrites | | | |
| — | — | — | Manifestation | B.D.T. | Une centaine d'individus (Préfet) | Incidents assez violents avec la police |
| 28 juillet | **Morbihan** | LORIENT | Affiches Meeting | Syndicats Syndicats | 500 (Commissaire) 300 (*Petit Dauphinois*) | |
| 29 juillet | **Nord** | DENAIN | Manifestation | Syndicats | 60 700 (Commissaire) 1 000 (Préfet) 8 000 (B.S.) | |
| — | — | ROUBAIX | Affichage | Syndicats, socialistes | | |
| — | — | HALLUIN | Tracts pour annoncer Meeting | Syndicats Syndicats | | Annulé |
| — | — | DOUAI | Affichage | | | |
| — | — | ONNAING | Meeting | Syndicats | 300 (Commissaire) | Interdit |
| — | — | TOURCOING | Papillons | Antimilitaristes | | |

| Date | Département | Ville | Type d'action | Organisateurs | Nombre de participants et sources du renseignement | Observations |
|---|---|---|---|---|---|---|
| 31 juillet | Oise | CREIL | Meeting | Métallurgistes de Creil | 1 500 (B.S.) | |
| 30 juillet | Pas-de-Calais | LENS | Manifestation Meeting | Socialistes Socialistes | 600 (Procureur général) 2 000 (Procureur général) | Poursuites contre un orateur improvisé |
| — | — | HENIN-LIETARD | Manifestation Meeting | Socialistes Socialistes | 700 (Commissaire) 600 (Commissaire) | |
| 2 août | Puy-de-Dôme | CLERMONT-FERRAND | Meeting | Socialistes, syndicats | | Annulé |
| 30 juillet | Basses-Pyrénées | BAYONNE | Tracts Meeting Manifestation | B.D.T. B.D.T. B.D.T. | Une quarantaine | N'a pas eu lieu Heurts avec des groupes opposés |
| 2 août | — | LE BOUCAU | Tracts Meeting | Syndicats ouvriers | | Interdit |
| 29 juillet | Rhône | LYON | Affichage | Syndicats | Quelques centaines (Préfet) Importante manifestation (B.S.) 20 000 (H.) Plusieurs milliers (B.S.) | Intervention vigoureuse de la police. Arrestations |
| — | — | — | Manifestation | Socialistes | | |
| — | — | TARARE | Meeting | Syndicats | 1 000 | |
| 29 juillet | Sarthe | LE MANS | Affichage | Socialistes | | |
| 2 août | Saône-et-Loire | MONTCEAU-LES-MINES | Tracts (pour annoncer meeting) Meeting | Syndicat des Mineurs socialistes | 1 500 | |

| Date | Département | Ville | Type d'action | Organisateurs | Nombre de participants et sources du renseignement | Observations |
|---|---|---|---|---|---|---|
| 30 juillet | **Haute-Savoie** | Annecy | Affichage | Socialistes | | |
| 29 juillet | **Seine-Inférieure** | SOTTEVILLE | Manifestation | Ouvriers ateliers des chemins de fer | 4 à 500 (Préfet) 2 000 (H.) | |
| 30 juillet | — | ROUEN | Meeting | Socialistes, syndicats | | Interdit |
| — | — | LE HAVRE | Meeting | Pacifistes | ? | |
| 29 juillet | **Somme** | VIMEU | Manifestation | Syndicats ouvriers d'Escarbotin | 3 à 400 (Procureur général) 3 000 (B.S.) 3 500 (H.) | Ont parcouru la région Diverses violences |
| — | — | AMIENS | Manifestation | Socialistes, Comité de dépense sociale | 1 000 à 1 500 (Procureur général) 1 200 (B.S.) | |
| — | — | ALBERT | Meeting Manifestation | Socialistes, syndicats | 1 200 (B.S.) 800 (H.) | |
| — | — | SAINT-OUEN | Manifestation | ? | 200 | |
| 1er août | **Tarn** | ALBI | Affichage Meeting | Syndicats, socialistes Idem | | Interdit |
| — | **Tarn-et-Garonne** | MONTAUBAN | Meeting | Socialistes | | Annulé |
| 31 juillet | **Vaucluse** | AVIGNON | Meeting Manifestation | Socialistes et syndicats | | Interdit Bagarres et arrestations |

| Date | Département | Ville | Type d'action | Organisateurs | Nombre de participants et sources du renseignement | Observations |
|---|---|---|---|---|---|---|
| 28 juillet | **Haute-Vienne** | LIMOGES | Affichage | B.D.T. | | |
| — | — | — | Manifestation | B.D.T. | Quelques groupes | |
| 30 juillet | — | — | Meeting | Socialistes, syndicats | 7 000 (*Populaire du Midi*) 4 500 (*Courrier du Centre*) 10 000 (H.) 5 à 6 000 (Préfet) | |
| 31 juillet | — | — | Manifestations (pour socialistes porter la motion) | | Des milliers (*Populaire du Centre*) 1 500 (*Courrier du Centre*) | |
| 30 juillet | **Vosges** | GERARDMER | Manifestation | ? | 200 | |
| 31 juillet | **Yonne** | AUXERRE | Meeting | Socialistes | 450 | |
| 28 juillet | **Territoire de Belfort** | BELFORT | Meeting | Socialistes | 800 | |

Fig. 11. Tableau récapitulatif des actions
de protestation contre la menace de guerre en province

Localités ou régions concernées............... 61
Affichages................................. 17
Distribution de tracts..................... 7
Réunions publiques........................ 46   dont interdites ou annulées : 15
Manifestations (de rue)................... 24

*Répartition chronologique*

| | 26 juil. | 27 | 28 | 29 | 30 | 31 | 1er août | 2 août |
|---|---|---|---|---|---|---|---|---|
| | 1 | 2 | 8 | 19 | 23 | 22 | 6 | 7 |
| dont réellement | | | | | 21 | 17 | 2 | 3 |
| *Seulement réunions et manifestations* | | | | | | | | |
| | 1 | 2 | 6 | 14 | 17 | 18 | 4 | 5 |
| dont réellement........ | » | » | » | » | 14 | 13 | 0 | 1 |

Si on fait abstraction des départements du Nord-Est, on peut finalement remarquer que le plus grand nombre de départements où rien ne se produisit se situent au Sud d'une ligne Avranches-Briançon[9] : ce sont les régions qui n'ont pas été atteintes par l'invasion en 1870-1871 ; ce sont celles qui étaient les plus éloignées des champs de batailles éventuels d'un nouveau conflit. Ne peut-on penser, sans négliger pour autant les explications d'ordre politique ou sociologique, que celle-ci n'est pas dépourvue non plus de réalité ?

Cette étude de la géographie du mouvement ne permet cependant qu'une première approche, somme toute superficielle. Le dénombrement des différentes formes de manifestations[10] offre la possibilité de le caractériser avec plus de précision. Les actes susceptibles d'avoir largement touché la population sont de quatre types : les tracts, les affiches, les réunions publiques et les manifestations dans la rue. Nous avons dénombré dans 61 localités, villes ou régions[11] (fig. 10), 17 affichages, 7 distributions de tracts, journaux, papillons, 46 réunions publiques et 24 manifestations, soit 94 actions de protestation contre la menace de guerre. A dire vrai, 15 des 46 réunions n'ont pu se tenir, interdites par les autorités ou annulées par leurs organisateurs.

---

9. Les départements où des réunions ont été organisées trop tard pour avoir lieu, donc où les réactions ont été lentes, s'y trouvent également.

10. Nous négligeons pour l'instant les prises de position comme les communiqués passés dans les journaux par une organisation politique ou syndicale, dont la signification est intéressante sur le plan des idées, mais qui ne peuvent être considérées comme des actions concrètes contre la guerre.

11. Dans le Vimeu, en Picardie, une manifestation parcourut plusieurs localités de cette région.

Ces chiffres ne sont pas très élevés, mais ils correspondent également à un très petit nombre de jours (fig. 11) : sur les 94 actions dénombrées, 73 sont concentrées sur quatre jours et, sur les 79 qui ont réellement pu avoir lieu, 66.

Les courbes que nous avons établies (fig. 12) montrent que le mouvement démarre lentement [12] pour s'accélérer à partir du 28 juillet, culminer les 30 et 31, et retomber brutalement le 1er août, le jour de la mobilisation. Il est néanmoins remarquable de constater que le déclin a commencé le 31, donc avant que la mobilisation soit décrétée : en effet, trois des quatre courbes que nous avons tracées culminent le 30 ; le 31, sans que cela soit encore très apparent, le mouvement d'opposition à la guerre était déjà en perte de vitesse.

La précipitation des événements explique qu'il n'y ait pas eu un très grand nombre de réunions : aussi, plus même que leur nombre, l'importance de la participation aux manifestations peut nous renseigner sur l'intensité du mouvement. Les chiffres dont nous disposons sont souvent assez divergents, suivant leur origine. Ils sont quelquefois d'un ordre de grandeur comparable. Ainsi, d'après *Le Populaire du Centre* [13], près de 7 000 personnes assistèrent au meeting qui se tint à Limoges le 30 juillet, d'après la préfecture de la Haute-Vienne [14], 5 à 6 000, d'après *Le Courrier du Centre* [15], 4 500. Seule *L'Humanité* [16] semble avoir sensiblement gonflé l'effectif des participants en annonçant le chiffre de 10 000. D'autres fois, l'écart est considérable. Le procureur général d'Amiens indique 1 000 à 1 500 personnes pour la manifestation qui parcourut les rues de cette ville le 29 juillet, et leur passage, ajoute-t-il, ne suscita guère d'écho auprès des curieux qui regardaient [17]. Pour *La Bataille syndicaliste,* ils étaient 12 000 qui furent « acclamés par toute la population » [18]. *Le Courrier de la Somme* [19] ne donne pas de chiffres ; pour ce journal la foule était « considérable » et couvrait presque entièrement la place de l'Hôtel de Ville. On peut supposer que la vérité doit se situer entre les extrêmes d'un procureur général qui minimise et de *La Bataille syndicaliste* qui exagère ...

---

12. La réunion qui se tint le dimanche 26 juillet à Decazeville était primitivement destinée à célébrer le succès aux élections législatives d'Albert Cabrol, maire socialiste d'Aubin, réélu dans la 2e circonscription de Villefranche-de-Rouergue. Elle avait donc été prévue avant les événements et ce sont seulement les circonstances qui conduisirent les orateurs, dont Paul Ramadier, le futur président du Conseil de la Quatrième République, à modifier les thèmes de leurs discours pour évoquer la situation internationale (A.N. F 7 13348).

13. 31 juillet.

14. A.N. F 7 12934, rapport du préfet, 31.7.

15. 31 juillet.

16. 31 juillet.

17. B B 18 — 2531, 128 A 1914, 30 juillet.

18. 30 juillet.

19. 30 juillet.

**Fig. 12. Nombre et répartition chronologique des actions de protestation contre la menace de guerre**

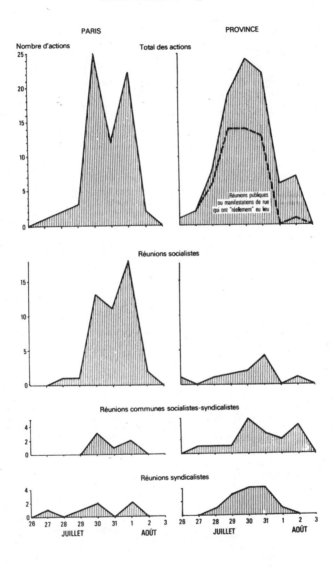

PARIS

PROVINCE

Nombre d'actions

Total des actions

Réunions publiques ou manifestations de rue qui ont "réellement" eu lieu

Réunions socialistes

Réunions communes socialistes-syndicalistes

Réunions syndicalistes

JUILLET        AOÛT

JUILLET        AOÛT

Les contestations sur le chiffre des participants aux manifestations sont habituelles. Elles tiennent à la nature même de cet acte politique qui tire sa valeur, la plupart du temps, du nombre de personnes rassemblées. Les observateurs vraiment neutres sont rares et sont eux-mêmes contestés, parce que l'évaluation d'un nombre de manifestants est toujours fort aléatoire. Dans les circonstances du moment, l'administration n'avait pas obligatoirement intérêt à minimiser des manifestations qui, bien souvent, comme nous le verrons, ne mettaient pas en cause la politique gouvernementale ; de leur côté, les organisateurs auraient pu ne pas être enclins à grossir des manifestations dont ils donnèrent souvent l'impression de ne pas savoir quelle suite leur donner. Néanmoins, en quelque sorte par réflexe, les autorités locales eurent tendance à réduire l'importance d'actes qui avaient tout de même un parfum d'opposition, et la presse ouvrière eut tendance à les grossir. Beaucoup de journaux restèrent dans le vague, quand ils ne préférèrent pas observer un silence complet [20].

Certaines manifestations ou certaines réunions ont été assurément fort importantes, s'il n'y a pas eu erreur de transcription, et il ne semble pas, le plus gros rassemblement fut celui de Montluçon, où participaient 10 000 personnes, d'après le préfet [21]. On peut lui comparer les 2 000 manifestants qui se sont réunis dans la petite localité de Buxière-les-Mines dans le même département, tout au moins selon l'affirmation du maire socialiste dans son message au gouvernement [22]. Dans bien d'autres endroits, la foule fut nombreuse : à Limoges, où on n'avait « jamais » vu autant de monde pour un meeting à « l'Union » [23], à Brest, où la participation oscille entre 3 000 [24] et 5 000 personnes [25], à Tours, où le préfet fait état de 1 200 assistants [26], à Lens, 2 000 d'après le rapport du procureur général [27], à Lyon [28], à Amiens, à Montceau-les-

20. Les principaux journaux lyonnais, *Le Progrès de Lyon*, radical, *La Dépêche de Lyon*, conservateur, ne font aucune allusion aux manifestations qui ont eu lieu à Lyon et qui ont revêtu, semble-t-il, une certaine importance.

21. A.N. F 7 12934, Moulins, le 31.7.

22. A.N. F 7 12937.

23. *Le Populaire du Centre*, 31 juillet 1914.

24. A.N. F 7 12934, C. sp., 29 juillet.

25. *La Bataille syndicaliste*, 29 juillet.

26. A.N. F 7 12934, 31 juillet.

27. B B 18, 2531/128, A 1914 ; Douai, 1er août 1914.

28. D'après *L'Humanité* (31 juillet), 20 000 personnes sur la place Bellecour, d'après *La Bataille syndicaliste* (1 août), plusieurs milliers seulement. Le manque d'enthousiasme de *La Bataille syndicaliste* peut s'expliquer par le fait qu'il s'agissait d'un meeting socialiste et que la manifestation syndicaliste de la veille avait rassemblé beaucoup moins de monde. Le préfet ne donne pas d'indication chiffrée et se contente de signaler l'absence d'incident (A.N. F 7 12934, 31 juillet), mais dans son rapport de la veille, il estimait que cette manifestation pouvait réunir « plusieurs milliers de personnes et que faute de forces de police suffisantes, il valait mieux l'autoriser que de tenter de l'interdire » (A.N. F 12934, 30 juillet).

Mines, avec 1 500 mineurs [29]. Il en fut de même dans bien d'autres villes, mais les chiffres que nous possédons, uniquement fournis par *L'Humanité*, *La Bataille syndicaliste* ou des journaux socialistes, sont plus sujets à caution. C'est le cas des meetings de Troyes : 2 000 personnes [30], de Bourges : 2 000 [31], de Romans : 1 200 [32], d'Alais : entre 9 000 [33] et 6 000 manifestants [34]. On peut encore citer les affluences nombreuses que constituent, relativement à la population de ces villes, 3 000 personnes à Saint-Claude [35], plus de 1 200 à Orléans [36], 3 000 encore à Cherbourg [37], 1 500 à Creil [38], 1 000 à Tarare [39], 800 à 1 200 à Albert dans la Somme [40]. D'autres réunions ont attiré des auditoires plus clairsemés : à Oyonnax, le compte rendu de *La Bataille syndicaliste* fait état d'une manifestation de 1 000 personnes [41], mais le journal lyonnais *La Dépêche de Lyon*, conservateur il est vrai, ironise sur le « meeting monstre » qui a rassemblé 500 personnes, suivi d'un cortège qui n'en a plus compté que 300 [42]. A Decazeville, 500 auditeurs seulement, d'après le préfet, sont venus écouter une brillante phalange d'orateurs socialistes [43] ; à Lorient, un nombre à peu près égal [44], à Vire, 200 d'après *La Bataille syndicaliste* elle-même [45], à Hénin-Liétard, 600 à 700 [46], à Gérardmer, 200 [47], ce qui n'est d'ailleurs pas un chiffre misérable, à Belfort, 800 [48], à Auxerre, 450 [49]. Le défilé qui a parcouru les rues de Denain, dans le

29. A.N. F 7 12939, préfet, 2 août.

30. *La Bataille syndicaliste*, 1er août.

31. *L'Humanité*, 31 juillet.

32. *Le Droit du peuple* (quotidien socialiste de Grenoble), 31 juillet.

33. *La Bataille syndicaliste*, 31 juillet.

34. *Le Populaire du Midi*, 1er août. Sous le titre : « Une belle manifestation », le journal fait le récit suivant : « ...Dès 7 h 30, la cour est noire de monde, ainsi que la grande salle de la Bourse. Les orateurs parlèrent du haut du mur de clôture et c'est à 6 000 auditeurs qu'on peut évaluer la foule qui couvre le marché, la rue de la République et les rues avoisinantes ».

35. *La Bataille syndicaliste* et *L'Humanité*, 31 juillet.

36. *La Bataille syndicaliste*, 1er août.

37. *L'Humanité*, 31 juillet.

38. *La Bataille syndicaliste*, 1er août.

39. *L'Humanité*, 1er août.

40. *L'Humanité*, 31 juillet.

41. 28 juillet.

42. 29 juillet. Le journal compare ce chiffre à celui de la population de la ville : 10 000 habitants.

43. A.N. F 7 13348, 27 juillet.

44. A.N. F 7 12934, 28 juillet. Seulement 300 d'après *Le Petit Dauphinois*. Une fois de plus, les journaux locaux ignorent une manifestation que rapporte — de façon peu favorable — le quotidien d'une région fort éloignée !

45. 31 juillet. Chiffre confirmé par le rapport du commissaire de police (A.D. Calvados, 30 juillet). D'après ce même rapport, figuraient parmi les participants de nombreux opposants : « Le parti réactionnaire de Vire presque au complet ».

46. A.N. F 7 12934, commissaire de police.

47. *La Bataille syndicaliste*, 31 juillet.

48. A.N. F 7 13348, administrateur de Belfort, 28 juillet.

49. A.N. F 7 13348, C. pal., 31 juillet. Très précisément, « 400 hommes et 50 femmes ».

Nord, a rassemblé au moins un millier de personnes [50], mais le préfet considère que c'est un cortège nettement moins important que ceux qui se déroulent habituellement dans ce centre ouvrier.

Dans quelques cas enfin, les organisateurs n'ont attiré qu'un bien maigre effectif : 150 personnes à Monthermé [51], qui n'est qu'une petite localité, mais encore moins, une centaine, dans une réunion à Caen [52], des cortèges aussi peu fournis dans des grandes villes comme Dijon [53] ou Reims [54]. Il est vrai que la coloration de la manifestation a pu influer sur sa réussite : à Lyon, une manifestation syndicale n'a rassemblé, d'après le préfet [55], que quelques centaines de syndicalistes-révolutionnaires [56], alors que le lendemain, comme nous l'avons vu, le rassemblement socialiste fut très important.

Le mouvement de protestation contre la guerre a mobilisé des foules certes inégales, mais dont l'importance est, dans quelques cas, impressionnante. Il nous semble qu'on peut discuter des caractères réels de ce mouvement, qu'on ne peut donc pas l'ignorer.

Dans quel climat ont eu lieu ces manifestations ? La plupart du temps, réunions publiques ou cortèges ont été à la fois autorisés par les autorités et calmes dans leur déroulement : les organisateurs d'ailleurs le souhaitent généralement [57]. Les rapports des préfets ou les récits des journaux soulignent habituellement cette absence d'agitation, « ordre complet », « aucune manifestation dans la rue », à Montluçon [58], « la réunion s'est terminée sans incident », à Troyes [59] « la sortie a eu lieu sans incident », à Romans [60], « tout s'est passé dans le calme le plus absolu », à Alais [61]. Le préfet du Rhône put se féliciter du respect scrupuleux de leurs engagements dont firent preuve les organisateurs du rassemblement de la place Bellecour, « pas le moindre incident ou trouble » [62]. La dispersion se fit « sans incident », note le procureur

---

50. A.N. F 7 12934, préfet du Nord. 8 000 d'après *La Bataille syndicaliste* (1er août), mais le chiffre paraît nettement exagéré.

51. A.N. F 7 12934, préfet, Mézières, 30 juillet.

52. A.D. Calvados, M/2879 ; C. pol., 31 juillet. Il est vrai que *La Bataille syndicaliste* (31 juillet) fait état d'une foule nombreuse.

53. A.N. F 7 12934, préfet, 28 juillet.

54. *Ibid.*, préfet, Châlons-sur-Marne, 29 juillet.

55. *Ibid.*, préfet, 30 juillet.

56. *La Bataille syndicaliste*, du 31 juillet signale, en revanche, une « importante manifestation populaire contre la guerre, mercredi soir, dans le centre de la ville ».

57. Lors de la préparation du défilé qui eut lieu à Amiens, les organisateurs avaient beaucoup insisté sur ce point afin « de faire comprendre au public que le parti (socialiste) s'occupait et organisait une démonstration pacifique dans le seul but de chercher à éviter la guerre » (B.B. 18 — 2531 — 128 A 1914, procureur général d'Amiens, 29 juillet).

58. A.N. F 7 12934, Moulins, 31 juillet.

59. *L'Action française*, 2 août.

60. *Le Droit du peuple*, 31 juillet.

61. *Le Populaire du Midi*, 1er août.

62. A.N. F 7 12934, Lyon, 31 juillet.

général d'Amiens après le défilé dans la ville[63]. Le préfet de la Haute-Vienne, à en croire *Le Populaire du Centre*, félicita la délégation venue lui apporter une motion pour le calme du meeting et de la manifestation[64]. C'est également sans incidents[65] que s'est tenu un meeting à Belfort, et pourtant l'administrateur du Territoire avait été partisan de l'interdire.

L'ordre et le calme furent la règle : il y eut pourtant des exceptions dans une dizaine de cas. A Bayonne, des « bagarres » éclatèrent entre quelques syndicalistes-révolutionnaires qui voulaient organiser une réunion et des contre-manifestants[66], mais le plus souvent, les incidents se sont produits quand les organisateurs décidèrent de passer outre à l'interdiction d'une manifestation. Il en fut ainsi à Dijon, où un défilé[67], composé en majorité d'ouvriers espagnols et italiens[68], et de jeunes gens de la ville, parcourut les rues en criant : « A bas la guerre » et fut dispersé par la police ; huit manifestants furent arrêtés et trois firent l'objet de procès-verbaux pour outrages à agents[69]. Ce ne fut pas cependant une grande manifestation : elle dura moins d'une heure. Ailleurs, des incidents plus sérieux ont eu lieu. Sous le titre « Violentes manifestations », *Le Progrès de Lyon*[70] relate ce qui s'est passé à Avignon. Les forces de police gardaient toutes les issues de la Bourse du Travail ; les socialistes ayant à leur tête le citoyen Gourdeaux[71], employé des Postes, se formèrent en cortège et se rendirent au siège de leur syndicat (*sic*) place de l'Horloge, en criant : « A bas la guerre ». Une échauffourée se produisit alors avec des contre-manifestants. Un certain nombre d'arrestations furent opérées.

A Nîmes, où le meeting socialiste fut également interdit, la police et la gendarmerie interdirent l'entrée de la salle. Un défilé tenta de se rendre à la maison du parti qui fut envahie par « la gendarmerie à cheval »[72].

---

63. B B 18/2531, 128 A 1914, 30 juillet.

64. 1er août 1914.

65. A.N. F 7 13348, Belfort, 28 juillet.
La réunion était organisée par un jeune instituteur, d'ailleurs révoqué « pour faits d'antimilitarisme » (A.N. F 7 13348, Belfort, 28.7). Ludovic-Oscar Frossard, qui, en 1920, fut le premier secrétaire général du nouveau Parti communiste, avant de réintégrer le Parti socialiste, puis de le quitter pour devenir ministre en 1935.

66. A.N. F 7 12936, Bayonne, 30 juillet.

67. *L'Humanité*, (30 juillet) indique un « certain nombre de personnes » d'après l'Agence Havas.

68. A.N. F 7 12934, Dijon, 28 juillet. Cette précision apparaît étonnante.

69. A.N. F 7 13448, Dijon, 29 juillet.

70. 1er août.

71. Le préfet (A.N. F 7 12934) considère que le meeting de protestation contre la guerre a complètement échoué. Il met aussi en évidence le rôle de Henri Gourdeaux. Ce jeune postier de vingt-sept ans devait avoir une longue carrière syndicale et politique. Il fut l'un des dirigeants du Parti communiste jusqu'après la deuxième guerre mondiale (cf. A. Kriegel, *Les communistes français*, Paris, Le Seuil, 1968, 320 p., p. 169).

72. *Le Populaire du Midi*, 1er août.

A Nantes, à Reims, à Lyon, des événements à peu près semblables se déroulèrent [73]. Des manifestants qualifiés d'« antimilitaristes et de libertaires », à Nantes [74], de « repris de justice » à Reims [75], de « syndicalistes-révolutionnaires », à Lyon [76] furent dispersés par la police. Le préfet du Rhône souligne que celle-ci dut intervenir « vigoureusement » et à plusieurs reprises, *La Bataille syndicaliste* [77] écrivit que les incidents de Reims avaient été « violents ». *Le Nouvelliste de Bretagne* qualifie de « rixe sanglante » [78] les affrontements de Nantes. Chaque fois des arrestations eurent lieu [79] et le procureur général de Rennes, impressionné, jugea qu'il était nécessaire de faire preuve de sévérité [80].

A Brest, c'est à l'issue de la réunion que des incidents se produisirent, quand des manifestants tentèrent de défiler en ville et se heurtèrent à la gendarmerie [81] et à des contre-manifestants [82]. Il y a d'ailleurs quelque incertitude sur l'ampleur de l'événement : pour le commissaire spécial, ce ne fut qu'une « petite manifestation » [83] ; pour le correspondant local de *La Bataille syndicaliste*, « les rues furent sillonnées toute la soirée par des groupes de manifestants » [84].

Mais, nous a-t-il semblé, c'est à Sotteville près de Rouen et dans le Vimeu que se sont produites les démonstrations les plus significatives. A Sotteville, les ouvriers des Ateliers des chemins de fer se regroupèrent le 29 juillet, à la sortie du travail. Ils étaient quatre ou cinq cents d'après le préfet [85], 2 000 d'après *L'Humanité* [86]. Ils se livrèrent à une courte manifestation puisque, toujours d'après le préfet, ils furent bientôt dispersés devant la mairie. Ils ont témoigné cependant d'une volonté spécifiquement ouvrière de faire quelque chose contre la guerre. Les incidents qui se déroulèrent dans la petite région industrielle du Vimeu, le 29 juillet, également, sont encore plus marquants. Le procureur général d'Amiens en a fait un récit détaillé [87]. 300 à 400 ouvriers métallurgistes

---

73. Une manifestation du même type a dû avoir lieu à Toulouse puisqu'elle justifie l'interdiction d'un meeting socialiste le surlendemain, mais nous ne possédons pas de détails sur son déroulement (A.N. F 7 12934, Toulouse, 30 juillet).

74. F 7 12934, 31 juillet.

75. *Ibid.*, 29 juillet.

76. *Ibid.*, 30 juillet.

77. 31 juillet.

78. 2 août.

79. *Le Petit Dauphinois*, 30 juillet. Dont Michaloud, le secrétaire de la Bourse du Travail de Lyon.

80. A.N. B.B. 18/2531 — 128 A 1914.

81. *Le Petit Dauphinois*, 30 juillet.

82. A.N. F 7 12934, 30 juillet.

83. A.N. F 7 12934, C. sp., 29 juillet.

84. *La Bataille syndicaliste*, 29 juillet.

85. A.N. F 7 12934, préfet Rouen, 30 juillet.

86. 30 juillet.

87. A.N. B.B. 18/2531, 128 A 1914.

(3 000, dit *La Bataille syndicaliste*[88], 3 500 dit *L'Humanité*[89]) se sont réunis à la Bourse du Travail d'Escarbotin. Ils se sont ensuite dirigés vers le centre de la commune en criant : « A bas la guerre ». Devant une première usine, un ouvrier robinettier de trente-trois ans, qui semblait être l'âme du mouvement, harangua les manifestants, puis le patron de l'entreprise fut invité à laisser sortir ses ouvriers. Reprise du défilé et arrêt devant une deuxième usine : même scénario, mais, là, le patron refusa de laisser sortir son personnel. La grille forcée, il est bousculé, peut-être frappé, l'usine est envahie. Ensuite, au son du tambour, drapeaux rouges déployés, le cortège gagne Woincourt à deux kilomètres plus loin, puis Fressenneville, distant de trois autres kilomètres, où devait se tenir le dernier meeting. Il n'y eut pas de nouvelles violences : les patrons rendus prudents avaient préféré faire sortir leurs ouvriers. Dans un style plus administratif, dans un contexte moins dramatique, le rapport du procureur général nous fait songer à Germinal, aux démonstrations ouvrières de la fin du 19e siècle. Ces incidents du Vimeu nous apparaissent en quelque sorte comme le symbole de ce qui n'eut pas lieu. Ils sont le témoignage, presque unique, des virtualités d'action qui existaient dans certaines fractions de la population française, dans certaines parties au moins de la classe ouvrière, mais à qui les circonstances ne permirent pas d'éclore.

Il n'y eut donc qu'une minorité de réunions et de manifestations qui donnèrent lieu à des incidents : ce fut, dans la plupart des cas, plus le résultat des interdictions que de la volonté des promoteurs. Elles présentent cependant des caractères communs et originaux. Elles ont lieu pendant la phase ascendante du mouvement : huit des onze cas recensés se sont produits les 28 et 29 juillet. Elles sont le fait plutôt de syndicalistes que de socialistes. Elles sont en général spécifiquement ouvrières ; mais, sauf exceptions importantes, elles ne rassemblèrent qu'un nombre limité de participants.

Ainsi, d'un mouvement calme émerge un tronçon violent. On y distingue en quelque sorte les étincelles de cet embrasement que certains avaient annoncé, dans les années précédentes, pour le moment où une guerre menacerait. Mais ces étincelles ne provoquèrent même pas un feu de paille.

Pourquoi en fut-il ainsi ? Il n'y a certainement pas de réponse unique, cependant, l'analyse des thèmes qui furent développés dans les réunions apporte un premier élément d'explication.

Il n'a pas toujours été possible — les sources restant quelquefois muettes sur ce point — de déterminer qui fut à l'origine des actions con-

---

88. 31 juillet.
89. 31 juillet.

tre la guerre. Dans seize cas, ce furent des organisations socialistes, dans trente-sept des organisations syndicales, unions départementales, bourses du travail, syndicats nommément désignés, dans vingt-trois, enfin, en même temps des socialistes et des syndicalistes (fig. 13). Il est vrai que la distinction entre les uns et les autres est quelquefois formelle, lorsque des organisations syndicales étaient animées par des socialistes, mais c'était plus l'exception que la règle.

**Fig. 13. Origine des actions de protestation contre la menace de guerre en province**

| Affiches | | | | Tracts (papillons...) | | | | Réunions | | | | Manifestations | | | |
|---|---|---|---|---|---|---|---|---|---|---|---|---|---|---|---|
| So. | | Sy | So. Sy. | So. | | Sy. | So. Sy. | So. | | Sy. | So. Sy. | So. | | Sy. | So. Sy. |
| 2 | | 9 | 2 | 0 | | 6 | 1 | 9 | | 13 | 17 | 5 | | 9 | 3 |

So. : organisations socialistes. Sy. : organisations syndicales.

Les actions syndicales paraissent plus nombreuses que celles dues aux socialistes, mais cet avantage est moindre, si on se limite aux actions les plus importantes, les réunions et les manifestations (14 pour les socialistes, 22 pour les syndicalistes). En outre, en tenant compte du nombre d'auditeurs ou de participants rassemblés, il serait sûrement erroné de conclure à une plus grande importance de l'action syndicale que de l'action socialiste.

Le fait nouveau et le plus remarquable, quand on sait la traditionnelle hostilité entre syndicalistes et socialistes, est le grand nombre de réunions organisées en commun, bien que l'interdiction de sept d'entre elles l'ait un peu estompé dans la pratique. Leur répartition chronologique (fig. 12) montre qu'elles ont commencé assez tôt (la première eut lieu le 27 juillet à Oyonnax[90]), que leur nombre culmine le 30 et qu'après une période d'affaiblissement ce mouvement d'union aurait présenté un deuxième sommet le 2 août, si les réunions prévues avaient pu avoir lieu. On assiste donc bien, au niveau des militants, à la réunion des deux courants du mouvement ouvrier. Il semble que ce fut largement

---

90. Les orateurs de ce meeting furent le secrétaire de la fédération socialiste de l'Ain, René Nicod, et le secrétaire de l'Union départementale des syndicats de l'Ain, Jarmet (A.N. F 7 13348). L'organisation de cette réunion fut facilitée par les bons rapports qui existaient dans ce département entre Parti socialiste et syndicats. Comme l'indique *L'Encyclopédie socialiste* (T. II, *La France socialiste*, p. 14), les militants socialistes de l'Ain « prirent une très grande part à l'action syndicale. Presque toutes les associations corporatives leur doivent leur fondation. A Nantua et à Oyonnax, la plupart des administrateurs des syndicats ouvriers sont membres du Parti ». A l'origine d'ailleurs, la fédération de l'Ain était adhérente au Parti ouvrier socialiste révolutionnaire de Jean Allemane, aux tendances « ouvriéristes ».

spontané. Voici comment le commissaire spécial de Bordeaux [91] rend compte du processus de rapprochement : « Une dizaine de militants syndicalistes ... se sont réunis ce matin (29 juillet) à la Bourse du Travail pour se concerter en vue de l'organisation d'un meeting contre la guerre. Ils n'ont pris aucune décision, voulant s'entendre avec le Parti socialiste pour obtenir son concours afin que les manifestations soient plus importantes ».

Tout naturellement, devant l'imminence du péril, les militants locaux du parti et des syndicats ont dû penser qu'ils avaient plutôt intérêt à conjuguer leurs forces qu'à continuer de s'ignorer.

Néanmoins, ce qui séparait parti et syndicat n'était pas seulement du domaine de l'humeur ou de la rivalité. Comme nous le savons, leurs conceptions étaient différentes sur bien des points, et en particulier sur les moyens de s'opposer à la guerre. Il est donc important de rechercher quel fut le contenu idéologique de la campagne contre la guerre et sur quelle base put s'opérer un rapprochement. Les documents ne manquent pas : textes des affiches, des tracts, discours des réunions publiques, slogans criés dans les manifestations...

Toutes les actions de protestation contre la guerre présentèrent un fonds commun : écrits ou criés, les « Vive la paix » ou « A bas la guerre » servirent de signe de ralliement, suppléés quelquefois par l'ancien slogan : « Guerre à la guerre » [92] ; les meetings sont annoncés « Pour la paix » [93] ou « Contre la guerre » [94]. Il y eut cependant des différences notables entre les propos tenus par les socialistes et par des syndicalistes.

Un thème domine dans les actions proprement socialistes : l'attitude du gouvernement français est approuvée [95] ; on porte à son crédit la ferme intention d'écarter la guerre, même si certains maintiennent qu'il ne faut pas tout de même faire trop confiance à un gouvernement bourgeois [96]. Un deuxième thème découle en quelque sorte du premier : si les socialistes ne parviennent pas à écarter le danger de conflit, ils devront faire leur devoir militaire [97], ils devront défendre la patrie [98]. Quant aux méthodes à employer pour essayer de détourner le danger, elles sont

---

91. A.N. F 7 13348, Bordeaux, 29 juillet.

92. Affiche intitulée « Guerre à la guerre » éditée par la Bourse du Travail d'Albi (A.N. F 7 12989, préfet, 2 août).

93. *La France de Bordeaux et du Sud-Ouest*, 1er août. Annonce du meeting de Bordeaux du 2 août.

94. *Le Droit du peuple*, 1er août. Annonce d'un meeting à Grenoble, pour le 2 août, avec les députés socialistes de Grenoble, Paul Mistral et Jean-Pierre Raffin-Dugens.

95. A.N. F 7 12934, 31 juillet, meeting de Montluçon avec les députés socialistes Paul Constans et Léon Thivrier.

96. A.N. F 7 12934. Télégramme du commissaire d'Hénin-Liétard. Réunion du 31 dans cette ville.

97. *Ibid.*

98. A.N. F 7 12934, Besançon, 31 juillet. Texte établi par le groupe socialiste de Besançon.

exposées de façon très vague : elles consistent surtout à faire confiance au Parti socialiste [99] et à la discipline socialiste internationale [100].

La tonalité des propos syndicalistes est plus vigoureuse : elle correspond à des manifestations souvent plus dynamiques, plus « engagées ». Dans certains cas, on s'est contenté d'appeler les gouvernements à continuer leurs efforts pour maintenir la paix [101], de rendre hommage aux efforts pacifiques du gouvernement français [102], d'affirmer « l'idéal de paix et de fraternité entre les peuples » [103], de condamner le crime « abominable » qui se prépare [104]. Le préfet d'Indre-et-Loire s'est félicité qu'on n'ait eu à déplorer aucun propos antimilitariste ou antipatriotique au meeting de l'Union des syndicats de Tours, malgré la présence parmi les orateurs d'un inscrit au Carnet B [105]. Mais on s'est aussi attaché à dénoncer, non sans vigueur, comme responsables de la guerre, les « caprices d'un tsar despote et sanguinaire » [106], les « intérêts matériels des capitalistes cupides » [107], les « désirs des financiers cosmopolites » [108]. Il a souvent été rappelé que s'opposer à la guerre exigeait plus que des paroles. C'est exprimé parfois seulement de façon indirecte : « Si la clameur populaire s'élève de toutes parts, il faudra bien que les gouvernants en tiennent compte... », dit un tract à Mondeville (Calvados) [109] ; et un autre rappelle aux ouvriers de Bayonne que, sans eux, « l'œuvre de ruine et de destruction est impossible » [110] ; mais ce l'est fréquemment aussi de façon fort explicite : à Charleville, les manifestants sont invités à s'opposer « à toute intervention du pays dans le grand crime social qu'on prépare » [111], à Alais, à se conformer à la motion

99. A.N. F 7 13348, rapport du commissaire de police sur la réunion d'Auxerre du 31 juillet.

100. A.N. F 7 13348, rapport du préfet sur la réunion de Decazeville du 27 juillet.

101. A.N. F 7 12934, Ordre du jour de la réunion de Lorient du 28 juillet, compte rendu du commissaire spécial.

102. A.D. Calvados M/2879, réunion de Caen du 30 juillet. Le propos est attribué par le commissaire de police à l'un des orateurs, Pedro, du Syndicat du bâtiment, inscrit au Carnet B (A.N. F 7 12934, Caen, 29.7). Les deux autres orateurs furent Escabasse, du Syndicat des cheminots, également inscrit au Carnet B, et Eugène Jacquemin, membre du groupe des « Amis du réveil anarchiste » (A.D. Calvados M/2879. Note du ministre de l'Intérieur au préfet du Calvados, 10 juin 1914).

103. A.N. F 7 13348, affiche de la Bourse du Travail de Bourges appelant à un meeting contre la guerre, le 29.

104. Ibid.

105. A.N. F 7 12934, Tours, préfet, 30 juillet. Meeting organisé par l'Union des syndicats d'Indre-et-Loire. Parmi les orateurs, un inscrit au Carnet B, Chasles, et un autre, rayé récemment, Petiet.

106. A.N. F 7, Lyon, préfet, 29 juillet. Extrait d'une grande affiche apposée par les soins de la commission exécutive de l'Union des syndicats ouvriers du Rhône.

107. Ibid.

108. A.D. Nord, R 55, commissaire central de Tourcoing, 31 juillet. Papillons collés sur les murs de Tourcoing.

109. A.D. Calvados M/2879. Tract appelant à une réunion à Mondeville, près de Caen, pour le dimanche 2 août. Orateurs prévus : Pedro et Jacquemin.

110. A.N. F 7 12934, Bayonne, commissaire central, 30 juillet, « prospectus » annonçant un meeting contre la guerre, distribués par le docteur Elosu, « très connu pour ses idées antimilitaristes », aidé de « trois ou quatre affiliés à la Bourse du Travail ».

111. A.N. F 7 12934, Mézières, 30 juillet, préfet, affiche signée par la commission exécutive de l'Union des syndicats des Ardennes.

Vaillant-Jaurès [112], à Narbonne [113] et à Lyon [114] aux décisions des congrès de la CGT, c'est-à-dire déclencher la grève en cas de guerre.

Beaucoup de syndicalistes-révolutionnaires n'ont encore rien perdu de leur fougue, au moins verbale. A Troyes, si les syndicats sont très proches des socialistes [115], l'ordre du jour voté à l'issue du meeting affirme « la volonté de la classe ouvrière de conserver la paix », mais seulement « tant que la France ne sera pas victime d'une agression ». En revanche, à Lens [116], profitant de l'assistance rassemblée par les socialistes, un terrassier de Sallaumines escalade la tribune et proclame « qu'il préférait, en cas de guerre, recevoir douze balles dans la peau contre un mur que de se faire tuer par les capitalistes » avant de conclure : « Il faut demain faire la grève pour faire voir aux gouvernants que, s'ils nous donnent des fusils, ce sera pour tirer sur eux » [117].

Dans les réunions organisées par les socialistes, les écarts de langage ont été soigneusement évités. Dans celles des syndicalistes, une certaine prudence dans les formulations n'exclut pas toujours le recours au verbe révolutionnaire. Comment le mariage allait-il se réaliser dans les actions communes ?

Les discours y furent modérés, comme le souligne le commissaire spécial de Brest [118]. L'accent y était mis également sur le rôle pacifique

---

112. *La Bataille syndicaliste*, 31 juillet. Il est à remarquer que, dans cette réunion syndicaliste, on fait référence à une motion socialiste plutôt qu'aux décisions des congrès de la CGT. Les orateurs en furent le secrétaire de la Fédération des mineurs du Gard, Fernand Chapon (dont une note A.N. F 7 13348 précise qu'il était inscrit au Carnet B) et Mazet, le secrétaire de la Bourse du Travail d'Alais (*Le Populaire du Midi*, 1er août).

113. Affiche : « Nous ne voulons pas de guerre », signée de l'Union des syndicats de Narbonne (B B 18/2531, 128 A 1914, procureur général de Montpellier, 31 juillet).

114. Voir note 106, p. 168.

115. Meeting à la Bourse du Travail de Troyes, le 31 juillet (*La Bataille syndicaliste*, 1er août). Parmi les orateurs, figurait d'ailleurs Célestin Philbois, qui venait d'être élu député socialiste de Troyes aux élections de 1914.

116. Un cortège dans les rues de Lens, puis un important meeting à la Maison du Peuple, avaient eu lieu, organisés par la section de Lens de la fédération socialiste du Pas-de-Calais et présidés par le député-maire de Lens, l'ancien mineur Emile Basly.

117. Cet orateur improvisé, Emile Bacqueville, était depuis quatre ans inscrit au Carnet B. Sa fiche précisait qu'il devait être arrêté en cas de mobilisation. Adjoint de Benoît Broutchoux, antimilitariste notoire, les propos qu'il prononça à Lens lui valurent d'être poursuivi (B B 18/2531, 128 A 1914, procureur général de Douai, 1er août).
Nous n'avons pas considéré d'une façon générale qu'un article de journal faisait partie des actions concrètes de protestation contre la guerre, que nous étudions dans ce chapitre. Faisons une exception pour *Le Combat* de Lille et *Le Cri du peuple* de Roubaix, journaux anarchistes qui s'apparentent plus à des « tracts » qu'à la presse traditionnelle. Sous un titre différent, ces deux journaux comportaient les mêmes articles. Voici un extrait d'un article publié dans leurs numéros du 1er août : « ...Voulez-vous vous laisser conduire à la mort comme un troupeau à l'abattoir ! Non, mille fois non ! A toute déclaration de guerre, répondez par la grève générale. Par la grève générale, vous pourrez empêcher la guerre. Contre la guerre, insurgez-vous ». (B B 18/2531, 128 A 1914, procureur général de Douai, 1er août 1914). Immédiatement saisis et de diffusion très limitée en temps normal, ces journaux n'ont dû être lus que par un très petit nombre de personnes : ils montrent néanmoins que le courant d'idées qu'ils représentent, tout en apparaissant peu dans cette période, n'en est pas pour autant disparu.

118. A.N. F 7 12934, Brest, 29 juillet. Parmi les orateurs de ce meeting, un ouvrier de l'Arsenal, deux conseillers municipaux et le maire socialiste de Brest, Masson, également conseiller général et secrétaire de la fédération départementale de la SFIO.

du gouvernement français, dont on approuvait l'attitude dans le conflit international[119] et dont on voulait aider « l'action pacifiste indéniable »[120]. Il fallait simplement influencer les pouvoirs publics pour qu'ils continuent cette politique[121], pour qu'ils fassent tous leurs efforts en faveur de la paix, même s'il allait de soi que seule la disparition du capitalisme permettrait d'assurer définitivement la paix[122]. Les vœux formulés étaient souvent de principe : il faut agir pour éviter la guerre[123], il faut « développer le progrès de la paix universelle »[124], il faut faire de la propagande contre la guerre[125]. Cependant, quelques formulations plus révolutionnaires apparaissent parfois : on proteste contre les menées scélérates du militarisme international[126], on flétrit les « chauvins provocateurs »[127] sans précision, ou plus nettement les « menées chauvines impérialistes austro-hongroises »[128].

Il est arrivé aussi que la fougue syndicale ait débordé la prudence socialiste : ainsi à Albert[129] et Denain[130], on vota qu'il fallait employer tous les moyens contre la guerre, « y compris les moyens révolutionnaires ». A Saint-Claude, l'ordre du jour réclama « la grève générale préventive »[131] et déclara « se souvenir des véritables intérêts de la classe ouvrière et de ses décisions »[132]. Il en est de même à Romans où la motion votée à l'unanimité invitait les assistants à mettre en œuvre tous

---

119. A.D. Saône-et-Loire, Montceau-les-Mines, commissaire de police, 2 août. Le principal orateur fut Jean Bouveri, ancien mineur, fondateur et secrétaire du syndicat des mineurs, maire de Montceau-les-Mines et député socialiste de Saône-et-Loire.

120. Communiqué de l'Union des syndicats ouvriers du Puy-de-Dôme et de la fédération socialiste. *Le Moniteur du Puy-de-Dôme*, 1er août.

121. Cf. note 119.

122. Ordre du jour du meeting contre la guerre de Limoges, du 30 juillet. D'après *Le Populaire du Centre*, 31 juillet, les orateurs furent le député-maire de Limoges, Léon Betoulle, un autre député socialiste de Haute-Vienne, A. Valière, et le secrétaire de la Bourse du Travail, Jean Rougerie. Ce dernier était également socialiste, et conseiller municipal de Limoges.

123. A.D. Nord, R 55, commissaire d'Halluin, 31 juillet. Tract appelant à un meeting pour la paix.

124. Appel de l'Union des syndicats du Vaucluse et de la section du Parti socialiste d'Avignon (*Le Progrès de Lyon*, 30 juillet).

125. Ordre du jour du meeting de Brest (A.N. F 7 12934, 30 juillet, préfet).

126. « Placard » d'appel au meeting de Nîmes, signé des représentants de la Bourse du Travail, J.M. Lescalie (qui était d'ailleurs un vieux socialiste), de l'Union des syndicats, L. Ferrier, de la fédération socialiste du Gard, L. Bieau, de la section locale du Parti socialiste, G. Charpentier (*Le Populaire du Midi*, 31 juillet).

127. *Le Droit du peuple*, 1er août. Appel au meeting prévu pour le 2 août.

128. Meeting contre la guerre de Romans du 29 juillet. Les orateurs furent Jules Nadi, un des députés socialistes de la Drôme, et un délégué de l'Union des syndicats du Rhône, Leclerc (*Le Droit du peuple*, 31 juillet).

129. Meeting du 30 juillet avec un orateur socialiste, Hazeman, et un orateur syndicaliste, Barbet (*La Bataille syndicaliste*, 31 juillet).

130. A.N. 96 AP 2. Papiers Félix Trémont, commissaire de police, 30 juillet 1914. Les « harangues » ont été prononcées par Delphien, premier adjoint du député-maire socialiste de Denain, François Lefebvre, et par le secrétaire de la section des métallurgistes, Allard.

131. *La Bataille syndicaliste*, 31 juillet, meeting du 30 juillet.

132. *La Bataille syndicaliste*, 31 juillet.

les moyens et actions décrétées par les organisations syndicales et socialistes, jusqu'à la grève générale » [133].

Deux attitudes ont donc dominé cette campagne contre la guerre : pour les socialistes, la lutte pour la paix consiste à faire une pression calme et ordonnée sur le gouvernement pour qu'il reste dans les bonnes dispositions qu'on lui reconnaît ; pour les syndicalistes, ou tout au moins pour certains d'entre eux, la lutte contre la guerre ne peut se dispenser d'une dimension révolutionnaire. Entre les deux, une troisième attitude peut être délimitée : elle ne diffère guère des positions socialistes, sauf à marquer un peu plus de défiance envers un gouvernement qui est tout de même un gouvernement bourgeois, sauf à agiter de-ci, de-là, avec modération d'ailleurs, la menace révolutionnaire. Mais, globalement, les thèmes développés pendant cette campagne restèrent très en-deçà de ceux de l'avant-guerre.

On est donc conduit à poser la question suivante : une campagne contre la guerre qui absout d'avance le gouvernement français de toute responsabilité, qui dénonce l'horreur de la guerre sans dire comment l'empêcher, qui en reste au stade des réunions sans manifester l'intention de passer à celui d'une agitation généralisée, préalable au déclenchement d'une grève générale, voire insurrectionnelle, n'explique-t-elle pas que les étincelles décelées par endroits n'aient provoqué aucun embrasement ? Les idées développées pendant cette campagne permettent de comprendre pourquoi elle n'aboutit pas aux résultats que certains escomptaient. Mais un point essentiel reste dans l'ombre. Pourquoi cette campagne eut-elle ces caractères ? Les auditeurs des meetings souhaitaient-ils entendre autre chose que ce qui leur fut dit ? Ont-ils été déçus ? Voulaient-ils qu'on leur propose de passer à une forme d'action supérieure ? En d'autres termes, le mouvement avait-il un dynamisme interne susceptible de le faire se poursuivre, ou au contraire son énergie était-elle trop faible dès le départ pour qu'il ne retombât pas rapidement ? Ce combat pour la paix n'a-t-il été qu'une démonstration pour l'honneur ? Etait-il une aube ou un crépuscule ?

Répondre à ces questions est difficile parce que nous entrons dans un domaine où il faut plus se satisfaire d'impressions que de données objectives. Néanmoins, plusieurs indications peuvent nous guider. Le souci compréhensible du gouvernement de canaliser le mouvement a-t-il rencontré de grandes résistances ? Les participants aux différentes manifestations pacifistes ont-ils donné l'impression d'être animés d'une grande ardeur ? Peut-on déceler à un moment ou à un autre une volonté d'aller au-delà de la réunion publique, a-t-on évoqué l'organisation d'un mouvement de grève ? Face au mouvement de protestation contre la guerre

---

133. *Le Droit du peuple,* 31 juillet.

qui se développa à partir du 26-27 juillet, le gouvernement adopta une attitude ambiguë : il ne pouvait interdire globalement des actions qui allaient, en principe, dans le sens de sa politique, il ne pouvait non plus laisser se créer une agitation dont il aurait perdu le contrôle. Il en est de même pour les préfets : placés devant un dilemme semblable, ils sont très hésitants sur ce qu'ils doivent faire et harcèlent le ministre de l'Intérieur de demandes d'instructions précises.

Le préfet de l'Eure souhaite qu'on lui donne des directives pour le cas où des affiches seraient apposées [134] ; le sous-préfet de Douai demande s'il n'y a pas lieu de lacérer des affiches « contre la guerre », qui viennent d'être collées sur les murs de la ville [135] ; le préfet de l'Yonne ne sait pas si, dans les circonstances actuelles, il doit interdire les meetings contre la guerre qui pourraient avoir lieu dans des locaux municipaux ou dans des lieux publics [136]. Le préfet de l'Indre-et-Loire a interdit une manifestation sur la voie publique. Doit-il aussi interdire le meeting prévu [137] ? Celui de Haute-Garonne voudrait interdire une réunion publique à Toulouse. Peut-il le faire [138] ?

C'est finalement le 30 juillet, en fin d'après-midi, que le ministre de l'Intérieur télégraphia ses instructions aux préfets : elles étaient très nuancées. Le principe général en était d'autoriser les réunions organisées par les socialistes et d'interdire celles de la CGT ou des anarchistes, mais une grande latitude était laissée aux autorités locales en fonction « des circonstances », de « l'état des esprits » et de « la qualité des organisateurs » [139].

Le caractère à la fois souple et tardif de ces dispositions explique certains flottements dans leur application, des divergences d'appréciation et partant des conflits entre les différentes autorités locales. Il entraîne aussi de grandes subtilités. L'exemple suivant en est l'illustration. A la suite de la manifestation de Lens [140], Benoît Broutchoux adressait un télégramme à *La Bataille syndicaliste* : « Grandiose manifestation *avec drapeaux rouges contre guerre* Lens rues, puis meeting maison syndicale ; orateurs ont dit suivre décisions Confédération et Parti socialiste ; *camarade Bacqueville a préconisé grève générale très applaudi* ». Interrogé sur l'opportunité de transmettre ce télégramme, le ministère de l'Intérieur l'autorise, sauf les mots en italique [141].

---

134. A.N. F 7 13348, Evreux, 30 juillet.

135. A.D. Nord R/55, Note de service secrète écrite au crayon.

136. A.N. F 7 12934, Auxerre, 29 juillet.

137. *Ibid.*, Tours, 30 juillet.

138. *Ibid.*, Toulouse, 30 juillet.

139. Entre autres, A.D. Nord/55, série R 1914-1918 ; A.D. Deux-Sèvres 4 M 6/29 ; A.D. Calvados M/2879. Voir texte complet du télégramme (fig. 14).

140. Voir notes 116 et 117, p. 000.

141. A.N. F 7 12934, 30 juillet.

Fig. 14. Les instructions du ministre de l'Intérieur

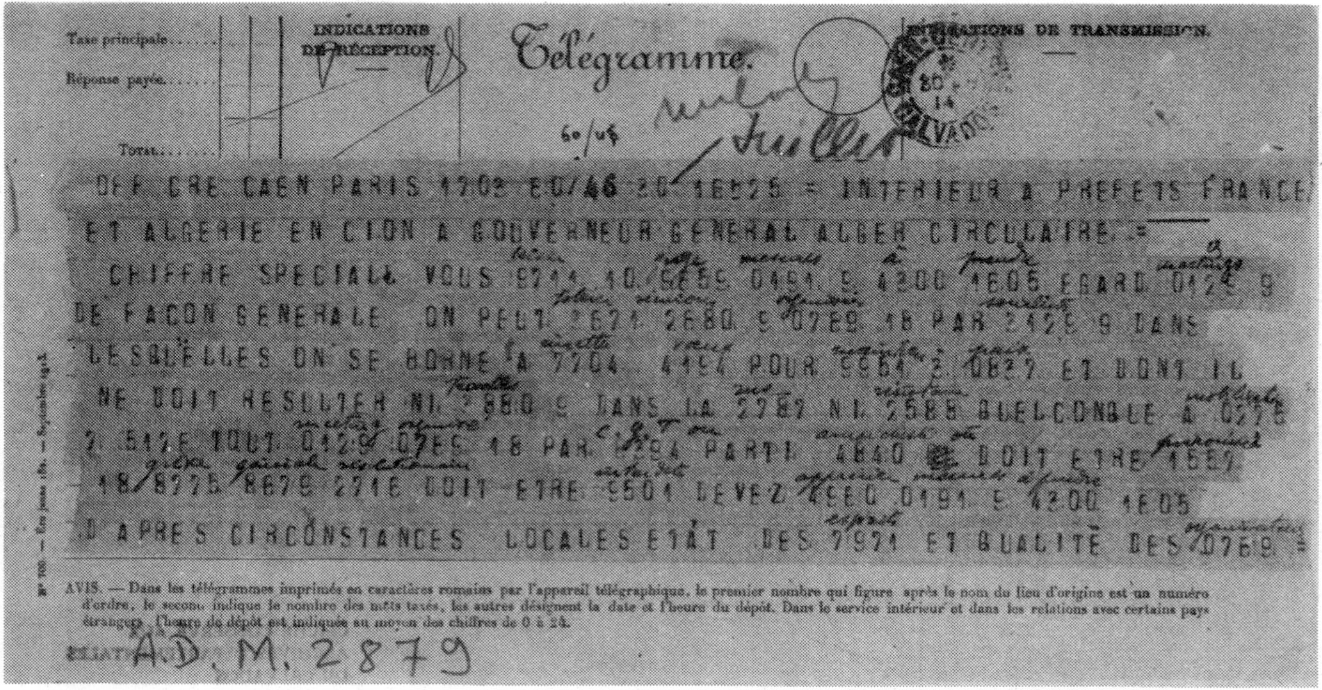

Taxe principale........
Réponse payée........
Total........

INDICATIONS DE RÉCEPTION.

Télégramme.

INDICATIONS DE TRANSMISSION.

60/45

OFF CRE CAEN PARIS 1702 E0/46 20 16525 = INTERIEUR A PREFETS FRANCE
ET ALGERIE EN CION A GOUVERNEUR GENERAL ALGER CIRCULAIRE =
CHIFFRE SPECIALE VOUS 5744 10 5655 0191 5 4200 1605 EGARD 0125 9
DE FACON GENERALE ON PEUT 2671 2680 5 0789 18 PAR 2425 9 DANS
LESQUELLES ON SE BORNE A 7704 4154 POUR 9964 3 0827 ET DONT IL
NE DOIT RESULTER NI 7880 5 DANS LA 2787 NI 2585 QUELCONQUE A 0278
7 5125 TOUT 0129 0765 18 PAR 1534 PARTI 4840 DOIT ETRE 1557
18/8775 8679 2716 DOIT ETRE 9501 DEVEZ 4960 0191 5 4200 1605
D APRES CIRCONSTANCES LOCALES ETAT DES 7971 ET QUALITE DES 0769 =

AVIS. — Dans les télégrammes imprimés en caractères romains par l'appareil télégraphique, le premier nombre qui figure après le nom du lieu d'origine est un numéro d'ordre, le second indique le nombre des mots taxés, les autres désignent la date et l'heure du dépôt. Dans le service intérieur et dans les relations avec certains pays étrangers, l'heure de dépôt est indiquée au moyen des chiffres de 0 à 24.

Cela nous semble parfaitement exprimer ce que fut la politique gouvernementale : tolérer ce qui pouvait être simplement porté au bénéfice du désir de paix, empêcher tout ce qui risquait de provoquer une agitation intempestive. C'est à ce tri méticuleux que furent conviées les autorités locales.

D'une façon générale, les affiches furent mal supportées : par les attroupements qu'elles risquaient de provoquer, elles étaient un élément permanent de désordre. Elles furent lacérées à Lyon sur ordre du préfet [142], d'autant qu'elles invitaient à la grève générale en cas de mobilisation ! De même qu'à Reims [143], mais elles le furent aussi au Mans [144] où pourtant elles ne portaient que le texte du manifeste du Parti socialiste ; elles furent recouvertes à Albi [145]. Le substitut du procureur général de Montpellier ouvrit une information à la suite d'un affichage sur les murs de Narbonne [146].

Les autorités apprécièrent peu également les manifestations de rues : ce sont elles qui donnèrent le plus souvent lieu à interdiction. A Cherbourg, le préfet autorise le meeting pour la paix, mais donna ordre au sous-préfet d'interdire la manifestation qui devait suivre [147]. Lorsqu'une manifestation fut tolérée, elle était étroitement surveillée : à Amiens, quand, en fin de cortège, quelques anarchistes voulurent entonner *L'hymne au 17e*, le commissaire de police intervint aussitôt [148]. A Lyon, le préfet accepta que la manifestation socialiste de la place Bellecour puisse se dérouler parce qu'elle devait se limiter à un très court rassemblement, les participants criant en chœur : « Vive la Paix, à bas la Guerre » au moment où sonnaient 20 h 30 [149].

Ce sont les réunions qui suscitèrent les comportements les plus variés. Dans les Ardennes, le préfet a pris un arrêté interdisant toute manifestation « pour ou contre la guerre » à Charleville, Mézières, Mohon et Nouzon [150]. A Creil, un meeting fut autorisé, bien qu'un orateur « libertaire » dût y prendre la parole, mais le commissaire avait averti qu'il procéderait à l'arrestation immédiate de ceux qui préconiseraient le sabotage de la mobilisation [151]. A Caen, le préfet du Calvados

---

142. A.N. F 7 13348, Lyon, le 29 juillet.

143. A.N. F 7 12934, Châlons, le 29.

144. *L'Humanité*, 30 juillet.

145. A.N. F 7 12939, Albi, 2 août.

146. A.N. B B 18/2531, 128 A 1914, Montpellier, le 31 juillet.

147. A.N. F 7 12934, Saint-Lô, 29 juillet.

148. A.N. B B 18/2531, 128 A 1914, procureur général d'Amiens, 30 juillet.

149. A.N. F 7 12934, Lyon, 30 juillet. D'autant plus qu'il ne pensait pas disposer des forces de police suffisantes pour s'y opposer. (Cf. p. 304, note 9).

150. A.N. F 7 12934, Mézières, 30 juillet.

151. *La Bataille syndicaliste*, 1er août. La réunion était organisée par les « métallurgistes de Creil ». Les orateurs, outre un libertaire, comprenaient un représentant des Cheminots, un de l'Union départementale des syndicats et un socialiste.

invita le maire à interdire un meeting annoncé, tout en souhaitant que les organisateurs soient préalablement invités à « renoncer de bonne grâce à leur projet ... à l'heure où les efforts du gouvernement tendent à assurer le maintien de la paix »[152], mais, dit *La Bataille syndicaliste,* la réunion fut ensuite autorisée par le commissaire[153]. En fait, le préfet était revenu sur sa décision, « étant donné les engagements pris par les organisateurs »[154]. A Bayonne, il y eut conflit entre le préfet qui voulait interdire une réunion et le maire qui s'y opposait, affirmant que ce serait le meilleur moyen de lui donner de l'importance[155]. Au contraire, le préfet de l'Isère, dans un premier mouvement, « (n'a pas cru) devoir interdire » un meeting syndicaliste à Vienne[156] mais, sur proposition du sous-préfet et compte tenu des opinions des orateurs, il annula son autorisation dans un deuxième mouvement[157]. En général, cependant, les réunions furent autorisées, mais les rapports des préfets trahissent une nuance d'incertitude sur le bien-fondé de leur décision ; ainsi le préfet de l'Allier n'a pas « cru » devoir interdire le meeting prévu à Montluçon[158].

Le préfet de l'Aveyron explique également que, s'il n'est pas intervenu pour empêcher la distribution du journal socialiste de Decazeville, *L'Eclaireur,* qui contenait un appel de la CGT, c'est qu'il n'incitait pas « à quelque sabotage que ce soit »[159].

Les interventions des pouvoirs publics ont donc été multiformes[160] : plus adroites que des mesures de répression brutale[161], elles avaient pour but de ne pas donner l'impression de s'opposer au mouvement. Mais on peut dire que le gouvernement s'est employé à étouffer le mouvement, à l'asphyxier, en conduisant les organisateurs à renoncer d'eux-mêmes à toute agressivité.

---

152. A.N. F 7 12934, Caen, 29 juillet et A.D. Calvados, M/2879, 29 juillet.

153. 1er août.

154. A.D. Calvados, M/2879, 31 juillet.

155. A.N. F 7 12934, Pau, 30 juillet.

156. *Ibid.,* Grenoble, 29 juillet.

157. *Ibid.,* Grenoble, 31 juillet. La note du préfet ne nous renseigne pas sur ce qu'étaient ces orateurs indésirables.

158. A.N. F 7 12934, Moulins, 31 juillet.

159. A.N. F 7 12937, Rodez, 2 août.

160. On peut encore retenir cette autorisation que le Ministère de l'intérieur donna au préfet de la Charente d'arrêter un télégramme de la Bourse du Travail de Cognac qui demandait à la Bourse du Travail de Bordeaux de lui fournir un conférencier pour pouvoir organiser un meeting pour la paix (A.N. F 7 12934, 30 juillet).

161. Il y eut cependant aussi quelques arrestations ou mandats d'amener. Sans compter Emile Bacqueville, orateur antimilitariste du meeting de Lens (p. 169) arrêté quelques jours plus tard, furent également poursuivis et arrêtés les responsables de la publication du *Cri du peuple* de Roubaix et du *Combat* de Lille, (voir note 117 p. 169). Pour le *Combat,* furent arrêtés Julien Béranger, cabaretier et imprimeur à Roubaix, et Louis Dejaegher, peintre et gérant du journal (Archives du conseil de guerre du Nord, affaire jugée le 4 décembre 1914) ; pour le *Cri du peuple.* Henri Juvigny, ex-garçon de café et rédacteur du journal, Albéric Poissonnier, chaudronnier à Lille et colporteur, gérants successifs du journal. Un autre inculpé, Jobert, également rédacteur au *Cri du peuple,* ne put jamais être retrouvé. Albéric Poissonnier était inscrit au Carnet B (Archives du conseil de guerre du Nord), affaire jugée le 5 novembre 1914).

Les intentions du gouvernement auraient néanmoins pu être déjouées par le refus des responsables locaux, socialistes ou syndicalistes, de s'y plier. Quelques vigoureuses manifestations de rue eurent d'ailleurs lieu malgré les interdictions. Dans d'autres cas, lorsque, sous un prétexte quelconque, une réunion était interdite, cela suscita de violentes réactions, comme à Avignon ou à Nîmes. Le quotidien socialiste gardois, *Le Populaire du Midi*, protesta avec véhémence, il consacra plusieurs articles à l'événement pour conclure [162] : « Ainsi il aura suffi à une dizaine de Camelots (du Roi) de piailler un peu (c'était le prétexte invoqué) pour que le gouvernement de la République s'en émeuve et interdise la libre manifestation des opinions pacifistes. L'attitude du préfet est sévèrement commentée en ville... »

Les syndicalistes de Caen sont encore plus violents lorsqu'il fut un moment question de les empêcher de tenir une réunion : « ...Plus autocrates que le Kaiser, nos gouvernants veulent interdire cette réunion, ils veulent étouffer les protestations pacifiques de la classe ouvrière, nous nous élevons de toutes nos forces contre cet abus d'autorité qui supprime en fait la liberté de pensée... » [163]. On a l'impression, cependant, que la plupart du temps il n'a pas fallu de très grands efforts pour amener organisateurs ou participants à renoncer, à se résigner. Dans la grosse bourgade industrielle de Onnaing, près de Valenciennes, le commissaire n'a aucun mal à renvoyer chez eux les 300 auditeurs qui étaient venus participer à une réunion qu'il est chargé d'interdire [164]. A Rouen, des agents avaient été placés aux deux extrémités de la rue où se trouvait la Maison du peuple : lorsque des auditeurs sont arrivés, le journaliste présent a noté « qu'ils se sont retirés sans faire de réflexion en apprenant que la réunion n'aurait pas lieu » [165].

Dans une autre ville industrielle du Nord, Halluin, les organisateurs d'une réunion sont invités par le commissaire à ne pas poursuivre leur projet. Quelques heures plus tard, ils viennent lui annoncer qu'elle est ajournée *sine die* [166]. Le préfet du Tarn obtient facilement des socialistes d'Albi « qu'ils conseillent à leurs camarades de se séparer volontairement et sans manifestations » [167]. Le groupe socialiste de Montauban a renoncé à tenir une réunion prévue, sur la seule information, d'ailleurs inexacte, que des réunions de cette nature avaient été interdites à

162. 1er août.

163. A.D. Calvados, M/2879. Tract sans date.

164. La réunion était pourtant organisée par des militants syndicalistes parmi lesquels un inscrit au Carnet B, Plichon. Onnaing avait une municipalité socialiste.

165. *Le Journal de Rouen*, 31 juillet.

166. A.D. Nord, R/55, 31 juillet.

167. A.N. F 7 12989, 2 août. Le cas est d'ailleurs un peu différent parce que le décret de mobilisation était survenu entre temps.

168. A.N. F 7 12936, Montauban, commissaire de police, 31 juillet.

Paris [168]. Deux délégués du groupe socialiste de Besançon sont venus entretenir le préfet du Doubs d'un projet de réunion. Celui-ci préfère qu'il n'y en ait pas et leur suggère que la publication du texte préparé est bien suffisante : ils s'inclinent [169].

Parfois, les projets de réunion ont été abandonnés sans même qu'il y ait pression, ou tout au moins nous ne le savons pas. Il a probablement semblé aux organisateurs éventuels que l'atmosphère n'y était pas favorable : c'est ce que laisse entendre le communiqué publié par l'Union des syndicats ouvriers du Puy-de-Dôme et le groupe socialiste de Clermont-Ferrand [170]. L'exemple le plus frappant de cette sorte de renoncement nous est donné par le groupe socialiste de Dijon [171]. De deux à trois cents adhérents se sont réunis le 30 au soir pour décider de ce qu'ils allaient faire ; ils commencent par renoncer à l'idée d'afficher les manifestes des partis socialistes français et allemands, après que le député de la Côte-d'Or Henri Barabant ait indiqué que les affiches seraient probablement lacérées et que c'était donc une dépense inutile [172]. Ils renoncent ensuite à organiser une manifestation de rue que Barabant estime sans intérêt puisque « toute la population dijonnaise est contre l'idée de guerre » et que cela « amoindrirait » (?) le Parti socialiste. Ils décident enfin de tenir une réunion publique, mais de façon bien vague : ni la date, ni le lieu n'en sont fixés.

Dans l'ensemble, c'est avec une certaine bonne volonté que le cadre étroit dans lequel le gouvernement souhaitait maintenir la protestation contre la guerre a été accepté par les socialistes [173] et aussi par les syndicalistes.

Peut-on d'ailleurs estimer que, lorsque des actions pour la paix eurent lieu, leurs participants firent preuve de dynamisme ? Le retentissement en fut-il sensible ? L'appréciation en est souvent difficile parce que les commentaires dont nous disposons sont fort divergents et qu'il n'est pas possible de donner plutôt raison aux uns qu'aux autres. Ainsi, en lisant *La Bataille syndicaliste* [174], on apprend que, le 27 juillet à Oyonnax, le « chômage » a été presque complet dans la ville et que la population « tout entière » a salué « avec sympathie » la manifestation ;

---

169. A.N. F 7 12934, Besançon, 31 juillet.

170. « ...En présence de la situation actuelle et pour couper court à toutes fausses interprétations, il leur a paru préférable, tout en affirmant avec force les sentiments pacifistes qui animent le prolétariat ouvrier et paysan d'Auvergne, de surseoir à l'organisation de sa manifestation publique ». (*Moniteur du Puy-de-Dôme*, 1er août).

171. A.N. F 7 13348, Rapport du 31 juillet 1914 du commissaire central de Dijon.

172. En contrepartie, il est tout de même décidé de l'imprimer et de le distribuer.

173. Il arrive cependant que le mécontentement soit vif. Ainsi, dans une réunion tenue chez le maire socialiste de Wattrelos, dans la banlieue de Lille, le comité exécutif de la section locale proteste avec vigueur contre les interdictions des « réunions pacifistes même dans les lieux clos », mais le commissaire conclut son rapport avec philosophie : « Cette réunion toute privée et qui a été inconnue au dehors n'a amené aucun désordre et tumulte extérieurs ». (A.D. Nord, R/55, 31 juillet 1914).

174. 28 juillet.

dans *La Dépêche de Lyon* [175], on lit que « l'enthousiasme n'était pas très grand ». *La Bataille syndicaliste* affiche le même optimisme dans ses comptes rendus des manifestations de Brest [176], d'Amiens [177] ou de la réunion de Lorient [178], mais ils sont tout autant contestés ! On peut, sans crainte d'erreur, penser que *La Bataille syndicaliste* exagère, mais n'y-a-t-il pas aussi exagération dans l'autre sens ? Il est certain néanmoins que le dynamisme et le retentissement de ces manifestations n'ont pas été à ce point évidents qu'ils n'aient pu être appréciés différemment.

Dans certains cas, semble-t-il, le dynamisme a été grand. A Alais, « jusqu'à minuit dans tous les quartiers, la foule chante et conspue la guerre. La police n'est pas intervenue. Tout s'est passé dans le calme le plus absolu » [179]. La « conférence syndicaliste » d'Orléans a laissé une impression profonde dans la ville, mais nous n'avons que l'appréciation de *La Bataille syndicaliste* [180] ; en revanche, à Narbonne, c'est le procureur général qui considère que l'affiche placardée a provoqué « une vive émotion » [181]. Mais le plus souvent, l'enthousiasme n'a pas été exubérant. Les symboles révolutionnaires n'ont pas été absents, drapeaux rouges à Gérardmer [182] et à Denain [183], chant de *l'Internationale* à Decazeville [184], Amiens [185], Saint-Ouen dans la Somme [186], Limoges [187], « cris révolutionnaires » également à Denain [188]. L'ordre du jour a été « acclamé » à Romans [189], mais les comptes rendus ne font état que de « discours applaudis » à Montluçon [190], « unanimement applaudis » à Montceau-les-Mines [191], « d'applaudissements (seulement) nombreux » à

---

175. 29 juillet.

176. D'après le *Petit Dauphinois* (20 juillet), la manifestation qui s'ébauche à la sortie du meeting est vigoureusement huée par la foule qui stationne à proximité. D'après *La Bataille syndicaliste* (29 juillet), « une effervescence énorme règne en ville » et « c'est par des manifestations anti-guerrières qui se produisent dans tous les quartiers de la ville que la population montre ses sentiments contre la guerre ».

177. D'après *La Bataille syndicaliste* (29 juillet) : « Toute la population a acclamé la manifestation ». « Très peu d'écho auprès des curieux qui regardent passer le cortège », répond le procureur général (A.N. B B 18/2531, 128 A 1914, Amiens, 30 juillet) dans son rapport.

178. « Ordre du jour voté d'enthousiasme » affirme *La Bataille syndicaliste* (31 juillet), « les orateurs n'ont été applaudis que par une partie des assistants et sans enthousiasme », rétorque le commissaire (F 7 12934, Lorient, 21 juillet).

179. *Le Populaire du Midi*, 1er août.

180. 1er août.

181. A.N. B B 18/2531, 128 A 1914. Affiche rappelant les déclarations des congrès de la CGT sur la grève générale en cas de déclaration de guerre. Narbonne avait une municipalité socialiste.

182. *La Bataille syndicaliste*, 31 juillet.

183. A.N. F 7 12936, 30 juillet, sous-préfet de Valenciennes.

184. A.N. F 7 13348, 27 juillet. Il semble que ce soit plutôt ici un rite d'une fête socialiste qu'une manifestation révolutionnaire en liaison avec les événements.

185. B B 18/2531, 128 A 1914, procureur général, Amiens, 30 juillet.

186. *Ibid.*, 1er août.

187. A.N. F 7 12934, Limoges, 29 juillet.

188. *Ibid.*, Denain, 29 juillet.

189. *Le Droit du peuple*, 31 juillet.

190. A.N. F 7 12934, Moulins, 31 juillet.

191. A.N. F 7 12939, 2 août.

Creil [192], de « réunion tranquille » à Tours [193] ... Négligeons en outre telle manifestation qualifiée de « piteuse » [194] ou telle autre qui ne put se tenir faute d'auditeurs ou en raison de l'attitude hostile de la population [195].

D'autres indices viennent renforcer l'impression que l'élan fut pour le moins inégal, que le mouvement n'a pas été porté par une vague de fond et que réussir une bonne réunion était à peu près le maximum que l'on pouvait espérer le plus souvent.

Les réunions furent souvent très courtes [196] — on est venu plus pour témoigner que pour entendre des discours —, sans parler des quelques minutes de la manifestation socialiste de Lyon [197]. Le manque de conviction devient flagrant quand, dans des départements d'idées avancées, on n'a réussi à mettre sur pied aucune action : c'est le cas du Var — quatre députés socialistes en 1914 sur cinq —, où rien n'eut lieu, et ne fut même projeté [198]. C'est le cas de l'Isère — cinq députés socialistes sur huit : le comité de la Bourse du Travail de Voiron attendit le soir du vendredi 31 pour se réunir avec, à son ordre du jour, « mesures à prendre contre la guerre » [199] ; les membres de la commission exécutive du comité fédéral du Parti socialiste furent seulement convoqués ce même soir en vue d'organiser des meetings de protestation contre la guerre [200]. C'est le cas de la Loire, mais ce n'est pas un département d'idées avancées — un seul député socialiste —, bien que la population ouvrière y soit nombreuse : des réunions privées eurent bien lieu à Saint-Etienne, mais sans donner naissance à aucune réunion publique [201]. Les exemples pourraient être multipliés...

Les anarchistes, qui auraient pu être les éléments les plus déterminés, ne montrent pas plus de conviction. Ceux d'Amiens, d'après les renseignements recueillis par le commissaire spécial, se préoccupent d'actes de sabotage éventuels, mais ne croient pas beaucoup au succès possible des manifestations [202]. Ceux de Nantes sont « désorientés » par la tournure prise par les événements [203].

---

192. La source est pourtant ici *La Bataille syndicaliste* (1er août).

193. A.N. F 7 13934, Tours, 31 juillet.

194. *Le Nouvelliste de Bretagne*, 2 août. A propos de la manifestation de Nantes du 31 juillet.

195. A.N. B B 18/2531, 128 A 1914, procureur général de Pau.

196. Le rapport du commissaire sur la réunion d'Auxerre est très précis : début 8 h 45, fin 9 h 45 (F 7 13348, Auxerre, 31 juillet).

197. Voir p. 174.

198. A.C. Var, 3 Z 4/4.

199. *Le Droit du peuple*, 31 juillet.

200. *Le Droit du peuple*, 30 juillet.

201. Michèle et Gérard Raffaëlli, *op. cit.*

202. A.N. F 7 13348, Rapport du commissaire spécial, 29 juillet.

203. A.N. F 7 13348, Rapport « confidentiel » n° 299 du commissaire central de Nantes, 28 juillet 1914.

Assurément, l'énergie interne du mouvement d'opposition à la guerre était assez faible, insuffisante pour qu'il puisse se poursuivre et s'amplifier.

Comme l'écrivait *Le Progrès de la Somme* sur un ton un peu désabusé : « La manifestation d'hier soir n'est qu'un épisode isolé dans une ville où l'on admire l'attitude énergique des citoyens. Elle ne prouve rien ... et ceux-là qui criaient : " A bas la guerre ! " seront les premiers, aujourd'hui, demain, à charger les fusils... » [204]. A dire vrai, le quotidien picard [205] ne peut pas être considéré comme un porte-parole du mouvement pour la paix, mais n'exprimait-il pas tout haut ce que beaucoup de ses participants devaient penser tout bas ? Si on lit l'appel que lancèrent l'Union des syndicats de la Gironde et la section de Bordeaux du Parti socialiste [206], il y est dit avec fermeté que nulle autre manifestation que le meeting prévu (qui n'eut d'ailleurs pas lieu) ne sera organisée le dimanche, et les signataires mettent en garde contre « les provocations qui se pourraient produire en ville ». On y sent la volonté très arrêtée de maintenir le mouvement dans des limites très étroites : il n'est pas question d'aller au-delà. Un seul mouvement d'arrêt du travail, presque révolutionnaire, s'est produit, celui de Vimeu. Comment s'est-il poursuivi ? Le lendemain [207], le calme est rétabli, le travail a repris [208]. Ce n'est pas la présence de forces de police qui explique la rapidité de ce retour à l'ordre. Un mandat d'arrêt a bien été lancé contre Gustave Mercier, l'animateur de la manifestation, mais le procureur général, après en avoir conféré avec le sous-préfet et le capitaine de gendarmerie, ne pense pas qu'il puisse être exécuté par les trois seuls gendarmes de ce « centre d'agitation ». La logique révolutionnaire aurait voulu que ce mouvement fît tache d'huile dans les jours suivants. Bien loin de là, ce foyer à peine allumé s'éteint, la grève générale était bien loin.

Le mouvement de protestation contre la guerre a eu en province une ampleur très supérieure à ce qu'on en a pensé jusqu'à présent. Il a été trop ignoré ou trop minimisé. Il ne donne cependant pas l'impression d'avoir été autre chose que le témoignage pacifiste de ceux qui voyaient arriver la guerre avec angoisse et impuissance.

En fut-il de même dans la région parisienne ?

---

204. 30 juillet.

205. Journal d'information régionale, *Le Progrès de la Somme* ne manifeste d'ailleurs pas d'hostilité à ces manifestants.

206. *La France de Bordeaux et du Sud-Ouest*, 1ᵉʳ août.

207. 30 juillet.

208. B B 18/2531, 128 A 1914, procureur général d'Amiens.

## A Paris

Il n'est guère possible de comptabiliser les distributions de tracts ou les affichages qui ont pu avoir lieu dans la région parisienne ; il est en revanche plus facile qu'en province d'effectuer le dénombrement des réunions qui se tinrent, car un service de la préfecture de police en établissait quotidiennement la liste[209]. Néanmoins, il est plus difficile d'en connaître les caractères avec précision, beaucoup d'entre elles n'ayant pas donné lieu à rapport ou à compte rendu.

67 réunions publiques ou manifestations dans la rue ont été prévues, dont 25 pour Paris et 42 pour la banlieue.

A Paris, outre quatre réunions ou manifestations générales dont les participants purent venir également de banlieue, des réunions furent organisées dans tous les arrondissements, sauf dans les 6e, 7e, 8e et 11e ; en banlieue, il y en eut dans 39 localités : dans certaines, plusieurs, dans d'autres, une seule réunion pour plusieurs communes voisines (fig. 15).

**Fig. 15. Carte des manifestations et réunions de protestation contre la menace de guerre dans la région parisienne**

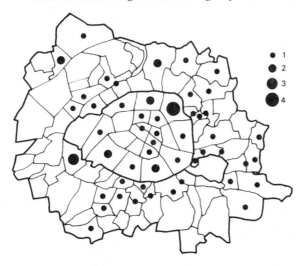

1 point à cheval sur les limites = 1 réunion pour les deux communes

Un grand effort d'information fut donc fait dans la région parisienne, étant donné surtout le laps de temps très court. Cette forte densité de réunions, beaucoup plus élevée qu'en province, peut s'expliquer

---

209. A.P.P., B a/748.

Fig. 16. Tableau des réunions et manifestations
contre la menace de guerre dans la région parisienne

| | 27 juillet | 28 juillet | 29 juillet | 30 juillet | 31 juillet | 1er août | 2 août |
|---|---|---|---|---|---|---|---|
| Réunions ou manifestations du Parti socialiste | | 19e Pont de Flandres | Argenteuil | 3e<br>4e<br>10e<br>14e<br>17e<br>20e<br>Montrouge<br>Puteaux<br>Drancy<br>La Courneuve<br>Le Perreux<br>Pré St-Gervais<br>Vincennes | 1er et 2e<br>5e<br>12e<br>13e<br>15e<br>19e - 1<br>19e - 2<br>Champigny<br>Charenton<br>Fontenay-s.-Bois<br>Neuilly-sur-Seine | 9e<br>13e<br>16e<br>18e<br>19e<br>Boulogne-sur-Seine 2<br>Châtenay-Malabry<br>Bagneux<br>Bobigny<br>Arcueil-Cachan<br>Les Lilas<br>Saint-Maur<br>Gentilly<br>Courbevoie<br>Châtillon<br>Fontenay-aux-Roses<br>Saint-Mandé | Salle Wagram<br>Les Lilas |
| des syndicats | Manifestation des Boulevards | | Salle Wagram (interdite) | Boulogne-sur-Seine<br>Asnières | | Nogent-le-Perreux<br>15e | |
| Parti socialiste-syndicats | | | | Houilles<br>Ivry<br>Montreuil | 18e | Asnières-Clichy<br>Kremlin-Villejuif | |
| Diverses ou indéterminées | | Bezons (Anarc.) Bezons | | St-Denis (Nord-Sud)<br>Pantin<br>Vincennes<br>Joinville<br>Neuilly-Plaisance<br>Institut franco-allemand | | Les réunions prévues pour ce jour n'ont vraisemblablement pas eu lieu. (Aucune trace dans les comptes rendus). | |

par l'importance de la population, par la présence à Paris de nombreux députés socialistes, journalistes, dirigeants syndicaux, ce qui facilitait le recrutement d'orateurs contrairement aux difficultés que rencontraient dans ce domaine beaucoup de petites localités, mais il faut cependant souligner que dans de nombreuses grandes villes de province, où les conditions n'étaient pas défavorables, rien ne fut organisé. Les éléments matériels ne suffisent donc pas à justifier ces différences.

L'étude chronologique du mouvement de protestation (fig. 12 et 16) montre un départ assez lent : presque rien les 27, 28 et 29 juillet (tout au moins si on ne s'attache pour le moment qu'au nombre de manifestations), puis une flambée le 30, un creux le 31, et une reprise très forte le 1er août. A vrai dire, comme les réunions du 1er août n'ont probablement pas eu lieu, l'apogée du mouvement s'est située le 30, et la reprise du 1er, stoppée par la mobilisation, n'a été que théorique.

On est d'abord frappé par le parallélisme de la répartition chronologique des réunions à Paris et en province : l'apogée se produit le même jour, avec reflux également le même jour, dès le 31. Cette similitude de comportement n'est vraisemblablement pas due au hasard. Cependant, à la réflexion, une divergence est manifeste. La reprise théorique, dont nous parlions il y a un instant, si elle apparaît sur les courbes provinciales (fig. 12), est beaucoup plus marquée sur les courbes parisiennes. Elle est en outre plus précoce, se plaçant le 1er et non le 2 août. La constatation nous semble importante parce qu'elle serait susceptible de remettre en cause une des conclusions que nous avions tirées du mouvement provincial, son essoufflement rapide et son impossibilité à se poursuivre. Ceci ne serait donc pas vrai pour la région parisienne, ce qui donnerait une signification nouvelle au mouvement pour la paix.

Comme en province, le mouvement reçut à peu près uniquement son impulsion des groupements socialistes et syndicalistes [210]. Mais le dosage n'est pas le même : d'un assez grand nombre de réunions, nous ne connaissons pas les organisateurs ; quant aux autres, le plus grand nombre en fut organisé par les socialistes : 46 contre 6 pour les syndicalistes. Les réunions mixtes, socialistes-syndicalistes, furent également peu nombreuses, 6 au total. le mouvement dans la région parisienne fut principalement dû, semble-t-il, aux socialistes.

---

210. Il y eut cependant à Bezons une manifestation organisée par le groupe anarchiste de cette ville le 28 juillet. 120 personnes environ parcoururent les rues de la localité avant de se séparer à 22 h 30, en se donnant rendez-vous pour le lendemain (A.M. cabinet du ministre, cabinet militaire, entrées, registre 1). La Ligue des droits de l'Homme participa à un meeting du Parti socialiste à Montreuil, le 30 juillet (A.P.P. B a/748) et l'Institut franco-allemand de réconciliation organisa une « Manifestation internationale » le 30 juillet. Cette réunion, au siège de l'Institut, faubourg Saint-Antoine, connut, d'après L'Humanité (31 juillet), un « grand succès », fit « salle comble » d'après La Bataille syndicaliste (31 juillet). Cet « Institut » recoupait les milieux socialistes, libertaires et internationalistes. Créé en 1913 par une institutrice parisienne alors âgée de 39 ans, née au Havre, Henriette Meyer, il s'était donné pour but de travailler au rapprochement entre la France et l'Allemagne et comportait une branche française et une branche allemande (A.N. F 7 13074, M/987 U, 30 juillet 1914. — F 7 13961, dossier H. Meyer, 1er avril 1916).

Des six réunions dont il est connu que les syndicalistes ont eu l'initiative, deux eurent lieu le 27 et le 29 juillet, deux le 30, deux auraient dû avoir lieu le 1er août. Comme en province, les syndicalistes sont entrés plus vite en action que les socialistes, mais leur mouvement n'a jamais véritablement « décollé ». Quant aux réunions mixtes, elles débutent seulement le 30, soit 3 jours plus tard qu'en province où on en signale dès le 27. Ainsi l'action syndicaliste semble s'être étouffée dès le début et ne pas avoir trouvé de second souffle dans un combat commun avec les socialistes.

Cette impression est en même temps renforcée et nuancée, si on considère l'importance relative des manifestations : la plus importante d'entre elles, qui a probablement réuni à elle seule autant de participants que toutes les autres réunions de protestation syndicalistes ou socialistes, fut celle convoquée par *La Bataille syndicaliste*, et qui marqua le début de la campagne, le 27 juillet. Nous avons, dans un autre ouvrage [211], évoqué cette manifestation : elle réunit vraisemblablement plusieurs dizaines de milliers de personnes sur les Grands Boulevards [212]. Ce fut une grande démonstration dont toute la presse se fit l'écho, avec plus ou moins de bonne humeur [213]. Le mouvement fut donc lancé par une puissante action syndicaliste [214] mais, curieusement, au lieu de s'amplifier, de se durcir, il tendit à s'atténuer. Deux jours plus tard, c'est en « salle », dans les deux salles Wagram, que la Confédération générale du travail invitait les travailleurs à un meeting « monstre ». Le meeting fut interdit, la CGT l'annula. Seuls quelques isolés qui n'avaient pas été prévenus vinrent se heurter aux forces de police.

Puis, comme nous l'avons vu, l'agitation entretenue par les syndicalistes cessa presque complètement : ils avaient en quelque sorte passé le relais aux socialistes.

On pourrait penser que les syndicalistes avaient pris conscience qu'ils n'avaient pas l'oreille des « masses » et qu'ils préférèrent s'abriter derrière le Parti socialiste, même si les thèmes de sa campagne étaient sensiblement différents des leurs. Cette impression aurait été fondée en province où les actions syndicalistes ne trouvèrent souvent qu'un maigre appui populaire. Cette explication ne paraît pas justifiée pour la région parisienne : la seule manifestation du 27 montre que les appels syndicalistes rencontrèrent un écho non négligeable. Nous ne possédons guère

---

211. A. Kriegel et J.-J. Becker, *op. cit.*, p. 65 à 70.

212. *La Bataille syndicaliste* (28 juillet) écrit : « Comment évaluer le nombre de manifestants ? Cent mille, deux cent mille, cinq cent mille ? Rien ne permet de le fixer ». Un organe moins engagé, *Le Petit Parisien*, décrit à un moment de la manifestation « une colonne forte de plus de 20 000 personnes » ... (28 juillet). Les services de la préfecture avancent le chiffre de 30 000 manifestants (A.P.P. B a/748).

213. « Les boulevards ont été hier souillés par une manifestation impie... » (*Le Temps*, 28 juillet).

214. Cela ne signifie évidemment pas que de nombreux militants socialistes n'y aient pris part. On remarqua en particulier le député de la Seine, Jean Bon, qui fut même légèrement blessé.

d'autres chiffres : cependant, si une réunion organisée par le Comité intersyndical d'Asnières n'a eu, d'après *La Bataille syndicaliste* [215], qu'« assez de succès », ce que l'on peut traduire par un succès médiocre, à Boulogne-sur-Seine, d'après la même source [216], les Jeunesses syndicalistes auraient rassemblé deux mille participants.

En outre, les manifestants faisaient preuve de combativité. Les réunions et manifestations syndicalistes furent en général le théâtre d'incidents. A la sortie de la réunion de Boulogne, la police chargea, d'après *La Bataille syndicaliste,* « sabre au clair » et procéda à de nombreuses arrestations [217] ; le rapport de la préfecture mentionne que « des agents ont été assez gravement contusionnés » [218]. D'ailleurs, lorsqu'une réunion était organisée par les syndicats, ou que des orateurs syndicalistes devaient y prendre part, les responsables de la police craignaient qu'elles soient « mouvementées » et prenaient des dispositions à cet effet [219]. Sur le boulevard Poissonnière, les manifestants s'ébranlèrent « aux cris mille fois répétés de " A bas la guerre " et au chant de *l'Internationale* » [220], les accrochages furent sérieux [221]. Il y eut des centaines d'arrestations. Le lendemain, la presse syndicale et socialiste stigmatisait les « brutalités policières » [222], le reste de la presse ne dissimulait pas la « virilité » de la police [223], tout en déplorant les excès des manifestants [224]. Les dépouilles laissées sur le « champ de bataille » exprimèrent la rudesse des contacts : « Cannes brisées, chapeaux ronds et mous, casquettes jonchaient les trottoirs et la chaussée ; sur quelques bancs on remarquait, gardés par les agents ..., de nombreux pardessus, des parapluies... » [225].

Dans ces conditions, une autre explication ne peut-elle être formulée ? Ne seraient-ce pas les dirigeants syndicalistes eux-mêmes qui n'ont plus été convaincus que les mots d'ordre déterminés précédemment restaient adéquats à la situation ? Ils n'ont pas osé poursuivre sur une lancée qui, d'ailleurs, n'était pas suivie par la province. Ils ont préféré abandonner leur propre stratégie au bénéfice de celle des socialistes.

---

215. 31 juillet.

216. *Ibid.*

217. *La Bataille syndicaliste,* 31 juillet.

218. A.P.P., B a/748, 1er août.

219. A.P.P., B a/748, 1er août.

220. *Le Radical,* 28 juillet.

221. La violence des affrontements ne fut pas une surprise. Dans la journée, Louis Pergaud avait écrit à son frère Lucien : « Ce soir, l'Union des syndicats et la CGT ont convié leurs adhérents à aller manifester pour la paix. Pourvu que cela n'amène pas d'échauffourées trop sanglantes... », Pergaud, *Correspondance, op. cit.,* p. 111.

222. *L'Humanité,* 29 juillet (en 3e page seulement, il est vrai). *Le Bonnet rouge,* 28 juillet.

223. « Ayant à vaincre un ennemi considérable, les agents s'abattent avec furie sur la foule » (*Le Petit Parisien,* 28 juillet).

224. « Dans le faubourg du Temple, une colonne de 3 500 manifestants ... maîtres de la place, brisent les réverbères et les avertisseurs d'incendie » (*Le Petit Parisien,* 28 juillet).

225. *Le Petit Parisien,* 28 juillet.

Quand *La Bataille syndicaliste*[226] relève cette allégation de *L'Action française* que les « antimilitaristes criaient : " Vive l'Allemagne, à bas la France " et la qualifie de « mensonge misérable et bête », elle a sûrement raison, mais son habituel mépris pour toutes les patries n'aurait-il pas dû lui faire négliger ce propos ? On peut voir là une tendance à la mise en veilleuse de l'excès de l'antipatriotisme.

La campagne socialiste fut calme et connut un certain succès aussi. Comme en province, les réunions ne provoquèrent pas d'agitation[227], ne débordant pas sur la voie publique, ce qui, là aussi, était la préoccupation majeure des autorités[228]. Les auditoires ont été importants : 250 personnes seulement à Drancy[229], mais 2 000 à Ivry[230], 1 200 au Pré-Saint-Gervais[231], 3 000 à Saint-Denis, plus 2 000 autres qui ne trouvèrent pas de place dans la salle[232]. A Montrouge également, le public ne put entrer entièrement dans un local trop exigu[233]. Il en a été de même des réunions parisiennes : « plein succès » dans le 17e et le 20e[234], 3 000 personnes dans le 14e[235].

Quelle valeur peut-on accorder à ces chiffres ? *L'Humanité* et *La Bataille syndicaliste* ont certainement cité les plus flatteurs. D'autres réunions ont dû se dérouler devant des auditoires plus clairsemés. Les journaux de grande information, *Le Matin, Le Journal, Le Petit Parisien*[236] ont désigné comme les plus importantes les réunions qui se tinrent dans les salles de la Bellevilloise, rue Boyer, dans le 20e arrondissement, et de l'Egalitaire, rue de Sambre-et-Meuse, dans le 10e. *Le Petit Parisien* ne donne pas d'indications chiffrées, alors que *Le Journal* accorde la palme au meeting de l'Egalitaire, avec 400 personnes, et *Le Matin* à celui de la Bellevilloise, avec 1 000 à 1 500. Les différences sont évidemment considérables, mais cela permet de penser que les ordres de grandeur donnés par la presse ouvrière sont acceptables. Comparées aux foules rassemblées par certaines réunions provinciales, les manifestations parisiennes

---

226. 29 juillet.

227. « Très calme », note le *Journal* (31 juillet) à propos des 18 meetings qu'il a recensés à Paris et en banlieue pendant la soirée du 30 (25 d'après nos dénombrements).

228. Dans son rapport, le commissaire de police d'Argenteuil prend bien soin de le noter : « Pas d'incidents sur la voie publique » (A.N. F 7 12934, Argenteuil, 29 juillet).

229. *L'Humanité*, 1er août.

230. A.N. F 7 12934. Entre autres orateurs, Aristide Jobert, député de l'Yonne, Jean Martin, conseiller général d'Ivry (A.P.P. B a/748, 30 juillet).

231. *L'Humanité*, 31 juillet. Orateurs : Adrien Veber, député de Saint-Denis, Auray, conseiller d'arrondissement... (A.P.P. B a/748, 30 juillet).

232. *L'Humanité*, 31 juillet.

233. *L'Humanité*, 1er août.

234. *Ibid.*, 31 juillet. Dans le 17e arrondissement, le principal orateur fut Antoine-Frédéric Brunet, conseiller muncipal et député de l'arrondissement (A.P.P. B a/748, 30.7). *La Bataille syndicaliste* (31 juillet) donne le chiffre de 1 200 assistants pour la réunion du 20e.

235. *L'Humanité*, 31 juillet. Orateur : Alexandre Bracke-Desrousseaux, député de l'arrondissement.

236. 31 juillet.

semblent plus réduites, mais c'est un fait habituel que les pourcentages de participants aux réunions politiques sont inversement proportionnels à l'importance des villes [237]. Sans avoir provoqué un raz-de-marée, la campagne socialiste a donc soulevé un intérêt appréciable.

Nous ne savons guère quel fut le contenu idéologique de cette campagne. Le peu que nous en connaissions semble rarement de caractère révolutionnaire. L'Humanité du 1er août rapporte que la section socialiste de Drancy a fait adopter aux participants de la réunion du 30 un ordre du jour condamnant la guerre et acclamant « la révolution sociale ». Dans les autres meetings qui eurent lieu ce même jour, un peu partout on se sépara au chant de l'Internationale [238], mais quelle était la part du rituel ? Si on considère la liste des orateurs, où figurent presque tous les députés socialistes de la Seine [239], renforcés de quelques provinciaux, de conseillers municipaux de Paris, de conseillers généraux et de maires de banlieue, de membres de la Commission administrative permanente, il apparaît clairement que le Parti socialiste s'est exprimé par l'intermédiaire de ses cadres dirigeants. On peut sans trop de risques admettre qu'ils n'ont fait que reprendre dans leurs discours les thèmes développés par L'Humanité durant la crise, c'est-à-dire le soutien à la politique gouvernementale considérée comme pacifique et l'encouragement au gouvernement à la poursuivre, agrémentés de considérations générales sur la malfaisance des guerres [240].

Du 27 juillet au 1er août, le mouvement d'opposition à la guerre n'a pas été négligeable dans la région parisienne. Mais ses caractères divergent sensiblement de celui de la province. En province, les thèmes socialistes ont prédominé, mais les thèmes syndicalistes n'ont pas été absents. Il a semblé néanmoins qu'on ne croyait vraiment ni aux uns, ni aux autres, ni à la possibilité de l'issue révolutionnaire, ni au triomphe de la paix par la négociation.

A Paris, la campagne a été presque uniquement socialiste. Non que les partisans d'une action révolutionnaire n'aient pas existé, mais ce sont les dirigeants qui semblent y avoir renoncé, soit parce qu'ils étaient effrayés par sa mise en pratique, soit parce que l'attitude de la province les décontenançait. Ils se sont donc ralliés à l'idée de la sauvegarde de la paix par la simple pression pacifique sur un gouvernement lui-même pacifique. Le très grand nombre de réunions qui eurent lieu, celles qui

---

237. Il suffit de calculer qu'un rassemblement de 500 000 personnes dans la région parisienne ne correspond qu'à une bonne réunion dans une petite ville de province.

238. Le Journal, 31 juillet.

239. Nous en avons compté 15 sur 21. Il faut d'ailleurs souligner qu'on ne trouve parmi eux ni Jaurès, ni Vaillant, ni Guesde, mais il est difficile de dire si cela a une signification particulière. Par contre, on peut relever les noms de Marcel Sembat, Albert Thomas, Marcel Cachin, Jean Longuet...

240. Dans les réunions de province, ces thèmes étaient exprimés plus nettement lorsque l'orateur était un député que lorsque c'était un militant local.

étaient prévues, indiquent que les socialistes croyaient à l'efficacité de leur stratégie. Mais pour qu'elle ait eu une chance de l'emporter, il fallait que la crise durât : ce ne fut pas le cas !

Beaucoup plus qu'en province, il a été difficile de reconnaître dans l'action parisienne ce qui revenait aux masses, ce qui revenait aux chefs. Il est temps de s'interroger avec plus de précision sur l'attitude de ces derniers.

# Chapitre 3

# Les dirigeants ouvriers face à la crise

Les prises de position, même prophétiques, de théoriciens isolés, ignorées de l'opinion publique, intéressent l'histoire, en particulier celle des idéologies, mais leur analyse n'aurait pas beaucoup de signification dans cette étude.

En revanche, l'examen du mouvement de protestation contre la guerre serait incomplet si nous ne tentions pas de retrouver les impulsions qu'il reçut ou qu'il ne reçut pas des directions ouvrières, les encouragements qu'elles lui prodiguèrent ou les coups de frein qu'elles lui donnèrent. Cependant, les rapports entre les dirigeants et les masses sont fort complexes à établir parce que le courant ne passe pas en un seul sens. Les décisions des organismes directeurs peuvent être modifiées en fonction de l'audience vraie ou supposée que leurs consignes ont trouvée auprès de l'opinion publique ; elles peuvent également avoir été prises à la suite d'actions spontanées et de l'influence qu'elles ont eue. Ainsi, certaines des sinuosités ou des obscurités du mouvement de protestation peuvent trouver leur explication dans les recommandations venues d'en haut et l'attitude des dirigeants peut être éclairée par celle des masses qu'ils entendaient conduire. Dans cette perspective, le comportement des « chefs » est une composante importante de l'opinion publique. Cela n'est pas vrai dans l'absolu, parce que le souci du long terme peut l'emporter sur celui du court terme et conduire à refuser de s'adapter à l'état de l'opinion publique ; mais, dans cette période, les dirigeants de la CGT et du Parti socialiste semblent avoir à peu près abandonné les références à la théorie pour être surtout attentifs aux réactions de l'ensemble de la population, beaucoup plus même qu'à celles des minorités activistes auxquelles certains d'entre eux s'adressaient de préférence jusque-là. Cela accroît l'impression d'une rupture brutale entre le caractère relativement mythique de leurs attitudes dans un passé très récent et celui très réaliste de leur nouvelle ligne de conduite.

## A la Confédération générale du travail

La CGT aurait dû être l'élément moteur, l'élément le plus déterminé d'une protestation contre la guerre. Les positions qu'elle avait prises les années précédentes étaient sans ambiguïté : quelles qu'aient été les conditions, elle devait répondre à une menace de guerre par le sabotage de la mobilisation.

Mais, surpris par l'éclatement de la crise, beaucoup des dirigeants de la CGT étaient alors absents de Paris. Léon Jouhaux, le secrétaire général, qui y était encore le 25 juillet [1], partait le dimanche 26 pour assister à Bruxelles au congrès syndical belge. Il y rejoignait Georges Dumoulin, le secrétaire général adjoint [2]. Le secrétaire de la Fédération des bourses du travail, Georges Yvetot, était à Tulle, où il représentait la direction confédérale au congrès de l'union départementale de la Corrèze [3]. Alphonse Merrheim, le secrétaire de la Fédération des métallurgistes, était en Lorraine ; Auguste Savoie, celui de la Fédération de l'alimentation, en Seine-Inférieure ; J. Labé, un autre secrétaire des métallurgistes, à Nantes ; Bartuel, le secrétaire de la Fédération des mineurs, en Saône-et-Loire [4]... « La CGT est sans direction à l'heure actuelle », constatait une note des Renseignements généraux [5].

---

1. A.N. F 7 13348, M/9522, 26 juillet.

2. *Ibid.*, M/9523, 27 juillet.

3. *Ibid.*

4. *Ibid.*, M/9526, 27 juillet.

5. A.N. F 7 13348, M/9523, 27 juillet. On comprend que dans ces circonstances les pouvoirs publics aient été très intéressés par les discussions à l'intérieur des organismes dirigeants du mouvement ouvrier. La note M/9522 (A.N. F 7 13348) du 26 juillet 1914 le confirme : « Il est nécessaire de suivre de très près ce qui se passe en ce moment à la Confédération générale du travail ». Effectivement, chaque jour, un ou plusieurs rapports sur l'activité de la CGT étaient établis par les Renseignements généraux, grâce aux informateurs dont ils disposaient. Comme le rappelle A. Kriegel (« Jaurès, le Parti socialiste et la CGT à la fin de juillet 1914 », *Bulletin de la Société d'études jaurésiennes*, 7, oct.-déc. 1962, n° 7) « on peut ... discuter de la qualité des informations reçues et de la qualité du traitement à elles infligé. Cependant, ces informations, dont les auteurs, au jour le jour, ne pouvaient prévoir ce qu'il adviendrait, se recoupaient suffisamment entre elles, avaient assez de signification et de continuité pour fournir la matière de notes de synthèse destinées aux membres du gouvernement... »
Ces notes sont donc pour nous aussi une source d'informations considérable. Il ne faut cependant pas oublier qu'elles n'avaient pas pour seul objet d'informer, mais qu'elles avaient aussi le souci d'orienter la politique gouvernementale. L'examen attentif de certaines d'entre elles nous a montré que des exemplaires de la même note, portant le même timbre, la même date, le même titre, avaient des libellés partiellement différents. C'est ainsi que nous avons trouvé un exemplaire de la note M/9522 du 26 juillet 1914 comportant deux additifs suggestifs.
1er additif : La note, après avoir signalé que *La Bataille syndicaliste* rappelait les décisions syndicales sur la grève générale en cas de guerre, indiquait : « C'est là un des actes les plus graves, répréhensible au premier chef ». Sur un autre exemplaire de la même note figure ce membre de phrase supplémentaire : « Car il est possible que des individus, croyant réellement à une guerre, se préparent dès aujourd'hui à saboter les voies ferrées ou les lignes télégraphiques ».
2e additif : Dans ce deuxième exemplaire figure réellement un paragraphe supplémentaire placé à la fin du texte : « ...Il semble qu'il soit de toute nécessité, dès maintenant, de faire garder les points sensi-

Aussi, les premières réactions attribuées à la CGT furent plus le résultat d'initiatives individuelles que de décisions collectives. Le numéro du 26 juillet de *La Bataille syndicaliste* en est le reflet. En tête du journal, un encart entouré d'un triple filet, sous le titre : « Nous ne voulons pas de guerre », rappelle le texte des décisions des congrès confédéraux préconisant la grève générale en cas de guerre [6], mais on y trouve aussi un article de Jouhaux, vraisemblablement rédigé avant son départ pour Bruxelles, beaucoup plus prudent : il agite bien l'idée de la grève générale, mais avec une grande circonspection. Jouhaux se contente d'affirmer combien il serait *souhaitable* que la force des travailleurs puisse, par la grève générale, s'opposer à une menace de guerre [7]. Le sens de l'article est très ambigu, une ambiguïté, semble-t-il, délibérée. En effet, à défaut de réunions officielles des organismes dirigeants de la CGT, dont nous avons vu pourquoi elles ne pouvaient avoir lieu, il y eut de nombreux « conciliabules » [8]. Beaucoup de militants venaient à la Maison des fédérations, rue de la Grange-aux-Belles, et s'interrogeaient sur la conduite à tenir, preuve d'ailleurs qu'elle n'apparaissait pas claire à tous. Jouhaux se serait particulièrement entouré des conseils de Victor Griffuelhes, un de ses prédécesseurs à la tête de la CGT. Ces conseils allèrent dans le sens de l'expectative [9].

Deux tendances se dégagent bientôt : la prudence incarnée par Jou-

---

bles des voies ferrées dans la banlieue parisienne, ainsi que les lignes télégraphiques, les stations de télégraphie sans fil et les aérodromes.
Il serait surtout nécessaire de mettre *La Bataille syndicaliste* dans l'impossibilité de lancer de fausses nouvelles et de provoquer l'insurrection ».
Nous ne disposons d'aucun moyen pour savoir s'il s'agit d'additifs ou de coupures, si des textes différents étaient soumis sous un même timbre à des autorités différentes, si un de ces exemplaires, et lequel, était une version définitive, les autres n'étant que des sortes d'ébauche, mais il est clair que le texte « complet » de la note par l'adjonction de ces deux paragraphes était à la fois beaucoup plus inquiétant et beaucoup plus « répressif ». Il n'était plus seulement question d'informer, mais encore de suggérer des mesures à prendre. Il est donc nécessaire de tenir compte de cet éclairage dans l'utilisation des notes de synthèse des Renseignements généraux.

6. Voici le texte complet de cet encart : « Les décisions des congrès confédéraux sur l'attitude de la classe ouvrière en cas de guerre deviennent exécutives à partir du moment où la guerre est déclarée. ... Le cas échéant, la déclaration de guerre doit être, pour chaque travailleur, le mot d'ordre pour la cessation immédiate du travail. ... A toute déclaration de guerre, les travailleurs doivent sans délai, répondre par la grève générale révolutionnaire ».
Extraits de la résolution votée par la Conférence extraordinaire des Bourses et Fédérations (1er octobre 1911). (Les points de suspension se trouvent dans l'encart de *La Bataille syndicaliste*).

7. L. Jouhaux s'exprimait de la façon suivante : « ...Les faits présents le prouvent. On croyait écartées toutes les menaces immédiates contre la paix européenne et l'incident surgit inattendu ! En faut-il plus pour insister sur le rôle de la classe laborieuse, pour prouver la nécessité d'une entente des travailleurs de tous les pays et pour montrer enfin que le recours à la force du travail, manifeste par la grève générale qui est sa formule vraie, s'impose à tous les travailleurs avec véhémence puisque ce sont eux qui feront presque tous les frais de la guerre, puisque ce sont eux qui en subiront les dernières conséquences... »

8. A.N. F 7 13348, M/9522, 26 juillet.

9. *Ibid.*, M/9523, 27 juillet.
« ...On apprend que Jouhaux, avant de partir pour Bruxelles, a consulté Griffuelhes, lequel, bien que n'occupant plus aucune fonction à la CGT, n'en est pas moins demeuré la cheville ouvrière de l'organisation. Griffuelhes a conseillé à Jouhaux de temporiser et de convoquer le comité confédéral le plus tard possible... »

haux et l'audace représentée par certains journalistes de *La Bataille syndicaliste*. Les conditions dans lesquelles a été décidée la publication de l'encart sur la grève générale illustre cette double orientation. La décision n'émane pas de l'autorité confédérale, mais des rédacteurs de *La Bataille syndicaliste*, très précisément, d'après l'auteur de la note M/9523, du secrétaire de la rédaction E. Séné [10], conseillé par Charles Malato [11]. Partisans de publier des extraits « bien choisis » de la résolution votée en 1911, ils ont réussi à convaincre l'administrateur-délégué du journal, François Marie, qui était fort réticent. D'autres militants, et en particulier Charles Marck, le trésorier de la CGT, désapprouvaient une initiative dont ils craignaient qu'elle donne au gouvernement un prétexte pour empêcher la parution du journal [12]. Cependant, l'absence des principaux dirigeants a donné une plus grande liberté de mouvement aux journalistes de l'organe syndicaliste, dépourvus de responsabilités particulières et qui, plus que des militants syndicaux, sont d'abord des anarchistes.

Néanmoins, comme les conditions particulières de cette publication ne sont pas connues à l'extérieur, l'apparence est que la CGT maintient la ligne définie avant la crise et qu'elle prépare la grève générale. Un journal, dont les appréciations sont habituellement modérées et bienveillantes envers le mouvement ouvrier, *Le Radical* [13], affirme en être persuadé :

> « ... La grève générale n'a-t-elle pas été décidée par tous les congrès de la CGT ... comme la première réponse à faire à toute déclaration de guerre. Il faut donc d'ores et déjà la considérer comme une chose qui se produira ou tout au moins qui sera tentée. ...Il apparaît clairement que la CGT prend toutes ses dispositions pour réaliser la grève générale inscrite pendant tous ses congrès en tête de ses moyens d'élection en cas de conflit armé international ».

---

10. Edouard Séné, 27 ans en 1914, dessinateur de profession, devenu journaliste, collaborait également aux *Temps nouveaux*, au *Libertaire*, à la *Voix du peuple*. Syndicaliste révolutionnaire, membre de la Fédération communiste anarchiste, très lié à Yvetot, il était inscrit au Carnet B.

11. Né en 1857 en Meurthe-et-Moselle, fils d'un communard qu'il accompagna lors de sa déportation en Nouvelle-Calédonie, militant anarchiste, il était en même temps journaliste aux *Temps nouveaux*, au *Libertaire*. Considéré comme un propagandiste très ardent, orateur écouté, auteur de nombreuses brochures, il était un des collaborateurs les plus importants de *La Bataille syndicaliste*. La guerre déclarée, il devait se rallier à l'union sacrée.

12. Les auteurs de la note de synthèse insistent sur la crainte des syndicalistes de voir leur journal saisi et sur leur détermination de profiter de ce que leur première audace n'avait pas été réprimée pour continuer leur campagne. L'insistance qu'ils mettent à le souligner montre que, sans le dire explicitement, ils s'étonnent également du manque de réaction du gouvernement.
Il faut remarquer qu'un des exemplaires de cette note M/9523 figurant dans un dossier intitulé « derniers documents rendus par M. Malvy » ne comporte plus un membre de phrase à propos de *La Bataille syndicaliste*, « ...Tant que le gouvernement la laissera paraître », qui se trouvait dans d'autres exemplaires. Comment peut-on expliquer cette suppression ? Les auteurs de la note craignaient-ils d'indisposer le ministre en insistant exagérément sur ce point, d'où cette légère amputation de l'exemplaire qui lui fut soumis ?

13. 28 juillet.

Les communiqués rédigés par plusieurs organisations syndicales semblent confirmer ce point de vue. Le bureau de la Fédération nationale du sous-sol rappelle à tous les syndicats fédérés les décisions de ses congrès, en particulier de celui de Lens, le 28 janvier 1914, et conclut : « Camarade secrétaire …, il vous appartient dans votre milieu et sans aucun avis spécial de prendre toute mesure jugée nécessaire pour appliquer intégralement les décisions de nos congrès nationaux » [14]. Attitude semblable du bureau de la Fédération du bâtiment [15]. Son premier devoir, affirme-t-il, est d'inviter tous ses syndicats à préparer l'application des décisions des congrès [16]. Il en est ainsi également de la Chambre syndicale des ouvriers en voiture de la Seine [17]. Quant aux ouvriers des PTT, rassemblés à plus de 3 000 à la Bourse du Travail, ils réclament la convocation immédiate « de l'Union fédérative des travailleurs de l'Etat, de la Fédération postale et de la CGT … pour envisager la situation et prendre les mesures convenables pour empêcher le crime de se commettre » [18]. La prise de position la plus vigoureuse émane, ce qui ne saurait surprendre étant donné les traditions de ce groupement, du Syndicat de la maçonnerie-pierre [19], du moins de sa section de Saint-Ouen. « Les camarades réunis » dénoncent « nos gouvernants » qui « veulent une boucherie ». « Plus que jamais », ils « se déclarent décidés à y répondre par la grève générale » [20].

L'ardeur — au moins verbale — de ces quelques organisations syndicales ne permet pas de juger de l'attitude de l'ensemble des organisations confédérées. Mais elle exprime cependant une tendance, un courant, que les journalistes de *La Bataille syndicaliste* exploitèrent sans tarder. Ce sont eux, en effet, qui décidèrent d'appeler à une grande manifestation sur les boulevards pour le lundi 27 au soir, celle que nous avons évoquée

---

14. *La Bataille syndicaliste,* 30 juillet.

15. D'après ses effectifs en 1911 (39 878), la Fédération du bâtiment était la 4e de la CGT (cf. A. Kriegel, *La croissance de la CGT, op. cit.,* p. 203). Son secrétaire de 1908 à 1912, Raymond Péricat, était un des représentants les plus importants du syndicalisme révolutionnaire (cf. H. Dubief, *op. cit.,* p. 303)

16. *La Bataille syndicaliste,* 27 juillet.

17. *Ibid.,* 28 juillet.

18. *Ibid.,* 27 juillet. Une certaine confusion s'est produite à propos de cette réunion. Les ouvriers parisiens des PTT s'étaient rassemblés le 26 juillet pour leur assemblée générale semestrielle et le compte rendu en parut sous le titre : « Pour une grève de 24 heures », « Contre la guerre ».
La présentation typographique était trompeuse : les deux titres correspondaient à des rubriques différentes. La grève de vingt-quatre heures envisagée concernait des revendications professionnelles dont l'examen avait d'ailleurs occupé l'essentiel de la séance, et non la menace de guerre ! On peut toutefois se demander si cette présentation fut accidentelle ou une façon d'inciter à une telle décision des syndicats dont même les plus en pointe s'étaient bien gardés de donner une quelconque précision sur une action éventuelle. L'attitude de certains rédacteurs de *La Bataille syndicaliste* permettrait de le supposer.

19. Créé en 1904, ce syndicat s'était fait remarquer non seulement par sa vigueur dans l'action revendicative, mais aussi par sa violence antimilitariste, ce qui lui avait valu des poursuites en 1911. Cf. A.N. F 7 13333, M/6568 et Jean-Jacques Becker, *Le Carnet B, op. cit.,* p. 27 et suiv.

20. *La Bataille syndicaliste,* 27 juillet.

dans notre précédent chapitre. Une fois de plus, le rôle moteur fut joué par Séné et Malato [21]. Ils espéraient rééditer la manifestation Ferrer [22].

Un certain nombre de dirigeants de la CGT étaient tout de même à Paris. Pris de vitesse, ils laissèrent faire. C'est le cas de Jules Bled, le secrétaire de l'Union départementale des syndicats, qui ne désapprouva pas l'initiative de *La Bataille syndicaliste*, même s'il n'en fut averti qu'après coup [23] ! Il s'y associa même, avec une certaine réserve cependant. L'appel lancé par l'Union des syndicats de la Seine [24] invitait les syndiqués à « circuler » à partir de 8 heures (20 heures) sur les boulevards pour s'opposer à une éventuelle manifestation en faveur de la guerre ; toutefois, il conseillait de ne pas se livrer à des manifestations bruyantes, sauf en cas de « clameurs chauvines ». La différence de ton avec *La Bataille syndicaliste* est manifeste et confirme les appréciations des informateurs des Renseignements généraux sur les oppositions entre dirigeants syndicaux et journalistes. Ceux-ci ne se contentaient pas d'appeler les travailleurs à « circuler sur les boulevards » ! L'édition normale de *La Bataille syndicaliste* titrait « Ce soir, les travailleurs parisiens manifesteront, au cri de ˝ A bas la guerre ˝ », et une édition spéciale publiée dans l'après-midi proclamait en gros caractères sur toute la largeur de la page : « Peuple de Paris, debout. Par ton attitude énergique, empêche la guerre ! ». L'appel se terminait par quelques apostrophes martiales : « C'est le dernier espoir qui nous reste d'éviter la catastrophe : sauvons-nous nous-mêmes et à temps ! L'heure presse ! A ce soir ». En même temps, résonnant comme un avertissement, l'encart sur les décisions des congrès était publié à nouveau en bonne place.

Les responsables de l'ordre public, bien que conscients de l'ambiguïté qui présidait à l'action syndicale, n'en ressentaient pas moins quelques inquiétudes devant la détermination de certains et le risque qu'ils entraînent derrière eux des masses importantes. Une version au moins de la note M/9532 se termine par cet avertissement : « Une répression énergique — de l'aveu même des dirigeants syndicalistes — peut seule enrayer le mouvement de protestation qui se poursuit depuis deux jours et dont la CGT, dans sa réunion de jeudi [25], ne manquerait pas d'exploiter l'ampleur » [26]. L'inquiétude des fonctionnaires de la police est peut-être

---

21. A.N. F 7 13348, M/9523, 27 juillet.

22. Francisco Ferrer, pédagogue et libertaire espagnol, fut exécuté à la suite d'émeutes qui eurent lieu en Espagne au mois de juillet 1909 et dans lesquelles il fut impliqué. La nouvelle provoqua, à l'appel de *L'Humanité* et de *La Guerre sociale*, de grandes manifestations à Paris. Un agent fut tué. Il y eut de nombreux blessés (cf. Jean Maitron, *op. cit.*, p. 443).

23. A.N. F 7 13348, M/9523, 27 juillet.

24. *La Bataille syndicaliste*, 27 juillet.

25. De Bruxelles, Jouhaux avait télégraphié pour demander que le comité confédéral soit convoqué pour le jeudi 30.

26. A.N. F 7 13348.

volontairement exagérée, elle n'en traduit pas moins, nous semble-t-il, l'impression de résolution que donnait le mouvement syndical dans un premier temps.

A dire vrai, le succès de la manifestation [27], les 100 000 exemplaires de son édition spéciale que *La Bataille syndicaliste* annonce avoir vendus en quelques minutes le lundi en fin d'après-midi [28], étaient de nature à renforcer l'audace des militants syndicaux. Effectivement, *La Bataille syndicaliste,* dans son numéro du mardi 28, haussait le ton. Elle annonçait, sous le titre « Premier avertissement », la volonté inébranlable du « peuple » de mettre en pratique les décisions des congrès syndicaux contre la guerre, et elle promettait de « cruels lendemains » aux gouvernements qui seraient assez insensés pour ne pas tenir compte de la volonté populaire. « Dès maintenant, la guerre est impossible. Le peuple ne le permettra pas ». De nouvelles manifestations, déclarait-elle, constitueront un deuxième avertissement.

Le mouvement pouvait prendre d'autant plus de consistance que, devant le succès, un certain nombre de réticences cédèrent. C'est ainsi que Jules Bled s'engagea plus avant. Un informateur signale que « l'agitation ... déclenchée par *La Bataille syndicaliste* passe aux mains de la CGT ... Hier soir, vers 11 heures [29], attablé dans l'arrière-boutique d'un bar de la rue du Croissant, en compagnie de Marie, Noël et de l'avocat Oustry, c'est (Bled) qui rédigeait les notes qui ont paru ce matin sur la manifestation » [30].

Dans ces conditions, l'importance de la réunion du comité confédéral grandissait. D'ailleurs, prévue primitivement pour le jeudi, elle fut avancée au mardi 20 heures [31] et devait être suivie d'une réunion des conseils syndicaux de tous les syndicats adhérents, organisée par l'Union des syndicats de la Seine. Il lui fallait choisir entre l'orientation inspirée par *La Bataille syndicaliste*, celle d'une action vigoureuse susceptible de déboucher sur la grève générale, et une attitude expectative qui, dans l'immédiat, freinerait le mouvement en gestation.

La séance du comité confédéral [32] eut lieu, comme prévu, le mardi 28, au 33 de la rue de la Grange-aux-Belles : elle s'ouvrit à 21 heures. Une soixantaine de militants étaient présents, sous la présidence de Raoul Lenoir [33], un des secrétaires de la Fédération des métaux, assisté de Georges Dumoulin. Tous les principaux dirigeants de la CGT

---

27. Voir chapitre précédent, p. 185.

28. *La Bataille syndicaliste,* 28 juillet.

29. Le 27 juillet.

30. A.N. F 7 13348, M/9527, 28 juillet.

31. *La Bataille Syndicaliste,* 28 juillet.

32. A.N. F 7 13348, M/9528 et M/9529 du 28 juillet. Egalement G. Dumoulin, *Les syndicalistes français et la guerre,* p. 14 et suiv. *Carnets de route,* p. 66 et suiv.

33. Fut un des secrétaires de la CGT de 1920 à 1936.

étaient là [34]. Un absent de marque cependant, Georges Yvetot, le numéro deux de la confédération, qui n'était pas encore rentré à Paris. L'annonce de cette absence provoqua des quolibets ; « on crie : il doit être à Saint-Sébastien » [35], c'est-à-dire réfugié en Espagne. Cette plaisanterie (?) a plus de signification qu'il ne paraît, car elle témoigne de l'obsession qui ne quitte pas les membres du comité confédéral pendant cette réunion. « Dès ce soir-là, on a peur, on tremble pour sa peau » [36], a écrit plus tard Dumoulin. « Le soir de la rentrée de Bruxelles, un avocat est venu au comité confédéral dire que Messimy se propose de zigouiller *(sic)* les chefs de la CGT et d'envoyer les " obscurs " dans des camps de concentration ». Ces lignes de Dumoulin pourraient être contestées et apparaître, sinon comme une justification, du moins comme une explication a posteriori. Mais elles sont confirmées par les notes d'information des Renseignements généraux qui, elles, ont été établies au jour le jour. C'est dans une « atmosphère de peur », selon l'expression d'un militant, que s'est déroulée [37] la séance. Les dirigeants de la CGT étaient, en effet, persuadés qu'on allait procéder à leur arrestation. Des vérifications d'adresses ont eu lieu et, lorsque Jouhaux informa le comité confédéral que des inspecteurs avaient pris en filature de nombreux militants, beaucoup des présents le confirmèrent. Jouhaux ajouta d'ailleurs que, par un coup de téléphone, il avait appris que les arrestations devaient être opérées le mercredi matin. Pendant la séance elle-même il reçut un autre coup de téléphone, de *L'Humanité* cette fois.

---

34. La direction de la CGT était constituée par le comité confédéral formé par la réunion des représentants des deux sections de la CGT, la section des Fédérations et la section des Bourses du Travail. En 1914, le comité confédéral comprenait trente-huit membres au titre des Fédérations, certains en représentant plusieurs en même temps. La liste en fut publiée par l'Annuaire du prolétariat en 1914 (reproduite dans A. Kriegel et J.-J. Becker, *op. cit.*, p. 217). Quant à ses membres au titre des Bourses du Travail, nous n'en n'avons pas retrouvé la liste, mais il était courant que les organisations départementales soient représentées par des militants parisiens qui cumulaient plusieurs mandats.
Le Bureau confédéral comprenait les bureaux des deux sections et les secrétaires des trois commissions (commission du journal, commission des grèves, commission de contrôle financier).
Le secrétaire général était le secrétaire de la section des fédérations, assisté d'un secrétaire adjoint.
Le secrétaire de la section des Bourses du Travail était en même temps également secrétaire de la CGT (cf. *Encyclopédie socialiste*, T. IV, « Le mouvement syndical »).
Le bureau de la CGT comprenait Léon Jouhaux, Georges Yvetot, Georges Dumoulin, Jules Lapierre, Charles Marck, Calveyrach.
Avec une soixantaine de présents, la plupart des dirigeants de la CGT sont donc là. La note M/9528 énumère, outre Jouhaux, Dumoulin, Lenoir, Jules Lapierre, Charles Marck, le trésorier de la CGT, Alphonse Merrheim, Ange Rivelli, secrétaire de la Fédération des syndicats maritimes, Alexandre Luquet qui représentait les coiffeurs, Savoie, Albert Bourderon, le secrétaire de la Fédération du tonneau, Raymond Péricat, secrétaire de la Fédération du bâtiment, Pierre Monatte qui représentait au comité confédéral l'union départementale du Gard (cf. p. 201 note 58). Roux, le secrétaire de la fédération des cuirs et peaux, Grondin, de la Fédération de la voiture-aviation.
Il faut souligner que le comité confédéral forme un milieu très prolétarien, contrairement aux organismes dirigeants du Parti socialiste. Les intellectuels, parmi lesquels on peut ranger Monatte, y sont rares. En revanche, les opinions politiques n'y sont pas homogènes. Si beaucoup des plus influents sont rangés parmi les syndicalistes révolutionnaires, Bourderon, par exemple, est membre du Parti socialiste.
35. A.N. F 7 13348, M/9528.
36. G. Dumoulin, *Les syndicalistes français et la guerre, op. cit.*, p. 14.
37. A.N. F 7 13348, M/9529.

« C'est pour demain matin », lui dit son correspondant[38]. Les dirigeants de la CGT étaient donc persuadés, ou avaient été persuadés qu'ils étaient très sérieusement menacés[39]. Mais n'en avaient-ils pas l'habitude ? Beaucoup d'entre eux avaient fait des séjours souvent longs en prison. Beaucoup avaient eu l'occasion de montrer dans le passé qu'ils avaient un caractère bien trempé, beaucoup eurent l'occasion encore de le montrer par la suite. Alors pourquoi ont-ils semblé être frappés brusquement et collectivement de pusillanimité ?

La note M/9529 en donne une explication : « Ceux qui consentiraient difficilement à aller faire un séjour à la Santé » ... « se refusent à aller dans les camps de concentration ». Pire encore, on craint « le fossé d'exécution »[40]. On ne jouait d'ailleurs pas à l'héroïsme. « Doit-on se laisser emprisonner ? Doit-on fuir à l'étranger ? C'est une affaire d'appréciation », déclare Jouhaux[41]. Quant à lui, on lui a entendu dire qu'il s'apprêtait « à aller acheter quatre sous de tabac à Bruxelles »[42].

Si on comprend facilement la crainte du peloton d'exécution, bien qu'encore certains de ces hommes aient été vraisemblablement capables

---

38. Dans l'ébauche de Mémoires que R. Péricat a laissée (*La guerre vue par un ouvrier*, Archives Péricat, Institut français d'histoire sociale), il écrit ceci (p. 7) : « Ce même soir 29 juillet (il s'agit en fait du 28, mais on peut constater à plusieurs reprises que la chronologie de Péricat n'est pas très sûre, il place la mobilisation le 30 juillet...) a lieu une réunion du comité confédéral ... A peine les délégués sont-il réunis que Jouhaux est appelé. Qui parle à Jouhaux ? Hervé ? Almereyda ? Un parlementaire ? Dans un discours fait au congrès confédéral de Paris en 1918, Jouhaux a déclaré ne pouvoir faire connaître le nom du mystérieux messager. Les délégués l'ignorent encore.

Au bout de quelques instants, Jouhaux revient. Il est très pâle. Le gouvernement a, paraît-il, décidé l'arrestation de plusieurs centaines de militants à Paris et en province. Le Carnet B doit fournir la liste des victimes. La réunion continua, mais sans aucun entrain, la plupart des délégués ayant hâte de partir.

L'heure du départ est péniblement attendue. Enfin on se lève : il faut quitter la salle et se séparer. Beaucoup de délégués suent la peur. Des conciliabules ont lieu. Où aller coucher ? Est-il prudent de rester à son domicile ? Beaucoup de militants, le plus grand nombre, ne rentrèrent pas au domicile familial. Ils iront coucher à l'hôtel ou chez un ami.

Certaines faces blêmes sont déjà marquées du stigmate du reniement ! ».

39. Une autre note (A.N. F 7 13348, P.P. 30 juillet 1914) montre encore un exemple de ces informations qui circulaient sur d'éventuelles arrestations :

« Hier soir vers 6 h 30, au café situé 2, boulevard Magenta, Thomas, dit « Harmel », de *La Bataille syndicaliste*, disait à Manet et Granger, du syndicat des sous-agents des PTT, qu'il avait appris que 800 arrestations de militants devaient être opérées dans la nuit.

En conséquence, ceux qui croient être l'objet de ces mesures prennent leurs précautions.

Hier soir, à l'issue de la réunion qu'ils ont tenue, les membres du comité confédéral ne sont pas rentrés chez eux. En outre, en prévision des perquisitions qui pourraient être opérées, les militants ont mis en lieu sûr les papiers compromettants, notamment la liste des militaires qui bénéficient du ˝ Sou du Soldat ˝ ».

Or ces arrestations n'ont pas eu lieu et surtout, autant qu'on le sache, elles n'ont jamais été envisagées, à ce moment du moins. On ne peut s'empêcher de penser que cette concordance d'informations ressemble fort à ce qu'on appelerait, en langage « moderne », de l'intoxication. Les services du Ministère de l'intérieur et de la préfecture, inquiets de la faiblesse du gouvernement et partisans d'une politique répressive plus accentuée, se sont employés à faire peur aux syndicalistes pour refréner leur ardeur. On pourrait joindre ce procédé à tous ceux que nous avons signalés précédemment pour maintenir le mouvement de protestation dans d'étroites limites.

Il faut certainement aussi faire la part de l'auto-intoxication. Dans ce genre de circonstances, les bruits vraisemblables ou invraisemblables sont colportés avec la même bonne volonté...

40. Dumoulin, *Carnets de route, op. cit.*, p. 66.

41. A.N. F 7 13348, M/9528.

42. *Ibid.*, M/9529.

de mourir pour leurs idées, la distinction entre la prison et le camp de concentration peut paraître subtile. A notre sens, elle est pourtant essentielle : ces hommes étaient prêts à combattre et à souffrir pour les idées auxquelles ils croyaient, ils acceptaient d'aller en prison en tant que défenseurs de la classe ouvrière, mais ils ne supportaient pas l'infamie d'aller en camp de concentration comme traîtres à la patrie. Mis au pied du mur, ils s'apercevaient qu'ils avaient une patrie (en supposant qu'ils aient jamais véritablement cru le contraire) [43]. Voilà pourquoi ces hommes avaient peur. La théorie était dépassée, ils continuaient, certes, de haïr la guerre, mais pas au point de se désolidariser de leur pays. Ils avaient peur parce qu'ils ne croyaient plus à une partie de ce qu'ils avaient si souvent dit.

En outre, tout en ayant proclamé qu'ils feraient la grève contre la guerre sans se préoccuper de ce qui se passerait dans les autres pays, beaucoup n'avaient sûrement pas imaginé, tout comme Jaurès, que cela ait été possible sans que le mouvement soit international. Or quelques-uns savaient qu'il ne fallait pas compter sur une action internationale et en particulier sur un soulèvement contre la guerre en Allemagne. C'est la signification de ce qu'il est convenu d'appeler l'affaire Jouhaux-Legien. Une controverse interminable s'est développée à partir de septembre 1914 sur ce que s'étaient dit, ou ne s'étaient pas dit le secrétaire de la centrale syndicale d'Allemagne, Karl Legien, et le secrétaire général de la CGT française, Léon Jouhaux, lorsqu'ils se rencontrèrent plus ou moins incidemment le 27 juillet autour d'une table de café bruxelloise. Nous ne reprendrons pas ici le récit de cette entrevue qui dura quelques minutes avant que l'Allemand ne reprenne le train pour Berlin, ni des polémiques qu'elle déclencha [44]. Annie Kriegel rapporte ainsi les deux interprétations de l'entretien de Bruxelles :

1. L'entrevue ne fut en réalité qu'une rencontre de hasard à l'heure du café.

2. L'entrevue démontra aux dirigeants syndicaux français l'inanité de l'espoir en un combat internationaliste prolétarien contre la guerre.

La première interprétation est celle des adversaires de Jouhaux : elle montre qu'il ne fit rien — contrairement à ses dires — pour pousser les

43. A. Kriegel cerne l'explication de la façon suivante : « La solution tendant à faire du patriotisme la ˝ vérité vraie ˝ de la classe ouvrière française, tandis que son antimilitarisme et son antipatriotisme n'auraient été qu'un ˝ engouement ˝ aberrant et périphérique, paraît donc contestable.

Au lieu de tenter artificiellement et sans preuve décisive de rompre d'une manière ou d'une autre la contradiction, ne serait-on pas alors fondé de placer celle-ci au cœur de la réalité observée, c'est-à-dire d'admettre au départ que les ouvriers d'avant 1914 étaient du même souffle mais contradictoirement, à la fois patriotes et antipatriotes ? » (« Nationalisme et internationalisme ouvrier », Preuves, mars 1967, p. 34).

44. Cf. principalement A. Kriegel, op. cit., T. I, p. 55, note 3 (avec la bibliographie de la question) ; Bernard Georges et Denise Tintant, Léon Jouhaux, T. I, Des origines à 1921, Paris, 1962, 551 p., p. 128 à 133 ; A. Rosmer, Le mouvement ouvrier français et la guerre, T. I, p. 159-168. Voir aussi J. Maitron et C. Chambelland, op. cit., p. 22 à 25.

Allemands à une action vigoureuse et « simultanément internationale » ;
la seconde interprétation est celle de Jouhaux : elle rejette sur les Allemands l'impossibilité de mener le combat prévu contre la guerre.

Ces deux interprétations ont le défaut de vouloir distribuer blâmes ou éloges, et passent ainsi à côté de l'essentiel. Pour nous, la très grande importance de cette entrevue provient, comme l'ont écrit Bernard Georges et Denise Tintant[45], de ce qu'« elle n'a pas eu l'importance que Jouhaux d'abord, puis ses adversaires, voulurent lui donner ». N'est-il pas remarquable, en effet, qu'au moment où l'Allemagne et la France risquaient d'entrer en guerre l'une contre l'autre, les deux principaux responsables syndicalistes de ces pays, mis en contact par le hasard de la date du congrès syndical belge, n'éprouvèrent pas le besoin, la nécessité de se concerter, d'élaborer un plan d'action. Ils n'avaient rien à se dire, ou si peu, quelques phrases à la sauvette ! Ce n'est évidemment pas le déroulement de cette entrevue qui a convaincu Jouhaux, comme il a pu le dire, de l'inutilité de l'opposition à la guerre : lorsque les deux hommes se sont rencontrés, ils avaient déjà l'un et l'autre cette conviction. Et c'est pourquoi tout discours était superflu...

D'ailleurs, si Dumoulin, qui assistait à l'entretien, a contesté telle ou telle partie du récit de Jouhaux, il a confirmé l'essentiel : « En revenant sur Paris ... déjà nous n'avions plus d'espoir »[46].

Pourtant, à la réunion du comité confédéral, ni Jouhaux, ni Dumoulin, ne firent état de leur conviction. Quelques semaines plus tard, Jouhaux écrivit : « Cette conversation si importante, nous l'avons gardée pour nous, ne voulant la rendre publique qu'au jour où les circonstances le permettraient »[47]. En fait, il n'est pas sûr qu'il en ait bien été ainsi[48] et que Jouhaux ait été à ce point discret. Mais là n'est pas le plus important. Que Jouhaux ait parlé ou ne l'ait pas fait de son entrevue avec Legien et de son issue décevante, il ne pouvait l'utiliser comme argument décisif. Jamais la CGT n'avait fait dépendre son action contre la guerre de l'attitude du prolétariat international. Et pourtant, Jouhaux savait

---

45. B. Georges et D. Tintant, *op. cit.*, p. 131.

46. « Le prolétariat et la guerre. Des raisons de notre attitude », *La Bataille syndicaliste*, 26 septembre 1914.

47. Voir note ci-dessus.

48. La question conserve quelque obscurité. Par « publique », il faut probablement entendre « en dehors du comité confédéral ». En effet, dans la note de synthèse établie par la préfecture de police, le 31 octobre 1914, sur « l'attitude de la CGT et de l'Union des syndicats de la Seine pendant la période de crise qui a précédé la mobilisation et depuis l'ouverture des hostilités » (A.N. F 7 13348), on lit ceci : « ...Le soir même (28 juillet), ils (Jouhaux et Dumoulin) rendirent compte au comité confédéral, convoqué à cet effet, de l'entrevue qu'ils avaient eue avec Legien ... Il fut décidé que le secret le plus absolu serait gardé sur cette entrevue ». Cette note, établie près de trois mois après l'événement, peut prêter à discussion, d'autant que l'article de Jouhaux était paru entre temps, mais, dans le rapport établi par les services de la préfecture de police sur la réunion des conseils syndicaux qui succéda à la réunion du comité confédéral et qui est daté du 29 juillet (A.N. F 7 13348), il est fait état de ce propos de Jules Bled : « Il ressort de leurs entretiens (de Jouhaux et Dumoulin) notamment avec le délégué allemand, que les syndiqués étrangers sont prêts à répondre à leur mobilisation dans leur pays ». Cette allusion de Bled prouve bien qu'au moins certains étaient dans la confidence.

bien qu'une action unilatérale du prolétariat français était inconcevable, en supposant, ce qui est évidemment très douteux, qu'elle ait été matériellement réalisable. Toutefois, il n'était pas possible que cette vérité soit dite brutalement au comité confédéral d'autant plus que l'atmosphère parisienne était différente de ce que pensaient Jouhaux et Dumoulin à leur retour de Bruxelles : la ligne dure inspirée par *La Bataille syndicaliste*, la manifestation réussie de la veille au soir étaient en contradiction avec leur état d'esprit. Aussi, consciemment ou inconsciemment, à défaut d'arguments politiques, Jouhaux allait donner la main à la manœuvre gouvernementale, si cette manœuvre a existé. Bien loin de calmer la crainte qui s'emparait des esprits, il semble avoir tout fait pour l'attiser, pour la développer. Elle était de nature à ramener les plus entreprenants à davantage de modération.

Dans son intervention au comité confédéral, Jouhaux multiplia les arguments « démobilisateurs ». Après avoir évoqué la manifestation parisienne, il ajouta : « Je regrette seulement qu'en ce moment tragique la province n'ait encore rien fait » [49]. La remarque est exacte : le mouvement de protestation commençait à peine à démarrer en province et il était normal que les dirigeants syndicaux ne se laissent pas obnubiler par une manifestation, même réussie, à Paris. L'argument perd cependant un peu de sa valeur quand on se souvient dans quelles conditions la manifestation parisienne avait été organisée. Pourquoi les militants de province auraient-ils agi plus vite que les dirigeants de la CGT qui, jusqu'à présent, n'avaient encore guère pris d'initiatives ?

Jouhaux étaie sa première critique d'une seconde : « Les militants et les dirigeants des bourses du travail ont toujours le même défaut qui est d'attendre ce que fera Paris. Ils feraient bien mieux d'agir dans leurs propres sphères sans se préoccuper de ce que nous allons faire » [50]. Référence à cette spontanéité dont les syndicalistes-révolutionnaires étaient sincèrement partisans, cette réprimande n'était-elle pas, elle aussi, excessive ? Les décisions des congrès nationaux, si souvent évoquées en ces jours, prévoyaient le déclenchement automatique de la grève générale aussitôt l'ordre de mobilisation lancé, mais ce n'était pas le cas. Pourquoi les militants de province n'auraient-ils pas eu le souci de coordonner leur action avec la direction de la CGT que rien, jusque-là, n'empêchait d'animer le mouvement [51] ?

Les appréciations portées par Jouhaux ne doivent pas être considé-

---

49. A.N. F 7 13348, M/9528.

50. A.N. F 7 13348, M/9528.

51. R. Péricat (*op. cit.*, p. 5) le traduit ainsi : « Les organisations attendent anxieusement les décisions du comité confédéral, comité exécutif de la CGT. La plupart des militants de province, et plus particulièrement des grandes villes, ne marquent pas une très grande activité. Personne ne veut prendre d'initiatives et de responsabilités. Paris attend la province, la province attend Paris. Personne ne bouge et la guerre vient ».

rées comme simples arguments de circonstance : ce serait commettre une erreur sur la nature d'un mouvement syndical, bien loin d'être encore centralisé et hiérarchisé comme il l'est devenu par la suite sous l'influence des principes d'organisation bolcheviques.

On ne peut toutefois s'empêcher de penser que le discours de Jouhaux ne fut guère un encouragement à l'action. D'ailleurs, après avoir ainsi créé le climat, quelles sont ses propositions ? Il suffit, pense-t-il, que le comité confédéral constitue une commission : elle aura pour tâche de rédiger un manifeste dont il trace les grandes lignes. « Pas de violences inutiles » dans la forme ; dans le fond, un texte susceptible d'unir aux syndicalistes les « socialistes, libres-penseurs, même radicaux pacifistes », en somme « ni chair, ni poisson », comme le précise un informateur [52].

Les membres du comité confédéral, tous ou presque, la « quasi-unanimité » [53], approuvèrent les propositions de Jouhaux et les trouvèrent suffisantes. Seul le bouillant secrétaire de la Fédération des syndicats maritimes, un corse, Rivelli [54], aurait souhaité qu'on ne se contentât pas d'élaborer ce manifeste, mais que le CGT organisât une campagne de meetings le même jour dans toute la France. Il aurait également désiré qu'on rappelât les décisions des congrès et qu'on ne se contentât pas d'évoquer de grands principes. Mais Rivelli n'insista pas : le seul soutien qu'il reçut vint de Marchant, un militant de la Fédération du tonneau qui, nous dit-on « a(vait) toujours fait preuve d'une violence suspecte » [55]. En revanche, sa proposition rencontra l'opposition de Jouhaux et celle de Raoul Lenoir [56]. Péricat [57], Monatte [58] ne dirent rien, ou tout au moins nous ne savons rien de leurs interventions. On peut supposer sans grand risque d'erreur que leur position fut la même que celle du reste du comité confédéral. Dumoulin confirma plus tard ce consensus. « Au comité confédéral, sachant parfaitement ce que Paris

---

52. A.N. F 7 13348, M/9529.

53. *Ibid.* M/9529.

54. Rivelli, qui était alors âgé de quarante et un ans, était aussi au comité confédéral le délégué de l'Union départementale des syndicats des Bouches-du-Rhône.

55. A.N. F 7 13348, M/9529. Il est curieux de constater que ce militant suspect à ses camarades ne figure sur aucune des listes de « révolutionnaires de Paris ou de province » que les Renseignements généraux tenaient avec soin (A.N. F 7 13053) et qu'il n'y a pas non plus de fiche de renseignements sur son compte comme sur tant d'autres (A.N. F 7 13961).

56. Lenoir allait bientôt être un des opposants à la politique suivie par Jouhaux ; dans l'immédiat, il fut de ceux qui le soutinrent le plus activement.

57. Cf. Raymond Péricat, *La guerre vue par un ouvrier, op. cit.*

58. En fait, contrairement à ce qu'indiquait la note M/9528, Monatte n'était vraisemblablement pas à cette réunion du comité confédéral puisqu'au même moment A. Rosmer lui écrivait ... en Auvergne (cf. J. Maitron et C. Chambelland, *op. cit.*, p. 19-22, lettres de Rosmer à Monatte du 27, 28, 29, 30 juillet). Mais il est significatif qu'il n'ait pas jugé indispensable de rentrer !
Dans son ouvrage (*Trois scissions syndicales*, Editions ouvrières, Paris, 1958, 256 p., p. 142), Pierre Monatte s'étend longuement sur les faiblesses de la direction syndicale dès le mois d'août 1914, mais il ne dit pas un mot de ce qui s'est passé pendant la crise.

pensait [59], ce dont il était capable, nous nous sommes parfaitement rendu compte de l'impraticabilité de nos résolutions de congrès, de l'inanité des ordres que nous aurions pu donner pour déclencher la grève générale et faire échec à la mobilisation » [60]. Il fit d'ailleurs partie avec, entre autres, Merrheim et Bourderon [61], les futurs « pélerins de Zimmerwald », de la commission dont Jouhaux avait souhaité la constitution pour rédiger le manifeste.

La réunion des conseils syndicaux du département de la Seine eut lieu immédiatement après celle du comité confédéral et, comme l'indique *La Bataille syndicaliste* [62], elle adopta les résolutions qui y avaient été mises au point. Il ne semble pas cependant que l'atmosphère y ait été identique [63]. Les membres du comité confédéral avaient d'ailleurs eu le souci de terminer assez vite leurs délibérations pour pouvoir se rendre à cette assemblée, dans la salle toute proche de l'Egalitaire. « Jouhaux, Lenoir et quelques autres craignaient surtout qu'on s'y livre à des écarts de langage et qu'on n'y parle *(sic)* trop clairement du sabotage en cas de mobilisation » [64]. Dans une réunion nombreuse, 500 militants de rang plus modeste, les entraînements, les impulsions risquaient d'être moins bien contrôlés qu'au comité confédéral, des emballements passagers pouvaient prendre le pas sur la sagesse politique.

Il fallut néanmoins attendre près d'une demi-heure après que la séance ait été ouverte à 10 h 20 du soir pour que l'orateur attendu, le secrétaire de l'union départementale, Jules Bled, arrivât. Il y trouva la même anxiété qu'au comité confédéral : « On sent que tous ont peur d'être arrêtés et de faire de la prison préventive. De nombreux militants ne cachent pas qu'ils ne couchent pas dans leurs lits et qu'ils ont accepté l'hospitalité offerte par des camarades » [65]. Comme Jouhaux, Bled ne fit rien pour dissiper la psychose de l'arrestation. Il conseilla aux membres des conseils syndicaux de prévoir leur remplacement et il fit part des informations qu'il possédait sur les menaces qui existaient pour le lendemain.

La position du comité confédéral sur l'attitude à observer dans la lutte contre la guerre ne fut pas admise, en revanche, sans réticences. A

---

59. Il paraît tout de même un peu prématuré de considérer après la manifestation de la veille qu'il n'y avait strictement rien à tenter à Paris.

60. Dumoulin, *Carnets de route, op. cit.*, p. 66.

61. La commission comprit en outre Jouhaux, Lapierre, Marck, Luquet et Savoie.

62. 29 juillet.

63. Outre le bref compte rendu de *La Bataille syndicaliste*, deux notes de synthèse permettent de connaître le déroulement de la réunion. Une, assez courte, du Ministère de l'intérieur (F 7 13348 M/9530), une seconde, plus détaillée et plus précise, de la préfecture de police (APP 29 juillet 1914). Des éléments complémentaires sont encore apportés par une autre note de la préfecture de police du 31 octobre 1914, intitulée « Sur l'attitude de la CGT et de l'Union des syndicats de la Seine pendant la période de crise qui a précédé la mobilisation.

64. A.N. F 7 13348, M/9528.

65. A.N. F 7 13348, M/9530.

vrai dire, l'exposé de Bled fut moins nuancé que ne l'avait été celui de Jouhaux : il mit nettement en évidence que le gouvernement français était favorable à la paix, que les syndicalistes étrangers répondraient à une éventuelle mobilisation dans leur pays et qu'en raison des difficultés à organiser une grève générale en cas de mobilisation, le comité confédéral n'avait pu prendre une décision dès maintenant. On a l'impression — il faudrait posséder les textes mêmes des déclarations qui furent faites pour en avoir la certitude — qu'un pas a été franchi entre la réunion du comité confédéral et celle des conseils syndicaux : ce que Jouhaux présentait en demi-teinte, Bled l'exposa crûment. C'est probablement l'atmosphère de la salle qui l'amena cependant à manifester une réserve : « J'aurais voulu que le comité envisageât ce qu'il y avait à faire en cas de mobilisation » [66]. Mais le contexte ne permet pas de dire s'il rappelait une réserve qu'il avait formulée au cours de la réunion du comité confédéral ou s'il faisait part simplement d'une restriction mentale. D'ailleurs il utilisa un argument qui aurait eu certes l'aval guesdiste, mais pas celui de la CGT : Bled se demanda « si les Français ne joueraient pas un rôle de dupes en décrétant la grève générale avec toutes ses conséquences » [67].

Que devenait l'antipatriotisme ? Ces arguments nouveaux pour des militants de la CGT ne manquèrent pas de provoquer quelques remous : au moins quatre militants prirent la parole pour relancer l'idée de la grève générale. Parmi eux le secrétaire du Syndicat des terrassiers, Hubert [68], et le charpentier en fer, Jean-Baptiste Vallet. Ce dernier ne mâcha pas ses mots : il souhaitait que l'Union des syndicats prenne la responsabilité de l'attitude à observer en cas de mobilisation « puisque la confédération se défil(ait) » [69]. Ils ne trouvèrent cependant pas un grand écho [70]. Et la réunion, très courte — une demi-heure depuis l'arrivée de Bled — se termina par l'alignement sur les positions du comité confédéral.

Dans l'histoire de la CGT, nous pensons que cette soirée du 28 juillet 1914 a été capitale. Elle pouvait alors intensifier l'action contre la guerre, décider de préparer la grève générale, quitte à connaître l'échec et la répression, ou au contraire se disposer au repli en en cherchant les

66. Note de la préfecture de police du 29 juillet.

67. A.N. F 7 13348, note du 29 juillet de la préfecture de police.

68. Il ne devait pas tarder à avoir maille à partir avec un conseil de guerre (cf. IIIᵉ partie, chapitre 5).

69. A.N. F 7 13348, Note du 29 juillet de la préfecture de police. D'après une lettre de Rosmer à Monatte du 29 juillet 1914. (cf. Jean Maitron et Colette Chambelland, *op. cit.*, p. 21) « Tu verras dans la B.S. le manifeste dont le comité conféd(éral) a accouché hier. Il est passablement stupide... », on peut penser que le texte de la CGT n'a pas rencontré que des approbations.

70. Un participant, Antourville, fit d'ailleurs remarquer que la grève générale prévue par les congrès en cas de mobilisation ne pouvait être appliquée que par les syndicats qui en majorité l'avaient approuvée, et suivant la mesure de leurs moyens.

justifications. Ce fut la deuxième voie qui fut choisie, même si elle le fut avec une certaine ambiguïté. G. Dumoulin l'analyse de la façon suivante : le comité confédéral, en se refusant à commander, en s'abritant derrière les décisions antérieures des congrès, « restait libre de ne rien faire ou de faire tout le contraire de ce qu'avaient dit les congrès nationaux »[71]. Il était évident que, si les militants syndicaux attendaient que la grève générale se déclenche toute seule, il y avait la plus grande chance pour que cela n'arrivât pas.

Les notes des Renseignements généraux ou de la préfecture de police sont extrêmement précieuses. Ce sont les seuls documents, avec leurs insuffisances, qui nous permettent de connaître le déroulement de réunions dont il n'existe pas d'autres comptes rendus. Toutefois, nous donnent-elles tous les éléments d'explication nécessaires ? Peut-on dire que, si les phases de l'évolution nous apparaissent, nous en comprenons pour autant les raisons ? Nous ne le pensons pas. Nous avons vu que la « peur » ne peut véritablement être considérée comme le ressort du changement. Elle a pu être un moyen, et plus encore une conséquence. Les militants avaient peur parce qu'ils ne croyaient plus aux méthodes dont ils avaient claironné l'efficacité avant le péril. Est-ce parce que, comme l'a dit Dumoulin, ils se sont rendu compte de l'état d'esprit de Paris, un Paris qui leur serait hostile ? Cela ne nous paraît pas non plus satisfaisant : la manifestation de la veille avait été réussie. Beaucoup de Parisiens étaient « descendus dans la rue » à l'appel de *La Bataille syndicaliste*, — « elle (la manifestation) n'a pas été violente, mais elle a été nombreuse... »[72]. On ne peut pas dire qu'une fraction de l'opinion publique n'était pas mobilisable par la CGT. Est-ce parce que les voyageurs de Bruxelles sont revenus accablés par l'impossibilité de la concertation internationale ? Peut-être, mais ils n'ont, semble-t-il, pas eu grand mal à convaincre leurs collègues du comité confédéral, puis les militants des conseils syndicaux, qu'il fallait abandonner ou tout au moins assouplir une position qui, justement, entendait ne pas se définir par rapport à des critères internationaux. On a l'impression que tous ou presque se sont trouvés spontanément d'accord, sans guère de discussions ; l'entente s'était établie autour d'une idée : on pouvait protester contre la guerre, on ne pouvait pas saboter la mobilisation, pas pour des raisons matérielles mais pour des raisons psychologiques. Cela n'était pas encore tout à fait exprimé, mais cela ne devait plus tarder.

Le point de vue de la CGT fut rendu public le lendemain par la publication du manifeste élaboré la veille au soir[73]. Le plus inattendu

---

71. G. Dumoulin, *Les syndicalistes français et la guerre*, op. cit., p. 14.
72. Jean Maitron et C. Chambelland, *op. cit.*, p. 19. Lettre de Rosmer à Dumoulin du 28 juillet.
73. *La Bataille syndicaliste*, 29 juillet. Le manifeste est également reproduit dans B. Georges et D. Tintant, *op. cit.*, p. 454.

pour le lecteur était évidemment l'abandon de la référence à la grève générale, qui était encore prônée par *La Bataille syndicaliste* dans l'édition spéciale du soir précédent. Les déclarations des congrès nationaux étaient encore évoquées, mais ce n'étaient plus des « extraits bien choisis », seulement des considérations générales sur ce que représentait la guerre pour la classe ouvrière [74]. Fait nouveau également, tout en condamnant la guerre avec véhémence, la CGT renonçait à mettre toutes les « patries » sur le même plan ; elle commençait à choisir son camp : « L'Autriche porte une lourde responsabilité devant l'Histoire » et elle adressait un témoignage de satisfaction au gouvernement français : « Les gouvernants de ces pays ont le peuple français avec eux si, comme on le dit, ils travaillent sincèrement pour la paix ».

Comme l'écrira Dumoulin :

> « La CGT fixa pour elle-même et au regard de l'Histoire les responsabilités de la guerre. A mon avis, il y avait déjà là un premier acte contraire à notre esprit révolutionnaire et à nos convictions internationalistes. Le mouvement syndicaliste français portait déjà sur les événements un jugement faux qui devait avoir pour lui des conséquences funestes en l'entraînant dans l'Union sacrée » [75].

Ces remarques critiques, il ne semble pas que qui que ce soit, et Dumoulin en particulier, les ait faites pendant l'élaboration du manifeste : il est vrai que les documents des Renseignements généraux sont muets sur les discussions qui ont pu avoir lieu à ce moment [76]. On peut cependant donner acte à Dumoulin d'une lucidité a posteriori : il est certain que le manifeste allait beaucoup plus loin que les réunions de ce mardi ne le suggéraient : l'orientation révolutionnaire de la CGT était implicitement abandonnée.

Toutefois, l'attitude nouvelle de la CGT risquait de provoquer dans l'immédiat de délicats problèmes d'application : sur la lancée de la manifestation du lundi, un grand meeting avait été prévu pour le mercredi soir dans les deux salles Wagram [77]. Il pouvait paraître surprenant que le prolongement d'une manifestation de rue, que l'élargissement de

---

Il est uniquement signé « le comité confédéral » comme il en avait été décidé la veille. « Puisque des arrestations devaient avoir lieu de toutes façons, il est inutile, avait dit Jouhaux, d'inscrire les noms des délégués présents... ». L'observateur ajoute en rapportant le propos : « L'Assemblée approuva avec un soulagement de satisfaction... » (A.N. F 7 13348, M/9528).

74. « Toute guerre est un attentat contre la classe ouvrière, elle est un moyen sanglant et terrible de faire diversion à ses revendications ».

75. G. Dumoulin, *Carnets de route, op. cit.*, p. 66.

76. Ce qui laisserait à penser que les informateurs des Renseignements généraux ne se trouvaient pas au niveau du bureau confédéral.

77. Un grand nombre de militants les plus connus étaient annoncés parmi les orateurs : Jouhaux, Dumoulin, Yvetot pour le comité confédéral, Chanvin, le secrétaire de la Fédération du bâtiment, Merrheim, Lefebvre, secrétaire de la Fédération du bijou, plus les trois secrétaires de l'Union des syndicats de la Seine, Bled, Minot et Gambiez.

l'action, se traduisent par une réunion en salle ; cela pouvait cependant se comprendre si, comme l'indiquait « l'Appel aux travailleurs »[78], le but de la réunion était de commenter et d'envisager l'application des décisions des congrès confédéraux, en quelque sorte d'organiser la grève générale. Mais, à partir du moment où il n'en était plus question, quelle serait la position des orateurs, étant donné au surplus qu'à en croire *La Bataille syndicaliste* de nombreuses organisations syndicales préparaient activement ce meeting[79] ? En l'interdisant, le gouvernement, probablement sans le savoir, facilita grandement la mutation stratégique de la CGT et enleva un grave souci à ses dirigeants[80].

A partir du mercredi 29, plusieurs composantes de l'orientation de la CGT se trouvèrent modifiées. A la suite de la réunion du comité confédéral, la fonction occulte de direction, que s'étaient octroyée certains journalistes de l'organe syndical, cessa[81]. Les articles de tête du journal, qu'ils soient signés Yvetot, enfin rentré[82], ou Jouhaux, furent des appels à la réflexion, au calme, et non plus à l'action violente[83]. Les arrestations dont la menace avait provoqué tant d'inquiétudes n'avaient pas eu lieu et, comme le dit une note des Renseignements généraux, « ... à la CGT, on commence à reprendre courage »[84], à ce point même que, dans les discussions qui s'y produisaient, on avait tendance à trouver que le manifeste du mardi soir « était trop anodin et trop visiblement rédigé sous l'empire de la peur »[85]. Un dernier élément vient encore modifier

---

78. *La Bataille syndicaliste*, 28 juillet.

79. Dans le numéro du 28 juillet de *La Bataille syndicaliste*, les cheminots disponibles de Paris-Saint-Lazare Batignolles et Paris-Batignolles-Dépôt sont convoqués au meeting « monstre » de la salle Wagram. Le numéro du 29 publie une longue liste d'organisations syndicales et politiques appelant leurs adhérents au meeting.
Encore dans le numéro du 31, il est rendu compte que les préparateurs en pharmacie décidèrent de suspendre leur assemblée générale pour se rendre au meeting.

80. A la réunion des conseils syndicaux du mardi soir, J. Bled avait fait allusion aux possibilités d'interdiction dont le bruit avait couru, mais il n'en avait pas semblé autrement navré. Il avait simplement été dit qu'au cas où le meeting ne pourrait avoir lieu, une manifestation importante serait organisée pour le remplacer, mais sans qu'on en précise le moment (A.N. F 7 13348, note de la préfecture de police du 29 juillet).

81. Ce qui n'empêche pas le journal de se livrer à quelques incartades. Jouhaux réprouva la publication des propos attribués à Messimy : « ...Laissez-moi la guillotine et je garantis la victoire... » « La B.S., en semant la panique dans les milieux ouvriers, a commis une lourde faute... » (A.N. F 7 13348, Note de la préfecture de police du 31 juillet).

82. Il avait encore passé deux jours à Toulouse, après avoir quitté Tulle (A.N. F 7 13348, M/9535).

83. « ...Et nous nous demandons : Que faire pour faire bien ? », Yvetot, 31 juillet. « Pas d'affolement. Ce dont il faut nous préserver avant tout, c'est de la panique, de l'affolement qui conduisent aux pires résultats... Notre désarroi, s'il existait, serait la pire des choses car il permettrait toutes les folies... », Jouhaux, 31 juillet.

84. A.N. F 7 13348, M/9535, 31 juillet.

85. *Ibid.*, Jouhaux qui, comme nous l'avons vu, avait semblé donner la main à la campagne d'intoxication qui s'était développée, opérait maintenant le mouvement contraire et s'employait à freiner la contagion de la peur. Il se disait bien informé des intentions du gouvernement et de ce que Malvy n'avait cessé de résister à Messimy et à Hennion (le préfet de police), qui voulaient des arrestations immédiates et avant tout l'arrestation des membres du bureau confédéral et de la commission de la grève générale. Il croyait savoir aussi que Viviani préférait attendre encore un peu pour pouvoir ordon-

les perspectives : « La province commence à donner » [86]. Les graphiques que nous avons dressés le confirment [87], le mouvement de protestation contre la guerre était dans une phase ascendante puisqu'il allait culminer le lendemain 30. Ces derniers traits pouvaient donc amener la direction confédérale à raidir quelque peu son attitude qui avait été par trop amollie. Il n'est plus possible toutefois de comprendre l'évolution de la CGT, en analysant seules réunions officielles des organismes dirigeants car, « durant la dernière semaine de juillet 1914, le comité confédéral, à partir du mardi 28 ... siégea en permanence. Après l'interdiction des meetings du mercredi ..., les réunions ordinaires annoncées dans *La Bataille syndicaliste* et se tenant au siège de la CGT ou dans les salles désignées, se doublèrent de réunions secrètes convoquées hors du local habituel » [88].

Il semble que depuis ce moment, la CGT ait poursuivi parallèlement deux politiques. La première peut être qualifiée de maximale. En relisant le texte de leur manifeste, les dirigeants confédéraux pouvaient se convaincre que, s'ils n'avaient pas mentionné l'éventualité d'une grève générale, ils n'avaient pas explicitement dit qu'elle était à rejeter. En admettant que les propos prêtés à Merrheim soient exacts, il déclarait, le 30 : « On ne peut nous reprocher d'avoir reculé puisque l'insurrection doit venir d'en bas et que la CGT n'a plus rien à faire. Donc rien n'est perdu » [89]. Des plans d'action étaient dressés : « Si la crise dure encore quelques jours, l'action engagée par les unions des syndicats créera un mouvement de protestation suffisant pour qu'une grève de 24 heures puisse être envisagée » ; si elle réussit, « on serait certain du succès d'une autre grève pour le jour de la mobilisation, qui se déroulerait avec toutes ses conséquences, sabotages et violences... » [90].

Que faut-il penser de ce projet de relance de l'action révolutionnaire ? A vrai dire, il n'est guère attesté que par la note M/9535. Aucun

---

ner d'un seul coup l'arrestation de 800 syndicalistes révolutionnaires qui seraient « parqués » dans l'île de Ré.
Si on en croit Malvy, les informations de Jouhaux étaient exactes. Malvy ne cessa de s'employer à calmer le « tempérament policier » de Hennion ; il était approuvé par un seul des hauts fonctionnaires des services de Police et de Sûreté, Richard, le directeur de la Sûreté générale (cf. Louis Malvy, *Mon crime*, Paris, 1921, 286 p., p. 39).

86. A.N. F 7 13348, M/9535, 31 juillet.

87. Cf. chap. 2, fig. 7.

88. Alfred Rosmer, *op. cit.*, T. I, p. 169. D'après Rosmer, également dans ces réunions clandestines, les dirigeants de la CGT examinèrent plus particulièrement ce qu'ils devaient faire personnellement. « Allaient-ils se laisser arrêter et jeter en prison ou dans des camps de concentration, ou bien se cacher en France ou plus sûrement hors de France ? Déjà par mesure de précaution, ils ne rentrèrent plus à leur domicile. On étudie assez minutieusement le départ pour l'Espagne de Jouhaux et des membres du comité les plus connus pour leurs activités antimilitaristes... »
Il n'est pas fait allusion à ces réunions dans les rapports des Renseignements généraux sur l'activité de la CGT.

89. A.N. F 7 13348, M/9535, 31 juillet.

90. *Ibid.*

des acteurs de ces journées n'y fait d'allusion dans les écrits qu'il a laissés. Nous ne pensons pas cependant qu'il soit le fruit de l'imagination des rédacteurs de la note. L'idée que la CGT n'avait pas d'ordre à donner, qu'elle n'avait qu'à attendre le déclenchement par les masses ouvrières de la grève insurrectionnelle, n'était pas nouvelle. C'est Merrheim lui-même qui l'avait fait adopter au congrès de Marseille en 1908. D'autre part, la possibilité d'actions éventuelles était assurément maintenue : le 30, les bureaux de la CGT et de l'Union départementale des syndicats de la Seine annoncèrent qu'ils préparaient une manifestation « encore plus importante » pour remplacer celle de Wagram et qu'il en était de même pour de nombreuses unions départementales de province ; le but était de créer « une atmosphère de protestation contre la guerre »[91]. Toutefois, la date n'était pas fixée, le choix en était laissé au comité confédéral convoqué pour le vendredi 31. Dumoulin fut également chargé de rédiger un article à paraître dans *La Voix du peuple*[92] le 1er août, et dont ses collègues approuvèrent le texte[93]. Il appelait la province à l'action. Il fallait que partout se manifestât l'opposition à la guerre par des meetings ou autrement[94], sans attendre l'aide de Paris. « Les discours des meetings ne sont que secondaires ; ce qui compte, c'est le nombre de protestataires et la puissance de la clameur populaire ».

La reprise de l'orientation révolutionnaire était cependant subordonnée, comme le souligne la note M/9535, à une série d'hypothèses dont la principale était que la crise durât encore un certain temps[95]. De surcroît, une partie des mesures envisagées pouvaient trouver leur justification dans le cadre de la solution minimale, c'est-à-dire celle définie par le manifeste du 28. Conserver deux fers au feu ne signifiait pas que cette dernière ne restait pas pour l'instant la plus vraisemblable. Or cette politique était très proche de celle définie par le Parti socialiste. De plus, il n'avait pu échapper aux dirigeants de la CGT que, dans le mouvement de protestation contre la guerre, un net rapprochement se produisait entre militants syndicalistes et militants socialistes. Dans ces conditions, il était illogique que les deux organisations continuent de s'ignorer. Jouhaux en fut, semble-t-il, rapidement convaincu, dès la réunion du comité confédéral du mardi soir. Il lui fallut faire partager sa conviction aux

---

91. *La Bataille syndicaliste*, 31 juillet, les unions départementales citées dans le texte étaient celles de Lyon, Marseille, Toulouse, Bordeaux, Limoges, Nantes, Rennes, Le Havre, Rouen, Bourges, Amiens, Lille, etc. (Il devait plutôt s'agir des Bourses du Travail des villes considérées que des unions départementales). Les « etc », sont dans le texte.

92. Cet hebdomadaire, organe officiel de la CGT, n'était plus servi qu'aux seuls abonnés.

93. A.N. F 7 13348, M/9537, 31 juillet.

94. « Si les meetings sont interdits par la force, il est d'autres moyens qui peuvent être employés pour faire entendre la voix populaire ».

95. Il est important d'être conscient que tant les dirigeants de la CGT que ceux du Parti socialiste, ne donnèrent à peu près jamais l'impression que le temps leur était chichement compté.

autres dirigeants de l'organisation tout en ne perdant pas de temps pour prendre les contacts nécessaires. La note M/9535 permet de suivre les étapes du rapprochement. Dans un premier temps, il fut justifié par des considérations tactiques de nature à permettre aux révolutionnaires de surmonter leurs répugnances envers le Parti socialiste : les syndicalistes (qui d'ailleurs n'avaient pas attendu ces consignes pour le faire) étaient invités à prendre part aux meetings socialistes, si on interdisait les leurs. Dans un deuxième temps, ils devaient accorder leurs actions avec celles des socialistes car, pensait-on, le gouvernement ne pourrait s'attaquer aux syndicalistes sans s'en prendre aux socialistes, ce qu'il ne voulait pas faire. Ce sont ces considérations d'opportunité qui permirent à Jouhaux de ne plus « hésiter à conseiller un rapprochement provisoire avec le Parti socialiste ». Elles auraient d'ailleurs été soufflées à Jouhaux au cours de plusieurs entretiens avec des dirigeants socialistes de second rang, Désirat, Poli et Dormoy [96].

Ce n'est cependant qu'au retour de Jaurès de Bruxelles [97], le 30 au soir, que se situa le moment essentiel. Une délégation de la CGT composée de Jouhaux, Dumoulin, Merrheim, Bled et Minot, rencontra celle du Parti socialiste, formée de Jaurès, Vaillant, Dubreuilh et Renaudel [98]. Qui avait été demandeur ? A. Kriegel pense que ce fut la CGT [99]. Si on apporte foi à la note M/9538, cela paraît certain : « Jouhaux expose que, s'inspirant des décisions du dernier comité, *il a pris l'initiative* d'entrer en relations avec le PSU ».

Plus encore que cette affirmation, l'évolution des événements le confirme. Ce rapprochement correspondait à ce que l'on sait des idées de Jaurès sur l'unité ouvrière, mais Jaurès n'était pas là quand eurent lieu les premiers contacts. De plus, une initiative des socialistes n'était pas justifiée, car ce n'étaient pas eux qui jusque-là s'étaient refusés à une collaboration, ce n'étaient pas eux non plus dont la stratégie s'effondrait au premier choc. Pour la CGT, il était au contraire impératif de pouvoir s'appuyer sur les socialistes, le cas échéant de se dissimuler derrière eux. Tout, depuis le début de la crise, les poussait à cette démarche.

Une fois les premiers pas faits, les entrevues furent « fréquentes » [100], en particulier le vendredi 31. L'accord entre les parties ne se fit pas

---

96. Le plus connu des trois est Pierre Dormoy (à ne pas confondre avec les Dormoy de l'Allier). Membre suppléant de la CAP du Parti socialiste, il a été secrétaire de la fédération de la Seine de 1910 à 1913. Assez proche des syndicalistes révolutionnaires, il faillit un moment, soutenu par Jaurès, devenir secrétaire général du PSU (voir *Le Mouvement social*, 39, avril-juin 1962. Parenthou-Dormoy, *Souvenirs sur Jaurès*).

97. Jouhaux était à Bruxelles les 26 et 27 et Jaurès y séjourna le 29 et le 30 (voir chapitre suivant).

98. A.N. F 7 13348, M/9538, 1er août. Louis Dubreuilh était le secrétaire général du Conseil national du Parti socialiste. Pierre Renaudel, qui venait d'être élu député du Var, était membre de la CAP et administrateur de *L'Humanité*.

99. *Bulletin de la société d'études jaurésiennes*, n° 7, octobre-décembre 1962. A. Kriegel, « Jaurès, le PS et la CGT à la fin de juillet 1914 », p. 7, en particulier note 9.

100. A.N. F 7 13348, M/9538.

cependant sans quelques difficultés. Une première divergence fut d'ordre pratique : devant la précipitation des événements, aggravés par la mobilisation russe, Jouhaux proposa d'avancer au 2 août la grande manifestation pacifiste que le Parti socialiste avait décidé d'organiser le 9 au Pré-Saint-Gervais. Jaurès n'en était pas partisan, craignant que ce changement ne provoquât la panique et l'affolement dans la classe ouvrière. Persuadé d'ailleurs que la tension actuelle devait encore durer une dizaine de jours, il estimait la date du 9 bien choisie. Avec « sa persuasion habituelle » [101], Jaurès en convainquit son interlocuteur.

La seconde divergence d'ordre théorique est plus fondamentale : jusqu'où la CGT pouvait-elle suivre le Parti socialiste ? La délégation syndicaliste était prête à adopter la tactique socialiste mais, « si à un moment donné, M. Jaurès écrit que le PSU a fait tout son possible et qu'il faut laisser la parole aux armes en défendant la République, la CGT ne le suivra pas sur ce terrain » [102]. S'agit-il d'une réticence de pure forme ? A. Kriegel pense que non car, si cette position n'était pas en contradiction avec les engagements pris par les socialistes, elle l'était assurément avec ceux pris par la CGT [103]. Comme nous avons essayé de le montrer, le pas avait été franchi dès le 28 au soir, mais les dirigeants confédéraux, avec une pointe de casuistique, pouvaient considérer qu'ils n'avaient pas transgressé leur mandat sur le plan des faits, et ils n'étaient pas encore tout à fait prêts à le faire.

Les engagements pris lors des entrevues avec les personnalités socialistes devaient nécessairement recevoir l'accord du comité confédéral : il fut convoqué à cet effet pour le vendredi soir.

La séance s'ouvrit à 9 h 30 du soir, présidée par Roux, le secrétaire de la Fédération des cuirs et peaux, assisté de Dumoulin, en présence d'une cinquantaine de délégués dont toutes les têtes de la CGT. On y remarquait aussi la présence d'Inghels, député socialiste du Nord.

C'est apparemment sans difficultés que le comité confédéral approuva les initiatives de son bureau, les pourparlers avec le Parti socialiste à qui il donna un caractère officiel en désignant une commission chargée d'entrer en *relations constantes* avec lui. Elle fut d'ailleurs composée de ceux qui avaient mené les conversations jusque-là : Jouhaux, Merrheim, Dumoulin, Bled et Minot.

Le déroulement de la réunion fut bouleversé quand brusquement Morel, caissier de *La Bataille syndicaliste* pénétra en criant : « Jaurès vient d'être assassiné ! » [104]. On a l'impression que la terrible nouvelle et l'ombre sinistre qu'elle fit passer sur l'assemblée aient poussé les délé-

---

101. A.N. F 7 13348, M/9538, 1ᵉʳ août.
102. *Ibid.*, M/9535, 31 juillet.
103. *Bulletin de la Société d'études jaurésiennes,* art. cité, p. 9.
104. A.N. F 7 13348, M/9538, 1ᵉʳ août.

gués à ne plus finasser, à se décider à parler clair. Un extrait de la note M/9538 mérite d'être longuement cité :

> « L'intervention de Bled est très remarquée.
> " La CGT, dit-il, doit négliger toutes ses décisions contre la guerre. Ce n'est pas le moment d'effrayer, par des déclarations incendiaires, tous ceux qui sont partisans de la paix. Si le PSU décide un manifeste, la CGT ne doit pas gêner l'action des socialistes. Il faut remiser les décisions anti-militaristes des congrès confédéraux, et signer toutes les déclarations du PSU ".
> Merrheim déclare approuver Bled.
> Yvetot lui-même approuve.
> La commission confédérale doit avoir des pouvoirs illimités, mais non définis : tout doit être tenté pour éviter une guerre européenne.
> Marchant (du Tonneau) se rallie avec quelque tristesse aux déclarations de Bled et de Merrheim, et tout le comité *unanimement* décide de seconder l'action des socialistes en faveur de la paix, en " s'asseyant sur les principes " » [105].

C'est donc à l'unanimité qu'en cette tragique soirée du 31 juillet, la direction de la CGT a rompu avec son passé : elle renonçait explicitement aux décisions de ses congrès, elle renonçait à mettre en pratique la grève générale [106].

Quelques heures encore et la mobilisation générale était décrétée. Réuni dans la soirée du 1er août, le comité confédéral arrêtait les termes d'un nouveau manifeste. Publié dans *La Bataille syndicaliste* du 2 août et adressé aux « Prolétaires de France », il proclamait :

> « ...Nous ne pouvons que déplorer aujourd'hui le fait accompli.
> Pouvions-nous demander à nos camarades un sacrifice plus grand ?
> Quoi qu'il nous en coûte, nous répondons : non !... »

A l'unanimité, la CGT avait constaté son impuissance devant la guerre. Plus tard, évidemment, cette unanimité fut contestée. Raymond Péricat prétendit que, seul d'ailleurs à la réunion du 1er août, il avait réclamé qu'on appliquât les décisions des congrès [107], mais la veille il n'avait rien dit...

---

105. A.N. F 7 13348, M/9538, 1er août.

106. Communiqué de la réunion du comité confédéral, publié par *La Bataille syndicaliste* du 1er août. « Le comité confédéral réuni le vendredi 31 juillet décide, en présence de la situation internationale, d'organiser, d'accord avec le Parti socialiste, une grande manifestation internationale contre la guerre le 9 août ; nomme une commission chargée de s'entendre avec celle du Parti socialiste ; donne mission à cette commission de précipiter la manifestation si les événements internationaux le nécessitent ».
La deuxième partie de la résolution concernait l'assassinat de Jaurès. Le texte était signé par les cinq membres du bureau confédéral.

107. Cf. A. Kriegel, *Aux origines du communisme français, op. cit.,* T. I, p. 60, note 1, d'après Merrheim, *13e congrès de la CGT* (17 sept. 1918). Compte rendu sténographique, p. 197.
Péricat présente les faits ainsi : « L'après-midi du 1er août, les militants de la CGT sont réunis dans la petite salle de *l'Egalitaire* pour examiner la situation et prendre enfin une décision. J'ai été *le seul* à demander que la CGT applique les décisions de ses congrès. Tous les autres estiment que la CGT débordée par les événements ne peut agir.

Parmi tant d'autres déclarations ultérieures, nous pouvons retenir celle du farouche antimilitariste qu'était Jean-Louis Thuillier [108]. Le 14 juillet 1917, à la première séance du congrès du Comité de défense syndicaliste [109], il affirma :

> « Si la CGT avait décidé de laisser rentrer les Allemands en France sans coup férir, cela aurait voulu dire que le peuple français aimait mieux devenir allemand que de subir la guerre et si la CGT ne l'a pas fait, elle a violé les décisions des congrès. Pour moi, je m'en fous. Allemand ou Français, je n'aurai jamais qu'un maître, le capitalisme. C'est le seul que je connaisse et que je combatte... » [110].

Mais qu'avait-il fait en 1914 ? Il partit comme tout le monde et resta mobilisé jusqu'en 1917 !

En fait, s'il n'est pas contestable qu'il y ait eu renoncement, ce fut bien un renoncement collectif. Il fut éprouvé aussi bien au niveau de la direction de la CGT qu'à celui des organisations syndicales — les communiqués du syndicat des coiffeurs [111], de la Fédération du bâtiment [112], des ouvriers parquetiers de la Seine [113], du Comité de l'alimentation parisienne [114]..., tous s'indignent contre la menace de guerre, tous appellent à manifester pour la paix, mais pas un ne parle de grève —, à celui des simples militants [115] ou à celui d'une ville ouvrière [116].

L'attitude de la Confédération générale du travail en juillet 1914 a suscité bien des controverses. Elle a échoué dans sa résistance à la guerre alors que jusqu'au bout ses militants n'ont pas cessé de la détester. Mais

---

La seule décision qui fut prise fut la rédaction d'une affiche dans laquelle la CGT décide de faire connaître à la classe ouvrière son impuissance à barrer la route aux événements ». (Raymond Péricat, *op. cit.*, p. 9).

108. Tailleur de pierre, anarchiste, né en 1870 dans l'Indre, il a été secrétaire de l'union départementale de la Seine et du Comité intersyndical du bâtiment de la Seine avant d'être, en 1911, le secrétaire du comité de défense sociale, c'est-à-dire l'organisme qui s'était spécialisé dans la lutte contre les tribunaux militaires.

109. Fut créé pendant la guerre par les minoritaires de la CGT opposés à la politique de la direction confédérale.

110. A.N. F 7 13961, Dossier Thuillier.

111. *L'Humanité*, 1er août.

112. *Ibid.*

113. *La Bataille syndicaliste*, 31 juillet.

114. *L'Humanité*, 1er août.

115. « Les syndiqués de Paris-Nord du Syndicat national, ceux qui sont connus par leur violence habituelle, sont très calmes en ce moment. Les partisans convaincus du sabotage en cas de mobilisation ne disent plus rien, ou du moins ils fuient la discussion. » (A.N. F 7 13348, M/9532, 29 juillet).
« L'état d'esprit chez les ouvriers des PTT ».
« La note dominante est que tous doivent prendre part aux manifestations tant socialistes que syndicalistes qui seront organisées contre la guerre.
Mais leurs protestations s'arrêteront là, leur loyalisme est absolu et jusqu'à présent aucune note discordante ne s'est fait entendre ». (A.N. F 7 12934, M/9539, Paris, 1er août).

116. « Dans les milieux syndicalistes, on déclare que l'on se conformera aux décisions qui seront prises par la CGT ... Plusieurs de mes correspondants m'ont annoncé que les opérations de la mobilisation ne seraient pas entravées ». (A.N. F 7 12936, Rapport du commissaire spécial de Valenciennes. 30 juillet).

plus que d'avoir échoué, il lui a été reproché de n'avoir rien tenté d'important contre elle.

Pourquoi en fut-il ainsi ? La trahison ? Cela n'a guère de sens ou bien c'est toute une catégorie sociale qui s'est trahie elle-même. La peur ? Elle a certes joué son rôle, elle ne peut cependant tenir lieu d'explication globale, comme nous avons essayé de le montrer. En fait, comme l'a dit J. Julliard [117], les menaces de saboter la mobilisation proférées par la CGT avant la guerre étaient une sorte de vaste « bluff », au moins inconscient. Au moment décisif, elle s'est trouvée démunie. Après coup, Dumoulin en tire la leçon : « Notre Internationale syndicale ne reposait sur rien de solide ! » [118]. « Tant que nous avons conservé l'apparence de la force, on a cru en nous. Le jour où notre faiblesse a été démontrée, la déroute s'est affirmée dans la lamentable faillite... » [119]. « Il valait mieux que l'ordre d'insurrection ne soit pas donné devant le petit nombre de ceux qui l'auraient suivi » [120].

L'explication de l'échec du mouvement ne peut être trouvée dans le comportement des dirigeants syndicaux : ils n'ont fait que traduire les sentiments du pays et plus particulièrement des masses ouvrières. Ils ont senti immédiatement que les menaces de l'avant-guerre étaient totalement irréalistes et ont arrêté les quelques-uns qui brandissaient cet inutile épouvantail. En revanche, ils ont compris rapidement que le seul espoir de sauver la paix résidait dans la conjonction avec les socialistes, sur la base de la stratégie socialiste. Aussi, quand la flambée syndicaliste des premiers jours, ardente mais sans espoir, se fut affaissée, non sans d'ailleurs que les chefs syndicalistes y aient eu leur part de responsabilité, une espérance nouvelle apparut : autour du Parti socialiste, un mouvement d'opposition à la guerre commença à se développer, dont on ne doit pas exagérer l'ampleur, mais qui fut plus important et plus divers qu'on ne l'a dit depuis. Les mêmes dirigeants syndicaux, d'abord réticents devant l'organisation des réunions contre la guerre, s'y ralliaient et y poussaient avec vigueur. Mais il était trop tard. Il n'y eut pas les dix jours que Jaurès avait promis !

## Au Parti socialiste

La complexité de la démarche de la CGT procède à la fois de sa sensibilité aux impulsions du pays, du souci de ses décisions antérieures et de la préoccupation nouvelle de combiner son action avec celle du Parti

117. J. Julliard, « La CGT devant la guerre », *Le Mouvement social*, 49, octobre-décembre 1964, p. 62.
118. Georges Dumoulin, *Carnets de route, op. cit.*, p. 66.
119. *Ibid.*, *Les syndicalistes français et la guerre, op. cit.*, p. 21.
120. *Ibid.*, p. 25.

socialiste. Il est donc temps d'examiner comment les socialistes intervinrent dans la crise. La direction du Parti socialiste, c'était alors surtout Jaurès. Il nous a semblé cependant que ce n'était pas seulement Jaurès, malgré son immence personnalité. Depuis un demi-siècle, la recherche historique et la polémique politique n'ont cessé d'analyser, d'utiliser, d'interpréter les écrits et les actes de Jaurès dans les derniers jours de sa vie. Récemment encore, la controverse rebondissait autour de son emploi du temps, établi presque minute par minute, et des propos qu'il avait alors tenus ou qui lui avaient été prêtés [121]. Nous ne négligerons pas Jaurès, mais nous souhaiterions atteindre également la collectivité représentée par la direction du Parti socialiste.

Une note des Renseignements généraux datée du samedi 25 juillet [122] fait état des premières réactions du Parti socialiste. Ses dirigeants ne croient pas encore à l'imminence d'un conflit européen, ils estiment qu'il se « localisera entre » la Serbie et l'Autriche. Toutefois, en cas d'aggravation et d'accélération du rythme des événements, on prévoit de réunir exceptionnellement la CAP et le groupe parlementaire socialiste [123] pour demander la réunion du Bureau socialiste international et une convocation immédiate des Chambres. L'article de Jean Jaurès dans *L'Humanité* du 25 reflète cette attitude expectative [124]. Il s'alarme des risques que fait courir à la paix européenne l'initiative autrichienne [125], mais il s'inquiète principalement de l'absence des présidents français. Dès le début de la crise, les socialistes estimaient qu'ils représentaient un élément de modération.

Ce même 25 juillet, Jaurès était parti à Lyon où il devait soutenir la

---

121. Par exemple Jean Rabaut, Bernard Cazaubon, « Sur les deux dernières journées de Jaurès ». *Bulletin de la Société d'études jaurésiennes*, oct.-déc. 1965. Jean Rabaut, « La dernière journée de Jaurès et les inventions de M. Pierre Dupuy », *Ibid.*, janvier-mars 1969.

122. A.N. F 7 13348, M/2689.

123. La note indique : « A la CAP on considère... ». En fait il ne semble pas qu'il y ait eu une réunion de la CAP ce jour. Il s'agit probablement du récit de conversations entre membres de la CAP ou du bureau du Conseil national.
Le Parti socialiste était dirigé dans l'intervalle des congrès annuels par le *Conseil national* composé des délégués des Fédérations, des membres de la CAP, des délégués du groupe socialiste parlementaire. Mais cet organisme relativement nombreux jouait un rôle pratique moins important que la Commission Administrative Permanente composée de 24 membres élus directement par le Congrès. La CAP se réunissait ordinairement une fois par semaine le mardi.
De plus, le Conseil national choisissait parmi les membres de la CAP un bureau du Conseil national. (Voir *Annuaire du Prolétariat 1914*, l'*Encyclopédie socialiste*, *La France socialiste*, p. 103 et suiv., J.-J. Becker et Annie Kriegel, *op. cit.*, p. 215 et suiv.).
Il faut ajouter que le groupe parlementaire, bien que n'étant pas en principe un organisme dirigeant, avait dans la réalité une très grande influence.

124. « *Suprême chance de paix* ».

125. « ...Si l'Autriche demandait davantage, elle prendrait la responsabilité de déchaîner une crise qui pourrait bien, de proche en proche, jeter toute l'Europe dans le plus terrible conflit qu'aient jamais vu les hommes, dans le plus absurde et le plus scélérat... »

candidature de Marius Moutet [126]. Le discours qu'il prononça à cette occasion, « le discours de Vaise » [127], est le dernier sur le territoire français. Le ton en était déjà beaucoup plus inquiet, Jaurès venait d'apprendre que la rupture diplomatique entre l'Autriche et la Serbie était consommée : « Je dis ces choses avec une sorte de désespoir », déclara-t-il. Un deuxième grand thème de la pensée socialiste ressort du discours : le salut résidait dans l'union du prolétariat international qui permettrait d'écarter « l'horrible cauchemar » ; il dépendait de l'action de ce « parti socialiste international qui représent(ait) à cette heure ... la seule promesse d'une possibilité de paix ou d'un rétablissement de la paix... »

Ce sont évidemment les mêmes thèmes que Jaurès développa dans l'article qu'il envoya de Lyon [128] : il exhortait le gouvernement français à répondre à l'émotion populaire en consacrant les plus grands efforts au maintien de la paix et il soulignait l'importance de la protestation et des manifestations des socialistes d'Autriche et d'Allemagne contre la guerre. Le lendemain, il écrivait que ce début de levée du prolétariat international lui apparaissait comme « une lueur d'espoir » [129] ; il pouvait saluer en même temps la convocation du Bureau socialiste international.

En effet, pendant que Jaurès était à Lyon, le bureau de la CAP [130] du Parti socialiste s'était réuni dans l'après-midi du samedi. A la demande de plusieurs députés [131], il avait décidé que la CAP serait convoquée pour le lundi 27 juillet à cinq heures de l'après-midi [132]. Il avait également été d'avis de demander la réunion d'urgence du Bureau socialiste international. Le secrétaire général de cet organisme, le Belge Huysmans [133], avait accédé à ce souhait et en avait fixé la date au mercredi 29 à Bruxelles. Jean Jaurès, Edouard Vaillant et Marcel Sembat furent désignés pour y représenter les socialistes français [134].

---

126. Marius Moutet était candidat à l'élection partielle provoquée par la mort du député socialiste de la 6ᵉ circonscription du Rhône, Jules Marietton.

127. Œuvres de Jean Jaurès, *Pour la paix*, T. V, *Au bord de l'abîme* (1912-1914), Editions Rieder, 1939, p. 383. Le texte est celui publié dans *L'Avenir socialiste*, Lyon, n° 384, 1ᵉʳ au 7 août 1914. Le présentateur, Max Bonnafous, indique que le texte du discours a été recueilli de façon très imparfaite. C'est malheureusement souvent le cas surtout lorsque l'orateur — Jaurès en est un exemple — improvisait de façon à peu près totale. Cf. également les remarques de Jean Stengers sur la reconstitution du discours de Bruxelles : « Le dernier discours » de Jaurès, in *Actes du colloque : Jaurès et la nation*, Toulouse 1965, p. 86-106, ou in *Revue de l'Université de Bruxelles*, 1965, n° 3, p. 182-205.

128. *L'Humanité*, 26 juillet.

129. *Ibid.*, 27 juillet.

130. Le bureau de la CAP, en fait bureau du Conseil national, était composé de Louis Dubreuilh, secrétaire général, Louis Camelinat, trésorier, un ancien communard âgé de 74 ans, et Lucien Roland, archiviste.

131. A.B. F 7 13074, M/978 U, 27.7.1914.

132. *L'Humanité*, 26 juillet. Communiqué signé de Louis Dubreuilh.

133. Camille Huysmans avait accédé en 1905 aux fonctions de secrétaire du Bureau socialiste international et les conserva jusqu'en 1922. Il devait leur donner une grande importance. Cf. Georges Haupt, *Correspondance entre Lénine et Camille Huysmans (1905-1914)*, Paris, La Haye, Mouton, 1963, 165 p., p. 17.

134. A.N. F 7 13074, M/978 U, 27 juillet.

C'est donc dans la journée du 27 que les instances socialistes devaient préciser leur position face à la menace de guerre. Très discrète jusqu'alors, leur attitude avait été proche de celle des militants socialistes qui ne s'étaient guère encore manifestés [135]. Un certain accord dans l'attente s'était donc exprimé entre les chefs et les masses socialistes. Toutefois, depuis le dimanche 26, *La Bataille syndicaliste* réaffirmait avec insistance les décisions des congrès de la CGT et, ce même lundi 27, elle appelait à une grande manifestation pour le soir même. Les dirigeants socialistes ne pouvaient prendre le parti de l'ignorer, car même si ces initiatives, comme nous le savons, n'entraînaient pas l'approbation de tous les dirigeants syndicaux, elles provoquaient néanmoins les remous chez les militants socialistes. Dans un article qui parut seulement le 29 [136], Gustave Hervé s'exclamait : « Socialistes parisiens, dormez-vous ? » et leur reprochait leur inaction [137]. « Heureusement, ajoutait-il, un journal, *La Bataille syndicaliste*, a sauvé l'honneur de Paris ouvrier et révolutionnaire ».

D'après les Renseignements généraux, « l'appel lancé dans *La Bataille syndicaliste* pour une manifestation contre la guerre (avait) rencontré chez les socialistes unifiés un accueil favorable. A la CAP et à *L'Humanité,* on (avait) été informé, en effet, que de nombreux militants du PSU se joindraient aux syndicalistes pour manifester ce soir devant *Le Matin* » [138].

Aussi, quand la CAP se réunit à la fin de l'après-midi, l'atmosphère était à l'orage. Les débuts de la réunion furent « assez mouvementés » [139]. L'attaque fut menée par E. Vaillant et trois autres membres de la CAP, Roldes [140], Pedron [141] et Grandvallet [142] : ils demandaient que le Parti socialiste s'entendît « formellement avec la CGT pour mener une action commune contre la guerre ». Le vieil Edouard Vaillant — il a alors 74 ans — a toujours été, parmi les dirigeants socialistes, le plus proche de la CGT. En outre, il pouvait juger que les circonstances étaient propices à la mise en application de la célèbre motion qu'il avait signée en commun avec l'Ecossais Keïr Hardie : or cela nécessitait le concours de la CGT. Devant le péril, les deux orga-

---

135. Cf. deuxième partie, chapitre 2. « Les manifestations d'opposition à la guerre », fig. 7.

136. *La Guerre sociale*. Hebdomadaire jusqu'alors, elle devient quotidienne le 29.

137. « Dimanche, des bandes nationalistes commençaient à faire leur apparition en plein Paris, beuglant " A Berlin ". Vos organisations officielles n'ont pas bougé ! Le Comité fédéral de votre Fédération n'a pas bronché ! *L'Humanité,* votre journal, notre journal, n'a pas dit " ouf ! "... »

138. A.N. F 7 13074, M/979 U, 27.7.

139. *Ibid.,* M/981 U, 28.7.

140. Maxence Roldes, plus tard député de l'Yonne (1932-1942), journaliste, membre de la CAP depuis 1906, secrétaire-adjoint du Parti, délégué au secrétariat du groupe parlementaire depuis 1912.

141. Etienne Pedron, déjà âgé, 65 ans, horloger de son métier. C'est un ancien du Parti ouvrier français de Jules Guesde. Longtemps militant de l'Aube, il est membre de la CAP depuis 1905.

142. Elu récemment à la CAP en 1912, Jean-Pierre Grandvallet était un ancien cheminot, révoqué en 1910. Il était également guesdiste.

nisations ouvrières étaient poussées de façon presque simultanée l'une vers l'autre. La démarche n'avait toutefois pas le même sens pour les uns et pour les autres. A la CGT, le rapprochement avec les socialistes permettait d'esquiver l'application des résolutions des congrès, pour Vaillant, le rapprochement avec la CGT permettait la radicalisation de l'action socialiste. Or, s'il y avait parmi les membres de la CAP d'autres partisans de ce rapprochement, Jaurès par exemple, ils estimaient qu'il devait plutôt se faire sur les positions du Parti socialiste que sur celles de la CGT : aussi, la majorité rejeta les propositions de Vaillant en attendant que le Bureau socialiste international décidât d'une action commune à mener dans tous les pays concernés.

Après cette rapide escarmouche où l'hypothèse révolutionnaire était apparue en filigrane, la CAP retrouva son unanimité pour déterminer la ligne politique et les modalités d'action du parti. Ce fut Jaurès qui proposa de préciser la première dans un manifeste que symboliquement les trois grands chefs, lui-même, Vaillant et Guesde, furent chargés de rédiger avec l'aide de Marcel Sembat. Il en avait d'ailleurs, semble-t-il, préparé le texte [143]. Ce manifeste est important parce qu'il fixa une ligne dont les socialistes ne dévièrent plus jusqu'à l'issue de la crise. Il consacrait bien quelques mots aux causes générales des guerres et à rappeler les « violences de l'impérialisme », mais l'essentiel était qu'il donnait acte au gouvernement français de sa volonté pacifique [144], et qu'il l'exhortait simplement à faire toutes les pressions nécessaires pour amener la Russie à une politique modérée ; il affirmait aussi que la lutte pour la paix des socialistes français ne pouvait se faire qu'en accord avec le prolétariat européen dans le cadre de l'Internationale [145].

Entre le manifeste de la CAP et le discours de Vaise, les nuances sont plus importantes qu'il semblerait à un premier examen. On ne peut juger de la même façon un discours à caractère électoral et un texte qui engageait le Parti socialiste à un moment décisif ; toutefois, les méthodes de l'impérialisme étaient dénoncées de façon plus ample, moins formelle dans le discours de Vaise, et surtout il n'y était pas encore délivré de satisfecit au gouvernement français. Dans son article du 26, Jaurès se contentait toujours d'attendre du gouvernement « le plus grand effort pour le maintien de la paix ». Un pas important avait donc été franchi :

---

143. Dans le recueil publié en 1918 sous le titre *Le Parti socialiste, la Guerre et la Paix* et qui contient « toutes les résolutions et tous les documents du Parti socialiste de juillet 1914 à la fin 1917 », une note précise que le manifeste de la CAP du 27 juillet a été rédigé par Jean Jaurès (p. 105). Mais en 1918 les dirigeants socialistes n'étaient peut-être pas mécontents de se couvrir de l'autorité posthume de Jaurès pour justifier la politique suivie.

144. « ...Ils savent que le gouvernement français dans la crise présente a le souci très net et très sincère d'écarter ou d'atténuer les risques de conflit... »

145. « ...C'est pour concerter une vigoureuse action commune que l'Internationale se réunit demain à Bruxelles. En elle et avec elle nous lutterons de toute notre énergie contre l'abominable crime dont le monde est menacé... »

le Parti socialiste se rangeait derrière le gouvernement. Il rejetait la responsabilité de la crise sur le camp adverse, le camp austro-allemand et très particulièrement sur l'Autriche.

Cette prise de position n'impliquait pas cependant que le Parti socialiste restât dorénavant, l'arme au pied, spectateur de l'événement. La CAP avait pris également une série de décisions d'action. Soutenu par Roldes et Roland [146], Louis Dubreuilh avait fait adopter que le groupe parlementaire demande la convocation immédiate des Chambres. Il avait aussi obtenu que les fédérations du parti soient appelées à organiser des réunions de protestation contre la guerre : elles devraient commencer aussitôt que le Bureau socialiste international aurait fait connaître son point de vue. La CAP approuvait la décision en ce sens de la fédération de la Seine du parti [147].

L'informateur qui nous permet de connaître ce que furent les délibérations socialistes ne tenait pas ces dispositions pour négligeables : « Toutes ces résolutions ... indiquent que le PSU est décidé à protester énergiquement contre la guerre : il y a donc lieu de s'attendre à une grande agitation » [148].

Ainsi la machine socialiste s'ébranlait, mais avec un temps de retard. Les socialistes ne cachaient pas qu'ils avaient été surpris par la crise [149]. Ils entendaient agir dans un cadre très précis, d'où était éliminé tout projet révolutionnaire. Il est significatif de ce point de vue d'apprécier l'attitude de la direction socialiste envers la grande démonstration syndicale qui eut lieu le lundi soir, peu après les délibérations de la CAP. De nombreux militants socialistes y participèrent, du moins on peut le penser : d'après Gustave Hervé, « ils (étaient) venus en masse à l'appel de la *BS* » [150]. Un député socialiste de la Seine au moins, Jean Bon, prit la tête d'un cortège et fut même blessé. Rares furent les journaux parisiens à minimiser l'événement [151], sauf ..., justement, *L'Humanité*. Une demicolonne en troisième page [152]. La plume de Jaurès, si fertile, n'y consacra pas un mot de commentaire. Assez curieusement, un journal de droite, *Le Journal des débats*, invectiva *L'Humanité* et Jaurès parce qu'ils n'avaient pas risqué « le moindre mot de blâme, la plus modeste

---

146. Typographe et poète, Lucien Roland, ancien du Parti socialiste de France de Guesde et Vaillant, dont il était le responsable des services administratifs, était membre de la CAP depuis l'unité et administrateur du *Socialiste*, le bulletin officiel du Parti.

147. *L'Humanité*, 28 juillet. Le « Conseil fédéral décide en vue de garantir la paix d'engager tous ses groupes et ses sections à organiser, chacun dans leur ressort, des réunions et des meetings et de préparer s'il y a lieu les actions décidées par le Bureau Socialiste International et destinées à garantir définitivement la paix européenne ».

148. A.N. F 7 13074, M/981 U, 28 juillet.

149. Jaurès, « Le temps de penser », *L'Humanité*, 28 juillet. « ...Il (le prolétariat) a pu être surpris par la soudaineté de la tempête, mais il ne se laissera pas ébranler par elle ».

150. « La manifestation à faire », *La Guerre sociale*, 28 juillet-4 août.

151. Cf. J.-J. Becker et Annie Kriegel, *op. cit.*, p. 66 à 71.

152. *L'Humanité*, 28 juillet.

réserve à l'adresse des bandes antimilitaristes ameutées par la CGT et la BS »[153]. *Le Journal des débats* n'avait rien compris : il n'avait pas su interpréter les silences. La direction socialiste avait au contraire manifesté par son mutisme combien elle appréciait peu — pas plus somme toute que la direction de la CGT — l'initiative de *La Bataille syndicaliste*. Les dirigeants socialistes n'avaient certes pas le désir de cautionner une manifestation dont les participants avaient eu des intentions diverses et louables (protester contre la menace de guerre, répondre aux « provocations » nationalistes ...), mais que les organisateurs avaient placée dans une perspective révolutionnaire. Toute la presse socialiste emboîtait d'ailleurs le pas. Ainsi Miguel Almereyda et son journal *Le Bonnet rouge*, même s'ils ne peuvent être considérés comme des porte-parole officiels du Parti socialiste[154] ; ils affirmaient : « Cette manifestation ne peut qu'avoir l'assentiment de tous les hommes de cœur », mais ils appelaient immédiatement après à la prudence et à la mesure, en réclamant qu'on imposât silence aux « énergumènes de droite et aux têtes brûlées de gauche »[155].

Il appartenait cependant à Gustave Hervé de crier — avec sa vigueur et son manque de nuances habituels — ce que pensait au moins la majorité de la CAP. Sous un titre en gros caractères : « Ni insurrection, ni grève générale », il affirmait dans *La Guerre sociale* du 29 juillet qu'un coup de force révolutionnaire n'avait aucune chance en France, et encore moins en Allemagne ou en Autriche. Que, puisque le Parti socialiste et la CGT le savaient, ils n'avaient qu'à le dire sans la moindre ambiguïté. Cela donnerait plus de force au mouvement pacifique qui ne pourrait être taxé de noirs desseins contre la patrie[156]. Même si G. Hervé n'avait jamais hésité à être original et souvent marginal[157], il ne faisait dans la circonstance que mettre au net la pensée socialiste, sans se croire obligé à des circonlocutions.

En attendant la réunion du Bureau socialiste international du lendemain, le mardi 28 fut une journée de transition pour les dirigeants socialistes, pendant laquelle ils popularisèrent les décisions et les positions prises la veille par la CAP. La présentation de *L'Humanité* en fut le reflet. Sous un titre général : « L'Internationale contre la guerre », les

---

153. 28 juillet.

154. Au confluent de l'anarchisme, du socialisme et du radicalisme de gauche, Miguel Almereyda était rangé dans *L'Encyclopédie* (*La France socialiste*, p. 132) parmi les « principaux militants socialistes ».

155. *Le Bonnet rouge*, 28 juillet. *Le Bonnet rouge* était un journal du soir, daté du lendemain. Le commentaire reproduit ici avait donc précédé la manifestation.

156. G. Hervé rassembla les articles qu'il a publiés du 1er juillet au 1er novembre 1914 dans un recueil qu'il intitula au moment de sa parution en août 1915 : *La Patrie en danger*, Paris, Bibliothèque des Ouvrages Documentaires, 346 p.

157. Il était cependant membre suppléant de la CAP et, dans la notice que lui consacrait *l'Encyclopédie socialiste* (*La France socialiste*, p. 152 et 153), il lui était rendu cet hommage : « C'est le Blanqui de la 3e République ».

manifestes de la Section française, de la Section allemande [158] et un article du journal socialiste italien, *Avanti*, furent publiés parallèlement en première page du journal. Le but était de faire comprendre, ne serait-ce que par la disposition retenue, que tout mouvement devait être international et simultané.

Conformément aussi à la décision de la CAP, le matin, le groupe parlementaire se réunissait à la Chambre et une importante discussion s'y déroulait [159], à laquelle participaient notamment Jaurès, Guesde, Vaillant, Sembat, Renaudel [160] et Hubert-Rouger [161]. Elle révélait la perplexité des parlementaires socialistes devant une crise qui ne correspondait pas aux schémas idéologiques. Pour tenter d'obtenir des éclaircissements, une délégation [162] se rendit chez le président du Conseil par intérim, le garde des Sceaux, Bienvenu-Martin [163]. La gêne est la même dans la déclaration que le groupe socialiste publia à l'issue de sa réunion [164] : elle ne plaçait son espoir de sauver la paix que dans une éventuelle médiation anglaise, affirmant en outre que « la France (pouvait) seule disposer de la France », ce qui visait la Russie. Embarras encore dans l'éditorial que Jaurès rédigea avant de partir pour Bruxelles [165]. Intitulé « Sang-froid », il s'en prenait surtout à la politique autrichienne et souhaitait que la Russie ne se laisse pas entraîner en attendant que les difficultés internes de l'Autriche ramènent à la raison « les diplomates, les généraux et les cléricaux de Vienne ».

On saisit le chemin parcouru depuis l'enclenchement de la crise : les responsabilités de l'impérialisme semblent se diluer dans l'esprit de Jaurès et des dirigeants socialistes face à celles de plus en plus évidentes de l'Autriche : c'est vraiment l'Autriche qui pousse impétueusement au conflit, en rejetant sans bonne foi la réponse serbe à son ultimatum, puis en déclarant la guerre à la Serbie.

Pendant les deux jours suivants, l'événement allait se dérouler sur deux scènes en même temps, à Bruxelles où, avec Jaurès, étaient partis

---

158. On peut d'ailleurs remarquer que le texte du Parti social-démocrate allemand était plus pressant, plus dynamique que celui du Parti français. Il appelait sans attendre « à exprimer dans de vastes réunions l'inébranlable volonté de paix du prolétariat conscient ». Le parti allemand qui n'était pas flanqué, comme son homologue français, d'une CGT révolutionnaire et chez qui les idées de grève générale n'avaient jamais eu beaucoup d'écho, était plus à l'aise pour se lancer dans l'agitation pacifiste, sans crainte d'être débordé ou mal compris. On retrouve là l'idée exprimée par G. Hervé.

159. A.N. F 7 13074, M/982 U.

160. Pierre Renaudel, administrateur-délégué à la rédaction de *L'Humanité*, venait d'être élu député du Var.

161. Ancien maire de Nîmes, député du Gard depuis 1910.

162. Composée de Jaurès, Sembat, Vaillant, Compère-Morel, député du Gard, Renaudel, Albert Thomas, Bracke et Ellen-Prévost, député de Haute-Garonne.

163. Les présidents Poincaré et Viviani ne sont pas encore rentrés à Paris.

164. *L'Humanité*, 29 juillet. Cette déclaration publiée dans *Le Parti socialiste, la Guerre et la Paix*, *op. cit.*, p. 107, est également attribuée à Jaurès. Mais signée de tous les membres du groupe parlementaire, elle doit être considérée comme les engageant.

165. *L'Humanité*, 29 juillet.

Vaillant, Guesde, Sembat et Jean Longuet [166], et à Paris, où le secrétariat du Parti s'employait à donner vie aux résolutions de la dernière CAP.

« La plus grande activité » régnait dans les locaux du Parti socialiste « où de nombreux militants (venaient) s'informer des événements » [167]. Dès le mardi 28, une circulaire [168] avait été adressée aux secrétaires des fédérations, les invitant à organiser sans plus tarder des meetings pour la paix. Y étaient joints les deux manifestes des partis socialistes français et allemand, à qui ils devaient donner le maximum de publicité [169]. La circulaire du secrétariat, texte en principe à usage interne, infléchissait encore, nous semble-t-il, la position prise par la CAP : pour l'essentiel, les thèmes sont les mêmes, nécessité de persuader l'opinion publique de l'accord des partis socialistes français et allemand, responsabilité de l'Autriche, espoir dans une médiation anglaise ; l'esprit en est le même : développer une pression pacifique sur un gouvernement pacifique pour trouver les chemins de la paix, mais on y sent davantage la recherche d'un consensus national et moins celle d'une position spécifiquement prolétarienne. L'adoption à l'unanimité par le conseil municipal de Lyon, dans sa séance du 27, d'un ordre du jour proposé par les élus socialistes, nous a semblé une illustration de cette attitude nouvelle [170].

En même temps cependant, l'organe socialiste manifestait une grande bonne volonté envers la CGT. L'Humanité [171] publiait un appel au meeting que les syndicalistes voulaient tenir le soir même dans la salle Wagram, en dernière page toutefois. Le lendemain, elle protestait avec vigueur contre son interdiction — alors qu'elle avait pratiquement ignoré la grande manifestation syndicale deux jours plus tôt ! « Un défi à la classe ouvrière » [172], s'indignait-elle. Non sans acrimonie, elle constatait que la liberté de manifester était plus grande à Berlin qu'à Paris. Les députés socialistes annonçaient une démarche de protestation. Dans son

---

166. Petit-fils de Karl Marx et nouveau député de la Seine (arrondissement de Sceaux).

167. A.N. F 7 13074, M/984 U, 29 juillet.

168. Reproduite dans L'Humanité du 29, signée Louis Dubreuilh.

169. Il ne semble pas d'ailleurs que les dirigeants socialistes aient eu conscience que le temps pressait et que la crise pouvait se dénouer brutalement. La circulaire recommandait de publier les manifestes dans le plus prochain numéro des organes fédéraux. Comme ils étaient à peu près tous hebdomadaires, cela signifiait qu'ils ne seraient pas portés à la connaissance des lecteurs avant un délai assez long. Seule une reproduction par affiches ou par tracts pouvait avoir un effet rapide : il n'en était pas question dans les instructions nationales. Ceci est important car, pendant toute la période, on a le sentiment que les socialistes avaient conscience que la crise était exceptionnellement grave, sans pour autant exiger que soient employés des moyens exceptionnels. Cette erreur de perspective, à laquelle Jaurès n'échappa pas plus que les autres, n'est pas un élément négligeable dans l'explication du comportement socialiste. Nous avons déjà été amené à souligner le nombre de meetings qui ne purent avoir lieu parce qu'organisés trop tardivement.

170. A.N. F 7 12934, Lyon, 28 juillet 1914, Rapport du préfet. Le maire de Lyon était Édouard Herriot.

171. 29 juillet.

172. 30 juillet.

numéro du 30, sous le titre « Affirmations ouvrières et socialistes contre la guerre », *L'Humanité* publiait parallèlement quatre listes d'organisations, socialistes pour trois d'entre elles, syndicaliste pour la dernière. Mais ces manifestations de rapprochement furent pour les socialistes l'occasion de préciser dans quelle optique il se faisait ; *L'Humanité* s'en porte garante : « Les organisations socialistes et ouvrières n'ont qu'une pensée, celle de manifester en faveur de la paix », « elles ont rejeté toute idée d'entraver la mobilisation » [173].

A Bruxelles, les membres du Bureau socialiste international se réunirent le 29 à la Maison du peuple. Ils y tinrent deux réunions de 10 heures du matin à 8 heures du soir. Les grands noms du socialisme européen, représentant douze pays, étaient là pour la plupart [174].

Les séances eurent lieu à huis-clos : on sait cependant [175] que les délégués autrichien, Victor Adler, et tchèque, Anton Nemec, firent preuve d'un grand pessimisme provoquant la contrariété et même l'indignation des délégués allemands Hugo Haase et Rosa Luxemburg [176]. Ils affirmèrent qu'ils pouvaient au mieux espérer préserver le prolétariat de la « contagion belliqueuse et patriotique qui s'aba(ttait) actuellement sur le

---

173. 30 juillet.

174. Voici la liste des délégués telle qu'elle fut publiée dans *L'Humanité* du 30 juillet :
Allemagne : Haase, Rosa Luxemburg.
Autriche : Adler (Victor).
Pour les Tchèques : Nemec.
France : Jaurès, Vaillant, Guesde, Sembat, Longuet.
Italie : Morgari.
Russie : Axelrod, Roubanovitch, Winter, Braun.
Angleterre : Keïr Hardie, Irving, Bruce Glasier.
Belgique : Vandervelde, Anseel, Bertrand.
Hollande : Troelstra.
Danemark : Stauning.
Suisse : Grimm, Karl Moor.
Espagne : Fabra Ribas, Corrales.
Pologne : Walecki.
Parmi les absents, Lénine, qui n'avait pas grande confiance dans le B.S.I. et qui, un mois auparavant, avait confié son mandat de délégué à Litvinov (cf. G. Haupt, *Correspondance Lénine-Huysmans, op. cit.*, p. 132).
D'après la liste de ceux qui avaient émargé à la séance du mercredi matin 29 juillet, publiée par Georges Haupt (*Le congrès manqué*, Paris, Maspero, 1965, 299 p., p. 251), il faut ajouter pour l'Allemagne Karl Kautsky, pour l'Autriche Friedrich Adler, pour la Bohême Edmond Burian, pour l'Italie Angelica Babalanoff, pour la Belgique Camille Huysmans, pour la Pologne Rosa Luxembourg. P. Winter et O. Braun sont indiqués au titre de la Lettonie.

175. A. Fabra-Ribas, délégué espagnol, adressait le 30 août un rapport confidentiel au Comité national du Parti ouvrier espagnol. Il en utilisait de larges extraits dans un article publié dans la *Vie socialiste* du 1er août 1931 et qui a été reproduit dans le *Bulletin de la Société d'études jaurésiennes* (janvier-mars 1968). Cf. également le compte rendu officiel des délibérations dans G. Haupt, *op. cit.*, p. 249 à 267.

176. Hugo Haase était le principal dirigeant du Parti social-démocrate allemand depuis la mort de Bebel. Il devait bientôt devenir minoritaire dans son parti, animant la tendance pacifiste. Il forma en 1917 le groupe des socialistes indépendants qui, au moment de la Révolution allemande, se tinrent entre les spartakistes et les socialistes majoritaires.

Rosa Luxembourg était polonaise d'origine, mais avait acquis la nationalité allemande par un mariage blanc (cf. Rosa Luxembourg. *Lettres à Léon Jogichès*, T. I, 1894-1899, Paris, Denoël, 1971, 348 p., p. 17).

peuple austro-hongrois » et maintenir les organisations ouvrières. Toutefois, l'impression désastreuse laissée par les propos d'Adler fut progressivement dissipée par les interventions vigoureuses de Haase [177] et des délégués de nombreux autres pays [178]. Quant à Jaurès, il intervint pour se féliciter de l'attitude de la social-démocratie allemande et assurer que « les camarades français entendaient lutter de la même manière contre les velléités guerrières de leur gouvernement ».

Le BSI prit la décision de transférer à Paris le congrès de l'Internationale primitivement prévu à Vienne et fixa la date de son ouverture au 9 août au lieu du 23. Il établit également le texte d'une déclaration [179] fixant la ligne que les partis socialistes devaient suivre durant la crise ; elle déterminait le sens et les limites de l'action socialiste : poursuivre et intensifier les démonstrations pour obtenir un règlement arbitral du conflit austro-serbe, demander aux prolétaires allemands et français de faire les pressions les plus énergiques sur leurs gouvernements pour que l'un modère l'Autriche, et l'autre la Russie.

Les délibérations du BSI se prolongèrent le soir par un meeting international au Cirque royal de Bruxelles, auquel l'historien belge Jean Stengers a consacré une importante étude [180]. La salle était comble, 5 000 personnes assises et 10 000 qui n'avaient pu entrer [181]. La foule était venue pour témoigner de ses sentiments pacifistes, mais aussi pour entendre Jaurès. « C'est lui qui fait recette ce soir », nota un journaliste [182]. C'était une assistance où se mêlaient « gens de toute classe et de tout âge » [183]. Jaurès, dont on ne pouvait savoir qu'il allait prononcer le dernier discours de sa prodigieuse carrière oratoire, fut l'objet d'une extraordinaire ovation lorsqu'il se leva. De son discours dont il est difficile de rétablir intégralement le texte [184], Jean Stengers a retenu trois points essentiels [185] :

1. « Jaurès se port(a) garant de la pureté d'intentions du gouvernement français ... Il s'agit, chez lui, de bien plus que d'une affirmation :

177. « ...La protestation ne cessera jamais et si, jusqu'à présent, elle s'est élevée énergiquement dans la rue, elle s'élèvera aussi énergiquement dans tous les domaines publics, dans toutes les dépendances de l'Etat » (*Bulletin des études jaurésiennes*, art. cité, p. 4).

178. Les délégués russes Axelrod et Roubanovitch insistèrent sur le mouvement de grève qui se développait dans leur pays ; la déléguée anglaise, Bruce Glasier, affirma que si « le gouvernement anglais ne s'efforç(ait) pas de maintenir la paix, la classe ouvrière le balayera » ; l'Italien Morgari agita la menace de la grève générale. (*Bulletin des études jaurésiennes*, art. cité).

179. Publiée dans *L'Humanité*, du 31 juillet.

180. Jean Stengers, « Le dernier discours de Jaurès », *Revue de l'Université de Bruxelles*, 3, 1965, p. 182-205, ou *Actes du colloque, Jaurès et la nation*, Toulouse, 1965, p. 85 à 106 (Les références correspondent à ce dernier titre).

181. *L'Humanité*, 30 juillet.

182. *L'Indépendance belge*, 30 juillet 1914, cité par J. Stengers, art. cité, p. 85.

183. J. Stengers, art. cité, p. 89.

184. Cf. p. 399 note 3.

185. J. Stengers, art. cité, p. 99-100.

ceci, comme l'a dit un témoin [186], Jaurès l'attest(a) dans un admirable mouvement de ferveur et d'orgueil ».

2. « A l'éloge du gouvernement français, Jaurès ajout(a) un éloge non moins senti du prolétariat allemand et du socialisme allemand. Là encore, c'est bien, semble-t-il, une conviction qui s'exprim(a) : Jaurès (avait) confiance dans ses camarades allemands ».

3. Il avança des propositions d'action qui n'étaient pas aussi timides qu'on l'a dit. En évoquant l'hypothèse où la Russie prendrait une initiative belliqueuse, Jaurès assignait aux socialistes français le refus de marcher. Pour Jean Stengers, ce troisième thème du discours est passé beaucoup plus inaperçu parce que l'Allemagne, en prenant la responsabilité de déclencher les hostilités, en rendit l'application sans objet.

Le deuxième point ne soulève pas de discussion particulière quand on sait la confiance que Jaurès témoignait habituellement à la social-démocratie allemande. En revanche, le premier thème a particulièrement retenu l'attention. La version qu'en donna *L'Humanité* [187] ne diffère guère de la reconstitution de Jean Stengers [188].

« ...(Nous, socialistes français), nous n'avons pas à imposer à notre gouvernement une politique de paix. Il la pratique. Moi qui n'ait jamais hésité à assurer sur ma tête la haine de nos chauvins par ma volonté obstinée et qui ne faiblira jamais d'un rapprochement franco-allemand, j'ai le droit de dire qu'à l'heure actuelle le gouvernement français veut la paix. Le gouvernement français est le meilleur allié de paix de cet admirable gouvernement anglais qui a pris l'initiative de la conciliation... ».

Ces propos ont paru surprenants à Harvey Goldberg et difficiles à interpréter en l'absence de documents privés [189]. Nous sommes plutôt étonnés de la surprise du grand biographe américain de Jean Jaurès. Ce que le chef socialiste dit à Bruxelles n'est que la répétition des thèmes que le Parti socialiste français développait depuis sa CAP du 27 et qui étaient déjà impliqués dans le discours de Vaise.

Il nous semble inutile d'imaginer, comme le fait H. Goldberg, que les paroles de Jaurès avaient pour seul but d'étayer le courage de ses camarades. S'il en avait été ainsi, Jaurès n'aurait pas éprouvé le besoin de déclarer, dans la réunion secrète du BSI, si l'on en croit A. Fabra-Ribas : « Et je puis même assurer ... que le cabinet actuel est partisan décidé de la paix et qu'il s'efforce de convaincre la Russie qu'elle ne doit pas intervenir dans le litige austro-serbe » [190], c'est-à-dire ce qu'il répéta

---

186. J. Lekeu, « Le dernier meeting », *Le Peuple*, 31 juillet 1924.

187. 30 juillet.

188. Art. cité, p. 104.

189. Harvey Goldberg, *Jean Jaurès*, Fayard, 1970 (traduction de l'ouvrage américain, 1962). 634 p., p. 535.

190. A. Fabra-Ribas, art. cité, p. 4.

en public quelques heures plus tard. Rien ne permet de supposer que Jaurès ne pensait pas ce qu'il proclama à ce moment.

Après avoir été acclamé par la foule bruxelloise, Jaurès ne participa pas à la manifestation de rue qui suivit le meeting, une manifestation importante, mais calme et ordonnée [191]. Le lendemain, le BSI tint une dernière séance destinée à permettre aux délégués de signer le manifeste qu'ils avaient établi. Jaurès reprit à 13 heures le train de Paris avec les autres Français, non sans être passé au Musée des Beaux-Arts revoir les primitifs flamands [192]. Ce détail ne nous paraît pas mineur. Peut-être nous trompons-nous, mais nous imaginons mal un Jaurès accablé se rendant au Musée. En fait, si on excepte le pessimisme — clairvoyant — de Victor Adler, cette réunion du BSI avait été plutôt prometteuse. Comme le dit Fabra-Ribas, « après les séances du Bureau et le grand meeting du Cirque royal, les délégués socialistes quittèrent Bruxelles persuadés que, quoi qu'il advienne, l'Internationale saurait accomplir son devoir » [193]. Jean Stengers pense également qu'en partant Jaurès était optimiste [194]. Il « gard(ait) chevillé au cœur l'espoir que la paix pourrait être sauvée » [195]. Tous les témoignages, nous dit-il, le confirment [196]. L'intense communion qu'il avait rencontrée auprès de la foule bruxelloise y était pour quelque chose. L'article que Jaurès rédigea à Bruxelles

---

191. J. Stengers (art. cité, p. 88) conteste formellement le récit qu'en fait Roger Martin du Gard dans L'Eté 1914.

192. Emile Vandervelde, *Souvenirs d'un militant socialiste*, p. 171, cité par Jean Rabaut, « Sur l'avant-dernière journée de Jaurès », art. cité, p. 8.

193. Fabra-Ribas, art. cité, p. 8. La formule est d'ailleurs ambiguë parce qu'il n'apparaît pas clairement quel est le devoir que l'Internationale doit accomplir « quoi qu'il advienne ».

194. Nous n'avons pas considéré les réunions du BSI dans la même optique que Georges Haupt (cf. *Le congrès manqué*, op. cit.), mais nous ne pensons pas qu'on puisse en tirer la conclusion qu'elle « révéla que les dirigeants étaient convaincus que la guerre était impossible ou que la crise connaîtrait une issue pacifique » (G. Haupt, « Guerre ou Révolution. L'Internationale et l'Union sacrée en août 1914 », *Les Temps modernes*, décembre 1969, p. 843). Ce serait confondre espoir et certitude. Pourquoi les instances socialistes nationales et internationales auraient-elles déployé une telle activité, pourquoi le BSI aurait-il été convoqué par télégramme, si on avait été convaincu que la guerre était impossible ? Les propos de K. Kautsky que G. Haupt nous rapporte : « D'ailleurs, six ans après cette réunion (quatre ans, a-t-il voulu probablement écrire) Kautsky a remarqué (K. Kautsky, *Vergangeinheit und Zukunft der Internationale*, Wien 1918, p. 12) : " Il est étonnant qu'aucun d'entre nous, qui étions là-bas, n'ait eu l'idée de poser la question : que faire si la guerre éclate avant (avant le congrès international prévu pour août 1914 à Vienne) ? Quelle attitude les partis socialistes ont-ils à prendre dans cette guerre ? " », ne nous semblent pas prouver le contraire. Beaucoup ont dû y songer, mais n'ont pas cru utile de poser une question à laquelle il n'y avait pas de réponse, sinon la conviction consciente ou inconsciente qu'en cas de guerre, les socialistes seraient bien obligés de faire comme le reste de la population du pays, quitte, comme l'a dit Jaurès, à ce que les « horreurs de la guerre » ne provoquent ensuite la Révolution. « Et alors la Révolution déchaînée leur dirait (aux gouvernants) : " Va-t-en et demande pardon à Dieu et aux Hommes ! " » (J. Stengers, art. cité, p. 105). D'ailleurs, tous les débats idéologiques qui ont pu avoir lieu par la suite sur ce problème ont été faussés parce qu'on sortait d'une longue guerre. En juillet 1914, comme nous aurons l'occasion de le montrer au moins pour la France, tout le monde ou presque était persuadé que si une guerre éclatait, elle durerait quelques semaines ou quelques mois au plus. Dans la perspective d'une guerre courte, on ne pouvait envisager une action pendant la guerre même. Jaurès l'avait dit quinze jours plus tôt, le 15 juillet, au congrès socialiste : « Ce n'est pas après la déclaration de guerre que nous agirons. Quand la guerre aura éclaté, notre action sera devenue impossible ». (cité par A. Kriegel, « Jaurès en juillet 1914 », *Le Mouvement social*, p. 75).

195. Art. cité, p. 101.

196. Art. cité, note bibliographique n° 65, p. 101.

le 29 [197] confirme ce point de vue : il croit voir l'Autriche qui commence à s'inquiéter des conséquences de son acte, ce qui donnerait aux forces de paix le temps de s'organiser et d'agir, il témoigne que la réunion du BSI a prouvé que « partout les socialistes ont la conscience de leur devoir » ; il exalte l'action des socialistes allemands qui donnent « une magnifique réponse à ceux qui dénoncent (leur) inertie prétendue... » [198] ; il pressent la « magnifique manifestation populaire où, par centaines de mille, les travailleurs de Paris acclameront la paix », lorsque le 9 août s'ouvrira le congrès international.

Ainsi, Jaurès et les autres délégués français, dont rien n'indique qu'ils ne partagent pas sa conviction, appuyés sur l'Internationale, confiants dans leurs camarades allemands, bien décidés à ne pas laisser la France être entraînée par la Russie, peuvent encore espérer qu'ils feront reculer la guerre [199].

En arrivant à la gare du Nord, l'optimisme des délégués fut mis à l'épreuve. Longuet, qui venait d'acheter Le Temps, le montra à Jaurès qui poussa un cri d'angoisse : la Russie avait mobilisé vingt-trois divisions ! Mais Jaurès se reprenait et déclarait : « Tout n'est pas encore perdu » [200]. La soirée du 30 allait en effet être bien remplie. A elle seule, elle offre une illustration presque parfaite du schéma de l'action jaurésienne, tel que le propose Annie Kriegel pour cette période [201].

1. Soutenir et orienter la pression des gouvernements pacifiques.

2. Soutenir et orienter la pression du prolétariat pacifique en mettant en pratique les décisions de Bruxelles.

3. Rallier la CGT à cette politique puisqu'on ne peut faire décemment la grève générale contre un gouvernement pacifique.

Après avoir rendu compte au groupe parlementaire des travaux de la réunion de Bruxelles, Jaurès prit la tête d'une délégation qui se rendit au Quai d'Orsay pour rencontrer le président du Conseil, René Viviani : elle voulait lui exposer le point de vue socialiste et le mettre en garde contre toute mesure qui pourrait paraître provocatrice envers l'Allemagne. C'est alors que Viviani informa ses interlocuteurs de la décision du gouvernement de maintenir les troupes à dix kilomètres de la

---

197. L'Humanité, 30 juillet.

198. « Qu'en disent les nationalistes et réactionnaires de France et n'auront-ils pas honte enfin de leur stupide et perfide refrain ? »

199. Seul le témoignage de Jean Longuet semble infirmer cette attitude : « ...Nous étions revenus ensemble de Belgique, le lendemain de la réunion du BSI, avec Vaillant, Guesde, Sembat et Mme Sembat.

Lui dont la bonne humeur, la verve intarissable et l'universelle curiosité d'esprit étaient comme un perpétuel sujet de joie et de réconfort pour tous ceux qui avaient le bonheur de l'approcher, nous le sentions profondément soucieux, triste, déjà accablé de douleur par la claire vision de l'horrible catastrophe qui s'avançait sur le genre humain avec la brutalité et la vitesse d'une avalanche... » (Le Populaire du Centre, 3 août 1916).

200. Jean Longuet, Progrès civique, 29 juillet 1922, cité par J. Rabaut et B. Cazaubon, art. cité, p. 8.

201. Annie Kriegel, « Jaurès en juillet 1914 », Le Mouvement social, 49, oct.-déc. 1964, p. 76.

frontière [202], et qu'en sortant Jaurès aurait murmuré, aux dires de A. Bedouce [203] : « Vous savez, si nous étions à leur place, je ne sais pas ce que nous pourrions faire de plus pour assurer la paix » [204].

La mise en pratique des décisions de Bruxelles se traduisit par la résolution [205] d'organiser le dimanche suivant une grande réunion des adhérents du département de la Seine à la salle Wagram : le but était d'exposer aux militants les déterminations du BSI et ce que l'Internationale attendait de chacune de ses sections nationales. Le Pré-Saint-Gervais fut également choisi pour que s'y déroule une grande manifestation au moment de l'ouverture des travaux du congrès international. Enfin, on sait que c'est dans la soirée du 30 qu'une délégation socialiste rencontra les dirigeants de la CGT et que ceux-ci acceptèrent de se rallier à la stratégie socialiste.

Jaurès, qui avait participé à toutes ces activités, trouva encore le temps de rédiger un article, ce fut le dernier qu'il écrivit [206]. Il couronnait cette triple action et résumait à nouveau les positions socialistes [207].

Pouvons-nous, à ce point de notre étude, déterminer si l'orientation de Jaurès était en conformité avec celle des autres dirigeants et des militants socialistes ? A-t-on l'impression d'un consensus entre Jaurès et la direction socialiste dans son ensemble, entre la direction et les masses ?

Le problème est important à plusieurs égards. On est souvent tenté de considérer que tout ce qui a été fait, dit ou pensé dans cette période l'a été par Jaurès. « L'une des faiblesses tactiques de l'action contre la guerre en France était due au fait que tout était centré sur un seul homme, Jaurès » [208]. La suite logique du raisonnement est que sa disparition devait nécessairement entraîner la fin de toute action. Nous ne pensons pas réduire la place occupée alors par Jaurès dans le mouvement socialiste, jugeant improbable que les autres dirigeants, dont certains étaient illustres, que des dizaines de milliers de membres du parti se

202. H. Goldberg, *op. cit.*, p. 538.

203. Ancien maire de Toulouse, député de la Haute-Garonne.

204. *Le Populaire du Centre*, 3 août 1915.

205. La réunion du groupe parlementaire où sont prises ces décisions fut en fait commune avec celle de la CAP comme cela avait d'ailleurs été prévu avant le départ pour Bruxelles (A.N. F 7 13074 M/979 U, 27 juillet). Le secrétaire de la Fédération de la Seine y participait aussi et donna son accord aux projets retenus.

206. *L'Humanité*, 31 juillet.

207. Le titre « Sang-froid nécessaire » mettait en évidence cette idée pour la deuxième fois en trois jours. L'Allemagne n'avait pas attaqué, des négociations s'ouvraient entre l'Autriche et la Russie. Le temps nécessaire pour que la médiation anglaise puisse avoir lieu était gagné. Un seul souci : il fallait que la volonté pacifique des foules ne cède pas.
Pour Jaurès, l'épreuve devait être longue : « Ceux qui s'imaginent que la crise diplomatique peut être et doit être résolue en quelques jours se trompent ». Il estimait que la bataille diplomatique pouvait durer plusieurs semaines.
En conclusion de son article, Jaurès résumait les actions décidées et attendues, le meeting de la salle Wagram, des « réunions multiples (tenant) en éveil la pensée et la volonté du prolétariat » et la grande manifestation préparatoire au congrès international.

208. G. Haupt, art. cité, p. 867.

soient contentés de jouer le rôle de figurants applaudissant aux prouesses du grand homme, en attendant de tenir celui de « pleureuses » une fois celui-ci disparu.

D'un autre point de vue, si Jaurès avait été un homme seul, sans soutien dans le pays, si ses actes ou paroles étaient restés sans retentissement, sans lien avec l'ensemble du Parti socialiste, leur importance historique deviendrait secondaire.

Deux éléments nous permettent d'éclairer cette question. Le premier est constitué par le graphique des manifestations contre la guerre que nous avons pu établir [209]. Comme nous l'avons déjà constaté, tant à Paris qu'en province, l'apogée du mouvement se situe le 30. Il y a donc une remarquable concordance avec l'activité de Jaurès.

Le second est fourni par les rapports des Renseignements généraux sur les instances dirigeantes du parti : celui du 30 juillet [210] relate leur action pendant la journée du 29 et vraisemblablement une partie du 30, c'est-à-dire au moment où les principaux dirigeants du parti sont à Bruxelles.

« A la CAP du PSU, et dans tous les milieux socialistes, on a accueilli avec une vive satisfaction la nouvelle de la tenue de ce congrès à Paris : on estime qu'en prenant cette décision à l'unanimité, le BI a voulu donner au dit congrès une importance considérable ».

Le CA se propose de seconder les vues du BI « par une organisation irréprochable du congrès... ». Cet accord n'est pas uniquement en paroles puisque, sans attendre, des mesures d'organisation sont prises : on envisage les salles où le congrès pourrait se tenir, le Palais des Fêtes, rue Saint-Martin, l'Egalitaire, rue Sambre-et-Meuse ou la Bellevilloise. On prévoit de clore le congrès par un grand meeting au Pré-Saint-Gervais où des orateurs de toutes nationalités prendraient la parole [211]. La précision de ces dispositions montre que les dirigeants restés à Paris, délibérant en l'absence des délégués de Bruxelles, partageaient pleinement leurs conceptions et leur confiance dans l'efficacité des mesures prises par le BSI, et dans la possibilité de les appliquer. Quelque sérieuse que soit la crise, elle doit durer encore un certain temps et peut déboucher sur une solution pacifique.

Dans la soirée du 30, cependant, les sentiments de confiance avaient un moment laissé place à l'angoisse.

« Pendant toute la journée d'hier, un grand nombre de militants socialistes sont allés aux nouvelles au siège du Parti, rue Sainte-Croix-de-la-Bretonnerie. Vers six heures (18 heures), on commentait vivement les arti-

---

209. Cf. p. 159, fig. 12.
210. A.N. F 7 13074, M/988 U, 30 juillet.
211. On sait qu'il fut ensuite décidé que cette grande manifestation aurait lieu non à la fin du congrès, mais lors de son ouverture.

cles du *Temps* et l'impression générale était que la guerre était inévitable : aussi l'émotion était-elle à son comble. ... L'opinion qui dominait était que les manifestations contre la guerre étaient inutiles et que le congrès international n'aurait pas lieu » [212].

C'est cette angoisse que Jaurès avait trouvée en arrivant à Paris et qu'il s'employa à ramener à de justes limites : « A en juger par les éléments connus, il ne semble pas que la situation soit désespérée » [213]. Dans cette même soirée, d'ailleurs, les notes publiées par l'ambassadeur d'Allemagne [214], puis par le gouvernement français [215], avaient détendu l'atmosphère. La CAP continua donc les préparatifs du congrès, après un court moment d'affolement. Une circulaire fut envoyée aux fédérations : elles étaient invitées à se réunir d'urgence, à nommer leurs délégués au congrès et à en fournir la liste au secrétariat du parti, au plus tard le 5 août. « Ainsi rien n'a été modifié du programme qu'on avait annoncé la veille. Les intentions de la commission sont toujours de donner au congrès une importance exceptionnelle » [216].

Il n'y a donc pas, à vrai dire, une stratégie jaurésienne, une action jaurésienne, il y a celle du Parti socialiste dont Jaurès est le porte-parole, mieux, l'expression vivante. Ajoutons que les négociations avec la CGT, élément si important dans le dispositif socialiste, ont commencé, comme nous l'avons vu, avant le retour de Jaurès et représentent, elles aussi, beaucoup plus la volonté générale que la politique d'un seul homme.

Dans la matinée du vendredi 31 juillet, Jaurès restait chez lui pour se reposer de son accablant labeur de la veille : il y recevait son ami Lucien Lévy-Bruhl à qui il confiait encore ses espoirs dans la médiation anglaise [217]. *L'Humanité* publiait les déclarations des organisations qui s'insurgeaient contre la guerre et appelaient à manifester contre elle ; les meetings pour la paix s'étaient multipliés la veille et treize autres étaient annoncés pour le soir, rien que dans la région parisienne ; à l'étranger et

---

212. A.N. F 7 13074 M/990 U, 31 juillet. « Les Unifiés contre la guerre ».

213. *L'Humanité*, 31 juillet.

214. *Le Temps* (1er août) présentait cette note de la façon suivante : « L'ambassade d'Allemagne prie l'agence Havas de déclarer que les bruits d'après lesquels il aurait été procédé en Allemagne à une mobilisation partielle sont injustifiés. Ils ont probablement, dit la note, pris naissance à la suite de ce fait que le correspondant à Paris d'un journal allemand a reçu un télégramme signé faussement : " Le vice-consul d'Allemagne " et qui le rappelait sous les drapeaux. Aucune classe de réservistes n'a été mobilisée en Allemagne. Une mobilisation même partielle ne pourrait, du reste, en tout cas rester secrète ».

215. La note du gouvernement français concernait l'information parue dans *Paris-Midi* annonçant que la décision d'une mobilisation partielle avait été prise la nuit précédente. Elle précisait qu'« aucune décision n'a été prise, aucune ne pouvait être prise ». Aucune mesure de mobilisation ne serait prise en France que s'il y en avait en Allemagne. Le gouvernement français avait pris des mesures immédiates pour arrêter la publication de ces nouvelles inexactes, la saisie du journal avait été décidée et des poursuites étaient engagées contre le journaliste Maurice de Waleffe qui en était responsable (voir *Le Temps*, 31 juillet).

216. A.N. F 7 13074, M/990 U, 31 juillet.

217. H. Goldberg, *op. cit.*, p. 539.

en Allemagne en particulier, la protestation s'amplifiait [218] ; les forces ouvrières, si désunies en France, se rassemblaient sur des objectifs communs ; les intentions de l'Internationale commençaient à se réaliser. Mais, pendant ce temps, l'irréparable s'accomplissait. Le gouvernement russe — sans consulter le gouvernement français, d'ailleurs mal informé par son ambassadeur Paléologue [219] — avait décidé dans l'après-midi du 30 la mobilisation générale : la nouvelle était rendue publique à l'aube du 31 [220]. Dans la matinée, le gouvernement allemand répliquait en décrétant « l'état de danger de guerre ».

Dans l'après-midi du 31, devant l'aggravation brutale de la situation, Jaurès tenta un effort désespéré pour sauver la paix. Il multiplia les démarches. Les propos qu'il a alors tenus ou qui lui ont été prêtés ont été un aliment de choix pour les polémiques qui n'ont guère cessé depuis plus de cinquante ans sur ce qu'aurait fait Jaurès s'il n'avait pas été assassiné. Récemment encore, les tardifs souvenirs de Pierre Dupuy [221] sur la conversation qu'il aurait eue avec Jaurès dans cet après-midi du 31 [222], les faisaient rebondir [223]. Les possibilités d'interprétation sont d'autant plus grandes qu'il n'y a plus de discours ou d'écrits de Jaurès pour étayer les hypothèses.

Schématiquement, la discussion oppose traditionnellement ceux qui croient que Jaurès se serait rallié à l'union sacrée, comme le reste du Parti socialiste, et ceux qui pensent le contraire. Le témoignage de Pierre Dupuy apporte un élément supplémentaire à la première thèse puisque Jaurès lui aurait dit « qu'il allait lui-même rédiger dans la soirée ... un article intitulé " En avant " ». Il estimait, en effet, qu'en présence de l'échec maintenant définitif de tous ses efforts et de ceux de son parti pour le maintien de la paix, il fallait de toute nécessité éviter de donner à l'ennemi de demain l'impression d'une France désunie et apeurée » [224]. Si Jaurès en avait eu le temps, aurait-il écrit un article intitulé

---

218. On pouvait lire dans *L'Humanité* (31 juillet) un article sur les meetings socialistes dans la région d'Essen : « ...En effet, personne ne peut nier, même les plus chauvins, que les manifestations socialistes soient vraiment grandioses et produisent une grande impression... »

219. P. Renouvin, *La crise européenne et la première guerre mondiale, op. cit.*, p. 207.

220. Télégraphiée par l'ambassadeur de France le 31, à 8 h 30 du matin, la nouvelle ne parvint au Quai d'Orsay qu'à 8 heures du soir ! (cf. J. Isaac, *op. cit.*, p. 210, note 2). *Le Temps* du 1er août ne fait encore allusion à la mobilisation générale russe que comme une « nouvelle tendancieuse allemande ».

221. Député de la Gironde et directeur du *Petit Parisien* en 1914.

222. *Le Monde*, 9 février 1958.

223. Cf. A. Kriegel, « Jaurès en juillet 1914 », *Le Mouvement social*, oct.-déc. 1964 et *Actes du colloque, Jaurès et la nation*, 1965. Id. *Le pain et les roses*, Paris, PUF, 1968, 258 p., en particulier note 1, p. 108. Jean Rabaut, *Jaurès et son assassin*, Paris, Ed. du Centurion, 1967, 239 p., p. 237. Jean Rabaut et Bernard Cazaubon, « Sur les deux dernières journées de Jaurès » (*Bulletin de la Société d'études jaurésiennes*, oct.-déc. 1965). Jean Rabaut, « La dernière journée de Jaurès et les inventions de M. Pierre Dupuy » (*Bulletin de la Société d'études jaurésiennes*, janvier-mars 1969). Bernard Cazaubon, *L'Ecole libératrice*, 4 décembre 1959. François Fonvieille-Alquier, *Ils ont tué Jaurès !* Laffont, 1968, 364 p., ch. IV.

224. *Le Mouvement social*, oct.-déc. 1964, p. 64.

« J'accuse » ou tout au moins une sorte de « J'accuse » contre le gouvernement français, comme le journaliste socialiste Charles Rappoport l'a soutenu dans le *Berner Tagwacht* en juillet 1915, ou « En avant », appelant la France à résister à l'agression, comme l'a indiqué Pierre Dupuy ?

Les contradicteurs de ce dernier, indignés par les propos prêtés à Jaurès, affirmant après une minutieuse reconstitution de ses allées et venues qu'il n'est pas matériellement possible que cette conversation ait eu lieu. Annie Kriegel en est moins persuadée. A notre avis, quel que soit le soin avec lequel l'emploi du temps du chef socialiste a été établi, les témoignages qui l'ont permis ne sont pas toujours d'une parfaite concordance. Il y a donc au moins place pour le doute. Quant aux termes de la conversation, ils n'échappent évidemment pas, dans le meilleur des cas, à une large part d'incertitude : il n'est pas besoin d'être historien pour savoir que trop souvent les interlocuteurs ne retiennent d'une conversation que ce qu'ils désiraient entendre. En outre, sans pour autant vouloir mettre tout le monde d'accord, on peut estimer que, dans une journée aussi agitée, Jaurès a prononcé, en fonction des impressions du moment, des paroles qui n'étaient pas toujours de sens identique. Néanmoins, les propos réels ou imaginaires que Pierre Dupuy a rapportés nous ont semblé ne correspondre ni à l'état d'esprit de Jaurès, ni à son activité au cours de l'après-midi. La veille encore, il croyait à une crise longue qui donnerait à l'opinion publique les délais nécessaires pour peser sur les décisions des gouvernements. Il ne pouvait plus douter maintenant que la catastrophe était imminente : aussi, on sent chez lui une exaspération croissante contre un gouvernement dont il trouve la politique trop molle ; il voudrait le convaincre de ne pas se laisser entraîner dans la guerre par son alliance avec la Russie. Cela explique la violence de certaines de ses paroles, en particulier contre l'ambassadeur russe Isvolsky : « Allons-nous déchaîner un cataclysme mondial pour Isvolsky qui est furieux de n'avoir pas touché d'Aerenthal un pourboire de quarante millions pour la Bosnie-Herzégovine », clamait-il dans les couloirs de la Chambre [225]. « Vous êtes victimes d'Isvolsky et d'une intrigue russe : nous allons vous dénoncer, ministres à la tête légère, dussions-nous être fusillés », dit-il à Abel Ferry [226] lorsque, en fin d'après-midi, ce dernier a reçu une délégation socialiste [227] à la place de Viviani qui était justement en conversation avec l'ambassadeur d'Allemagne [228].

.

---

225. Marcelle Auclair, *La vie de Jaurès ou la France avant 1914*, Paris, 1954, 673 p., p. 642.

226. Abel Ferry, *op. cit.*, p. 26-27.

227. Jaurès était accompagné de Marcel Cachin, Renaudel, Longuet, Bedouce, Bracke.

228. L'ambassadeur remettait à 19 heures un ultimatum au gouvernement français (la France resterait-elle neutre en cas de guerre germano-russe ?) et demandait que la réponse lui soit donnée au plus tard le premier août, vers treize heures.

On comprend d'ailleurs l'irritation de Jaurès devant des ministres, Malvy dans les couloirs de la Chambre, Abel Ferry au Quai d'Orsay, qu'il sent se dérober. Eux savent que tout est à peu près joué. Lui veut continuer d'espérer même contre toute espérance.

Il y a donc assurément une inflexion de l'attitude de Jaurès par rapport aux jours précédents : sa confiance dans le gouvernement français faiblit, la culpabilité russe lui semble rejoindre la culpabilité autrichienne. Mais peut-on considérer qu'il s'agit plus que d'une inflexion, d'un renversement de politique ? Jaurès s'apprêtait-il à entraîner ou à essayer d'entraîner le mouvement ouvrier dans une protestation contre la guerre d'une autre nature.

Trois articles parus dans *L'Humanité* les 1er et 2 août, sous les signatures respectives de Louis Dubreuilh, Marcel Cachin et Marcel Sembat, permettent, nous semble-t-il, de tenter de répondre. Ils ont l'immense avantage sur bien d'autres prises de position ultérieures d'avoir été écrits à chaud et sans avoir pour but d'étayer une thèse ou une autre. Que disait Dubreuilh ?

> « ...A la minute où il fut mortellement frappé, il s'entretenait avec nous des événements si graves qui acculent l'Europe à une catastrophe sans précédent dans l'Histoire. Il cherchait à écarter l'horrible, le terrifiant péril. Il nous disait comment, par un viril et lucide effort, le gouvernement français pouvait encore sauver des horreurs d'un cataclysme universel la France et l'Europe avec elle... » [229].

Cachin ? Il conte l'après-midi de Jaurès, sa rencontre avec Malvy, son entretien avec Ferry, la passion avec laquelle il leur demandait que la France tienne à la Russie le langage ferme et énergique pour qu'elle accepte la médiation anglaise, que sans cela « la responsabilité du gouvernement serait terriblement engagée », et il terminait ainsi :

> « Notre pauvre ami devait lui-même reprendre pour les lecteurs de *L'Humanité* d'aujourd'hui le point de vue qu'il venait de défendre devant les ministres impuissants ou aveuglés. Il devait à cette table de journal écrire l'article décisif par lequel aurait été dégagée la responsabilité de notre Parti... » [230].

> Quant à Sembat : « ...Ah ! si on l'avait écouté, si l'on avait mieux suivi ses conseils, peut-être ne serions-nous pas sous les griffes du monstre ! On l'approuvait, oui, je le sais, je l'ai vu ! J'ai vu les ministres l'interroger, solliciter ses avis, s'inspirer de ses conseils. Mais on l'approuvait trop mollement ... Mais il eût persisté, tous ceux qui l'ont connu en jureront, il eût persisté à espérer contre toute espérance et son vaillant optimisme aurait lutté jusqu'au bout pour la paix...

> Et notre devoir est de continuer sa tâche, en nous entêtant furieusement à lutter pour la paix... » [231].

---

229. 1er août 1914.
230. 1er août 1914.
231. 2 août.

Le sens de ces trois articles est absolument convergent : oui, dans les dernières heures, Jaurès et ses amis pensaient qu'on aurait pu faire davantage pour sauver la paix, que le gouvernement français ne déployait pas tous les efforts nécessaires, qu'il se laissait glisser vers la guerre. Mais rien ne permet de supposer que le Parti socialiste s'apprêtait à changer de politique ; rien ne permet de supposer que Jaurès ne croyait plus au pacifisme du gouvernement français. Toutefois, il contestait le manque de fermeté avec lequel la paix était défendue. Il voulait dégager la responsabilité du Parti socialiste, cela signifie seulement qu'il entendait montrer comment les socialistes au pouvoir auraient agi autrement, avec plus de détermination. A moins de solliciter les textes, on ne peut leur en faire dire plus.

Alors, « J'accuse » ou « En avant » ? Ni l'un, ni l'autre, mais la réaffirmation d'une attitude qui n'avait pas varié fondamentalement depuis le début de la crise : entraîner un gouvernement pacifique à toutes les initiatives nécessaires pour sauver la paix.

En acceptant, quelques heures plus tard, les nécessités de défense nationale, les dirigeants socialistes, les signataires de ces articles en particulier, n'ont évidemment pas eu conscience que leur attitude pût être en contradiction avec ce qu'ils écrivaient de la pensée de Jaurès, ni que cette pensée était en contradiction avec celle qui, depuis le début de la crise, était celle du Parti socialiste tout entier, alors pourquoi l'imaginer à leur place ? Tout en regrettant certaines insuffisances de la politique française dans ces heures dramatiques, ils ne pouvaient trouver une différence entre leur attitude et celle que Jaurès avait par avance définie : « Quoi qu'en disent nos adversaires, il n'y a aucune contradiction à faire l'effort maximum pour assurer la paix et, si cette guerre éclate malgré nous, à faire l'effort maximum pour assurer l'indépendance et l'intégrité de la nation... »[232].

Ce jugement de G.D.H. Cole a le mérite de distinguer entre deux moments qu'on a trop souvent tendance à confondre. En fait, les positions adoptées pendant la crise n'ont pas préjugé de celles prises pendant la guerre.

Le fait dominant pendant cette période fut le large consensus qui se réalisa entre les dirigeants du mouvement ouvrier sur la conduite à tenir.

---

232. *L'Humanité*, 18 juillet 1914. Il n'appartient pas à notre sujet de répondre, après tant d'autres, à la question : qu'aurait fait Jaurès s'il n'avait pas été assassiné ? Disons toutefois qu'en fonction de l'étude que nous avons menée, le jugement de G.D.H. Cole (*A history of socialist thought*, Londres III, *The Second International*, I. 1889-1914, II. 1914-1956 ; Londres, Macmillan, 1956, XVIII-1043 p., T. II, p. 94) que rapporte H. Goldberg (*op. cit.*, p. 544 et note 29, p. 599) nous semble acceptable : « On a souvent dit que Jaurès, s'il avait vécu, se serait rallié à la cause de la défense nationale contre l'Allemagne, comme Guesde et Vaillant l'ont fait. Cette façon de voir est probablement correcte ; mais il est aussi probable qu'il aurait montré plus de sagesse qu'ils n'en ont eue, en travaillant pour négocier la paix. Il en aurait eu l'occasion plus tard, lorsque l'Allemangne aura échoué dans son dessein d'une victoire rapide. Mais il l'aurait eue ; et dans la situation telle qu'elle se présente après 1916, sa présence aurait pu provoquer des événements différents de ceux qui se produisirent ».

S'il a nécessité à la CGT des révisions déchirantes, il n'en a pas été de même au Parti socialiste. Les socialistes n'avaient jamais voté qu'ils s'opposeraient à une guerre par le sabotage de la mobilisation, ils n'avaient jamais prétendu l'empêcher par une action uniquement nationale. Aussi, mises à part les velléités vite étouffées du vieux communard Vaillant de radicaliser leur action, les dirigeants du Parti socialiste se sont tous trouvés unis autour de Jaurès sur une ligne politique cohérente dont ils n'ont pas dévié pendant toute la crise : mobiliser internationalement les forces pacifiques pour faire pression sur les gouvernements. Qu'ils aient échoué ne permet en aucune façon de dire qu'ils ont trahi des engagements antérieurs, ni d'affirmer qu'il était possible de faire autre chose en tenant compte de l'état de l'opinion publique.

Sur un point, cependant, l'attitude socialiste peut prêter à discussion : les présupposés idéologiques n'ont joué à peu près aucun rôle ; il a été très peu question des responsabilités de l'impérialisme qui auraient placé les différents pays sur le même plan. Les socialistes français ont apporté explicitement leur soutien à la politique suivie par leur gouvernement. N'ont-ils pas ainsi freiné le mouvement de protestation en lui désignant comme objectif un gouvernement étranger, donc hors de portée en quelque sorte ? Mais, pour les dirigeants socialistes, il apparaissait à l'évidence que la France ne portait pas la moindre responsabilité dans l'éclatement de la crise, que la seule cause du drame était la volonté autrichienne de mater la Serbie : ce n'est qu'à l'extrême fin qu'ils ont pu estimer que le gouvernement français manquait quelque peu de vigueur pour freiner l'alliée russe. Il n'a pas été sans importance non plus que le gouvernement français ait été un gouvernement de gauche, qu'il ait eu à sa tête un ancien socialiste : raisons supplémentaires de lui faire confiance.

L'attitude des dirigeants socialistes est donc largement expliquée par les circonstances, et aussi par cette certitude — Jaurès s'était particulièrement employé à la faire partager — que la crise se prolongerait, que le temps n'était pas compté au plus juste : ils ont donc organisé la lutte pour la paix avec méthode et ... pondération. Faute de temps, cette campagne n'a pas pu se développer et son orientation impliquait nécessairement après son échec le ralliement à une position de défense nationale.

## La mort de Jaurès devant l'opinion publique

Dans un raccourci hasardeux, l'assassinat de Jaurès est souvent présenté comme le premier acte de la guerre. On sous-entend ainsi que c'est sa mort qui la rendit possible. Cette assertion n'a guère de sens historique [233] ; il est vrai cependant que la mort du dirigeant socialiste, véritable « croisé de la paix », la veille même du jour où la mobilisation fut décrétée, avait de quoi frapper les imaginations. Il est pourtant nécessaire de se demander si l'opinion publique fut réellement bouleversée par la mort de Jaurès.

Le 1er août, la presse socialiste de Paris *(L'Humanité, Le Bonnet rouge, La Guerre sociale)* parut bordée de noir.

Les journaux parisiens ont connu l'événement assez tôt pour le rapporter dans leur numéro du 1er : certains même, comme *Le Bonnet rouge*, ont tiré une édition spéciale le soir même [234]. Des journaux de province, au contraire, n'ont publié la nouvelle que le 2 août [235], au moins dans certaines de leurs éditions [236].

L'effet que l'événement produisit peut être d'abord mesuré par la place que lui accordèrent les journaux. Le tableau (fig. 17) que nous avons établi à partir de quelques-uns d'entre eux montre que, mise à part *L'Humanité*, elle fut modeste et presque nulle dès le 2 août. La faible part de ses colonnes que *Le Temps* lui a accordée est particulièrement remarquable : six fois moins qu'un peu plus d'une semaine auparavant pour les comptes rendus du procès de Mme Caillaux. Même en tenant compte du peu de sympathie que le grand journal du soir éprouvait pour le chef socialiste, c'est assez maigre !

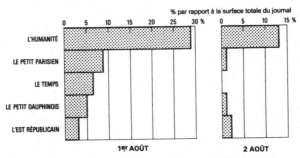

**Fig. 17. L'assassinat de Jaurès**

N.-B.: Les numéros du Temps et de l'Est Républicain sont datés du 2 et 3 août

---

233. Mais elle eut des échos dans l'opinion publique. Voir ci-dessous p. 242 note 314, et p. 247 note 340.

234. « Cette édition a été si rapidement tirée et mise en vente que des mauvaises langues n'hésitent pas à dire qu'elle était composée d'avance », note un chroniqueur (Delecraz, *op. cit.*, p. 8).

235. *Le Populaire du Centre, Le Républicain du Gard*, par exemple.

236. Ainsi de l'édition de *L'Ouest-Eclair*, conservée à la Bibliothèque nationale. La nouvelle n'y est insérée que le 2 août, en deuxième page, et sans qu'il lui soit consacré davantage de place qu'au récit de la mort du prince Henri de la Tour d'Auvergne, victime d'un accident de voiture.

La mort de Jaurès est en général annoncée dans un grand titre parmi ceux consacrés à la gravité de la situation internationale. Néanmoins, sa taille et sa disposition varient d'un journal à l'autre ; celui de *L'Action française* est discret, placé seulement à mi-hauteur de la première page et en caractères peu importants ; celui du *Temps*, en bas de la première colonne ; celui du *Progrès de Lyon*, en deuxième page[237]. Sa largeur peut être limitée à une colonne, comme dans *Le Nouvelliste de Bretagne*[238]. Mais il fut en général considérable, même en dehors de la presse socialiste, plus cependant dans la presse de province que dans la presse parisienne : le titre barre toute la première page dans *La Dépêche de Toulouse*[239] dont Jaurès était le collaborateur, mais aussi dans *La Petite Gironde*[240], *Le Courrier du Centre*[241], *Le Républicain du Gard*[242], *L'Express du Midi*[243], de tendances très diverses.

Les titres sont aussi de signification variée. Ceux des journaux socialistes sont accusateurs : « Ils ont assassiné Jaurès ! »[244], « Un crime nationaliste : Jaurès a été assassiné »[245] ; ceux des journaux radicaux, indignés : « Assassinat de M. Jaurès : un crime abominable »[246] ; ceux de la presse syndicaliste, accablés : « Une journée tragique : bruits de mobilisation, Jaurès assassiné »[247]. Mais, le plus souvent, les titres sont purement informatifs et aussi neutres que possible. Il en est ainsi pour la presse parisienne du centre et de droite : « Assassinat de M. Jaurès », titre *L'Action française*[248], polie ; « L'assassinat de M. Jaurès », signale *Le Temps*[249], narratif ; « Le député socialiste a été tué à coups de revolver », explique *L'Echo de Paris*[250]. La presse de province a adopté la plupart du temps la même attitude : « Assassinat de Jaurès »[251], « M. Jaurès tué de deux coups de revolver »[252], « M. Jaurès est tué dans un attentat »[253]. Quelquefois, des titres ajoutent une information fantaisiste, qu'on ne s'est pas donné la peine de vérifier : « M. Jaurès meurt

---

237. 1ᵉʳ août.
238. 2 août.
239. 1ᵉʳ août.
240. 1ᵉʳ août,
241. 1ᵉʳ août.
242. 2 août.
243. 1ᵉʳ août.
244. *La Guerre sociale*, 1ᵉʳ août.
245. *Le Populaire du Midi*, 1ᵉʳ août.
246. *Le Radical*, 1ᵉʳ août
247. *La Bataille syndicaliste*, 1ᵉʳ août.
248. 1ᵉʳ août.
249. 2 août.
250. 1ᵉʳ août.
251. *Journal du Havre*, 1ᵉʳ aout.
252. *La Petite Gironde*, 1ᵉʳ août.
253. *Le Courrier du Centre*, 1ᵉʳ août.

victime d'un attentat. Son auteur, un étranger, est arrêté »[254], ou ce qui veut être un élément d'explication : sous-titre du *Progrès de la Côte-d'Or* : « L'acte d'un fou »[255]. Jamais une nuance d'approbation ne s'est glissée dans les titres, mais il est finalement rare que — consciemment ou inconsciemment ? — ils manifestent un sentiment de blâme. Il n'en est pas de même dans le corps des articles, une revue de la presse parisienne de tous les horizons politiques au lendemain de l'attentat montre le caractère général de la réprobation[256]. Une réprobation qui jure d'ailleurs quelque peu avec les véritables appels au meurtre que certains journaux publiaient encore récemment[257]. Elle ne présente pas cependant dans tous les journaux le même caractère d'intensité. Il faut d'abord reconnaître que ceux dont Jaurès était la cible favorite n'ont pas éprouvé le besoin d'approuver le mort après avoir tant vilipendé le vivant et ils laissèrent aux journaux socialistes ou radicaux le soin de faire, quelquefois avec une certaine réserve pour ces derniers, le panégyrique du défunt[258]. Le vocabulaire utilisé pour juger l'attentat permet ensuite de discerner des degrés dans la réprobation. Dans la presse de gauche, on peut relever « stupeur »[259], « deuil atroce[260] », « douleur immense »[261], « indignation »[262], « cris de rage et rugissements de colère »[263], « attentat odieux »[264]. Le vocabulaire de la presse du centre et de droite est plus mesuré : si on peut relever « crime »[265] et même « crime stupide et sauvage »[266], les expressions les plus typiques sont celles de « malheur dans les circonstances actuelles »[267], de « faute grave »[268], de « faute lourde »[269], renforcées par l'idée qu'un assassinat ne peut jamais être justifié[270]. La formule célèbre que *L'Action*

---

254. *Le Nouvelliste de Bretagne*, 1er août.

255. 2 août.

256. J.-J. Becker et A. Kriegel, *op. cit.*, p. 112 et suiv.

257. Il suffit de rappeler par exemple ce qu'écrivait sous le pseudonyme de Waleffe le journaliste d'origine belge Kartuyvels dans *Paris-Midi*, le 17 juillet 1914 : « A la veille d'une guerre, le général qui commanderait à quatre hommes et un caporal de coller au mur le citoyen Jaurès et de lui mettre à bout portant le plomb qui lui manque dans la cervelle, ne ferait-il pas son plus élémentaire devoir ? Si ! Et je l'y aiderai ».

258. *Le Radical* est un des plus élogieux : « L'une des plus nobles intelligences », « un des plus grands cœurs qui aient jamais existé », « ardent patriote », « pureté des intentions », « noblesse des sentiments », « de la grande lignée des penseurs », « le plus beau courage moral » (1er août).

259. *Le Bonnet rouge*, 2 août ; *L'Homme libre* ; 1er août.

260. *L'Humanité*, 1er août.

261. *La Bataille syndicaliste*, 1er août.

262. *L'Homme libre*, 1er août.

263. *La Guerre sociale*, 1er août.

264. *L'Homme libre*, 1er août.

265. *Eclair*, 1er août.

266. *Le Temps*, 2 août.

267. *Ibid.*

268. *L'Action française*, 1er août.

269. *L'Eclair*, 1er août.

270. *L'Echo de Paris*, 1er août.

*française* reprit à cette occasion : « C'est plus qu'un crime, c'est une faute... »[271], nous paraît très représentative de ce qu'a pensé une partie de la presse et ... assez cynique. On regrette surtout les risques que pourrait faire courir à ce moment l'assassinat de Jaurès. L'orateur socialiste serait décédé de mort naturelle, l'affaire serait plutôt satisfaisante. On a un peu l'impression que c'est surtout le moment qui est jugé inopportun.

La « mémoire historique » a eu tendance à retenir l'image d'un pays communiant tout entier dans le souvenir du grand homme. L'analyse attentive de la presse au lendemain même de l'attentat prouve qu'il n'en fut rien. Tant par la place qu'elle lui consacra que par les titres utilisés ou le contenu des articles, la presse adopta face à l'événement une attitude très nuancée : indignation et réprobation furent en définitive très graduées.

La principale préoccupation fut d'éviter que l'événement provoque des troubles, et c'est aussi vrai de la presse de gauche que celle de droite[272]. Ce fut aussi la première réaction du gouvernement. On connaît le récit de Messimy[273]. Pendant le conseil des ministres, à 21 heures 30, le capitaine Ladoux, à l'époque journaliste au *Radical*, vint annoncer l'assassinat, bientôt suivi du préfet Hennion qui confirma la nouvelle. Messimy renvoya immédiatement Ladoux à son journal, situé dans le même immeuble que *L'Humanité*, pour qu'il servît d'intermédiaire et qu'il demandât à Sembat et à Renaudel « de calmer l'opinion dans les partis avancés ». De son côté, Viviani entrait en contact avec le Parti socialiste pour, toujours d'après Messimy, lui montrer que, « dans les circonstances présentes, la vengeance elle-même (devait) taire ses appels les plus légitimes ». Le manifeste immédiatement rédigé par le gouvernement flétrissant « l'abominable attentat », et que *L'Humanité* publiait le lendemain en bonne place, répondait en même temps à une sincère indignation et à la préoccupation de maintenir l'ordre public[274].

Cette crainte des troubles a été largement partagée. J. Bainville s'en fait l'écho en décrivant la foule qui s'amassait près de *L'Humanité* : « On eut à cet instant l'illusion qu'un mouvement révolutionnaire commençait »[275]. Charles Le Goffic, alors en Bretagne, a le même sentiment : « Le lendemain (1er août) ... arrive la nouvelle de l'assassinat de Jaurès : serait-ce la guerre civile avant la guerre étrangère ? L'anxiété s'accroît... »[276]. Ces auteurs n'avaient guère de sympathie pour Jaurès et

271. *L'Action française*, 1er août.

272. J.-J. Becker et A. Kriegel, *op. cit.*, p. 116 et suiv.

273. Messimy, *Mes souvenirs*, Paris, 1937, XXVIII, 428 p. (p. 146 et suiv.).

274. J. Bainville l'affirme. *Journal inédit (1914)*, Plon, 1953, 250 p. (p. 10). G. Dumoulin le suggère aussi (*Carnets de Route*, *op. cit.*, p. 66 et suiv.).

275. J. Bainville, *op. cit.*, p. 9.

276. Charles Le Goffic, *Bourguignottes et pompons rouges*, Paris, 1916, XII, 298 p. (p. 11).

les idées qu'il représentait. Mais la réaction est la même dans des milieux opposés. Marc Bloch note dans ses *Souvenirs* en date du 1er août : « Nous connûmes par les journaux l'assassinat de Jaurès. A notre deuil, une poignante inquiétude se mêle. La guerre semblait inévitable. L'émeute en souillerait-elle les prémices ? » [277].

Les rapports des autorités administratives portent trace aussi de cette inquiétude. Le préfet du Vaucluse télégraphie : « Vous signale nervosité générale depuis hier soir causée par la nouvelle de l'assassinat de Jaurès et la crainte de complications graves Paris au moment mobilisation générale » [278]. Le préfet du Nord note dans son *Journal* « qu'on commente avec anxiété les conséquences ... » [279]. Le procureur général de Rennes écrivait au garde des Sceaux : « J'ai lieu de craindre que l'assassinat de M. Jaurès ne soit le motif de nouvelles manifestations provoquées par les éléments syndicalistes et révolutionnaires, d'autant plus que pour un certain temps au moins nous allons nous trouver en présence de difficultés graves pour organiser des services d'ordre et de police... » [280]. Cette opinion ne fut cependant pas générale. Le commissaire spécial de Valenciennes affirmait au contraire que « la mort du citoyen Jaurès, député du Tarn, bien qu'apprise avec tristesse par les populations socialistes et syndicalistes de l'arrondissement n'a provoqué et ne provoquera sans nul doute aucun trouble ». Il en était particulièrement convaincu pour Denain où, cependant, la ville avait été « pavoisée » de drapeaux mis en berne et cravatés de noir [281].

A la crainte des troubles est venu s'ajouter un autre sentiment, celui de la peur. Là encore, il a atteint des milieux fort divers. G. Dumoulin s'est fait l'interprète de la peur des milieux syndicalistes. Au comité confédéral qui siégeait ce soir-là, la nouvelle provoqua colère, tristesse, douleur, mais aussi, ajoute-t-il, « le frisson sinistre de la peur, la vision d'une Saint-Barthélemy possible, la crainte du Carnet B et du fossé d'exécution » [282]. Mais, pour des raisons inverses, la peur a également affecté les milieux nationalistes. A *L'Action française*, Maurice Pujo avait aussitôt rédigé un texte dégageant les responsabilités de son mouvement et il avait même pris la peine de le téléphoner personnellement à

---

277. Marc Bloch, *Souvenirs de guerre, 1914-1915*, Armand Colin, 1969, Cahier des Annales, n° 26, 56 p. (p. 9).

278. A.N. F 7 12934, Avignon, 1er août, 16 h 32.

279. A.N. F 7 96 A.P. 1, *Journal du préfet du Nord*, p. 25.

280. A.N. B.B. 18/2531, 128/A 1914, lettre du 3 août 1914.

281. A.N. F 7 12938, rapport du commissaire spécial de Valenciennes du 1er août, repris dans le rapport du sous-préfet de Valenciennes du 1er août (A.D. Nord, R 29/6).

282. G. Dumoulin, *Carnets de route, op. cit.*, p. 66 et suiv. Réaction d'abord surprenante, mais assez éclairante de l'état d'esprit dans lequel se trouvaient les chefs syndicalistes. Ils ont craint que l'assassinat de Jaurès ne fût le point de départ d'une véritable chasse aux antimilitaristes et aux pacifistes. Cette attitude de peur est bien différente de celle qui fut redoutée, la colère et le désir de vengeance générateurs de troubles, mais qui, en fait, n'eut guère de réalité.

*L'Humanité* [283]. Ce texte embarassé manifeste effectivement l'inquiétude de ses auteurs ; à titre de preuve de la bonne foi de *L'Action française*, il fait éclat des instructions formelles qui avaient été données aux Camelots du Roi de ne se livrer à aucune mesure de représailles contre J. Caillaux ! Cette même crainte de représailles expliquerait le départ en province, le soir même, de L. Daudet. C'est au cours de cette randonnée nocturne que Daudet fut victime d'un grave accident d'automobile. Il expliqua par la suite qu'il faisait « vers la fin de juillet 1914 » la navette entre la Touraine (où était sa famille) et le journal [284]. Il apparaît bien étonnant qu'en des circonstances aussi graves, L. Daudet n'ait pas cru nécessaire de modifier ses habitudes et ait quitté Paris sans autre motif que de passer la soirée en famille ! D'ailleurs, cette hantise des représailles ne le quitta pas puisque, des années plus tard, l'évocation du meurtre de Jaurès et de l'appartenance supposée de son assassin à l'Action française le conduisait encore à des commentaires sur les menaces qui pesaient sur lui et sur Maurras [285].

Les réactions de la presse devant l'événement, celles des milieux politiques et administratifs ont-elles été les mêmes dans l'ensemble de l'opinion publique ? Il est plus difficile de l'apprécier. Déjà l'attitude de la foule qui s'était rassemblée devant *L'Humanité* prête à contestation. « Une foule immense, barrée par les agents, est là pleurant, sanglotant, recueillie... De tous les coins de Paris, les amis connus, inconnus ... accourent ... . Ils restent là, figés... » [286]. Ce récit qu'Ernest Poisson [287], présent au moment de l'assassinat, fit dans *Floréal* [288], nous montre une foule accablée de douleur, non une foule révolutionnaire comme le suggérait Bainville [289]. Il semble bien que ce soit la stupeur qui ait été d'abord le premier sentiment ; stupeur indignée à Paris [290], stupeur à

---

283. Jean Rabaut, *Jaurès et son assassin*, Editions du Centurion, 1967, 240 p. (p. 74). François Fonvieille-Alquier, *op. cit.*, p. 305 et suiv.

284. Léon Daudet, *L'Hécatombe. Récits et souvenirs politiques 1914-1918*, Paris, 1923, 308 p. (p. 50).

285. *Ibid.*, p. 40-41. Il est vrai que l'assassinat récent d'un autre dirigeant de l'Action française, Marius Plateau, avait pu raviver ses inquiétudes.

286. *Bulletin de la Société d'études jaurésiennes*, avril-juin 1964, p. 10.

287. Un des « principaux militants du Parti » (*Encyclopédie socialiste, La France socialiste, op. cit.*, p. 158), secrétaire général de la Confédération des coopératives socialistes.

288. 31 juillet 1920.

289. Voir *supra* p. 238. Un autre témoin décrit « la foule agitée, remuante, mais absolument digne et, chose extraordinaire, silencieuse. On parle bas... » (Delecraz, *op. cit.*, p. 8). De son côté, Gyp (*Journal d'un cochon de pessimiste*, Paris, 1918, 358 p., p. 47) note : « J'ai des amis qui étaient hier sur les Boulevards à la minute même de l'accident. Ils m'ont dit que le calme avait été complet partout ».

290. « Soudainement la nouvelle d'un crime abominable saisit toute la ville d'une stupeur indignée » (Arthur-Levy, *1914. Août-septembre-octobre à Paris*, Plon, 1917, 294., p. 19).

Vierzon[291], stupeur à Montluçon[292]. Il nous est souvent dit que l'émotion a été vive, comme à Saint-Père, en Ille-et-Vilaine, où l'instituteur estime qu'elle est celle de tout le pays[293]. L'émotion a été profonde à Lille[294], à Montluçon encore[295] ; elle s'est doublée d'indignation à Commentry, dont la municipalité est également socialiste[296] ; elle est qualifiée de « légitime » à Lunel, dans l'Hérault[297]. Mais il est souvent précisé que cette émotion fut plutôt celle des milieux socialistes, « la plus douloureuse émotion », comme le souligne le commissaire central de Toulon[298]. A Pézenas par contre, la mort du dirigeant socialiste a provoqué une « profonde et douloureuse émotion parmi tous les républicains »[299]. A Carmaux, plus que de l'émotion, c'est la consternation qui régna sur la ville[300] et Rolande Trempé a pu décrire les mineurs de la localité « démoralisés, déconcertés, désespérés »[301].

D'un peu partout, dans les jours suivants, arrivèrent des saluts au grand mort, de conseils municipaux socialistes comme celui de Toulouse[302], de sections socialistes comme celle de Valence dans la Drôme[303], mais aussi de comités radicaux-socialistes, tels celui de Vinay dans l'Isère[304], ou encore d'adversaires politiques, comme le maire d'Echirolles près de Grenoble[305]. La Revue de l'Enseignement primaire, à laquelle collaborait Jaurès, adresse son hommage « au Chef, au maître, au plus aimé des amis »[306].

Louis Pergaud, qui devait lui aussi tomber quelques mois plus tard, exprima avec une force particulière les sentiments de colère et d'affliction provoqués par la mort de Jaurès, même parmi ceux dont la politique n'était pas la préoccupation essentielle :

> « Pour comble de malheur, un misérable, un sale Camelot du Roi, une fripouille stupide a assassiné Jaurès hier ... L'émotion est intense car,

---

291. « 1er août ... Jaurès assassiné !... Vierzon, qui connaît le grand tribun socialiste pour l'avoir entendu maintes fois, est frapppé de stupeur... » (A.D. Cher R 1516, Histoire de Vierzon).

292. « On apprend dans les cafés avec stupeur vers 10 h l'assassinat de M. Jaurès » (Le Centre, 2 août). Lors de la réunion du conseil municipal, le maire socialiste de Montluçon, Paul Constans, évoque la stupeur, douloureuse, à la nouvelle du lâche assassinat (Le Centre, 4 août).

293. A.D. Ille-et-Vilaine, 1 F 1768, Dossier d'un instituteur.

294. A.N. 96 A.P. 1 Journal du préfet du Nord, p. 25.

295. Le Moniteur du Puy-de-Dôme, 2 août.

296. Ibid.

297. Le Petit Méridional, 3 août.

298. A.N. F 7 12936, 1er août 1914 et A.D. Var 3 Z 4/4, 1er août

299. Le Petit Méridional, 6 août.

300. La France de Bordeaux et du Sud-Ouest, 5 août.

301. Rolande Trempé, Les mineurs de Carmaux, op. cit., p. 905.

302. L'Express du Midi, 3 août.

303. Le Droit du peuple, 2 août.

304. Ibid, 3 août.

305. Ibid, 2 août.

306. 9 août 1914.

avec un grand citoyen qui était vraiment le meilleur des hommes et le plus éclairé des patriotes, disparaît un des meilleurs conseillers du peuple de France et un des plus vigilants gardiens de la paix du monde.

C'est un crime sans nom qui me bouleverse et me révolte... » [307].

Ces sentiments ont-ils été partagés par tous les Français ? Certains indices nous permettent de tenter de le mesurer. Les instituteurs avaient été appelés à décrire les conditions de la mobilisation dans leurs localités respectives. Nous possédons ces témoignages pour un certain nombre de départements [308]. Il n'avait certes pas été demandé à ces instituteurs de dire ce qu'ils pensaient de la mort de Jaurès : cependant cet événement, dont la nouvelle leur est parvenue quelques heures avant la mobilisation ou peu après, aurait dû trouver tout naturellement place dans la description qu'ils firent en ces heures des sentiments de leurs concitoyens. Il est frappant qu'il n'en soit rien : sur les 628 témoignages dont nous disposons, il n'y a que 14 allusions à la mort de Jaurès, soit un peu plus de 2 %. Est-ce là vraiment un événement qui a bouleversé l'opinion ? Le pourcentage a été différent suivant les départements, [309] mais, dans le Gard, où l'implantation socialiste était forte, il dépasse à peine 4 % ! En outre, ces rares allusions manquent de chaleur. Six fois, la nouvelle est mentionnée sans le moindre commentaire [310], quatre fois en fonction des troubles qu'elle risquait de provoquer [311], et enfin quatre fois seulement en raison de l'effet qu'elle produisit, « grande émotion » [312], « émotion indescriptible » [313], « consternation » [314].

---

307. Louis Pergaud, *Correspondance*, Paris, le 1er août 1914 à Jules Duboz, *op. cit.*, p. 113. On peut noter en revanche la relative froideur avec laquelle R. Rolland signale l'événement : « Samedi 1er août. On apprend le matin l'assassinat de Jaurès... Grand esprit, cœur généreux ; je l'admirais, tout en ayant pour lui un mélange singulier de sympathie ... et d'antipathie ... ... ». Aucune remarque sur ses sentiments devant le crime et sur ses conséquences politiques possibles. *Journal des années de guerre*, Paris, 1952, 1910 p. (p. 31).

308. Nous présenterons et analyserons ces documents surtout dans la IIIe partie. Nous nous contentons ici d'y faire allusion.

309. Départements concernés : Hautes-Alpes, Charente, Côtes-du-Nord, Drôme, Gard, Isère, Haute-Savoie.

310. A.D. Côtes-du-Nord, série R, Paimpol. A.D. Charente J 77, Aubeterre, J 87, Mornac et J 94, Verteuil (la seule municipalité socialiste du département). A.D. Gard 8e R I — Ribaute (municipalité socialiste). A.D. Haute-Savoie, 1 T 218, Annecy.

311. « Lorsque parvint la nouvelle de l'assassinat de Jaurès, on craignait une certaine effervescence ». Vizille, C. Petit-Dutaillis, *op. cit.*, p. 39. « On apprend de source italienne la nouvelle de la mort de Jaurès. Chacun se demande avec anxiété ce que vont faire les socialistes en apprenant la mort de leur chef ». Saint-Crépin (Hautes-Alpes), Petit-Dutaillis, art. cité, p. 54. « Faute de nouvelles, on imagine je ne sais quoi à Paris » Lesterps (A.D. Charente, J 84. « La population blâme cet acte qui peut être gros de conséquences en un moment critique », La Rochefoucauld (A.D. Charente, J 90).

312. Grand-Madieu (A.D. Charente, J 83).

313. Blanzac (A.D. Charente J. 78). Dans ce cas, la formulation est assez imprécise et il est difficile de comprendre si l'émotion indescriptible fut provoquée par la mort de Jaurès ou par l'ordre de mobilisation (plutôt le second !).

314. « La nouvelle de Jaurès ajoute à la consternation », Le Cailar (Gard). « Le samedi 1er août, on apprend l'assassinat de Jaurès. Ce fut une consternation générale. Jaurès devait tout arranger ». Le Chambon, hameau de Dieusses (A.D. Gard, 8e R 1). Dans le premier cas, il s'agit d'une municipalité socialiste, dans le second, d'un hameau de mineurs.

Si on ajoute que de nombreux témoignages sur la mobilisation, que nous étudierons plus tard, monographies locales, témoignages d'archives isolés..., sont en général silencieux sur la mort de Jaurès, cela renforce l'impression que l'événement n'a pas eu le retentissement qu'on aurait pu imaginer. Les conclusions de l'enquête faite par Georges Castellan à Poitiers tendraient à le confirmer [315]. Il faut évidemment tenir compte de la faible implantation du socialisme dans cette ville en 1914, car il est probable qu'une région acquise aux idées socialistes a dû ressentir plus que les autres la disparition de Jaurès.

Sur les 98 réponses, 29, soit, à peu près 29 %, sont favorables à Jaurès ; 31, soit 31 %, défavorables. Pour le reste, soit 40 %, Jaurès était indifférent ou inconnu.

Parmi les 29 réponses favorables, 15 énoncent un jugement sur son assassinat et ses conséquences. Ils se répartissent de la façon suivante :

*1. Retettissement :*
- grand bruit ou beaucoup de bruit ...................... 2 fois.
- on en a parlé, mais l'affaire a été vite étouffée........... 1 fois.

*2. Impression :*
- consternation (dans le milieux populaires ou dans les milieux socialistes et syndicalistes)................................... 2 fois.
- atterrement ......................................... 1 fois.
- regret .............................................. 1 fois.
- peine. .............................................. 1 fois.

*3. Conséquences :*
- idée qu'il aurait pu empêcher la guerre ou que sa mort en a favorisé l'éclatement ......................................... 4 fois.
- une perte ........................................... 1 fois.
- un malheur ......................................... 1 fois.
- une catastrophe...................................... 1 fois.

Parmi les 31 réponses défavorables, aucune n'approuve ouvertement l'assassinat, mais il n'y en a que quatre pour le désapprouver explicitement, d'ailleurs sans excès de vigueur.

---

315. *Communication à la Société d'histoire moderne*, 1er mars 1964 : Histoire et mentalité collective : essai sur l'opinion publique française face à la déclaration de guerre de 1914 (*Bulletin de la Société d'histoire moderne* n° 2, 1964) et *Actes du colloque Jaurès et la Nation*, « Jaurès devant l'opinion publique en juillet 1914. Un exemple : Poitiers », p. 107 à 121, Toulouse, 1965. Cette enquête réalisée en 1962-1963 et 1963-1964 a porté sur un échantillon de 110 personnes âgées au moins à ce moment de 65 ans et de 13 à 47 ans en 1914, comprenant des hommes et des femmes avec une assez nette prédominance pour les hommes (71 % contre 29 %) et choisis dans les différents groupes sociaux. L'enquête, qui portait sur l'opinion publique face à la déclaration de guerre, comportait une question sur Jaurès : 98 réponses ont été utilisables sur ce point. M.G. Castellan a été évidemment conscient des risques divers de déformation que comporte ce genre d'enquête a posteriori.

- désapprobation ....................................... 1 fois.
- pitié............................................... 1 fois.
- n'admet pas l'assassinat (après une critique de l'homme)... 1 fois.
- par une raison pour l'assassiner
  (même remarque que ci-dessus) ....................... 1 fois.

Enfin, parmi les 29 personnes pour qui Jaurès était inconnu, une répond qu'elle déplora sa mort lorsqu'elle l'apprit et, parmi les 9 indifférentes à la personne de Jaurès, une considère que l'événement fit grand bruit et une autre qu'il passa inaperçu.

Les conclusions qui ressortent de cette enquête nous paraissent assez nettes : au moins à Poitiers, le retentissement de la mort de Jaurès a été limité. Elle a provoqué de la consternation et de l'émotion chez ceux qui partageaient ses idées ou en étaient proches, qui approuvaient son action politique. Pour les autres, cet assassinat a provoqué une certaine réprobation, en fait assez formelle, formulée avec peu de conviction. Le consensus dans la réprobation que pouvait laisser supposer une lecture rapide de la presse parisienne ne semble pas avoir correspondu aux sentiments de l'ensemble du pays. L'attitude de la population de Poitiers nous paraît d'autant plus intéressante qu'étant plutôt hostile à Jaurès, c'est chez elle qu'on pouvait attendre un réflexe d'union, « d'union sacrée », comme on allait bientôt dire. Si nous en croyons cet exemple, évidemment trop limité pour permettre une réponse définitive, il n'en fut rien. Mais d'autres éléments nous permettent de renforcer cette impression. Il est certain d'abord que la mort de Jaurès ne provoqua pas partout un grand intérêt. En voici deux exemples : le commissaire central de Dijon rendit compte que « le télégramme annonçant la mort violente de M. Jaurès a été accueilli d'abord avec incrédulité, puis avec curiosité »[316]. Même pas de curiosité chez les jeunes officiers, affirme l'un d'eux devenu plus tard général :

> « J'avoue ... que la mort de Jaurès m'a laissé absolument indifférent car, très sincèrement, je ne réalisais pas du tout ce qui se passait dans le " monde politique ", ni ce que représentait la mort de Jaurès ... J'affirme que le groupe de lieutenants que nous étions n'a même pas évoqué le drame : quelques mots avec l'un ou l'autre, mais rien au mess... Je crois me souvenir qu'un capitaine a dit en passant : " Vous savez, Jean Jaurès est mort ! ", ce qui n'a provoqué que des " Ah ! Tiens !... " »[317].

Il n'y eut pas seulement de l'indifférence ; là aussi une sorte de vulgate a eu tendance à s'établir, ne tenant pas compte de la satisfaction d'un certain nombre qui se manifestait, il est vrai, fort rarement de façon spectaculaire, pour ne plus retenir que les sentiments de réproba-

---

316. A.N. F 7 12936, Dijon, 1er août.
317. *Bulletin de la Société d'études jaurésiennes*, 28, janvier-mars 1968, p. 11-12.

tion. De-ci, de-là, quelques incidents prouvent le contraire. A Toulon, un lieutenant de vaisseau apprenant la nouvelle dans une brasserie, commente : « Tant mieux, il ne fera plus autant de mal qu'il en a fait. Je donne cinq francs au garçon, si cette nouvelle est confirmée » [318]. Une altercation oppose le secrétaire de la fédération socialiste et un des dirigeants locaux de l'Action française à Nîmes. Comme le premier accusait le second d'être responsable de l'assassinat, celui-ci réplique ou aurait répliqué : « C'est une petite perte, c'est bien fait » [319]. L'instituteur de Rioux, en Charente-Maritime, s'indigne des propos de certains qui glorifient « cette action méritoire et attendue, l'assassinat du grand citoyen Jaurès » [320]. Un autre instituteur, interrogé dans le cadre de l'enquête de G. Castellan, rapporte l'altercation qui l'a opposé au bibliothécaire de la gare de Poitiers : « Il n'a pas caché sa satisfaction et a traité Jaurès de " saloperie " » [321]. A Saint-Etienne, on en est venu aux mains [322]. Intrigué par cette phrase relevée dans *L'Est Républicain* : « Devant notre salle, la foule apprécie de diverses façons la fin tragique de Jaurès » [323], Pierre Barral pose cette question pour Nancy : « Certains irréductibles auraient donc approuvé le geste de l'assassin ? » [324]. D'ailleurs, si des témoignages de satisfaction moins anonymes sont rares, ils existent cependant. L'exemple le plus souvent cité est celui de Gyp [325] : elle ne croyait pas à la responsabilité de l'Action française, elle a toutefois noté dans son *Journal d'un cochon de pessimiste* [326], en date du 1er août, que « si *L'Action française* et son directeur avaient vraiment rendu au pays ce signalé service ..., ils auraient fait une bien jolie besogne » [327]. Il n'est pas fréquent qu'on le dise avec cette netteté mais quand, dans l'entrefilet que le *Journal de Mamers* [328] consacre à la mort de Jaurès [329], le rédac-

---

318. A.N. F 7 17936, rapport du commissaire central de Toulon, 1er août 1914.

319. *Le Populaire du Midi*, 1er août.

320. A.D. Charente-Maritime, 2 J 28.

321. *Actes du colloque Jaurès et la nation*, p. 110.

322. A.N. F 7 12934, rapport du préfet, Saint-Etienne, 31 juillet.

323. 1er août 1914.

324. P. Barral, « Jaurès devant l'opinion lorraine » in *Actes du colloque Jaurès et la nation, op. cit.*, p. 171. Cf. en particulier le dernier paragraphe : « La mort de Jaurès ». « L'assassinat de Jaurès avait été bien accueilli dans les villas. Evidemment, cet imbécile de socialiste ne connaissait pas les " sales boches " », rapporte Louise Weiss relatant les propos entendus dans une « colonie » d'estivants d'origine alsacienne appartenant à la haute société protestante établis à Saint-Quay-Portrieux en juillet 1914 (*Mémoires d'une Européenne*, T. I, Paris, 1970, 316 p., p. 172).

325. Pseudonyme littéraire de la comtesse Martel de Janville, arrière-petite-fille de Mirabeau. Cf. Eugen Weber, *op. cit.*, p. 111 ; Henry Contamine, *op. cit.*, p. 60 ; François Fonvieille-Alquier, *op. cit.*, p. 306-307.

326. L'auteur a noté à la fin de son ouvrage : « Commencé le 26 juillet et achevé le 4 octobre 1914, le *Journal d'un cochon de pessimiste* est resté tel qu'il a été écrit... ». De nombreux passages en sont d'ailleurs censurés.

327. Gyp, *op. cit.*, p. 124. Elle écrivait p. 45 : « Le ton des journaux me surprend fort. Par quelle aberration ce Jaurès de malheur ... est-il ce matin pleuré par les journaux patriotes — ou se disant tels —, c'est ce qu'il m'est, quant à moi, impossible non seulement de comprendre, mais d'admettre ».

328. Très anticaillautiste.

329. 2 août.

teur n'ajoute aucun commentaire à cette information : « ...L'assassin Raoul Villain, fils du greffier du tribunal civil de Reims, a tué M. Jaurès parce qu'il le considérait, après sa campagne contre la loi des trois ans, comme un ennemi de la France », on ne peut s'empêcher de penser qu'il partageait pleinement ce point de vue ! Seulement, les circonstances l'obligeaient à se contenter de le suggérer. La réaction de Charles Péguy [330] n'est pas très différente de celle de cette obscure feuille locale. On sait qu'il avait souvent exprimé l'idée de la nécessité de fusiller Jaurès en cas de guerre [331]. Placé devant l'événement, il ne se dément pas. Une de ses amies faisait remarquer devant lui : « C'est une grande perte », il se tait. A un autre, il confie : « Je suis bien obligé de dire à tous les radicaux que je vois que c'est une chose abominable. Et pourtant, il y avait en cet homme une telle puissance de capitulation... Qu'aurait-il fait en cas de défaite ?... » Quant à Daniel Halévy, il a écrit que Péguy fut ce matin-là dans « une exultation sauvage » [332].

La mort de Jaurès intéresse encore l'opinion publique d'un certain point de vue. Quelles hypothèses sur les responsabilités de l'assassinat circulèrent après l'attentat ? Toutes les conjectures qui se sont donné libre cours depuis ne sont pas d'époque, la machination russe — l'attentat organisé par Isvolsky — [333], la machination de la Compagnie de Jésus ! [334]..., mais, dès le moment du crime, deux idées ont été assez largement répandues, assez bien exprimées par cette formule d'un instituteur du Gard [335] : « Les uns y voient la main du nationalisme, les autres un coup de l'Allemagne ». Le premier terme de cette alternative était d'autant plus vraisemblable que l'assassin ne cachait pas les raisons de son geste. Fonvieille-Alquier affirme que la rumeur publique a établi spontanément une relation directe entre l'assassinat et les campagnes de *L'Action française* [336]. Que cela ait été vrai de la presse socialiste, assurément [337], que *L'Action française* ait cru bon de dégager sa responsabilité : « Des bruits aussi ridicules qu'absurdes avaient imputé l'assassinat

---

330. J. Guéhenno, *La mort des autres*, Paris, Grasset, 1968, 214 p., p.76. G. Olivier, « Les adieux de Péguy », *Le Monde*, 1er septembre 1964.

331. R. Rolland s'en fait, entre autres, l'écho (*op. cit.*, p. 31-32). Cf. Jean Rabaut, *op. cit.*, p. 29-30. Cf. aussi J.-J. Becker et Annie Kriegel, *op. cit.*, p. 191, note 38.

332. Daniel Halévy, *Péguy et les Cahiers de la quinzaine*, Paris, Grasset, 1941, 397 p., p. 392.

333. Cf. Jean Rabaut, *op. cit.*, p. 22 et suiv. L'hypothèse Isvolsky circula dans la presse allemande pendant la guerre même. Elle fut reprise après la guerre surtout dans la presse communiste (Caillaux en émet également l'idée sans cependant la reprendre à son compte, *op. cit.*, T. III, p. 179). J. Rabaut conclut : « On peut assurer que l'hypothèse de la main de la Russie dans le meurtre de Jaurès ne repose sur rien qui vaille » (p. 228).

334. A. Jobert, *op. cit.*, ch. XIV.

335. A.D. Gard, 8e R 1, Le Cailar.

336. *Op. cit.*, p. 306.

337. *Le Bonnet rouge* (2 août) évoque les « responsables moraux du crime ». On connaît aussi le célèbre « Ils ont assassiné Jaurès ! » de G. Hervé dans *La Guerre sociale* du 1er août.

de M. J. Jaurès à un Camelot du Roi »[338], est vrai également. *Le Temps*, de son côté, apporta sa caution à son confrère « bien légèrement (mis) en cause »[339]. Il est moins certain pourtant que l'opinion publique ait largement partagé cette conviction. Du moins, les témoignages en sont rares, nous entendons les témoignages immédiats, hors des articles de presse. D'après l'enquête de Georges Castellan, si l'idée que la mort de Jaurès a rendu possible l'éclatement de la guerre est assez fréquente[340], par contre une seule fois une formule dénonce, et de façon vague, les responsables : « Il les gênait »[341]. L'idée du crime nationaliste a évidemment existé, mais nous n'avons pas la preuve qu'elle puisse être généralisée sans plus d'examen. D'ailleurs, l'idée du crime d'un « misérable fou »[342], c'est-à-dire d'un individu plus ou moins équilibré, agissant seul, apparaît davantage que celle de la responsabilité des organisations nationalistes. Reconnaissons cependant que nous manquons d'éléments pour étayer de façon substantielle une thèse ou une autre.

Une autre hypothèse a également couru, celle de la machination allemande. A. Delecraz écrit, en date du 13 août :

> « Parmi les bruits qui courent avec ténacité, en voici un que je ne peux plus ne pas consigner dans ces notes, car il prend de jour en jour plus de consistance : l'assassinat de Jaurès serait l'œuvre d'agents provocateurs allemands. L'assassin n'aurait été que leur instrument. Le crime, selon ceux qui l'ont perpétré, devait aboutir à l'émeute et peut-être à la Révolution... »[343].

Ce bruit avait d'ailleurs pu recevoir quelque confirmation dans les milieux officiels puisque le consul général de Genève adressait, le 6 août, depuis Annemasse, ce télégramme au Ministère des affaires étrangères : « Deux Alsaciens-Lorrains, partis il y a trois jours de Strasbourg, dont je n'ai pu vérifier l'identité, ont affirmé qu'à Strasbourg ils ont appris dès le jeudi 30 juillet que M. Jaurès serait assassiné. Ils sont persuadés que des agents allemands ont monté la tête à un exalté pour commettre un crime susceptible de provoquer des difficultés intérieures en France »[344]. Pas plus que les autres, l'hypothèse de la machination allemande n'a reçu la moindre preuve[345]. J. Fonvieille-Alquier[346] la soup-

---

338. *L'Action française*, 1er août.

339. *Le Temps*, 2 août.

340. « Ah çà oui ! Le jour où il a été assassiné, tout le monde a pensé : maintenant, c'est la guerre. Il était seul à pouvoir empêcher la guerre », répond à l'enquête une fille d'artisan, art. cité, p. 110. Une idée semblable revient 4 fois sur 29 témoignages favorables.

341. « Réponse d'un ouvrier », art. cité, p. 110.

342. G. Clemenceau, *L'homme libre*, 2 août.

343. Delecraz, *op. cit.*, p. 204.

344. A.M. cabinet du ministre, cabinet militaire. Télégrammes chiffrés. Entrées. Registre 3 : 6 au 13 août.

345. J. Rabaut, *op. cit.*, p. 222.

346. Fonvieille-Alquier, *op. cit.*, p. 331 et suiv.

çonne d'avoir eu l'avantage de permettre à certains d'esquiver leurs responsabilités. Il a raison de noter que J. Bainville s'en empara avec précipitation [347]. Il n'en reste pas moins que le télégramme que nous avons cité prouve que l'hypothèse n'a pas été créée pour les besoins de la cause, mais qu'elle avait des origines diverses.

En dernière analyse, les témoignages sur les hypothèses retenues par l'opinion publique sur la mort de Jaurès sont rares : c'est probablement le fait le plus important parce qu'il permet d'estimer que, très vite accaparée par d'autres préoccupations, l'opinion publique ne s'est guère interrogée sur les tenants et les aboutissants du criminel. La question a davantage soulevé les passions plus tard que dans les jours mêmes de l'attentat.

L'assassinat de Jaurès est loin d'avoir provoqué une émotion et une indignation générales : l'approbation de l'attentat fut seulement le fait d'une bien faible minorité, le chagrin et l'indignation furent vifs dans les milieux socialistes et syndicalistes, et pas seulement au niveau des dirigeants — Jaurès n'y était pas seulement estimé, il y était réellement aimé [348] —, l'émotion a certes dépassé largement les frontières des groupes d'opinion avancée, mais la réaction la plus répandue semble bien avoir été, non pas l'indifférence, mais un intérêt extrêmement fugace. L'opinion publique a craint que la mort de Jaurès n'entraînât des troubles, ceux-ci ne s'étant pas produits, l'événement a été biffé des esprits par les préoccupations de l'heure. Quand Pierre Barral écrit [349] : « La mort d'un homme, fût-il Jaurès, semblait bien secondaire au moment où se levait pour les Lorrains, après quarante-trois d'attente, l'aube de la revanche », nous ne pensons pas que cela ait été vrai pour l'ensemble de la France où la revanche n'était ni attendue, ni vraiment souhaitée, mais nous adhérons pleinement à sa formule si on substitue mobilisation à revanche [350]. Et c'est ainsi que, quelques heures après sa mort, la disparition tragique d'une des plus fortes personnalités politiques de ce pays ne gardait plus, comme l'a écrit cruellement J. Bainville, que la valeur d'« un fait divers » [351]. Le meurtre s'effaçait devant l'ampleur et la précipitations des événements.

---

347. J. Bainville, *op. cit.*, p. 10.

348. Parmi tant d'exemples, retenons celui cité par l'enquête de Georges Castellan, art. cité, p. 111 : pour un ancien cheminot, Jaurès était son « dieu », c'était « l'avenir du monde... ». Son affectation pour Jaurès était telle que, dans sa section, on l'appelait « Jaurès » !

349. P. Barral, art. cité, p. 172.

350. D'après R. Mercier, qui était le directeur de *L'Est Républicain* (*Journal d'un bourgeois de Nancy*, Nancy, 1917, p. 23 et 28), (cité par P. Barral, art. cité, p. 171), à Nancy, on commenta beaucoup la mort de Jaurès, mais moins que la mobilisation.

351. J. Bainville, *op. cit.*, p. 10. Toute malveillante qu'elle soit, cette remarque de Gyp (*op. cit.*, p. 47) n'est pas dénuée d'un fonds de vérité : « Dans tous les cas, elle n'a pas fait beaucoup d'effet, la disparition un peu brutale de l'Enfant chéri d'un parti habituellement démonstratif ! ».

# Pourquoi l'échec de l'opposition
# à la guerre ?

La mort de Jaurès est un symbole de l'échec de l'opposition à la guerre, mais ce n'en est pas l'explication. La faiblesse relative de son retentissement illustre, en revanche, que la population française n'était pas acquise dans ses profondeurs à un combat militant pour la paix.

L'idée de la résistance à la guerre n'était pas en soi absurde. Pourquoi, néanmoins, connut-elle un aussi remarquable échec ? Pourquoi, après un début prometteur, le mouvement s'arrêta-t-il brusquement, aussitôt que la mobilisation eut été déclarée ? Pourquoi avait-il déjà été marqué par un fléchissement ?

La première condition de son succès aurait été que le mouvement soit animé par une tactique ferme, vigoureusement « antipatriote », insensible à l'intérêt national. Il n'en fut à peu près rien, que ce soit au niveau de ceux qui participèrent aux meetings et aux manifestations pour la paix, que ce soit à celui des dirigeants confédéraux de la CGT ou des chefs socialistes. Bien rares furent les prises de position admettant que la lutte pour la paix puisse aller jusqu'à mettre en danger la défense nationale. Cela limitait à un cadre étroit le combat pacifiste.

Un succès éventuel exigeait une deuxième condition. En imaginant même que les ouvriers aient été unanimes, ce qui est évidemment inexact, ils ne formaient qu'une minorité de la population. Il fallait donc que la résistance à la guerre entraînât activement d'autres catégories sociales, la petite bourgeoisie, la paysannerie, ou du moins de larges fractions d'entre elles, par exemple celles influencées par le Parti radical.

Le groupe parlementaire du Parti républicain radical et radical-socialiste réunit ses membres présents à Paris le mercredi 29 juillet, à 3 heures de l'après-midi. Ce fut pour apporter sa caution unanime à l'action gouvernementale. Il saluait « la fermeté et la sagesse du gouvernement de la République dans les circonstances extérieures actuelles » et « se solidaris(ait) étroitement avec lui dans un sentiment de patriotisme confiant » [1]. Une délégation fut chargée de porter immédiatement cet ordre du jour au président du Conseil. Le général Pédoya, député de l'Ariège, un des adversaires actifs de la loi de trois ans, en faisait partie ainsi qu'André Hesse, député de la Charente-Inférieure, un des proches de Joseph Caillaux. Il ne semble pas qu'il y ait eu la moindre faille chez les parlementaires radicaux dans leur soutien au gouvernement dont le Parti radical formait d'ailleurs l'ossature. Un homme aurait pu peut-être animer un courant d'opposition à la politique du gouvernement, Joseph Caillaux. Mais, comme l'écrit Henri Contamine [2], « après le drame judiciaire qu'il venait de vivre, le député radical de Mamers ne pouvait que se taire ». Il fut réservé à un ancien député de Mamers, le sénateur de la Sarthe, d'Estournelles de Constant, de manifester son ardeur pacifiste. Tout en témoignant sa confiance « dans les sages efforts de médiation qui se poursuivent », le prix Nobel de la Paix [3] rappelait à Abel Ferry « qu'en cas de conflit aigu entre deux puissances signataires [4], les neutres se sont expressément engagés ... à considérer l'intervention amicale non pas seulement comme un droit, mais comme un devoir, dans l'intérêt supérieur de la paix » [5]. Il y avait dans cet appel non pas un désaveu de la politique gouvernementale, mais une invitation pressante à ne négliger aucune possibilité de conciliation. Cette solidarité, tout juste nuancée chez d'Estournelles de Constant, entre les parlementaires et le gouvernement, n'impliquait pas obligatoirement celle de l'électorat. Mais pour qu'elle fût mise en cause, il aurait fallu que la politique gouvernementale ait donné l'impression d'être belliciste. Or, personne ou presque ne le disait, les socialistes, qui auraient pu influencer une partie de l'électorat radical, ne le disaient pas non plus.

Une protestation rassemblant ouvriers, paysans, petite bourgeoisie ne pouvait se fonder que sur le sentiment d'être engagé dans une guerre « injuste ». Mais c'est bien le sentiment contraire qui s'imposait.

Enfin, le succès d'un mouvement de protestation dépendait encore d'une condition « négative ». Il ne fallait pas que l'opinion publique se laisse entraîner par un courant « nationaliste ». Le gouvernement français a-t-il subi une pression de ce type ? Pour Pierre Renouvin, « les manifestations en faveur d'une politique extérieure " énergique " ont été tardives : elles ne sont intervenues qu'à l'heure où les décisions des gou-

---

1. *Le Petit Parisien*, 30 juillet.
2. Henry Contamine, *op. cit.*, p. 41.
3. Egalement président du groupe parlementaire de l'arbitrage.
4. Convention de La Haye du 18 octobre 1907.
5. *Le Petit Parisien*, 29 juillet.

vernements étaient prises »[6], et cela aussi bien en France qu'en Allemagne. Il est vrai qu'on distingue mal un grand mouvement de ce type. Il y a bien eu, par ci, par là quelques manifestations dans des villes de province. Il y eut aussi quelques manifestations dans les rues parisiennes. Miguel Almereyda tonna contre elles : « Hier[7] des manifestations belliqueuses se sont produites dans les rues de Paris. Des fous conduits par des provocateurs ont crié : " A Berlin, vive la guerre " »...[8]. « Manifestations d'anthropopithèques », s'indignait-il[9]. Mais en vérité, ces manifestations parisiennes n'eurent pas une très grande ampleur : « anodines » dit *Le Temps*[10], « quelques petites manifestations », d'après *L'Echo de Paris*[11]. *Le Matin* mentionne bien une « véritable mer humaine » sur les boulevards le soir du 26, mais ce ne sont que curieux, même si, « des profondeurs populaires, *la Marseillaise* s'élève soudain ... chantée en chœur par des centaines de poitrines »[12]. Lorsque les manifestants sont évalués ou chiffrés, on n'atteint jamais les grands nombres : 300 jeunes gens parcourent les boulevards derrière un drapeau tricolore en chantant *la Marseillaise* et en criant : « Vive l'armée ! »[13] ; cent cinquante manifestants autour de la statue de Strasbourg[14]. Le plus généreux, Paul de Cassagnac, dans le journal bonapartiste *L'Autorité*, fait état d'une « forte colonne de manifestants » qui a défilé sous ses fenêtres en criant « A Berlin »[15], sans qu'il en ait été pour autant satisfait[16].

Il ne semble donc pas que les manifestations patriotiques aient été ni très nombreuses, ni très importantes. Pas de quoi sûrement pousser un gouvernement à des décisions extrêmes. Plus conséquentes, en revanche, ont été les démonstrations qui accueillirent Poincaré, et secondairement

---

6. « Les origines de la guerre de 1914 », *Le Monde*, 29 juillet 1914.

7. Dimanche 26.

8. *Le Bonnet rouge*, 28 juillet.

9. « Dimanche, des bandes nationalistes commençaient à faire leur apparition en plein Paris, beuglant "à Berlin", » écrit G. Hervé (*La Guerre sociale*, 29 juillet). De son côté, Charles Favral (*Histoire de l'Arrière, op. cit.*, p. 40) relate (mais ce n'est pas une source très sûre !) que « dès le samedi 25 une foule de fanatiques que grossissait une nuée de policiers en civils (*sic*) manifeste sur les Boulevards aux cris de "Vive la guerre ! Vive l'Armée ! A Berlin !" ».

10. 28 juillet.

11. 27 juillet.

12. 27 juillet.

13. Le soir du 26, un peu après 9 heures, *L'Echo de Paris*, 27 juillet.

14. *Le Matin*, 27 juillet.

15. 27 juillet.

16. Il faut d'ailleurs remarquer que la presse nationaliste ne fait rien pour encourager ces manifestations. Dans *L'Autorité*, qui a été acclamée par les manifestants, Paul de Cassagnac écrit (27 juillet) : « Nous remercions ces amis inconnus de leur sympathie et nous leur déclarons tout net que le moment n'est pas aux échauffourées irréfléchies ou inconsidérées, qu'ils feraient beaucoup mieux de se tenir tranquilles car, quand les actes les plus graves s'élaborent, il convient de se recueillir ». Quant au *Temps* du 28 juillet, il soulignait qu'on « ne saurait trop instamment engager les jeunes gens que leur ardeur a hier entraînés en des manifestations ... à ne pas trop prodiguer dans la rue l'expression de leur foi patriotique... ».

Viviani, à leur retour dans la capitale. « Paris, en accueillant le retour de M. Poincaré par des milliers et des milliers de " Vive la France ", " Vive la Russie ", " Vive l'Angleterre " a révélé hier l'âme de la Patrie », écrivait *Le Matin* [17]. Une grande photographie montre la foule « des centaines de milliers de personnes » contenue par la police. Le journaliste concluait : « Jamais le chef de l'Etat n'entendit une ovation aussi vibrante, aussi unanime ... Ce n'était point l'allégresse des jours de fête. Nous avons assisté hier à une manifestation patriotique ». Maniant moins le dithyrambe, *Le Journal* [18] note cependant en bas de sa première page que « Paris a acclamé à leur retour M. Poincaré et M. Viviani ». Ses rédacteurs ont vu « des milliers de personnes massées tout au long du parcours » et « une foule énorme devant l'Elysée ». *Le Temps* [19] décrit sobrement une « manifestation extrêmement chaleureuse » et fait mention d'une « foule immense ».

R. Poincaré a consacré plus d'une page de ses *Mémoires* [20] à décrire l'accueil qui lui fut réservé. « C'est splendide », « manifestation grandiose qui me remue jusqu'aux mœlles », « quelque chose d'imprévu, d'inimaginable, d'infiniment beau »... Avec une pointe de malice, H. Contamine [21] fait remarquer que Poincaré a oublié de mentionner que cette manifestation n'avait pas été spontanée : Maurice Barrès, président de la Ligue des patriotes, avait convenu la veille avec Henri Galli [22] de convoquer les militants à la gare du Nord. Cependant, la foule importante qui a accueilli les présidents dépassait assurément les possibilités mobilisatrices de la seule Ligue des patriotes.

Cela conduit cependant à s'interroger sur le rôle des organisations nationalistes pendant cette période.

R. Poincaré avait la confiance des milieux nationalistes. Lorsque la crise éclata, la Ligue des patriotes était donc portée à soutenir Poincaré, mais ses dirigeants pensèrent qu'il était de bonne tactique de le faire avec discrétion. C'est tout au moins ce qu'affirme un des « correspondants » du Ministère de l'intérieur.

> « ...Des conciliabules ont eu lieu tout hier entre les dirigeants de la Ligue des patriotes. Barrès rentre à Paris. Mais rien à craindre de ce côté. Rien à craindre non plus du côté de l'Action française.
> Il a été décidé, nous dit-il [23]... de suivre cette ligne de conduite : faire

---

17. 30 juillet.

18. *Ibid.*

19. *Ibid.*

20. R. Poincaré, *op. cit.*, T. IV, p. 367-368.

21. H. Contamine, *op. cit.*, p. 59-60.

22. Vice-président de la Ligue des patriotes, ancien boulangiste, il avait été élu député de Paris aux élections de 1914.

23. A.N. F 7 12873. Note F/532/Arras. En titre : « D'un correspondant », Paris, le 27 juillet 1914. Cet informateur est très affirmatif : « ...On ne manquera pas de vous dire le contraire, mais je vous garantis mes informations... ».

crédit au gouvernement, ne tenir compte que de la France en jeu, ne pas créer de difficultés par des manifestations, n'entrer en scène que s'il y a péril de voir " lâcher " l'alliance, *mais alors faire tout pour la faire respecter*, manifestations, etc. C'est-à-dire tant que la guerre resterait limitée entre l'Autriche et la Russie, ne faire aucune agitation. N'en pas faire non plus, si l'Allemagne intervenait contre la Russie, le gouvernement préparant effectivement notre entrée en scène. *Faire tout le possible*, comme manifestations, si le gouvernement ne faisait pas son devoir dans cette éventualité ».

Ce document éclaire la position du courant nationaliste pendant la crise. Il donna l'impression d'être presque amorphe au moment où ses espérances se réalisaient, il ne revendiqua pas les manifestations qui eurent lieu. Il n'anima pas un courant belliciste qui fut beaucoup moins démonstratif que le mouvement de protestation contre la guerre, pourtant relativement modeste. En fait, les organisations nationalistes avaient compris qu'une expectative attentive leur était plus profitable, tout au moins dans un premier temps, que des prises de position bruyantes, qu'en se mettant en avant elles auraient effarouché l'opinion publique plus qu'elles ne l'auraient stimulée. Elles n'en furent pas pour autant muettes et inertes, mais leur activité consista essentiellement à maintenir le gouvernement dans une politique qui ne lui permettrait pas de se dérober au conflit. Seul un changement radical de l'attitude du gouvernement aurait justifié une action ouverte des groupes nationalistes jouant alors le tout pour le tout.

Ainsi, en organisant un accueil grandiose à Poincaré, les forces nationalistes renforçaient leur ascendant sur un gouvernement nettement plus « à gauche » qu'elles et qui aurait pu être moins ferme. A l'inverse, une virulente campagne contre la modération du gouvernement aurait immédiatement éveillé les réflexes de défense républicaine. Ainsi également la presse nationaliste, ou simplement de droite, s'est contentée de contrecarrer les initiatives pacifiques des syndicalistes et des socialistes pour qu'elles n'influencent pas le gouvernement, plutôt que de se faire le porte-parole d'une politique agressive.

Le 27 juillet, *L'Echo de Paris*[24] prend pour cible les ouvriers des PTT qui « nous menacent d'un mouvement de révolte ». Cette éventuelle grève de 24 heures n'était pas organisée « contre la guerre »[25], mais avait été prévue pour défendre des revendications catégorielles. Le rédacteur de *L'Echo de Paris* a-t-il été abusé ? Il ne semble pas puisque, dans le corps de l'article, il écrit : « Les ouvriers des PTT *malgré la situation* viennent de décider une grève de 24 heures ». Il savait donc

---

24. En deuxième page, titre général : « L'attitude de la CGT ». En sous-titre, « Les ouvriers des PTT nous menacent d'un mouvement de révolte. L'appel à la grève générale des meneurs de la rue Grange-aux-Belles ».

25. Voir p. 193, en particulier note 18.

bien que cette menace de grève n'était pas en rapport avec les événements. Le titre n'était peut-être pas d'une parfaite bonne foi ! Il en est de même pour un autre titre de ce numéro qui dénonçait « l'appel à la grève générale des meneurs de la rue Granges-aux-Belles ». Là aussi, l'article tendait à corriger le caractère excessif du titre puisqu'il faisait état de l'attitude « plus discrète » de la CGT, comparée à celle des ouvriers des PTT. Il explique toutefois par la crainte que la CGT n'ait pas osé tenir ouvertement des meetings contre la guerre. « Les risques sont trop grands pour une campagne nettement anarchique ». Il n'en déduit donc pas que la CGT ait cessé d'être « antipatriotique », mais c'est avec plus de commisération que de violence que le placard sur les « décisions des congrès est condamné. « C'est plus odieux qu'alarmant ».

C'est aussi avec une certaine mesure, sur le ton un peu affligé de l'éducateur déçu que *Le Temps* [26] morigène les ouvriers des PTT qui, dans leur ordre du jour, demandaient que des mesures soient prises pour empêcher « le crime de se commettre ». *Le Temps* commente : « Ce crime, c'est la guerre ! Et sans doute personne en France ne désire la guerre. Mais croit-on que de paraître la redouter plus que la déloyauté ou le déshonneur soit un moyen de l'éviter ? »

La manifestation du 27 rencontre une hostilité plus affirmée. Il n'est d'ailleurs pas besoin de la presse de droite pour prononcer une condamnation sans appel. Le radical-socialiste Théodore Steeg avait porté un jugement sévère : « ...La Paix ? Simple prétexte pour des furieux prêts à la guerre sociale sinon à la guerre nationale !... » [27]. *L'Action française* [28] n'en est que plus à l'aise pour vitupérer « les Prussiens de l'Intérieur » qu'elle accuse d'avoir crié « A bas la France ! Vive l'Allemagne ! ». Il revient cependant au *Temps* [29] de réaffirmer ce qui est permis et ce qui ne l'est pas. Que *L'Humanité* publie simultanément des appels pacifistes des socialistes français, italiens et allemands n'est pas critiquable, mais il est un impératif : que la rue reste calme. « Il ne s'agit pas pour le moment de chercher à amollir la volonté du gouvernement. Il faut au contraire se serrer autour de lui dans une union parfaite et le réconforter de notre confiance et de notre courage... »

Dans cette perspective, l'annonce des meetings « monstres » de la CGT dans les salles Wagram provoque une vive irritation. « Il y a là un défi au patriotisme, une semblable ignominie ne saurait être tolérée », proclame *L'Eclair* [30]. C'est un meeting à interdire. Satisfaction le lende-

---

26. 28 juillet.
27. *France de Bordeaux et du Sud-Ouest*, 31 juillet.
28. 28 juillet.
29. 29 juillet.
30. 29 juillet.

main puisqu'il a été effectivement interdit, mais que cela ne reste pas une mesure isolée. *L'Echo de Paris*, bien informé, avait pu, le jour même, annoncer l'interdiction probable : « Nous croyons pouvoir annoncer que ce scandale ne sera pas donné aux Parisiens et que d'ores et déjà M. Hennion a pris des mesures pour interdire ce meeting révolutionnaire » [31].

Nouveau froncement de sourcil lorsqu'à Bruxelles les socialistes acceptent que le congrès de l'Internationale ait lieu à Paris. « Provocation aux sentiments patriotiques ... du peuple français », pense Louis Latapie [32], « légèreté » [33] ... Pour *Le Temps*, c'est « une faute » et il explique :

> « ...C'est précisément parce que nous sommes assurés des dispositions morales des hommes que nous classions jusqu'ici parmi nos adversaires que nous voulons leur faire toucher du doigt une faute dont les conséquences pourraient être fâcheuses ... Que Paris soit choisi, c'est inadmissible, alors que certains éléments révolutionnaires s'imaginent encore arrêter le cours de la fatalité par un effort verbal ... Il n'est pas indifférent que s'ouvre à Paris, dans une ville particulièrement visée par les menées germaniques, un congrès où les propos les plus incohérents risquent d'être interprétés contre les intérêts vitaux du pays... Encore une fois, nous ne doutons pas du patriotisme des masses socialistes. Nous jugeons superflu cependant de les exciter par des spectacles dont l'inutilité est d'ailleurs évidente... » [34].

Les actions socialistes et syndicalistes ou leurs intentions sont critiquées, en général sans excès de violence. Elles sont commentées sans trop de bonne foi, mais il est surtout fait appel à la raison et au sens patriotique de leurs promoteurs. On peut affirmer sa préférence pour la paix, mais pas à n'importe quel prix. Il est significatif que les thèmes nationalistes soient à peu près gommés. Mais le document dont nous avons fait état nous laisse un peu sceptique sur la réalité des sentiments que traduisait cette attitude. Il s'agit chez certains au moins d'une tactique parfaitement consciente.

Pour que la résistance à la guerre pût avoir une chance de l'emporter, il fallait que la classe ouvrière dans sa masse et le mouvement ouvrier soient résolument « antipatriotes », ils ne l'ont pas été ; qu'ils puissent entraîner d'autres couches de la population convaincues que la guerre menaçante n'était pas justifiée, cela ne fut pas ; et enfin que le mouvement ne fût pas submergé par une vague « nationaliste ». Il n'y eut pas de vague nationaliste, mais le mouvement de résistance à la

---

31. 29 juillet.
32. *La République française*, 30 juillet.
33. *La Petite République*, 30 juillet.
34. 31 juillet.

guerre fut encore beaucoup plus sûrement noyé par le flot de l'unanimité nationale. La presse de droite y travailla peut-être avec sincérité, certainement avec habileté.

La lutte contre la guerre a échoué, mais elle a existé. Elle a échoué parce qu'elle n'a pas trouvé de « prise » sur une opinion rapidement convaincue de la bonne volonté et du bon droit français [35]. Le révolutionnaire Miguel Almereyda ou le pasteur Henri Draussin ont pu le dire presque de la même façon :

> « La France veut la paix. Elle a tout fait pour l'imposer. Si le Kaiser, qu'on croyait jusqu'ici attaché à la cause de la paix, commet le crime de déclencher la catastrophe, eh bien, nous serons là !... » [36].

> « Nous ne sommes pas les agresseurs ; ce n'est pas nous qui avons provoqué une conflagration dont nous savons trop ce qu'elle peut semer de deuils de de ruines. C'est déjà une force que la confiance dans la justice de la cause pour laquelle on lutte... » [37].

---

35. Ce serait une autre étude de rechercher pourquoi pratiquement tous les peuples engagés dans le conflit ont eu la même conviction, comme le manifestent par exemple les 93 intellectuels allemands qui publièrent, au début du mois d'octobre 1914, « L'Appel aux nations civilisées ».

36. *Le Bonnet rouge*, 1er août.

37. *Evangile et liberté*, 8 août.

*Troisième partie*

# LA MOBILISATION
# DE LA RÉSIGNATION
# A LA RÉSOLUTION

« Au fronton de la baraque, on lisait son vieux nom en vert et rouge ; c'était la baraque d'un tir : *le Stand des nations* qu'il s'appelait.

Plus personne pour le garder ... Il tirait peut-être avec les autres propriétaires, avec les clients. »

LOUIS-FERDINAND CÉLINE

# Chapitre 1

# Méthodes et sources

L'étude de l'opinion publique pose constamment des problèmes de méthodologie qui n'ont jamais chance d'être résolus de façon totalement satisfaisante [1].

La nature des sources qu'elle exige est également particulière : celles que recherche habituellement l'historien doivent lui permettre d'établir l'exactitude du fait historique, alors que, pour l'histoire de l'opinion publique, un témoignage, même si son auteur avait une connaissance manifestement fausse des événements qu'il vivait, est tout aussi important, dans la mesure où il apporte des éléments d'appréciation sur ce que pensait la population.

Aussi, au moment d'aborder la période de la mobilisation, est-il particulièrement important de réfléchir sur les sources que nous pouvons utiliser, et aussi sur ce que nous pouvons considérer comme des sources.

La mobilisation en 1914 a été le type de l'événement de durée fort limitée, survenu brutalement, marquant le passage presque sans transition de l'état de paix à l'état de guerre. Elle a été suivie d'un long conflit d'une forme très surprenante pour les contemporains, de sorte que la guerre n'a pas été seulement la suite de la mobilisation mais que, par sa durée, par l'hécatombe qu'elle a provoquée, elle a contribué à créer un univers mental nouveau. Dans ces conditions, les risques de déformation que comporte tout témoignage établi plus ou moins longtemps après l'événement se trouvent considérablement renforcés. L'étude de l'opinion publique pendant la mobilisation conduit donc à être très vigilant,

---

1. Cf. l'importante communication faite par P. Renouvin, le 4 mars 1968, devant l'Académie des sciences morales et politiques, « L'étude historique de l'opinion publique », *Revue des travaux de l'Académie des sciences morales et politiques*, 1ᵉʳ semestre 1968, p. 123-143.

très circonspect envers les documents, et en particulier envers les imprimés.

Pourtant, si l'on conçoit que le livre puisse être sujet à caution, il ne devrait pas en être ainsi du journal. La presse pourrait en effet apparaître comme le moyen le mieux approprié — ou presque — pour enregistrer au jour le jour les faits et les idées. Cependant, plusieurs raisons nous ont empêché de lui faire pleinement confiance : la censure n'était pas encore organisée dans les premiers jours d'août, mais les journaux étaient encore alors peu adaptés au reportage. Fort nombreux[2], c'étaient pour la plupart de petites entreprises ; leur tirage était faible et ils étaient assez éloignés du journal d'information moderne. Avec un budget restreint et des ressources aléatoires, ils ne pouvaient avoir qu'un petit nombre de rédacteurs et les informations, au sens où nous les entendons, y occupaient une place assez réduite. Un phénomène comme la mobilisation aurait exigé des yeux et des oreilles partout et au même moment ; la presse était, en fait, incapable de « couvrir » l'événement. De ce point de vue, les journaux de province étaient souvent mieux partagés, grâce à leurs nombreux correspondants locaux. Cependant, même dans ce cas, le délai de plusieurs jours qui intervient souvent entre l'information et sa parution dans le journal montre combien le rôle de la presse était mal conçu ou, tout au moins, combien il ne l'était pas pour être le reflet de l'opinion publique.

Il était donc nécessaire de pouvoir étayer nos recherches sur d'autres indicateurs de l'opinion publique. Informer le gouvernement sur l'état d'esprit des populations qu'ils administrent est un des devoirs habituels des préfets. Dans une période de crise, ce rôle devient primordial. Au moment de la mobilisation, les préfets furent astreints à adresser au ministre de l'Intérieur un rapport bi-quotidien. En réalité, faute de matière, les préfets de nombreux départements se contentèrent assez vite d'un rapport quotidien réduit souvent à un « rien à signaler ». L'ensemble de ces documents conservés aux Archives nationales[3] constitue une

---

2. 46 quotidiens paraissent à Paris en 1914, indique R. Manevy (*Histoire de la presse (1914-1939)*, Paris, 1945, 360 p., mais J. Kayser (*Le Quotidien français*, Paris, Presses de la Fondation nationale des sciences politiques, 1963, 169 p.) en dénombre 57, et il en compte 242 en province. Bien qu'encore très nombreux, les quotidiens étaient déjà, en 1914, en voie de diminution, après avoir connu un maximum (semble-t-il) vers 1892 (il n'y avait plus que 12 quotidiens à Paris en 1962).

3. A.N. F 7 12936, rapports des préfets classés par départements sur l'état d'esprit des populations. Il s'agit d'ailleurs, dans ce dossier, surtout des rapports des commissaires spéciaux transmis par les préfets : ils couvrent la période 1914-1918. Leur nombre est fort variable par département. Tous les départements ne figurent pas.
A.N. F 7 12937, rapports sommaires des préfets adressés au Ministère de l'intérieur pendant le mois d'août et les premiers jours de septembre 1914 ; départements de l'Ain à la Creuse.
A.N. F 7 12938, *id.* départements du Lot au Rhône.
A.N. F 7 12939, *id.* départements de la Haute-Saône à l'Yonne.
Comme on peut le constater, manquent les départements de la Dordogne au Loiret, sans qu'il y ait d'ailleurs rupture dans la cotation de la série. Nos investigations ne nous ont pas permis de connaître les raisons de cette anomalie.
Le dossier F 7 12936 permet de combler cette lacune pour quelques départements (Finistère, Gironde, etc.) ; pour d'autres, les copies des rapports préfectoraux ont été conservées dans les dépôts

source précieuse d'information pour le mois d'août 1914. Quelle valeur peut-on toutefois leur accorder ? Elle est évidemment très variable en fonction de la qualité des préfets [4] et de leurs adjoints et il est vraisemblable que tel commissaire a signalé un événement qu'un autre aurait considéré comme négligeable. Mais on peut craindre surtout qu'ait joué le réflexe administratif. Les préfets ont habituellement tendance à dire au gouvernement ce qu'il a envie d'entendre, ou du moins ce qu'ils croient tel [5], d'autant plus qu'il n'est jamais bon pour un administrateur de signaler avec trop d'insistance les difficultés de sa circonscription, au risque de voir l'administration centrale en faire retomber sur lui les responsabilités.

Tout cela concourt à faire des rapports préfectoraux un ensemble moins vigoureux, moins contrasté, plus gris qu'on ne pourrait le souhaiter. Il faut d'ailleurs également considérer que rendre compte en quelques lignes de l'état d'esprit de tout un département conduit à gommer les nuances [6].

L'étude de l'opinion publique pendant la période de la mobilisation ne pouvait donc être menée de façon suffisamment convaincante avec la seule aide de la presse et des rapports des administrateurs ; il fallait donc trouver un autre type de témoignages : presque miraculeusement, il existait, sans qu'on s'en soit avisé jusque-là.

En 1915, le recteur de l'Académie de Grenoble, C. Petit-Dutaillis, publiait [7] des extraits d'une enquête sur les journées de la mobilisation dans les départements de son ressort [8]. Il avait en effet demandé [9] aux instituteurs de sa circonscription de prendre des notes sur les événements auxquels ils assistaient, et c'est avec les fiches ainsi élaborées qu'il put préparer son article.

---

d'archives départementales (par exemple en Dordogne, 1 M 86), mais pour une dizaine de départements (Doubs, Eure, Eure-et-Loir, Gers, Ille-et-Vilaine, Indre, Indre-et-Loire, Jura, Haute-Loire, Landes, Loiret) ces rapports semblent ne plus exister.

4. Voir aussi introduction, p. 13.

5. Dans son rapport du 1er août 1914, le préfet de la Corse, après avoir signalé l'accueil enthousiaste fait par ses administrés à l'ordre de mobilisation, ajoute : « Je signale en particulier Bastia et Ajaccio, où le gouvernement a été acclamé » (A.N. F 7 12934).

6. Un exemple cependant permet de montrer combien les informations données au jour le jour peuvent être meilleures ou du moins différentes des récits élaborés avec un certain délai. Dans son rapport du 2 août 1914 (A.N. F 7 12939), le préfet de l'Yonne se contente de noter que « ...l'ordre de mobilisation a été accueilli hier avec calme et dignité par les populations... », tandis que le même préfet, dans un ouvrage publié en 1916, écrit : « Et lorsque le 1er août, la guerre apparut inévitable, toutes les anxiétés, toutes les craintes, toutes les douleurs qu'on entrevoyait pour l'avenir s'effaçaient momentanément dans un prodigieux enthousiasme... » (G. Letainturier, préfet de l'Yonne, *Deux années d'efforts dans l'Yonne pendant la guerre. Août 1914-août 1916*, Auxerre, 1916. XXXII-452 p., p. X). Il y a quelque différence de la dignité à l'enthousiasme.

7. *Annales de l'Université de Grenoble*, 27 (1), 1915. Compte rendu de Christian Pfister in *Revue historique*, 119, mai-août 1915, p. 416. Voir également J.-J. Becker, « L'appel de guerre en Dauphiné », *Le Mouvement social*, octobre-décembre 1964.

8. Isère, Drôme, Hautes-Alpes.

9. Note insérée dans le *Bulletin de l'enseignement primaire de l'Isère* (août 1914).

Mis au courant de cette initiative, A. Sarraut, ministre de l'Instruction publique, adressa, le 18 septembre, une circulaire aux instituteurs non mobilisés leur recommandant « de tenir note de tous les événements auxquels il assist(aient) » [10]. Il leur demandait également d'être dans leur commune « l'écho vivant de la conscience publique » afin de constituer « un admirable répertoire d'histoire locale ». Tenant compte des préoccupations du moment, le ministre précisait qu'ainsi « l'élan merveilleux qui réunit actuellement tous les Français pourra être décrit aux générations futures d'écoliers, avec des exemples précis pris dans leur pays ».

Le ministre ne se désintéressa pas de cette entreprise puisque, quelques semaines plus tard, il donnait des instructions aux préfets pour la conservation de ces documents [11] ; dans les mois suivants, il prévoyait d'élargir le projet initial [12].

---

10. André Lottier, *La guerre de 1914-1918 vue du village*. Auxerre, 1965, 15 p. — Extrait du *Bulletin des sciences historiques et naturelles de l'Yonne*, 100 (1963-1964), p. 1. La circulaire prévoyait sept têtes de chapitre : a) la mobilisation, b) l'administration du village, c) l'ordre public, d) la vie économique, e) l'assistance, f) les enfants, g) les hôpitaux, ambulances, service médical.
« Il était expressément recommandé : 1. de n'accueillir que des renseignements rigoureusement contrôlés, de ne pas laisser s'établir de légendes ni des mots historiques inventés. 2. de prendre des notes, non sur des cahiers, mais sur des fiches en double exemplaire, à raison d'une par fait particulier, chaque fiche portant en haut, à gauche la rubrique, à droite le nom du département et le nom de la commune, la date complète du fait rapporté ; et à la fin, la source du renseignement. Un format uniforme était imposé : 15 cm sur 10. »
De plus, pour guider leur travail, il était indiqué pour chaque chapitre un certain nombre de rubriques présentées ainsi aux instituteurs de la Haute-Saône (*A.D. Haute-Saône* 148 R 1, d'après le *Bulletin de l'Instruction publique de la Haute-Saône*, 9, sept. 1914). A. *Mobilisation*. Comment elle s'est effectuée, esprit public, paroles caractéristiques qu'on a pu recueillir. B. *Faits de guerre franco-allemands*. Enfants de la commune blessés ou morts au champ d'honneur. (Cette rubrique, qui n'est pas mentionnée dans la liste d'A. Lottier, était prévue ; souvent à elle seule, elle occupa une très large place dans les fiches qui nous sont parvenues). C. *Comment s'est reconstituée l'administration du village après le départ de certains membres de la municipalité*. Rôle de l'instituteur et de l'institutrice. D. *L'ordre public*. Comment on assure la sécurité. Garde civique. Recrudescence ou diminution des délits ordinaires. Faits avérés d'espionnage. E. *Vie économique*. Agriculture : la moisson, le battage, la mouture. Industrie : effort contre le chômage. Commerce local : prix. Le crédit, les banques. Comment est accepté le moratorium ? F. *Assistance*. Paupérisme. Allocation de l'État et des municipalité. Solidarité privée. G. *Enfants*. Garderies. H. *Hôpitaux et ambulances*. Service médical et pharmaceutique.

11. *A.D. Haute-Saône*, 145 R 3. Le ministre, après avoir rappelé que ces fiches devaient être rédigées en double exemplaires dont l'un devait rester à l'école et l'autre être déposé aux Archives départementales, écrivait : « ...C'est sur ce deuxième exemplaire que j'appelle aujourd'hui votre attention. Vous voudrez bien inviter M. l'Archiviste à se mettre à la disposition de M. l'Inspecteur d'académie pour recevoir l'exemplaire de ces notes dont la garde lui sera confiée. Elles seront versées dans la série R, à la fin de laquelle elles formeront une subdivision spéciale sous la rubrique. *Événements militaires — Guerre de 1914 — Notes communales*. Elles y seront classées par communes dans un ordre alphabétique unique pour tout le département, et dans chaque commune par ordre chronologique des faits relatés... ».

12. *Circulaire du ministre de l'Instruction publique* du 3 mai 1915. « Le Comité des Travaux historiques et scientifiques vient d'attirer mon attention sur l'intérêt qu'il y aurait à généraliser cette enquête et à demander aux personnalités qualifiées par leurs travaux et l'habitude qu'elles ont de la méthode historique de vouloir bien participer à une œuvre qui promet d'être si utile... ». La circulaire se poursuivait par plus de deux pages de commentaires et de modalités du projet, dont voici quelques extraits : « J'ai pensé, avec le Comité, qu'il y avait lieu tout d'abord et résolument d'écarter l'idée de tout ce qui ressemblerait à une enquête administrative et qu'il conviendrait bien plutôt de proposer l'idée dont il s'agit aux réflexions et à la bonne volonté de personnes et de sociétés qui s'occupent plus particulièrement d'études historiques et dont l'évident désintéressement rassurerait toutes les timidités. Les témoins interrogés se sentiraient à l'aise pour répondre, en des conversations familières, à des historiens qui n'auraient en vue que l'utilité de l'histoire.
Ce qui importerait aux yeux du Comité, c'est que cette œuvre de préservation et de conservation de la tradition orale pût être entreprise sans aucun retard pendant que les souvenirs sont encore dans leur fraîcheur et leur vérité. L'expérience montre combien est rapide la déformation de ces souvenirs. Plus

L'historien imagine immédiatement quel étonnant tableau de la France au moment de la mobilisation et pendant la guerre aurait pu être brossé, si la circulaire du ministre de l'Instruction publique avait été appliquée et ses résultats collationnés. ·Nous aurions eu là une des plus grandes « enquêtes d'opinion publique » réalisée avant même que la science politique n'en découvre le procédé. Malheureusement, les recherches que nous fîmes sur le sort de ces documents ne justifièrent pas les espoirs que nous avions pu nourrir.

La quasi-totalité des 72[13] directeurs de dépôts d'archives auxquels nous nous sommes adressés nous ont répondu, mais presque toujours de façon négative. Ils n'ont trouvé aucune trace des fiches que nous leur réclamions, sauf dans huit départements, et encore de façon bien partielle[14].

Cependant, notre moisson a été un peu plus fructueuse qu'il ne peut sembler devant ce résultat, puisque les Archives de Haute-Savoie possédaient un dossier « relatif à la conservation de la tradition orale » comprenant des fiches pour 36 communes. Les renseignements fournis l'ont été dans ce cas non par les instituteurs, mais par les curés ou les maires[15].

De plus, si les Archives du département de la Drôme ne conservent pas trace de cette enquête, l'article de C. Petit-Dutaillis nous la transmet toutefois partiellement[16]. Enfin, en réponse à notre circulaire, on nous a indiqué dans cinq départements[17] une monographie locale ; une d'elles au moins est la suite directe des instructions ministérielles du 18 septembre 1914. Ce sont donc quinze départements qui, d'une façon ou d'une autre, nous ont apporté des témoignages.

Ce bilan — somme toute mince — doit-il être inscrit au compte d'instructions mal suivies parce que les instituteurs en ont été mal informés, en ont mal vu l'intérêt, ou à celui d'un manque de soin dans le collationnement de leurs réponses ?

Dans certains cas, il est possible que la circulaire ministérielle soit restée lettre morte, que les autorités universitaires locales n'aient pas

---

on se hâtera de les solliciter, de les exprimer, de les fixer, plus on rendra service aux études historiques ... ».

(Cf. également *Revue historique*, 119, mai-août 1915, p. 462-464).

13. Nous avions exclu de la liste d'envoi les départements envahis dès les premières semaines de la guerre où il est peu vraisemblable que les instructions ministérielles aient touché les instituteurs, et encore moins qu'elles aient pu être appliquées.

14. Charente : 316 communes ; Cher : 3 communes ; Côte-d'Or : 1 commune ; Côtes-du-Nord : 68 communes ; Gard : 63 communes ; Hautes-Alpes et Isère : 80 et 44 communes ; Puy-de-Dôme : 5 communes

15. Le questionnaire auquel il est répondu dans ces fiches est presque le même que celui reproduit ci-dessus (p. 262) : la rubrique B disparaît (faits de guerre franco-allemands) tandis qu'apparaît une rubrique n° 8 « Vie spirituelle ». Ce dossier est le seul, semble-t-il qu'ait suscité la circulaire ministérielle du 3 mai 1915 (cf. p. 262).

16. Cf. Petit-Dutaillis (C.), art. cité.

17. Charente-Maritime, Ille-et-Vilaine, Lozère, Vaucluse, Yonne.

veillé à son application [18]. Mais il semble que, dans un bien plus grand nombre de départements, la publication des instructions dans les Bulletins départementaux de l'instruction primaire se soit faite normalement [19], souvent accompagnée de commentaires du recteur [20], ou de l'inspecteur d'académie [21]. Des inspecteurs d'académie ont également attiré l'attention des inspecteurs primaires sur l'importance qu'ils attachaient à cette enquête [22]. Dans certains cas aussi, les instructions furent rappelées ultérieurement [23]. Bien que cette opinion ne soit pas unanimement partagée [24], les instructions ont été suivies plus souvent que les restes actuels de l'enquête ne pourraient le laisser croire [25]. Il est certain que de nombreuses fiches ont été établies qui ne nous sont pas parvenues [26].

---

18. Aucune trace de la circulaire ministérielle n'a été retrouvée dans le *Bulletin de l'enseignement primaire de la Manche* (Lettre de l'archiviste en chef du 10 déc. 1914). Dans l'Indre-et-Loire, d'anciens instituteurs interrogés à ce sujet ne se souviennent pas d'avoir eu à dresser ces fiches documentaires. De même, différents travaux entrepris dans le département sur la guerre de 1914 n'ont jamais permis de déceler l'existence de ces fiches (Lettre du directeur des Archives du 18 janv. 1965).

19. Nous en avons rencontré l'indication pour l'Yonne (*Bulletin de l'instruction primaire* n° 436), la Haute-Saône (*Bulletin* n° 9), la Dordogne (Lettre du directeur des Archives du 18 janv. 1965), la Vienne (Lettre du directeur des Archives du 10 déc. 1964), la Charente (*Bulletin départemental* 1914), la Côte-d'Or (*Bulletin scolaire* de 1914), le Loiret (*Bulletin départemental de l'instruction publique*, année 1913-1914, p. 462).

20. *Circulaire du recteur de l'Académie de Besançon*, H. Padé, publiée par le *Bulletin de l'Instruction publique* de la Haute-Saône n° 9, 1914.

21. Instructions du directeur de l'Enseignement primaire, avec commentaires de l'Inspecteur d'académie sur la notation des faits relatifs à la guerre (*Bulletin de l'Instruction publique* de la Vienne, 1914).

22. *Lettre du 25 septembre 1914* de l'inspecteur d'académie de Caen aux inspecteurs primaires pour leur demander d'engager les instituteurs non mobilisés et les institutrices « à tenir note de tous les événements auxquels ils assistent » (Lettre du conservateur-adjoint des Archives du Calvados du 15 janvier 1965).

23. En Charente, la circulaire fut reproduite à nouveau dans le *Bulletin de l'instruction primaire*, n° 263, de juillet 1915, tandis que le journal *La Charente* commentait cette enquête dans son numéro du 14 mai 1915. Une autre circulaire était envoyée par l'inspecteur d'académie le 5 août 1915.
En Côte-d'Or, les instructions furent rappelées dans le *Bulletin* en 1915.
Dans les Côtes-du-Nord, les instructions concernant « l'histoire locale de la guerre » furent rappelées par le *Bulletin de l'instruction primaire*, n° 348, en 1919.
Dans le Loiret, la circulaire du 3 mai 1915 fut publiée dans le *Bulletin départemental de l'instruction publique* (année 1915-1916, p. 111).

24. « La circulaire du ministre relative aux notes des instituteurs sur la guerre de 1914 paraît avoir été peu appliquée ici. En effet, dans ses notes d'inspection des années 1920 et suivantes, mon prédécesseur a indiqué que les réponses à ses demandes à ce sujet étaient négatives » (Lettre du directeur des services d'archives de la Charente-Maritime, 14 janv. 1965).
D'après l'inspecteur d'académie d'Orléans, « l'inspecteur d'académie de l'époque » n'aurait pas donné « d'instructions particulières quand à la confection de ces fiches et à leur acheminement » (lettre du 23 septembre 1970).

25. « Les sondages que j'ai fait effectuer dans les dossiers des instituteurs en activité à l'époque ont démontré à la fois l'exécution de ces instructions et l'attention qu'apportaient les inspecteurs primaires à leur exacte observation.
Cependant, si les instructions du 18 septembre 1914 prévoyaient le dépôt d'un exemplaire de ces fiches aux archives départementales, les circonstances du moment ne sont pas prêtées en Côte-d'Or au respect de cette directive » (Lettre du conservateur-adjoint au directeur. Archives de la Côte-d'Or, 26 janvier 1965).
On peut également citer l'exemple de la Drôme (cf. ci-dessus, p. 263).

26. A. Lottier (*op. cit.*, p. 2) constate que son père, instituteur dans un village de l'Yonne, s'acquitta de cette tâche avec conscience pendant deux ans, malgré le poids de plus en plus lourd de sa fonction de secrétaire de mairie, « parce qu'elle le séduisait ». Comment croire qu'il n'en a pas été de même de beaucoup d'autres instituteurs dans ce département de l'Yonne ?

Plusieurs archivistes ont émis l'hypothèse qu'elles n'avaient pas dépassé le stade des Archives académiques, mais les recherches faites en ce sens n'ont pas donné de résultats [27]. En fait, l'explication la plus vraisemblable est que les fiches qui furent établies n'ont jamais été réclamées lorsqu'il n'y avait pas un inspecteur d'académie ou un inspecteur primaire pour s'en occuper activement : elles sont donc restées en possession de leurs auteurs [28] ; s'ils n'étaient pas suffisamment conservateurs, ils les ont finalement perdues ou détruites. On peut évidemment supposer qu'il serait possible de retrouver une partie de ces fiches, mais les expériences tentées n'ont guère été concluantes [29].

Ainsi, entre nos espoirs et la réalité, la différence est grande : les préoccupations pressantes du moment, la longueur du conflit, expliquent suffisamment qu'une telle entreprise n'ait pas été couronnée du succès escompté.

Cependant cet ensemble de témoignages, pour être insuffisant, est bien loin d'être négligeable. Les quelques départements intéressés sont répartis de façon assez variée à travers la France : Bretagne, Charente, Alpes, Sud-Est... Les communes dont nous possédons les fiches ne représentent qu'un pourcentage minime par rapport à l'ensemble des communes françaises mais, ce qui est important, elles sont en général de faibles dimensions et de population rurale. Nous ne pensons pas que l'opinion des campagnes soit plus intéressante que celle des villes, mais les autres documents dont nous disposons, presse, archives préfectorales..., nous rapportent principalement l'état d'esprit du milieu dans lequel leurs auteurs baignaient, celui des villes. De plus, l'idée que l'on se fait de l'opinion publique d'une ville est souvent faussée par des impressions superficielles. Une manifestation de quelques centaines ou de quelques milliers de personnes dans une importante agglomération impose davantage son souvenir que l'attitude d'une grande majorité d'habitants qui n'a pas montré bruyamment ses sentiments. Et si la description habituelle de la mobilisation est, à notre sens, en partie erronée, n'est-ce pas parce qu'on ne s'est pas assez soucié que la majorité des Français d'alors était composée de ruraux ?

Pouvons-nous penser, dans ces conditions, que nous avons, au

---

27. Nous avons reçu des réponses négatives des rectorats de Dijon, de Grenoble, de Clermont-Ferrand, de Caen, d'Orléans. Il en a été de même pour l'académie d'Aix dont le recteur avait transmis notre requête aux inspecteurs d'académie en résidence à Marseille, Gap, Digne, Avignon.

28. « ...Je l'ai donc vu (mon père) les rédiger, et je les ai retrouvées après sa mort, les unes au net, les autres au brouillon. En sa mémoire, j'ai fini de les recopier et je les ai fait relier. Elles représentent 200 pages de cahier... » (Lettre d'André Lottier, 24 janv. 1965).

29. En 1965, l'inspecteur d'académie de la Côte-d'Or a effectué une enquête auprès de tous les instituteurs et institutrices du département : elle s'est révélée négative à l'exception d'une seule commune.
En 1964, une note dans L'Yonne républicaine à la suite d'une communication faite par M. André Lottier à la Société des sciences de l'Yonne lors du 50e anniversaire d'août 1914, n'a eu aucun écho positif. M. Lottier écrit : « Les fiches de mon père semblant donc être les seules à exister dans le département » (Lettre cit.).

moins, saisi à travers ces documents l'opinion publique des localités intéressées, voire des départements suffisamment représentés ? On peut
affirmer la représentativité des réponses obtenues en Charente [30] avec 366
communes sur 424, soit 85 % ; on doit se montrer plus circonspect avec
le Gard [31] (63 communes sur 355 ont transmis des réponses, soit 18 %)
ou avec les Côtes-du-Nord [32] (68 communes sur 391, soit 17 %). Dans
ces derniers départements, rien ne prouve que l'échantillon soit représentatif de l'ensemble, le hasard seul a vraisemblablement joué un rôle dans
sa composition.

Il faut également tenir compte de la personnalité des auteurs des
fiches : les instituteurs, qui joignaient souvent à leur fonction principale
celle de secrétaire de mairie, étaient remarquablement placés pour mener
leur enquête, compte tenu aussi de leur importance dans la vie du village
avant 1914. Mais tous les instituteurs n'ont pas eu le même talent pour
« photographier » et nous rapporter l'opinion ; certains ont pu majorer
leurs propres sentiments par rapport à ceux de l'ensemble des habitants
(quelques-uns se sont livrés à de véritables dissertations sur la guerre
sans trop se soucier de nous dire ce qui se passait dans leur village),
d'autres ne se sont pas attachés à rendre les nuances qui n'ont certes pas
manqué d'exister entre les habitants d'un village. On peut même penser
que certains auraient craint d'être mal vus de leur inspecteur, s'ils
n'avaient pas clairement affirmé le patriotisme de leurs concitoyens.

Une question importante concerne la date de rédaction des fiches. En
principe, elles ont dû être établies d'après des notes prises au jour le
jour, mais la mise au net a pu entraîner des remaniements pour que
soient remplies correctement les rubriques imposées. Des allusions aux
événements postérieurs montrent bien que, dans certains cas, la connaissance de ces événements a pu peut-être influencer les auteurs. De plus, si
la date d'envoi des fiches a été très variable d'un département à un
autre [33] — mais cela correspond surtout au moment où l'autorité universitaire les a réclamées —, l'inconvénient le plus notable pour l'étude de
la période de la mobilisation a été que seuls les instituteurs des départements dauphinois ont pris leurs notes au moment de l'événement. Partout ailleurs, l'enquête ne fut déclenchée que par les instructions ministérielles de la fin du mois de septembre : il y a donc là un décalage

---

30. A.D. Charente J 76 à J 95. Ces documents sont répartis en 20 liasses. Pour chaque commune,
les A.D. possèdent un dossier ; quelquefois, il ne comprend que les justifications des sommes collectées
au bénéfice des œuvres de guerre par les soins des instituteurs, mais dans la plupart des cas, des réponses ont été fournies à toutes les rubriques du questionnaire et le dossier peut être fort volumineux. Ces
liasses contiennent la matière d'une admirable monographie sur les deux premières années de la guerre
en Charente.

31. A.D. Gard B.R 1.

32. A.D. Côtes-du-Nord. Série R. Pas de cote.

33. Puy-de-Dôme : premiers jours d'août 1915 ; Gard : mai-juin 1915 ; Charente : 1re moitié de
1917 ; Côtes-du-Nord : juillet 1919.

fâcheux pour que ces témoignages puissent être considérés comme parfaitement immédiats.

Il était nécessaire de tenir compte de toutes ces observations ou de toutes ces réserves dans l'analyse de ces documents, mais nous estimons qu'ils n'en constituent pas moins une source inappréciable et qu'en fait il n'en existe pas d'autres qui leur soient comparables.

Ainsi, si aucune source n'est complètement satisfaisante, les documents sur l'opinion publique au moment de la mobilisation sont assez nombreux et d'origine variée, sans compter quelques autres — d'ailleurs fort disséminés — qui nous furent signalés au cours de notre enquête [34].

Une autre source de renseignements pouvait cependant nous être utile, les archives de l'armée. Malheureusement, elles ne contiennent rien au sujet de la mobilisation, ou tout au moins sur l'état d'esprit qui régna pendant cette période [35]. Le commandement ne s'intéresse au « moral » que plus tard. [36]

En revanche, une dernière catégorie de documents, les archives fort volumineuses des conseils de guerre [37], a été susceptible de nous permettre un contrôle des résultats obtenus.

En temps normal, seuls les militaires sont du ressort des conseils de guerre mais, après la promulgation de l'état de siège, ces derniers devinrent compétents pour tout ce qui leur semblait concerner la défense nationale ; souvent, les juridictions civiles se dessaisirent en leur faveur de dossiers qu'elles avaient commencé d'instruire. En fait, les conseils de guerre eurent à se préoccuper d'affaires d'importance extrêmement diverse. C'est ainsi que les conséquences de l'ivresse jouèrent un grand rôle dans leur activité : excuse ou raison véritable, elle est responsable de nombre d'intempérances de langage. Combien de procédures furent ainsi engagées contre le civil qu'un consommateur a entendu ou cru entendre dire du mal de l'armée, de son organisation ou de ses chefs, ou le militaire qui s'est laissé aller à exprimer à un gradé, fût-ce un modeste caporal — dans une langue vigoureuse et fruste —, ce qu'il pensait de ses ordres ou de sa personne ? L'ivresse est également la cause de « bris de matériel », de retards, d'une foule d'incidents, souvent bien véniels, mais qui n'en sont pas moins quelquefois durement sanctionnés. Les conseils de guerre n'entendent pas seulement punir les délits, mais

---

34. Par exemple, A.D. Haute-Saône 148 R 1. Renseignements fournis par les maires de quelques communes au préfet sur l'opinion publique envoyés les 9-10 août 1914.

35. Le nouveau classement de ces archives auquel les conservateurs se sont livrés ces dernières années n'ont rien fait apparaître de nouveau de ce point de vue.

36. Il en est tout autrement par la suite. En particulier, les archives de la Guerre renferment un nombre considérable de dossiers pour l'année 1917.

37. Les archives des conseils de guerre sont entreposées dans les caves des Archives nationales, où elles occupent 150 mètres linéaires de rayonnage. Pour la seule année 1914, elles sont composées de 207 liasses de procédures et jugements, plus 50 liasses de non-lieu. Le nombre de dossiers contenus peut être évalué à 7 500, sans tenir compte des archives des conseils de guerre des territoires d'outre-mer.

visent, plus que la justice civile, à l'exemplarité. Beaucoup d'affaires sont donc sans grande conséquence, comme les innombrables petits larcins dont des soldats peuvent se rendre coupables, certaines sont « courtelinesques »[38]. Mais les conseils de guerre ont eu à connaître surtout des cas de désertion ou d'insoumission et des délits tels que les propos « séditieux » ou défaitistes. Le nombre d'affaires de ce genre et leur importance sont donc aussi des « indicateurs » de l'opinion publique. Cependant l'utilisation de ces documents, là encore, présente quelques difficultés[39]. Les dossiers sont de volume variable, quelquefois la centaine de pièces est dépassée ; il est possible de suivre les différentes phases de la procédure à travers le formalisme lourd, mais finalement assez précis, de la gendarmerie, de l'armée ou de la justice militaire. Mais les instructions se cantonnèrent presque exclusivement dans la recherche de la matérialité des faits : eu égard aux circonstances et à la nécessité de juger rapidement, quelques jours, quelques semaines au plus, il n'est à peu près jamais fait d'enquête approfondie sur le passé, les affinités politiques ou syndicales des prévenus. La plupart du temps, les comparants nient les propos qui leur ont été prêtés et, vu l'atmosphère du moment, il est vraisemblable que bien souvent des paroles anodines ont été mal comprises, mal interprétées... De sorte qu'il est souvent difficile de se faire une opinion — comme il a dû l'être aux juges — à partir de dossiers dépourvus d'environnement, de profondeur sociale. Cependant les archives des conseils de guerre, par leur masse, par leur diversité, par ce qu'on y trouve et ce qu'on n'y trouve pas, par l'extension géographique de leur champ, sont un élément précieux d'appréciation de l'état d'esprit au moment de la mobilisation avec le concours involontaire de tous ceux qui, à ce moment, eurent maille à partir avec l'autorité militaire.

38. Telle, la mésaventure survenue à ce professeur de Sorbonne, condamné à deux mois de prison pour outrage à un supérieur : soldat auxiliaire de 2ᵉ classe, employé à Vincennes à dépister les espions grâce à sa connaissance des langues, il s'était adressé « d'un ton hautain et désinvolte » à un lieutenant ! (3ᵉ conseil de guerre de Paris).

39. Sur le plan matériel d'abord. La conservation de ces dossiers, qui ont vraisemblablement séjourné longtemps dans des caves, est souvent médiocre. Placées en dépôt aux Archives nationales, mais non administrées par celles-ci, ces archives n'ont pas été véritablement classées. Il est extrêmement difficile d'avoir accès à telle ou telle liasse nommément désignée.

*Chapitre 2*

# L'annonce

« Non, pour notre honneur, nous
n'avions pas voulu cela. Le
1ᵉʳ août 1914, nous sommes simplement tombés dans l'histoire et avons
commencé de patauger dans un maré-
cage plein de sang ».

J. Guéhenno, *La mort des autres*, p. 24.

L'idée que la mobilisation a eu lieu dans l'enthousiasme s'est progressivement imposée dans l'historiographie contemporaine. Il faut
cependant souligner que des ouvrages anciens étaient assez réservés sur
ce point : « Le sentiment du peuple français, devant l'agression, fut
celui d'un courage résolu ; sans forfanterie, ni faiblesse », écrit Henry
Bidou en 1922 [1], alors que, dans un livre plus récent, on présente les
choses bien différemment : « En 1914, les appelés ne s'étaient pas posé
de questions ; tous partirent et, quand ils défilèrent, leurs visages dirent
dans quel esprit : ils rayonnaient » [2].

Ceci explique que certains historiens, comme André Latreille s'en
soient émus :

> « Il est temps de s'élever contre la version d'une sorte d'ivresse patrio-
> tique s'emparant des Français à la nouvelle d'une mobilisation trop facile-
> ment consentie par les dirigeants. Certes, il y eut quelques manifestations
> bruyantes à Paris sur les boulevards, et peut-être dans certains trains de
> mobilisés. Il y eut dans la grande presse des articles sur le mode héroïque
> dont l'insupportable optimisme nous frappe aujourd'hui. Avec quelques
> photos empruntées au *Miroir*, quelques extraits du *Matin* et de *L'Echo de
> Paris*, on peut être tenté de définir les réactions de l'opinion et brosser un
> tableau absolument fallacieux. Dans l'ensemble du pays, pour l'immense
> masse des Français qu'atteignait et que séparait la mobilisation, la tonalité
> dominante fut tout autre : résignation grave et angoisse diffuse » [3].

---

1. E. Lavisse, *Histoire de France contemporaine*, T. 9, p. 75.
2. M. Ferro, *La Grande guerre 1914-1918*, Paris, 1969, 384 p. (p. 12).
3. « 1914. Réflexions sur un anniversaire », *Le Monde*, 31 décembre 1964.

Il serait erroné de penser que personne n'a cru au célèbre « la mobilisation n'est pas la guerre » [4]. Nous aurons l'occasion de le montrer. Mais le moment où les Français eurent conscience de basculer de la paix dans la guerre fut bien celui où fut annoncée la mobilisation. La déclaration de guerre, quelques jours plus tard, passa à peu près inaperçue. C'est donc au moment de la mobilisation qu'il fallait nous placer pour juger des sentiments des Français.

> « Aujourd'hui samedi 1er août 1914. Nous avons demain la distribution solennelle des prix offerts comme tous les ans par un propriétaire de la commune. Il est trois heures ; la cour est recouverte d'un immense vélum, les tables et bancs sont sortis par les élèves et les invités du lendemain, la classe se fait dehors, on répète les morceaux choisis et la saynète... » [5].

Ce croquis d'époque ne suggère pas une atmosphère de veillée d'armes. L'instituteur d'une autre commune de la Charente, celui de Mansle, l'explique :

> « Comme un peu partout en France, on ne croyait plus à la guerre. Chacun se disait que pas un homme ne serait assez fou ou assez criminel pour déchaîner un pareil fléau. Aussi, même après l'ultimatum de l'Autriche à la Serbie, on espérait encore que les choses s'arrangeraient par un compromis dont les diplomates sauraient bien trouver le texte... » [6].

Il serait certainement excessif de considérer ces deux témoignages comme représentatifs de toute l'opinion publique française, même rurale, dans les heures qui précédèrent la mobilisation.

Toutefois, la brièveté de la crise qui précéda l'éclatement de la guerre, la surprise qu'elle provoqua dans une Europe somme toute apaisée [7], légitimaient de s'interroger sur l'état de préparation de l'opinion publique française. L'ordre de mobilisation fut-il une surprise pour elle ?

Les rapports des préfets n'indiquent pas que l'ordre de mobilisation provoqua la surprise. Ce n'est guère étonnant dans la mesure où ils reflètent beaucoup plus l'opinion urbaine que l'opinion rurale : dans les villes, on lisait assez les journaux pour ne plus être surpris [8]. Mais si, du département, nous descendons au niveau de la commune rurale, il apparaît que la nouvelle de la mobilisation est loin d'avoir été aussi attendue.

---

4. Manifeste adressé par le gouvernement aux Français le jour de la mobilisation.

5. A.D. Charente J 82. Commune de Feuillade.

6. *Ibid.*, J 85.

7. Voir deuxième partie, chapitre 1.

8. Comme le notait l'informateur du Ministère de l'intérieur pour le Pas-de-Calais et la Somme, les villes étaient informées de la gravité des événements, alors que « dans les campagnes, on ignore encore à demi la chose, n'y recevant et n'y lisant guère que des journaux hebdomadaires paraissant le samedi, mais imprimés dès le jeudi » (A.N. F 7 12873, *Note* F 532 Arras, Paris, le 27 juillet).

270

Prenons d'abord l'exemple du département de la Charente qui a l'avantage d'offrir la documentation la plus complète. Nous avons dressé un tableau des termes les plus significatifs et de la fréquence de leur emploi dans les réactions à l'annonce de la mobilisation dans les notes des instituteurs.

*CHARENTE - 424 communes*
*Notes d'instituteurs : 316 communes*

| | | |
|---|---:|---|
| Stupeur | 33 | fois. |
| Surprise | 20 | » |
| Etonnement | 3 | » |
| Coup de foudre | 2 | » |
| Demi-surprise | 2 | » |
| Stupéfaction | 1 | » |
| Saisissement | 1 | » |
| Sans surprise | 13 | » |
| Sans étonnement | 1 | » |

\* Expressions marquant la surprise ou, au contraire, l'absence de surprise à l'annonce de la mobilisation.

Ne déduisons pas évidemment de ce tableau qu'en Charente le sentiment de surprise l'a emporté : même s'il est affirmé dans environ 60 communes, soit 18 % du total, alors que dans 14 seulement il est précisé qu'il n'y eut pas de surprise ou d'étonnement, il n'est rien dit à ce sujet dans la très grande majorité des communes. D'ailleurs, dans de nombreux cas, le contexte montre qu'on s'attendait à l'événement, sans qu'un terme précis l'indique. Mais, même minoritaire, le sentiment de surprise a bel et bien existé. Quelle fut la nature de cette surprise ? Dans certains exemples, elle fut totale : « Le coup de foudre dans un ciel serein »[9], « La nouvelle de la mobilisation arrive comme un coup de foudre ... L'outil tombe des mains, tout travail cesse...[10]. Ce sont là évidemment de petites communes où on se préoccupait plus de travail agricole que de politique internationale. Mais la surprise devant le fait lui-même fut moins importante que la stupeur, c'est-à-dire le rejet par l'esprit de ce qui est incroyable. On se refuse à admettre que la guerre fût encore une chose possible[11]. C'est bien ce sentiment qu'exprime l'instituteur de Becheresse[12] : « Bien que les nouvelles des derniers jours de juillet fussent alarmantes, la population pacifiste des campagnes ne croyait pas à la guerre ; aussi est-ce avec une véritable stupeur que fut connu l'ordre de mobilisation... ».

9. A.D. Charente, J 93, Saint-Projet.

10. A.D. Charente, J 85, La Magdeleine.

11. « La mobilisation a été accueillie plutôt avec un sentiment de stupeur car, jusqu'au dernier moment, on n'a pas cru à la possibilité d'une guerre », A.D. Charente, J 79, Chalais.

12. A.D. Charente, J 77.

L'analyse des fiches adressées par les instituteurs des Côtes-du-Nord permet des conclusions assez proches de celles suggérées par le département de la Charente : d'après 8 notices [13], soit 12 % de celles recueillies, la nouvelle de la mobilisation a provoqué la surprise et quelquefois l'affolement [14]. Dans certains cas, il y eut véritablement surprise au plein sens du terme, mais pas dans n'importe quelle localité, dans de petits villages de l'intérieur de la Bretagne, en général proches des landes du Menez, régions les plus déshéritées du département. D'autres notes confirment surtout l'état d'impréparation dans lequel se trouvait l'opinion publique et le refus de croire à la guerre [15].

Dans le département du Gard, 8 fiches manifestent la stupeur ou la stupéfaction provoquée par l'annonce de la mobilisation et deux autres font état de la surprise, soit 16 %. Cela ne fut pas le fait seulement de localités isolées ou uniquement agricoles. « L'étonnement » fut « profond » [16] dans le hameau de Tarrabias, près du Chambon, habité par des mineurs, et aussi dans des agglomérations plus importantes comme Aigues-Mortes ou Beaucaire où ce fut « chez le plus grand nombre un sentiment de stupeur » [17]. Il est plusieurs fois mentionné que la stupeur provint de ce que la mobilisation fut générale alors qu'une mobilisation partielle, mesure de précaution, aurait été assez bien comprise. Comme le dit l'institutrice de Tarrabias, « les gens n'étaient pas trop préparés à la guerre » [18]. Une fraction de la population gardoise — et cela ne semble pas pouvoir être mis au compte de l'optimisme méridional — n'imaginait pas, malgré les dangers de la situation internationale, que la crise pût déboucher sur un conflit majeur.

Sur les 44 notices établies par des instituteurs de l'Isère [19], huit, soit 18 %, expriment les mêmes sentiments [20], s'étageant entre la surprise complète — l'institutrice du petit village de Malleval suspendu sur les flancs du Vercors parle de « surprise », de « chose si inattendue », de

13. A.D. Côtes-du-Nord, série R.

14. « La mobilisation du 1er août 1914 a surpris tout le monde aux champs ou à l'atelier ; j'ai encore sous les yeux le premier moment d'affolement de toute la population, homme courant à la mairie et lisant précipitamment les affiches qu'on vient de placarder sur les murs ; femmes inquiètes, à l'œil hagard, marchant fiévreusement dans la rue en échangeant à la hâte quelques regards interrogatifs... ». A.D., Côtes-du-Nord, commune d'Evran.

15. « ... Huit jours avant la déclaration de guerre, personne dans la commune ne se doutait des graves événements qui allaient surgir en Europe. Aussi personne ne s'émotionna outre mesure des nouvelles qui parurent dans les journaux deux ou trois jours avant la mobilisation »..., Commune de Tregomar.

« ...Les esprits n'y étaient nullement préparés... », La Harmoye. « A Tremeur, la mobilisation surprit tout le monde. Personne ne s'attendait à la guerre ; les plus pessimistes même n'osaient y croire... », Tremeur (A.D. Côtes-du-Nord).

16. A.D. Gard, 8 R 1.

17. Ibid., Beaucaire. A. Hebrard.

18. Ibid.

19. A.D. Isère 13 R 54.

20. Cf. aussi C. Petit-Dutaillis, art. cité, et J.-J. Becker, art. cité.

« stupeur », de « profond étonnement » [21] — et le refus de croire, comme à Cognin, dans la vallée au pied de la même montagne, où « on ne pensait pas à une guerre possible » [22].

D'après les 80 témoignages utilisables dans les Hautes-Alpes [23], il a été possible de dresser ce tableau :

*HAUTES-ALPES - 186 communes*
*Notes d'instituteurs : 80 communes*

| | | |
|---|---|---|
| Surprise............................. | 8 | fois. |
| Affolement........................... | 5 | » |
| Stupeur.............................. | 3 | » |
| Stupéfaction......................... | 1 | » |
| Coup de foudre....................... | 1 | » |

Compte tenu de deux notices où deux de ces termes étaient employés simultanément, il reste donc 16 communes où les sentiments de surprise ou de stupeur sont clairement indiqués par le vocabulaire utilisé, soit une proportion de 20 %. Ce pourcentage sensiblement plus élevé qu'ailleurs n'étonne pas dans un département montagnard où, il n'y a guère de temps encore, l'isolement de nombreux villages était particulièrement sensible [24]. D'ailleurs, l'impression suggérée par le tableau est en-deçà de la réalité : les anecdotes rapportées par les instituteurs montrent que la surprise a été grande, souvent totale sans que le terme lui-même ait été employé [25]. Il arriva qu'on crut que le toscin annonçait, non la mobilisation, mais un incendie [26]. Ce témoignage résume assez bien l'état d'esprit d'un nombre assez important de villages :

---

21. On peut y joindre aussi cet extrait d'un témoignage qu'un instituteur publia quelques semaines plus tard dans un petit hebdomadaire, *Le Dauphiné*, sous le titre « La guerre de 1914 à Lalley et dans le Trièves. Notes et impressions ». Dire que la mobilisation ne surprit personne serait mal traduire le sentiment de la population : « Elle n'étonne pas les plus informés, mais elle surprit tout le monde » (article du 11 octobre 1914).

22. A.D. Isère, 13 R 54.

23. A.D. Hautes-Alpes, 200 R 82. Cf. C. Petit-Dutaillis, art. cité, et J.-J. Becker, art. cité.

24. Un témoin a cependant relevé le même trait pour Digne, la préfecture du département voisin des Basses-Alpes : « ... Ce fut d'abord une stupeur générale. L'opinion ne croyait plus à la possibilité de la guerre » (Chanoine Adrien Reynaud, *Digne pendant la guerre*, Digne, 1920, 148 p., p. 11).

25. « Un jeune homme de seize ans fut délégué pour porter la nouvelle au hameau des Michons (commune de Sigottier). Il rencontra sur la route de ce hameau Albert R... et lui annonça qu'il apportait une copie du décret de mobilisation. R... rit aux éclats ; il croyait à une farce... ». C. Petit-Dutaillis, art. cité, p. 42. « (Un autre) dut partir sans avertir sa femme, et sans lui dire " au revoir ", car elle était au chalet avec deux enfants. Le dimanche 2 août, au matin, la pauvre mère revint à la maison qu'elle trouva déserte : le mari et le cheval n'étaient plus là... » (A Névache, dans la haute vallée de la Clairée, au Nord de Briançon, la femme et les enfants s'installent souvent pour l'été dans les chalets dispersés dans la montagne). C. Petit-Dutaillis, art. cité, p. 59.

26. C. Petit-Dutaillis, art. cité, commune de Gaudissard, p. 53. La même confusion se produisit d'ailleurs assez souvent, par exemple à Tréveneuc dans les Côtes-du-Nord (A.D. série R), à Montvendre, près de Valence dans la Drôme (C. Petit-Dutaillis, art. cité, p. 25), à Sablet dans le Vaucluse (A.D. J 13)...

« Les habitants, pressés par les travaux des champs, ne lisant aucun journal, n'étaient pas renseignés sur la gravité de la situation. Ils savaient par ouï-dire qu'on se battait quelque part, très loin en Serbie, mais personne ne supposait que la France serait obligée d'entrer dans le conflit, et surtout si vite. Aussi l'ordre de mobilisation n'était pas attendu... »[27].

La Haute-Savoie[28] est le dernier département à nous offrir un échantillonnage appréciable de documents : sur les 36 notes communales, sept utilisent les mots : surprise, stupeur, effroi, à l'annonce de la mobilisation, soit 19 %. L'impression est donc encore une fois la même : une fraction de la population savoyarde a été surprise[29] et une autre fraction ne voulait pas croire à la guerre[30]. Cependant le contexte indique une surprise moins grande que celle que nous avions pu relever dans d'autres départements.

Ainsi dans des régions de caractère différent, avec une documentation d'inégal volume et un échantillonnage qui ne répond à aucun choix particulier, on arrive à ce résultat que la proportion de communes charentaises, bretonnes, gardoises, dauphinoises, savoyardes où il est clairement indiqué combien les esprits étaient mal préparés au conflit est assez semblable : Charente, 18 % ; Côtes-du-Nord, 12 % ; Gard, 16 % ; Isère, 18 % ; Hautes-Alpes, 20 % ; Haute-Savoie, 19 %.

Il y a là une concordance qu'il est difficile de mettre au compte du hasard : elle reflète, à notre sens, l'existence d'une fraction de la population si éloignée de l'idée d'une guerre que les observateurs n'ont pas manqué d'en être frappés au point de le noter. Combien il est regrettable que nous ne puissions vérifier cette conclusion pour l'ensemble de la France ! Les quelques documents que nous possédons pour le reste du pays sont trop disséminés pour le permettre : les cinq notes d'instituteurs du département du Puy-de-Dôme[31] ne font pas état d'une surprise particulière, contrairement à celles de Thenissey, en Côte-d'Or[32], de Sablet, dans le Vaucluse[33] ou de Saint-Père, dans l'Ille-et-Vilaine[34]. Le maire de

---

27. Le Château d'Ancelle (C. Petit-Dutaillis, art. cité, p. 50).

28. A.D. Haute-Savoie 1 T 218. Cf. également l'analyse de ce dossier faite par Yves Lequin, « 1914-1916. L'opinion publique en Haute-Savoie devant la guerre », *Revue savoisienne*, 1967, p. 1 à 18. Concluant sur ce point, Yves Lequin écrivait : « Sans relever, comme en Dauphiné, des cas d'ignorance totale des événements balkaniques (il est vrai que nous ne savons rien sur les zones véritablement montagnardes), il est certain que la surprise a été due en bonne partie au manque de nouvelles des campagnes ; le décalage éclate entre l'opinion des villes et ces profondeurs des campagnes haut-savoyardes restées largement à l'écart des moyens modernes d'information » (p. 7).

29. A.D. Haute-Savoie, 1 T 218. « La mobilisation a surpris la population occupée aux travaux de la moisson, ne se doutant pas dans son ensemble de la gravité de la situation... ». Commune de Scientrier.

30. A.D. Haute-Savoie, 1 T 218. « Jusque-là (le moment de la mobilisation) peu de personnes avaient cru à la guerre... ». Commune de Chens.

31. A.D. Puy-de-Dôme, O 1342.

32. A.D. Côte-d'Or.

33. A.D. Vaucluse, J 13.

34. A.D. Ille-et-Vilaine, 1 F 1768, Saint-Père ; Dossier d'un instituteur : « ...Les incrédules sont obligés de croire à la triste nouvelle. Un moment de stupeur se produit... »

Fieux, dans le Lot-et-Garonne, souligne aussi « les premiers moments de stupeur »[35].

Cette première étude sur la période de la mobilisation fait ressortir qu'une fraction non négligeable de la population a été surprise par la guerre[36], au moins en ce sens qu'elle ne pouvait croire à sa possibilité[37]. Nous croyons ne pas solliciter les textes en considérant que ce sentiment — même s'il n'a été indiqué clairement que pour une minorité de documents —, était bien le fait d'une partie notable de l'opinion, car l'idée inverse que la guerre était normale, prévue, ne s'exprime pas ou peu[38]. Qu'à la réflexion, dans les heures ou les jours suivants, on se soit souvent convaincu que la guerre était inévitable de longue date est également vrai, mais l'impression qui se dégage, au moment précis où nous nous sommes placé, est celle d'un pays qui n'était pas moralement préparé au conflit, ou tout au moins qui était loin de l'être dans ses profondeurs.

N'est-ce pas cependant plus vrai des campagnes que des villes ? Nous n'en sommes pas persuadé parce que, dans des agglomérations déjà importantes, les sentiments ne semblent pas avoir été différents. D'ailleurs, même à Paris, un témoin constata que lorsque l'affiche de mobilisation fut posée, « il y (eut) un peu de stupeur »[39]. En fait, si dans les villes la surprise semble avoir été moindre, elle fut surtout davantage diluée dans le temps : la lecture des journaux permit de prendre graduellement conscience de la gravité de la crise au lieu d'être frappé de plein fouet par l'annonce de la mobilisation. Si, comme le dit un instituteur d'Angoulême[40], « ...la mobilisation ne fut pas un fait inattendu, c'est parce que les journées de tension que nous avions vécues nous y avaient préparés... »[41].

---

35. F. Berrette, maire de Fieux, *Une commune rurale du Lot-et-Garonne pendant une année de guerre*, 1915, 46 p., p. 17.

36. On peut joindre ce témoignage, très postérieur, d'André Thérive, (*Écrits de Paris*, juillet-août 1967, p. 108). L'auteur était, en juillet 1914, soldat et en garnison à Verdun. Il affirme : « La mobilisation arrive pour mes pareils comme la foudre ».

37. « Le tocsin de la mobilisation générale demeurera dans toutes les mémoires. l'événement, prévu depuis quelques jours, frappe cependant les oreilles surprises qui ne peuvent croire ce qu'elles entendent ». (Jean-Robert Lefèvre, *Compiègne pendant la guerre (1914-1918)*, Compiègne, 1926, 223 p., p. 4).

38. Même à Ajaccio où la mobilisation fut bien accueillie, il y eut « d'abord des minutes de stupeur » (cf. Louis Lumet, *La défense nationale*, Paris, 1915, XXI - 342 p.

39. Antoine Delecraz, *Paris pendant la mobilisation*, Genève, 1914, 334 p. (p. 16).

40. A.D. Charente, J 76, M. Vigneron.

41. Le récit que publia en 1917 l'historien Arthur-Lévy, *1914, août, septembre, octobre à Paris*, Paris, Plon, 293 p., illustre cette remarque : « 15-17 juillet ». « Une agitation politique du côté des Balkans n'était pas une chose assez rare pour nous émouvoir... » (p. 1). « 31 juillet ». « Mon optimisme commence à fléchir fortement » (p. 14) ... « On ne parle que de la mobilisation imminente. Le faible reste de mon optimisme est employé, sans trop de conviction, je l'accorde, à modérer les alarmes qui m'environnent » (p. 18). « 1er août ». (A cinq heures du matin, par un coup de téléphone, l'auteur est averti par un de ses amis officier de réserve qu'il doit rejoindre sans délai). « Fin de mon optimisme ! Tout espoir est perdu. Et pourtant, mon obstination insinue encore que, peut-être, ce n'est qu'une mesure de précaution ». (p. 23).

Une idée s'impose. Ce n'est pas la situation antérieure qui avait préparé les esprits à un conflit, mais ce sont seulement les quelques jours que dura la crise. Entre ceux qui furent surpris et ceux qui ne le furent pas, il n'y eut que le décalage de quelques journées. La masse de la population française n'a pas connu préalablement une longue période de veillée d'armes.

*Chapitre 3*

# L'accueil

Les histoires de la guerre ne font pas en général la distinction entre l'annonce de la mobilisation et le départ des mobilisés. Séparer l'un et l'autre n'est pourtant pas manifester un excès de subtilité, mais au contraire restituer aux événements une réalité qui a été souvent obscurcie par l'amalgame de ces deux temps bien différents, même s'ils n'ont été éloignés que de quelques heures.

## ...d'après les préfets

Les rapports des préfets de vingt-six départements[1] font état de l'accueil que les populations firent à la mobilisation ; deux préoccupations y apparaissent : l'ordre et l'esprit public.

Un premier tableau (fig. 18) montre sans ambiguïté que l'annonce de la mobilisation ne provoqua aucun désordre : c'est avec ensemble que les préfets signalèrent le calme de leurs administrés, « calme parfait »[2], « digne d'éloge »[3], « le plus grand calme »[4], etc.

Le second tableau que nous avons dressé (fig. 19) est d'interprétation plus délicate. Pour décrire l'état d'esprit des populations de leur département, les préfets utilisent souvent conjointement plusieurs expressions dont le sens reflète des sentiments différents. Ainsi dans son rapport du

---

1. Allier, Ardèche, Aude, Aveyron, Basses-Alpes, Corse, Côte-d'Or, Gard, Lot, Lot-et-Garonne, Maine-et-Loire, Nord, Oise, Pas-de-Calais, Basses-Pyrénées, Hautes-Pyrénées, Rhône, Saône-et-Loire, Haute-Savoie, Deux-Sèvres, Seine-Inférieure, Tarn, Var, Vendée, Vosges, Yonne.

2. A.N. F 7 12939, Deux-Sèvres, 2 août 1914 ; A.D. Nord R 29 6, 1er août.

3. A.N. F 7 12937, Basses-Alpes, 2 août.

4. A.N. F 7 12938, Lot-et-Garonne, 2 août ; Rhône, 2 août ; Oise, 2 août.

**Fig. 18. L'accueil fait à l'ordre de mobilisation d'après les rapports des préfets : le calme**

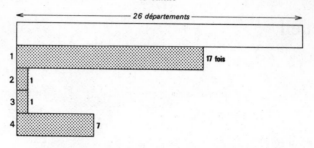

Les chiffres indiquent le nombre de fois qu'une expression est employée dans les rapports des préfets

Ordre de mobilisation accueilli : 1 - avec calme 2 - sans susciter d'agitation 3 - sans aucun incident 4 - pas d'indication

**Fig. 19. L'accueil fait à l'ordre de mobilisation d'après les rapports des préfets : l'état d'esprit des populations**

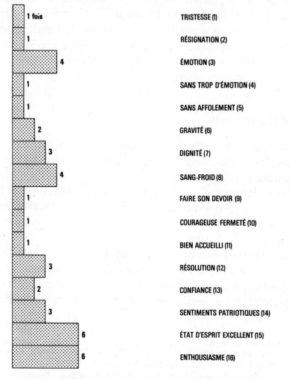

Les chiffres indiquent le nombre de fois qu'une expression est employée dans les rapports des préfets. (Plusieurs expressions ont été collationnées pour certains départements).

278

3 août [5], le préfet de l'Allier note « un sang-froid plein de dignité » et « un enthousiasme remarquable ». Sans qu'il y ait à proprement parler contradiction entre ces deux appréciations, il nous a cependant semblé que le sang-froid, surtout plein de dignité, et l'enthousiasme caractérisent deux attitudes d'une tonalité différente. L'emploi de plusieurs termes [6] est évidemment dû au souci de précision des préfets et aussi à la difficulté de cerner d'un seul trait l'état d'esprit d'un département. Dans ces conditions, le nombre de sentiments recensés excède celui des départements. De plus, comme on ne peut affirmer que ces vingt-six départements constituent un échantillon représentatif, les résultats obtenus ne doivent pas être étendus de façon systématique à l'ensemble de la France.

**Fig. 20. L'accueil fait à l'ordre de mobilisation d'après les rapports des préfets : répartition des expressions employées par catégorie**

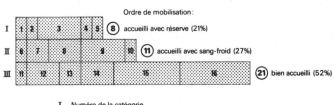

A l'intérieur de ces limites, le tableau fait apparaître un grand éventail de sentiments, allant de la tristesse [7] et de la résignation [8] à la claire manifestation de sentiments patriotiques [9] ou d'enthousiasme [10]. Il nous a semblé utile de les regrouper en trois catégories (fig. 20), suivant qu'ils

5. A.N. F 7 12937.

6. Il est aussi à considérer que, d'un préfet à un autre, la même notation peut avoir un sens légèrement différent.

7. A.N. F 7 12939, Deux-Sèvres, 2 août : « ...Il existe un sentiment général de tristesse... »

8. A.N. F 7 12937, Basses-Alpes, 2 août.

9. A.N. F 7 12939, Haute-Savoie, 2 août. « La population ... témoigne un réel sentiment patriotique ».
A.N. F 7 12938, Lot, 2 août.
A.N. 96 A.P., Documents conservés par le préfet du Nord. Rapport du 2 août : « ...Témoignage d'un véritable patriotisme ».

10. A.N. F 7 12937, Allier, 3 août : « ...Enthousiasme remarquable ».
A.N. F 7 12937, Aveyron, 2 août.
A.N. F 7 12938, Hautes-Pyrénées, 2 août. « La nouvelle de la mobilisation a été accueillie dans les casernes et dans la population avec un grand enthousiasme ».
A.N. F 7 12938, Basses-Pyrénées, 2 août : « Le plus vif enthousiasme ».
A.N. F 7 12937, Aude, 2 août.
A.N. F 7 12934, Ajaccio, 1er août : « Les populations de la Corse ont accueilli la mobilisation par des manifestations enthousiastes que les sous-préfets et les maires des divers points de l'île m'ont fait connaître ».

traduisent, envers l'ordre de mobilisation, une certaine réserve, un sang-froid raisonné ou un accueil favorable [11]. Cette troisième catégorie rassemble plus de la moitié des sentiments recensés et se trouve représentée dans les rapports préfectoraux de 18 des 25 départements. Elle devient, en revanche, minoritaire, si on met à part « l'état d'esprit excellent », notion dont nous avons vu (note 11 ci-dessous) qu'il fallait l'interpréter avec prudence. De plus, dans neuf départements seulement ont été relevées des expressions appartenant uniquement à la troisième catégorie (fig. 21).

Ainsi, en nous référant à cette première série de documents, nous sommes amené à constater que la mobilisation ne fut pas mal accueillie, mais qu'elle ne suscita pas cet élan d'enthousiasme si souvent décrit. Les sentiments favorables l'emportèrent sur ceux qui ne l'étaient pas, mais il est remarquable que, sur les trente-huit manifestations de sentiments recensées, « l'enthousiasme » apparaît seulement six fois, dont une fois de manière conditionnelle [12].

L'étude de la localisation géographique (fig. 21 et 22) permet quelques réflexions : l'accueil fait à l'ordre de mobilisation semble avoir été plus favorable au Sud de la Loire ; avec sept sur neuf des départements que nous avons pu ranger dans la troisième catégorie, la proportion y est supérieure à celle de l'ensemble du groupe-témoin (16 sur 25). C'est aussi au Sud de la Loire, cependant, que se situent les deux départements où se manifestèrent les sentiments les plus réservés. L'impression est encore renforcée si nous considérons le Sud-Ouest : partout des manifestations d'accueil favorable, on y relève quatre sur six des départements où les préfets signalent de « l'enthousiasme ». Faut-il mettre l'ardeur des Hautes et Basses-Pyrénées au compte de leur éloignement des futurs théâtres d'opérations, penser que la guerre était une entité plus abstraite pour ces régions qui n'avaient pas eu à souffrir de l'invasion de 1870-1871 [13] ?

Doit-on opposer villes et campagnes ? Il est difficile de l'apprécier ici. Les départements où l'accueil fait à la mobilisation fut le plus

---

11. Nous ne nous dissimulons pas la part d'arbitraire dans cette répartition. Ainsi, on pourrait nous reprocher d'avoir placé « l'émotion » dans la première catégorie, en considérant que c'est un sentiment normal en ce genre de circonstances, et partant, sans signification particulière. Il nous a semblé cependant qu'il témoignait d'un certain manque d'ardeur à accepter la mobilisation.

Ainsi également, nous avons placé dans la troisième catégorie (accueil favorable) « l'état d'esprit excellent ». En fait, il semble bien que les préfets ont employé cette expression dans des sens assez différents. Pour les uns, elle signifie un accueil particulièrement favorable de l'ordre de mobilisation ; pour les autres, elle traduit seulement un esprit civique sans défaillance, donc relevant plutôt de la deuxième catégorie. Mais il est bien difficile de faire le départ entre l'un et l'autre emploi. On peut par exemple noter qu'à Nîmes où, d'après le préfet, « l'état d'esprit était excellent » (A.N. F 7 12934, 1er août), Le Populaire du Midi (3 août) — journal socialiste, il est vrai — rapporte qu'« on ne rencontrait sur les boulevards et dans les rues que figures attristées et visages de femmes en pleurs... ».

12. A.N. F 7 12937, Aveyron, 2 août : « Tous sont résolus à faire leur devoir avec enthousiasme, si l'honneur de la France exige que la guerre soit déclarée ».

13. Nous avons d'ailleurs déjà remarqué que le mouvement d'opposition à la guerre eut moins d'ampleur au Sud de la Loire (cf. p. 149-157).

280

**Fig. 21.  L'accueil fait à l'ordre de mobilisation d'après les rapports des préfets. Répartition des catégories d'expressions employées par départements**

Départements pour lesquels ont été relevés des...

| | | |
|---|---|---|
| Expressions uniquement de la Iʳᵉ catégorie (Accueil réservé) | Basses-Alpes<br>Deux-Sèvres<br>Oise<br>Pas-de-Calais | 4 |
| Expressions uniquement de la IIᵉ catégorie (Accueil avec sang-froid) | Maine-et-Loire<br>Var<br>Yonne | 3 |
| Expressions uniquement de la IIIᵉ catégorie (Accueil favorable) | Aude<br>Corse<br>Gard<br>Lot<br>Nord<br>Hautes-Pyrénées<br>Basses-Pyrénées<br>Haute-Savoie<br>Seine-Inférieure | 9 |
| Expressions appartenant à plusieurs catégories | Ardèche (I & III)<br>Allier (II & III)<br>Aveyron (I & III)<br>Côte-d'Or (I & III)<br>Lot-et-Garonne (II & III)<br>Rhône (II & III)<br>Saône-et-Loire (I, II & III)<br>Tarn (II & III)<br>Vosges (I, II & III) | 9 |

Le 26ᵉ département est la Vendée : pas d'indication concernant l'état dans le rapport du préfet.

réservé, Basses-Alpes et Deux-Sèvres, sont à large prédominance rurale, mais guère plus que les Hautes ou les Basses-Pyrénées aux sentiments contraires [14]. Notons seulement la remarque du préfet de Seine-Inférieure : « L'état d'esprit, notamment des grandes villes, est excellent » [15] ; elle peut être interprétée de deux façons, ou bien qu'il est mieux à même d'apprécier l'opinion des villes, ou bien qu'il est moins assuré de l'excellence de l'état d'esprit rural. Mais, comme nous l'avons

---

14. D'après le recensement de 1911, la population rurale était en moyenne de 55,8 % pour la France. Basses-Alpes : 80,2 % ; Basses-Pyrénées : 69 % ; Deux-Sèvres : 84,6 % ; Hautes-Pyrénées : 75 %.

15. A.N. F 7 12939, 2 août.

**Fig. 22. L'accueil de la mobilisation d'après les rapports des préfets : croquis**

Ordre de mobilisation accueilli avec :

| | | | |
|---|---|---|---|
| ▨ tristesse-résignation | | ○ bien accueilli |
| ▨ réserve | | ◍ état d'esprit excellent |
| ☐ sang-froid | | ● enthousiasme |

N.-B. : Seuls sont représentés les départements pour lesquels nous disposons de renseignements

déjà souligné, les préfets reflètent plutôt l'opinion urbaine et certains signalent que leurs rapports concernent surtout telle ou telle ville [16].

Plus nombreuses sont les allusions à l'attitude des masses ouvrières ou des socialistes : elles ont, en général, pour but de montrer que leur « état d'esprit » est « bon ». Le préfet du Tarn le souligne pour la ville de Carmaux où les sentiments patriotiques de la population n'ont pas été entamés par l'assassinat de J. Jaurès [17], son député ; celui de l'Aveyron pour le Bassin houillier [18] ; celui de l'Aude pour Narbonne, « ville qui comprend le plus de socialistes révolutionnaires et de syndicalistes » [19]. Le préfet du Nord se félicite de ce que « le Parti socialiste — notamment — se (fasse) remarquer par son excellente tenue » [20]. Son de cloche différent seulement dans l'Aube où le préfet souhaite la formation de compagnies de gardes civils à Troyes, « ville essentiellement ouvrière », « où la situation très misérable de nombreuses femmes et une population turbulente de jeunes gens ne laissent pas d'être assez inquiétantes » [21]. Le préfet ne dit d'ailleurs pas que son pessimisme est provoqué par d'autres motifs que la situation antérieure à la mobilisation, mais il ne semble pas compter sur un élan patriotique des ouvriers troyens.

Peut-on, d'une façon plus générale, établir un lien entre l'accueil fait à la mobilisation et l'orientation politique manifestée lors des élections de 1914 ?

Dans les quatre départements de notre première catégorie (sentiments réservés) (cf. fig. 21), seul le Pas-de-Calais a une représentation que François Goguel classe en majorité à droite [22], et encore cette appréciation est discutable puisque sur ses 13 députés, 6 étaient socialistes, 1 radical, 1 appartenait à la Fédération des Gauches que l'on pourrait plutôt placer au centre. Nous ne pouvons pourtant pas en conclure que les départements orientés à gauche ont été plus réservés que les autres envers la mobilisation. En effet, parmi les neufs départements de notre troisième catégorie (sentiments favorables), quatre ont une représentation totalement de « gauche », dont deux avec des pourcentages élevés

---

16. Ainsi Cahors, pour le préfet du Lot (A.N. F 7 12938, 2 août matin), Narbonne pour celui de l'Aude (A.N. F 7 12937, 2 août)...

17. A.N. F 7 12939, Tarn, 4 août : « ...A Carmaux, dès la réception du télégramme annonçant la mobilisation, dix tambours et clairons ont parcouru la ville au milieu d'un silence impressionnant. Ce fait, au lendemain de la mort de M. Jaurès, est caractéristique des sentiments patriotiques de la population dont il était le représentant ». Toutefois on peut noter que cette appréciation du préfet n'est pas corroborée par le correspondant de *La France de Bordeaux et du Sud-Ouest* (cf. p. 307).

18. A.N. F 7 12937, Aveyron, 2 août.

19. *Ibid.*, Aude, 2 août.

20. A.N. 96 A.P. 2, rapport du préfet du 2 août.

21. A.N. F 7 12937, 2 août.

22. F. Goguel, *Géographie des élections françaises de 1870 à 1951*, Paris, Presses de la Fondation nationale des sciences politiques, 1951, p. 41 et p. 65.

d'électeurs socialistes[23], et deux ont une représentation à majorité de gauche.

Si nous considérons maintenant les départements où nous ont été signalés à la fois des sentiments de plusieurs catégories, mais toujours associés à ceux de la troisième, six votent à gauche contre deux à droite et un au centre. Enfin, dans les six départements où les préfets ont employé le terme « enthousiasme », on relève l'Allier, le deuxième de France pour la proportion d'électeurs socialistes, l'Aude qui n'a aucun représentant de droite, les Basses-Pyrénées qui en ont un seul, la Corse qui en a deux à gauche, un au centre et deux à droite. En revanche, les Hautes-Pyrénées et l'Aveyron ont une représentation à majorité de droite. Même en tenant compte de ce que seulement sept ou huit de ces vingt-cinq départements ont désigné aux élections de 1914 une majorité de députés classés à droite, il ne semble pas possible de déterminer une tendance. Peut-être cette étude étendue à l'ensemble de la France permettrait-elle de le faire, mais, à la suite de cette analyse des rapports préfectoraux, nous ne pouvons pas conclure que l'accueil fait à la mobilisation a été la traduction d'attitudes politiques antérieures, tout au moins au niveau du département.

## ...d'après les notes communales établies par les instituteurs

Les rapports des préfets nous ont permis de tenter une première approche de l'état d'esprit des populations au reçu de la nouvelle de la mobilisation générale. Mais il faut approfondir cette analyse en atteignant une opinion plus différenciée que celle — résumée en quelques mots — d'un département. Cela doit nous permettre également de corriger des affirmations qui pourraient être dues, le cas échéant, à l'optimisme « de commande » des préfets. Les notes communales dont nous disposons confirment d'abord l'attitude des populations telle qu'elle est décrite dans les rapports préfectoraux. Il n'est signalé nulle part que l'arrivée de l'ordre de mobilisation a provoqué des troubles. On ne s'est d'ailleurs guère arrêté sur cette notion de maintien de l'ordre qui, en quelque sorte, ne semble pas avoir fait question. Nous avons cependant établi pour le département de la Charente un tableau (fig. 23) qui le manifeste. L'attitude dominante et presque générale a été le calme : sur 60 indications relevées, « une certaine agitation » apparaît seulement six fois, et encore, cette agitation ne mit pas en cause l'ordre public.

Nous nous sommes donc principalement préoccupé de relever les expressions qui témoignent des sentiments de la population au moment

---

23. 22 % de voix socialistes dans l'Aude et le Gard.

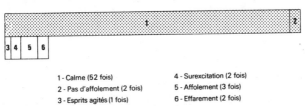

**Fig. 23. L'annonce de la mobilisation : l'attitude de la population en Charente**

1 - Calme (52 fois)
2 - Pas d'affolement (2 fois)
3 - Esprits agités (1 fois)
4 - Surexcitation (2 fois)
5 - Affolement (3 fois)
6 - Effarement (2 fois)

D'après les expressions relevées dans les fiches établies par les instituteurs de 316 communes.

précis où l'ordre de mobilisation fut connu [24]. Comme précédemment, nous les avons réparties en trois catégories et nous avons établi les tableaux correspondants pour les départements de la Charente (fig. 24), des Côtes-du-Nord (fig. 25), du Gard (fig. 26), des Hautes-Alpes (fig. 27), de l'Isère (fig. 28) et de la Haute-Savoie (fig. 29). Mais il n'est pas toujours fait de distinction dans les notes entre l'arrivée de l'ordre de mobilisation et le moment du départ des mobilisés. Bien souvent, seules les conditions de la mobilisation sont décrites, sans allusion aux sentiments qui ont agité les mobilisés et leurs familles au moment où ils en apprirent la nouvelle. Nous n'avons donc disposé, pour construire ces tableaux, que d'un nombre de données inférieur à celui des notes. En revanche, dans un même témoignage, plusieurs expressions pouvaient être significatives, d'autant plus que pour une même commune, par souci de nuances, l'instituteur a rapporté des sentiments contradictoires, mais qui furent les différentes facettes d'une opinion confrontée à un si grave événement [25]. Il n'y avait aucune raison de privilégier les uns par rapport aux autres, mais par suite, les dénombrements dont nous faisons état représentent un nombre de sentiments et non un nombre de communes.

Les tableaux récapitulatifs (fig. 30) nous permettent d'abord de remarquer que, dans les six départements représentés, les sentiments qui nous ont semblé « réservés » envers la mobilisation sont plus nombreux que les autres ; dans quatre départements, le nombre de sentiments qui témoignent seulement d'un accueil « avec sang-froid » sont en seconde position, tandis que les sentiments les plus favorables à la mobilisation sont les moins nombreux également dans quatre départements.

---

24. Tous les tableaux sont établis à partir d'expressions réellement relevées dans les notes d'instituteurs. Cela signifie que dans telle ou telle commune, on pourrait déduire du contexte des sentiments d'enthousiasme, de tristesse ou autres..., mais si le terme lui-même ne se trouve pas employé, il n'en a pas été fait état dans nos tableaux. En procédant autrement, nous aurions exagéré la part de l'interprétation (déjà en fait assez importante) par rapport à l'enregistrement objectif de ce qui est écrit.

25. Dans la note rédigée par des institutrices de Chateaubernard (A.D. Charente, J 80) : « C'est avec beaucoup de calme et de sang-froid que la mobilisation a été accueillie dans notre commune. Quand la cloche de notre petite église a jeté parmi nous son cri d'alarme, la même angoisse a étreint tous les cœurs. Tous ont compris que cette cloche était la voix de la France ... ; et dans un bel élan de patriotisme, tous répondirent : ″ présent ″ », on peut ainsi relever des expressions appartenant aux trois catégories : l'angoisse, le sang-froid, l'élan de patriotisme.

285

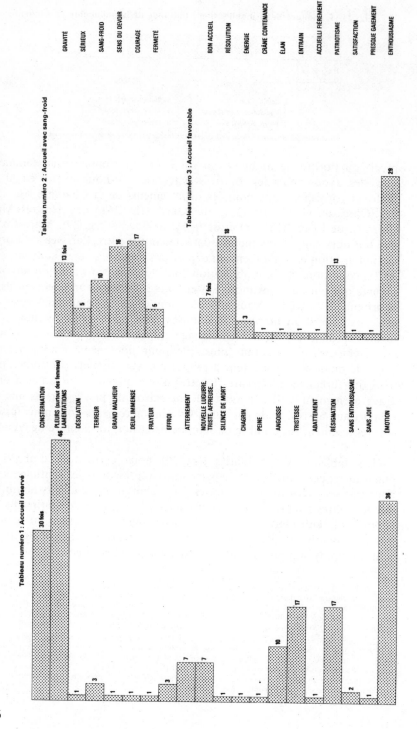

Fig. 24. L'annonce de la mobilisation : les sentiments de la population en Charente

**Fig. 25. L'annonce de la mobilisation :**
**les sentiments de la population dans les Côtes-du-Nord**

Tableau numéro 1 : Accueil réservé

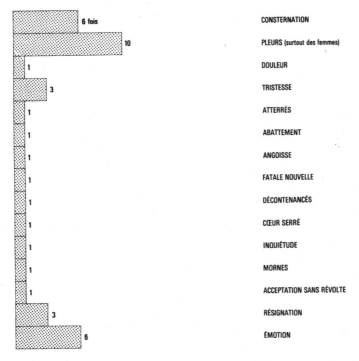

| | |
|---|---|
| 6 fois | CONSTERNATION |
| 10 | PLEURS (surtout des femmes) |
| 1 | DOULEUR |
| 3 | TRISTESSE |
| 1 | ATTERRÉS |
| 1 | ABATTEMENT |
| 1 | ANGOISSE |
| 1 | FATALE NOUVELLE |
| 1 | DÉCONTENANCÉS |
| 1 | CŒUR SERRÉ |
| 1 | INQUIÉTUDE |
| 1 | MORNES |
| 1 | ACCEPTATION SANS RÉVOLTE |
| 3 | RÉSIGNATION |
| 6 | ÉMOTION |

Tableau numéro 2 : Accueil avec sang-froid

| | |
|---|---|
| 1 fois | SANG-FROID |
| 2 | SENS DU DEVOIR |
| 1 | NÉCESSITÉ D'EN FINIR |
| 2 | FERMETÉ |

Tableau numéro 3 : Accueil favorable

| | |
|---|---|
| 2 fois | RÉSOLUTION |
| 1 | CONFIANCE |
| 1 | PATRIOTISME |
| 1 | SOURIANTS |
| 1 | MANIFESTATIONS D'ENTHOUSIASME |
| 3 | ENTHOUSIASME |

## Fig. 26. L'annonce de la mobilisation : les sentiments de la population dans le Gard

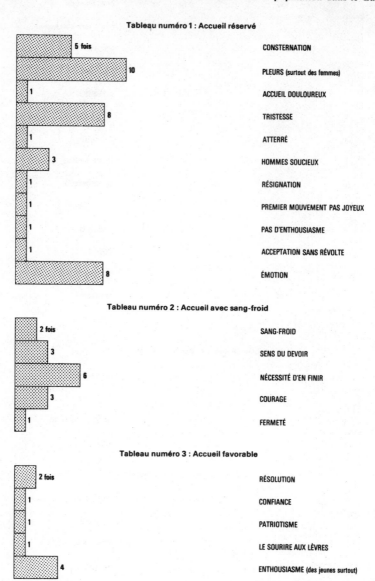

**Tableau numéro 1 : Accueil réservé**

| | |
|---|---|
| 5 fois | CONSTERNATION |
| 10 | PLEURS (surtout des femmes) |
| 1 | ACCUEIL DOULOUREUX |
| 8 | TRISTESSE |
| 1 | ATTERRÉ |
| 3 | HOMMES SOUCIEUX |
| 1 | RÉSIGNATION |
| 1 | PREMIER MOUVEMENT PAS JOYEUX |
| 1 | PAS D'ENTHOUSIASME |
| 1 | ACCEPTATION SANS RÉVOLTE |
| 8 | ÉMOTION |

**Tableau numéro 2 : Accueil avec sang-froid**

| | |
|---|---|
| 2 fois | SANG-FROID |
| 3 | SENS DU DEVOIR |
| 6 | NÉCESSITÉ D'EN FINIR |
| 3 | COURAGE |
| 1 | FERMETÉ |

**Tableau numéro 3 : Accueil favorable**

| | |
|---|---|
| 2 fois | RÉSOLUTION |
| 1 | CONFIANCE |
| 1 | PATRIOTISME |
| 1 | LE SOURIRE AUX LÈVRES |
| 4 | ENTHOUSIASME (des jeunes surtout) |

288

## Fig. 27. L'annonce de la mobilisation :
## les sentiments de la population dans les Hautes-Alpes

### Tableau numéro 1 : Accueil réservé

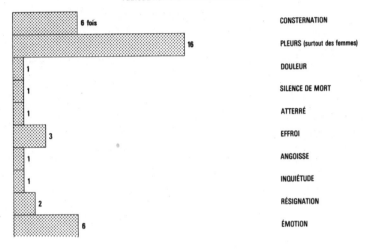

| | |
|---|---|
| 6 fois | CONSTERNATION |
| 16 | PLEURS (surtout des femmes) |
| 1 | DOULEUR |
| 1 | SILENCE DE MORT |
| 1 | ATTERRÉ |
| 3 | EFFROI |
| 1 | ANGOISSE |
| 1 | INQUIÉTUDE |
| 2 | RÉSIGNATION |
| 6 | ÉMOTION |

### Tableau numéro 2 : Accueil avec sang-froid

| | |
|---|---|
| 2 | SANG-FROID |
| 2 | COURAGE |
| 5 | SENS DU DEVOIR |
| 1 | NÉCESSITÉ D'EN FINIR |

### Tableau numéro 3 : Accueil favorable

| | |
|---|---|
| 3 | RÉSOLUTION |
| 1 | DÉCIDÉ |
| 2 | CHANTS PATRIOTIQUES |
| 1 | FIERTÉ DE PARTIR |

289

**Fig. 28. L'annonce de la mobilisation : les sentiments de la population dans l'Isère**

Tableau numéro 1 : Accueil réservé

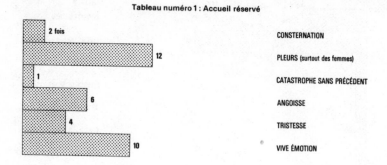

Tableau numéro 2 : Accueil avec sang-froid

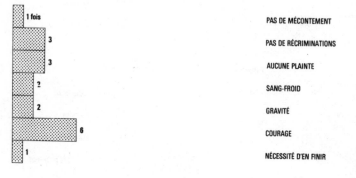

Tableau numéro 3 : Accueil favorable

**Fig. 29. L'annonce de la mobilisation : les sentiments de la population en Haute-Savoie**

Tableau numéro 1 : Accueil réservé

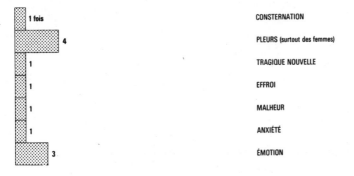

| | |
|---|---|
| 1 fois | CONSTERNATION |
| 4 | PLEURS (surtout des femmes) |
| 1 | TRAGIQUE NOUVELLE |
| 1 | EFFROI |
| 1 | MALHEUR |
| 1 | ANXIÉTÉ |
| 3 | ÉMOTION |

Tableau numéro 2 : Accueil avec sang-froid

| | |
|---|---|
| 1 fois | SANS MURMURES, NI PROTESTATIONS |
| 1 | SANS FAIBLESSE |
| 1 | COURAGE |
| 2 | DEVOIR |
| 3 | NÉCESSITÉ D'EN FINIR |

Tableau numéro 3 : Accueil favorable

| | |
|---|---|
| 1 fois | RÉSOLUTION |
| 2 | CONFIANCE |

**Fig. 30.** Schémas récapitulatifs des sentiments de la population dans les six départments
à l'annonce de la mobilisation

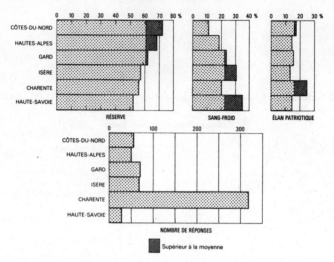

Les sentiments de la première catégorie représentent 52 à 72 % du total, ceux de la seconde 11 à 34 %, et ceux de la troisième 14 à 29 %, soit en moyenne 61, 23 et 16 %. On peut donc en conclure que l'annonce de la mobilisation a été reçue sans chaleur dans ces départements.

Si cependant la tendance est la même dans les six départements, dans le détail apparaissent de sensibles différences [26].

La variété des expressions utilisées a été plus ou moins grande suivant les départements et suivant les catégories de sentiments.

Elle fut la plus grande dans la première catégorie ; cependant, nous n'en avons rencontré certaines qu'un très petit nombre de fois. En revanche, une série d'expressions figurent dans les documents émanant des six départements, comme la *consternation*, les *pleurs des femmes*, *l'émotion* ; elles peuvent servir de tests, de même que d'autres comme la *résignation* et la *tristesse* qui sont utilisées dans quatre départements sur six.

Parmi ces expressions, la *consternation* est le sentiment le plus fort : de la Charente au Gard, des Côtes-du-Nord à la Haute-Savoie, le terme revient sous la plume de nos auteurs. « C'est au son des cloches et du tambour que cette triste nouvelle fut connue du public. En moins d'une heure, tous les habitants de la commune étaient massés devant la porte

---

26. Il faut d'ailleurs tenir compte, dans ces comparaisons, que nous n'avons pas disposé de la même quantité de documents pour les six départements, ni en chiffres absolus, ni en proportions par rapport au total des communes. Pour la Charente, nous pouvons considérer que nous approchons de très près la réalité. Pour les autres départements, la marge d'approximation est sûrement plus grande.

292

de la mairie. Quelle consternation !... », écrit l'instituteur de Benest en Charente[27] ; celui de Langueux, proche de Saint-Brieuc, souligne : « A 19 heures, le tocsin annonce la mobilisation. Tout le monde est consterné... »[28], pendant qu'à La Condamine, près de Beaucaire, « l'affiche (de la mobilisation) et sa publication à son de trompe, qui a lieu vers 6 heures du soir, jette la consternation dans le public... »[29]. Il faut cependant s'interroger sur la signification de l'expression. Elle marque en quelque sorte la limite extrême dans la manifestation de sentiments peu favorables à la mobilisation. Nulle part ne nous a été rapportée une volonté de s'opposer à la mobilisation. La nouvelle a provoqué la consternation, c'est-à-dire l'accablement, l'abattement, mais elle n'a pas suscité une attitude d'opposition propre à engendrer une action de refus. Il nous est apparu que la consternation a exprimé ici un profond pacifisme, l'horreur de la guerre, et non pas une attitude de nature idéologique. Au demeurant, ce ne fut le fait que d'une minorité. Même parmi les sentiments que nous avons classés dans la première catégorie, elle ne représente que 15 % en Charente, dans les Hautes-Alpes et dans les Côtes-du-Nord, 12 % dans le Gard, 8 % en Haute-Savoie, 5 % dans l'Isère. Il ne faut donc pas en exagérer l'importance, ni d'ailleurs la sous-estimer. Il nous est apparu qu'en négligeant habituellement de faire état de ce qu'une proportion non négligeable de la population française fut consternée au reçu de l'ordre de mobilisation, on a largement dénaturé le tableau réel de l'opinion publique française à ce moment-là.

La deuxième expression-test, les *pleurs*, en général ceux des femmes, occupent une place plus importante que la *consternation* : 24 % en Charente, 25 % dans les Côtes-du-Nord et le Gard, pour atteindre 33 % en Haute-Savoie, 34 % dans l'Isère et 42 % dans les Hautes-Alpes. Place importante donc, mais dont on pourrait contester le caractère significatif. N'est-il pas normal que des épouses ou des mères pleurent alors que maris et fils vont partir à la guerre ? Mais si tant d'instituteurs éprouvent le besoin de le noter, ne serait-ce pas qu'ils y ont vu autre chose que la manifestation de la simple sensibilité féminine ? Et d'ailleurs si seules les femmes pleurent et se lamentent en public, c'est, semble-t-il, le respect humain qui empêche les hommes de les imiter : « Les femmes moins fortes pour refouler leurs larmes », note un instituteur[30], tandis qu'un autre rassemble dans la même phrase : « Les hommes ne disaient mot ; les femmes et les enfants pleuraient »[31]. Il n'est pas possible de considérer ces pleurs comme seulemen dus aux prochaines séparations,

27. A.D. Charente, J 78.
28. A.D. Côtes-du-Nord, série R.
29. A.D. Gard, 8ᵉ R I.
30. A.D. Gard, 8ᵉ R I, commune de Ribaute.
31. Petit-Dutaillis, art. cité, p. 42, commune de Sigottier (Hautes-Alpes).

surtout au moment où ils se produisent. Ils sont une indication de cette profonde tristesse que la mobilisation provoque dans un grand nombre de cas [32].

L'expression *tristesse* figure d'ailleurs 17 fois dans les notes charentaises, on la trouve également dans celles des Côtes-du-Nord, du Gard, de l'Isère. Elle est employée en général dans un sens très fort : « Une grande tristesse se lit sur les visages » [33] ; « Le tambour bat la générale dans les rues du bourg. C'est bien la mobilisation que l'on affiche aussitôt à tous les coins de rue. Les gens sortent sur le seuil des portes ; ils ont des larmes aux yeux. On s'approche des affiches ; quelqu'un lit tout haut, on écoute, on questionne en proie à une tristesse indicible... » [34]. « Tristesse générale... » [35]. La tristesse apparaît comme un sentiment fortement ressenti, comme le sentiment d'une population et non celui de quelques-uns.

L'analyse que nous avons faite de l'expression *consternation* explique que la *résignation* aille souvent dè pair avec elle : elle est mentionnée 17 fois également en Charente, quelquefois dans les Côtes-du-Nord, les Hautes-Alpes et le Gard.

« Elle (la mobilisation) a été accueillie avec résignation » [36]. On se résigne à la guerre comme aux calamités naturelles, comme aux malheurs contre lesquels on ne peut rien. C'est un témoignage supplémentaire du manque d'enthousiasme si fréquemment manifesté.

*L'émotion* représente partout une proportion élevée des sentiments manifestés : 15 % dans les Côtes-du-Nord et les Hautes-Alpes parmi ceux de la catégorie « défavorable », 19 % en Charente, 20 % dans le Gard, 25 % en Haute-Savoie, 28 % dans l'Isère.

*L'émotion* est évidemment difficile à classer, comme nous l'avons déjà noté [37], mais le contexte nous aide à en saisir la signification.

« Une forte émotion apparaissait sur tous les visages ; néanmoins aucun trouble à signaler... » [38].

« Au premier moment il y eut certes de l'émoi, mais pas d'affolement ; du chagrin, mais ni cris, ni tumulte » [39].

---

32. On peut en rapprocher ce témoignage recueilli par Claude Mesliand (*Un village vauclusien sous la III^e République, Actes du 90^e congrès national des Sociétés savantes*, Nice, 1965, T. III, 1966) : « Je me souviens de la déclaration de guerre en 1914, tout le monde pleurait à la maison, mon père et deux oncles partirent... » (p. 384).

33. A.D. Charente, J 79, commune de Champniers.

34. A.D. Côtes-du-Nord, Série R. Pordic.

35. A.D. Gard, 8° R 1, Jonquières-Saint-Vincent.

36. A.D. Charente, J 81, commune de Deviat. Dans un autre village de Charente, Condéon, l'instituteur précise que ce sont ceux qui restent qui se montrent résignés, tandis que les mobilisables étaient enthousiastes.

37. Cf. ci-dessus p. 280, note 11.

38. A.D. Charente, J 77, Baignes-Sainte-Radegonde.

39. A.D. Charente, J 78, Brettes.

« La population émue et consternée par la précipitation d'événements aussi tragiques... » [40].

« L'ordre de mobilisation arrive à 5 heures du soir. Petits rassemblements devant les affiches ; émotion des anciens et des femmes ; visage grave des hommes » [41].

Les exemples pourraient être multipliés. L'émotion n'est pas ici une émotion joyeuse, patriotique. Elle prend à la gorge, elle s'apparente bien aux sentiments de tristesse, d'angoisse, de chagrin, de consternation que nous analysons en ce moment.

Ainsi, on ne peut douter que la fréquence et la variété des expressions qui manifestèrent le recul devant l'événement, la tristesse impuissante, la sombre résignation, ont reflété la réalité d'une large fraction de l'opinion publique au moment où fut apprise la nouvelle de la mobilisation.

« Voilà le glas de nos gars qui sonne... », murmura une vieille paysanne bretonne [42], lorsque résonna l'appel aux armes, lorsque retentit le lugubre tocsin. N'exprima-t-elle pas avec simplicité ce qu'ils furent tant et tant à ressentir ?

Quelle que soit l'importance des sentiments que nous venons d'étudier, ils ne furent cependant pas les seuls à se manifester. Nous avons rangé dans une seconde catégorie ceux qui ont reflété un accueil de la mobilisation « avec sang-froid », ce qu'on peut également définir comme un accueil moins impulsif, plus conscient, caractérisant en quelque sorte une attitude « moyenne ». Par leur nombre, ils se situent en seconde position en Haute-Savoie, Isère, Hautes-Alpes et Gard. L'éventail des expressions de cette deuxième catégorie est plus étroit que précédemment. Parmi elles, trois nous ont semblé les plus typiques : le « sang-froid », le « sens du devoir» et le « courage ». Ces diverses expressions sont très proches l'une de l'autre : elles ne doivent pas être confondues avec la « résignation », car elles s'écartent de la passivité que celle-ci suggère. Elles correspondent à l'attitude de populations qui n'ont ni cherché, ni voulu le conflit, mais qui, tout naturellement, admettent la nécessité d'accomplir leur devoir. Comme l'écrit l'instituteur de Foussignac : « ...Malgré tout, chacun songe à faire son devoir » [43]. Malgré tout ! Malgré l'anxiété que la mobilisation provoque.

Bien souvent le *sang-froid* est associé au calme, la sérénité du comportement étant en quelque sorte expliquée par celle des sentiments. Il marque l'acceptation raisonnée d'événements qu'on ne peut empêcher.

---

40. A.D. Haute-Savoie, 1 T 218, Chavannaz.
41. A.D. Isère, 13 R 54, Beaufort.
42. A.D. Côtes-du-Nord, Série R, Saint-Lormel.
43. A.D. Charente, J 82.

« Ils (les mobilisables) avaient tout leur sang-froid, ils réconfortaient leurs épouses et leurs mères » [44].

Quant à la troisième expression, elle corrobore les deux précédentes : on accueille *avec courage* une situation pénible, quitte même pour ceux qui nous le rapportent à s'en étonner quelquefois un peu : « On est frappé par la fermeté et le courage avec lesquels fut accueillie la nouvelle de la mobilisation ; pas de notes discordantes, pas de vaines criailleries... » [45]. Pourquoi cet étonnement, si ce n'est là encore que, contrairement à l'opinion répandue ultérieurement, on pouvait attendre plus d'abattement de la population qu'elle n'en manifesta ?

Nous avons rangé dans cette même catégorie une expression qui revient assez souvent : *la nécessité d'en finir*. Elle n'a pas partout le même sens : pour les uns, elle signifie que la prolongation de la crise était insupportable et qu'ils souhaitaient une solution, quelle qu'elle fût, pour d'autres, que la France perpétuellement menacée ne pouvait faire autrement que de combattre. Cette expression doit d'ailleurs plutôt être considérée comme celle d'une motivation que comme celle d'un sentiment. Si nous l'avons cependant consignée ici et rangée dans la deuxième catégorie plutôt que dans la troisième, c'est parce qu'elle contient l'explication d'une attitude largement répandue, amalgamant la compréhension de la nécessité de la mobilisation et un manque d'élan certain. L'instituteur de Beaucaire-La-Condamine l'exprime bien : « Le public convient qu'il faut en finir avec la menace allemande et paraît résigné aux nécessités du moment... ». [46].

« Consternée », « résignée », « courageuse », l'opinion publique a manifesté aussi des sentiments plus chaleureux. De la *résolution* à *l'enthousiasme* en passant par *l'élan patriotique,* la nouvelle de la mobilisation a également été saluée avec ardeur par une fraction de la population, mais dans des proportions plus modestes. Ces sentiments atteignent seulement 24 % en Charente où ils sont les mieux représentés, 13 % dans l'Isère où ils ont leur plus faible pourcentage.

Le terme *résolution* apparaît dans les six tableaux départementaux : il nous a semblé être une expression de transition qui ajoutait une nuance supplémentaire à la *fermeté*. La mobilisation accueillie avec résolution implique déjà beaucoup plus que le sang-froid et le courage. Ainsi à Plumaudan : « Le lendemain, dimanche, à l'issue des offices, l'annonce de l'ordre de mobilisation générale a été écoutée dans un silence impressionnant. Chacun ressentait la gravité de l'heure. Les hommes avaient

---

44. Petit-Dutaillis, art. cité, p. 19, commune de Saint-Chaffrey (Hautes-Alpes).

45. A.D. Gard, 8° R 1, Anduze.

46. Il faut convenir qu'à Aubais, dans le même département, la même formule présente une tonalité différente : « Nos réservistes et nos territoriaux avaient une seule pensée, un but unique : en finir avec un implacable ennemi dont la haine était pour nous une perpétuelle menace... », A.D. Gard, 8° R 1.

une attitude grave, mais ferme et résolue... [47]. Le terme de *patriotisme* apparaît seulement dans trois départements, mais dans deux autres nous avons relevé trois fois au total que la mobilisation fut accueillie par des chants patriotiques.

Il nous a paru surtout essentiel de nous attacher à la notion *d'enthousiasme*. Il faut d'abord remarquer que, lors de l'annonce de la mobilisation, l'expression n'apparaît ni dans l'Isère, ni en Haute-Savoie, ni dans les Hautes-Alpes ; elle est employée seulement quatre fois dans le Gard, tandis que celle de « consternation » l'est cinq fois, trois fois dans les Côtes-du-Nord contre six, 29 fois enfin en Charente contre 30. L'*enthousiasme* peut atteindre un pourcentage assez élevé parmi les expressions de la troisième catégorie, 44 % dans le Gard, 38 % en Charente, 33 % dans les Côtes-du-Nord, mais en revanche il fut fort peu éprouvé par rapport aux autres sentiments relevés : il en représente 5 % dans les Côtes-du-Nord, 6 % dans le Gard, 11 % en Charente. On pourrait encore ajouter qu'il est souvent nuancé : à Châtelaudren, seuls les hommes sont « enthousiastes et confiants », tandis que les femmes « pleurent silencieusement » [48] ; dans le Gard, trois fois sur quatre, seuls les jeunes sont enthousiastes [49] ; la manifestation de l'enthousiasme peut être légèrement décalée par rapport à l'annonce de la mobilisation, ainsi à Boisbreteau : « ...Quelques pessimistes ... voient tout en noir. Mais la masse se ressaisit subitement et à la stupeur du premier moment succède un calme extraordinaire, suivi bientôt d'un enthousiasme général... » [50] ; dans d'autres cas, cependant, l'enthousiasme fut franc et sans réserves : « La mobilisation a été accueillie avec enthousiasme », note l'instituteur de Douzat [51].

Ainsi, au reçu de la nouvelle de la mobilisation, l'enthousiasme n'a pas été absent, mais il a été rare. C'est là une conclusion qui ne surprendra pas le lecteur qui a bien voulu suivre notre analyse. Elle est contraire aux idées reçues, mais dans les six départements que nous avons pu étudier, parmi les sentiments divers qui ont agité les populations, l'ont emporté ceux qui étaient peu favorables à la mobilisation.

Ne risquons-nous pas cependant de nous rendre coupable de généralisation abusive en étendant ces conclusions à l'ensemble de la France ? Dans la mesure où la tendance des six départements est la même, où ils se trouvent répartis d'une façon assez variée et où leur choix a été commandé uniquement par les sources existantes, le hasard aurait été bien malicieux d'y faire apparaître une idée contraire au reste de la France.

---

47. A.D. Côtes-du-Nord, série R.

48. A.D. Côtes-du-Nord, série R.

49. « La jeunesse est enthousiaste ; les hommes mûrs soucieux, mais calmes ; épouses et mères plus émues... », Flaux, A.D. Gard, 8° R 1.

50. A.D. Charente, J 78.

51. *Ibid.*, J 81.

Il est cependant nécessaire d'interroger les documents de même nature que nous possédons pour d'autres départements. Nous n'avons pu considérer les témoignages émanant de 21 communes de la Drôme cités par C. Petit-Dutaillis [52] en même temps que ceux des six départements précédents, puisqu'il ne s'agit que d'extraits, ce qui risquait de leur enlever une partie de leur signification. Cependant, en établissant un classement semblable à ceux que nous avons déjà utilisés, nous obtenons des résultats assez comparables. Nous y avons relevé 18 expressions manifestant des sentiments « réservés » envers la mobilisation, 12, des sentiments marquant du « sang-froid », et 5, des sentiments favorables, soit 51 %, 34 % et 15 %. En poussant davantage l'analyse, nous remarquons également l'absence du terme *enthousiasme* tandis qu'apparaît une fois celui de *consternation* [53]. L'*émotion* fut très vive, « jusqu'aux larmes » [54], les *pleurs* fréquents. Dans la deuxième catégorie, l'expression négative de la fermeté, *aucune plainte, aucune récrimination, aucun mumure* ... est la mieux représentée ; dans la troisième, une seule expression vigoureuse, celle du *plus pur patriotisme* qui anima « tous les partis » de Bellegarde.

Trois seulement des cinq documents que nous offre le département du Puy-de-Dôme [55] font allusion à l'arrivée de l'ordre de mobilisation : l'un parle de « calme » [56], l'autre note qu'il « a été accueilli avec tristesse, mais avec calme » [57], tandis que le dernier, d'une tonalité différente, constate que « la population, calme et pleine de confiance, accueille les nouvelles de la guerre sans récriminations. Les hommes mobilisables s'interpellent amicalement » [58].

Dans un village du Cher [59], la nouvelle « excita la curiosité craintive, mais aucune parole d'énervement ou de colère ne sortit d'aucune bouche ... (Les) physionomies (furent) anxieuses et graves ... Le gendarme de service put constater le calme résigné populaire » [60] ; dans un autre, elle fut « accueillie gravement... » [61], dans un troisième enfin, elle provoqua « un grand émoi dans toutes les familles », mais on voulait « cependant encore espérer que la mobilisation ne serait pas la guerre » [62].

Dans l'unique document du département de l'Yonne, l'annonce de la

---

52. C. Petit-Dutaillis, art. cité, p. 19 à 28.

53. Montjoux : « Les habitants lisent (l'ordre de mobilisation) et sont consternés ».

54. Commune de Rochegude.

55. A.D. Puy-de-Dôme, R O 1342.

56. *Ibid.*, école de Chambois, commune de Mazayes.

57. *Ibid.*, Bellevue, commune de Thiers.

58. *Ibid.*, Saint-Bonnet-le-Bourg.

59. A.D. Cher, R 1516.

60. *Ibid.*, Ainay-le-Vieil.

61. *Ibid.*, La Chapelle-Saint-Ursin.

62. *Ibid.*, Chavannes.

mobilisation est présentée de cette façon : « Mais quels sont ces cris ? Une femme passe en courant et me jette ces mots :" Mon pauvre enfant ! Je ne le reverrai jamais !" » [63].

Quatre autres départements ne conservent aussi qu'un unique témoignage. *La Côte-d'Or :* « Les cloches ... annoncent la terrible nouvelle. Toute la population comprend la gravité de l'heure présente ; bien des larmes perlent, mais personne ne songe à se dérober » [64]. *La Charente-Inférieure :* « ...Pour le plus grand nombre de citoyens, ce fut l'acceptation résignée de l'inévitable ... Il y eut peu de manifestations de sentiments violents, aucun cri de colère... » [65]. *L'Ille-et-Vilaine :* « Les incrédules sont obligés de croire à la triste nouvelle. ... les hommes ... acceptent stoïquement la mesure qui les atteint en pleine moisson. Le front pâle, les yeux humides, les femmes parlent à voix basse ... » [66]. *La Haute-Saône :* « Ce fut une explosion de la douleur et de la consternation générale » [67].

Nous avons tenu à faire état de tous les témoignages que nous possédons, car ils tirent une certaine signification de cette exhaustivité [68]. Ils vont pratiquement tous dans le même sens et ils nous semblent confirmer l'étude quantitative que nous avons faite par ailleurs. La cause est-elle entendue ? Les conclusions que nous avons établies sont-elles ainsi mieux affirmées ? Nous le croyons, à condition de tenir compte encore d'un élément. La tendance que nous avons déterminée ne fut-elle pas seulement celle des campagnes ? Il faut reconnaître que nous avons quelques difficultés à répondre à cette question. Il est vrai que notre étude n'est pas fondée que sur les sentiments manifestés dans les villages et sur les réactions de la société rurale ; néanmoins, les villes d'une certaine importance en sont absentes, ou presque. Cependant trois rapports nous sont parvenus pour la ville d'Angoulême. Le premier présente ainsi l'arrivée de l'ordre de mobilisation : « Tous les visages étaient empreints

---

63. A. Lottier, *op. cit.*, p. 3.

64. Commune de Thénissey (Côte-d'Or), communiqué par les A.D.

65. A.D. Charente-Maritime, 2 J 28, *Rioux pendant la guerre.*

66. A.D. Ille-et-Vilaine, 1 F 1768, *Saint-Père. Dossier d'un instituteur.*

67. A.D. Haute-Saône, 146 R 1, *Noidans-le-Ferroux.*

68. On retrouve également l'expression de ces sentiments chez d'autres chroniqueurs, tels l'abbé Vignon (*Beauquesne, La Grande Guerre (1914-1918), Notes et souvenirs,* 1922, 238 p., p. 7) : « On sent que l'heure (de la mobilisation) est solennelle et angoissante ». Le manque d'enthousiasme dans le récit de la mobilisation est d'autant plus frappant que le ton du reste de l'ouvrage est très « patriotique » (Beauquesne est une petite commune de la Somme) ; ou le maire de Fieux dans le Lot-et-Garonne (F. Berrette, *op. cit.*, p. 12), « terrible nouvelle », « cri lugubre du tocsin », visages reflétant « l'inquiétude », même si les mobilisables étaient « calmes et confiants ».
Le récit de Marie Guillot, une institutrice révolutionnaire, publié par *L'Ecole émancipée* (3 octobre 1914) : « Quel désastre ! s'écrièrent en même temps que moi les paysans et les paysannes au milieu desquels je me trouvais lorsque fut lancé l'appel de mobilisation générale », pourrait prêter à discussion, mais encore plus probablement l'impression rapportée par R. Rolland, *Journal des Années de guerre,* p. 32, 1er août) : sa mère arrivant en Suisse le soir du premier août lui a dit que « sur le parcours du train l'attitude de tous était tranquille et gaie », contrastant avec l'affolement qui se manifestait... en Suisse !

d'une *gravité* bien compréhensible. Pourtant à ce sérieux s'alliaient de la *sérénité* et de la *résolution,* de *l'enthousiasme* même chez certains : nous n'étions pas les provocateurs, on nous attaquait... [69] ; le second affirme que « ce fut aux acclamations de " Vive la France ", " Vive la République ! " que fut accueillie la lecture du décret présidentiel » et plus loin que dans la cité devenue une « immense fourmilière », « au milieu des *angoisses* de l'heure présente, *pas de cris hostiles* dans cette foule si dense » [70]. Quant au troisième, il affirme qu'on entendit, à l'annonce de la mobilisation, « un cri, un seul » sortir de toutes les poitrines « Vive la France ! », et il ajoute : « ...On *pleurait,* on *riait* tout à la fois de *colère* et *d'émotion...* » [71].

Un instituteur de Cognac écrit aussi : « ...La population est d'une admirable *fermeté.* On a espéré jusqu'au bout que la guerre n'éclaterait pas ; maintenant qu'elle est imminente, on se montre *confiant* en une issue rapide et heureuse » [72].

La note communale d'Annecy consacre un passage à l'arrivée de l'ordre de mobilisation :

> « Moment historique que celui de cet appel aux armes qu'accueille la population comme un *soulagement,* après les heures anxieuses vécues depuis quelques jours.
> Dans les rues pleines de monde, des gens *s'embrassent* ou *se serrent les mains avec une cordialité* spontanée ; quelques femmes *pleurent* d'émotion ; on cause, on discute posément avec un *calme* qui décèle la *résolution* et chacun se sentant revivre, s'apprête plein *d'ardeur* à faire son *devoir* » [73].

Citons enfin ce témoignage venu de Vierzon : « 5 heures, la dépêche fatale vient d'arriver... Les usines se sont vidées en un clin d'œil... Maintenant tout Vierzon défile devant la mairie. Les femmes pleurent, se lamentent. Les hommes, mieux trempés, se plaisent à répéter : " Ça y est ! Les cochons ! Ce qu'on va leur en foutre... " ! » [74].

Les sentiments exprimés ici ne sont pas sans mélange, mais il nous semble y déceler plus d'ardeur que dans ceux que nous avons analysés jusqu'ici. Nous n'en déduirons pas que l'attitude fut différente dans les villes, car il faut tenir compte de la faiblesse de notre documentation, mais il y a là cependant un indice à ne pas négliger [75].

---

69. A.D. Charente, J 76, Angoulême, M. Vigneron.

70. *Ibid., Historique de la guerre,* école de la rue de Turenne.

71. A.D. Charente, J 76, Angoulême, école maternelle de l'Houmeau.

72. A.D. Charente, J 81.

73. A.D. Haute-Savoie, 1 T 218.

74. A.D. Cher, R 1516.

75. Non pas que l'atmosphère des villes ait été joyeuse, surtout dans les petites villes, comme nous le montrent divers chroniqueurs pour Calais (Chatelle et Tison, *Calais pendant la guerre (1914-1918)*, Paris, A. Quillet, 1927, p. 6), Abbeville (Chanoine Le Sueur, *Abbeville et son arrondissement, 1927,*

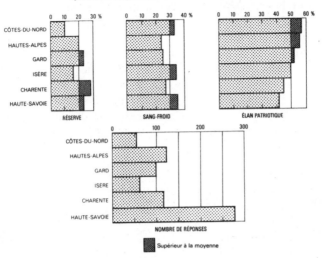

**Fig. 31. Schémas récapitulatifs des sentiments de la population des six départements pendant la période de la mobilisation**

Il reste enfin à envisager si les options politiques manifestées lors des élections de 1914 par les six départements qui ont fait le corps de notre étude aident à comprendre les différences assez sensibles de sentiments de département à département que nous avons déjà constatées. Si un classement global n'est guère réalisable (fig. 31), on peut cependant retenir que l'accueil de la mobilisation semble avoir été le meilleur en Charente et le plus médiocre dans les Hautes-Alpes. Avec deux députés radicaux sur trois, les Hautes-Alpes apparaissent beaucoup plus à gauche que la Charente, dont cinq députés sur six appartiennent à la droite[76].

207 p., p. 15) ; « silence lourd d'inquiétude », Beauvais (Raphaël Dufresne, *L'Arrière. Journal pendant la grande guerre d'un Beauvaisien non mobilisé* (1ᵉʳ août 1914-10 avril 1915), feuilleton de la *République de l'Oise*).

A Montluçon, le maire Constans rappelait, dans la séance du conseil municipal du 11 août 1914, que « ce n'est pas de *gaieté de cœur qu'on avait vu afficher le décret de mobilisation* » (*Le Centre*, 13 août).

A Chambéry, d'après Henry Bordeaux (« Il y a quarante ans ; souvenirs de la mobilisation », *Ecrits de Paris*, 143, 1956, p. 51), la mobilisation fut saluée d'applaudissements, toutefois les « visages » n'étaient pas « gais », « mais volontaires et graves ».

La gravité semble aussi avoir été le trait dominant à Paris. Lorsqu'on afficha l'ordre de mobilisation, conte Arthur-Lévy (*op. cit.*, p. 24), « Les passants se détournent, se poussent vers l'écriteau et lisent les cinq lignes sans proférer une parole, sans trahir une impression ». *Le Temps* (3 août) a ressenti à peu près la même impression : « ...A aucun moment la population ne perdit son calme ; graves, mais non point tristes, les passants commentaient les événements... »

Néanmoins, on trouve quelquefois l'indication de sentiments plus chauds : à Nancy, où on pense « que ce n'est pas trop tôt » (R. Mercier, *Journal d'un bourgeois de Nancy*, Paris, 1917, 263 p., p. 25), à Saint-Raphaël, où d'après le commissaire de police, l'ordre de mobilisation fut accueilli avec enthousiasme » (A.D. Var, 4/M/43, 2 août 1914).

76. G. Lachapelle, *Les élections de 1914, op. cit.*

Quant au Gard et à l'Isère, départements les plus « à gauche » des six[77], ils ne se singularisent guère ; toutefois, l'Isère se situe en dernière position pour la proportion de sentiments favorables, mais avec seulement 1 % de moins que les Hautes-Alpes ou la Haute-Savoie, aux positions politiques moins avancées.

Il ne semble donc pas qu'on puisse affirmer, tout au moins en se plaçant au niveau du département, que les différences dans les sentiments manifestés aient une explication politique, même s'il semble qu'on puisse constater un peu plus de réserve envers la mobilisation dans les départements de gauche que dans les départements de droite, mais les indications sont trop restreintes pour qu'on puisse vraiment en faire état[78].

---

77. Dans les deux départements, les candidats socialistes rassemblent au premier tour des élections de 1914 entre 20 et 25 % des électeurs inscrits (cf. Goguel, *op. cit.*, p. 65). Dans le Gard, sont élus 4 députés socialistes, 1 républicain-socialiste et 1 radical-socialiste sur un total de 6, et dans l'Isère 5 députés socialistes et 2 radicaux-socialistes sur un total de 8.
Il faut d'ailleurs souligner que le Gard avait une représentation socialiste exagérée car les royalistes, qui conservaient une forte influence dans le département, préféraient, lorsque leurs candidats ne pouvaient pas l'emporter, faire passer les socialistes aux dépens des radicaux. Le parti radical était en effet considéré comme celui des protestants (le Gard, avec 120 000 habitants de confession réformée sur un total de 421 000, était alors le premier département « protestant » de France).

78. Une étude plus significative pourrait être menée à l'échelon de la commune. Nous l'avons tentée pour le département de la Charente en partant des 30 communes où nous avaient été signalés des sentiments de consternation à l'annonce de la mobilisation. Les résultats suivants ont été obtenus :
*Arrondissement d'Angoulême I*
Pourcentage de voix socialistes et radicales au premier tour des élections de 1914 : 8 % par rapport aux votants.
Aucune des trente communes ne se trouve dans cet arrondissement.

*Arrondissement d'Angoulême II*
Pourcentage des voix radicales et socialistes : 25 %.
6 des trente communes se trouvent dans cet arrondissement :
2 ont un pourcentage de voix de gauche très supérieur à la moyenne, 33 et 32 %,
1, un pourcentage normal, 24 %,
3, un pourcentage au-dessous de la moyenne, 11,7 et 4 %.

*Arrondissement de Barbezieux*
Pourcentage des voix socialistes (pas de candidat radical) : 2 %.
7 des trente communes, mais aucune voix socialiste.

*Arrondissement de Cognac*
Pourcentage des voix socialistes (pas de candidat radical) : 3 %.
3 des trente communes : pourcentage inférieur à la moyenne, 1,1 et 2 %.

*Arrondissement de Confolens*
Pourcentage des voix socialistes (pas de candidat radical) : 15 %.
6 des trente communes :
3 ont un pourcentage de voix socialistes très supérieur à la moyenne, 29, 29 et 28 %,
2, un pourcentage proche de la moyenne, 17 et 16 %.
3, un pourcentage inférieur, 9, 9 et 6 %.

*Arrondissement de Ruffec*
6 des trente communes, mais pas de candidat de gauche.

A la rigueur, les arrondissements d'Angoulême II et surtout de Confolens pourraient suggérer un rapport entre le vote « à gauche » et une attitude fort réservée envers la mobilisation.
Ces résultats, somme toute presque négatifs, ne doivent pas cependant faire négliger ce type d'études. Le département de la Charente n'y était certainement pas le mieux approprié par sa composition sociale et politique. D'autre part, on ne peut pas se contenter de résultats électoraux pour une telle recherche : bien d'autres données devraient être utilisées : composition sociale, appartenance religieuse, traditions locales... Menés à l'échelon communal, ces travaux seraient à coup sûr fructueux, mais ils dépassent nos possibilités. Cependant, un certain nombre de localités à population ouvrière, dont il serait utile de connaître les réactions, figurent dans notre documentation : nous avons pensé qu'il serait plus intéressant de les rechercher pour l'ensemble de la période de la mobilisation plutôt que pour le seul moment que nous avons étudié jusqu'à présent. (Voir p. 338).

## ... d'après la presse de province

La consultation de la presse de province nous a paru également un moyen d'appréhender la façon dont la nouvelle de la mobilisation fut accueillie : non par les articles de tête ou les commentaires généraux, qui n'apportent guère d'autres éléments que ceux de la presse parisienne et qui, en fait, sont de caractère idéologique, mais par les chroniques locales où, bien souvent, les rédacteurs se sont efforcés de décrire l'atmosphère de leur ville en ce moment historique.

Les difficultés de cette étude apparemment simple ont été de plusieurs ordres : elles ont tenu à l'extraordinaire variété à cette époque des feuilles régionales, départementales, locales, et nous n'avons pu envisager que la lecture des grands journaux régionaux, à la rigueur celle des journaux départementaux. Elles ont tenu aussi à la multiplicité des éditions, mais dont une seule est conservée, ce qui tronque la documentation [79], à l'indigence des chroniques locales dans certains cas [80], ou même au manque de tout reportage sur l'événement quelquefois [81]. De plus, dans les régions touchées très vite par les opérations militaires, le dépôt légal ne put avoir lieu [82] ; parfois, la collection conservée à la Bibliothèque nationale est incomplète et ne comprend plus le numéro annonçant la mobilisation [83], enfin certains journaux, qui ne paraissaient pas le dimanche ou qui « bouclaient » trop tôt n'auraient pu commenter la façon dont la nouvelle fut accueillie que le lundi ; à ce moment, l'événement était dépassé et son récit fut bien souvent remplacé par celui des conditions du départ des premiers mobilisés. Il est donc finalement rare que toutes les conditions favorables à une documentation satisfaisante soient réunies !

Les journaux consultés ont cependant permis de connaître l'accueil de l'ordre de mobilisation dans 36 villes réparties dans 24 départements (fig. 32) ; ils représentent une assez grande variété de régions, Alpes, régions méditerranéennes, Sud-Ouest, Massif central, Normandie, Bretagne, Bourgogne ; mais la France du Nord et du Nord-Est est absente [84], ce qui assure dans notre documentation une place excessive à la France méridionale, et provoque un déséquilibre regrettable.

---

79. Dans ces conditions, les informations concernent le plus souvent la ville où le journal était publié.

80. Ainsi pour *Ouest-Eclair*, le plus lu en Bretagne.

81. C'est le cas des journaux lyonnais, tant du *Progrès* que de la *Dépêche de Lyon*.

82. Notamment les journaux du Nord et de la Champagne. *Le Télégramme du Pas-de-Calais*, quant à lui, manque entre le 15 juillet et le 20 octobre 1914.

83. Par exemple *Le Progrès de la Somme, Le Petit Marseillais, Le Havre...*

84. Cf. ci-dessus, note 82.

Fig. 32. L'accueil fait à la mobilisation d'après les journaux de province

Il faut d'abord remarquer — ce qui confirme nos autres sources — que l'ordre de mobilisation a été accueilli avec « calme » : nous en avons trouvé douze fois la mention avec diverses qualifications, le « plus grand calme »[85], un « calme complet »[86] ou même un « calme énergique »[87]. Dans certains cas, « l'impression » a été « vive » ou profonde[88], mais dans d'autres, la mobilisation n'apparaît pas comme une rupture : c'est ainsi qu'à Toulouse, à en croire *L'Express du Midi*, « la nouvelle officielle n'a fait aucune impression... »[89] ; à Nancy, en raison des mesures de précaution qui avaient été prises dans les jours précédents, il ne semble pas que l'ordre de mobilisation ait été particulièrement ressenti : à ce point qu'assez curieusement tout de même, nous n'en avons pas trouvé l'annonce dans *L'Est républicain* ![90].

Une réaction intéressante, sinon tout à fait inattendue, et mentionnée trois fois, est celle du « soulagement » ou de la « détente » que la mobilisation aurait provoquée[91]. Ainsi à Fontenay-le-Comte, la « nouvelle fut accueillie avec soulagement, tellement notre population était angoissée depuis huit jours ». Ainsi à Toulouse également, où d'ailleurs cela nous a paru un peu contradictoire avec l'absence d'impression rapportée ci-dessus.

Nous avons relevé, en outre, 69 expressions qui nous ont semblé caractériser les sentiments des populations à l'annonce de la mobilisation. Parmi elles, le terme d'*enthousiasme* apparaît seulement 5 fois, à Grenoble[92], Chambéry[93], Angoulême[94], Bergerac[95] et Clermont-Ferrand[96]. L'indication nous paraît extrêmement précieuse puisqu'elle vient d'une source « publique » où une tendance naturelle risquait d'inciter à des comptes rendus fidèles à l'imagerie populaire d'une his-

---

85. Périgueux, *La France de Bordeaux et du Sud-Ouest*, 3 août. Lunel, *Le Petit Méridional*, 3 août. Castres, *L'Express du Midi*, 2 août.

86. Fécamp, *Journal de Rouen*, 2 août.

86. Marseille, *Le Petit Provençal*, 2 août.

87. Petit-Quévilly, *Journal de Rouen*, 2 août.

88. Fécamp, *Journal de Rouen*, 2 août.

89. 2 août.

90. A moins qu'il ne l'ait fait dans une édition autre que celle que nous avons pu consulter.

91. Fontenay-le-Comte, *La France de Bordeaux et du Sud-Ouest*, 4 août. Grenoble, *Le Petit Dauphinois*, 2 août. Toulouse, *L'Express du Midi*, 2 août.

92. *Le Petit Dauphinois*, 2 août : « Grenoble a accueilli avec un réel, un sincère enthousiasme patriotique, l'ordre de mobilisation générale ».

93. *Le Petit Dauphinois*, 3 août : « A Chambéry, l'ordre de mobilisation est accueilli avec enthousiasme ».

94. *La France de Bordeaux et du Sud-Ouest*, 2 août : « Véritable enthousiasme... »

95. *La France de Bordeaux et du Sud-Ouest*, 4 août.

96. *Moniteur du Puy-de-Dôme*, 3 août. Le journal fait état seulement de l'enthousiasme des « officiers, sous-officiers et soldats de toutes armes... ».

Toutes ces indications donnent un pourcentage, soit de 7 % par rapport aux expressions relevées, soit de 13 % par rapport aux villes intéressées, soit de 20 % par rapport aux départements concernés.

toire naïvement et intensément patriote [97] ; or elle vient confirmer dans une large mesure les impressions que nous avions précédemment recueillies : l'enthousiasme, à ce moment, ne s'est manifesté que de façon fort limitée.

Le « patriotisme » est un peu mieux représenté (9 fois) mais dans deux cas, à Bergerac et à Grenoble, il ne fait que compléter « l'enthousiasme ». Ce patriotisme est qualifié de « réel » à Béziers [98], de « résolu » à Lectoure [99] et à Bordeaux [100] ; c'est une « flamme patriotique » qu'un rédacteur a décelée dans les yeux des habitants de Mont-de-Marsan [101], alors qu'à Rouen il n'est question que d'une « résignation patriotique » [102], ce qui enlève beaucoup de vigueur à l'expression.

A Auch [103] comme à Angoulême [104], des manifestations patriotiques ont salué l'ordre de mobilisation, tels les cris « nourris » de « Vive la France ! ».

On peut enfin dans le même ordre d'idées mentionner la « confiance » dont ont fait preuve, nous dit-on, les habitants de Lunel dans l'Hérault [105], la « patriotique confiance » de ceux de Saint-Malo [106].

Mais, à côté de ces témoignages d'élan, les journalistes bien souvent ont utilisé des expressions plus nuancées, soulignant que la mobilisation fut accueillie avec « dignité » [107], « sang-froid » [108], « courage » [109],

---

97. *La France de Bordeaux et du Sud-Ouest* nous fournit, dans son numéro du 2 août, une illustration de ce propos. En page 4, dans les « dépêches de la nuit », nous relevons ce titre : « Partout en France, l'enthousiasme est à son comble ». Immédiatement en dessous, dans les commentaires sur l'attitude de la population bordelaise dont l'accueil semble pourtant avoir été assez chaleureux, notons cette phrase : « ...Attitude générale froidement, patriotiquement résolue... ». Nous avons là l'exemple d'un net décalage entre l'appréciation formulée pour l'ensemble de la France pour laquelle le journaliste ne dispose d'aucun élément d'information particulier (et compte tenu des moyens de communications de l'époque, il est peu vraisemblable qu'on puisse sérieusement connaître dès la nuit du 1er au 2 l'attitude générale des Français le 1er au soir !) et où il est amené à dire ce qu'il *croit devoir être*, et l'appréciation de la situation locale fondée sur l'observation directe et beaucoup plus nuancée.
Cette attitude n'est d'ailleurs pas propre aux journalistes. Plusieurs fois nous avons relevé que des instituteurs s'excusaient presque de devoir constater le manque d'ardeur de leurs concitoyens par rapport à l'enthousiasme qu'ils pensaient général... ailleurs ! Ainsi à Plan (Isère) : « Les mobilisés de notre paisible cité ne sont pas partis avec l'enthousiasme de leurs camarades des grands centres, mais plutôt résignés, par devoir patriotique ». (C. Petit-Dutaillis, art. cité, p. 30).

98. *Le Petit Méridional*, 3 août.

99. *L'Express du Midi*, 3 août.

100. *La France de Bordeaux et du Sud-Ouest*, 2 août.

101. *Ibid.*, 4 août.

102. *Journal de Rouen*, 2 août.

103. *L'Express du Midi*, 3 août.

104. *La Charente*, 3 août.

105. *Le Petit Méridional*, 3 août.

106. *Le Nouvelliste de Bretagne*, 3 août.

107. Perpignan, *Le Petit Méridional*, 3 août. Bordeaux, La Petite Gironde, 2 août. Dijon, *Le Progrès de la Côte-d'Or*, 2 août. Riom, *Le Moniteur du Puy-de-Dôme*, 2 août.

108. Rouen, *Journal de Rouen*, 2 août. Dieppe, *Journal de Rouen*, 2 août. Castres, *L'Express du Midi*, 3 août. Clermont-Ferrand, *Le Moniteur du Puy-de-Dôme*, 2 août. Dijon, *Le Progrès de la Côte-d'Or*, 2 août.

109. Elbeuf, *Journal de Rouen*, 2 août.

« recueillement »[110] et « gravité »[111], « abnégation »[112], volonté de faire son « devoir »[113], au total 19 expressions concernant 14 villes et 11 départements.

Une place non négligeable est enfin occupée par des expressions marquant au contraire le manque d'enthousiasme. C'est le cas à Carmaux où, à la suite de l'assassinat de Jaurès, il « règne sur la ville une morne consternation que la nouvelle de la mobilisation n'a fait qu'aggraver... »[114]. Si nulle part ailleurs on ne retrouve une impression aussi désespérée, par contre, à Elbeuf[115], on mentionne la « tristesse », de même qu'à Fécamp[116], où elle est dite « générale ». A Rouen[117], un rédacteur parle « d'angoisse » et de « désolation » dans plus d'un foyer, de « résignation » aussi, ainsi qu'à Saint-Raphaël[118]. A Rennes[119], la nouvelle est dite « fatale » mais le plus souvent, 9 fois, elle provoqua une « émotion » considérée comme « légitime » ou « compréhensible » (à Alais[120], Niort[121], Bergerac[122], Clermont-Ferrand[123]), mais qualifiée aussi de « considérable » encore à Alais[124], de « grande » à Saint-Raphaël[125] ou « d'intense » à Dijon[126], une émotion qu'on ne cherche pas à « dissimuler » à Marseille[127]. Une fois de plus le contenu de cette émotion ne nous semble pas être assimilable à l'ardeur patriotique.

Si nous considérons la répartition géographique des sentiments que nous venons d'analyser, en tenant compte de l'insuffisance de notre documentation et de ce qu'il serait excessif d'étendre à tout un département ou toute une région les impressions suggérées par l'attitude de la population d'une ville, il est bien difficile de tirer des conclusions générales ; cependant, un point ne manque pas de frapper, la tonalité fort sombre de l'accueil réservé à la mobilisation en Seine-Inférieure : dans les cinq villes intéressées, froideur et tristesse semblent les traits les plus

110. Limoges, *Le Courrier du Centre*, 2 août. Dijon, *Progrès de la Côte-d'Or*, 2 août.

111. Limoges, *Le Courrier du Centre*, 2 août. Dijon, *Le Progrès de la Côte-d'Or*, 2 août.

112. Lectoure, *L'Express du Midi*, 3 août.

113. Toulouse, *L'Express du Midi*, 2 août. Alais, *Le Petit Méridional*, 3 août. Ploërmel, *Le Nouvelliste de Bretagne*, 2 août.

114. *La France de Bordeaux et du Sud-Ouest*, 5 août (cf. aussi p. 283).

115. *Journal de Rouen*, 2 août.

116. *Ibid.*

117. *Ibid.*

118. *Le Petit Marseillais*, 4 août.

119. *Le Nouvelliste de Bretagne*, 2 août.

120. *Le Petit Méridional*, 3 août.

121. *La France de Bordeaux et du Sud-Ouest*, 4 août.

122. *Ibid.*

123. *Le Moniteur du Puy-de-Dôme*, 2 août.

124. *Le Petit Marseillais*, 4 août.

125. *Ibid.*

126. *Le Progrès de la Côte-d'Or*, 3 août.

127. *Le Petit Provençal*, 2 août.

marquants. Comme le département était tout entier représenté par des députés de droite, sauf un [128], ce n'est pas, là non plus, l'influence du socialisme qui peut expliquer cette attitude. En revanche, dans la réserve assez sensible des populations de Limoges ou de Carmaux, on ne peut s'empêcher de penser à l'importance de l'implantation socialiste. Il faut conclure modestement, à défaut de pouvoir déterminer des zones de sentiments divers, qu'il y a eu à travers la France de grandes disparités dans l'accueil de la mobilisation.

Appliquons maintenant à cette étude des journaux de province les mêmes règles que celles que nous avons précédemment utilisées dans l'analyse des rapports préfectoraux et des notes d'instituteurs. Les expressions de la première catégorie, les moins favorables à l'annonce de la mobilisation, sont au nombre de 22, celles de la deuxième catégorie, de 20, celles de la troisième, de 27, soit 32, 29 et 39 %. Si nous nous reportons aux résultats déjà obtenus, nous constatons une certaine parenté avec ceux issus des rapports préfectoraux, 21, 27, et 52 % ; par contre, les notes communales ont donné des pourcentages inversés, 61 %, 23 % et 16 %.

Les éléments qui ont servi de base à ces différents calculs sont trop disparates pour qu'ils puissent être comparés de façon vraiment satisfaisante [129]. Il est possible cependant de faire quelques remarques :

— l'accueil de la mobilisation a été marqué par un éventail de sentiments allant de la consternation à l'enthousiasme ; suivant les sources consultées, les proportions des uns et des autres varient ; mais il serait aussi erroné de retenir les uns ou les autres de ces sentiments extrêmes comme seuls caractéristiques ;

— les chiffres obtenus à partir des rapports préfectoraux et des journaux de province, tout en étant sensiblement différents, ont une tendance semblable et placent, en tête des sentiments manifestés, ceux de la troisième catégorie, tout en donnant soit l'égalité, soit même la préférence à l'addition des sentiments des première et deuxième catégories par rapport à ceux de la troisième ; dans l'un et l'autre cas, la notion d'enthousiasme n'occupe qu'une fraction des sentiments favorables ;

— il est à peu près certain que les résultats obtenus à partir de ces deux dernières sources sont largement fondés sur l'opinion publique des villes, alors que les chiffres très différents obtenus à partir des notes d'instituteurs ont un fondement en grande partie rural. On peut donc

---

128. Goguel, *op. cit.*, p. 41. *Le Journal de Rouen*, dont nous avons tiré les indications dont nous faisons état ici, était de tendance « progressiste », donc également de droite.

129. On peut d'ailleurs se demander si les possibilités d'apprécier l'opinion publique ne s'améliorent pas au fur et à mesure qu'on se rapproche d'unités plus petites et, dans le cas présent, du préfet au journaliste et du journaliste à l'instituteur. Le lecteur n'en restera pas moins frappé de certaines discordances, par exemple entre les appréciations portées sur l'opinion publique de la population de Seine-Inférieure par le préfet (cf. ci-dessus, p. 281) et celles suggérées par les informations du *Journal de Rouen*.

maintenant en déduire, ce qui nous a été suggéré plusieurs fois, que, tout en étant modérément enthousiaste, l'accueil des villes a été dans l'ensemble meilleur que celui des campagnes.

Nous savons que l'aspect scientifique de notre démonstration peut être contesté presque à chaque pas, mais comment n'en serait-il pas ainsi dans une étude d'opinion publique où l'appréciation personnelle ne peut manquer de jouer un rôle considérable. Nous croyons cependant pouvoir maintenant affirmer avec force et au vu de l'ensemble de notre documentation que l'opinion française a subi ou accepté la mobilisation, mais que, dans sa masse, elle ne l'a certainement pas souhaitée et que, si on devait établir l'opinion moyenne des Français au moment où ils furent saisis par la nouvelle de la mobilisation, elle se situerait à peu près à égale distance de la consternation et de l'enthousiasme, amalgamant en quelque sorte la résignation et le sens du devoir.

## Manifestations patriotiques
## le soir du 1er août

L'annonce de la mobilisation générale avait donc suscité des réactions mélangées. Cependant, dans la soirée du samedi 1er août, un certain nombre de manifestations patriotiques se produisirent : il est nécessaire d'en évaluer l'importance et le caractère. Nous pouvons essayer de le faire grâce aux rapports des préfets et aux comptes rendus des journaux.

Des manifestations se déroulèrent à Paris : d'après le cabinet du préfet de police [130], vers 8 heures 30, de petits groupes de jeunes gens chantèrent la Marseillaise sur les Boulevards puis, formés en colonnes, les parcoururent en criant : « A Berlin ! Conspuez Guillaume ! C'est l'Alsace qu'il nous faut ! ». Trois cortèges remontèrent successivement les Boulevards vers la place de la République, un premier de deux mille « manifestants » qui prit ensuite la direction des Halles, un deuxième de trois mille personnes qui, par le boulevard Magenta, gagna la gare de l'Est ; un troisième, de même importance, fut le plus tardif puisqu'il déboucha sur la place de la République à minuit quarante-cinq pour continuer ensuite vers la place de la Bastille. Ces groupes circulèrent notamment sur les Boulevards au milieu d'une foule nombreuse. Néanmoins, si on s'en tient aux chiffres de la préfecture de police, ce fut un mouvement assez marginal, rassemblant moins de monde somme toute que les manifestations pacifistes des jours précédents. D'ailleurs, la presse n'en fit pas grand cas, beaucoup moins que du retour du président Poincaré, le 29 juillet. Pour prendre quelques exemples parmi les

---

130. A.N. F 7 12936, 2 août.

journaux conservateurs ou de grande information, les plus à même d'avoir mis en valeur ces manifestations, *Le Journal* et *Le Temps* n'en soufflent mot, *Le Matin* [131] y consacre quelques lignes en deuxième page : « ...Des groupes se sont formés, se livrant à des manifestations patriotiques sur tout le parcours des grands boulevards... », *L'Echo de Paris* [132] se contente de signaler : « ...Comme la veille, des jeunes gens en bande n'ont cessé de circuler dans les rues marchant derrière des drapeaux en chantant *La Marseillaise...* ». Quant à *L'Action française* [133], elle prend ses distances en assimilant — on ne sait trop pourquoi —ces manifestations à des actions provocatrices ! Le climat n'en fut pas parfaitement unanime : la foule, nous dit-on, applaudissait « frénétiquement », mais plusieurs incidents les émaillèrent ; le plus notable eut lieu devant la Bourse du Travail au moment où un des cortèges s'y était arrêté. Le secrétaire général de la Fédération des transports, Joseph Guinchard [134], qui se trouvait là, se saisit d'un drapeau en s'écriant : « A bas la guerre ! Vive la paix ! ». Il fut « houspillé », puis arrêté quelques instants. Ces manifestations se teminèrent vers 1 heures 30 du matin.

En province également, des manifestations patriotiques eurent lieu en divers endroits, dont plusieurs à l'occasion des retraites militaires normalement prévues le samedi soir : ce fut le cas à Avignon, « au milieu d'un grand enthousiasme » [135], à Rouen, « où elle fut accompagnée par trois ou quatre mille personnes » [136], à Lorient [137], à Riom [138], à Castelnaudary, où elle fut suivie pas plus de trois mille personnes dans un « enthousiasme indescriptible » [139], à Rennes [140] où « la soirée fut mémorable parmi les fastes (de la ville) » [141]. A Toulouse, les orchestres des cafés interrompaient leur programme pour exécuter *La Marseillaise* et *Le Chant du Départ* salués par la foule aux cris de « Vive la France ! » [142] ; il en fut de même à Grenoble [143]. Ailleurs, il y eut des manifestations, en général de jeunes gens : des groupes de manifestants qui parcouraient les rues de Bordeaux aux cris de « A Berlin ! Vive la France ! Vive la Rus-

---

131. 2 août.
132. 3 août.
133. 2 août. Maurice Pujo.
134. Rallié pourtant à l'Union sacrée dans les jours suivants. Cf. Annie Kriegel, *op. cit.*, p. 56.
135. A.F 7 12939, Vaucluse, 2 août.
136. *Ibid.*, Seine-Inférieure, 2 août.
137. A.N.F 7 12938, Morbihan, 2 août.
138. *Le Moniteur du Puy-de-Dôme*, 2 août.
139. *Le Petit Méridional*, 3 août.
140. *Le Nouvelliste de Bretagne*, 2 août.
141. Une « grande manifestation patriotique ... au moment du passage de la retraite militaire qui a lieu chaque samedi à 8 h1/2 » est signalée dans les notes communales établies pour Annecy (A.D. Haute-Savoie, 1 T 218).
142. *L'Express du Midi*, 2 août.
143. *Le Droit du peuple*, 2 août.

sie ! » « rencontrèrent ... auprès du reste de la population un accueil sympathique »[144] ; « un groupe de jeunes gens, drapeaux en tête ... circula sous les acclamations des assistants »[145] à Perpignan. D'autres manifestations semblent avoir été plus importantes, comme celle qui réunit deux mille personnes devant l'hôtel du Corps d'armée à Montpellier[146] ou cette autre qui en rassembla un millier chantant *La Marseillaise* dans les rues d'Angers[147]. « Quelques manifestations patriotiques » seulement se produisirent à Lyon dans la soirée[148]. A Pau enfin, le préfet signala que la « manifestation patriotique a duré toute la nuit »[149]. Cette étude fait donc état d'une quinzaine de manifestations dans des villes d'importance d'ailleurs diverse. Elle n'a évidemment pas la prétention d'être complète : nous n'avons pas les rapports de tous les préfets, nous n'avons pas lu tous les journaux. Il est possible également que toutes les manifestations, surtout si elles étaient d'ampleur modeste, n'aient pas donné lieu à compte rendu. Il y en a eu évidemment beaucoup plus[150]. Nous pouvons tout de même considérer que cette énumération représente une part notable de celles qui se produisirent le soir de la mobilisation. Certaines, par rapport à la population de la ville, ont rassemblé des participations importantes, surtout lorsqu'elles accompagnaient des retraites militaires[151]. Cependant, il ne semble pas qu'il ait eu là un mouvement immense car, si dans ces circonstances les retraites militaires n'avaient pas eu de succès, cela aurait pris une signification particulièrement grave.

A un échelon inférieur, les notes d'instituteurs nous permettent de compléter les indications que nous a fournies l'étude des manifestations patriotiques dans les heures qui suivirent l'annonce de la mobilisation. Nous avons pris deux exemples. Sur les 68 communes des Côtes-du-

---

144. *La Petite Gironde*, 2 août.

145. *Le Petit Méridional*, 3 août.

146. *Ibid.*

147. A.N. F 7 12938, Maine-et-Loire, 3 août. Dans une petite localité comme Pont-de-Beauvoisin (Isère), une foule de plus de 1 500 personnes a chanté avec la fanfare et a crié avec enthousiasme « Vive la France ! ». *Le Droit du peuple*, 3 août.

148. A.N. F 7 12938, Rhône, 3 août.

149. *Ibid.* 12936, Pau, 2 août.

150. *L'Action française* (2 août) signale des manifestations patriotiques également à Orléans, Nantes, Troyes, Poitiers, Carcassonne, Marseille. En outre, différents chroniqueurs font allusion à des manifestations patriotiques, d'ailleurs d'ampleur modeste, à Ajaccio (Louis Lumet, *op. cit.*, p. X et XI), à Calais (Albert Chatelle & G. Tison, *Calais pendant la guerre*, Paris, 1927, 286 p., p. 6), à Moissac (Jules Moméja, Journal de guerre (1914-1918), manuscrit A.D. Tarn-et-Garonne) p. 3). Plus important, le chanoine A. Reynaud (*op. cit.*, p. 11), reprenant une information du *Journal des Basses-Alpes* (9 août), relate qu'à Digne, le préfet s'est adressé à la foule et qu'il a ensuite regagné sa préfecture aux accents de la *Marseillaise*, accompagné par les soldats et la population tout entière.

151. Deux exemples le soulignent. A Clermont-Ferrand, la suppression de la retraite dans la soirée du 1er août provoque des regrets « parce qu'un grand nombre de nos concitoyens se promettait en effet de profiter de cette occasion pour faire une grandiose manifestation patriotique » (*Le Moniteur du Puy-de-Dôme*, 2 août), tandis que son maintien à Rennes fut « une mesure que l'on ne (pouvait) qu'approuver » et permit aux Rennais de manifester des sentiments « qui malgré l'attitude habituellement réservée vibrent au fond de chacun d'eux » (*Nouvelliste de Bretagne*, 2 août).

Nord [152] pour lesquelles nous disposons de fiches, des manifestations patriotiques sont signalées dans trois : Châtelaudren, Moncontour et Paimpol. Dans la première, aussitôt après que les affiches annonçant la mobilisation eurent été placardées, « ...hommes, femmes, enfants (s'assemblèrent) sur la place de la République. Un roulement de tambour, puis des cris de " Vive la France ! " (retentirent). Et spontanément un cortège se (forma) : bras dessus, bras dessous, tout ce monde (défila) en chantant *La Marseillaise*... » ; dans la seconde, « ...le soir (du 1er août), il y eut retraite et tous les partis se confondirent et marchèrent la main dans la main ... On chanta *La Marseillaise* tête nue ; le clergé était présent... » ; et enfin à Paimpol : « ...(Le 1er août), à 20 h 30, grande manifestation. Plusieurs centaines de jeunes hommes, précédés de tambours, de clairons, de drapeaux tricolores (parcoururent) les rues de la ville en chantant *La Marseillaise*... ».

En revanche, pour le département du Gard [153], qui nous fournit notre deuxième exemple, une manifestation de ce type n'est indiquée dans aucune commune [154].

Le cadre offert par de petites communes n'était évidemment pas favorable à ce genre de démonstrations. Néanmoins, l'accueil réservé fait à la mobilisation explique à notre sens leur rareté.

Il apparaît donc bien, sans pour autant sous-estimer les manifestations qui eurent lieu, qu'en cette soirée du 1er août 1914, les vagues de l'enthousiasme belliqueux n'ont toujours pas déferlé sur la France.

---

152. A.D. Côtes-du-Nord, série R.

153. A.D. Gard, 8° R 1.

154. Pour illustrer ce manque de passion de l'opinion publique, citons cette anecdote : A Marthon, en Charente, « un seul manifestant passe brandissant un drapeau et chantant. Personne ne se joint à lui » (A.D. Charente, J 86).

*Chapitre 4*

# Le départ

En fait, aussitôt après l'annonce de la mobilisation, la préoccupation du plus grand nombre fut le départ des mobilisés. Aussi, c'est le moral des partants et de ceux qui restaient, en d'autres termes, les réactions de l'opinion publique pendant les premiers jours de la mobilisation qu'il nous semble utile d'analyser maintenant.

## ...d'après les préfets

Les rapports des préfets sont plus nombreux et plus diserts que précédemment : demi-journée après demi-journée, tout au moins tant qu'ils ne remplacent pas leur rapport par un laconique « rien à signaler », ils informent le gouvernement des conditions de la mobilisation. Tous les rapports sont loin de nous être parvenus : cependant nous avons pu utiliser ceux de quarante-cinq départements, donc un peu plus de la moitié et qui sont répartis sur l'ensemble du territoire. Les renseignements dont nous faisons état ici ne concernent pas toute la période de la mobilisation, qui officiellement dura quinze jours, mais la première dizaine du mois d'août, période intermédiaire avant que les opérations militaires n'aient réellement commencé. Les préfets sont unanimes à apprécier les bonnes conditions techniques dans lesquelles se réalisa la mobilisation. Huit d'entre eux mettent en valeur son *ordre*, un ordre qui fut « vraiment admirable »[1], « parfait »[2] ; quatre autres mettent l'accent sur son caractère « méthodique » ; d'autres encore sur le fait que tout se passe

---

1. A .N. F 7 12938, Marne, 3 août.
2. *Ibid.*, Oise, 5 août ; Hautes-Pyrénées, 4 août.

« normalement »[3], « régulièrement »[4], « sans incidents »[5], « sans le moindre incident »[6]. Certains rendent compte de sa « rapidité »[7], bref les « conditions (en) furent excellentes »[8]. Très fréquemment aussi revient l'idée du *calme* dans lequel s'en déroulèrent les opérations, le mot apparaît dans les rapports des préfets de quinze départements.

Lorsque les préfets se sont employés à définir l'état d'esprit des mobilisés — nous avons des indications pour 18 départements — ils ont souligné leurs bonnes dispositions, avec cependant des nuances dans la façon de l'exprimer. Les préfets de 6 départements parlent « d'entrain », ainsi celui de la Meuse : « Les troupes sont remplies d'entrain et chantent *La Marseillaise* et des refrains patriotiques »[9] ou celui de la Dordogne[10] ; d'autres ont vu les troupes « joyeuses »[11] ou « gaies »[12], manifestant de la « bonne humeur »[13] et même de « l'allégresse »[14]. En revanche, le terme « d'enthousiasme » est peu employé, mis à part quelques cas[15]. Dans un registre inférieur, quelques préfets rendent compte de la « résolution »[16] des mobilisés, de leur « volonté de faire (leur) devoir simplement »[17], de leur « confiance »[18], ou encore ils notent que le départ s'effectue « sans cris et sans vaines manifestations »[19].

La tonalité de ces rapports est sans conteste très élevée : elle ne l'est pas moins si on considère les appréciations portées par les préfets de 35 départements sur l'état d'esprit des populations civiles, compte tenu de celles où est simplement signalé le calme.

Les rapports préfectoraux mettent en valeur l'excellence de leur état d'esprit (22 fois), leur enthousiasme (5 fois), leur élan patriotique (6 fois). Si des termes moins chaleureux sont également employés : sang-froid, dignité, confiance..., il viennent seulement nuancer les indications précédentes, sans qu'on puisse en inférer une inquiétude.

---

3. A.N. F 7 12939, Somme, 2 août.

4. *Ibid.*, Vienne, 2 août.

5. A.N. F 7 12937, Aube, 2 août.

6. A.N F 7 12938, Oise, 2 août.

7. *Ibid.*, Rhône, 2 août.

8. *Ibid.*, Lot-et-Garonne, 7 août.

9. *Ibid.*, 2 août.

10. A.D. 1 M 86, 2 août. Cf. également *Bulletin de la Société historique et archéologique du Périgord*, T. XCVI, 1969, p. 195-212. « L'opinion publique en août 1914 dans le département de la Dordogne » qui reproduit les rapports du préfet.

11. A.N. F 7 12939, Vaucluse, 6 août.

12. *Ibid.*, 12938, Haute-Marne, 2 août.

13. A.D. Nord R 28, 3 août : « Les départs des réservistes se font avec entrain et bonne humeur ».

14. A.N. F 7 12938, Nord, 3 août.

15. Ainsi A.N. F 7 12936, Bordeaux, 4 août : « L'enthousiasme persiste parmi les mobilisés, comme dans toute la population ».

16. A.N. F 7 12938, Rhône, 3 août.

17. *Ibid.* 12939, Haute-Savoie, 4 août.

18. *Ibid.*, Seine-et-Marne, 2 août.

19. *Ibid.*, Pyrénées-Orientales, 2 août.

Lorsque les rapports signalent le départ d'un régiment — et nous l'avons relevé 15 fois —, c'est au milieu de « l'enthousiasme », comme à Montluçon pour le 121e [20], d'un « enthousiasme exceptionnel », comme à Beausoleil pour le 27e chasseurs — le prince de Monaco prononce une allocution patriotique devant 8 000 personnes [21] ; le 113e d'infanterie à Blois est acclamé par une population « vibrante d'émotion » [22], le 43e régiment d'infanterie à Lille est accompagné de « chaleureuses acclamations » [23]... Le départ des troupes de Bergerac et de Périgueux est « l'occasion de manifestations émouvantes » qui révèlent « le patriotisme confiant des populations » [24]. Seuls les habitants de Saint-Lô et de Cherbourg se sont montrés plus réservés en se contentant, d'après le préfet de la Manche, de « saluer avec émotion les troupes qui partaient » [25].

En revanche, les préfets ne mentionnent que très rarement des manifestations patriotiques — en dehors du départ des troupes. Nous n'en avons relevé que trois dans les rapports de ces 45 départements, à Bordeaux [26], la Roche-sur-Yon [27] et Albi [28].

En analysant avec attention les rapports des préfets pendant la période de la mobilisation, on ne trouve guère d'ombres [29].

Une remarque du préfet de la Somme est cependant plus curieuse :« La population, écrit-il, ... *paraît* [30] animée d'un excellent esprit patriotique » [31]. Scrupule intellectuel d'avancer une appréciation qu'on n'a pas eu le temps de peser avec soin, ou encore crainte que certaines manifestations d'enthousiasme ne soient un peu superficielles, un peu forcées ?

D'ailleurs certains préfets paraissent surpris eux-mêmes que tout aille si bien. Deux au moins le manifestent explicitement. « La mobilisation

---

20. A.N. F 7 12937, 7 août. D'après *Le Centre* (9 août), une « foule énorme, enthousiaste » accompagne le régiment à la gare. Manifestation comme le journaliste n'en a pas vu depuis qu'il exerce la profession (10 août).

21. A.N. F 7 12936, 10 août.

22. *Ibid.*, 5 août. A Narbonne, le départ du 80e R.I. est « follement acclamé » (cf. Pech de Laclaude, « Le département de l'Aude et la guerre de 1914-1918 », in *Bulletin de la Société des Etudes Scientifiques de l'Aude*, T. 68, p. 277-291 (1968).

23. A.N. F 7 12938, 5 août.

24. A.D. Dordogne, 1 M 86, 6 août.

25. A.N. F 7 12938, 7 août.

26. *Ibid.*, 12936. Le 9 août, 20 000 personnes assistent à l'aubade donnée par la fanfare du 14e chasseurs alpins arrivé la veille au soir du Maroc.

27. A.N. F 7 12939, 5 août. Le préfet doit haranguer des « bandes » de jeunes gens devant la préfecture.

28. A.N. F 7 12939. Le 4 août, après un concert militaire, plusieurs milliers d'assistants parcourent la ville en chantant des refrains patriotiques.

29. Une seule critique, cette observation du préfet de Seine-et-Marne dans son rapport du 5 août que « depuis hier on constate dans les trains un certain nombre de soldats en état d'ébriété... » (A.N. F 7 12936). Le phénomène a dû prendre des proportions inquiétantes pour que le préfet fasse état d'une situation qui semble avoir été assez répandue. Mais cela ne met pas en cause l'ardeur générale !

30. Souligné par l'auteur.

31. A.N. F 7 12939, 2 août. Une expression semblable se retrouve sous la plume du préfet de Seine-et-Marne : « Le moral des réservistes *paraît* excellent » (A.N. F 7 12939, 2 août).

continue avec un tel calme, un tel ordre que *j'en suis surpris*[32] et profondément heureux », écrit le préfet des Basses-Alpes[33], alors que son collègue de la Manche fait son *mea culpa* : « ...C'est un souffle et une ardeur *qui me surprennent, je l'avoue*[34], de la part des populations que j'avais jugées tout d'abord moins portées aux grands intérêts collectifs... »[35]. Deux autres préfets insistent sur la participation de la classe ouvrière à cette poussée patriotique à l'égal des autres catégories de la population ; dans le compte rendu du départ du régiment de Montluçon, le mot « foule » a été biffé pour être remplacé par « population ouvrière » : « La population ouvrière se pressait autour des soldats qu'elle a couverts de fleurs... »[36] ; ainsi encore, le préfet du Nord affirme que c'est « même avec enthousiasme que les réservistes, non seulement de Valenciennes, mais de Denain, Anzin, Saint-Amand, etc., *villes essentiellement ouvrières*[37], ont pris la direction de leurs garnisons respectives... »[38].

En définitive, le dénombrement des expressions caractéristiques employées par les préfets permet d'établir que moins de 1 % d'entre elles manifestent une certaine réserve, 15 % révèlent des sentiments modérés énonçant surtout le sens du devoir, et 84 % témoignent des sentiments les plus favorables à la mobilisation. La comparaison avec les pourcentages que nous avions pu calculer d'après les mêmes sources, à l'annonce de la mobilisation, est également instructive, puisque nous avions respectivement obtenu pour les mêmes catégories de sentiments les chiffres de 21, 27 et 52 %. L'analyse des rapports des préfets fait apparaître une mutation de l'opinion publique dans le sens de l'ardeur patriotique. Quelques-uns d'entre eux en ont eu conscience dans une certaine mesure puisque le préfet de la Gironde parle d'un « entrain » qui « s'affirme chaque jour davantage »[39], celui des Deux-Sèvres d'un « sentiment patriotique qui s'éveille de plus en plus »[40], celui des Vosges « d'une confiance de plus en plus grande »[41].

L'image de la France donnée par les rapports préfectoraux au moment de la mobilisation est donc fort homogène. Nous devons cependant nous interroger sur la réalité de ce tableau. Ne peut-on estimer qu'il devrait être nuancé, les rapports des préfets — par nature, par leur

---

32. Souligné par l'auteur.
33. A.N. F 7 12937, 4 août.
34. Souligné par l'auteur.
35. A.N. F 7 12938, 8 août.
36. A.N. F 7 12937, 7 août.
37. Souligné par l'auteur.
38. A.N. F 7 12938, 1er août (La date portée sur le document est évidemment inexacte).
39. A.N. F 7 12936, Bordeaux, le 3 août.
40. *Ibid.*, 12939, 3 août.
41. *Ibid.*, 3 août.

concision — ne retenant que les traits essentiels et ... ce qui leur a été transmis par leurs subordonnés ? La mobilisation se déroula-t-elle vraiment dans ce climat d'exaltation que certains décrivent ?

Contant ses souvenirs du 11 novembre 1918, Maurice Genevoix écrit : « Je m'assis au pied d'un platane. J'évoquai notre départ cinquante deux mois auparavant. Des cris ? Des chants ? Moins que ne le dit la légende. Les regards que nous échangions révélaient autre chose que l'enthousiasme guerrier : une angoisse virilement refoulée, une résolution grave et dure » [42].

Il faut nous tourner maintenant vers d'autres sources et une nouvelle fois analyser les fiches dressées par les instituteurs.

## ...d'après les notes communales établies par les instituteurs

Les notes communales confirment sans ambiguïtés les appréciations portées par les préfets sur la mise en œuvre des mesures de mobilisation, ainsi que le montre le tableau où nous avons rapporté les expressions employées par les instituteurs du département de la Charente à ce sujet.

*Les conditions de la mobilisation en Charente*
*Les expressions employées par les instituteurs*

| | | | | | |
|---|---|---|---|---|---|
| ordre | 40 | fois | promptitude | 3 | fois |
| avec calme | 37 | » | sans à-coup | 2 | » |
| sans incident | 15 | » | de façon merveilleuse | 1 | » |
| normalement | 11 | » | excellentes conditions | 1 | » |
| régulièrement | 10 | » | rapidement | 1 | » |
| bien effectuée | 5 | » | avec célérité | 1 | » |
| très bien | 3 | » | avec ponctualité | 1 | » |
| exactitude | 3 | » | avec méthode | 1 | » |
| de façon parfaite | 2 | » | convenablement | 1 | » |
| meilleures conditions | 2 | » | paisiblement | 1 | » |
| bonnes conditions | 2 | » | sans trouble | 1 | » |

Ce tableau est d'autant plus éloquent que, même s'il n'a pas été possible de relever des expressions caractéristiques dans chacune des fiches des 316 communes intéressées, toutes les notations concordent, mises à part quelques critiques concernant les réquisitions. Les deux maîtres-mots de la mobilisation ont bien été le calme et l'ordre, et les adjectifs utilisés viennent encore renforcer cette impression : l'ordre fut « par-

---

42. *Le Figaro littéraire*, 11-17 novembre 1968. Jean Guéhenno exprime à peu près les mêmes sentiments *(La mort des autres*, op. cit., p. 25) : « Il n'est pas vrai que nous ayons couru joyeusement, ni vers Berlin, ni vers Paris de quelque point que nous soyons partis. On n'évite pas qu'il n'y ait dans de telles foules des enthousiastes, des excités, des vaniteux. Au mieux la masse fut-elle dans cette sorte d'inconscience qu'entretiennent les clairons, les tambours, la marche au pas cadencé ».

fait », « admirable »... En dehors du département de la Charente, on retrouve les mêmes indications de calme, d'ordre, de méthode, que ce soit dans les Côtes-du-Nord : « La mobilisation s'est faite ... dans le plus grand ordre » [43], dans le Gard : « La mobilisation s'est effectuée avec beaucoup de calme et avec ordre... » [44], en Haute-Savoie : « La mobilisation s'est effectuée ... avec un calme et un ordre merveilleux » [45], ou dans le Puy-de-Dôme : « La mobilisation s'est effectuée dans le plus grand calme » [46]... Il ne nous a donc pas semblé nécessaire de nous étendre davantage sur ce point où toutes les sources confirment la même réalité [47].

Néanmoins, l'ordre avec lequel la mobilisation se fit fut tel qu'il put, dans certains cas, surprendre. Ainsi à Morzine, nous dit-on, « la mobilisation s'est effectuée d'une façon *inespérée* » [48]. On a souvent l'impression que se manifeste quelque étonnement devant cette sorte de « miracle » dans un pays voué traditionnellement plus à l'improvisation qu'à l'organisation.

La notion d'ordre et encore davantage celle de calme impliquent, outre une bonne organisation matérielle, une certaine attitude des populations ; elles ne signifient cependant pas que les sentiments des mobilisés et de leurs familles n'aient pas été mélangés.

Nous avons dressé pour nos six départements-témoins les tableaux des sentiments manifestés, répartis en trois catégories, la première reflétant une certaine résignation, la deuxième exprimant le sens du devoir et la troisième, l'élan patriotique. Il aurait pu être significatif de considérer à part les sentiments des mobilisés et ceux du reste de la population, mais les réactions des uns et des autres sont trop imbriquées pour que cela ait été possible. D'ailleurs, si l'état d'esprit des soldats et des populations civiles a pu diverger par la suite, il est concevable qu'au moment même de la mobilisation il ait existé une certaine homogénéité de sentiments.

A partir des tableaux analytiques, nous avons établi des tableaux récapitulatifs (fig. 33) qu'il est particulièrement éclairant de comparer avec ceux que nous avions dressés au moment de l'annonce de la mobilisation.

---

43. A.D. Côtes-du-Nord, série R. Commune de Glomel.

44. A.D. Gard, 8e R 1, commune de l'Estréchure.

45. A.D. Haute-Savoie, 1 T 218, Thônes.

46. A.D. Puy-de-Dôme : R O1342, commune de Mazayes.

47. Un aspect de la bonne marche des opérations tient à l'exactitude avec laquelle les mobilisés ont répondu à l'ordre de départ. Nous reprendrons l'étude de ce problème (cf. chapitre 5) dans le cadre de celui de *l'insoumission*.

48. A.D. Haute-Savoie, 1 T 218.

**Fig. 33. Classement d'ensemble pour les six départements**

| Accueil de la mobilisation "avec réserve" | | Expressions manifestant un...<br>Accueil de la mobilisation "avec sang-froid" | | Accueil de la mobilisation "favorable" | |
|---|---|---|---|---|---|
| 1. Côtes-du-Nord.. | 72 % | 1. Haute-Savoie . | 34 % | 1. Charente ....... | 24 % |
| 2. Hautes-Alpes ... | 68 % | 2. Isère......... | 29 % | 2. Côtes-du-Nord.. | 17 % |
| 3. Gard .......... | 62 % | 3. Gard ........ | 23 % | 3. Gard .......... | 15 % |
| 4. Isère........... | 57 % | 4. Charente ..... | 20 % | 4. Hautes-Alpes ... | 14 % |
| 5. Charente ....... | 56 % | 5. Hautes-Alpes . | 18 % | 5. Haute-Savoie ... | 14 % |
| 6. Haute-Savoie ... | 52 % | 6. Côtes-du-Nord | 11 % | 6. Isère........... | 13 % |
| 1re catégorie | | 2e catégorie | | 3e catégorie | |

Ils font apparaître que les sentiments de la troisième catégorie, reflétant l'élan patriotique, ont été les plus nombreux dans les six départements ; ils représentent entre 42 et 57 % du total des sentiments exprimés, soit 50 % en moyenne. Les sentiments de la première catégorie ont été les moins nombreux dans cinq départements sur six, avec un pourcentage de 10 à 28 %, soit 20 % en moyenne ; ceux de la seconde sont donc en deuxième position également dans cinq départements, avec un pourcentage de 24 à 34 % et une moyenne de 30 %.

Si nous admetttons — pour le moment — que le contenu de chacune des trois catégories est identique dans les deux périodes envisagées, on constate qu'entre l'annonce de la mobilisation et sa mise en œuvre, les sentiments de la première catégorie tombent de 61 à 20 %, ceux de la deuxième catégorie progressant de 23 à 30 % et ceux de la troisième de 16 à 50 %. Cela traduit une profonde et brutale évolution de l'opinion publique, un véritable retournement s'opérant en quelques heures. De très minoritaires, les sentiments les plus favorables à la mobilisation sont devenus majoritaires, tandis que ceux de la première catégorie ont connu l'évolution inverse, ceux de la deuxième restant relativement stables [49]. C'est d'ailleurs ce dernier trait qui souligne combien la mutation fut brutale. Elle aurait été d'une nature très différente si la décroissance des sentiments de la première catégorie s'était faite au profit de ceux de la deuxième, s'il y avait eu, en quelque sorte, glissement de la « résigna-

---

49. Il serait erroné de penser que cette mutation qui, sur le plan quantitatif, apparaît clairement, a échappé aux contemporains, au moins sur le plan local, si par contre il ne semble pas qu'elle ait été ressentie sur le plan national, et assez partiellement au niveau des préfets. Voici deux exemples entre beaucoup d'autres : Languenan (Côtes-du-Nord, A.D. série R) : « ...J'ai assisté à la mobilisation générale. A la sombre tristesse jetée dans tous les cœurs par le son lugubre du tocsin a succédé un enthousiasme indescriptible... ». Lindois (Charente, A.B., J 85) : « Comment la mobilisation a été accueillie ? Consternation générale. Peu au courant de la politique étrangère, on ne s'attendait par à la guerre, du moins la majorité de la population. Lamentations bruyantes des femmes... Le soir après dîner, un grand nombre de jeunes gens se sont réunis au café et ont chanté des chants patriotiques. Le patriotisme monte d'un cran ».

tion » au « sens du devoir » pendant que se serait produit un glissement de la même importance de la deuxième à la troisième catégorie. Mais notre étude montre qu'il n'en a pas été ainsi (cf. fig. 34), car si pour le département de la Charente et, dans une moindre mesure, pour celui des Côtes-du-Nord, le pourcentage perdu par la première catégorie se reporte en partie sur la deuxième, ce n'est pas le cas pour les quatre autres départements où la progression est faible ou nulle. Quels qu'aient été les transferts internes — que la nature de notre documentation nous empêche de déterminer —, le fait essentiel est bien de constater que l'opinion publique qui, à l'annonce de la mobilisation, fut dans sa majorité heurtée par l'idée d'une guerre, quelques heures, quelque jours plus tard, lorsque le moment du départ fut venu pour les mobilisés, accepta beaucoup plus largement le fait du conflit.

Fig. 34. La mutation des sentiments exprimés par département entre l'annonce de la mobilisation et la période de la mobilisation

| | Première catégorie Sentiments réservés Résignation | Deuxième catégorie Sang-froid Sens du devoir | Troisième catégorie Sentiments favorables |
|---|---|---|---|
| Charente.................... | — 33 % | + 15 % | + 18 % |
| Haute-Savoie ................. | — 36 % | + 0 % | + 36 % |
| Gard ....................... | — 42 % | + 1 % | + 41 % |
| Côtes-du-Nord............... | — 44 % | + 16 % | + 28 % |
| Hautes-Alpes ................ | — 45 % | + 17 % | + 38 % |
| Isère....................... | — 47 % | + 3 % | + 44 % |

Ces mutations n'atteignent cependant pas les mêmes proportions dans tous les départements. Si le recul des expressions défavorables est général, il est moins fort en Charente et en Haute-Savoie, les deux départements où la réserve, au moment de l'annonce de la mobilisation, avait été la moins sensible. Il est plus fort, par contre, dans les trois départements — Côtes-du-Nord, Hautes-Alpes et Gard — pour lesquels nous avions calculé que les sentiments « réservés » s'élevaient à plus de 60 %. Il semble donc que les départements où l'ordre de mobilisation avait provoqué tristesse, consternation... de la façon la plus marquée, aient ensuite réagi avec vigueur en sens contraire, alors que ceux qui avaient fait preuve de modération dans un premier temps ont, en quelque sorte, gardé cette attitude.

Cependant, si les propositions en ont beaucoup varié, les sentiments exprimés au moment du départ sont restés très divers.

Vouloir réduire l'opinion publique française à un seul trait ne pourrait être conforme à la réalité nationale à n'importe quelle époque de l'histoire. Pas plus au moment de la mobilisation, où la variété des sentiments reste peut-être le caractère dominant. S'il faut cependant schématiser, l'analyste peut retenir qu'on est parti à la guerre quelquefois avec tristesse, mais sans maugréer, qu'on y est parti souvent avec bonne volonté, que la conscience d'un devoir à remplir a été fort répandue et que, si une fraction de l'opinion publique a manifesté de l'enthousiasme, cela ne saurait ni la définir tout entière, ni même dans sa majorité. C'est tout au moins ce que nous suggère l'analyse des notes communales rédigées par les instituteurs de six départements.

Les témoignages dispersés dont nous disposons parmettent-ils d'étayer ces conclusions ? Les extraits de documents émanant de 21 communes de la Drôme [50] donnent peu d'indications sur les conditions de la mobilisation : en les répartissant entre les trois catégories précédemment définies, soit 2 (12 %), 6 (33 %) et 10 (55 %) expressions pour chacune d'entre elles, on constate que la tendance est la même que pour les six départements-témoins. Il en est ainsi également de la mutation de l'opinion publique déjà observée par rapport au moment de l'annonce de la mobilisation [51]. Cependant, parmi les sentiments favorables, la place « occupée » par *l'enthousiasme* est restreinte puisque le terme n'a été utilisé qu'une fois.

Pour trois autres départements, il n'existe que quelques documents, quatre pour le Puy-de-Dôme [52] et autant pour la Haute-Saône [53]. Un relevé des formules caractéristiques donne le tableau suivant :

*Puy-de-Dôme*

1. *Verrières.* Des mobilisés partent en criant « *Vive la guerre ! A Berlin !* ». « Les familles des mobilisés se *lamentent...* ».

2. *Mazayes.* « L'esprit des mobilisés et celui de la population a été *vraiment admirable* ».

3. *Gerzat.* « La mobilisation s'est effectuée avec *le plus grand sang-froid* et *le plus grand enthousiasme* ».

.............................................................

« Tous sont prêts à se sacrifier, à faire leur *devoir* pour le droit, la justice et la liberté ».

4. *Bellevue.* « Tous les ... mobilisables ont consulté leur livret et s'y sont conformés *sans hésitation* ».

___

50. Petit-Dutaillis, art. cité, p. 19 à 28.
51. Cf. annonce de la mobilisation dans la Drôme, ch. 3, p. 542. Les proportions furent alors : 1re catégorie, 51 % ; 2e catégorie, 34 % ; 3e catégorie, 15 %.
52. A.D. Puy-de-Dôme, R 01342.
53. A.D. Haute-Saône, 146 R 1.

1. *Colombier.* « Les hommes appelés partent avec *courage* ».

2. *Oibney.* « Départ des hommes mobilisables dans le calme et le · *silence* ».

3. *Noidans-le-Ferroux.* « Tout s'est passé dans l'ordre le plus parfait. *Pas une récrimination, pas un cri discordant.* La guerre apparaissait comme une *nécessité.* On l'acceptait comme telle... »

4. *Polaincourt.* « La mobilisation des hommes s'est faite *sans incident...* »

On est frappé par la différence de tonalité entre les documents des deux départements et en particulier de la froideur exprimée par ceux de la Haute-Saône. Des considérations définitives ne peuvent émaner d'indications aussi partielles, mais n'y-a-t-il pas là un nouvel indice de la différence des attitudes d'un département à l'autre ?

Du département du Cher [54] nous sont venus cinq témoignages, mais si trois d'entre eux émanent de villages, pour les deux autres, ils expriment l'opinion publique urbaine.

Dans le tout petit village de Parnay, 146 habitants : « La mobilisation est passée presque inaperçue ; les hommes appelés à des époques différentes sont partis avec calme, espérant encore que tout s'arrangerait et que la terrible guerre n'aurait pas lieu » ; à la Chapelle-Saint-Ursin, « ...les hommes partent avec l'idée de leur devoir. Les trains qui passent ... montrent des wagons fleuris et aux portières des figures épanouies qui chantent... » ; et à Chavannes où l'ordre de la mobilisation fut des plus *admirables*, « les soldats quittent leurs foyers avec un ardent désir de vaincre ».

Les sentiments sont fort élevés en ville : « Tout Bourges vibrant d'un enthousiasme patriotique sans précédent nous fait ses adieux... », conte un soldat [55]. « ... Sur tout le parcours (jusqu'à la gare), on crie « A Berlin ! A Berlin ! A bas Guillaume »... ». A Vierzon [56] où « progressivement, d'un verre à l'autre, l'enthousiasme monte ... on croit revivre ces heures d'une autre époque où la Patrie était en danger ... Dans la gare ..., les trains ornés de drapeaux, fleuris ... se succèdent. Un cri s'élève, dominant tous les autres : " A Berlin ! " ».

A se contenter de l'impression laissée par les documents du Cher, il semblerait que la distorsion établie précédemment entre l'esprit des campagnes et celui des villes se maintient dans une certaine mesure [57].

---

54. A.D. Cher, R 15 16.

55. A.D. Cher, R 1516, *Carnet de campagne d'un soldat,* J. Vinet de Bourges, 10 août.

56. A.D. Cher, R 1516, documents rassemblés sous le titre *Histoire de Vierzon.*

57. Dans une certaine mesure seulement, car si nous consultons les notes communales que nous possèdons pour des villes comme Annecy (A.D. Haute-Savoie, 1 T 218), Angoulême ou Cognac (A.D.

Il est enfin cinq départements pour lesquels existe un unique témoignage : les uns et les autres mettent en relief des traits différents, la *confiance* « en notre armée et en ses chefs » dans le Vaucluse [58] ; le courage en Côte-d'Or [59] : « ...Les premiers partants volent courageusement au secours de la Patrie accompagnée des vœux de toute la population... » ; l'ardeur en Ille-et-Vilaine [60] : « ...Les mobilisés des Gastines, à l'âme enthousiaste, arrivent en chantant *La Marseillaise*... Ils pénètrent dans l'église drapeau en tête » ; ou tout simplement la bonne marche des opérations : « La mobilisation s'effectue sans difficultés... » [61]. Un dernier extrait oppose deux attitudes [62] :

1er août : « Huit heures du soir : le fils de ma collègue, professeur d'école normale et sous-lieutenant de réserve, en vacances depuis 24 heures, part demain matin. Il vient me serrer la main et il me dit : " Ils veulent une leçon, nous la leur donnerons ! ". »

6 août : « Mais tout le monde n'a pas le même moral... S... est démoralisé, il fut sans presque rien manger durant trois jours. " Jamais je ne reviendrai ", m'a-t-il dit... ».

Peut-on tirer quelques enseignements de cet ensemble de documents ? Ils confirment que les sentiments manifestés au moment du départ n'ont pas été homogènes, tant au niveau individuel qu'au niveau des groupes, qu'ils ont même été d'une grande variété, s'échelonnant de l'acceptation en général courageuse jusqu'à une chaleur qui atteint quelquefois l'enthousiasme, que d'une localité ou d'un département à l'autre les différences ont été sensibles, que du même témoignage ressortent des attitudes contradictoires : la lettre du jeune Gratien Rigaud, de Rodez [63], l'illustre bien : l'arrivée des réservistes a été marquée par des « scènes effrayantes » et « malgré tout la plupart chantent *La Marseillaise* » ; « l'enthousiasme » était « admirable » et il commente : « Quelle terrible catastrophe, ce qui doit arriver arrivera, faut l'accepter une fois de plus avec courage ». Il n'est pas très original de constater ces différences et ces contradictions ; il pourrait paraître superflu de le dire si la tradition n'avait progressivement amené à croire qu'elles n'avaient pas existé.

Ces renseignements nous ont ainsi semblé venir s'inscrire dans la ligne des conclusions que nous avions précédemment dégagées, même s'ils apportent quelques touches supplémentaires, quelques nuances nouvelles.

---

Charente, J 76 et J 81), les sentiments y apparaissent également assez variés, en dehors des moments d'exaltation provoqués par le départ des régiments.

58. A.D. Vaucluse, J 13, commune de Sablet.

59. A.D. Côte-d'Or, commune de Thenissey.

60. A.D. Ille-et-Vilaine, 1 F 1768, commune de Saint-Père.

61. A.D. Charente-Maritime, 2 J 28, commune de Rioux.

62. Lottier, *op. cit.*, p. 3.

63. *Revue du Rouergue*, 91, juillet-septembre 1969, p. 325-327.

L'opinion publique, vue à travers les notes d'instituteurs, a incomparablement mieux accepté le départ des mobilisés qu'elle n'avait accueilli l'annonce de la mobilisation. Néanmoins, en interrogeant le pays dans ses profondeurs, nous ne recueillons pas le reflet du tableau de la mobilisation que nous ont offert les rapports préfectoraux.

Sans prétendre lui demander de trancher ce débat, essayons à nouveau de compléter notre étude par l'utilisation de la presse de province.

## ...d'après la presse de province

Privés par la mobilisation d'une partie de leurs rédacteurs, désireux d'économiser le papier, la plupart des journaux, en général dès le 3 août, se limitèrent à une feuille. Ils réduisirent considérablement leurs chroniques locales et se contentèrent de relater les conditions de la mobilisation dans leur ville d'édition. De plus, ces comptes rendus furent quelquefois uniquement techniques sans que soient portées d'appréciations sur les sentiments des populations. Aussi, tout en ayant consulté les mêmes journaux qu'au moment de l'annonce de la mobilisation, ne disposons-nous plus d'informations que pour 20 villes et 19 départements. Elles présentent cependant l'avantage d'être géographiquement mieux réparties et d'atténuer le déséquilibre en faveur de la partie méridionale de la France. En outre, des articles échelonnés sur une dizaine de jours ont livré une plus grande richesse d'expressions pour caractériser les sentiments manifestés dans chaque ville.

Nous ne nous attarderons pas sur l'ordre et le calme dans lesquels eurent lieu les opérations de la mobilisation. Cela ne ferait que confirmer tout ce que nous savons par ailleurs.

Sur les 98 expressions que nous avons recensées, 56 appartiennent à la catégorie des sentiments les plus favorables à la mobilisation, soit 57 %. Parmi elles, l'expression la plus répandue est celle d'enthousiasme. Nous l'avons relevée pour 13 villes différentes. Elle atteint 15 % par rapport au total des expressions dénombrées, elle est indiquée dans 65 et 68 % des villes et des départements concernés. La même étude, au moment de l'annonce de la mobilisation, donnait respectivement 7, 13 et 20 %. Les changements sont donc tout à fait importants, particulièrement spectaculaires dans les deux derniers rapports. Ces chiffres nous indiquent une extension notable de la manifestation des sentiments d'enthousiasme, sans que, cependant, ils aient été partout suffisamment démonstratifs pour être relevés.

L'enthousiasme a pris quelquefois un caractère général. A Marseille, « le départ des mobilisés s'effectue dans le plus grand enthousiasme »[64] ; à Toulouse, c'est une « journée de fièvre et

_____

64. *Le Petit Provençal*, 3 août.

d'enthousiasme, malgré la pluie qui fait rage toute la matinée »[65]. Qualifié de « vif » à Lyon[66], il fut par contre « peu bruyant » au Havre[67]. En fait, le terme est le plus souvent employé à l'occasion du départ des régiments : il en fut ainsi à Saint-Etienne[68], Clermont-Ferrand : « Ovations enthousiastes »[69], Angoulême[70], Mamers[71], Limoges[72], Nîmes[73], Amiens[74].

Mais bien d'autres expressions viennent confirmer la fréquence de ces manifestations d'élan patriotique : le *patriotisme*, la *joie*, la *résolution*, l'*entrain* reviennent le plus souvent. Le patriotisme sert à préciser diverses attitudes, le « zèle patriotique » dont sont animées « toutes les classes de la société » clermontoise[75] ; « l'enthousiasme patriotique de la foule » à Saint-Etienne[76], « l'élan patriotique admirable » des Amienois[77] ou encore le « frisson patriotique » qui a passé dans « tous les cœurs » des Limougeauds[78].

Il y eut aussi les sentiments et les manifestations de joie, « cris joyeux et enthousiastes de ceux qui vont à la frontière défendre la France attaquée »[79], « réservistes et territoriaux, gais, joyeux et chantant »[80], « les hommes (qui) s'en vont à la caserne joyeux comme des enfants »[81], même si tel chroniqueur déplore cette « joie intempestive »[82]. Le florilège des expressions témoignant de ces sentiments fervents pourrait être encore considérablement enrichi avec celles qui font état de la « bonne humeur »[83], de la « belle crânerie »[84]...

Toutefois, les journaux nous ont aussi rapporté des sentiments différents, la conviction du *devoir* à accomplir que nous avons rencontrée presque autant de fois que les allusions au *patriotisme* : « On a l'impression que tout le monde a la volonté absolue de faire son devoir », écrit

---

65. *La Dépêche de Toulouse*, 5 août.
66. *La Dépêche de Lyon*, 3 août.
67. *Journal du Havre*, 5 août.
68. *Le Moniteur du Puy-de-Dôme*, 3 août.
69. *Le Moniteur du Puy-de-Dôme*, 5 août.
70. *La Charente*, 7, 8 août.
71. *Le Courrier de Mamers*, 9 août.
72. *Le Courrier du Centre*, 2 août.
73. *Le Républicain du Gard*, 7 août.
74. *Le Progrès de la Somme*, 6 août.
75. *Le Moniteur du Puy-de-Dôme*, 2 août.
76. *Ibid.*, 3 août.
77. *Le Progrès de la Somme*, 5 août.
78. *Le Courrier du Centre*, 2 août.
79. *Le Courrier du Gard*, 5 août, Nîmes.
80. *Le Petit Dauphinois*, 3 août, Grenoble.
81. *L'Express du Midi*, 3 août, Toulouse.
82. *Le Populaire du Centre*, 4 août, Limoges.
83. *Le Progrès de la Côte-d'Or*, 3 août, Dijon.
84. *Le Dépêche de Lyon*, 6 août, Lyon.

un quotidien marseillais [85], le « sang-froid » [86] dont on fait preuve, le « grand courage civique » dont témoignent « celles qui restent » [87].

On retrouve sans peine l'écho de l'état d'esprit que les notes d'instituteurs nous avaient permis de mettre en valeur, le refus de succomber aussi bien au chauvinisme qu'au désespoir ; cette attitude s'exprime d'ailleurs en grande part par des formules négatives, ce qu'illustre le tableau du comportement de la population de Sète : « Chacun est prêt à faire son devoir, sans forfanterie, mais aussi sans faiblesse, et cela avec une unanimité et une résolution remarquables. Ce matin, dimanche, un grand nombre d'inscrits sont partis. Pas ou presque pas de cris, mais le courage froid... » [88]. Ces expressions « moyennes » tendent, dans certains cas, à se rapprocher de la manifestation de sentiments plus vifs, on « regarde avec fermeté les événements... » [89], ou dans d'autres manquent nettement de chaleur : « Nos appelés partent sans récriminations... » [90].

Environ le quart des expressions recensées (24 %) caractérise cet aspect de l'opinion publique, tandis que 19 % d'entre elles témoignent d'un état d'esprit encore plus réservé. Elles manifestent alors la simple *émotion* « bien compréhensible de la population limousine » [91], celle de la foule qui regarde partir un régiment à Amiens [92] ; elles montrent les *pleurs* plus ou moins bien contenus, et pas seulement ceux des femmes : « Beaucoup de ces soldats avaient les yeux rougis de larmes, d'autres pour ne pas pleurer se mordaient les lèvres » [93] : elles représentent la foule « qui se tait » : « On la sent sympathique aux petits soldats qui s'en vont. On devine qu'elle voudrait crier un " au revoir " et qu'elle ne le peut pas... » [94] ; elles rendent sensibles « l'angoisse qui étreignait tous les cœurs » [95], la « tristesse » [96], voire la « consternation » [97] ou, dans un registre différent, la conscience de la « gravité de la situation » [98], « des événements tragiques » [99] qui étaient vécus.

Ainsi, cette dernière série d'expressions souligne une fois de plus que tout en les considérant à leur juste proportion, on ne saurait — même à ce moment — symboliser la mobilisation par le seul enthousiasme.

---

85. *Le Petit Marseillais*, 3 août.
86. *L'Est Républicain*, 3 août, Nancy.
87. *Le Courrier du Gard*, 5 août, Nîmes.
88. *Le Petit Méridional*, 3 août.
89. *La Dépêche de Toulouse*, 5 août, Toulouse.
90. *La France de Bordeaux et du Sud-Ouest*, 4 août, Niort.
91. *Le Populaire du Centre*, 4 août.
92. *Le Progrès de la Somme*, 3 août.
93. *Le Populaire du Centre*, 4 août.
94. *Le Progrès de la Somme*, 3 août, Amiens.
95. *Le Courrier du Centre*, 2 août, Limoges.
96. *Le Populaire du Centre*, 4 août, Limoges.
97. *Ibid.*
98. *Le Courrier du Gard*, 2 août, Nîmes.
99. *La Dépêche de Toulouse*, 5 août, Toulouse.

Une observation est toutefois nécessaire. Des 19 expressions de la catégorie la moins favorable à la mobilisation, neuf proviennent de deux journaux seulement, *Le Progrès de la Somme* et *Le Populaire du Centre*. Est-ce le reflet de leur orientation politique ou de disparités régionales ? *Le Progrès de la Somme*, de tendance radicale, est par excellence le journal qui évite de porter des jugements politiques exagérément tranchés. Ses rédacteurs n'ont certainement pas à ce moment déformé ce qu'ils voyaient en fonction d'idées préconçues. La réserve sensible dans leurs comptes rendus de la mobilisation, qui n'exclut d'ailleurs pas de signaler les instants d'enthousiasme, peut donc être portée au compte d'une population qui acceptait la guerre sans passion, d'autant plus que, quelques jours auparavant, Amiens avait connu une assez importante manifestation en faveur de la paix.

*Le Populaire du Centre* est d'orientation beaucoup plus marquée puisqu'il est le plus important des rares quotidiens socialistes de province. Fut-il, dans l'affaire, objectif, ou exagéra-t-il les sentiments pessimistes de la population ? Si on songe que le département de la Haute-Vienne eut, en 1914, la proportion la plus élevée d'électeurs socialistes de toute la France, qu'il élut quatre députés socialistes aux quatre sièges à pourvoir, que Limoges était administrée par une municipalité socialiste, que des manifestations pour la paix venaient également d'y avoir lieu, il n'est pas inimaginable que l'attitude de la population y ait été sensiblement différente d'ailleurs. Ce serait l'indication ou la confirmation de différences de comportement d'une région, d'une ville à l'autre. Toutefois, nous avons également consulté un autre grand quotidien de Limoges, *Le Courrier du Centre* [100] : il apparaît qu'au-delà des points communs de leurs comptes rendus, pour l'un a dominé la tristesse, tandis que l'autre relatait des sentiments beaucoup plus chaleureux. La couleur politique a donc influencé les appréciations portées, sans qu'on puisse donner raison à l'un plutôt qu'à l'autre.

Cette différence de tonalité ne semble pas avoir existé [101] entre les journaux d'autres tendances. Lorsque nous avons pu en consulter plusieurs d'opinions différentes, comme à Toulouse, *La Dépêche* (radicale) et *L'Express du Midi* (droite), ou à Lyon, *Le Progrès* (radical) et *La Dépêche* (droite), etc., nous n'avons pas recueilli d'indications divergentes.

Dans ces conditions, l'utilisation du *Populaire du Centre* peut-elle avoir diminué la valeur de nos dénombrements ? Nous serions tenté de

---

100. « Apolitique », mais de tendance plutôt conservatrice.

101. Cette différence de tonalité peut être confirmée par la consultation d'un autre quotidien socialiste de province, mais de faible importance, *Le Midi socialiste*, dont un journaliste écrit, le 4 août, à propos de Toulouse : « La ville est morne. Tout le monde a conscience de l'horrible hécatombe qui va fatalement se produire ». (cf. Alain Lévy, *Un quotidien régional, le Midi Socialiste*, (1908-1920), DES, 215 p. dact., qui estime d'ailleurs d'après d'autres témoignages témoignages recueillis qu'il faudrait beaucoup nuancer).

dire qu'au contraire elle a été une nécessaire compensation, probablement insuffisante, aux récits exagérés dans un autre sens de certains organes [102].

L'analyse du contenu des journaux de province permet donc également de mettre en valeur la variété des sentiments qui ont animé les Français pendant la période de la mobilisation. De plus, si nous comparons les résultats obtenus à l'annonce de la mobilisation, nous observons que les sentiments les plus favorables sont passés de 39 à 57 %, les sentiments les moins favorables de 32 à 19 % et les autres de 29 à 24 %. La tendance générale est donc la même que celle qui se dégage des notes d'instituteurs (sauf toutefois en ce qui concerne la catégorie moyenne) et dans des proportions voisines ; rappelons que les pourcentages des trois catégories correspondantes sont de 50, 30 et 20 %.

Si nous considérons que les journaux représentent en fait les villes et les notes communales surtout les campagnes, la distorsion que nous avions constatée entre les unes et les autres à l'annonce de la mobilisation s'est à peu près résorbée, les campagnes restant cependant un peu plus réservées que les villes.

La concordance entre ces deux sources nous permet de penser que les conclusions qui nous avaient été suggérées par l'étude des notes communales sont proches de la réalité française à ce moment [103].

---

102. Dans cette catégorie, nous pouvons citer ce récit du *Petit Dauphinois*, 5 août : après avoir expliqué que la pluie n'a pas « transi » l'enthousiasme, le journaliste poursuit : « ...Chapeaux ruisselants d'eau, paletots trempés que l'on va changer avec joie contre la bonne capote chaude sentant le drap neuf, et le képi un peu raide dont l'étreinte de front rappelle de réconfortants souvenirs de jeunesse confiante... ».

103. Nous ne pensons pas que le contenu sensiblement différent des rapports préfectoraux puisse être opposé à ces conclusions, parce qu'ils en confirment l'orientation générale et que, par leur nature même, ils grossissent les traits principaux au détriment d'une réalité plus variée.

# Chapitre 5

# La guerre acceptée

Ainsi la mobilisation fut acceptée. Après un premier temps, où la réserve fut manifeste, la grande majorité de l'opinion publique se rallia à l'inévitable, avec même un certain élan. Le constater ne suffit cependant pas. Il est nécessaire de chercher à expliquer cette brusque mutation. Il faut aussi déterminer si elle fut générale ou si, dans une frange de l'opinion publique, se maintinrent des réticences.

## Les raisons d'une mutation

S'il est vrai, comme nous croyons l'avoir montré, que, dans sa masse, la population française ne voulait pas la guerre, comment, surprise au milieu de ses pacifiques occupations, a-t-elle pu s'accorder d'une si brutale rupture de sa vie quotidienne ? Peut-on admettre que la soumission aux lois ait été suffisante ? On le pourrait peut-être, si le départ s'était effectué au milieu d'une morne résignation, mais ce ne fut tout de même pas le cas. On pourrait également répondre que l'attitude des mobilisés s'explique très aisément par le sentiment du devoir envers la patrie. A notre sens cette explication, tout en étant essentielle, n'est pas suffisante. Quelque vingt-cinq ans plus tard, la faible manifestation de ce sentiment montra qu'il ne répond pas à de simples automatismes. Il a fallu qu'il trouve en 1914 des raisons particulières de s'exprimer.

Dès le mois d'août, le pasteur W. Monod attribuait la levée des Français à « l'esprit d'indignation »[1] ; le préfet de la Gironde, tirant

---

[1]. *Pendant la guerre — Discours prononcés à l'Oratoire*, Paris, 1915, T.I. Discours du pasteur Monod du 23 août 1914.

plus tard la philosophie de l'événement, remarquait : « C'est que personne, même parmi les plus résolus pacifistes, n'aurait osé songer à une pareille agression. Celle de 1870 se pare d'un prétexte. Celle-ci est dépouillée de tout artifice... »[2].

Que les responsabilités de l'Allemagne aient été ou non telles qu'on les proclame ici, il nous importe seulement de savoir si elles ont été ressenties par l'opinion publique française. En outre, cet antigermanisme « défensif » est-il la seule explication de l'attitude des Français ou bien s'est-il combiné, et dans quelle mesure, avec la volonté de prendre la revanche de 1870 et de reconquérir l'Alsace-Lorraine ? En d'autres termes, est-il vrai que les Français aient couru à l'ennemi emportés par un élan « nationaliste », ou bien au contraire, l'agression allemande commise, la revanche et l'Alsace-Lorraine n'ont-elles eu qu'un rôle marginal dans une détermination que le simple réflexe « national » explique suffisamment ? Les mobilisés de 1914, au moment de leur départ, étaient-ils donc « indignés » ou « conquérants » ?

Il nous a semblé que les notes d'instituteurs pouvaient là encore nous donner sinon la réponse, du moins une réponse à cette interrogation. Nous avons d'abord recherché les allusions aux deux thèmes de la revanche et de l'Alsace-Lorraine. Nous en avons dénombré 30 pour le premier et 17 pour le second pour l'ensemble des 607 communes des 6 départements-témoins, soit des pourcentages respectifs de 4,8 et 2,7 %. La répartition par département donne les résultats suivants.

| Départements | Thème de la Revanche évoqué | | Thème de l'Alsace-Lorraine évoqué | |
|---|---|---|---|---|
| Charente (316 communes) | 20 fois | — 6,3 % | 11 fois | — 3,4 % |
| Côtes-du-Nord (68) | 2 » | — 2,9 % | 3 » | — 4,4 % |
| Gard (63) | 1 » | — 1,5 % | 1 » | — 1,5 % |
| Hautes-Alpes (80) | 5 » | — 6,2 % | 1 » | — 1,2 % |
| Isère (44) | 2 » | — 4,5 % | 1 » | — 2,2 % |
| Haute-Savoie (36) | 0 » | — 0 % | 0 » | — 0 % |

Ces résultats sont étonnants[3] : que la revanche et l'Alsace-Lorraine aient alors tenu si peu de place dans les préoccupations de l'opinion

---

2. Olivier Bascou, *L'Anarchie et la guerre,* 1921, 256 p., p. 82.

3. Il est pourtant nécessaire de remarquer que la même impression se dégage de la lecture de nombreuses chroniques souvent écrites au jour le jour ou d'après des souvenirs dûment contrôlés, affirment leurs auteurs. Les allusions à l'Alsace-Lorraine ou à la revanche sont rares. Fernand Demeulenaere (*L'Histoire de Douai,* p. 13) écrit : « Moi je pensais, comme la plupart des garçons de mon âge (l'auteur avait alors 14 à 16 ans) que l'heure de la revanche était sonnée, que la France reprendrait l'Alsace-Lorraine et que j'allais vivre des heures historiques ». Sans mettre en cause la valeur de ce témoignage, bien qu'il soit tardif (il a été publié en 1963), il faut considérer qu'il est peu fréquent d'en rencontrer de semblables et qu'il implique d'ailleurs simplement que, la guerre ayant éclaté, elle permettait la revanche et la reprise de l'Alsace-Lorraine, mais les seules motivations habituellement invoquées sont la défense contre une « brutale agression » (Chanoine Le Sueur, *Abbeville, op. cit.,* p. 17), contre les « coquins qui ont mis l'Europe en feu... » (Marius Beaup, *La guerre à Lalley, op. cit.* ; *Le Dauphiné,* 11 octobre 1914, etc.)

publique infirme ce qui a été si souvent dit. Si le caractère partiel de nos sources ne nous interdisait de généraliser ces conclusions, ne pourrait-on même se demander si les idées attribuées habituellement à la population française dans ces domaines ne sont pas largement mythiques ou tout au moins fort exagérées ? Deux remarques cependant doivent être formulées : il n'a pas été demandé aux instituteurs de relater ce que leurs concitoyens pensaient à ce moment de la revanche et de l'Alsace-Lorraine, ce qui pourrait expliquer qu'ils en parlent peu. Cette objection ne nous semble pas convaincante car les fiches recèlent de nombreux points de vue sur les raisons de répondre à l'appel. S'il n'est pas venu spontanément sous la plume des narrateurs de mettre en évidence l'espoir de la revanche ou de la reconquête des provinces perdues, il est plus simple d'admettre que c'est parce qu'il en fut peu question [4]... Une deuxième objection est plus forte : les résultats auraient probablement été assez différents si nous avions possédé une documentation de même nature sur les sentiments de la jeunesse étudiante ou des populations des départements de l'Est. Nous pensons cependant trouver là une indication supplémentaire de la faible pénétration des idées nationalistes dans les profondeurs du pays. Il semble bien qu'au moins dans sa masse rurale, on puisse admettre que ce n'est ni pour la revanche, ni pour l'Alsace-Lorraine que les Français quittèrent leurs foyers en ce mois d'août 1914. Il serait d'ailleurs possible d'ajouter qu'ils sont encore moins partis pour l'Alsace-Lorraine que pour la revanche [5].

La rareté des notations concernant la revanche et l'Alsace-Lorraine est d'autant plus frappante qu'elles sont loin d'avoir toutes un caractère agressif. « Depuis longtemps, dans notre cher pays de France, on espérait que nous n'aurions plus de guerre ... Certes on n'oubliait pas l'Alsace et la Lorraine, mais les utopistes, les rêveurs espéraient que ces chères provinces pourraient nous être rendues autrement que par les armes... » [6]. Elles sont souvent l'expression d'individus plutôt que de la collectivité. Un instituteur breton, après avoir affirmé qu'il n'aurait pas donné « cent sous pour empêcher la revanche », conte comment son beau-frère, ancien combattant de 1870, criait à la foule rassemblée : « C'est la revanche, les gars... » [7] ; « Ce que nous voulons, dit un père de famille à son fils, c'est l'Alsace et la Lorraine » [8]. Les formules

---

4. Jules Isaac (*op. cit.*, p. 24) le pensait : « Quand le nuage creva en 1914, quel était le sentiment dominant parmi nous ? La soif de revanche, le désir longtemps contenu de reprendre l'Alsace-Lorraine ? Tout simplement, hélas, l'impatience d'en finir, l'acceptation de la guerre (quelle naïveté et quel remords) pour avoir la paix ».

5. Ceci confirmerait d'ailleurs ce propos de Péguy, rapporté par J. Guéhenno, *op. cit.*, p. 57, qu'on pardonnait les morts, l'occupation, la perte de territoire, mais « on ne pardonnait pas l'outrage ».

6. A.D. Charente, J 82, Fontclaireau.

7. A.D. Côtes-du-Nord, série R, Hénaustal.

8. A.D. Gard, 8° R 1, Ribaute. Il y eut aussi d'ailleurs des exemples de manifestations collectives en faveur de l'Alsace-Lorraine. A Paimpol, la foule chante la *Marseillaise* en alternance avec le cri

employées suggèrent en général que l'occasion est offerte de prendre la revanche, mais qu'elle n'a pas été cherchée. « Chacun a senti que l'heure *tragique* venait de sonner, c'est l'heure de la revanche »[9]. « Les hommes d'âge voyaient arriver, avec une satisfaction *mêlée d'inquiétude,* la réalisation de l'idée de revanche, restée au fond des cœurs, toujours souhaitée, toujours remise »[10]. « Tout le monde part à l'heure ... brûlant de combattre *les félons* et de ramener dans le sein de notre commune mère nos deux chères martyrs, l'Alsace et la Lorraine... »[11]. Néanmoins il y eut aussi ceux qui l'ont tout de même souhaitée : « On entendait un peu partout ... " Cette fois, nous y sommes, voici la revanche " »[12].

Pourquoi alors les mobilisés sont-ils partis avec un tel ensemble, si le désir de revanche et de reconquête de l'Alsace-Lorraine a tenu si peu de place dans leurs déterminations ? L'explication semble pouvoir se réduire à trois propositions complémentaires : « La France n'avait pas voulu la guerre ; elle était attaquée, on ferait son devoir »[13].

Que la France n'ait pas de responsabilités dans l'éclatement du conflit, de nombreuses formules l'illustrent : « La France n'a rien à se reprocher »[14], « Ils savent que la France a tout fait pour conserver la paix avec ses voisins ; elle ne demandait qu'à vivre en paix »[15]. « Tout le monde est convaincu que si on a la guerre, c'est que la France n'a pas pu l'empêcher... »[16]. « La conviction des habitants était bien que la France avait fait le possible pour éviter la guerre »[17].

Un instituteur montre d'ailleurs que cette certitude fut essentielle en ajoutant : « On sentait combien l'attitude eût été différente si la France avait déclaré une guerre de provocations et de conquêtes »[18].

Aussi, il est excessivement rare que la volonté de paix de la France ou de son gouvernement soit mise en doute, comme pourtant dans un hameau de la bourgade minière du Chambon : « ... D'autres préten-

---

rythmé : « C'est l'Alsace, l'Alsace, l'Alsace ! C'est l'Alsace qu'il nous faut ! » (A.D. Côtes-du-Nord, série R.).

9. A.D. Charente, J 80, Chenon.

10. A.D. Charente, J 79, Chasseneuil.

11. A.D. Charente, J 79, Cellettes.

12. A.D. Gard, 8° R 1, Montignargues. Il faudrait aussi signaler ceux qui n'auraient pas été hostiles à l'idée de revanche si on ne leur avait pas demandé de participer à sa réalisation : « L'idée de la revanche qui, dans le fond, eût été acceptée avec plaisir — si on n'avait pas eu la peine d'y contribuer — n'a guère enflammé le courage des partants qui pensaient davantage aux intérêts qu'ils laissent en souffrance qu'à ceux qu'ils allaient défendre... » (A.D. Charente, J 81, Curac.)

13. A.D. Charente, J 92, Saint-Gervais.

14. *Ibid.,* J 93, Saint-Quentin-de-Chalais.

15. *Ibid.,* J 90, Rivières.

16. A.D. Haute-Savoie, 1 T 218, Saint-Jorioz.

17. A.D. Gard, 8° R 1, Blanzac.

18. A.D. Charente, J 92, Saint-Christophe-de-Chalais.

daient que le gouvernement aurait pu l'éviter (la guerre) et ajoutaient : " Il n'y a pas que le Kaiser qui désire la guerre ; il y a bien en France des gens qui ont intérêt à ce qu'elle ait lieu " »[19]. Il est de même exceptionnel qu'il soit fait référence aux théories « antipatriotiques » de l'avant-guerre, même si un charpentier de Saint-Brieuc s'exclame : « Tous les bourgeois se sont entendus pour faire casser la figure aux prolétaires dont ils ont peur »[20]. Pourtant, çà et là, s'expriment des sentiments originaux, pacifisme invétéré dans cet autre hameau du Chambon : « Il vaudrait mieux que le gouvernement donnât une indemnité à l'Allemagne pour qu'elle restât tranquille »[21], humanisme dans ce propos d'un menuisier de Saint-Brieuc : « Pourquoi la guerre ? Est-ce que les Prussiens ne sont pas des hommes comme nous ? »[22], naïveté de cette femme de Haute-Savoie : « Ne sommes-nous donc plus en République puisqu'on veut faire la guerre ? »[23].

Ces exceptions au sentiment général sont cependant trop peu nombreuses pour qu'elles puissent altérer la conviction de la volonté pacifique de la France, de ses efforts pour maintenir la paix, au point même que la croyance en un arrangement continua d'être répandue après que la mobilisation eût été proclamée. C'est ainsi que dans cinq liasses représentant quatre-vingt-dix communes charentaises, nous l'avons relevée une dizaine de fois[24]. Il en est de même dans les autres départements : dans l'Isère : « Mobilisation n'est pas déclaration de guerre. Tout peut s'arranger »[25]. « On cause, on discute sur le sens de la mobilisation. Il apparaît bien, à les entendre, que très peu croient que la mobilisation soit la guerre. Les choses s'arrangeront : voilà l'opinion presque unanime »[26] ; dans le Gard où, après avoir rappelé la phrase du président Poincaré[27] : « La mobilisation n'est pas la guerre », un narrateur commente : « Aussi les premiers jours 2 et 3 août, personne ne croyait à la guerre »[28]. Un instituteur de Haute-Savoie tente de convaincre ses compatriotes que la mobilisation « n'était qu'une mesure préventive, qu'ils allaient revenir » ; ils ne veulent d'ailleurs pas l'entendre : « Ah non,

---

19. A.D. Gard, 8° R 1, Le Chambon, hameau de Tarrabias.

20. A.D. Côtes-du-Nord, série R, Saint-Brieuc, section des Villages.

21. A.D. Gard, 8° R 1, Le Chambon, hameau des Dieusses.

22. A.D. Côtes-du-Nord, série R, Saint-Brieuc, section des Villages.

23. A.D. Haute-Savoie, 1 T 218, Chens. Etait-elle d'ailleurs si naïve, cette réflexion, sorte de réplique sûrement inconsciente au « Faites un Roi, sinon faites la Paix » publié par Marcel Sembat en 1913 ? N'était-ce pas le reflet d'une identification de la République à la paix ?

24. A.D. Charente, J 87 à J 91.

25. Petit-Dutaillis, art. cité, p. 32, Saint-Cassien.

26. Ibid., p. 38, Monteynard.

27. De Viviani, en réalité.

28. A.D. Gard, 8 R 1, L'Estréchure. « La journée du dimanche 2 août se passe dans la crainte et la prière avec les préparatifs de départ et l'espérance d'un arrangement diplomatique » (Abbé Vignon, Beauquesne, op. cit., p. 7).

répondent-ils indignés, puisqu'on nous a dérangés, il ne faut pas que ce soit pour rien, il faut qu'on en finisse » [29].

Nous pensons que cette dernière formule donne une des clefs de la mutation de l'opinion publique telle qu'elle s'est produite entre l'annonce de la mobilisation et le moment du départ. Elle exprime l'indignation d'un peuple qui a pleinement conscience d'être provoqué, qui est tellement convaincu de son pacifisme qu'il en bout de colère. En même temps, un autre sentiment émerge : l'Allemagne, depuis longtemps, cherchait à nous humilier. Puisqu'elle a eu l'imprudence d'aller trop loin, on va lui montrer « de quel bois on se chauffe ». Ainsi se mêlent deux thèmes, en fait différents à l'origine, d'une part la responsabilité de l'Allemagne dans le conflit actuel et d'autre part celui de la provocation permanente [30]. En Haute-Savoie, la première idée est exprimée 7 fois et la deuxième, 12 ; dans les Côtes-du-Nord, 5 et 6 fois ; dans le Gard, 6 et 7 fois, pour ne prendre que ces trois exemples.

Ces deux explications sont à peu près exclusives d'autres, mais elles sont formulées de façon assez variée.

Puisque « nous n'aurions jamais attaqué l'Allemagne » [31], l'agression est le seul fait de l'Allemagne (les allusions à une responsabilité autrichienne sont rares) [32], « l'Allemagne l'a absolument voulue » [33], « puisque l'Allemand nous a déclaré la guerre » [34], « l'Allemagne ... a voulu la guerre qu'elle a préparée depuis longtemps » [35]. Cette idée est de nombreuses fois traduite par quelques formules familières : « ils nous dérangent » [36]. Guillaume II personnifie souvent la responsabilité allemande : « Ce Guillaume II doit être barbare pour oser provoquer toutes les nations ... Il mériterait la mort » [37]. On maudit « l'ambition de l'empereur de l'Allemagne qui les arrache à leurs foyers » [38] ; « dans notre commune, l'indignation contre le Kaiser, l'auteur de la guerre, était générale » [39] ; « les habitants se livrent à des imprécations contre Guil-

---

29. A.D. Haute-Savoie, 1 T 218, Sciez.

30. « Combien d'avanies, de mortifications n'a-t-il pas fallu pour donner, à tous ces hommes et à toutes ces femmes, l'idée fixe qu'ils sont en présence d'un insolent défi que, sous peine de lâcheté surhumaine et d'anéantissement prochain, on doit relever résolument et froidement ? » écrit Arthur Lévy (op. cit., p. 36), parlant de l'état d'esprit de la population parisienne.

31. A.D. Hautes-Alpes, 200 R 82, Sigottier.

32. Petit-Dutaillis, art. cité, p. 26. A Châteauneuf-de-Galaure (Drôme) « on entendait des conversations animées d'où s'exhalait une colère sourde contre les deux empereurs responsables de la guerre, l'Empereur d'Autriche et surtout l'Empereur d'Allemagne ».

33. A.D. Haute-Savoie, 1 T 218, Saint-Jorioz.

34. A.D. Charente, J 80, Chassenon.

35. A.D. Gard, 8° R 1, Sanilhac.

36. A.D. Haute-Savoie, 1 T 218, Chassenaz.

37. A.D. Gard, 8e R 1. Anduze.

38. A.D. Haute-Savoie, 1 T 218, Sallenôves.

39. A.D. Charente, J 85, Loubert.

laume II »[40] ; « si je le tenais, Guillaume, ce monstre ! »[41]. Et, comme un leitmotiv, revient le terme d'agression : « L'Allemagne sautant brusquement de la menace à l'agression déclare la guerre à la France »[42], « une injuste agression »[43], « une si odieuse agression »[44], « nul ne met en doute que l'Allemagne est l'agresseur »[45].

L'idée de la provocation permanente est, elle aussi, exprimée de multiples façons, soit sans précision chronologique : « Il y a longtemps qu'ils nous en font »[46], « il y a longtemps que les Allemands nous embêtent »[47], « il y a longtemps qu'ils nous cherchent »[48], « l'Allemagne nous cherchait chicane depuis longtemps »[49], « il y a d'ailleurs longtemps que les Allemands nous cherchent querelle »[50], « il y a trop longtemps que l'Allemagne se montre arrogante »[51], « il fallait que la guerre éclate, car l'Allemagne la voulait à tout prix et depuis longtemps »[52] ; soit en faisant remonter la menace à la guerre de 1870 : « Cette Allemagne qui nous harcèle depuis quarante ans »[53], ou encore aux « dernières années »[54].

Sans que ce choix d'exemples ait d'ailleurs la prétention de respecter strictement les proportions, il fait apparaître surtout le sentiment d'une menace constante sans point de départ précisément défini. Il n'est pas étonnant, dans ces conditions, qu'on passe facilement à la notion « d'ennemis héréditaires »[55], « d'éternels ennemis »[56], « d'ennemi ancestral »[57], « d'implacable ennemi »[58]... et que se manifeste alors l'idée qu'on ne pouvait échapper à la guerre : « Cela devait arriver un jour ou l'autre »[59], « puisque c'était inévitable »[60]. Très fréquemment,

40. Petit-Dutaillis, art. cit., p. 22, Laborel (Drôme).

41. A.D. Hautes-Alpes, 200 R 82, Tallard. Louis Pergaud confirme la violence de ce sentiment populaire : « Il y a contre Guillaume une haine farouche, et dame, si nous entrons là-bas, il pourra y avoir pour lui et son peuple un peu de grabuge... » (Lettre à sa femme, 3 août, op. cit., p. 120).

42. A.D. Côtes-du-Nord, série R, Sévignac.

43. A.D. Haute-Savoie, 1 T 218, Alby.

44. A.D. Gard, 8° R 1, Sauve.

45. A.D. Charente, J 80, Chassors.

46. A.D. Haute-Savoie, 1 T 218, Frangy.

47. Ibid., Juvigny.

48. A.D. Côtes-du-Nord, série R, Châtelaudren.

49. Ibid., Ploubalay.

50. A.D. Charente, J 89, Rancogne.

51. Ibid., J 93, Saint-Maurice.

52. A.D. Hautes-Alpes, 200 R 82, Saint-Etienne-en-Dévoluy.

53. A.D. Charente, J 89, Ranville.

54. Ibid., J 70, Chantrezac.

55. Codognan, Saint-Christol-de-Rodières (A.D. Gard, 8° R 1) ; Saint-Amant-de-Nouère, Saint-Martin-du-Clocher (A.D. Charente, J 91 et J 93)...

56. A.D. Côtes-du-Nord, série R, Saint-Gildas.

57. A.D. Haute-Savoie, 1 T 218, Saint-Jean-de-Sixt.

58. A.D. Gard, 8° R 1, Aubais.

59. Laniscat (A.D. Côtes-du-Nord, série R).

60. Saint-Félix (A.D. Haute-Savoie, 1 T 218).

on peut relever l'expression « qu'il fallait en finir »[61], complétée de différentes manières : en finir « avec l'Allemagne »[62], « avec l'Allemagne provocatrice »[63], « avec leurs provocations stupides »[64], « une fois pour toutes »[65], « une bonne fois »[66]...

Agression, provocation, menace permanente, tout cela produit une flambée de colère, « même chez les gens de caractère doux et pacifique »[67], « de la colère contre l'Allemand, cause de tout ce bouleversement »[68]. Une colère qui tourne à la haine : « C'est une explosion de haine contre les Boches maudits et surtout contre leur Empereur et sa famille »[69] ; « on sent partout la haine de l'Allemand »[70] ; « chacun exhale sa haine farouche de l'Allemagne »[71] ; on entend « des paroles haineuses contre les Allemands »[72], assorties de la promesse de leur « administrer une râclée »[73], de leur faire « payer cher »[74], de les « écraser »[75], de « donner une leçon à ces sales Prussiens »[76], de les « châtier durement »[77], « d'exterminer cette race maudite »[78]. « Les femmes elles-mêmes conviennent qu'une bonne correction donnée à l'Allemagne ne leur déplairait pas »[79]. Quelquefois, fort rarement d'ailleurs, ces souhaits sont exprimés en termes politiques : il faut « écraser le militarisme et l'impérialisme allemand »[80]. Il est beaucoup plus fréquent que nous soient répétées des hâbleries, comme la promesse de rapporter dans quelques jours la « tête de Guillaume »[81].


Mais n'y a-t-il pas une certaine contradiction entre la réserve manifestée par l'opinion publique au moment de la mobilisation et la convic-

61. Châtelaudren (A.D. Côtes-du-Nord, série R).
62. Aigues-Vives (A.D. Gard, 8° R 1).
63. Frangy (A.D. Haute-Savoie, 1 T 218).
64. Faverges (*Ibid.*).
65. Musièges (*Ibid.*).
66. Roussines (A.D. Gard, 8° R 1).
67. La Bâtie-Vieille (Petit-Dutaillis, art. cité, p. 46). (Hautes-Alpes).
68. *Ibid.*
69. Charmé (A.D. Charente, J 79).
70. Poulignac (*Ibid.*, J 89).
71. Montjoux (Drôme), Petit-Dutaillis, art. cité, p. 21.
72. Richemont (A.D. Charente, J 90).
73. Bossey (A.D. Haute-Savoie, 1 T 218).
74. Chessenaz (*Ibid.*).
75. Groisy (A.D. Haute-Savoie, 1 T 218).
76. Réparsac (A.D. Charente, J 90).
77. Plélauff (A.D. Côtes-du-Nord, série R).
78. Bernac (A.D. Charente, J 78).
79. Sigottier (Hautes-Alpes), Petit-Dutaillis, *art. cit.*, p. 42.
80. Aubussargues (A.D. Gard, 8° R 1).
81. Thairy (A.D. Haute-Savoie, 1 T 218).

tion, qui s'affirma si peu de temps après, que l'Allemagne, depuis long-temps, guettait la France ? Si l'opinion publique avait été vraiment convaincue que la guerre était inévitable un jour ou l'autre, l'éclatement et le dénouement de la crise seraient apparus dans l'ordre des choses. Or, au moins dans un premier temps, il n'en fut rien. Nous pensons que la contradiction est plus apparente que réelle parce que le thème de la provocation permanente est venu, en fait, se greffer sur celui de l'agression. Il fut l'explication d'un événement qui, en raison même de sa soudaineté, restait en dehors de la logique. C'est parce que l'opinion publique a été persuadée de l'agression qu'elle a cru, *ensuite*, avoir été soumise depuis longtemps à une menace permanente. Il en va de la psychologie collective comme de la psychologie individuelle. Il suffit d'un événement imprévu pour que des impressions jusqu'alors dispersées se nouent en un faisceau et donnent alors le sentiment qu'on n'a pas cessé d'être conscient de ce que l'on vient en fait d'apercevoir. Il en a été ainsi de l'opinion publique française d'autant plus facilement que, même au-delà du courant nationaliste, l'idée de la menace allemande existait [82], et si jusqu'alors les idées nationalistes avaient eu peu de prise sur l'esprit public, comme nous l'avons souligné, elles se sont trouvées à point nommé pour fournir les explications nécessaires. C'est d'ailleurs en ce sens qu'on peut considérer que le nationalisme a joué un rôle dans le comportement de l'opinion publique face à la guerre. Mais, pour l'essentiel, c'est le sentiment de l'agression [83] qui a déterminé l'attitude des Français, qui a entraîné la mutation que nous avons mise en lumière et qui explique que la guerre fut acceptée par la presque totalité de la population [84]. Il permet aussi de mieux comprendre pourquoi les Français sont partis non avec l'enthousiasme du conquérant, mais avec la résolution du devoir à accomplir. « Les hommes pour la plupart n'étaient pas gais : ils étaient résolus, ce qui vaut mieux » [85].

---

82. On ne peut non plus omettre que les rapports franco-allemands étaient tout de même loin d'être excellents.

83. Une discussion pourrait s'instaurer sur l'origine de cette conviction, rôle ancien du nationalisme, rôle immédiat de la presse. Nous pensons, quelles que soient les causes réelles immédiates ou lointaines du conflit, que la relation des faits, tels qu'ils se produisaient, était suffisante pour entraîner la conviction du plus grand nombre. Dans cette mesure, la presse a eu évidemment une influence. Témoin cette remarque faite à Saint-Florent-sur-Cher : « La population, qui lit du reste beaucoup les journaux, a très bien compris que c'est l'Allemagne qui voulait la guerre... » (A.D. Cher, 1 F 78).

84. La correspondance de Louis Pergaud nous a semblé parfaitement illustrer ce point de vue. Cet écrivain socialisant, mais dont les lettres témoignent du peu d'intérêt qu'il portait à la vie politique avant la guerre, a vu le conflit arriver avec consternation et hostilité, comme l'ont montré les citations que nous avons faites précédemment. Or le 2 août, il écrit à Léon Hennique : « ... N'était le fait de la laisser seule ici (ma femme), je partirais avec joie ». Et le même jour au poète Marcel Martinet : « Tu sais : je pars de bon cœur ! J'ai suivi les événements, je ne dis pas sans fièvre, mais avec beaucoup de calme et de sang-froid. Nous avons voulu passionnément la paix, mais à Berlin on veut la guerre. Jamais je n'accepterai la botte du Kaiser ! J'avais de la rage au cœur tous ces jours-ci contre les camarillas de canailles qui faisaient pleurer les femmes et tant pis pour ceux qui se trouvent devant mon fusil... » *(op. cit.*, p. 115).

85. Marc Bloch, *Souvenirs de guerre* (1914-1918), Cahier des Annales n° 26, Armand Colin, 1969, 56 p. (p. 10).

## Et les ouvriers ?

Nous avons déjà évoqué le comportement d'ouvriers, les réactions de localités ouvrières face à la mobilisation. Le moment nous semble toutefois venu d'essayer de synthétiser les observations faites dans ce domaine. La question est d'importance, puisque c'est essentiellement en milieu ouvrier que la propagande « antimilitariste » et « antipatriotique » s'était développée avant la guerre. Avouons cependant que notre documentation nous laisse assez démuni et qu'il est encore plus facile de déterminer l'opinion publique en général que celle d'une fraction de la société. Si nous connaissons la façon dont réagirent les organisations ouvrières, nous savons beaucoup moins ce que pensèrent les ouvriers.

La première impression est pourtant que leur attitude fut fort semblable à celle du reste de la population. Tel chroniqueur s'emploie à montrer la conduite identique de toutes les catégories sociales, le départ à l'heure dite de tous, « l'ouvrier, l'employé et le commerçant, le rentier et le besogneux, l'honnête homme et l'homme taré... » [86], tel autre souligne combien il aurait été hasardeux de déduire l'attitude du moment de celle d'avant la guerre : « Ah ! Ces ouvriers vierzonnais à qui la caserne du temps de paix a fait une si mauvaise réputation, il faut voir comme ils y vont ! » [87]. Deux instituteurs charentais affirment même, ou au moins laissent entendre, que les ouvriers sont partis en manifestant plus d'ardeur que leurs camarades ruraux : « Nos populations agricoles ne possèdent pas l'enthousiasme vibrant des populations des cités ouvrières ; elles sentent vivement, mais n'expriment pas bruyamment leurs sentiments... » [88]. « Donc au premier jour et *au moins dans la classe ouvrière* [89], la mobilisation s'est faite sans récriminations, sans réserves et, semble-t-il, sans arrière-pensée » [90]. Le préfet d'un département à forte population ouvrière, celui du Nord, relate la mobilisation de cette façon : « On me signalait de tous les points du département dans la matinée du 2 que partout on communiait dans les mêmes sentiments de confiance et de mâle résolution. Plus d'antimilitaristes dans nos centres ouvriers. Pas une fausse note dans tout le département... » [91]. Les diri-

---

86. A.D. Saône-et-Loire, *La guerre vue du Creusot*, par le secrétaire en chef de la mairie.

87. A.D. Cher, R 1516, *Histoire de Vierzon*. Suite d'articles publiés pendant la guerre dans *La Dépêche du Berry* par Edmond Laurençon, directeur des cours préparatoires de l'Ecole nationale professionnelle.

Des remarques semblables sont extrêmement fréquentes. Ainsi, le rapport du secrétaire général de la préfecture des Basses-Alpes du 24 sept. 1915, à propos de la surveillance des « nationaux suspects » : « A la vérité, la tâche est ici négative. Sabotage ! Antimilitarisme ! Grève générale ! Tout cela s'est évanoui subitement, tel un mauvais rêve... » (A.D. Basses-Alpes, C × 1672, p. 8) ; ou cette indication parmi tant d'autres : « Même chez les socialistes militants ou secrets, chacun obéit sans récrimination et fait son devoir sans broncher » (Chanoine Le Sueur, *op. cit.*, p. 17)...

88. A.D. Charente, J 87, Montignac-le-Coq.

89. Souligné par nous.

90. A.D. Charente, J 79, Chasseneuil.

91. A.N. 96 A.P., *Papiers Félix Trépont*, préfet du Nord. *Journal tenu par le préfet*, p. 27.

geants ouvriers font les mêmes constatations, pour le regretter, que ce soit le trésorier-adjoint de la CGT, Georges Dumoulin :

> « Nos syndiqués sont partis à la guerre, ils n'ont pas fait l'insurrection. Je les ai vus partir, nous avons pris la même rame de wagons à bestiaux... Mon train ressemblait aux autres, il était identique à ceux qui nous précédaient et à ceux qui nous suivaient. Il était bondé du même monde d'ouvriers, de paysans, de commerçants, d'employés. Les chants, les cris, le vacarme étaient semblables dans toutes les gares ... Je ne reproche rien, je constate. Parmi ce monde, je souffris. Mon silence était le signe de la désapprobation, autant que la honte qui m'étouffait » [92].

Ou le député socialiste-hervéiste de l'Yonne, Aristide Jobert : « Beaucoup de travailleurs partirent, hélas, avec enthousiasme ; on se rappelle les trains militaires ornés de fleurs, de branchages et d'inscriptions : A Berlin... » [93]. Un témoignage, bien que tardif [94], nous a paru assez significatif, celui de Jean Marie, à l'époque secrétaire du syndicat des mineurs d'Epinac (Saône-et-Loire). Deux ans plus tôt, il avait été parmi les 18 dirigeants de la CGT arrêtés au titre du Sou du soldat [95] et la virulence de son antimilitarisme lui avait valu de passer alors plusieurs mois en prison. Or quel souvenir lui a laissé la mobilisation ? « Le 2 août 1914, nous nous trouvons nombreux en gare d'Epinac. Je fais partie du convoi pour Epinal... » [96]. Pas une ligne, pas un mot de commentaire, comme si jamais il n'avait été question de s'opposer à la guerre, d'empêcher la mobilisation. Ce silence d'un homme qui avait été si peu de temps auparavant à la pointe du combat révolutionnaire nous a semblé symbolique [97] du comportement ouvrier ; il n'a pas eu, semble-t-il, conscience d'avoir à se distinguer de celui du reste de la nation.

Les ouvriers seraient donc partis comme les autres, sans que transparaissent les sentiments que certains d'entre eux avaient eu avant la guerre. Nous avons espéré que les fiches d'instituteurs, là encore, nous permettraient une analyse plus approfondie, bien que, par sa nature même, cette documentation soit peu représentative du monde ouvrier. Néanmoins nous disposons d'une douzaine de fiches concernant des localités ouvrières, situées uniquement dans l'Isère, et surtout le Gard [98],

---

92. Georges Dumoulin, *Les syndicalistes français et la guerre*, réédition 1921, Paris, Bibliothèque du Travail, 39 p. (p. 27).

93. A. Jobert, *Souvenirs d'un ex-parlementaire*, Paris, Imprimerie spéciale, 1933, 288 p., ch. XIV.

94. Jean Marie, « Souvenirs du passé », *Le Mouvement social*, 70, janvier-mars 1970. C'est en 1964 que l'auteur entreprit de retrouver le souvenir de 61 ans de vie militante. Mais les archives de l'époque confirment qu'il avait conservé « une assez bonne mémoire ».

95. Cf. J.-J. Becker, *Le Carnet B. L'antimilitarisme vu par les pouvoirs publics*, ch. premier.

96. Jean Marie, art. cité, p. 37.

97. D'autant plus que Jean Marie ne fut pas de ces militants révolutionnaires qui ensuite évoluèrent vers le réformisme. Lors de la scission du mouvement ouvrier, il choisit l'adhésion à la troisième Internationale.

98. Lors du recensement de 1911, 24 % de la population active de l'Isère et 25 % de celle du Gard sont comptés comme ouvriers.

les autres départements-témoins n'ayant qu'un faible développement industriel. Quelques remarques isolées sur le comportement des socialistes et des antimilitaristes viennent de plus s'y ajouter.

Une série de petites villes de la vallée industrielle de la Romanche, dans le département de l'Isère : Vizille, Séchilienne, Livet-et-Gavet, Rioupéroux, figurent dans nos fiches : les trois dernières [99] n'apportent pas de données originales sur l'attitude ouvrière. La mobilisation s'y est faite dans de bonnes conditions, « ordre et exactitude admirables », « esprit excellent », « départ enthousiaste », « chants patriotiques ». Seules les femmes doivent reprendre courage après n'avoir pu retenir leurs larmes. En revanche, à Vizille [100], la nouvelle de l'assassinat de Jaurès a fait « craindre » que se produise une « effervescence ». Cela ne s'est finalement traduit que par des rassemblements d'ouvriers sur la place du château. Après quelques instants de discussions « à voix basse », ils se dispersèrent silencieusement. La volonté de faire quelque chose s'est heurtée, semble-t-il, à la conviction de ne pouvoir rien faire. Les réactions des ouvriers de cette petite ville (4 102 habitants) illustrent le désarroi dont la mort de Jaurès fut, en quelque sorte, le symbole tragique [101], d'un désarroi qui crée l'accablement. Les ouvriers vizillois rentrent tristement chez eux. Incapables d'agir, ils allaient se résigner à la guerre, avec une espèce de colère rentrée. « Les antimilitaristes de la veille », nous est-il dit, montrèrent « un entrain farouche » ; on parle même de leur « exaltation ». Comment ne pas voir, dans cette violence surprenante, le transfert de toute la déception provoquée par le cours que les événements avaient pris ? [102]

Le département du Gard offre un panorama plus riche de témoignages de cités ouvrières, mieux réparties sur le plan géographique, La Grand-Combe [103], Le Chambon, Alès [104], Anduze, Lasalle, Le Cailar, aux activités plus diverses : mines, métallurgie, textile [105]. L'une de ces agglomérations, Le Cailar, est présentée comme « l'un des boulevards du syndicalisme et de l'anarchie dans le département » [106] ; à propos

---

99. Petit-Dutaillis, art. cité, p. 39 et 40. Dans ces trois cas, les témoignages semblent d'ailleurs avoir été le fait de la mêmefamille d'instituteurs, père, mère et filles.

100. Petit-Dutaillis, art. cité, p. 39. Le récit n'est pas ici dû à un instituteur, mais est constitué par des renseignements directement recueillis par l'auteur.

101. Cf. l'assassinat de Jaurès, II⁰ partie, ch. troisième.

102. Ne peut-on rapprocher de cette attitude celle des mineurs de Carmaux décrite par Rolande Trempé, *op. cit.*, p. 905 : « Démoralisés, déconcertés, désespérés même par l'assassinat de Jaurès, les mineurs n'eurent pas un geste de protestation, ni de révolte. Ils acceptèrent la mobilisation comme une fatalité, avec résignation. Cette passivité fit place assez rapidement à un sentiment national agressif, ils furent parmi les " jusqu'au-boutistes "...

103. Hameaux de Tarrabias et des Dieusses.

104. Alès-la-Royale et Alès-Tamaris.

105. D'après le recensement de 1911, sur 48 053 ouvriers, 10 094 étaient des mineurs et 5 856 des fileurs.

106. A.D. Gard, 8° R 1.

d'une autre, Alès-la-Royale, il est dit que « le milieu est imbu des idées pacifistes »[107].

Comment la mobilisation y fut-elle reçue ? Un décompte semblable à celui que nous avons fait pour les départements-témoins donne pour ces huit localités ouvrières les résultats suivants :

*Accueil de la mobilisation* (14 expressions retenues)

Groupe n° 1
(accueil réservé) ................................. 11, soit 78 %
Groupe n° 2
(avec sang-froid)................................. 2, soit 14 %
Groupe n° 3
(avec élan)........................................ 1, soit 8 %

*Conditions du départ* (21 expressions retenues)

Groupe n° 1
(résignation) .................................... 8, soit 38 %
Groupe n° 2
(sens du devoir) ................................. 6, soit 28 %
Groupe n° 3
(avec élan)....................................... 7, soit 34 %

La comparaison avec les chiffres obtenus pour l'ensemble du département[108] fait apparaître des traits originaux ; l'accueil de la mobilisation a encore été sensiblement plus réservé : le pourcentage des expressions du groupe 1 est plus élevé, tandis que celui des expressions des groupes 2 et 3 est plus faible. Mais c'est surtout au moment du départ que les sentiments ont été différents ; les proportions sont alors inversées, et ce sont, pour les localités ouvrières, les sentiments les moins chaleureux qui ont été les plus nombreux. Le fait est d'importance : dans le département du Gard, et au vu de la documentation que nous pouvons utiliser, les villes ouvrières ont manifesté une ardeur nettement moindre que les autres communes du département.

Nous n'avons malheureusement aucun moyen d'étendre cette constatation à l'ensemble de la France : nous ne pouvons que la verser au dossier telle quelle, tout en pensant néanmoins peu vraisemblable qu'une telle attitude ait été seulement le fait des ouvriers gardois.

---

107. *Ibid.*
108. Accueil de la mobilisation : groupe 1, 62 % ; groupe 2, 33 % ; groupe 3, 15 %.
Conditions de la mobilisation : groupe 1, 20 % ; groupe 2, 24 % ; groupe 3, 56 %.

Toutefois, une autre remarque s'impose : le sens de l'évolution constatée entre l'accueil de la mobilisation et le moment du départ est le même pour la totalité du département et pour les cités ouvrières : dans les deux cas, on est « mieux parti » qu'on avait accueilli la mobilisation. Or dans ces localités, la propagande pacifiste avait incontestablement pénétré ; les suffrages socialistes étaient nombreux [109]. D'ailleurs, quelques-uns ont agité des idées de révolte : « A signaler, écrit l'instituteur du Cailar, l'exaltation de certains syndicalistes qui parlent de ne pas partir ou de lever la crosse en l'air » [110]. On est cependant parti, sans ardeur il est vrai, mais sans protestations particulières. Comment a-t-on abandonné les projets de résistance à la guerre ? Pourquoi ces ouvriers gardois ont-ils eux aussi finalement « accepté » le conflit ? Plusieurs notes permettent de le comprendre.

Certains des motifs invoqués ne présentent aucune originalité : « Pour une bonne fois, il faut en finir avec cette puissance ! Il vaut mieux se sacrifier à présent et la mettre en état de ne plus jamais nous nuire », dit-on dans un hameau minier [111], tandis que, dans un autre, la lutte est considérée comme « nécessaire pour la sécurité actuelle et future » [112]. Nous retrouvons là le thème habituel d'une France pacifique menacée et provoquée.

La nature de l'explication est déjà bien différente lorsque la mobilisation a été « acceptée comme quelque chose d'inévitable, comme un devoir » [113]. Elle est la simple traduction de l'appartenance à un pays : il faut répondre à l'appel de la mobilisation, semble-t-il sous-entendu, quoi qu'on pense ! Un autre instituteur développe cette idée : « Evidemment ce n'est pas de gaieté de cœur que les mobilisés viennent de rejoindre leur corps ; ce n'est pas avec joie qu'ils vont au devant des balles ... . Ils savent qu'ils vont peut-être à la mort. Mais que dire, que faire ?... » La dernière phrase rappelle aussi cette notion d'impuissance devant l'événement que nous avions déjà sentie à Vizille. Et notre auteur ajoute : « Il n'y a pas d'autres façons de procéder, il n'y a pas d'autre issue » [114]. Se résigner à la mobilisation n'est pas à proprement parler le résultat d'un choix, il n'existe pas de possibilité de la refuser. C'est la démonstration, par l'expérimentation, de l'irréalisme du « pacifisme » ou de « l'antipa-

---

109. Par exemple, le candidat socialiste Marius Valette obtient en 1914, au premier tour, 31 % des voix à la Grande-Combe, 32 % au Chambon. Elu au second tour contre le député conservateur de Ramel, son succès est considéré comme une « victoire historique » de la classe ouvrière haut-gardoise. Le secrétaire général de la Bourse du Travail d'Alais, Mazet, affirme d'ailleurs que la pression des compagnies était telle que les socialistes obtenaient dans les villes minières des résultats inférieurs à leur influence véritable (cf. *Le Populaire du Midi*, 16 mai 1914).

110. A.D. Gard, 8° R 1.

111. *Ibid.*, Le Chambon, hameau des Dieusses.

112. *Ibid.*, Le Chambon, hameau de Tarrabias.

113. *Ibid.*, Lasalle.

114. A.D. Gard, 8° R 1, Anduze.

triotisme ». On peut nier verbalement son appartenance à une patrie ; en théorie, on pouvait dire qu'on refuserait la mobilisation, dans les faits non. Un autre témoignage vient renforcer ce jugement, en négatif, pourrait-on dire : « La mobilisation ... s'est effectuée dans le calme, bien que le milieu soit essentiellement ouvrier et imbu des idées pacifistes » [115]. Il est révélateur que le narrateur n'ait pas estimé nécessaire de nous expliquer pourquoi les pacifistes avaient abandonné leurs convictions. Il constate, mais sans grande surprise, comme si au fond il n'y avait jamais cru. Il ne donne même pas l'impression d'avoir eu conscience d'un revirement, un peu comme si un homme raisonnable ne pouvait songer à opposer des propos de temps de paix et des actes de temps de guerre.

Néanmoins, le glissement n'a pas toujours été aussi harmonieux. Ainsi au Cailar où, dans un premier temps, comme nous l'avons déjà vu, on s'apprêtait, au moins verbalement, à mettre en pratique les théories antimilitaristes. Quelques jours plus tard pourtant, « on ne parle plus de ne pas répondre à l'appel du pays ; tous, sauf un ou deux des plus exaltés, semblent résignés ; certains sont résolus ». « Puisqu'on nous oblige à nous battre, dit l'un, ce sera une guerre à mort » [116]. En conclusion, le témoin se déclare « émerveillé » que dans ce pays il n'y eût qu'un réfractaire et que ce ne fût même pas un syndicaliste ; il devait d'ailleurs apprendre plus tard « que ceux qui étaient les plus farouches antimilitaristes, les antipatriotes les plus avérés accompliss(aient) leur devoir avec un entier dévouement » [117].

Pourquoi ce changement d'attitude ? L'instituteur du Cailar place le retournement au 31 juillet : « Tout à coup, les faits se précisent, la lumière éclate ; la France ne veut pas la guerre, elle fait effort en faveur de la paix. Revirement dans les esprits. On nous cherche une ˝ querelle d'Allemand ˝ (sic) » [118]. Ce témoignage nous a semblé exemplaire car, sans que son auteur ait eu vraisemblablement de dessein didactique, il fait bien apparaître les phases de l'évolution de l'opinion publique dans une petite bourgade ouvrière — un millier d'habitants — tout en les expliquant [119].

---

115. *Ibid.*, Alès-la-Royale.

116. A.D. Gard, 8° R 1.

117. Il faut souligner que tous les observateurs ne parviennent pas à trouver les causes de ce changement d'attitude : ainsi à Saint-Florent-sur-Cher, petite bourgade ouvrière du département du Cher (4 300 habitants), Cartier de Saint-René notait ceci : « Bien que le pays ait été très travaillé depuis quinze ans par la CGT, la mobilisation s'opéra sans la moindre hésitation. Cependant, la veille même, avait eu lieu une réunion de 300 ouvriers qui, après des discours révolutionnaires très applaudis, avaient conspué le service militaire et acclamé la grève générale en cas de guerre. *On ignore très exactement la cause d'un revirement aussi soudain.* Cependant voici ce qu'aurait dit, au départ du premier train de mobilisés, un des meneurs à quelqu'un qui lui témoignait d'un air narquois son étonnement de le voir partir : ˝ Que veux-tu, si je ne partais pas, je serais peut-être fusillé, après tout ˝ » (A.D. Cher, 1 F 78).

118. A.D. Gard, 8° R 1.

119. A.D. Cher, 1 F 78.

L'acceptation de la mobilisation par les ouvriers gardois fut le résultat de la synthèse des sentiments profonds, enracinés par une longue tradition nationale, appartenance à une patrie, sens du devoir..., des circonstances, la conviction générale de l'agression allemande et peut-être de la sensation d'impuissance à se dresser contre le cours des événements. Encore une fois, cela ne vaut que pour le Gard, mais en a-t-il été autrement ailleurs ? Si quelques réflexions antimilitaristes ont été relevées çà et là [120], si, à Saint-Jean-de-Valériscle, dans le Gard, les gendarmes durent conduire à la gare un mobilisé « qui prêchait la théorie de la crosse en l'air » [121], il semble que ce furent des faits bien isolés, rares, par rapport aux indications trop peu nombreuses elles aussi — mais de caractère plus général — qui montrent le pacifisme, en quelque sorte, annulé par les circonstances du moment, comme dans la Drôme : « Eh bien ! Puisqu'il le faut, nous irons et on verra comment les socialistes sauront tirer sur les Allemands » [122], « les quelques antimilitaristes de la localité ont manifesté en la circonstance les meilleurs sentiments » [123] ; dans l'Isère : « En ce grave moment ... plus d'antimilitaristes » [124] ; ou en Charente : « Le patriotisme avait été un peu ébranlé par la propagande malsaine d'un noyau soi-disant socialiste ; cependant il s'est raffermi au premier signal du danger... » [125].

Ainsi, contrairement à notre première impression, il semble bien que l'attitude en face de la mobilisation n'a pas été la même dans les cités ouvrières et dans le reste du pays. La mobilisation a été plus mal reçue, le départ se fit de façon plus réservée [126]. Cela prouve que les idées pacifistes ont eu de l'écho, mais elles ne se sont pas traduites dans les faits, parce que le sentiment national l'a emporté sur le schéma que le mouvement ouvrier avait tenté de faire prévaloir quant à l'origine des guerres.

## Insoumission et réticences

La mobilisation fut donc acceptée et, même lorsqu'elle l'était avec plus ou moins de bonne grâce, on se soumit à ses obligations. Cette attitude fut-elle cependant sans failles ?

Les documents dont nous disposons démontrent que l'insoumission

---

120. Cf. A.D. Côtes-du-Nord, série R, Saint-Brieuc, section des Villages.
121. A.D. Gard, 8° R 1.
122. Rochegude, Petit-Dutaillis, art. cité, p. 19.
123. Clérieux, *Ibid.*, art. cité, p. 26.
124. Silland, *Ibid.*, art. cité, p. 29.
125. A.D. Charente, J 91, Sonneville.
126. Louis Lumet (*op. cit.*, p. XXII) remarque dans son compartiment un mobilisé beaucoup plus réservé que les autres. Il lui parle : « C'est un ouvrier électricien. Il déteste la guerre, mais il part, parce qu'il faut partir ».

fut rare [127]. Les préfets n'en font guère mention, celui du Lot remarque « qu'on ne constate aucune défaillance parmi les réservistes... » [128] ; celui de la Sarthe, dans son rapport au conseil général, qu'« il n'y eut ni insoumis, ni déserteur » [129]. Les notes d'instituteurs sont plus prolixes sur ce sujet, sans cependant l'aborder systématiquement. Il n'est fait aucune allusion à une quelconque insoumission dans les fiches de Haute-Savoie, Charente et Côtes-du-Nord ; dans celles de l'Isère, une défaillance est signalée par un instituteur sans qu'il indique d'ailleurs dans quelle commune elle s'est produite [130] ; il est fait état, dans celles des Hautes-Alpes, d'un déserteur arrêté à Montgardin-la-Plaine, le 4 décembre 1914 [131] ; enfin dans celles du Gard, on peut relever quatre cas de natures toutefois très différentes : un petit propriétaire passé en Suisse plutôt que de répondre à l'ordre de mobilisation [132], un territorial qui a quitté son poste de surveillance le long d'une voie ferrée « parce que le travail pressait », (il a été reconnu malade et interné) [133], un alcoolique qui a tenté de mettre fin à ses jours [134] et enfin deux insoumis recherchés, mais par erreur [135]. Tout cela est donc à peu près négligeable ; il en est de même pour cet insoumis d'une localité du Vaucluse, né par hasard dans cette commune, de parents saltimbanques, qui n'a d'ailleurs jamais satisfait à ses obligations militaires [136]. En revanche, les instituteurs sont plus souvent conduits à constater que tous les mobilisés sont partis au moment voulu, trois fois dans les Côtes-du-Nord, quatre dans le Gard, sept dans l'Isère et en Haute-Savoie, quinze pour seulement sept des vingt liasses charentaises. Le plus souvent, le fait est simplement noté : « Au 15 août, tous les rappelés, au nombre de 198, avaient rejoint » [137], ou bien sans précision numérique : « Point de retardataire, ni d'insoumis à signaler » [138], « tous les mobilisables ont répondu à l'appel » [139], « aucun réfractaire » [140], « pas un seul récalcitrant » [141]. D'autres formu-

---

127. L'insoumis est celui qui n'a pas rejoint son corps, tandis que le déserteur est celui qui l'a quitté. Pour simplifier les choses, nous considérerons les deux attitudes en même temps.

128. A.N. F 7 12938, 3 août, soir.

129. Pierre Bordes, *Le département de la Sarthe et la guerre*, août 1914 - août 1915. Rapport spécial présenté au conseil général, p. 4.

130. Petit-Dutaillis, *art. cit.*, p. 36, note 1.

131. A.D. Hautes-Alpes, 200 R 82.

132. A.D. Gard, 8° R 1, Le Cailar.

133. A.D. Gard, 8° R 1, Manduel.

134. *Ibid.*, Saint-Jean-de-Valériscle.

135. *Ibid.*, Aigaliers.

136. A.D. Vaucluse, J 13, Sablet.

137. A.D. Haute-Savoie, 1 T 218, Annecy-le-Vieux.

138. Petit-Dutaillis, art. cité, p. 28, Viriville (Isère).

139. A.D. Haute-Savoie, 1 T 218, Chaumont.

140. A.D. Charente, J 79, Charras.

141. *Ibid.*, J 76, Ars.

les contiennent un jugement de valeur : « Pas de défaillance »[142], « personne n'a manqué à son devoir »[143], ou répondent consciemment ou inconsciemment aux spéculations sur le refus de la mobilisation : « Pas un mobilisé n'eut l'idée de se soustraire à l'appel du pays »[144].

C'est donc, d'une façon générale, sans surprise que les instituteurs constatent que l'on a obéi à l'appel de la mobilisation. On peut même penser qu'ils ne l'ont pas fait plus souvent, tant la chose allait de soi, à ce moment du moins. Les narrateurs sont plutôt tentés de mettre en valeur les excès de zèle, comme celui de ces « classes 1886 » « qui (firent) trente kilomètres à pied pour s'assurer de leur situation militaire »[145].

Peut-être faut-il tout de même souligner que l'assise géographique de notre documentation, de petites communes principalement, où tout le monde se connaît, n'était pas favorable au développement de l'insoumission, surtout de caractère individuel. Néanmoins, fait significatif, des insoumis ou déserteurs du temps de paix ont profité des circonstances pour se présenter et demander à accomplir leur devoir militaire[146] ; d'autres sont rentrés de l'étranger où ils étaient réfugiés : plus d'une centaine, retour de Belgique, passèrent la frontière à Feignies et à Jeumont[147].

Il n'avait pourtant pas été prévu que répondre à l'ordre de mobilisation allât à ce point de soi. Certains observateurs expliquèrent même que le renvoi rapide dans leurs foyers de trois classes de territoriaux était la conséquence de la façon inespérée dont les réservistes étaient partis[148]. Un pourcentage important d'insoumission avait été redouté, fort variable d'ailleurs suivant les auteurs[149], en tout cas fort élevé[150]. Cette psychose de l'insoumission avait été nourrie pour une bonne part par les chiffres impressionnants cités à la tribune de la Chambre des députés par l'ancien ministre de la Guerre, Messimy, lors du débat sur le Sou du

---

142. A.D. Côtes-du-Nord, série R, Saint-Gouëno.

143. A.D. Puy-de-Dôme, R 0 1342, Bellevue.

144. A.D. Charente, J 82, Fontclaireau. L'instituteur de Lalley, dans son récit publié par *Le Dauphiné*, le confirme de cette façon : « Nul ne manqua à l'appel, et l'idée de déserter le poste de combat n'effleura pas même la pensée d'aucun de nos mobilisés » (18 octobre 1914).

145. A.D. Isère, 13 R 54, Varacieux. La classe 1887 était la dernière mobilisable depuis la loi de 1913 qui avait porté à 28 ans la durée des obligations de service (cf. Henry Bidou, *Histoire de la Grande Guerre*, Paris, Gallimard, 1939, 696 p., p. 27).

146. A.D. Isère, 13 R 54, Rives.

147. A.D. Nord, R 28, sous-préfet d'Avesnes, 5 août.

148. A. Delecraz, *op. cit.*, p. 304.

149. 10 % selon Charles Favral (*Histoire de l'arrière*, Jidéher, sans date, p. 169), 13 % selon Raoul Girardet (*La société militaire dans la France contemporaine*, 1953, p. 246), et 20 % selon Jacques Bainville (*Journal inédit (1914)*, Plon, 1953, p. 21).

150. Si on retient qu'à la suite de la mobilisation les effectifs de l'armée combattante étaient de 2 689 000 (cf. Lavisse, *Histoire de France*, tome 9, p. 75), la défection de 10 % d'entre eux se serait donc traduite par l'absence de près de 300 000 soldats !

soldat des instituteurs, en 1913 [151]. Un observateur pouvait donc écrire : « La vérité, c'est qu'on avait escompté qu'au moment de la mobilisation, des défections se produiraient. Il était hélas permis de le prévoir d'après les ravages que déchaînait une active propagande antimilitariste » [152].

La réalité fut donc différente, mais elle ne fut pas non plus tout à fait celle que pourrait laisser supposer la seule consultation des notes d'instituteurs ou des rapports préfectoraux. Il y eut des insoumis.

Les autorités militaires se préoccupèrent très vite d'ailleurs de donner de la publicité à leur recherche. Un entrefilet de *L'Echo de Paris* [153] fait état d'une communication officielle du Ministère de la guerre rapppelant aux généraux commandants de région les dispositions réglementaires à cet égard. Nous savons aussi que des mobilisables tentèrent de gagner l'étranger : c'est ainsi que le préfet des Basses-Pyrénées était averti qu'au Pays Basque « de nombreux jeunes hommes soucieux d'échapper le cas échéant à la mobilisation » faisaient « des préparatifs d'exode » vers la frontière espagnole [154] et il signalait dans un de ses rapports quelques jours plus tard l'arrestation de dix-neuf d'entre eux lors d'opérations de contrôle au passage de la frontière [155]. D'autres préfets font mention d'arrestations à l'intérieur du pays : à Louhans, un insoumis est appréhendé le 7 août alors qu'il aurait dû rejoindre le deuxième jour de la mobilisation, ainsi qu'un anarchiste, fiché au Carnet B, qui, lui, avait déserté [156]. Mais ces indications sont rares et fragmentaires.

En consultant les archives des conseils de guerre, nous avons pensé pouvoir mieux déterminer les caractères de l'insoumission.

Un sondage effectué sur environ la moitié des liasses dans les différentes régions militaires fait apparaître un total de 841 cas d'insoumission ou de désertion. On peut donc estimer que, du mois d'août au mois de décembre 1914, les conseils de guerre ont jugé environ 1 600 cas de ce genre et y ont consacré entre le tiers et la moitié de leur activité [157].

Ce chiffre est loin de correspondre au nombre de réfractaires (1,5 % d'après R. Girardet [158]), mais seuls figurent dans ce dénombrement les

---

151. J.-J. Becker, *Le Carnet B, op. cit.*, p. 37. (Voir ci-dessus p. 85).

152. A. Delecraz, *op. cit.*, p. 304.

153. 11 septembre 1914.

154. A.N. F 7 1293, Pau, 30 juillet 1914.

155. A.N. F 7 12939, Pau, 3 août 1914.

156. A.N. F 7 12939, Mâcon, 8 août. Le commissaire spécial de Bordeaux signale le 29 juillet l'arrestation d'un soldat de 21 ans en garnison à Issoudun qui fuyait en Espagne après avoir jeté ses effets militaires (A.N. F 7 12934).

157. Les déserteurs des unités combattantes ont échappé pour la plupart aux conseils de guerre ordinaires. En effet, par un décret du 6 septembre 1914 (instructions du général Joffre du 9 septembre 1914), furent créés aux armées des conseils de guerre spéciaux, à procédure simplifiée. Ces cours martiales avaient compétence pour les crimes commis par des militaires et présentant le flagrant délit (cf. Guy Pedroncini, *Les mutineries de 1917,* Presses universitaires de France, 1967, p. 14 et 15.).

158. R. Girardet, *La société militaire...*, *op. cit.*, p. 246.

insoumis ou les déserteurs arrêtés dans cette période. Il n'y a pas de jugements par défaut dans les dossiers que nous avons consultés. On peut estimer qu'il y eut — au moins au début de la guerre — relativement peu d'insoumis ou de déserteurs à échapper aux recherches sur le territoire national : beaucoup, en effet, furent arrêtés en raison des vérifications systématiques auxquelles se livraient les gendarmes, aussitôt qu'ils se trouvaient en présence d'hommes apparemment d'âge à porter les armes. Ils étaient soutenus dans cette recherche à la fois par l'opinion publique, pour qui tout homme jeune en civil était immédiatement suspect et ... par l'appât du gain, car ils percevaient une « prime de capture » [159]. C'est ainsi que de nombreux anciens insoumis, bien difficilement décelables en temps ordinaire, furent arrêtés à cette époque. Il est évident, par contre, que les insoumis réfugiés à l'étranger échappèrent aux conseils de guerre.

Les archives des conseils de guerre ne nous apportent donc pas d'éléments très neufs sur le plan des dénombrements, sauf que le pourcentage réel de réfractaires a dû encore être très inférieur à ce que l'on dit habituellement [160]. Il a donc été très faible. Néanmoins, il faut savoir pourquoi il y eut des insoumis.

Avant d'essayer de réaliser une synthèse des causes de l'insoumission, il nous a paru utile de présenter sous forme de tableaux-résumés le contenu de quelques liasses prises au hasard (cf. tableaux pages 358-363).

De leur lecture se dégage une impression : la dimension politique est très réduite. Il en est de même quand on feuillette l'ensemble des dossiers. Il faut évidemment faire la part des choses. Il est possible que, dans un certain nombre de cas, le motif réel de l'acte incriminé ait été de caractère politique, mais qu'il n'ait pas paru nécessaire aux prévenus d'en faire état devant leurs juges [161]. Il est donc probable qu'il faut être circonspect envers les mobiles qui sont avancés dans les procédures. Et comme, eu égard aux circonstances, il était souvent difficile de faire une enquête sur le passé civil des accusés, les officiers-rapporteurs ne pouvaient apprécier les actes incriminés par rapport à leur comportement antérieur. Nous ne savons donc pas si les motivations ne jouèrent aucun

---

159. Instruction du 21 mars 1906, art. 15.

160. Par réfractaires « réels », nous entendons ceux qui ont délibérément choisi de ne pas répondre à l'ordre de mobilisation. Combien d'insoumis « officiels » n'étaient-ils pas des Français installés depuis plus ou moins longtemps à l'étranger, sans espoir de retour ? Il est vrai que parmi eux un certain nombre pouvaient être partis pour des raisons politiques.

161. Ce que nous avançons ici n'est pas uniquement du domaine de la conjecture. Une future personnalité politique, assez importante sur le plan régional, fut condamnée le 26 octobre 1914 à deux mois de prison par le conseil de guerre de Lyon, pour désertion en temps de paix. Le condamné s'était présenté de lui-même, mais au-delà des délais prévus par la loi d'amnistie (cf. ci-dessous).
Expliquant alors les motifs de son acte devant le conseil de guerre, il mit en avant des « chagrins intimes », « un coup de tête ». Aucune allusion à une raison politique. Comment croire qu'il en a bien été ainsi pour ce jeune mineur, que sa biographie nous dépeint comme un « ardent syndicaliste » depuis l'âge de seize ans et qui déserta justement en 1913 ?

rôle, nous pouvons simplement constater qu'elles sont très rarement mises en évidence dans les affaires traitées par les conseils de guerre.

A ce point de notre étude, il a été nécessaire que nous fassions la distinction entre insoumis et déserteurs.

Les motifs invoqués de l'insoumission sont extrêmement variés. Il faut d'abord mettre à part de nombreux insoumis du temps de paix qui se sont présentés plus ou moins vite une fois la guerre déclarée [162]. Ce sont des insoumis repentis ; il y a donc chez eux, apparemment du moins, la volonté de faire leur devoir, à moins que certains d'entre eux aient été effrayés par les peines plus lourdes qu'ils risquaient en temps de guerre et l'éventualité plus forte d'être arrêtés.

Parmi les autres, il en fut bien qui revendiquèrent pleinement la responsabilité de leurs actes, comme cet ouvrier agricole de l'Aube, déjà âgé de quarante-trois ans, qui, arrêté le 4 août, affirma avec vigueur : « Je m'en fous pas mal, je ne partirai pas, tous les Français sont des canailles ou des vaches... » [163], mais ils sont rares.

Une nombreuse catégorie est formée par les asociaux, les vagabonds qui vivaient depuis longtemps en marge de la société : ceux-là n'avaient cure de leurs obligations militaires et, faute de domicile fixe, les convocations de la gendarmerie avaient peu de chance de les avoir atteints. Les « repris de justice » représentent une nuance différente : ayant fait leur service « actif » dans les sections dites « d'exclus » [164], ils se croyaient dégagés de devoirs militaires. Erreur, ils étaient censés « rejoindre »... en prison !

Un autre contingent est constitué par les « débiles mentaux » ou tout au moins par ceux qui sont taxés « d'intelligence fruste ». Ils n'ont pas su lire leur livret militaire, ils attendaient qu'on vienne leur dire de partir, il y a même le cas d'un demi-insoumis, pourrait-on dire : il s'était bien rendu à la caserne, mais là il ne s'était signalé à personne, espérant ainsi être oublié et ne pas aller au feu ! [165]

Sans que les conseils de guerre aient conclu à leur débilité mentale après examen médical, nombreux aussi furent ceux que nous pouvons ranger dans la catégorie des négligents : ils ont agi par ignorance, ils ont mal lu les affiches, ils ont mal compris leur livret, ils l'ont perdu, ils ne l'avaient pas avec eux au moment de la mobilisation (c'est d'ailleurs souvent le cas de jeunes ouvriers agricoles employés loin du domicile

---

162. Une loi d'amnistie avait été votée le 5 août 1914. Elle donnait un délai de quatre jours aux insoumis et aux déserteurs du temps de paix pour se présenter. Mais tous n'en eurent pas connaissance en temps voulu.

163. Conseil de guerre de la 20ᵉ région. Liasse du mois d'août.

164. C'était le degré au-dessus (ou au-dessous) des « Bat. d'Af. ». Il n'était plus question de service militaire, mais d'un véritable temps de travaux forcés pour ceux qui avaient été condamnés à des peines graves. Une loi de 1912 avait d'ailleurs considérablement abaissé le seuil au-delà duquel on pouvait y être envoyé (cf. J.-J. Becker, Le Carnet B, p. 38-39).

165. Conseil de guerre de Toulouse. Liasse du 6 novembre au 30 décembre.

familial). Certains conseils de guerre, par exemple celui de Bordeaux, se montrèrent plus sensibles que d'autres à ce genre d'excuses.

Il y a aussi les Bretons ! Un certain nombre ne comprenant pas le français n'ont pas su ce qu'ils devaient faire [166]. Le conseil de guerre de Nantes les acquitte généralement.

Des mobilisables ont été insoumis parce que, « malades », ils ne « se sentaient pas en état de faire campagne », mais ils n'ont pas pensé à signaler leur cas : ils sont arrivés à la caserne avec un retard plus ou moins grand.

Quelques-uns, bien rares, avouent qu'ils ne sont pas venus parce qu'ils avaient peur d'aller à la guerre. Lorsqu'il est arrêté aux champs par les gendarmes, le 23 septembre, un domestique de culture de l'Yonne leur confie qu'il « n'est pas parti » pour cette raison, et il ajoute naïvement : « Je n'ai pas voulu aller me faire tuer. J'ai pensé qu'il y en aurait assez d'autres sans moi » [167].

Ils furent de même peu nombreux ceux qui, comme ce cultivateur breton, expliquèrent complaisemment « qu'il avait voulu finir son travail » et que cela « lui faisait peine » de ne pas avoir le temps de rentrer sa récolte [168].

Les conseils de guerre avaient peu de moyens pour apprécier la valeur des excuses qui leur étaient données. S'être présenté volontairement ou avoir été arrêté fut une importante ligne de démarcation qui justifia des sanctions souvent fort différentes.

Si on songe à l'immense branle-bas que fut la mobilisation, les excuses d'ignorance, de perte du livret militaire semblent peu croyables. A part ceux qui furent victimes d'une erreur de fascicule de mobilisation — et, dans ce cas, l'affaire se terminait par un non-lieu avant d'être soumise au conseil de guerre — ou ceux qui furent renvoyés — à tort — dans leurs foyers par un officier ou sous-officier pressé, la plupart des insoumis donnent l'impression — même lorsqu'ils se défendent de l'être véritablement — d'avoir manifesté au moins une bonne volonté douteuse. Mais ils forment un groupe très disparate et très minoritaire.

Les déserteurs constituent une catégorie un peu différente. Comme pour les insoumis, il faut mettre à part le groupe des déserteurs du temps de paix qui, une fois la guerre déclarée , sont venus faire leur soumission. Ils avaient déserté pour des raisons variées, tenant en général

---

166. Marc Bloch porte un jugement sévère sur ces appelés bretons, que la consultation des archives des conseils de guerre semble corroborer. « ... Les hommes de l'intérieur des terres nous parurent de bien médiocres guerriers. Vieillis avant l'âge, ils semblaient déprimés par la misère et l'alcool. Leur ignorance de la langue ajoutait encore à leur abrutissement. Pour comble de malheur, le recrutement les avait pris aux quatre coins de la Bretagne, si bien que chacun parlait un dialecte différent, ceux d'entre eux qui savaient un peu de français ne pouvaient que rarement servir d'interprètes auprès des autres ». M. Bloch, *op. cit.*, p. 45.

167. Conseil de guerre de la 20ᵉ région, jugement du 3 octobre.

168. Conseil de guerre de Nantes.

aux aléas de la vie militaire : certains se « sentaient brimés », d'autres « n'avaient pas été reconnus malades », on leur avait refusé une permission à laquelle ils estimaient avoir droit, tout au moins c'est ce qu'ils dirent alors pour se justifier [169]. Nombre d'entre eux ont été jugés, parce que, rentrés trop tard, ils n'ont pu profiter de l'amnistie. Le conseil de guerre de Limoges infligea ainsi six mois de prison à un domestique de ferme rentré d'Espagne, mais au-delà des délais légaux.

Malgré leur titre impressionnant, les affaires de désertion sont pour la plupart vénielles. La diminution du temps de « l'absence illégale » en temps de guerre, de six à deux jours, a transformé en déserteurs des soldats qui avaient prolongé une permission, qui avaient profité d'une occasion pour aller passer quelques jours en famille avant le départ pour la zone des combats, qui avaient voulu aller s'occuper de leur femme malade... D'autres n'ont pas osé rentrer après avoir été attardés par de copieuses libations. Les sanctions purent être cependant fort sévères : trois ans de travaux publics à un territorial — mauvais soldat il est vrai, d'après son relevé de punitions — pour une désertion de ... trois jours [170].

Les désertions jugées par les conseils de guerre ordinaires sont surtout celles de soldats plus ou moins inactifs dans les dépôts. Il est arrivé, rarement d'ailleurs, qu'ils aient à connaître des désertions devant l'ennemi mais, plus tardives, elles ne sont plus en rapport avec les conditions du départ.

Donc si, dans les affaires d'insoumission ou de désertion, les aspects politiques n'ont peut-être pas été aussi absents qu'il semble, dans toute notre documentation, nous n'avons rencontré qu'un seul exemple où deux réfractaires ont proclamé les motifs — politiques — de leurs actes. A peu près seul en France, un groupe d'anarchistes stéphanois gagne les bois au moment de la mobilisation. Un jeune ajusteur, Jean Gardant, après avoir passé quelques jours sur les pentes du Mont Pilat, fut arrêté le 6 août au Bessat avec un compagnon. Il prétendit qu'il était alors en route pour rejoindre son régiment. En fait, il fut remis aux gendarmes par les habitants du pays qui l'avaient poursuivi, étonnés par les allées et venues d'hommes jeunes. Il reconnut avoir été armé (il disposait avec son compagnon de trois revolvers) et ne fit pas mystère de ses opinions : « Je suis antimilitariste et libertaire. Lorsque vint la tension diploma-

---

169. Cette catégorie de déserteurs repentis nous paraît illustrer la distinction nécessaire, trop souvent masquée, entre antimilitarisme et antipatriotisme ; elle apporte en outre une explication supplémentaire de l'attitude à première vue contradictoire de ces antimilitaristes qui acceptèrent de partir à la guerre. Ces jeunes soldats ont été incapables de supporter la vie militaire en temps de paix, ils devaient témoigner d'une véritable haine envers l'armée pour accomplir un geste aussi grave, même s'ils le dissimulèrent dans leurs justifications. En venant faire « leur devoir » au moment de la guerre, ils montrèrent, surtout ceux qui rentrèrent volontairement de l'étranger, qu'antimilitaristes, ils n'étaient pas pour autant antipatriotes.

170. Conseil de guerre de Clermont-Ferrand, liasse du 4 septembre au 24 octobre.

tique qui a précédé les événements actuels, j'ai prévu qu'il faudrait partir à la guerre et je ne le voulais pas ; deux moyens s'offraient à moi : résister à ceux qui viendraient me chercher ou m'enfuir, j'opinais pour ce dernier... » [171].

Le cas de ces anarchistes stéphanois nous semble dépasser l'anecdote, car c'est l'exception qui confirma la règle. Les archives de la justice militaire étayent les études faites précédemment. Elles ne gardent à peu près pas trace d'un refus de mobilisation chez les mobilisables [172].

Point d'opposition à la guerre donc ? Nous ne serons pas si affirmatif car nous avons perçu certains frémissements sous la surface unie. Il y eut çà et là quelques suicides provoqués par la guerre, en Charente, celui « d'un homme affolé par ce départ imprévu » [173], ceux peut-être de deux militaires qui se sont noyés et dont il n'est pas sûr que ce fut un accident [174], celui d'un lieutenant porte-drapeau du 140e de ligne à Grenoble : les raisons en sont inconnues mais les journaux ont été priés de ne pas en parler pour éviter une fâcheuse impression [175] ; le sous-préfet de Toulon signale, le 9 août, la tentative de suicide d'un réserviste en ajoutant ce commentaire : « Il est à remarquer que presque chaque jour depuis la concentration des troupes de réserve et de territoriale à Toulon, il y a un suicide ou une tentative de suicide » [176] ; plus spectaculaire fut le suicide d'un adjoint au maire de Lyon [177] qui fut attribué à un accès de « mélancolie aiguë » causé par la guerre [178]. La nouvelle, nous dit-on, impressionna douloureusement la population lyonnaise.

Çà et là aussi, il est fait allusion à quelques sabotages. Un ouvrier de la poudrerie d'Angoulême est arrêté pour avoir détérioré volontairement des objets utilisés pour la fabrication des poudres [179] ; une enquête attribua à une origine criminelle l'incendie qui a menacé le dépôt de la gare de Thouars [180] ; près de Senlis, un coup de feu fut tiré sur la voie de che-

---

171. Déclaration faite aux gendarmes qui l'ont arrêté. Condamné par le conseil de guerre de Clermont-Ferrand, le 29 décembre 1914, à 3 ans de prison, Jean Gardant bénéficia d'un sursis accordé par le général commandant la 13e région et fut réhabilité après avoir été cité à l'ordre de la brigade le 19 août 1916 pour action d'éclat.

172. Pour illustrer le récit qu'il fait de cette période dans son roman *L'Eté 1914*, Roger Martin du Gard avait écrit à l'anarchiste Armand pour lui demander de lui trouver un cas d'antimilitariste fusillé en 1914, désespérant d'y parvenir (cf. J. Schlobach, « L'Eté 1914 », *Le Mouvement social*, octobre-décembre 1964, p. 137). Il semble bien qu'il n'y en a pas eu.

173. A.D. Charente, J 89, Porcheresse.

174. A.N. F 7 12936, Bordeaux, 7 août.

175. A.N. F 7 12936, Grenoble, 2 août.

176. A.D. Var, 4/M 43.

177. Ami intime d'Edouard Herriot, il était le fils d'un ancien sénateur et président du conseil général du Rhône.

178. A.N. F 7 12938, Lyon, 14 août.

179. *La Charente*, 4 août.

180. A.D. Deux-Sèvres, 4 M 6/29.

min de fer et un fil télégraphique coupé [181] ; à Saint-André-de-Double, en Dordogne, deux fils téléphoniques ont été coupés : l'auteur du sabotage est un cultivateur dont le rapport du préfet indique qu'il ne paraît pas jouir de la « plénitude de ses facultés » [182] ; près de Meaux, les gendarmes ont signalé que, dans la nuit du 31 août vers 3 heures, des factionnaires à l'entrée d'un tunnel ont fait feu sur trois ou quatre individus qui se trouvaient à flanc de coteau près des poteaux des lignes télégraphiques [183]...

A ces faits s'ajoutèrent un grand nombre d'incidents, dont gardent trace les archives des procureurs généraux et celles des conseils de guerre [184], et qui furent provoqués plus souvent par des propos de caractère antimilitariste ou antipatriotique que par des actes. Toutefois, quelques individus porteurs ou détenteurs d'explosifs furent arrêtés, soit qu'ils aient attiré l'attention par des propos menaçants [185], soit qu'anarchistes connus, ils aient été appréhendés au moins sous ce prétexte [186]. Mais dans la plupart des cas, les poursuites ont été justifiées par des paroles subversives, « cris séditieux », « injures à l'armée », « provocations de militaires à la désobéissance ou en vue de les détourner de leurs devoirs », « provocations à la désertion », certaines affaires relevant simultanément de plusieurs de ces chefs d'accusation. Il est souvent difficile d'évaluer leur importance parce qu'un grand nombre d'accusés ne reconnaissent pas les propos qui leur sont attribués, que d'autres se couvrent de l'excuse de l'ivresse et que, comme toujours, les témoignages sont assez fragiles. Il n'est pas non plus plus négligeable que parmi ces prévenus, bon nombre vivaient en marge de la société. Essayons néanmoins de préciser le contenu et la portée de ces manifestations en prenant quelques exemples.

On retrouve d'abord de temps à autre l'écho des campagnes antimilitaristes de l'avant-guerre. Un tulliste calaisien de vingt-huit ans est con-

---

181. A.N. F 7 12938, Beauvais, 7 août.

182. A.D. Dordogne, 1 M 86, 5 août.

183. A.N. F 7 13348.

184. On en retrouve également la trace dans les journaux de province. Il n'en est guère qui ne signale au moins un incident de ce genre dans la période de la mobilisation. Par exemple, *Le Courrier du Centre* du 3 août rend compte qu'un ouvrier porcelainier qui criait place Tourny à Limoges « A bas la guerre ! », fut très malmené ; ou *Le Havre* du 4 août informe de l'arrestation d'un chanteur ambulant. Dans ce cas, d'ailleurs, il fut vite admis que c'était une romance bien française qui avait été prise pour l'hymne allemand ! Ou encore *Le Progrès de Lyon* du 3 août rapporte que huit « mauvais garçons » se sont mis à crier « Vive l'Allemagne ! » et que la foule a donné une « sérieuse correction » « aux jeunes apaches ». D'après *Le Petit Méridional* (3 août), le soir de la mobilisation, deux anarchistes ont manifesté avec deux drapeaux rouges sur la place de la mairie à Béziers, en criant « A bas la guerre ! ». La police est intervenue pour empêcher « des ouvriers » de leur faire un mauvais sort. « Etrangers à notre ville », ces « individus » « ont été arrêtés et écroués ». Ils furent condamnés à huit mois de prison.

185. A.N. B.B. 18, 2531, 128 A 1914. Procureur général de Pau, 5 août 1914.

186. Ainsi dans la Loire, Bénetière, arrêté le 2 août pour détention d'explosifs ; Benoît Meiller, arrêté le même jour pour fabrication d'explosifs et détention d'armes ; Claudius Nallet, arrêté le 20 août pour détention d'explosifs (cf. Michelle et Gérard Raffaëlli, *Le mouvement ouvrier contre la guerre dans la Loire*, mémoire de maîtrise, Nanterre, 1969, p. 173, 241, 250).

damné à huit ans de travaux publics pour s'être rebellé contre son lieutenant. Traité de « sale canaille », il lui avait, entre autres, rétorqué : « La force du galon l'emporte toujours sur la justice de la classe ouvrière. Honneur à la classe ouvrière ». Il faut dire que son passé était déjà chargé avec une condamnation à cinq ans pendant son service militaire [187]. Réminiscence aussi des mêmes campagnes chez ce manœuvre breton frappé de trois mois de prison pour injures envers l'armée : il avait affirmé qu'elle « ne (servait) qu'à protéger les capitalistes. Ce n'est pas moi qui irais me faire casser la gueule pour eux... » [188].

Assez fréquemment des prévenus sont accusés d'avoir crié : « Vive l'Allemagne ! », ainsi un jeune terrassier à Agen [189], un typographe de vingt-cinq ans à Rennes [190] ; d'autres, comme un cafetier de Saint-Haon-le-Vieux (Loire) [191], ont proclamé qu'ils aimaient « autant être Allemands que Français », ou qu'ils se « fichaient » que les Français ou les Prussiens soient victorieux, comme ce cultivateur charentais de vingt ans [192]. Un journalier de Digoin, homme d'âge au contraire, reconnaît à peu près avoir déclaré que « les Allemands peuvent bien venir ; je ne donnerai pas un cheveu de ma tête pour les empêcher d'entrer à Paris ou à Digoin ... Etre Prussien ou être Français, cela m'est bien indifférent... » [193].

La fréquence — toute relative évidemment — de manifestations de tels sentiments dans un pays soulevé par une vague d'antigermanisme est même surprenante. C'est pourtant sans ambiguïté qu'un manœuvre de l'usine de laminoirs de Denain affirma que « les Allemands sont des ouvriers comme des Français », et après s'être défendu vigoureusement d'avoir crié : « A bas la France ! », il ajoute : « Je suis internationaliste et un internationaliste n'a pas le droit de crier ῀ A bas un pays plutôt qu'un autre ῀ » [194].

Certaines procédures font également apparaître que l'opinion sur les causes de la guerre n'était pas d'une homogénéité parfaite : un ouvrier-maçon de Sauviat (Puy-de-Dôme) fut condamné à six mois de prison avec sursis ; la loi de trois ans avait avancé la guerre, disait-il, il ne voulait pas se faire casser la gueule pour les riches, il se foutait d'être Fran-

---

187. Conseil de guerre de la 12ᵉ région, Limoges, liasse du 24 novembre au 29 décembre 1914.

188. Conseil de guerre de Rennes, liasse du 3 au 13 novembre.

189. A.N. B.B. 18, 2531, 128 A 1914, procureur général d'Agen, 4 août.

190. Conseil de guerre de Rennes, liasse 18 août-8 septembre. Il le reconnaît d'ailleurs en affirmant que chacun a bien le droit d'exprimer ses opinions.

191. Conseil de guerre de Clermont-Ferrand, 6 mois de prison avec sursis le 2 novembre 1914.

192. Conseil de guerre de Limoges. Liasse de non-lieux du 14 janvier au 15 septembre 1914. Le non-lieu fut prononcé parce que ces paroles ne tombaient pas sous le coup de la loi.

193. 6 mois de prison par le conseil de guerre de Bourges. Liasse du 4 au 24 novembre. Ancien éclusier révoqué pour faits de grève, connu de longue date pour ses opinions antimilitaristes et antipatriotiques, il ne semble pas y avoir renoncé.

194. Conseil de guerre du Nord, jugement du 29 octobre 1914. 3 mois de prison.

çais ou Prussien, il n'avait pas de capitaux à défendre, les capitalistes et les curés étaient responsables de la guerre, pour toutes ces raisons, il préférait passer la frontière plutôt que de faire cette guerre [195].

Le secrétaire du Syndicat des terrassiers de la Seine, Emile Hubert, exprima en termes un peu plus politiques des thèmes assez proches : la guerre était du brigandage, elle avait été voulue et cherchée depuis quatre ans par notre gouvernement. Poincaré avait été la préparer en Russie, en Angleterre, l'Allemagne ne cherchait pas la guerre, Poincaré n'était pas un républicain, mais un nationaliste et le plus grand bandit qu'il y avait en France... [196].

Plusieurs fois, les conseils de guerre ont jugé des prévenus accusés d'avoir proclamé qu'ils préféraient la révolution à la guerre : pour cette raison, un gendarme réserviste a reçu un an de prison [197] et deux mois et demi de la même peine ont été infligés à un journalier d'Argentan, ancien employé de la Compagnie des chemins de fer de l'Ouest-Etat : à plusieurs reprises, il avait affirmé que « ce n'était pas la guerre qu'il faudrait, mais la guerre civile, la révolution, qu'il faudrait tirer sur les officiers... » [198].

La justice civile ou militaire a été très attentive également aux provocations à la désobéissance, aux incitations à ne pas partir. Les affaires de ce type sont assez nombreuses. Un mécanicien de Régny, dans la Loire, aurait dit « qu'il ne partirait pas » [199] ; un menuisier de Saint-Brieuc que c'était le moment de « mettre la crosse en l'air » [200]. Un journalier de Salins (Jura) a provoqué un attroupement de deux cents personnes en s'écriant : « Si la France veut des hommes, qu'elle aille en acheter, tous ceux qui partent sont des lâches, des imbéciles et des fainéants ; la mobilisation, on ne devrait pas l'accepter... [201] ». « Ceux qui marchent sont des lâches », affirmait aussi un prévenu d'Orléans [202], et un marchand de journaux de Montluçon lui faisait écho : « Vous êtes

195. Conseil de guerre de Clermont-Ferrand, liasse du 4 septembre au 27 octobre.

196. Défendu par Pierre Laval devant le deuxième conseil de guerre de la Seine, le 17 octobre 1914, Hubert ne fut frappé que d'un mois de prison et encore pour d'autres motifs. Les propos rapportés, considérés comme relevant de la conversation, ne constituaient donc pas un délit. Il n'en était d'ailleurs pas à ses premiers démêlés avec la justice. Un des « héros » du procès du Sou du Soldat, il avait été condamné à ce titre à 8 mois de prison et 100 francs d'amende, le 26 mars 1914 (cf. J.-J. Becker, Le Carnet B, op. cit., p. 44).

Il fut assez fréquent que les conseils de guerre ne condamnent pas les auteurs de propos subversifs, lorsque ceux-ci étaient jugés relever de la conversation privée. Ainsi un soldat bénéficie pour cette raison d'un non-lieu après avoir déclaré : « Je suis anarchiste. Si tout le monde était comme moi, on lèverait la crosse en l'air ». (Conseil de guerre de Toulouse, liasse de non-lieux du 8 janvier au 21 décembre 1914).

197. Conseil de guerre d'Orléans, jugement du 12 septembre 1914.

198. Conseil de guerre du Mans, liasse du 5 au 26 octobre.

199. Conseil de guerre de Clermont-Ferrand, liasse du 4 septembre au 27 octobre.

200. Conseil de guerre de Rennes, liasse du 18 au 29 septembre, 1 mois de prison.

201. A.N. B.B. 18, 2531, 128 A 1974, procureur général de Besançon, 2 août.

202. Ibid., procureur général d'Orléans. Affaire du 1er août. Lettre du P.G. au garde des Sceaux du 5 novembre.

tous des lâches de partir à la guerre, en partant vous êtes des esclaves » [203]. Accusé d'avoir prétendu que « tous ceux qui partaient étaient des imbéciles et des c... », le gérant de la coopérative de consommation de Fougères, l'Alliance des travailleurs fougerais, a rectifié à l'instruction. Il avait seulement dit « qu'il était couillon d'aller se battre et de se faire trouer la peau entre ouvriers pour Guillaume » [204]. De même, un manœuvre de l'usine métallurgique de Montbard se défendit vigoureusement des propos qui lui avaient été attribués : « Les soldats du Midi ont levé la crosse en l'air ; ils ont bien travaillé et il faudrait que tout le monde en fasse autant », il n'en est pas moins condamné à un mois de prison [205]. C'est encore un cultivateur de Saint-Jacques-des-Blats, dans le Cantal, qui a dit ou aurait dit à des soldats du train : « Qu'il fallait lever la crosse en l'air et tirer sur les officiers, qu'on devrait couper la tête à M. Poincaré et aux chefs... » [206].

Dans quelques cas, les prévenus ont menacé de passer aux actes pour empêcher la mobilisation : le mécanicien de Régny précédemment cité avait également déclaré en public : « Qu'il ferait sauter les ponts, les tunnels, les viaducs, les chemins de fer ..., que si tout le monde était comme lui, il n'y aurait pas de guerre... » [207] ; un bonnetier d'Arcis, dans l'Aube, proclamait sur la place de la gare : « Nous autres internationalistes, nous devons faire sauter les trains... » [208]. Quant à un ouvrier de Schneider, au Creusot, craignant, bien que réformé, d'être appelé, il s'est exclamé plusieurs fois : « S'il faut partir, je partirai, mais mes premières balles seront pour nos chefs ainsi que pour le général Pau ... Nous sommes un groupe à Chalon qui tenons des réunions dans ce but... » [209].

---

203. Conseil de guerre de Bourges, liasse du 4 au 24 novembre, 1 an de prison.

204. Conseil de guerre de Rennes, liasse du 18 août au 8 septembre. Cette rectification a dû convaincre les juges puisqu'ils limitent sa peine à 1 jour de prison. Il avait d'ailleurs été vigoureusement défendu par le conseil d'administration de la coopérative qui terminait sa déclaration par « Vive la France ! A bas l'Allemagne et ses bourreaux ! ».

205. Conseil de guerre de Bourges, liasse du 6 au 27 octobre.

206. Conseil de guerre de Clermont-Ferrand, liasse du 5 au 24 novembre, 5 ans de prison.

207. Conseil de guerre de Clermont-Ferrand, liasse du 4 septembre au 27 octobre.

208. Conseil de guerre de la 20e région, liasse novembre 1914. Cf. également A.N./B.B. 18, 2531. Le procureur général saisissait le juge d'instruction de deux affaires qui eurent lieu à Arcis-sur-Aube. La première concernait ce bonnetier jugé par le conseil de guerre de Clermont-Ferrand et qui mettait ces propos sur le compte de l'ivresse. La seconde, qui eut lieu le lendemain 2 août, mettait en cause un autre bonnetier et un marbrier d'Arcis. Ils étaient accusés d'avoir dit : « Il vaudrait mieux tirer sur les Français et après on pourrait piller et voler comme on voudrait ». Les prévenus étaient considérés comme « notoirement » antimilitaristes. Dans une nouvelle lettre du 8 août, le procureur général requérait une information contre deux autres bonnetiers d'Arcis, accusés de s'être vantés depuis la mobilisation qu'ils feraient du sabotage et dont les liens avec le mouvement anarchiste étaient établis. Ces différentes affaires montrent que les groupes antimilitaristes très actifs dans l'Aube, en particulier chez les bonnetiers (cf. J.-J. Becker, *Le Carnet B, op. cit.*, p. 142), n'avaient pas brusquement disparu avec la mobilisation, comme il peut sembler quelquefois.

209. Conseil de guerre de Bourges, liasse du 4 au 24 novembre, 1 an de prison. On peut en rapprocher ces deux dernières indications. Le 10 août 1914, le procureur général de Bordeaux informait le garde des Sceaux que le parquet de Bergerac avait saisi le juge d'instruction pour rechercher les auteurs

Par cet échantillonnage, nous avons voulu donner une indication de la part que les affaires à résonance politique ont tenu dans l'activité des conseils de guerre. Globalement, c'est peu de chose. Quelques centaines de cas au maximum pour l'ensemble de la France. Dans une première approche, cela nous avait semblé fort mince. A la réflexion, beaucoup moins. Dans les affaires les plus vénielles, les accusés sont souvent des ivrognes ou des personnages marginaux, mais il n'en est plus de même lorsqu'elles prennent quelque consistance, lorsque les propos mis en cause sont reconnus partiellement ou totalement. Il est à remarquer aussi que les protagonistes sont en très grande majorité des ouvriers, souvent jeunes d'ailleurs, que plusieurs d'entre eux, malgré le manque habituel de renseignements de ce genre dans les dossiers, sont des militants syndicalistes ou anarchistes. On peut également penser qu'un bien plus grand nombre d'attitudes semblables ont existé sans que leurs auteurs aient été arrêtés ou poursuivis.

Les archives de la justice militaire nous permettent donc de saisir que les traces du courant d'hostilité à la guerre sont toujours perceptibles, que pendant la période de la mobilisation, le mouvement a été très ténu, sans effet aucun mais, au moins sur le plan des idées, il ne peut être ignoré.

L'immense majorité des mobilisés est partie, mais l'esprit d'opposition à la guerre n'a pas été aussi complètement oblitéré qu'on aurait pu le penser. Au moins dans les milieux populaires, les restes n'en sont pas négligeables. Ce que les notes des instituteurs du Gard nous faisaient ressentir, les archives des conseils de guerre le confirment.

---

d'une distribution de brochures antimilitaristes préconisant le sabotage des voies ferrées et des ponts. Ces brochures avaient été glissées dans les boîtes à lettre ou sous les portes de diverses maisons de Bergerac (B.B. 18, 2531, 128 A 1914). De même, mais là on ne peut savoir s'il s'agit de révolutionnaires français, le commissaire spécial d'Annemasse signale le 31 juillet que des groupes révolutionnaires avaient décidé l'impression en Suisse de 100 000 brochures en français et en allemand contre la guerre. Ces brochures étaient destinées à être introduites en Allemagne et en France (A.N. F 7 12934).

**Conseil de guerre du Mans. Liasse du 3 septembre au 28 septembre 1914**

|  | Année et lieu de naissance | Résidence | Profession | Condamnation | Date |
|---|---|---|---|---|---|
| P.T. | 1876 Tregourez (Finistère) | Quimper | Marchand ambulant | 4 mois de prison | 3 septembre |
| M.C. | 1885 Mézières-en-en-Perche (Eure-et-Loir) | Mézières-en-en-Perche | Charretier | 5 ans de prison | 10 septembre |
| A.C. | 1884 Vire (Calvados) | Vire | Scieur de bois Auxiliaire des Chemins de fer de l'Etat | 2 ans de prison avec sursis | 10 septembre |
| S.S.D. | 1876 Unverre (Eure-et-Loir) | Unverre | Cultivateur propriétaire | 3 ans de prison | 10 septembre |
| A.B. | 1885 Cardroc (Ille-et-Vilaine) | Sées (Orne) | Briquetier | 4 ans de prison | 21 septembre |
| F.L. | 1888 Les Autels-Villevillon (Eure-et-Loir) | Les Autels-Villevillon | Cultivateur | 4 ans de prison | 21 septembre |
| P.F. | 1884 Perigné (Mayenne) | Oisseau (Mayenne) | Cultivateur | 2 ans de travaux publics | 21 septembre |
| A.M. | 1875 | Conlie (Sarthe) | Domestique de ferme | 3 ans de prison | 21 septembre |
| J.-M. L. | 1881 | Sept-Forges (Orne) | Meunier | 5 ans de prison | 28 septembre |
| A.A. | 1868 | La Chapelle-Mocha (Orne) | Carrier | 8 mois de prison | 28 septembre |
| X.G. | 1889 | Mandu (Eure-et-Loir) | Journalier | 2 ans de travaux publics | 28 septembre |
| X.D. | 1871 Mont-de-Marsan (Landes) | Sans domicile fixe | Vagabond | 5 ans de prison | 28 septembre |

*Insoumission*

'a pas été touché par son ordre de route en raison de ses déplacements constants.

*Insoumission*

efuse de partir : préfère aller en prison qu'au régiment. N'invoque pas d'autre raison.

*Provocations à des militaires pour les détourner de leurs devoirs*

e 17 août, chante des chansons antimilitaristes dans un compartiment de chemin de fer et dit à des obilisés que c'était idiot d'aller à la guerre. Nie d'ailleurs ce second point.

*Insoumission*

st resté chez lui. Ne s'est pas rendu compte que c'était la guerre.

*Insoumission*

et sur le compte de l'ivresse de ne pas avoir répondu à l'ordre de mobilisation. Nombreuses ondamnations de droit commun.

*Insoumission*

prétendu avoir confondu le deuxième et le dixième jour de la mobilisation. S'est présenté volon-irement.

*Désertion*

quitté son unité sans raison particulière. Alcoolique.

*Insoumission*

e donne pas de raison particulière à son acte. Déjà insoumis en temps de paix. Semble complètement différent.

*Insoumission*

epris de justice, recherché pour vol. Se cachait.

*Cris séditeux*

crié : " Vive l'Allemagne. A bas la France ! Il faut que tous les Français soient fusillés ". Très ombreuses condamnations de droit commun.

*Désertion*

est attardé après boire. N'a pas osé rentrer. Absence de 6 jours.

*Insoumission*

nsoumis de temps de paix et de temps de guerre. Vagabond. Ne s'est pas soucié de la mobilisation.

**Conseil de guerre de Rouen. Liasse du 3 septembre au 29 septembre 1914**

| | *Année et lieu de naissance* | *Résidence* | *Profession* | *Condamnation* | *Date* |
|---|---|---|---|---|---|
| B.T. | 1880 Bussang (Vosges) | Sans domicile fixe | Sans (tisserand d'origine) | 15 jours de prison | 3 septembre |
| F.C. | 1886 | Eu (Seine-Inférieure) | Terrassier | Acquitté | 3 septembre |
| P.D. | 1885 | Le Havre | Journalier | 6 mois de prison | 3 septembre |
| H.C. | 1884 | Lery (Eure) | Tailleur de pierres | 2 ans de prison | 10 septembre |
| J.M. M. | 1877 Plouharnel (Morbihan) | Sans domicile fixe | Maçon | 2 ans de prison | 10 septembre |
| S.L. | 1885 | Bénouville (Calvados) | Domestique de ferme | 3 ans de prison | 17 septembre |
| A.M. | 1874 Epreville-en-Roumois (Eure) | Sans domicile | | 5 ans de prison | 17 septembre |
| E.F. | 1881 Lillebonne (Seine-Inférieure) | | Journalier | 2 ans de prison | 17 septembre |
| M.S. | 1882 Saint-Julien-d'Empare (Aveyron) | | Cultivateur | Acquitté | 17 septembre |
| J.M. C. | 1885 Le Havre | Sans domicile fixe | Terrassier | 2 ans de prison | 22 septembre |
| E.C. | 1878 | Doudeauville (Seine-Inférieure) | Maçon | 2 ans de prison | 22 septembre |
| D.M. | 1867 | Auberville (Calvados) | Cultivateur | Acquitté | 24 septembre |
| E.C. | 1867 Lamarche (Côte-d'Or) | | Manouvrier | Acquitté | 24 septembre |

### Cris séditieux

rait crié à Rouen, le 3 août 1914 : '' Les sales Français, si les Allemands pouvaient leur trouer la au ! A bas la France ! Vive l'Allemagne ! ''. Nie d'ailleurs ces propos.

### Insoumission

croyait dégagé d'obligations militaires.

### Cris séditieux

rait crié : '' Vive l'Allemagne ! ''. Etait ivre. Nombreuses condamnations antérieures.

### Insoumission

est pas parti parce qu'il avait un travail urgent à exécuter chez son patron. Serait un peu faible sprit. Attendait un ordre pour partir. Arrêté chez son patron.

### Insoumission

attendu le 9 août (au lieu du 2) pour se rendre à la gare de Rouen. Jusque là, avait continué à vailler. N'a pu entrer à la gare et a erré dans la région. Pourquoi cette négligence ? Parce que autres avaient fait comme lui.

### Insoumission

ait venu jusqu'à la caserne, mais n'avait pas eu le courage d'entrer. Arrêté par la gendarmerie.

### Insoumission

a rien fait pour rejoindre. Presque toujours ivre.

### Insoumission

rêté par la gendarmerie dissimulé sous son lit. Ne voulait pas partir tout de suite. Se cachait sous un ux nom. Condamnations antérieures pour vol.

### Insoumission

ntrant d'Amérique et malade, il n'a pu se présenter au jour voulu.

### Insoumission

e s'est présenté qu'avec sept jours de retard. Avait perdu son livret. Ignorait quel jour il devait rtir.

### Insoumission

serait présenté à la caserne, mais en est reparti en état d'ivresse. D'autres explications assez nfuses.

### Insoumission

croyait dégagé des obligations militaires.

### Insoumission

croyait dégagé des obligations militaires. N'a pas regardé son livret.

**2ᵉ Conseil de guerre de Paris. Liasse du 5 au 17 octobre 1914. Nᵒ 577 à 601**

| | *Année et lieu de naissance* | *Résidence* | *Profession* | *Condamnation* | *Date* |
|---|---|---|---|---|---|
| J.V. | 1883 Cambressol (Corrèze) | Boussy-Saint-Antoine (Seine-et-Oise) | Cultivateur | 2 ans de prison | 5 octobre |
| J.M. | 1876 Nevers (Nièvre) | Blanc-Mesnil (Seine-et-Oise) | Ajusteur | 2 ans de prison | 7 octobre |
| P.B. | 1886 Persan (Seine-et-Oise) | Saint-Denis (Seine) | Fondeur en fer | 2 ans de travaux publics | 7 octobre |
| I.G. | 1879 Bourges (Cher) | Paris | Acrobate | 1 an de prison | 7 octobre |
| J.M. | 1872 Paris | Paris | Auteur et acteur dramatique | 6 mois de prison avec sursis | 7 octobre |
| H.N. | 1873 Paris | Saint-Gilles (Belgique) | Chef-accessoiriste | 2 ans de prison | 7 octobre |
| A.T. | 1872 Paris | Paris | Charretier | 3 ans de travaux publics | 7 octobre |
| G.R. | 1886 Mézidon (Calvados) | Paris | Maçon | Acquitté | 12 octobre |
| L.L. | 1879 Reims | Sans domicile fixe | Journalier | 6 mois de prison | 12 octobre |
| M.T. | 1875 | » » | 1 an de prison | » » | » » |
| E.A. | 1882 Saint-Ouen | » » | » » | 8 ans de prison | » » |
| R.B. | 1876 Avesnes-le-Comte (Pas-de-Calais) | Paris | Employé de commerce | 2 mois de prison | 1 | 17 octobre |
| J.A. | 1876 Condom (Aveyron) | Sans domicile fixe | Sans travail déterminé | 2 ans de prison | 17 octobre |

### Insoumission

Illettré. N'a pas répondu à l'ordre de mobilisation parce que son livret était en Corrèze. Ne savait pas à quelle date il devait partir.

### Insoumission

N'avait pas son livret. A dû le demander.

### Désertion

S'étant enivré, était en retard pour rentrer à la caserne. N'a pas osé revenir pendant quelques jours.

### Insoumission

Déjà insoumis en temps de paix. A prétendu ne pas savoir qu'il avait des obligations militaires. Ne manifeste aucun goût pour la vie militaire.

### Insoumission

Déjà insoumis en temps de paix. A cause de son métier, les convocations ne pouvaient pas le toucher. Se serait présenté à la date voulue, mais aurait été renvoyé.

### Insoumission

Insoumis en temps de paix à cause de ses obligations professionnelles, et en temps de guerre, parce qu'il est venu en retard alors qu'il voulait faire sa soumission.

### Désertion

A quitté son poste après s'être enivré. N'a pas osé revenir.

### Insoumission

S'était présenté à plusieurs endroits au jour voulu, mais avait été renvoyé de l'un à l'autre.

### Cris séditeux

Ces trois prévenus, dont le dernier, plusieurs fois condamné déjà, était interdit de séjour, ont répandu la terreur dans un village le 4 août en criant : " Vive l'Anarchie ! A bas la France ! ", en frappant les gens et en menaçant de mettre le feu. Il semble qu'il se soit agi plutôt de délits relevant du droit commun.

### Insoumission

Insoumis en temps de paix. S'est présenté lui-même, mais en retard.

### Insoumission

S'est présenté beaucoup plus tard que prévu. Aurait été renvoyé la première fois qu'il est venu.

N.B. Il est seulement fait état des dossiers d'insoumission, de désertion ou à caractère politique.

# Quatrième partie

# L'UNION SACRÉE
# MYTHE OU RÉALITÉ ?
# OU
# LES AMBIGUÏTÉS
# DE L'UNION SACRÉE

Le 4 août 1914, le président du Conseil Viviani lisait à la tribune de la Chambre le message que le président de la République, Raymond Poincaré, adressait aux députés : « Dans la guerre qui s'engage, la France ... sera héroïquement défendue par tous ses fils, dont rien ne brisera devant l'ennemi *l'union sacrée* ... » [1]. Poincaré devait reprendre cette expression et en faire même le titre, dans ses *Souvenirs*, du volume qui s'achevait avec la déclaration de guerre. Il y avait déjà longtemps à ce moment qu'après avoir connu un prodigieux succès, la formule était devenue en quelque sorte le symbole d'une époque [2]. Pourtant sa signification est plus ambiguë qu'il ne pourrait paraître tout d'abord. Les Français, si divisés il y a encore quelques jours, sinon quelques heures, avaient-ils vu comme par enchantement, sous le coup de l'émotion, s'évanouir le sentiment de leurs oppositions, ou bien s'étaient-ils tous ralliés aux nécessités de la défense nationale, sans pour autant perdre conscience de ce qui les séparait ? En outre, la démarche pour parvenir à l'union sacrée, union intime ou simple volonté de défense nationale, n'avait-elle pas rencontré un certain nombre d'obstacles ? Des syndicalistes antimilitaristes et antipatriotes aux nationalistes antirépublicains de la veille, des anticléricaux aux catholiques, tous communiaient-ils sans réserve dans la défense de la patrie républicaine et laïque [3] ?

En d'autres termes, l'union sacrée pose à notre sens trois groupes de problèmes. Pourquoi et comment s'est-elle réalisée ? Cette expression unique ne recouvre-t-elle pas des conceptions diverses ? Quelles furent les limites de l'union sacrée ?

---

1. Raymond Poincaré, *op. cit.*, T. IV, p. 546.

2. L'usage de cette formule ne s'est pas répandu instantanément toutefois. *Le Temps* est un des premiers journaux à l'avoir utilisée ; ainsi, trois articles sont intitulés les 6, 8 et 15 août « Union sacrée », les guillemets mettant en évidence une expression encore nouvelle. Le 28 août, on la trouve dans le corps d'un article : " Ce n'est pas ici que l'on affaiblira jamais " l'Union sacrée"... ». En revanche, les autres journaux ne l'emploient pas encore : ainsi dans les organes aussi divers que *L'Humanité*, *L'Homme libre*, *L'Action française*, *Le Journal*, *La Guerre sociale*, elle ne figure ni en titre, ni dans le corps des articles, durant le mois d'août. C'est seulement dans *L'Humanité* du 20 novembre que Pierre Renaudel a intitulé son article « Union Sacrée ». Au mois d'août 1914 l'expression la plus courante est celle de « réconciliation nationale », aussi bien sous la plume de C. Maurras (6 août) que de Gustave Hervé (17 août ou 28 août) : « Poincaré (...) président de la réconciliation nationale ». Dans les fiches rédigées par les instituteurs, l'expression d'union sacrée est également très rarement utilisée ; 3 fois seulement par exemple pour les 76 fiches parvenues des Côtes-du-Nord.

3. En écrivant son célèbre message, Poincaré n'accordait vraisemblablement pas une telle portée, ni un tel sens à sa formule, mais nous devons l'examiner sous cet angle que la postérité a retenu.

*Chapitre 1*

# La réalisation de l'union sacrée

Nous avons déjà eu l'occasion de le montrer, la conviction que le gouvernement français était pacifique a joué un grand rôle dans l'échec des mouvements d'opposition à la guerre.

Avec un léger décalage dans le temps, l'idée de la responsabilité allemande s'impose également : elle fut unanimement acceptée.

Qu'elle l'ait été dans la presse nationaliste n'est pas pour surprendre, qu'Albert de Mun dans *l'Echo de Paris* ait stigmatisé la totale responsabilité de l'Allemagne, « l'Allemagne brutale et fourbe qui [jetait] volontairement l'Europe dans la plus affreuse des catastrophes », « qui n'avait qu'une parole à dire arrêter son alliée fidèle et soumise... »[1], était dans l'ordre des choses, mais le ton ne fut guère différent dans la presse socialiste. Rendant compte de la séance du 4 août à la Chambre des députés, *L'Humanité* proclamait qu'elle avait été « historique » : l'Assemblée avait acclamé « la Défense Nationale contre *l'agression* au milieu de l'enthousiasme le plus émouvant »[2]. Le 16 août, Marcel Cachin écrivait — il avait eu le temps de la réflexion : « Il est un être humain qui portera devant son peuple et devant nous, qui portera devant l'histoire la responsabilité de tant de désastres. C'est l'Empereur Guillaume. Il pouvait empêcher l'Autriche d'adresser à la Serbie son brutal ultimatum... »[3]. *L'Humanité*, le 20 août, dans un article de tête signé « Un Territorial », insistait :

« Mais encore une fois que pensaient-ils tous ces soldats de France ? (...) Ce n'est pas par peur du gendarme, ce n'est pas par simple résignation à la discipline collective que tous ont rejoint, sur la simple indication du fascicule rouge. C'est parce que l'indépendance et l'autonomie de la Patrie étaient menacées... »

369

Même *L'Ecole émancipée,* le périodique des instituteurs syndicalistes, publiait, le 3 octobre, un article significatif d'un de ses adhérents de la Gironde, Rebeyrol, qui rejetait toutes les responsabilités sur Guillaume II, « individu odieux et répugnant », et aussi sur les social-démocrates qui « se réjouissent sans doute des sinistres exploits de leurs bandes armées », sur « toute l'Allemagne qui endosse les terribles responsabilités de son Empereur et de sa caste militaire... » (...) « Elle doit disparaître avec le forban couronné qui la commande ».

Cette prise de conscience de la responsabilité allemande fut d'autant plus importante qu'elle n'était pas évidente pour tous dans les premiers temps de la crise. L'exemple de Gustave Hervé est de ce point de vue démonstratif. Dans *La Guerre sociale,* encore hebdomadaire[4], il écrivait : « Que d'insanités, que d'injustices, que d'erreurs dans la presse française sur l'attitude de l'Allemagne et de son ambassadeur, M. Schoen ! L'Allemagne belliqueuse, menaçante ! Allons donc ! ».

Et il poursuivait, accusant la « germanophobie » de Clemenceau de « confiner à la démence ». Il expliquait que l'Allemagne n'était pas complice de l'Autriche, mais la victime de son alliance avec elle, et qu'il fallait que tant la France que l'Allemagne se dégagent de leurs dangereuses alliances pour être conjointement le « rempart de la paix européenne ».

On n'était pourtant pas encore le 4 août qu'Hervé avait révisé sa position et dénonçait, à côté des responsabilités de la maison d'Autriche et du « massacreur de toutes les Russies », celles de la « maison des Hohenzollern »[5]. Quelques jours à peine, et il montrait comment le « Kaiser et sa caste militaire (avaient) déchaîné sur l'Europe une pareille horreur »[6].

Cette unanimité sur les responsabilités de la guerre peut donc être considérée comme le principal facteur du climat d'union[7] qui se réalisa alors dans le pays, et dont les témoignages sont nombreux. En effet, si — comme nous l'avons montré — la mobilisation « n'a rien de la

---

4. Numéro daté 28 juillet-4 août.

5. *La Guerre sociale,* 29 juillet.

6. *Ibid.,* 13 août. A ces prises de position publiques s'ajoutent, plus révélatrices encore de l'opinion, les affirmations contenues dans des lettres de caractère privé, comme celles, dont fait état — avec tristesse — Romain Rolland dans son *Journal des années de guerre. op. cit.,* p. 36-37, de l'historien d'art Louis Gillet : « ... Ah ! Secouons une bonne fois ce nuage de germanisme, cette épaisseur de vulgarité qui pèse sur le monde... » (1er août), ou de l'écrivain Jean-Richard Bloch : « ... Quel extraordinaire spectacle d'incohérence et d'imprudence, de brutale faiblesse, donne en ce moment la machine impériale allemande... » (2 août).

7. Cf. O. Bascou, *op. cit.,* p. 85. « Cette impression très nette (le sentiment de l'agression) nous détermine, bien plus que les protestations, discours, appels de tout genre. L'union sacrée est faite, avant d'avoir été formulée, dès la première heure, par l'Allemagne elle-même ». C'est ce qu'exprime également le comité exécutif du Parti radical dans un manifeste : « Devant l'inqualifiable agression dont la France est l'objet, il n'y a plus de partis ; il n'y a que des Français fraternellement unis dans une même foi patriotique ... » (publié par *Le Radical,* 6 août).

légende dorée habituellement propagée »[8], en revanche un souffle d'union[9], de concorde nationale, agita les Français au moins pendant les premiers jours de ce mois d'août 1914.

Avec humour, G. Guy-Grand considérait que la manifestation là plus prodigieuse de cet élan de concorde nationale s'incarnait dans le fait que des membres de sociétés archéologiques rivales se saluaient et s'abordaient[10] ; mais le préfet de l'Allier lui faisait écho, très sérieusement et très officiellement, en consignant dans un de ses rapports que « les musiques jadis de partis rivaux se livrent à des retraites entraînantes »[11].

Les témoignages de ces sentiments d'union sont extrêmement divers. Souvent c'est l'union sans autre qualificatif qui est souhaitée, « nous avons le devoir d'être tous unis », dit le président de la Chambre de commerce de Paris[12], ou observée : « L'union est faite entre tous, et c'est un spectacle réconfortant que de constater un tel élan de l'unanimité de la population »[13], remarque le préfet du Tarn-et-Garonne. Quelquefois, mais rarement, sont employés les termes d'union sacrée. « Le vent de l'union sacrée a passé sur la Bourgogne »[14] ; « L'union sacrée se manifeste ici, comme dans toute la région »[15] ; « ...tous les habitants ... s'unissent pour réaliser l'union sacrée... »[16] ; « ...Comme partout l'union sacrée s'est faite... »[17]. Mais c'est de façon très variée qu'est soulignée « l'union de tous les Français »[18]. « On n'est tous qu'une même grande famille, des Français »[19]. On célèbre la « parfaite harmonie » qui s'est établie entre les Français (même si on craint qu'elle ne

---

8. Yves Lequin, art. cité, p. 11.

9. Georges Guy-Grand, *op. cit.*, p. 191 et suiv.

10. *Op. cit.*, p. 192.

11. A.N. F 7 12937. Moulins, le 3 août 1914. Fait presque aussi remarquable, Maurras pouvait, après 1918, se flatter d'avoir cessé d'attaquer les Juifs depuis la déclaration de guerre jusqu'à l'armistice. (Voir *Le Monde*, 20 avril 1968 : Gilbert Comte, « Un prophète du XXᵉ siècle »).
Effectivement, dès le 3 août, Charles Maurras annonçait : « Désireux pour notre part de faire en ce moment tout effort susceptible de coopérer à la paix civique, nous suspendons à dater d'aujourd'hui le témoignage quotidien du crime commis contre les lois et contre la patrie par le plus haut tribunal de la République. Nous nous proposons même de nous abstenir d'y faire aucune allusion ». (*L'Action française* publiait chaque jour un écho sous le titre « Calendrier de l'Affaire Dreyfus »).
Par erreur le « calendrier » était encore publié ce jour-là et le lendemain, Maurras expliquait en post-scriptum de son article : « C'est une erreur matérielle pure qui a fait insérer hier notre rubrique habituelle du calendrier de l'Affaire Dreyfus. Le souvenir n'en est plus possible devant l'ennemi à la veille des luttes où chacun peut se racheter. Ces quelques lignes périmées ont été fâcheusement substituées... ».
Soulignons tout de même que le « chacun peut se racheter » montrait les limites de la bonne volonté de Maurras !

12. Procès-verbal in extenso des séances de la Chambre de commerce de Paris, 1ᵉʳ août 1914.

13. A.N. F 7 12939, 5 août.

14. Henri Médard, *Films de guerre, la mobilisation à Auxerre*, Du 1ᵉʳ au 17 août 1914, Auxerre, 1916, p. 30.

15. A.D. Charente. J 76, commune d'Ars.

16. A.D. Côtes-du-Nord, série R, commune de Broons.

17. *Ibid.*, commune de Laurenan.

18. C. Petit-Dutaillis, art. cité, p. 32, commune de Renage (Isère).

19. A.D. Charente. J. 95, commune de Villefagnon.

soit qu'« éphémère ») [20]. On constate que « ceux qui hier étaient divisés sont unis comme des frères... » [21], qu'il n'y a plus de « rivalités mesquines » [22], que les rivalités s'effaça[ient] [23], que « des voisins (probablement fâchés) se serrent la main » [24], que « des personnes qui semblaient irréconciliables sont là devant la mairie à causer, discuter... » [25], que « devant le danger l'union fut complète » [26]. On décrit la « merveilleuse union des cœurs » [27]. « Oubliant leurs discordes d'hier, les hommes de toutes les classes, de tous les métiers, de toutes les opinions ... n'entendaient plus rivaliser que de courage » [28]. Très souvent les témoins sont sensibles à la disparition des oppositions politiques : cela surprend et émerveille d'autant plus que la profondeur des divergences d'hier était encore présente dans tous les esprits. Plusieurs préfets l'ont observé : celui de la Dordogne précise, le 6 août, que « les divisions politiques sont en ce moment abolies » [29], celui des Basses-Alpes remarque la disparition des « antagonismes politiques ». « Des citoyens qui depuis des années ne se parlaient plus s'entretiennent maintenant des événements... » [30]. Le préfet du Rhône estime que « tous les partis, des éléments les plus modérés aux plus avancés, se sont fondus et groupés dans une commune pensée en vue de la défense de la patrie » [31]. D'après le commissaire spécial de Chalon-sur-Saône, « on ne fait pas de politique, tout le monde se fréquente » [32]. Il est vrai que les manifestations d'entente politique peuvent aller très loin. Dans le Cher, le député républicain-socialiste Jules Breton, le sénateur radical Antony Martinet, le maire socialiste de Vierzon et le préfet du département parcourent ensemble la circonscription [33]. Encore mieux, à Laon, les quatre journaux politiques ont décidé de fusionner en une feuille unique [34].

Les autorités administratives ne sont pas seules à signaler la disparition des divergences politiques. De partout parviennent les mêmes propos : « Notoires conservateurs et radicaux du plus beau rouge se cou-

---

20. *Ibid.*, J. 94, commune de Taizé-Aizie.
21. *Ibid.*, J. 95, commune de Vieux-Ruffec.
22. *Ibid.*, J. 94, commune de Taizé-Aizie.
23. *Ibid.*, J. 77, commune de Baignes-Sainte-Radegonde.
24. *Ibid.*, J. 91, commune de Saulgond.
25. A.D. Charente. J. 92, commune de Saint-Cybard.
26. A.D. Côtes-du-Nord, série R., commune de Moncontour.
27. Marius Beaup, « La guerre de 1914 à Lalley et dans le Trièves », *Le Dauphiné*, 18 octobre 1914.
28. A.D. Côtes-du-Nord, série R., commune de Glomel.
29. A.D. Dordogne 1 M 86, et *Bulletin de la Société historique et archéologique du Périgord*, art. cité, p. 199.
30. A.N. F 7 12937, Digne, 13 août.
31. A.N. F 7 12938, 2 août.
32. A.N. F 7 12936, rapport du 19 août.
33. A.D. Cher. R 15 16, commune de Chavannes, l'Instituteur.
34. A.N. F 7 12937, rapport du préfet de l'Aisne du 7 août.

doient », à Trégastel [35] ; « Tous les habitants oublient leurs anciennes rivalités politiques... », dans les Côtes-du-Nord [36] ; « Les socialistes marchent avec les bourgeois la main dans la main », à Beauvais [37] ; il n'y a plus d'opinions diverses à La Beaume dans les Hautes-Alpes [38] ; en Charente, « tout le monde fraternis[e] sans distinction de parti » [39], « les partis républicain et conservateur ont fait taire leurs discussions » [40], (dès la mobilisation) « on pouvait déjà juger que les divisions de parti disparaissaient » [41]. « Toutes les opinions sont confondues » [42] ; « il n'y a plus de partis », dans le Puy-de-Dôme [43] ; un instituteur du Gard rapporte : « ...Il y a lieu de constater — dès le début de la guerre — que toutes les questions politiques et religieuses sont éteintes... » [44] ; un autre que « la réconciliation de tous les partis s'est faite aussitôt » [45] ; dans le même département, on vit le samedi soir, à Ribaute, commune à municipalité socialiste, « le chef du parti réactionnaire presque en intimité avec le chef du parti républicain » [46].

Il n'est pas toujours précisé à quel moment l'union s'est réalisée, mais elle fut presque instantanée, semble-t-il. « Le jour de la déclaration de guerre, tous les dissentiments ont disparu, les querelles de parti ont cessé, les adversaires politiques réputés hier les plus irréconciliables se sont rapprochés... » [47].

Oubli des divergences politiques dans la France de 1914, cela signifie implicitement l'oubli des luttes religieuses, dont le curé et l'instituteur étaient souvent, qu'ils l'aient ou non voulu, les champions au village. On ne manque donc pas de signaler les réconciliations spectaculaires des curés et des instituteurs. Le *Journal des instituteurs* [48], reprenant un articulet de *L'Eclair*, cite la réconciliation « à jamais » de cet instituteur et de ce curé qui se retrouvent l'un blessé, l'autre soignant dans un hôpital. Ce récit d'une institutrice des Hautes-Alpes est moins pathétique, mais il nous a semblé également moins artificiel : « (Je rencontrai sur la route le curé) " Alors, cette fois, ça y est, Monsieur le curé ? Eh bien ! Nous

35. C. Le Goffic, *op. cit.*, p. 26.
36. A.D. Côtes-du-Nord, série R, commune de Broons.
37. Raphaël Dufresne, *Journal d'un Beauvaisien non mobilisé, op. cit.*, p. 2.
38. A.D. Hautes-Alpes, 200 R 82.
39. A.D. Charente J81, commune de Courcôme.
40. *Ibid.*, J 83, commune de Sonneville.
41. *Ibid.*, J 90, commune de La Rochefoucauld.
42. *Ibid.*, J 93, commune de Saint-Sornin.
43. A.D. Puy-de-Dôme, R O 1342, commune de Gerzat.
44. A.D. Gard 8° R 1, commune d'Arpaillargues.
45. A.D. Gard 8° R 1, commune d'Orsan.
46. *Ibid.*
47. *Evangile et Liberté*, 22 août, pasteur H. Draussin.
48. 18 octobre 1914.

sommes amis, nous n'avons plus de haine que pour l'envahisseur ".
Depuis, il me passe sa *Croix*, je lui donne mon *Radical* » [49].

D'après certains, même les différences sociales auraient été estompées
par les événements [50]. Un « sentiment d'indissoluble solidarité » se
dégage de toutes les classes de la société, si on en croit *Le Progrès de
Lyon* [51].

Mais plus encore que les rapprochements entre les simples gens, ceux
qui se produisirent entre journalistes, écrivains, hommes politiques de
bords opposés furent remarquables. Viviani, « notre adversaire d'hier,
aujourd'hui notre chef à tous et notre ami », proclame Maurice Barrès [52]
qui, aux obsèques de Jaurès, apprécia plus que tous les autres le discours de Jouhaux [53]. Dans la dernière lettre que Charles Péguy écrivait à
son ami Pierre Marcel, le 31 juillet 1914, il lui demandait : « Veux-tu
me constituer une collection complète des articles d'Hervé. Je t'avoue
que depuis le commencement de ce tabac, il n'y a que lui qui
m'émeuve » [54].

Gustave Hervé, de son côté, faisait offrande de la prise de Mulhouse
à Déroulède : « Je pense au vieillard qui, malade, moribond, venait, il y
a six mois, à la tête de ses fidèles de la Ligue des patriotes, pousser un
dernier coup de clairon, au pied du monument des morts pour la patrie,
et qui mourut sans avoir jamais désespéré. Déroulède ! Déroulède ! Le
drapeau de Valmy flotte sur Mulhouse ! » [55].

Rapprochement également dans la volonté de combattre : c'est Gustave Hervé qui, bien que réformé, voudrait que le ministre de la Guerre
l'autorisât à s'engager [56], c'est Albert de Mun qui se plaint que son

---

49. C. Petit-Dutaillis, art. cité, p. 49, commune de Forest-Saint-Julien.

50. A.N. F 7 12936, rapport du commissaire spécial de Vienne du 3 août 1914.

51. 3 août 1914, « Direction des mines de Blanzy et municipalité socialiste marchent la main dans la main... », signale le commissaire de Chalon-sur-Saône (A.N. F 7 12936, 19 août).

52. « Le Jour sacré », *L'Echo de Paris*, 5 août.

53. Voir ci-dessous p. 403. Le 6 août, dans un article de tête de son journal, signé Bernard de Vesins, *L'Action française* exprimait clairement son ralliement au gouvernement républicain : « Devant l'ennemi, cette critique (du gouvernement) peut devenir un crime contre la patrie ; elle n'aura droit à s'exercer que quand la guerre étant finie, la suprême sanction des résultats permettra de juger en con-naissance de cause et de régler les comptes entre Français, sans que l'ennemi puisse profiter d'une divi-sion entre les citoyens. L'intérêt national réclame impérieusement cette règle. *L'Action française* ne s'en écartera pas ».

54. Article d'Henri Guillemin sur la correspondance Péguy-Pierre Marcel (*Le Monde*, 8 septembre 1972). Péguy a également écrit : « Hervé ... me fait vivre les plus belles heures de ma vie » (G. Olivier, « Les adieux de Péguy », *Le Monde*, 1er sept. 1969). De son côté, *Le Temps* du 1er août se réjouissait de l'attitude pour lui nouvelle d'Hervé : « Il y a mieux (que Jaurès approuvant le gouvernement de prendre les précautions nécessaires), M. Gustave Hervé. Oui, M. Hervé !... »

55. *La Guerre sociale*, 2 août. Il semble que cet article ait vivement frappé les contemporains. R. Dufresne éprouva le besoin de reproduire ce passage dans son feuilleton de *La République de l'Oise* (*Journal d'un Beauvaisin non mobilisé*, Journée du 11 août, *op. cit.*), en le faisant suivre de ce com-mentaire latin : *Quantum mutatus, ab illo*. Il en est de même pour A. Delecraz, *op. cit.*, p. 133, qui le fait précéder de cette appréciation : « Il est dit que cette guerre aura engendré des miracles. En voici un qui n'est pas le moindre ».

56. *La Guerre sociale*, 2 août. D'après Delecraz, *op. cit.*, p. 32. Marcel Hutin, reporter à *L'Echo de Paris*, lui a rapporté le 2 août « que les rédactions au complet du *Bonnet rouge* et de *La Bataille*

grand âge ne lui permette plus « d'être dans le rang »[57], c'est Maurice Barrès qui se sent « en faute » parce qu'il n'est pas « au champ du devoir ».

N'est-ce pas enfin un symbole de toutes ces manifestations d'union que le préfet de la Haute-Vienne puisse assurer que l'accord est complet entre les autorités civiles, militaires et municipales[58] ?

La volonté de concorde nationale s'exprime aussi dans la recherche de la paix sociale ; sur l'instance du gouvernement, annonce *L'Echo de Paris*[59], les derniers 300 cheminots révoqués en 1910 sont réintégrés par les compagnies de chemins de fer ; au Creusot, « M. Schneider » donne son appui à la municipalité pour assurer le ravitaillement de la population et il publie, le 2 août, dans un appel de style pompeux[60], les dispositions qu'il a prises pour secourir les familles des mobilisés[61].

De leur côté, les organisations ouvrières semblent s'être reconverties dans les œuvres d'assistance : la Bourse du Travail de Nantes, d'après le commissaire spécial de cette ville, a prévu un effort financier pour alléger la misère ouvrière[62] ; à Bordeaux, les syndicats donnent des secours au femmes nécessiteuses de leurs adhérents[63] ; à Lille, le préfet fait connaître au ministre que les organisations ouvrières du département lui ont offert leur concours, qu'elles se proposent de mettre leurs locaux à la disposition des services de secours aux blessés militaires, d'organiser des soupes populaires...[64]. Effectivement, dès le 5 août, l'union départementale a envoyé une circulaire en ce sens aux organisations syndicales du Nord[65]. Le sous-préfet de Dunkerque rapporte que le secrétaire de la Bourse du Travail, Deconninck, « un des meneurs les plus ardents d'autrefois », vient de lui écrire pour lui offrir la salle de réunion de la Bourse afin d'y instituer une ambulance[66]. Il en est de même à Paris où la CGT propose pour les blessés ses cliniques syndicales ainsi que le matériel de marmites qu'elle possédait pour les soupes communistes[67]. L'esprit d'entraide est évidemment le même à tous les niveaux. Pour ne prendre qu'un exemple, le préfet de l'Aisne signale que dans son dépar-

*syndicaliste* ont demandé à partir sur le front le plus tôt possible et ont fait, auprès du ministre de l'Intérieur Malvy, une démarche en corps pour obtenir cette faveur » et que Merle, secrétaire général du *Bonnet rouge*, bien que réformé, est parvenu à s'engager.

57. *L'Echo de Paris*.

58. A.N. F 7 12939, préfet de la Haute-Vienne, rapport du 4 août.

59. 4 août.

60. « Ayez confiance en *votre chef* dont le cœur bat de la même émotion que la vôtre... »

61. A.D. Saône-et-Loire, *La guerre vue du Creusot*, d'après le secrétaire en chef de la mairie.

62. A.N. F 7 12936, rapport du commissaire spécial du 22 août.

63. *Ibid.*, rapport du commissaire spécial de Bordeaux du 20 août.

64. A.D. Nord R 28, 14 août.

65. *Ibid.* R 145.

66. A.D. Nord, R 29/4, 6 août 1914.

67. A.N. F 7 13574 M/9540 *La CGT et la guerre*, 6 août 1914. *L'Echo de Paris*, 5 août, titre un article : « La C.G.T. met ses locaux à la disposition des blessés ».

tement « les hésitants (ont décidé) de mettre en commun leurs machines pour la moisson et de faucher tous les champs sans distinction de propriétaires » [68].

Le fait le plus frappant toutefois fut la création d'un Comité de secours national, dont le but était modeste : distribuer des secours aux femmes, aux enfants, aux vieillards, mais dont la signification politique était grande. La CGT donnait son adhésion à ce comité le 5 août [69] et, quelques jours plus tard, Maurice Barrès [70] célébrait l'événement :

> « Nous étions là, à la Sorbonne ... des personnes bien étrangères les unes aux autres et pis encore qu'étrangères : des ennemis de la veille, des gens qu'il y a quinze jours il eût été absolument impossible de mettre en présence sans qu'ils se dévorassent. J'étais assis entre Mademoiselle Jeanne Déroulède et mon éminent confrère M. Lavisse. C'est de tout repos. Mais aux côtés de Maurice Pujo et de Bernard de Vesins, délégués par C. Maurras, empêché, et non loin de Mgr Odelin qui représente l'archevêque de Paris, voilà M. Bled, secrétaire de l'Union des syndicats de la Seine, voilà M. Dubreuilh, secrétaire du Parti socialiste, voilà M. Héliès, président du magasin de gros des coopératives, voilà M. Jouhaux, secrétaire de la Confédération générale du travail et voilà le miracle ! Et le plus beau c'est qu'il n'y a plus personne pour s'en étonner. L'union française est scellée presque dans nos petits-enfants... »

Pour beaucoup d'hommes politiques, journalistes, administrateurs, simples observateurs, la réalisation de la concorde nationale dépendait de l'attitude des forces ouvrières ; il n'est donc pas étonnant qu'ils se soient employés à relever les signes encourageants qui venaient de ce côté. Ils ne manquèrent pas.

A de nombreuses années de distance, on retrouve la même formule sous la plume d'Albert de Mun écrivant à chaud et sous celle de Messimy contant ses souvenirs. « Il faut rendre hommage à ceux que j'ai le plus combattus, aux socialistes épris de leur illusion pacifiste, qui malgré l'horrible, odieux et absurde attentat dont un halluciné a frappé leur chef, donnent cependant l'exemple de l'obéissance à la voix nationale... », écrivait l'un [71] : « J'ai le devoir de rendre ici aux amis de Jaurès un hommage de profonde et reconnaissante gratitude... », rappelait le second [72]. Des appréciations venues de toutes les régions de France confirment ces affirmations sur le comportement des ouvriers et de leurs organisations : « ...Le Parti socialiste notamment se fait remarquer par son excellente tenue », rapporte le préfet du Nord [73] ; le commissaire de

---

68. A.N. F 7 12937, Laon, le 7 août.

69. A.N. F 7 13574 M/9550, rapport de la préfecture de police sur les organisations ouvrières du 18 décembre 1914.

70. *L'Echo de Paris,* 9 août, « La résurrection de la France ».

71. *L'Echo de Paris,* 3 août.

72. André Messimy, *Mes souvenirs, op. cit.,* vendredi 31 juillet, p. 146.

73. A.N. F 7 12938, Lille, 2 août.

Chalon-sur-Saône oppose l'attitude traditionnelle des militants socialistes et syndicalistes de Montceau-les-Mines, antimilitariste, et celle qu'ils ont adoptée depuis la mobilisation : « Toute la population sans aucune exception, socialistes, syndicalistes, municipalités réactionnaires, haut personnel des houillères, s'est confondue dans un même élan patriotique... » [74]. L'accueil de la population montcellienne aux convois militaires fut d'ailleurs si chaleureux que l'Etat-Major adressa un télégramme de remerciements au député-maire socialiste Bouvéri [75]. L'état d'esprit de la population ouvrière de Limoges était également excellent, si on en croit le préfet de la Haute-Vienne [76]. Son collègue du Var insiste, aucune note discordante dans son département : « Vous estimez, dit-il au ministre, que cette constatation d'un tel état des esprits a une importance particulière dans un département représenté en majorité par le Parti socialiste unifié et où les doctrinaires de l'antimilitarisme ont recruté des adhérents ». C'était d'ailleurs le premier adjoint de la municipalité socialiste de Draguignan qui était venu spontanément lui déclarer : « A cette heure critique, les partis disparaissent, il ne reste que le parti national » [77].

D'autres préfets sont tout aussi satisfaits : pour celui de l'Aude, l'enthousiasme est général à Narbonne, « ville qui comprend le plus de socialistes révolutionnaires et de syndicalistes » [78] ; celui du Rhône « ...Les socialistes unifiés observent une attitude parfaite » [79] ; celui des Deux-Sèvres [80]... Dans ce département, le commissaire de surveillance administrative terminait ainsi son rapport : « ...Je suis heureux de lui (préfet) signaler qu'à Thouars comme à Niort, les agents du Réseau de l'Etat sont remplis de zèle. Ceux du dépôt, comme ceux de la gare, ceux du service de la voie et des bâtiments ont compris que dans la conjoncture actuelle, ils devaient se conduire en Français d'abord et à Thouars, où il existe un groupe syndicaliste important, les syndiqués ont la même conduite patriotique que les autres agents des chemins de fer » [81].

Les chroniqueurs aussi ne manquent pas de souligner les exemples dont ils ont connaissance. Ainsi, Antoine Delecraz fait état d'une déclaration du Syndicat des chemins de fer qui exhorte à répondre à la voix de la République [82], de la prise de position du conseil municipal de Brest

74. A.N. F 7 12936, rapport du 19 août 1914.
75. *Ibid.*, rapport du commissaire de Chalon, du 19 août.
76. A.N. F 7 12939, Limoges, le 18 août.
77. *Ibid.*, Draguignan, le 2 août.
78. A.N. F 7 12937, Carcassonne, le 2 août. Narbonne avait une municipalité socialiste.
79. A.N. F 7 12938, Lyon, 2 août.
80. A.N. F 7 12939, rapport du préfet des Deux-Sèvres du 5 août.
81. A.D. Deux-Sèvres 4 M 6/29, 10 août 1914.
82. *Op. cit.*, p. 79, 5 août.

dont il a relevé dans *Le Bonnet rouge* qu'il formait des vœux pour le succès de nos troupes [83].

Les autorités administratives montrent également dans leurs rapports que les militants syndicalistes répondent à l'appel comme les autres. Un exemple caractéristique vient de Narbonne. Des poursuites avaient été engagées contre les auteurs d'un affichage contre la guerre réalisé quelques jours avant la mobilisation, mais le procureur général juge opportun de clore l'information, car un des inculpés « s'est empressé de répondre à son ordre de mobilisation ainsi que du reste tous les membres des groupements ouvriers » [84]. A Dunkerque, dit le sous-préfet, « les militants syndicalistes les plus notoires ont rejoint leur corps avec entrain » [85]. Une note des Renseignements généraux du 6 août 1914 fait le point de la situation militaire des principaux dirigeants de la CGT [86]. Parmi ceux qui ont déjà rejoint les armées, elle cite Lapierre [87], Minot [88], Péricat [89], Séné [90], Marchand [91], Morel [92]. Dumoulin a quitté Paris le troisième jour à destination d'Amiens. Jouhaux et Lenoir [93] ne sont mobilisables que le 21e jour. Calinaud [94] doit rejoindre Montauban le 13e jour. Merrheim, Monatte [95], Marie [96], affectés à l'armée auxiliaire, attendent un nouvel ordre. Quant à Yvetot, Bled [97] et Dumas [98], ils sont réformés. Montéhus, enfin, le chansonnier révolutionnaire, réclame ses baguettes de tambour du 153e de ligne et commence à écrire des chansons patriotiques [99].

Une autre note concluait : « Quels que soient leurs désirs de paix, les syndicalistes mobilisés ont quitté Paris pénétrés par la nécessité de la guerre. Ils se disent hautement les combattants de la liberté contre l'impérialisme allemand » [100].

---

83. Delecraz, *op. cit.*, p. 112, 6 août.

84. A.N. B B 18/128 A 14, procureur général de Montpellier au garde des Sceaux, 17 octobre 1914.

85. A.D. Nord R 28, rapport sur l'arrondissement de Dunkerque en date du 7 août.

86. A.N. F 7 13574. M/9542.

87. Secrétaire de l'union départementale de Seine-et-Oise.

88. Secrétaire de l'union départementale des syndicats de la Seine.

89. Secrétaire de la Fédération du bâtiment.

90. Secrétaire de rédaction de *La Bataille syndicaliste*.

91. Secrétaire du Syndicat du bâtiment.

92. Trésorier de *La Bataille syndicaliste*.

93. Secrétaire de la Fédération de la métallurgie.

94. Secrétaire de la Fédération de la voiture.

95. Membre du comité confédéral de la CGT.

96. Secrétaire de l'union départementale des syndicats de la Seine.

97. *Idem.*

98. Secrétaire de la Fédération de l'habillement.

99. A. Delecraz, *op. cit.*, p. 283. Cf. également A. Kriegel et J.-J. Becker, *op. cit.*, p. 160-161, quelques-unes des nouvelles chansons de Montéhus.

100. A.N. F 7 13574, M/9540, 6 août 1914.

Ces quelques réserves, qu'on pourrait relever de çà et là, ne permettent pas de mettre sérieusement en doute l'idée que l'esprit de concorde nationale l'emporte largement. Néanmoins, constater la réalisation de l'union sacrée n'est pas suffisant. Il a fallu pour qu'il en soit ainsi que s'y rallient les forces qui n'étaient pas intégrées au système politique ou social ou tout au moins qui semblaient ne pas l'être.

Il est nécessaire que nous examinions maintenant comment cela s'est fait.

## Le ralliement du mouvement ouvrier

La décision de ne pas appliquer le Carnet B et le climat dans lequel se déroulèrent les obsèques de Jean Jaurès jouèrent sans nul doute un grand rôle dans le ralliement du mouvement ouvrier.

### LA NON-APPLICATION DU CARNET B

On sait ce qu'était le Carnet B [101]. A l'origine, ce document — c'était en réalité des fiches — avait eu pour but de répertorier les individus susceptibles de se livrer à des activités d'espionnage. Mais, dans les années précédant 1914, progressivement un deuxième Carnet B avait été constitué : il visait les antimilitaristes. Les préfets de tous les départements avaient été conviés à établir la liste de ceux qui, en cas de mobilisation, pourraient tenter de la saboter. Et pour faire face à ce danger, il avait été prévu d'arrêter préventivement les inscrits au Carnet B. D'après l'annexe n° 2 à l'instruction sur la préparation de la mobilisation du 15 février 1909, mise à jour le 4 avril 1914, une série de mesures devait être prescrite en cas de tension politique. Ces mesures, au nombre de 27, étaient réparties en six groupes, A, B, C, ..., mesures de précaution, mesures de surveillance, mesures de protection... Outre ces dispositions de caractère militaire, il existait un mémento des mesures de précaution à demander par le ministre de la Guerre aux autres ministres. Portant le numéro 10, figurait celle-ci : « Demander au ministre de l'Intérieur de faire procéder immédiatement à l'arrestation des individus inscrits au Carnet B » [102].

Or qui était inscrit au Carnet B ? D'un point de vue numérique, ils étaient en 1914, 2 400 à 2 500 parmi lesquels 1 500 Français, et ils se répartissaient ainsi : étrangers suspects d'espionnage, 561 ; Français suspects d'espionnage, 149 ; étrangers et Français inscrits pour d'autres motifs (donc soupçonnés de vouloir entraver une mobilisation), 1 771 [103].

---

101. Cf. J.-J. Becker, *op. cit.*, deuxième partie.

102. A.M. 7 N 1972, E.M.A., 3ᵉ bureau (anciennement carton 3306).

103. Le double des fiches des Carnets B départementaux se trouvait à Paris, mais elles ont été détruites en 1940 (cf. J.-J. Becker, *op. cit.*, p. 123, note 1), de sorte que nous n'avons pu nous livrer à

Du point de vue qualitatif, les inscrits de cette dernière catégorie étaient essentiellement des syndicalistes souvent de tendance anarchiste, auxquels s'ajoutaient un petit nombre de socialistes considérés comme particulièrement antimilitaristes.

Le problème posé par l'application du Carnet B était d'importance : fallait-il faire ce qui était prévu au risque de provoquer des remous qui pouvaient être graves dans les masses ouvrières, mais avec l'avantage de priver les organisations syndicales de leurs dirigeants ? Fallait-il au contraire ne pas l'appliquer afin de préserver l'unité nationale, mais en courant le risque de laisser en liberté les cadres d'une éventuelle agitation ?

Dans un premier temps, la conviction régna dans les milieux intéressés que les dispositions prévues seraient bien mises en vigueur. Nous avons déjà observé comment les délibérations des dirigeants de la CGT avaient eu lieu dans une atmosphère d'inquiétude [104].

*La Bataille syndicaliste* rapportait un propos prêté au ministre de la Guerre Messimy : « Laissez-moi la guillotine et je garantis la victoire ! » [105].

Les inscrits au Carnet B vivaient dans la crainte de leur arrestation et une série d'indiscrétions calculées les avaient persuadés de ce danger. Pourtant, les préfets chargés d'exécuter l'ordre le cas échéant se trouvaient eux aussi dans l'incertitude, une double incertitude. Incertitude quant à l'opportunité d'appliquer les mesures prévues, incertitude quant au moment de les appliquer. Dans un télégramme expédié le 1er août à 14 h 20, donc à peine quelques heures avant que soit lancé l'ordre de mobilisation, le préfet d'Ille-et-Vilaine exprimait clairement son embarras quant au moment de l'application : « Prière me faire connaître d'extrême urgence si inscrits Carnet B doivent être mis en état d'arrestation dès publication ordre de mobilisation ou si je dois attendre ordre du gouvernement ainsi qu'il semble résulter du paragraphe 15 de l'instruction du 1er novembre 1912 » [106]. Le sous-préfet de Toulon posait la même question : « Que faut-il faire cas de mobilisation vis-à-vis des individus inscrits au Carnet B ? ».

D'après son interprétation, les mandats d'arrêt devaient parvenir en même temps que l'ordre de mobilisation. Dans le cas où ils ne parviendraient pas à temps, fallait-il tout de même procéder aux arrestations [107] ? Le préfet du Nord estimait qu'il n'y avait pas là de difficulté : « ... L'ordre de mobilisation ... impliquait l'arrestation immé-

---

aucun dénombrement global. Ces chiffres sont ceux fournis par un rédacteur au 2e bureau, Séjournant, lors de sa déposition au procès Malvy en 1918 (cf. J.-J. Becker, *op. cit.*, p. 218).

104. Cf. ci-dessus deuxième partie, ch. 3, p. 196 et suiv.

105. *La Bataille syndicaliste*, 30 juillet. Cf. également A. Rosmer, *op. cit.*, T. I, p. 109.

106. A.N. F 7 12934.

107. A.D. Var/M/43, sous-préfet de Toulon au préfet du Var, 28 juillet 1914. Le 31 juillet, le sous-préfet insistait pour affirmer à nouveau la nécessité d'instructions plus complètes.

diate de tous les individus figurant sur le Carnet B... »[108]. C'était d'ailleurs, semble-t-il, la pensée du ministre de l'Intérieur puisque, comme nous le verrons, il fut amené à télégraphier de surseoir aux arrestations[109], ce qui implique que, sans cette injonction, elles auraient dû avoir lieu. En revanche, une instruction du ministre de l'Intérieur était indispensable pour procéder à ces arrestations *avant* que la mobilisation ne soit décrétée, dans le cadre des mesures de précaution. C'est sur ce point qu'il y eut conflit entre Malvy et Messimy, Malvy refusant de prescrire ces arrestations avant la mobilisation[110].

La deuxième incertitude, plus importante, tenait à l'opportunité politique d'exécuter les instructions.

Le 1er août, le préfet de Haute-Garonne télégraphiait au ministre de l'Intérieur que, d'accord avec les autorités militaires, il était d'un « intérêt marqué » « d'éviter des conflits » que provoquerait « l'application *intégrale* » « des prescriptions résultant de la constitution du Carnet B ». A son avis, « les préfets pourraient, après examen de chaque cas ... surseoir à certaines arrestations qui produiraient un effet diamétralement opposé à celui qu'on en attend et provoqueraient bagarres et manifestations violentes »[111]. De son côté, le préfet du Nord, dès le 26 juillet[112], exposait au ministre que, si toutes les inscriptions au Carnet B « étaient justifiées par des actes ou des déclarations antimilitaristes, certaines ne sauraient cependant entraîner des arrestations immédiates dans les circonstances actuelles sans de graves inconvénients ». Il appuyait son argumentation sur le fait que beaucoup d'inscrits dans son département étaient des militants socialistes et même des élus.

> « Il serait, à mon avis, imprudent et même dangereux de prendre des mesures coercitives à l'égard d'individus observant une attitude réservée susceptible de jeter la suspicion sur un parti qui possède un si grand nombre d'adhérents dans le département et dont l'attitude irréprochable actuellement ne se modifiera pas, m'affirme-t-on, si la guerre éclate.
> On risquerait, par des incarcérations intempestives, de compromettre l'élan patriotique dans plusieurs centres ouvriers ».

La solution qu'il proposait était d'opérer sélectivement et de n'arrêter immédiatement que les individus soupçonnés d'espionnage, les anarchistes et les saboteurs, au nombre de 157, tandis que les 86 autres seraient seulement surveillés.

Le préfet du Nord prenait des risques en faisant cette proposition ; il avait bien consulté ses collaborateurs, mais il n'avait pas trouvé auprès

---

108. 96 AP 1 Papiers Félix Trépont, p. 26.
109. Cf. Malvy, *Mon crime*, Paris, Flammarion, 1921, 286 p, p. 37.
110. *Ibid.*, p. 35-36.
111. A.N. F 7 12934, Toulouse, 1er août 1914, 14 h 37.
112. A.N. 96 A.P. 2.

d'eux un appui unanime. Le sous-préfet de Valenciennes, en particulier, lui avait donné un avis diamétralement opposé : « Je ne pense pas que le gouvernement ait l'intention de faire des distinctions entre les inscrits au Carnet B. La même décision leur sera sans doute appliquée ».

Puis, après avoir lui aussi souligné la présence parmi les inscrits d'un certain nombre d'élus socialistes [113], il ajoutait ces remarques :

> « L'avis très ferme de M. le commissaire spécial Blanc et des commissaires municipaux intéressés est que ces élus seraient *dangereux* en cas de mobilisation.
>
> Si le gouvernement en décide l'arrestation, il faut s'attendre sans doute à ce que les antimilitaristes révolutionnaires privés de leurs meneurs soient désemparés et neutralisés, mais aussi à ce que certains journaux se livrent aux plus violentes protestations et aux pires excitations.
>
> Cette campagne est d'ailleurs à prévoir même si une exception est faite pour les élus ... et, dans ce cas, les élus seront sur les lieux pour aggraver l'effet de la campagne de presse.
>
> Dans ces conditions, j'estime qu'en raison surtout du grand nombre d'arrestations à opérer dans cette région, la proclamation de l'état de siège devrait suivre immédiatement les *incarcérations*. Seul, en effet, l'état de siège permettrait d'exercer sur la presse la censure nécessaire dès le début ou dès l'imminence de la mobilisation » [114].

C'est le préfet vraisemblablement qui avait porté sur cette lettre la mention manuscrite suivante : « Je ne partage pas cet avis ».

Deux remarques s'imposent : au niveau départemental, les responsables de l'ordre pouvaient être très divisés sur la façon et l'opportunité d'appliquer ou de ne pas appliquer le Carnet B, mais personne ne prenait cette question à la légère. Deuxième remarque : le préfet du Nord y attachait une telle importance qu'il en entretint le président de la République et le président du Conseil lorsqu'ils débarquèrent à Dunkerque le 29 juillet et qu'il attira leur attention sur le rapport qu'il avait adressé à ce sujet au ministre de l'Intérieur [115]. D'ailleurs, il nous le dit lui-même, ce fut dans ces journées une de ses « préoccupations principales ». « Les mandats d'arrêt attendaient sur mon bureau la décision ministérielle. Le 31 au soir, malgré mes rapports répétés, aucune réponse n'était venue à ma demande de révision » [116].

Nous ne savons pas si d'autres préfets ont, comme ceux du Nord et de la Haute-Garonne, fait pression sur le ministre de l'Intérieur pour que l'application du Carnet B soit au moins sélective. On peut le penser. On peut penser en tout cas que l'avis de deux préfets de départements importants, où l'influence socialiste était grande, n'a pas été sans effet

---

113. Deux conseillers généraux, un maire, un adjoint au maire, deux conseillers municipaux.

114. A.N. 96 A.P. 2, lettre du sous-préfet de Valenciennes au préfet du Nord du 26 juillet 1914.

115. A.N. 96 A.P. 1, journal du préfet, p. 21.

116. *Ibid.*, p. 26.

sur la décision ministérielle. Il faut toutefois retenir que, pour expliquer sa décision, Malvy ne fait pas mention des avertissements reçus de préfets [117].

Il est vrai aussi que les circonstances dans lesquelles le gouvernement et en particulier le ministre de l'Intérieur prirent la décision de ne pas appliquer le Carnet B et les raisons pour lesquelles ils le firent ne sont pas parfaitement élucidées.

D'après le récit de Malvy [118], après que le gouvernement en eut délibéré dans la journée du 31 juillet, il aurait envoyé un premier télégramme aux préfets leur recommandant de ne pas avoir à appliquer intégralement le Carnet B [119], le 31 juillet à 4 heures de l'après-midi, puis un second interdisant toutes arrestations [120], le 1er août, à 1 heure, sans qu'il soit précisé s'il s'agissait du matin ou de l'après-midi.

En réalité nous avons la preuve que le premier télégramme a été expédié de Paris, seulement le 1er août à 14 h 35 (voir fig. 35), et le second le 1er août à 21 heures (voir fig. 36) [121].

Si on ne retient pas l'erreur involontaire, on est conduit à se demander pourquoi le ministre de l'Intérieur fait état d'une chronologie fausse. L'explication la plus vraisemblable est que Louis Malvy espérait ainsi camoufler ou estomper le rôle joué par certains dans les décisions qu'il prit alors.

---

117. Louis Malvy, *op. cit.*

118. Louis Malvy, *op. cit.*, p. 36 et suiv.

119. « N'appliquez pas intégralement même en cas d'ordre mobilisation instructions sur application du Carnet B. L'attitude actuelle des syndicalistes et des cégétistes permet de faire confiance à ceux d'entre eux qui sont inscrits. Exercez seulement à l'heure légale surveillance attentive mais discrète en ce qui touche anarchistes inscrits. Prenez dès l'ordre de mobilisation mesures individuelles qui vous paraîtraient absolument indispensables à l'égard de ceux qui vous semblent constituer un danger réel et immédiat et surveillez étroitement les autres. En ce qui concerne étrangers inscrits appliquez instructions demain matin sauf contre-ordre » (A.D. Nord R 56).

120. « Ayant toutes raisons de croire qu'il peut être fait confiance à tous inscrits au Carnet B pour raison politique ne procédez à aucune arrestation de personnes appartenant à ces groupements. Bornez-vous arrêter étrangers inscrits comme suspects espionnage. Il va sans dire que mesures doivent être prises sans délai à égard tout individu qui commettrait le moindre méfait » (A.D. Nord R 56).

121. Plusieurs autres documents confirment d'ailleurs l'horaire des télégrammes tel que nous l'avons établi. Dans sa déposition au procès Malvy (20 février 1918), Séjournant indiqua que le premier télégramme fut envoyé le 1er août vers 2 heures de l'après-midi et un second le 1er août vers 7 heures du soir (archives du procès Malvy).

Le préfet du Nord a consigné dans son *Journal* que c'est « le 1er août dans la soirée (qu'il reçut) de la Sûreté générale l'autorisation de surseoir sur (sa) responsabilité aux arrestations qu'(il) jugeait inopportunes » (A.N. 96 A.P. 1, *Journal Félix Trépont, op. cit.*, p. 26).

Le préfet du Morbihan signale, le 2 août, qu'il n'a pas procédé aux arrestations prévues conformément aux « instructions parvenues *cette nuit* » (donc dans la nuit du 1er au 2 août) (A.N. F 7 12938 Vannes, le 2 août).

C'est le 1er août à 7 heures du soir que le commissaire spécial de Saint-Etienne informe le préfet de la Loire qu'« après examen minutieux de la liste des individus inscrits dans la Loire au Carnet B, (il) pense que les arrestations de ces derniers ne sont pas absolument indispensables pour arrêter tous actes de sabotages ou toute manœuvre susceptible de nuire aux opérations de la mobilisation ». (A.D. Loire, 19 M 38).

Enfin, dans une lettre du 1er août (mais l'heure n'est pas indiquée), le commissaire spécial de Nantes fait part au préfet de la Loire-Inférieure que 17 ouvriers d'Indret sont susceptibles d'être arrêtés, mais que quatre autres, bien qu'inscrits au Carnet B, pourraient ne pas l'être (A.D. Loire-Atlantique, 1 M 2487).

Fig. 35. Télégramme Malvy, 1er août 14 h 35

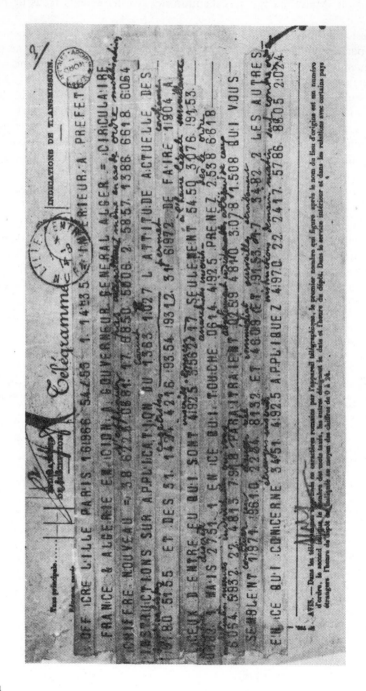

384

Fig. 36. Télégramme Malvy, 1er août 21 h

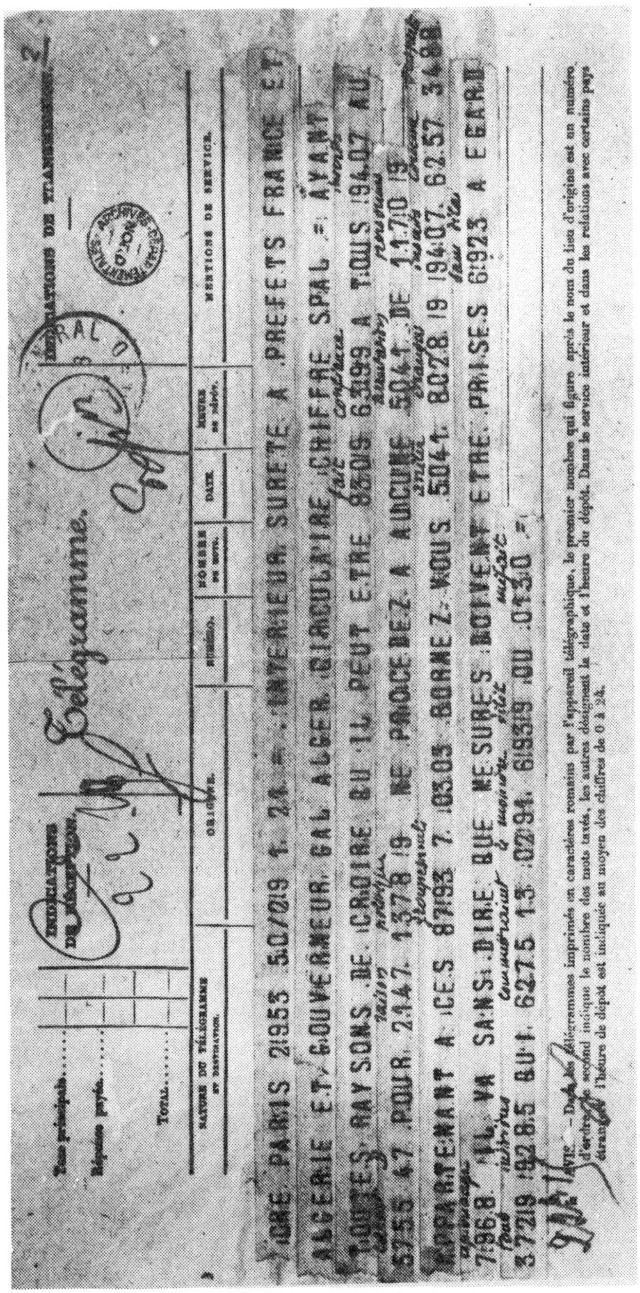

1086 PARIS 2955 50/019 1 24 = INTERIEUR SURETE A PREFETS FRANCE ET
ALGERIE ET GOUVERNEUR GAL ALGER CIRCULAIRE CHIFFRE SPAL = AYANT
TOUTES RAYSONS DE CROIRE QU IL PEUT ETRE 8505 63199 A TOUS 19407 AU
57555 47 POUR 2147 1378 19 NE PROCEDEZ A AUCUNE 5041 DE 11710 19
ACTUELLEMENT A CES 87193 7 63505 BORNEZ VOUS 5041 8078 19 19407 6257 3498
7968 IL VA SANS DIRE QUE MESURES DOIVENT ETRE PRISES 6923 A EGARD
37219 19285 QUI 6275 13 0294 61939 OU 0430 =

Pourquoi peut-on faire cette hypothèse ? En juillet 1917, au Sénat, Clémenceau attaque la politique de Malvy depuis le début de la guerre ; il lui reproche, non de ne pas avoir appliqué le Carnet B, mais d'avoir pris cette décision en accord avec Almereyda. Il faisait allusion à un article que le directeur du *Bonnet rouge* avait publié dans son journal, le 31 octobre 1915 [122]. Le 29 de ce mois, le cabinet Briand remplaçait le cabinet Viviani et il avait été question que Malvy ne figure pas dans la nouvelle combinaison. L'article d'Almereyda s'inscrivit dans la campagne menée par *Le Bonnet rouge* en faveur du ministre. Il décrivait minutieusement — du moins en apparence — les négociations qu'il mena avec Malvy pour le convaincre de ne pas appliquer le Carnet B [123]. J'allais voir Malvy. Je lui dis : " Que faites-vous avec le Carnet B ? " ».

Et d'expliquer comment, après une conversation à trois avec le directeur de la Sûreté générale, Richard, il obtint du ministre la décision de n'arrêter perdonne. Un point d'inquiétude : les anarchistes individualistes. Almereyda fut, d'après lui, chargé dans les vingt-quatre heures qui suivirent [124] de « sonder la conscience des individualistes ». Il revient, le délai écoulé. « Je dis à Malvy : " C'est fait, tout va bien. Je sais la gravité de ce que je vous demande. Mais je n'hésite pas : n'arrêtez personne ! " M. Malvy répondit : " C'est bien. Vous avez ma parole. Je prends ça sur moi " ».

Sur le moment, Malvy ne contesta pas les allégations d'Almereyda. Mais, en 1917, les circonstances n'étaient plus les mêmes. Le 15 mai 1917, l'administrateur du *Bonnet rouge*, Duval, avait été trouvé à la frontière suisse porteur d'un chèque d'origine allemande : le 6 août, Almereyda était arrêté et il se suicidait (?) à la prison de Fresnes, le 14 août 1917 [125]. Aussi, déjà durement secoué par les attaques de Cle-

---

122. La veille, dans *Le Bonnet rouge* daté du 30 octobre, Almereyda avait déjà publié un premier article sur la question, sous le titre « Une lourde faute. M. Malvy sacrifié » et qui comprenait en particulier cette phrase : « C'est à lui que la France doit d'avoir eu une mobilisation admirable et sans à coups ». En fait, cet article aurait été « échoppé » par la censure si *Le Bonnet rouge* n'était paru sans soumettre ses morasses au bureau de presse (A.M. Dossiers de journaux, n° 368. Note du bureau de presse du 29 octobre 1915).

123. En apparence seulement. En effet, Almereyda ne dit pas à quels jours correspondent ces démarches. Une seule indication précise : « Nous étions à la *veille de la déclaration de guerre* », mais cela ne peut signifier autre chose que les jours précédant la guerre car ces entrevues ont eu nécessairement lieu à la *veille* de la mobilisation (voir également p. 386 note 134).

124. Avec le temps, les souvenirs d'Almereyda ont eu tendance à se modifier. Ainsi, dans la déclaration qu'il prononça lors du procès en diffamation qui l'opposa si *L'Action française* et où il revient sur ce sujet, il fait état d'un « délai de 48 heures » (*Le Bonnet rouge*, 17 mars 1916).

125. Comme beaucoup de suicides en prison, celui-ci parut suspect : Léon Daudet, entre autres, estimait que le directeur du *Bonnet rouge* avait été « suicidé » (cf. *L'Hécatombe, op. cit.*, p. 227 ; également C. Favral, *op. cit.*, p. 244.)

Il n'est pas de notre propos de traiter ici de l'affaire du *Bonnet rouge* et de porter un jugement sur la réalité ou non de la trahison de cet organe, mais aussitôt après la mort d'Almereyda, le secrétaire de direction du *Bonnet rouge*, Maurice Fournié, rédigeait une brochure de 34 pages dans laquelle il présentait une éloquente défense de son ancien patron et évoquant longuement les circonstances troublantes de sa mort. La censure interdisait la diffusion de la brochure, mais son auteur l'envoyait à la presse parisienne (cf. A.M. Dossiers de journaux n° 368 *Bonnet rouge*. Note du bureau de presse accompagnant la brochure du 19 septembre 1917).

menceau lors du débat sénatorial, Malvy s'efforce de prendre ses distances envers l'ancien révolutionnaire. A la Chambre des députés, en octobre [126], il affirme ne pas avoir eu de contacts particuliers avec Almereyda [127].

Lors de l'instruction de son procès, il minimise encore davantage ses relations avec Almereyda. Il pense qu'« une de ses premières rencontres avec (lui), sinon peut-être la première, eut lieu le jour où tous les directeurs de journaux, sans distinction de nuances, furent convoqués au Ministère de l'intérieur et à l'Elysée (1er ou 2 août 1914) » [128].

Il est plus facile maintenant de comprendre l'hypothèse que nous avons formulée d'une erreur volontaire de Malvy dans la rédaction de ses souvenirs quant au moment exact où il donna l'ordre de ne pas appliquer le Carnet B. Si la décision du ministre était du 31 juillet au soir et son entrevue avec Almereyda seulement le 1er ou le 2 août, cela empêchait que ce dernier ait pu jouer le rôle déterminant qu'il s'attribuait.

Pourtant, les dates portées sur les télégrammes ne permettent pas de faire confiance aux écrits du ministre. En outre, un autre élément donne du poids aux allégations d'Almereyda. Dans l'article que nous avons déjà mentionné [129], le journaliste indiquait avoir obtenu de Malvy l'autorisation de faire connaître publiquement la décision qui venait d'être prise. Or il est exact que, le 1er août au soir, *Le Bonnet rouge* était le seul à l'annoncer en la formulant de façon à lui donner un caractère officiel qui ne fut pas démenti : « ...Aujourd'hui *nous sommes formellement autorisés* [130] à déclarer que, si le gouvernement doit un jour décréter la mobilisation, on ne fera pas usage du Carnet B. Le gouvernement fait confiance à la population française et en particulier à la classe ouvrière » [131].

Sous le titre « Les révolutionnaires et la mobilisation », *Le Temps*, autre journal du soir, reprenait la nouvelle le lendemain [132] ; il donnait sa source, *La Bataille syndicaliste* du matin, qui avait recopié l'information du *Bonnet rouge*, augmentée d'un commentaire : « Nous croyons pouvoir ajouter que cette mesure, dont tout le monde appréciera l'importance et la signification, a été prise sur l'initiative personnelle de M. Malvy, ministre de l'Intérieur » [133].

---

126. Il n'est d'ailleurs plus ministre. Il a quitté le gouvernement le 31 août 1917.

127. *Journal officiel. Débats parlementaires. Chambre des députés*, 4 octobre 1917, p. 2591.

128. Archives du procès Malvy. *Mémoire en réponse...* p. 11.

129. *Le Bonnet rouge*, 31 octobre 1915.

130. Souligné par nous.

131. *Le Bonnet rouge*, 2 août 1914. Journal du soir, *Le Bonnet rouge* était daté du lendemain. C'est donc bien dans l'après-midi du 1er août qu'il avait annoncé la nouvelle.

132. Numéro daté du 3 août.

133. *La Bataille syndicaliste*, 2 août. En 1re page, « La défense nationale, il n'y aura pas d'arrestations ».

Ce n'est que dans *L'Humanité* du 3 août qu'on trouvait la nouvelle. M. Almereyda n'a peut-être pas joué tout le rôle qu'il prétend, il n'y a pas de doute cependant qu'il a eu une certaine part dans cette affaire [134].

Malvy ne niait d'ailleurs pas — au contraire — avoir eu des conversations avec « quelques représentants autorisés du monde ouvrier » [135]. Il souhaitait simplement qu'on ne mette pas en évidence Almereyda devenu compromettant.

Une question se pose donc. Les conversations ont-elles eu lieu par le seul truchement d'Almereyda, ou y en eut-il d'autres, comme le dit Malvy ? Il faut se demander également quelle fut leur nature. Simples entretiens ou tractations, voire marchandages ? En d'autres termes, certains dirigeants du mouvement ouvrier ont-ils acheté leur liberté contre la promesse de se tenir tranquilles ? Il n'est pas facile de répondre à cette question, car, quelques années plus tard, les syndicalistes ne souhaitaient guère non plus qu'on puisse les accuser d'avoir eu des contacts trop étroits en août 1914 avec le Ministère de l'intérieur. Au congrès de la CGT en juillet 1918, Léon Jouhaux consacra un long passage de son discours aux problèmes posés par la non-application du Carnet B. On peut ne pas le croire, c'est toutefois avec la plus grande netteté qu'il démentit « les légendes » qui avaient couru et il précise : « ...*C'est en dehors de nous* que la décision (de ne pas appliquer le Carnet B) fut prise et par conséquent notre attitude ne fut pas dictée par cette décision, mais par d'autres événements » [136]. Chanvin, qui dirigea pendant la guerre l'importante Fédération du bâtiment, lorsqu'il traite du Carnet B dans le rapport qu'il présente devant le comité national de son organisation, en juillet 1918, ne dit pas un mot qui puisse laisser supposer que la décision de ne pas appliquer le Carnet B ait été prise à la suite de tractations avec les milieux syndicaux [137].

Il existe un certain nombre de témoignages contraires, mais dont le caractère commun est d'être assez vague. Par exemple, Georges Dumoulin affirme : « J'ignore ce qu'ont fait personnellement mes amis dans cette semaine sinistre. Je veux dire que je suis resté étranger à leurs démarches personnelles, à leurs efforts individuels. Personnellement, je n'ai tenté aucune démarche » [138].

---

134. On peut en définitive estimer que la deuxième entrevue entre Malvy et Almeyreda a eu lieu le 1er août, puique c'est dans l'après-midi que *Le Bonnet rouge* imprime la nouvelle de la non-application du Carnet B, donc certainement avant l'envoi du second télégramme et probablement avant l'envoi du premier, et que la première rencontre se situe vingt-quatre heures plus tôt, donc le 31 juillet.

135. Louis Malvy, *op. cit.*, p. 39.

136. Discours de Léon Jouhaux au congrès confédéral (16-18 juillet 1918). *L'Action syndicale*, Paris, Edition de *La Bataille*, 1919, 30 p., p. 6. Même point de vue de Jules Bled, secrétaire de l'union départementale de la Seine : « S'il y a des gens qui ont vu des ministres, qui ont négocié la non-application du Carnet B, ce n'est pas moi ». (*Congrès de la CGT, C.r. sténographique*, 1918, 16 juillet, p. 154.)

137. Fédération nationale des travailleurs de l'industrie du bâtiment, VIe congrès national, Versailles, 1918, 309 p., p. 92-93.

138. Georges Dumoulin, *Carnets de route, op. cit.*, p. 67.

Le propos est plein de sous-entendus, mais on ne peut savoir s'il s'agit du Carnet B, de sursis d'appel ou d'autre chose... Dumoulin est toutefois plus précis lorsqu'au congrès de la CGT, en 1918, il s'adresse aux dirigeants de la majorité : « Je ne dis pas que vous ayez voulu récompenser le gouvernement de ne pas vous avoir fusillés. Je crois que l'on a dû vous faire comprendre qu'il valait mieux signer un pacte d'union sacrée plutôt que d'appliquer le Carnet B », ou encore quand il écrit : « On savait bien qu'Almereyda était allé voir Malvy et on se doutait qu'il ne fut pas seul à arpenter les couloirs du Ministère de l'intérieur »[139].

A. Rosmer ne doute pas non plus qu'il y ait eu tractations : « Les négociations au sujet du Carnet B auxquelles Jouhaux a sûrement participé — directement ou indirectement — ont été le point de départ d'un glissement rapide plutôt que d'un retournement brusque »[140], mais il fait plus état de sa conviction que de preuves.

Plus affirmatif, l'ancien directeur de la Sûreté, Leymarie déclara lors du procès Malvy : « Nous avons causé avec Almereyda, comme nous avions causé avec Gustave Hervé ..., comme nous avons causé avec des syndicalistes ..., nous avons causé avec tous ceux qui pouvaient nous aider dans la tâche à accomplir »[141].

Mais il ne faut pas oublier qu'à l'époque Leymarie était lui-même sur la sellette[142] et qu'il avait, comme son ancien ministre, intérêt à ne pas faire d'Almereyda leur seul interlocuteur[143].

Disposons-nous encore d'autres éléments ? Quelques indications de caractère négatif. En date du 31 octobre 1914, une note de la préfecture de police établit une synthèse sur « l'attitude de la CGT et de l'Union des syndicats de la Seine pendant la période de crise qui a précédé la mobilisation et depuis l'ouverture des hostilités »[144]. Longue de dix-sept pages, détaillées, elle ne contient pas un mot sur d'éventuels contacts entre les dirigeants de la CGT et les services de l'Intérieur.

Quand Pierre Monatte adresse sa lettre de démission au comité confédéral, en décembre 1914[145], il y dénonce les compromissions des dirigeants de la CGT, mais il ne fait aucune allusion aux tractations supposées de la fin du mois de juillet 1914.

---

139. G. Dumoulin, *Les syndicalistes français et la guerre*, op. cit., p. 16, repris par Jean Maxe, *De Zimmerwald au bolchevisme*, op. cit., p. 19.

140. A. Rosmer, op. cit., p. 171.

141. Archives du procès Malvy, déposition Leymarie, p. 16.

142. Il fut condamné le 15 mai 1918 à deux ans de prison avec sursis et 5 000 francs d'amende dans l'affaire du *Bonnet rouge*.

143. On peut d'ailleurs noter que Gustave Hervé, dans sa déposition au même procès (23 mars 1918) (p. 3), affirme n'avoir rencontré Malvy pour la première fois que lors du séjour du gouvernement à Bordeaux, donc beaucoup plus tard.

144. A.N. F 7 13348.

145. Jean Maitron, Colette Chambelland, op. cit., p. 45-49.

Ainsi, il n'y a de certain que les contacts entre Almereyda et le ministre de l'Intérieur. Il est évidemment possible qu'il ait joué les intermédiaires. Il n'en reste pas moins que personne n'a apporté la preuve de ces négociations. Elles restent du domaine de l'hypothèse. Jusqu'à plus ample informé, on est bien obligé de conclure que ce n'est pas à la suite des conversations entre les dirigeants de la CGT et le ministre que la décision de ne pas appliquer le Carnet B a été prise.

Comment alors Malvy a-t-il pu faire accepter au gouvernement cette lourde responsabilité et en particulier adresser aux préfets le télégramme : « *Ayant toutes raisons de croire* qu'il peut être fait confiance à tous inscrits sur Carnet B pour raisons politiques... » ? Annie Kriegel avait émis une hypothèse ingénieuse [146].

On sait que c'est le soir du 31 juillet [147] que le comité confédéral de la CGT avait décidé d'abandonner l'idée de la grève générale et de se rallier à la stratégie du Parti socialiste : elle avait donc pensé qu'informé immédiatement de ce qui s'était passé à cette réunion (elle s'était terminée vers 22 h 30), le ministre avait tranquillement pu envoyer son deuxième télégramme à 1 h du matin. Mais, nous le savons, ce télégramme n'a été envoyé que le 1er août à 21 heures. Le ministre a donc eu tout le loisir de lire le rapport de ses informateurs [148], confirmé d'ailleurs par le communiqué du comité confédéral publié par *La Bataille syndicaliste* [149]. Cela ne change d'ailleurs pas fondamentalement l'interprétation d'A. Kriegel considérant que la décision du gouvernement aurait été *surtout* une décision politique dans le cadre d'une « politique audacieuse ».

---

146. Annie Kriegel, *Aux origines du communisme, op. cit.*, T I, p. 57-59, note 3, dans le cadre d'une mise au point concise, mais extrêmement nette, de toute cette question. Cf. également Bernard Georges, Denise Tintant, *op. cit.*, p. 140.

147. Cf. *infra*, p. 210-211.

148. A.N. F 7 13574. 1er août.

149. Si notre interprétation est la bonne, elle confirme bien que la peur de l'application du Carnet B a influencé l'attitude des dirigeants syndicaux (nous avons analysé dans notre deuxième partie chapitre troisième, ce qu'il fallait penser de cette peur), mais il n'y a pas eu une sorte de troc entre la CGT et le gouvernement, dont les termes auraient été pour les uns l'abandon de la grève générale, pour les autres celui du Carnet B.

A notre avis, une seule question n'est pas vraiment réglée. Pourquoi Malvy, dans cette après-midi du 1er août, a-t-il envoyé deux télégrammes dont l'un laissait quelque marge d'appréciation aux préfets, dont l'autre interdisait toute arrestation. Le rapport Pérès (p. 64) (cf. note 2 p. suivante) dit ceci : « Ce changement de volonté du ministre dans la même journée à quelques heures d'intervalle, reste inexpliqué. Mais il semble bien qu'il ait été provoqué par les suggestions de ceux qui, en échange de leur collaboration trop facilement acceptée, allaient, dès ce moment, manifester leur influence en obtenant du ministre une série de mesures individuelles complétant la mesure générale prise à l'occasion du Carnet B ».

Il faut d'abord noter que le magistrat instructeur reconnaît d'abord qu'il n'a pas trouvé d'explication. Sur ce, il se livre à des hypothèses : il est effectivement possible qu'une des entrevues avec Almereyda se situe entre l'envoi des deux télégrammes, mais pour le reste, nous l'avons déjà dit, il n'y a aucun élément de preuve.

En revanche, nous avons l'explication donnée par Malvy : il a dû modifier son premier télégramme en raison de l'attitude d'Hennion qui entendait jouer sur les mots. Il n'y a pas de raison de mettre en doute ce motif. Evidemment, Malvy place la rencontre avec Hennion avant l'après-midi du 1er août (dans la soirée du 31 juillet), mais, nous le savons, les dates et les horaires avancés par le ministre sont faux.

Décision politique ? Oui. Tous les responsables l'ont répété à l'envi. Malvy, évidemment, mais Viviani aussi. Au procès de son ministre, l'ancien président du Conseil affirma : « Bien avant la journée du 4 août, car il était urgent de se décider très vite, *j'ai décidé* qu'il ne serait pas fait application du Carnet B » [150].

La déposition qu'il fit lors de l'instruction du procès est ainsi présentée dans le rapport Pérès [151] :

> « Ensemble (avec Malvy) ils ont voulu l'union sacrée, non comme une formule, mais comme une réalité concrète, sans distinction de partis. Devait-on appliquer le Carnet B ? En présence d'un événement qui élevait toutes les consciences, qui épurait tous les esprits, sur quel critérium, sur quelles notes de police, rédigées plusieurs années auparavant, s'appuyer ? » [152]

Sans être démenti, le syndicaliste Chanvin a fait état de ces propos de Viviani : « Si vous touchez à la classe ouvrière, je démissionne immédiatement » [153].

Mais cette décision politique fut-elle vraiment audacieuse ? La réponse n'est pas aussi simple. Le gouvernement et le ministre de l'Intérieur, en particulier, disposaient d'assez d'éléments pour être à peu près convaincus qu'il n'y avait guère de risques à ne pas appliquer le Carnet B. Même sans faire entrer en ligne de compte d'hypothétiques négociations, les avis des préfets, les rapports des informateurs sur l'état d'esprit dans les organisations ouvrières, et surtout la situation de l'opinion publique, telle que nous l'avons déjà analysée, autant de facteurs pour renforcer la conviction des ministres.

Toutefois, cette décision a tout de même comporté une part d'audace. Le ministre de l'Intérieur n'a pas rencontré que des approbations et il pouvait être assuré qu'en cas d'erreur il en subirait les conséquences, qu'il lui serait éventuellement davantage reproché de ne pas avoir appliqué le Carnet B, si cela entraînait des inconvénients, que de l'avoir appliqué, même si cela provoquait des troubles.

---

150. Archives du procès Malvy. Déposition Viviani, p. 4.

151. Eugène Pérès, ancien bâtonnier du barreau de Toulouse, sénateur de Haute-Garonne, avait été choisi comme rapporteur de la commission d'instruction près la Haute Cour.

152. Archives du procès Malvy, déposition Viviani, p. 4.

153. Fédération nationale des travailleurs de l'industrie du bâtiment, *op. cit.*, p. 93. Dans le débat qui eut lieu à la Chambre des députés en 1917, le 4 octobre, Viviani déclara que, le 30 juillet 1914, lorsque Jaurès vint le voir, il lui aurait parlé du Carnet B en ces termes : « Mon ami, la France marche à la frontière. Faites en sorte qu'il n'y ait pas un abîme, aux heures tragiques, entre la France gouvernementale et la France ouvrière qui est prête à son devoir patriotique ». Et Viviani lui aurait répondu : « C'est bien, nous y avons déjà réfléchi ; le Carnet B, en ce qui concerne les Français, bien entendu, ne sera pas appliqué ». *Journal officiel. Débats parlementaires, Chambre des députés,* p. 2 596).

Mais on peut douter de l'exactitude de ces phrases et le contexte du discours confirme l'impression d'une reconstitution « oratoire ». Comment croire, en effet, que le 30, Jaurès ait parlé de la France marchant aux frontières et Viviani d'une décision concernant le Carnet B qui ne pouvait encore être prise ? Mais si l'on passe outre aux détails erronés, on constate que, trois ans plus tard, Viviani réaffirme les raisons politiques de la décision.

Quelles furent les oppositions ? Il y a d'abord le cas Messimy. On a souvent mis en avant l'opposition Malvy-Messimy, que mentionne également Chanvin[154]. Il y a la phrase fameuse de Messimy sur la guillotine[155]. Néanmoins Messimy affirme qu'il ne réclamait l'application que parce que c'était dans ses attributions et non par conviction[156].

Il y a aussi l'opposition de la haute police. Qui doit-on arrêter ? « Tous, disent certains autour de moi, et parmi eux les chefs les plus autorisés de la police »[157], rappelle Malvy, et « en tête le préfet de police, Hennion »[158].

Il y a enfin l'opposition de certains hommes politiques. La plus catégorique, et qui se révéla à terme la plus dangereuse, fut celle de Clemenceau. C'est dans l'après-midi du 30 juillet, vers 15 heures, que Malvy alla demander conseil à Clemenceau qui lui aurait affirmé : « Mon ami, vous seriez le dernier des criminels si vous ne sortiez à l'instant de mon bureau pour signer l'ordre d'arrestation »[159].

Lors du débat au Sénat de juillet 1917, Clemenceau ne contesta que l'exactitude des termes : « Ce n'est pas ma phrase ; c'était ma pensée, mais je n'ai pas dit cela »[160].

Et d'expliquer qu'il n'avait pas souhaité l'arrestation de tous les inscrits au Carnet B, mais seulement d'une partie d'entre eux.

Ainsi, la seule audace de la décision du gouvernement[161] est de n'avoir pas tenu compte d'un certain nombre d'oppositions. Ce n'est pas sans importance ; cela démontre que la conviction que s'était faite le gouvernement de l'inutilité d'appliquer le Carnet B n'était pas partagée par tous. Il n'était pas évident pour tous que les adversaires d'hier de la patrie et du militarisme avaient subitement désarmé.

---

154. Compte rendu du congrès de la Fédération du bâtiment, *op. cit.*, p. 93.

155. A remarquer que certains, quatre ans plus tard, estimèrent qu'il ne fallait pas en exagérer l'importance. Ainsi lorsque Chanvin la rappela au congrès de la Fédération du bâtiment, le fougueux secrétaire des terrassiers de la région parisienne, Hubert, s'exclama : « Ce sont des formules de politiciens » (p. 92). Mais, à ce moment, Hubert était minoritaire et condamnait une politique qu'il avait laissé faire en 1914...

156. André Messimy, *Mes souvenirs*, Paris, Plon, 1937, 428 p., p. 146.

157. Discours de Malvy à la Chambre des députés, 4 octobre 1917. *Journal officiel*, p. 2 596.

158. Louis Malvy, *op. cit.*, p. 38. Cela est confirmé par la déposition de P. Paoli au procès Malvy (Paoli était secrétaire général de la préfecture de police en 1918, depuis le 2 septembre 1914, après avoir été pendant le mois d'août 1914 le directeur du cabinet) : « Je crois qu'à ce moment — cela doit se placer au début de la guerre — le gouvernement avait pris la décision de ne pas appliquer le Carnet B. Or je me souviens que M. Hennion ne partageait pas complètement les idées de son ministre. Il était pour l'application du Carnet B, sinon en totalité, du moins en partie » (Déposition Paoli, 13 décembre 1918, p. 12).

159. Louis Malvy, *op. cit.*, p. 36-37.

160. *Journal officiel. Débats parlementaires. Sénat*, séance du 22 juillet 1917, p. 764.

161. La décision a-t-elle d'ailleurs bien été prise par le gouvernement ? Ainsi, c'est lors du conseil des ministres du 1er août au matin qu'il fut décidé de lancer l'ordre de mobilisation pour l'après-midi à 4 heures (cf. R. Poincaré, *op. cit.*, p. 479). En principe, il aurait dû être décidé au même moment de ne pas appliquer le Carnet B. Or, si on suit Poincaré (p. 507), c'est seulement le 2 août que « sur proposition du ministre de l'Intérieur, le gouvernement décide, en principe, de n'arrêter aucun des individus portés au Carnet B ». Or, nous le savons, l'ordre en avait été notifié la veille.

Pourtant, plus que reflet d'une politique audacieuse, l'abandon du Carnet B a été provoqué par son inutilité ; c'est ce dont le député socialiste Jobert a eu clairement conscience : « En France où, en prévision de l'application de la formule insurrectionnelle, les gouvernants avaient préparé le Carnet B qui devait permettre de se débarasser des gêneurs possibles, *il ne fut point nécessaire d'appliquer cette mesure* que certains réactionnaires envisageaient d'avance avec une joie sauvage » [162].

Une dernière question est posée à propos du Carnet B. Est-ce que son application aurait eu des conséquences sur l'opinion publique ? En d'autres termes, la décision gouvernementale a-t-elle facilité le ralliement du mouvement ouvrier ? Fut-elle une mesure de « précaution », de « prévoyance » ou de « confiance » [163] ? Ou bien, comme l'affirmait Clemenceau, la classe ouvrière était-elle indifférente au sort des inscrits du Carnet B [164] ?

Il n'est évidemment pas facile de répondre à cette question puisque le Carnet B n'a pas été appliqué. Néanmoins, il y eut un certain nombre d'arrestations et cela nous permet de disposer de quelques éléments d'analyse.

Dès le lendemain de l'arrivée du décret de mobilisation, plusieurs préfets signalèrent que, conformément aux instructions reçues, ils n'avaient pas fait procéder aux arrestations des « individus » inscrits au Carnet B [165], se limitant à une « surveillance attentive » [166], à une « surveillance active quoique discrète » [167]... Néanmoins, le plus souvent, ils rendent compte de l'application partielle du Carnet B, c'est-à-dire des arrestations des seuls étrangers inscrits comme suspects d'espionnage [168].

---

162. Aristide Jobert, *op. cit.*, p. 173.

163. C'est Jouhaux qui en 1918 se posait la question, discours cité, p. 6.

164. Comme en fait foi ce dialogue Malvy-Clemenceau lors du débat au Sénat, le 22 juillet 1917. Malvy : « Avant d'apposer ma signature à côté de celle du ministre de la Guerre, j'ai songé, le cœur serré : Où est mon devoir ? Si je signe, c'est l'exaspération que vont causer dans les milieux ouvriers ces arrestations en masse ». Clemenceau : « Pourquoi ? Cela leur est égal, aux vrais ouvriers ! Cela intéresse les faux ouvriers, Almereyda et les autres ». Malvy : « Comment, cela leur était égal de voir arrêter 4 000 personnes ? » Clemenceau : « Personne n'a demandé cela. » (*Journal officiel*, p. 764).

165. A.N. F 7 12937, préfet de l'Aude, Carcassonne, le 2 août.

166. A.N. F 7 12938, préfet du Morbihan, Vannes, le 2 août.

167. A.D. Dordogne 1 M 86, préfet, 2 août. Un rapport du 25 août 1914 du commissaire de Chalon-sur-Saône montre l'activité de cette surveillance. Il peut ainsi signaler qu'un inscrit de Montceau-les-Mines, aussitôt mobilisé, a été affecté à la manutention militaire de Chalon-sur-Saône comme ouvrier boulanger, mais que, dès son arrivée, il s'était fait porter malade ; que deux autres antimilitaristes montcelliens sans travail ont été embauchés par les mines de Blanzy, où ils ne se firent pas remarquer ; que deux autres encore, sans travail, continuent à errer dans les rues de Montceau, mais qu'ils ne donnent prise à aucune observation. D'ailleurs, ajoute le commissaire : « Leur propagande antimilitariste, s'ils voulaient en faire, serait actuellement très mal accueillie par la population. Ils s'en rendent compte et se tiennent cois. Il en est de même pour les autres individus qui, avant la guerre, faisaient de la propagande antimilitariste. Néanmoins je continue de faire surveiller très attentivement tous ces individus ».

168. A.N. F 7 12938, préfet de Meurthe-et-Moselle, Nancy, le 2 août.
A.N. F 7 12939, préfet de Vendée, La Roche-sur-Yon, le 2 août.
A.N. F 7 12939, préfet de Seine-Inférieure, Rouen, le 3 août.
A.N. F 7 12937, préfet de l'Aube, Troyes, le 2 août.

Mais, soit que des préfets aient mal lu le télégramme ministériel, soit que la définition des personnes à arrêter leur soit apparue insuffisamment explicite, il arriva qu'ils firent procéder à des interpellations au-delà du cadre prévu [169]. D'un préfet à l'autre, le champ d'application changea, sans compter ceux qui dirent avoir appliqué le Carnet B sans préciser si ce fut ou non une application sélective [170].

Dans l'Yonne, en revanche, à Villeneuve-le-Guyard, les gendarmes ont arrêté trois suspects au titre du Carnet B mais, dans son rapport, le préfet indique que ce fut « par erreur ». Les deux premiers ont été immédiatement relâchés, quant au troisième, il fut conservé dans la mesure où il avait molesté les gendarmes au moment de son arrestation et avait été trouvé porteur d'un revolver [171].

Dans d'autres départements, des arrestations d'inscrits au Carnet B eurent bien lieu, mais en raison de leur attitude après la mobilisation, comme ce fut le cas pour cet anarchiste de Louhans en Saône-et-Loire, parce qu'il était insoumis. On ne put d'ailleurs l'arrêter qu'après une violente rébellion [172], de même qu'un autre à Ravières, dans l'Yonne [173].

A Arcis-sur-Aube, une affaire à laquelle nous avons déjà fait allusion [174] fut plus importante : ici c'est tout un groupe antimilitariste qui est arrêté, cinq bonnetiers et un tailleur de pierre. Aussitôt connu l'ordre de mobilisation, ils s'étaient rassemblés, avaient entonné *L'Internationale*, puis *L'Hymne au 17e*. Dans un café, le soir, l'un d'entre eux déclarait : « La guerre est dégoûtante. Il vaudrait mieux passer du côté des Allemands et tirer sur les Français. On devrait faire sauter les ponts... Je dois partir lundi, mais il n'est pas sûr qu'on puisse m'avoir ». Les autres tinrent des propos équivalents. Ils furent donc appréhendés non en raison de leur passé, mais de leur propos du moment [175].

Le préfet de la Loire avait, sur rapport du commissaire, décidé de ne

---

169. Le premier télégramme de Malvy, comme nous l'avons vu (p. 383, note 119), prévoyait l'arrestation des « étrangers inscrits », tandis que le second précisait seulement ceux « inscrits comme suspects d'espionnage ».

170. A.N. F 7 12938, préfet de la Meuse, Bar-le-Duc, le 2 août.
A.N. F 7 12937, préfet des Alpes-Maritimes, Nice, le 3 septembre. Dans ce cas, toutefois, une autre note semble préciser qu'il s'agit seulement des Austro-Allemands (A.N. F 7, Nice le 10 août).

171. A.N. F 7 12939, préfet de l'Yonne, Auxerre, le 2 août.

172. A.N. F 7 12936, commissaire spécial de Chalon-sur-Saône, 19 août, et A.N. F 7 12939, préfet de Saône-et-Loire, Mâcon, le 8 août.

173. Le cas est ici assez curieux. Le personnage n'était pas inscrit au Carnet B mais, à la suite de propos compromettants, il fut arrêté et derechef inscrit le 13 août 1914 au Carnet. Une perquisition à son domicile avait livré toute une série de brochures de « propagande néo-malthusienne » et le préfet nota « que la plupart des propagandistes de ces théories sont des antimilitaristes, hervéistes ou antipatriotes », ce qui était d'ailleurs exact (A.N. B.B. 18-2531, 128 A 1914, lettre du préfet de l'Yonne du 20 août 1914).

174. Voir p. 356, note 208.

175. A.N. F 7 12937, rapport du sous-préfet d'Arcis-sur-Aube, 3 août.

pas appliquer le Carnet B [176], mais les services de la Sûreté furent informés dans la nuit du 1er au 2 août que des individus paraissaient s'occuper de fabrication clandestine d'engins ou d'explosifs [177], à la suite de quoi eurent lieu quatre arrestations d'inscrits au Carnet B [178] ; cinq avaient réussi à s'enfuir parmi lesquels deux des syndicalistes anarchistes les plus connus de Saint-Etienne, Benoît Liothier et Jean-Baptiste Rascle [179] ; deux d'entre eux qui avaient pris « le maquis » furent arrêtés à leur tour quelques jours plus tard [180]. Là encore, la décision du préfet fut, au moins en partie, motivée par des actes postérieurs à la mobilisation. Il n'en fut pas de même à Sampigny (Meuse) où un cheminot, devenu cordonnier, est arrêté sous l'inculpation d'espionnage, mais il était inscrit au Carnet seulement pour des activités antimilitaristes [181]. A Bordeaux, également, des antimilitaristes furent écroués « par mesure de précaution » [182].

C'est toutefois dans les départements du Nord et du Pas-de-Calais que l'application du Carnet B revêtit le plus d'ampleur. Dans le Pas-de-Calais, nous ne savons pas pourquoi. En revanche, le préfet du Nord a fourni des explications. Le télégramme ordonnant de ne pas appliquer le Carnet B ne lui serait parvenu qu'après l'ordre de mobilisation qui impliquait l'exécution immédiate des dispositions prévues ; si la plupart des arrestations n'eurent pas lieu, c'est uniquement parce qu'il avait décidé de lui-même d'y surseoir [183]. L'explication donnée par le préfet n'est pas entièrement satisfaisante. En effet, comme en témoigne un de ses propres rapports [184], les arrestations n'ont eu lieu que le 2 août au matin, c'est-à-dire bien après l'arrivée du second télégramme qui interdisait toute arrestation. Or, les emprisonnements ont été justifiés, non par

---

176. Voir p. 383, note 121.

177. A.D. Loire 19 M 38, Saint-Etienne, le 2 août.

178. 1 menuisier, 1 ouvrier, 1 graveur, 1 charpentier.

179. A.N. F 7 12936. Saint-Etienne, le 4 août. Rapport du commissaire spécial. Sur Liothier et Rascle, voir J.-J. Becker, *op. cit.*, p. 54 et note 24, p. 32 et note 19.

180. A.N. F 7 12936, Saint-Etienne, le 16 août. Nous avons déjà évoqué cette affaire p. 351.

181. Archives des conseils de guerre. Conseil de guerre de Châlons-sur-Marne, 6e région. Ce prévenu obtint d'ailleurs un non-lieu le 13 décembre 1914.

182. *La France de Bordeaux et du Sud-Ouest*, 3 août. Il faut évidemment éviter d'attribuer à l'application du Carnet B tous les faits de « répression » qui ont pu se produire à cette époque. C'est ainsi que Robert Brécy (*op. cit.*, p. 85, note 3) signale les arrestations de Broutchoux et de Savoie. Nous aurons l'occasion ci-dessous de nous occuper du cas Broutchoux. En ce qui concerne Auguste Savoie, qui était un des dirigeants de l'Union départementale des syndicats de la Seine, il a raconté lui-même son aventure dans une annexe à l'ouvrage de Gaston Guiraud, *P'tite Gueule* (Paris, 1938, 261 p.). Mobilisé comme boulanger, il fut victime d'une méprise facilitée par son passé de dirigeant syndical. Un de ses camarades de travail avait, par maladresse, laissé tomber des débris de verre et du pétrole dans de la pâte. Par crainte d'être sanctionné, il ne le signala pas. Savoie fut soupçonné de sabotage. Il fut arrêté, brutalisé, mais, au bout de quelques jours, il était libéré et mis hors de cause. Cela n'avait pas eu de rapport avec une quelconque application du Carnet B.

183. A.N. 96 A.P. 1. *Journal de Félix Trépont*, p. 26.

184. A.N. F 7 12938. Rapport du préfet, Lille, 2 août. En revanche, dans le Pas-de-Calais, les arrestations ont été opérées le 1er août (A.D. Pas-de-Calais M 4909).

« des actes contraires à la présente mobilisation », mais par « l'application des instructions du 1er novembre 1912 » [185]. C'était donc sans aucun doute la mise en œuvre de dispositions envisagées depuis longtemps en fonction du Carnet B.

Qui fut arrêté ? D'abord un certain nombre d'étrangers suspects d'espionnage, du moins quand on les a trouvés [186], mais surtout des inscrits pour raisons politiques.

Les diverses listes dont nous disposons [187] font état de 91 arrestations dans le Nord et le Pas-de-Calais, soit 32 sur mandat d'amener du préfet du Pas-de-Calais, 11 pour l'arrondissement d'Arras, 3 pour celui de Montreuil, 18 pour celui de Béthune [188], et 59 sur mandat d'amener au préfet du Nord, 36 pour l'arrondissement de Lille, 17 pour celui de Douai et 6 pour celui de Boulogne. Ces listes sont uniquement nominatives et ne permettent pas de déterminer les professions et les fonctions politiques ou syndicales occupées par les prévenus. Toutefois, deux noms émergent, ceux de Broutchoux, le dirigeant des mineurs révolutionnaires du Nord et du Pas-de-Calais, et du futur ministre de l'Intérieur socialiste en 1936, Roger Salengro [189]. D'autres documents, en outre, permettent de connaître la profession des sept qui furent arrêtés à Arras : mis à part Salengro, étudiant, et un cafetier, ce sont tous des ouvriers [190]. Les 18 interpellés dans l'arrondissement de Béthune correspondent exactement au Carnet B de cet arrondissement que nous connaissons [191] : ce sont principalement des « broutchouistes », donc des représentants de la tendance anarchiste de la CGT dans les régions minières ; on peut d'autant plus supposer qu'ils ont tous été considérés comme dangereux que l'un d'entre eux s'était mis en évidence à la veille de la mobilisation en tenant des propos très violents [192] : il avait d'ailleurs été arrêté dès le 31 juillet. Les trois inscrits arrêtés dans l'arrondissement de Boulogne présentent un caractère particulier : ce sont trois cheminots révoqués par la Compagnie du Nord après la grève de 1910 et qui avaient trouvé un emploi sur la ligne d'intérêt local, Berck-Paris-

---

185. A.M. Cabinet du ministre de la Guerre, cabinet militaire, télégrammes entrées, registre 4. Télégramme chiffré du 17 août du préfet du Pas-de-Calais au ministre de la Guerre.

186. A.D. Nord R 28. Rapports des sous-préfets de Dunkerque du 3 août, de Valenciennes (3 août), d'Avesnes (4 août).

187. A.N. B.B. 12-2531-128 A 1914. Douai, le 20 août 1914. Lettre du procureur général. A.M. Cabinet du ministre, cabinet militaire, registre 29, Carnet B de le première région.

188. Il faut ajouter une arrestation opérée à Arras sur réquisition du préfet de la Somme.

189. Âgé alors de 24 ans, il avait adhéré en 1909 au Parti socialiste, à Lille. Incorporé en 1912 au 33e régiment d'infanterie, il fut inscrit au Carnet B pour avoir participé, lors d'une permission, à une manifestation contre les trois ans. Il était soldat lorsqu'il est incarcéré, le 1er août 1914. Voir également Armand Coquart, « Roger Salengro ou l'exercice du pouvoir », Revue socialiste, juin 1956.

190. 1 électricien, 1 peintre, 1 ajusteur, 1 serrurier, 1 ajusteur (A.D. Pas-de-Calais M 4909, tribunal d'Arras, n° 522 du parquet n° 120 de l'Instruction.)

191. Voir J.-J. Becker, Le Carnet B, op. cit., p. 165.

192. Voir ci-dessus, p. 169.

Plage. Ils étaient fichés comme anarchistes [193]. On peut encore repérer sur les listes un certain nombre de « rédacteurs-gérants » de petits journaux anarchistes, tant parmi les inscrits arrêtés dans le Nord [194] que parmi ceux arrêtés dans le Pas-de-Calais.

Malgré une documentation bien lacunaire, il apparaît que les victimes des arrestations ont été, en général, des ouvriers considérés comme révolutionnaires [195], à qui étaient prêtées des idées anarchistes et que, semble-t-il, on continuait à estimer suffisamment dangereux pour les inclure parmi ceux que le premier télégramme permettait d'appréhender. Il est cependant nécessaire de souligner que le préfet du Nord avait fait subir une sérieuse réduction à la liste de personnes qu'il estimait, dans sa lettre du 26 juillet [196], présenter un danger, puisqu'au lieu des 157 « individus à arrêter » dont il faisait état alors, il se contente de 59.

Nous avons essayé d'éclaircir, sans succès d'ailleurs, pourquoi des arrestations avaient eu lieu dans la région du Nord, mais ce sont surtout les réactions à ces arrestations relativement nombreuses [197] et l'attitude qu'observèrent les prévenus qui peuvent nous permettre d'apprécier l'état de l'opinion publique.

Les dispositions prises n'ont, semble-t-il, provoqué aucune émotion. C'est « sans incident », dit le préfet du Nord, « qu'il a été procédé ... aux arrestations d'un certain nombre d'individus inscrits au Carnet B » [198]. Le procureur général de Douai l'affirme aussi et il ajoute : « ...J'ai tout lieu de penser que, dans les circonstances présentes, l'opinion publique a accueilli favorablement ces mesures concomitantes avec les débuts de notre mobilisation » [199]. De même, d'après les Renseignements généraux, l'arrestation de syndicalistes étrangers opérée à Paris « n'a soulevé aucune émotion, sauf peut-être les arrestations d'Italiens » qui sont neutres « pendant la durée de la guerre » [200].

Epreuve contraire, le sous-préfet d'Arcis affirme qu'il y aurait eu des

---

193. Voir également J.-J. Becker, *op. cit.*, p. 163.

194. Voir également ci-dessus, p. 169.

195. C. Favral, *op. cit.*, p. 116, cite parmi les révolutionnaires arrêtés, outre Broutchoux, Jules Delahaye « du Syndicat des métallurgistes de Lille », Simon, « délégué des mineurs du Nord » et Demanbus, « trésorier du syndicat des métallurgistes de Douai ». Ils figurent effectivement sur nos listes.

196. A.N. 96 A.P. 2.

197. Moins nombreuses, toutefois, que certains l'ont cru. Dans une lettre adressée à Jouhaux, le 16 septembre 1914, Merrheim parlait de 150 camarades du Nord et du Pas-de-Calais encore incarcérés à la Santé, alors pourtant que déjà des libérations avaient eu lieu (lettre citée par B. Georges et D. Tintant, *op. cit.* ; p. 486 annexe XVII). Outre les arrestations dont nous avons fait état, un certain nombre d'anarchistes étrangers, surtout italiens, furent arrêtés à Paris sur ordre du préfet de police Hennion, le 4 août... en raison des pillages qui avaient lieu et dans lesquels il n'étaient pour rien (voir ci-dessous cinquième partie) (Archives du procès Malvy, déposition Paoli, 1er mars 1918).

198. A.N. F 7 12938. Lille, le 2 août.

199. A.N. B.B. 18 — 2538. 128 A 1914. Lettre du procureur général au garde des Sceaux du 19 août 1914.

200. A.N. F 7 13574 M/9540. Paris, le 6 août 1914.

« risques de désordre », si on n'avait pas procédé à l'emprisonnement des antimilitaristes. « Une quarantaine de citoyens étaient décidés à une intervention même armée contre les individus en question » [201].

Ces quelques appréciations d'origine administrative ou judiciaire ne permettent pas de se faire une opinion définitive. On peut simplement remarquer que, sauf quelques cas de résistance individuelle [202], l'arrestation d'inscrits au Carnet B, là où elle eut lieu, ne provoqua pas de protestations de la population. Il serait probablement excessif d'en déduire ce qui se serait passé si le coup de filet avait porté sur l'ensemble des inscrits et en particulier sur tous les dirigeants de la CGT. Il n'est toutefois pas exclu qu'au moins dans une première période cela n'ait guère provoqué de réactions [203].

L'attitude des inscrits emprisonnés indique bien qu'ils n'attendaient guère leur libération de la protestation populaire. Nous possédons les lettres écrites par certains d'entre eux. Broutchoux se contente de s'élever contre les conditions de sa détention [204], mais les autres s'indignent qu'on ait pu mettre en doute leur patriotisme. Un cheminot révoqué après la grève de 1910 affirme qu'il ne fait plus de politique depuis et il ajoute : « Me considérant innocent de ce qu'on invoque contre moi, je ne vous demanderai qu'une chose, M. le préfet, c'est que vous fassiez en sorte que je sois libre pour rejoindre mon régiment et accomplir mon devoir comme tous les Français » [205]. Un ouvrier d'Hénin-Liétard, qui ne peut combattre lui-même puisqu'il a été réformé, proclame hautement que son père a fait la guerre de 1870, que son frère va partir. Quant à lui, il n'est ni un anarchiste, ni un antimilitariste, ni un « antivotant », il est un « vrai citoyen » [206]. Un autre demande avec insistance à être versé dans son corps. Il rappelle qu'il a obtenu le premier prix de son régi-

---

201. A.N. F 7 12937. Arcis-sur-Aube, 3 août.

202. Voir ci-dessus p. 202.

203. Ces conclusions doivent être avancées avec prudence. Dans un rapport du 6 août, le commissaire spécial de Brest signale « le revirement complet » qui « s'est produit dans l'esprit et l'attitude de nos principaux anarchistes et libertaires de Brest, qui partagent les sentiments de la population ; ils savent que le gouvernement, dans un but de conciliation, n'a pas l'intention de les arrêter et ils paraissent lui en savoir gré ». Mais, ajoute-t-il, « dans la nuit du 1er au 2 août où fut décidée la mobilisation, ils passèrent la nuit hors de chez eux, et ce n'est que le lendemain que, reprenant confiance, craintifs, ils reprirent leurs occupations et le chemin de leur domicile après s'être informés à l'atelier et dans leur quartier qu'aucun gendarme ne s'était présenté pour les mettre en état d'arrestation » (A.N. F 7 12936). Si ces hommes avaient été contraints de se cacher par une menace d'arrestation, comme ils avaient commencé à le faire, on peut estimer qu'ils auraient pu être le ferment d'un mouvement de protestation. Dans l'hypothèse d'une politique différente du gouvernement, il n'y aurait probablement pas eu de réaction non plus à court terme, mais on ne peut préjuger si des troubles à plus ou moins longue échéance n'auraient pas été possibles.
Le préfet des Vosges, lui aussi, informait le 2 août que « certains individus inscrits au Carnet B avaient quitté leur résidence depuis plusieurs jours... » (A.N. F 7 12939. Epinal).

204. A.D. Pas-de-Calais 1 Z 227. Samedi 8 août de la prison de Béthune.

205. A.D. Pas-de-Calais 1 Z 227, lettre de J.D. 6 août. Prison de Béthune.

206. Ibid., lettre de L.W. 4 août, id.

ment au tir de guerre avec le canon de 75. Il a un frère « sous les armes », ainsi que quatre beaux-frères et deux neveux. Son père, lui aussi, a fait la guerre de 1870. Ce serait une « honte » pour lui de ne pas défendre sa patrie. On peut « compter sur son patriotisme »[207].

Les détenus de la prison d'Arras manifestent les mêmes sentiments que ceux de la maison d'arrêt de Béthune. Certains ne nient pas avoir eu des rapports avec les milieux et la presse anarchistes. Mais l'un se repent d'avoir compris trop tard les principes néfastes de la publication anarchiste *Le Grand Soir* qu'il diffusait..., il est nettement opposé à de semblables idées[208], il veut lui aussi rejoindre son corps[209]. Un autre était bien gérant du *Grand Soir*, mais il n'en lisait pas les articles. Cheminot révoqué en 1910, il n'était même pas syndiqué : il est prêt à faire son devoir[210]. Cet autre encore n'avait pas les opinions qu'on lui prête, d'ailleurs il a même fait partie du « cercle catholique »[211]. Le jeune socialiste qu'était Roger Salengro fait remarquer au juge d'instruction qu'il s'est abstenu de toute propagande depuis qu'il est au régiment. Il demande lui aussi à le rejoindre le plus tôt possible pour faire son « devoir »[212].

Un tisserand anarchiste offre le cas le plus remarquable : il ne s'est « soustrait aux recherches » que pour ... rejoindre son corps le 12e jour conformément aux indications de son livret militaire[213].

Somme toute, l'attitude des inscrits arrêtés a été tout à fait semblable à celle de ceux qui ne le furent pas : le commissaire de Chalon-sur-Saône montre ceux de Montceau-les-Mines qui, « après quelques hésitations », « ont suivi le mouvement patriotique de la population montcellienne et ont aidé au ravitaillement des troupes »[214].

Deux remarques néanmoins doivent être faites : il n'existe pas de lettres ou de déclaration de tous les prisonniers manifestant qu'ils reniaient leurs opinions passées ou qui leur avaient été attribuées. mais il n'en existe pas non plus proclamant qu'ils entendaient continuer le combat contre la guerre... ; par ailleurs, il ne faut probablement pas être complètement dupe de certaines de ces déclarations patriotiques qui pou-

---

207. *Ibid.*, 1 Z 290, lettre de E.C. 8 août, *id.*

208. A.D. Pas-de-Calais, M 4909. Lettre de J.C. au juge d'instruction du 9 août.

209. *Ibid.*, interrogatoire.

210. *Ibid.*, M 4909, interrogatoire du 18 août.

211. *Ibid.*

212. A.D. Pas-de-Calais M 4909, interrogatoire du 18 août.

213. A.N. F 7 12936, 19 août 1914.

213. A.N. B.B. 2531 — 128 A 1914. Douai, 22 août, procureur général au garde des Sceaux. On pourrait citer, dans le même ordre d'idées, ces anarchistes stéphanois signalés en fuite, réfugiés à proximité de Saint-Etienne dans le massif des Bois-Noirs « et se préparant à terroriser la région par des actes de pillage » (A.D. Loire 19 M 28, commissaire spécial, 2 août) et qui avaient tout simplement rejoint leur corps au jour dit.

214. A.N. F 7 12936, 19 août 1914.

vaient avoir surtout pour but de permettre à leurs auteurs de recouvrer la liberté.

Quoi qu'il en soit, le gouvernement jugea qu'il n'y avait aucune raison de maintenir en prison les personnes arrêtées, même si on maintenait à leur encontre une « surveillance active » [215].

L'application du Carnet B aurait-elle beaucoup affecté l'opinion publique française ? A très court terme, dans les jours mêmes de la mobilisation, nous ne le pensons pas. En revanche, ne pas l'appliquer a sans aucun doute rendu plus facile à l'opposition ouvrière son intégration officielle dans la communauté nationale. La formulation de Dumoulin, « l'accord était fait entre le parti de la guerre et celui de la paix » [216] parce qu'on n'appliquait pas le Carnet B, est discutable. Elle contient tout de même une part de vérité : cela a aidé « le parti de la paix » à se rallier à la guerre.

### LES OBSÈQUES DE JAURÈS

L'assassinat du dirigeant socialiste avait été unanimement déploré par la presse, comme nous l'avons déjà vu [217], mais l'intérêt suscité par l'événement fut rapidement submergé par les préoccupations du moment.

Néanmoins, l'attitude des pouvoirs publics au moment des obsèques, les discours prononcés, la façon dont la presse les entendait ne pouvaient manquer d'influer sur le comportement du mouvement ouvrier dans la guerre qui s'engageait.

Le gouvernement maintint la ligne de conduite adoptée dès la nouvelle de l'attentat. « Tous les représentants de la nation » assistèrent aux obsèques « autour de M. Antonin Dubost, président du Sénat et Paul Deschanel, président de la Chambre. La plupart des ministres étaient présents » [218]. Le président du Conseil, Viviani, prononça une allocution. Les organisations nationalistes ne furent pas en reste : la présence de Maurice Barrès, entouré de membres de la Ligue des patriotes, fut particulièrement remarquée [219]. De ce fait, estima Raymond Poincaré, les obsèques prirent « le caractère auguste d'une manifestation de solidarité nationale » [220]. Il est vrai qu'elles déplacèrent une affluence « considéra-

---

215. Le préfet du Pas-de-Calais envoyait ainsi le 2 octobre 1914 au sous-préfet de Béthune une liste de 13 inscrits au Carnet B qui avaient « bénéficié d'une ordonnance de non-lieu faute de preuves suffisantes » et qui devaient être maintenus sous surveillance (A.D. Pas-de-Calais, 1 Z 227).

216. G. Dumoulin, *Les syndicalistes français et la guerre, op. cit.,* p. 16.

217. Voir ci-dessus, p. 234-246.

218. *Le Temps,* 5 août.

219. *L'Echo de Paris,* 5 août. « ...On voyait autour de la tribune, coude à coude, des socialistes, des officiers, des représentants de la CGT, le président de la Ligue des patriotes, M. Maurice Barrès et M. Yvetot » (*Le Temps,* 5 août).

220. R. Poincaré, *op. cit.,* p. 541. En réalité, le président Poincaré n'est pas le père de cette formule qu'il a simplement reprise du compte rendu du *Temps* du 5 août, sans le mentionner d'ailleurs.

ble » [221], « innombrable » [222]. *L'Echo de Paris* a vu une « foule énorme » [223], *Le Journal* décrit le « concours d'une population immense » [224]. « Malgré le manque de moyens de locomotion et de transport, la foule se porte en masse vers le domicile mortuaire », rapporta un chroniqueur [225]. Mais que représentait cette foule et pourquoi était-elle venue ? D'après *L'Echo de Paris*, elle était à la fois diverse et unanime ; socialistes ou non, les participants sont animés « par un généreux sentiment de réconciliation nationale » [226]. Le point de vue de Pierre Renaudel dans *L'Humanité* n'est guère différent : « La journée à la Chambre peut n'être que le prolongement de l'accord populaire fait autour du corps de l'assassiné. Même unanimité d'émotion, même communion profonde dans l'amour de la liberté, dans la volonté de défendre la civilisation et le droit » [227]. Toutefois, outre « le caractère de manifestation nationale », *L'Humanité* insiste sur « le caractère touchant de solidarité prolétarienne » [228]. Mais les termes de l'appel à se rendre aux obsèques, tant du comité confédéral de la CGT [229] que de l'Union des syndicats de la Seine [230] avaient eu une résonance différente : la cérémonie funèbre devait être l'occasion d'une « ultime manifestation des forces pacifistes », l'affirmation « une fois de plus et malgré tout (de) leur foi dans la cause de la paix ».

Les participants pouvaient dont être animés de sentiments variés, voire antagonistes : il n'allait pas de soi que la cérémonie se déroulât sans incidents. L'Union des syndicats de la Seine avait demandé à ses adhérents « de conserver en ces circonstances cruelles le calme et la dignité qui s'imposaient... » [231].

On s'explique donc que le calme dans lequel se déroulèrent les obsèques ait provoqué de l'étonnement : « Ce qu'il faut admirer surtout, c'est le calme de la foule. En d'autre temps, l'assassinat de Jaurès et ses obsèques auraient pu faire surgir les événements les plus dangereux... » [232].

Personne n'était encore trop sûr que ces masses ouvrières et leurs

221. *L'Homme libre*, 5 août.

222. *Le Temps*, 5 août.

223. 5 août.

224. 5 août.

225. A. Delecraz, *op. cit.*, p. 57. Assez curieusement c'est *L'Humanité* (5 août) qui fait la fine bouche. Son reporter décrit bien une « immense foule », mais elle a dû lui sembler insuffisante puisqu'il y aurait eu, d'après lui, beaucoup plus de monde si la mobilisation n'avait pas en partie vidé Paris.

226. 5 août.

227. *Ibid.*

228. *Ibid.*

229. *La Bataille syndicaliste*, 2 août.

230. *Ibid.*, 3 août.

231. *La Bataille syndicaliste*, 3 août.

232. A. Delecraz, *op. cit.*, p. 57.

dirigeants, en qui on voyait, il y a encore quelques jours, un péril pour la nation, n'étaient plus cet épouvantail [233].

On conçoit que dans ces circonstances un discours devait être particulièrement écouté, celui du secrétaire général de la CGT, Léon Jouhaux. Allait-il accentuer l'adhésion du mouvement ouvrier à la défense nationale ou se faire le porte-parole du pacifisme malgré tout ?

Les dirigeants de la CGT n'avaient pas débattu entre eux de ce que dirait, lors de la cérémonie, leur secrétaire général, et Jouhaux lui-même n'avait rien préparé ou du moins rien rédigé [234]. C'est ce qu'il affirma au congrès de la CGT en 1918, faisant appel au témoignage de Merrheim [235] : « Pour l'enterrement de Jaurès, personne ne me demanda ce que j'allais dire [236]. Personne ne m'indiqua dans quel sens j'allais parler, et moi-même, jusqu'au dernier moment, sentant la lourde responsabilité qui pesait sur mes épaules, sentant que les paroles que j'allais prononcer auraient une grande importance et allaient peut-être être dangereuses pour les intérêts de la classe ouvrière, je ne savais pas exactement quel langage j'allais tenir » [237].

Son souci primordial, affirma-t-il plus tard, fut que « mes paroles ne puissent être une cause quelconque de répression à l'égard de la classe ouvrière » [238]. On peut douter que Jouhaux ait été encore tourmenté par ce souci le 4 août, mais, quoi qu'il en ait été, le contenu du discours ne prêta pas à ambiguïté [239]. Léon Jouhaux ne rejetait pas « son idéal de réconciliation humaine et de recherche du bonheur social », il criait sa haine de la guerre, du militarisme, de l'impérialisme, mais les responsables du conflit étaient les empereurs d'Allemagne et d'Autriche-Hongrie. Pour libérer les opprimés, pour réaliser l'entente entre les nations, il fallait d'abord les vaincre et les châtier.

Quel fut l'effet des paroles du secrétaire général de la CGT ? Il faut d'abord souligner que la place accordée par la presse du lendemain au compte rendu des obsèques de Jaurès fut assez limitée. Réduits à deux

---

233. Le bruit courut à Lannion et se serait propagé sur tout le territoire (par le fait d'une « officine germanique » évidemment...) que Paris s'était soulevé lors des funérailles de Jaurès et avait proclamé la Commune (C. Le Goffic, *op. cit.*, p. 17, 4-8 août).

234. B. Georges, D. Tintant, *op. cit.*, p. 142.

235. « Eh bien ! camarades..., oui, j'accepte la responsabilité du discours prononcé par Jouhaux sur la tombe de Jaurès. Je l'accepte, ce discours, parce que, à ce moment-là, nous étions dans un tel état d'esprit et d'affaissement qu'aucun de nous n'a demandé à Jouhaux ce qu'il allait dire sur cette tombe. » (Congrès de la CGT, 1918. Compte rendu sténographique, p. 199-200, 17 juillet).

236. Léon Jouhaux, *Discours au 13e congrès de la CGT, op. cit.*, p. 6.

237. Sur le moment, le discours fut bien « accueilli à la CGT. Aucune note discordante » (A.N. F 7 13574. M/9540. La CGT et la guerre, Paris, le 6 août 1914). A posteriori, Merrheim a proclamé sa solidarité, mais une solidarité mitigée. Merrheim était solidaire parce qu'il n'avait pas fait son devoir en n'interrogeant pas préalablement Jouhaux sur ses intentions : « Or à ce moment-là nous avions le devoir de lui demander : " Que vas-tu dire sur cette tombe ? ". Nous ne l'avons pas fait, et il est possible que si nous avions su son discours avant qu'il soit prononcé, nous aurions apporté des réserves et quelques indications » (Congrès de la CGT, 1918, compte rendu sténographique, p. 200).

238. L. Jouhaux, *Discours au 13e congrès de la CGT*, p. 6.

239. Voir notre analyse plus détaillée in A. Kriegel et J.-J. Becker, *op. cit.*, p. 137-143.

pages, les journaux affectèrent l'essentiel de leurs colonnes à relater la séance qui avait eu lieu le même jour à la Chambre des députés. Mise à part *L'Humanité* qui consacra une page entière à l'enterrement de son directeur [240], *Le Temps* [241] rendit compte de l'événement en un peu moins d'une colonne en quatrième page [242], *Le Radical*, deux demi-colonnes en deuxième page, *L'Homme libre*, les deux-tiers d'une colonne contre cinq colonnes consacrées à la séance de la Chambre, *L'Action française*, un tiers de la cinquième colonne de la deuxième page, *Le Journal*, les deux tiers d'une colonne contre la moitié de sa superficie totale à la séance de la Chambre...

Ainsi, si la cérémonie avait déplacé beaucoup de monde, la presse n'en fit pas grand cas. Comment peut-on l'expliquer ? Volonté de reléguer à l'arrière-plan un épisode désagréable ou sentiment que, pour la masse des lecteurs, la page était déjà tournée, ce qui rejoindrait nos réflexions sur la résonance limitée du drame ?

Toutefois, même dans ces limites, est-ce que ce fut bien le discours de Jouhaux qui retint l'attention ? Oui, si on en croit Maurice Barrès : « ...Le plus beau discours de la journée n'a pas été de Poincaré, de Deschanel, de Viviani, ces maîtres de la tribune. Que n'avez-vous entendu ce matin, aux obsèques de Jaurès, boulevard Henri-Martin, la harangue de Jouhaux, de la Confédération générale du travail ! Ah ! Viennent-ils jusqu'à vous, Déroulède, au fond de votre tombe, les applaudissements de nos frères les socialistes acclamant l'heure des réparations dues au droit ? » [243].

Mais ce n'est pas toujours vrai : *L'Action française* s'est contentée de donner la liste des orateurs sans faire allusion au contenu de leur discours. *L'Homme libre* de Clemenceau n'a pas attaché d'importance particulière à l'intervention du dirigeant syndical. *L'Humanité* a plus retenu la façon dont les propos de Jouhaux ont été prononcés que leur substance. « C'était le cœur meurtri de la classe ouvrière qui parlait par la voix de Jouhaux », « admirables moments d'éloquence », « émotion impossible à décrire » quand il quitte la tribune. Quant à *La Dépêche de Toulouse*, le nom de Jouhaux est tout juste cité et encore estropié : elle écrit E. Gouhaux !

Pourtant, si nous nous tournons vers *Le Temps*, nous retrouvons une appréciation proche de celle de Maurice Barrès :

« ...C'est le discours de M. Jouhaux, secrétaire général de la CGT, qui a produit la plus profonde émotion, il a parlé avec un accent de gra-

---

240. Mais la *Dépêche* (de Toulouse) dont Jaurès était l'un des collaborateurs lui consacra une demi-colonne en troisième page ! (5 août).

241. Qui lui avait conservé plus de deux pages.

242. Cela peut toutefois s'expliquer par le fait que la première page du *Temps* était déjà composée quand le compte rendu lui est parvenu, l'événement datant du matin même.

243. *L'Echo de Paris*, 5 août.

vité et de sincérité qui, dès le début, lui a attiré les sympathies de ceux-là mêmes qui ne l'avaient jamais encore entendu ». Et le journal ajoute qu'à la fin du discours « des applaudissements et des acclamations éclatent de tous côtés. Des auditeurs se précipitent vers l'orateur. Plusieurs l'embrassent avec force »[244].

Plus caractéristique encore est l'attitude de la presse de grande information. Prenons l'exemple du *Journal*. Le commentaire est précédé de deux titres, l'un banal : « Paris a fait à Jaurès les plus émouvantes funérailles », l'autre plus révélateur : « Le secrétaire général de la CGT, M. Jouhaux, a prononcé un discours vibrant du plus pur patriotisme », d'autant que la moitié de l'article est consacré à rendre compte des paroles de Jouhaux, précédées de cet avertissement : « Mais le discours le plus poignant, le plus émouvant, fut celui de M. Jouhaux … Tout de suite, les milliers d'auditeurs qui purent l'entendre furent saisis d'un frisson patriotique ».

Toute un partie de la presse a donc sans aucun doute accordé une attention particulière à l'allocution de Jouhaux. Mais, mise à part *L'Action française* qui avait quelques raisons de ne pas trop s'attarder sur tout ce qui concernait Jaurès, ce fut plutôt la presse de droite, la presse du centre, la presse de grande information que la presse de gauche. Faut-il voir là une volonté d'utilisation politique de la prise de position de la CGT ? On doit évidemment tenir compte de cette hypothèse. Toutefois, il nous a semblé que, si des journaux avaient souhaité réaliser une opération politique à partir du discours de Jouhaux, ils auraient donné une place plus importante, une présentation plus voyante au compte rendu de la manifestation. On peut donc penser aussi que, pour une partie de la presse, le discours de Jouhaux a été le plus intéressant — en dehors des talents oratoires de son auteur — parce qu'il fut le plus surprenant. Malgré les prises de position de la CGT depuis quelques jours, il fallait du temps pour que ses adversaires traditionnels se convainquent du « patriotisme » d'une organisation qui avait si longtemps symbolisé « l'antipatriotisme ».

Un dernier problème est d'importance. Les propos de Jouhaux ont-ils été déformés ? Bernard Georges et Denise Tintant, dans la biographie qu'ils ont consacrée à Jouhaux, remarquaient que toute la presse parisienne du lendemain s'était emparée du discours pour « mettre en relief quelques phrases qui, isolées du contexte, semblent constituer un reniement pur et simple des positions traditionnelles du syndicalisme français »[245].

Il est bien sûr que, chaque fois qu'on ne rapporte pas intégralement un discours, on le déforme par la force des choses. Même intégralement

---

244. 5 août.
245. *Op. cit.*, p. 142.

rapporté, on le déforme encore puisqu'ont disparu les intonations, les qualités oratoires... Ces réserves faites, il faut souligner que ce ne sont pas les mêmes phrases qui ont été retenues par les différents journaux. Qu'elles aient dans l'ensemble un sens patriotique, c'est incontestable, mais ce fut bien une caractéristique du discours de manifester l'adhésion de son auteur et de son organisation à la défense nationale [246].

Que les termes d'une même phrase aient été différents d'un journaliste à l'autre [247], cela n'est pas surprenant non plus, à une époque où les moyens d'enregistrement n'existaient pas et où tous les discours étaient plus ou moins reconstruits après coup, sauf s'ils avaient été totalement rédigés et lus [248]. Nous savons que, là, il s'agissait d'une improvisation.

Enfin, si une phrase a souvent été mise en évidence, par *Le Journal* par exemple : « Au nom de ceux dont je suis, qui partiront demain et qui sauront remplir leur devoir » [249], il est indéniable qu'elle avait beaucoup frappé les auditeurs [250]. Quant aux quolibets qu'elle a valus par la suite à son auteur, puisque, comme on le sait, il ne partit point, ni lui, ni ses auditeurs, ni ceux qui rapportèrent ses propos ne le savaient alors [251].

Pour l'essentiel, c'est donc bien la pensée exprimée par le secrétaire général de la CGT que la presse a rapportée. En 1918, Jouhaux a considéré que l'enterrement de Jaurès avait été un des moments essentiels où s'était fixée l'attitude du mouvement ouvrier [252]. On peut lui en donner acte.

POURQUOI LE RALLIEMENT DU MOUVEMENT OUVRIER
A LA DÉFENSE NATIONALE ?

La décision du gouvernement de ne pas appliquer le Carnet B, le sens donné aux obsèques de Jaurès par l'attitude des uns et des autres — « A Paris, les obsèques du grand orateur Jaurès prennent un magnifique caractère de concorde et d'union nationale en face de l'ennemi extérieur... Les Français n'ont plus qu'une seule âme pour assurer la liberté

---

246. Evidemment, certains journalistes ont été emportés par leur élan. Ainsi, dans *Le Radical* du 5 août : « Et l'émotion devient intense, unanime, quand M. Jouhaux, Jouhaux de la CGT, évoque l'élan patriotique des syndicalistes partis, *tous une chanson aux lèvres*, pour défendre la France, la patrie de la liberté... ». Dans la presse de gauche, *Le Radical* était un des journaux à avoir tenu le plus compte de l'intervention de Jouhaux ; dans son compte rendu, il y revient deux fois, la première pour en donner l'idée essentielle, la deuxième pour un extrait important, le même honneur n'étant réservé qu'à Viviani et à Vaillant.

247. Voir Georges et Tintant, *op. cit.*, p. 142, note 3.

248. Voir ci-dessus p. 215, note 127.

249. 5 août.

250. Ce commentaire de *L'Humanité* en témoigne (5 août) : « Ces paroles ont été jetées avec un accent âpre et saisissant qui, malgré la gravité de l'heure et du lieu, provoque un tonnerre d'applaudissements ».

251. Voir A. Kriegel et J.-J. Becker, *op. cit.*, p. 192, note 41 ; B. Georges et D. Tintant, *op. cit.*, p. 143, note 1.

252. Discours de Jouhaux au 13e congrès de la CGT, *op. cit.*, p. 6.

des peuples », écrit dans son journal un instituteur socialiste de l'Ouest [253] —, ont sans aucun doute facilité le glissement du mouvement ouvrier vers la défense nationale et permis la renonciation, au moins momentanée, à l'idéal pacifiste au profit de la défense de la patrie. Toutefois, l'abandon du Carnet B, l'hommage rendu par les pouvoirs publics à Jaurès mort, n'ont pu avoir lieu qu'en fonction du glissement du mouvement ouvrier. Ils l'ont facilité, ils ne l'expliquent pas. Pouvons-nous, à ce point de notre étude, en tenter l'explication ?

Une question préliminaire se pose. Est-ce qu'il s'agit d'un retournement ? Est-ce qu'au contraire, dès le temps de paix, dès le temps de l'antimilitarisme, l'attitude pacifiste recélait la volonté de défendre éventuellement la patrie ? En d'autres termes, l'attitude des pacifistes en 1914 s'inscrit-elle tout naturellement dans le prolongement de leur pensée profonde ?

Dans un certain sens, le retournement a été spectaculaire et les apparences au moins justifieraient le terme. Cependant, les exemples les plus souvent cités sont ceux de deux journaux, *La Guerre sociale* et *Le Bonnet rouge*, organes d'extrême-gauche, relativement marginaux [254].

L'évolution de *La Guerre sociale* est particulièrement remarquable. Le 30 juillet, Gustave Hervé titre encore son article : « Dans l'angoisse et les ténèbres » mais, le 31, il proclame « La patrie en danger » et le 1er août, sur toute la largeur de la page :

> « Défense Nationale d'abord !
> Ils ont assassiné Jaurès,
> Nous n'assassinerons pas la France ! »

Après quelques jours de parution irrégulière, les titres de *La Guerre sociale* prennent leur envol :

> 6 août : « Sambre et Meuse ! »
> 7 août : « La vague d'enthousiasme ! »
> 8 août : « Vous n'aurez pas l'Alsace et la Lorraine ! » [255].

---

253. A.D. Ille-et-Vilaine, 1 F 1768. Dossier d'un instituteur, Saint-Père, en date du 4 août 1914, p. 252.

254. Dont il ne faut cependant pas sous-estimer l'importance. Un des anciens collaborateurs de G. Hervé, Jean Goldsky, dénonçant quelques années plus tard sa « trahison », écrivait : « ... J'ai toujours répugné à ternir un passé qui m'est demeuré cher... Hervé, c'est pour nous toute notre jeunesse, une jeunesse ardente, riche de confiance, de désintéressement, de vaillance, d'illusions. Il est douloureux d'être obligé de regarder ces beaux souvenirs en face et de se dire : " Il ne reste plus rien de ces nobles semailles. Nous aussi, nous n'avions fait qu'un rêve. Celui que nous aimions comme un chef et comme un ami ... Nous le croyions un apôtre... " », Jean Goldsky, *La réincarnation de Judas. Les trente deniers de G. Hervé. Histoire d'une trahison*, Paris, Editions de la tranchée républicaine, s.d. (probablement 1917), 15 p. Un autre des anciens collaborateurs d'Hervé, le député socialiste A. Jobert, l'accuse d'avoir été pris en 1914 « d'une frousse épouvantable » (*op. cit.*, p. 273), mais cela ne semble pas très sérieux.

255. Voir également C. Favral, *op. cit.*, p. 44-46.

*Le Bonnet rouge* alla également assez vite en besogne. Sous un grand titre : « Aux armes, citoyens ! Les Allemands en territoire français ! », son directeur, M. Almereyda concluait son article : « Socialistes mes frères, reléguons notre *Internationale* et notre Drapeau Rouge. Notre chant désormais, c'est *La Marseillaise* et notre drapeau, les Trois Couleurs »[256]. *Le Bonnet rouge* ne nuançait pas : il jetait aux orties la défroque pacifiste et internationaliste[257].

Des retournements aussi peu soucieux de transition n'ont toutefois pas été la règle[258], mais n'était-ce pas que certains disaient plus vite et plus haut ce que les autres pensaient et que, sans souci de tactique, ils se laissaient emporter par des sentiments beaucoup plus profonds chez eux que ceux de l'antimilitarisme et de l'antipatriotisme proclamés ces dernières années ?[259]

En 1918, au congrès de la CGT, Léon Jouhaux cherche à expliquer à des auditeurs dont beaucoup lui étaient peu favorables[260] sa démarche intellectuelle :

> « Par quel phénomène psychologique, pour ainsi dire, la pensée me vint-elle, et fut-elle orientée dans le sens qu'elle prit ?
> Il me serait difficile de le dire.
> Il y a à certains moments, dans la vie d'un homme, des pensées qui semblent lui être étrangères et qui, cependant, sont le rassemblement des traditions qu'il porte en lui et que les circonstances lui font évoquer avec plus ou moins de force.
> Je vécus peut-être un de ces moments-là. Dumoulin le disait avec quel-

---

256. 3 août (c'était un article du 2 août puisque *Le Bonnet rouge* était un journal du soir).

257. Cette emphase est d'autant plus remarquable que les titres de journaux qui n'avaient jamais été pacifistes étaient beaucoup plus neutres, ainsi *Le Matin :*
2 août : « L'Allemagne déclare la guerre à la Russie ».
3 août : « L'Allemagne sans déclaration de guerre engage les hostilités contre la France ».
4 août : « L'Allemagne déclare la guerre à la France ».
5 août : « La journée du 4 août 1914. Le Parlement français a donné hier un magnifique spectacle au monde ».
Il faut cependant tenir également compte des caractères d'un journal comme *Le Bonnet rouge* qui avec beaucoup d'avance sur son temps cultivait le titre à sensation.

258. *L'Humanité* par exemple utilise des titres beaucoup plus incolores :
31 juillet : « La Paix reste possible » (sur trois colonnes).
1er août : « Jaurès assassiné » (toute la page).
2 août : « L'Allemagne déclare la guerre à la Russie. Le Gouvernement français ordonne la mobilisation générale, mais, déclare-t-il, dans une proclamation à la Nation : " La Mobilisation n'est pas la guerre " » (sur quatre colonnes).
3 août : « L'Allemagne viole la neutralité du Luxembourg » (trois colonnes).
4 août : « L'Allemagne déclare la guerre à la France ».
5 août : « Les obsèques de Jaurès ». Les titres politiques sont en deuxième page : « A la Chambre, une séance historique : Dans un mouvement unanime, la Chambre rend hommage à Jaurès, elle acclame la Défense Nationale contre l'agression au milieu de l'enthousiasme le plus émouvant ».
6 août : « L'Europe se soulève contre l'agression allemande » (sur quatre colonnes).
7 août : « Liège résiste héroïquement » (sur trois colonnes).

259. Encore que, comme nous l'avons vu dans notre 1re partie, ils étaient en déclin.

260. Au congrès de la CGT de juillet 1918, une opposition nombreuse et active se manifeste contre la politique suivie par la direction « majoritaire » depuis 1914. Souvent les interventions se déroulent au milieu des invectives des deux camps ; un orateur, Le Guennic, ancien « révolutionnaire » rallié à la majorité, fut même atteint par le jet d'un encrier !

que ironie. Je ne lui en veux pas d'ailleurs. Il disait : " Jouhaux, c'est un conventionnel, un républicain de 1793, un quarante-huit (?)... " Peut-être. Il est certain qu'il doit y avoir eu dans ma famille des gens qui ont participé à ces principes révolutionnaires, et qui m'ont donné des pensées qui ne correspondent peut-être pas à la réalité des circonstances présentes, mais qui sont tout de même une filiation entre la pensée d'hier et celle d'aujourd'hui ; comme les idées que nous exprimons aujourd'hui seront nécessairement la filiation avec nos pensées de demain.

C'est peut-être tout cet ensemble de choses qui me fit prendre la position que j'ai prise au moment de l'enterrement de Jaurès, et ceci fixe mon attitude » [261].

Propos de circonstances ? Peut-être. Nous croyons qu'ils contiennent une large part de vérité. Beaucoup de ceux qui ont cherché à expliquer ce qui s'était passé n'ont pas trouvé d'autre motif. Ainsi C. Favral écrivait ceci :

> « Cette guerre eut ceci de singulier qu'elle rallia à sa cause chez tous les belligérants une partie et parfois la majorité de ceux qui dans les différents partis d'extrême-gauche avaient soutenu avec le plus *d'acharnement* et de *sincérité* les principes de la non-identité d'intérêts entre les différentes classes qui composent les nations » [262].

Cette remarque est d'autant plus intéressante qu'elle vient d'un adversaire farouche de l'union sacrée. Il ne peut pourtant mettre en doute la sincérité d'un Kropotkine et de nombreux militants anarchistes connus ralliés à la défense nationale.

Rosmer, autre contempteur du ralliement à la défense nationale, suit la même démarche, en particulier à propos de Vaillant. Il ne met pas en cause sa sincérité. Il explique son attitude par la menace allemande sur Paris : « Paris qui, pour les blanquistes était le cœur de la Révolution, contribua sans doute à ce surprenant et pénible abandon » [263]. Cette explication, qui cherche en quelque sorte à limiter à Paris le patriotisme de Vaillant est très discutable. Paris n'était en rien menacé lorsque Vaillant se rallie à la défense nationale. En fait, son patriotisme était bien français et pas seulement parisien.. [264].

Il n'y a évidemment pas de raison qu'il y ait des explications particulières pour Kropotkine, pour Vaillant ou pour tel ou tel autre : l'explication ne peut être que globale et valoir pour l'ensemble du mouvement ouvrier. Elle est d'ailleurs donnée par Favral : « L'esprit national

---

261. Discours de Jouhaux au 13ᵉ congrès de la CGT, *op. cit.*
262. *Op. cit.*, p. 166.
263. A. Rosmer, *Histoire du mouvement ouvrier, op. cit.*, T. 1, p. 58.
264. S'il faut comprendre que le refus de faire la guerre du côté français aurait fait peser une menace sur Paris, cela était tout aussi vrai avant tout risque de conflit et on comprendrait mal dans ces conditions les positions prises par Vaillant avant la guerre.

reprend logiquement le dessus chez ces farouches internationalistes au fur et à mesure que se précise le danger... » [265].

C'est ce qu'exprime aussi le député socialiste de l'Yonne, Jobert : « Le mysticisme patriotique que notre programme antipatriote n'avait fait qu'endormir se réveille dès l'appel aux armes ». Il revient plusieurs fois sur ce thème « mystique patriotique » qui « a eu raison de vingt années de de propagande antimilitariste et antipatriote », « la religion patriotique » qui l'emporte sur « l'antidote internationaliste » [266].

Rolande Trempé, étudiant les mineurs de Carmaux, arrive à une conclusion semblable : « La guerre balaya aisément un internationalisme qui était un vernis, au profit d'un patriotisme qui trouve sa justification dans l'union sacrée de tous les républicains dressés contre l'obscurantisme et le conservatisme des envahisseurs » [267].

Français d'abord, proclame en quelque sorte Marcel Bidegaray, le secrétaire du Syndicat des cheminots, dans un article qui paraît à peu près simultanément dans Le Journal [268] et dans la Revue de l'enseignement primaire [269]. Après s'être gaussé de ces « lourdauds » de « Teutons » qui avaient cru que les cheminots auraient pu saboter la mobilisation pour se venger de leur défaite dans la grève de 1910 : « Allons donc, conclut Bidegaray, quand le danger paraît, on oublie, on fait face, on est Français ».

Ces réactions étaient-elles surprenantes ? Nous avons déjà essayé de montrer à la fois le déclin de l'antipatriotisme [270] et les incertitudes du pacifisme dans les dernières années précédant la guerre. Mais, en 1916, après bientôt deux ans d'hostilités, dans un procès en diffamation qui l'opposa à L'Action française, M. Almereyda développa longuement l'idée que l'attitude du mouvement ouvrier en août 1914 s'inscrivait dans la logique de celle d'avant-guerre et il appuyait son argumentation entre autres sur un texte d'Hervé paru en avril 1913 dans La Guerre sociale :

« Faut-il le dire ? Pour peu que la guerre lui paraisse une guerre défensive, il ne fait pas l'ombre d'un doute qu'une fois dans le rang,

---

265. Op. cit., p. 49.

266. Op. cit., ch. XIV, p. 273 et suiv.

267. Op. cit., p. 905.

268. 20 août 1914.

269. 30 août 1914.

270. Voir notre première partie. D'autant que beaucoup de hérauts de l'antipatriotisme étaient conscients de ce que leurs déclarations avaient été largement fondées sur le « bluff » et la « démagogie ». C'est tout au moins ce qu'ils furent plusieurs à dire au Congrès de la CGT en 1918 : « verbalisme démagogique » (Frossard, 16 juillet, c.r. du Congrès, p. 131) ; « Dans toute la propagande, il y a eu de la démagogie (...) et jamais de l'éducation syndicale » (Bidegaray, 17 juillet, op. cit., p. 182) ; « bluff et démagogie avant la guerre » (Savoie, 17 juillet, p. 182).

En outre, de nombreux travaux de détail récents éclairent la crise du syndicalisme révolutionnaire : dans la mesure où l'antipatriotisme en était une dimension importante, cela ne pouvait manquer de le remettre aussi en cause (voir par exemple Claudia Monti, L'Union des syndicats ouvriers du département de la Seine de 1910 à 1914, mémoire de maîtrise sous la direction de René Rémond, 153 p., 1972, Nanterre).

qu'une fois au feu, cette démocratie socialiste deviendrait comme par enchantement le nerf de l'armée ... Tant il est vrai qu'au fond de chaque internationaliste, il y a un patriote révolutionnaire qui sommeille et ... tant il est vrai que nous retrouvons la patrie au fond de chacun de nous » [271].

Le même Gustave Hervé avait bien proclamé, en septembre 1912, à la salle Wagram que c'étaient eux « les vrais patriotes, au sens où nos pères de 93 entendaient ce mot ». Jean Longuet avait repris le même thème le 2 août 1914 :

> « Mais si la France est envahie, comment ne seraient-ils pas (les socialistes) les premiers à défendre la France de la Révolution et de la Démocratie, la France de l'Encyclopédie, de 1793, de Juin 1848, la France de Pressensé, de Jaurès ?
> Ils savent qu'en agissant ainsi ..., ils reprendront la devise des volontaires de 93 : ʺ Paix aux peuples ! Guerre aux rois ! ʺ » [272].

N'oublions pas combien les souvenirs de la Grande Révolution restaient vivants en ce début du 20ᵉ siècle, révolution qui n'avait pas encore été oblitérée par celle de 1917. Les masses ouvrières, comme le reste de la population, étaient profondément imbibées de l'idée du rôle particulier de la France qu'Ernest Lavisse définissait dans un ouvrage pour le cours moyen paru en 1912 : « En défendant la France, nous travaillons pour tous les hommes de tous les pays car la France depuis la Révolution a répandu dans le monde les idées de justice et d'humanité » [273].

Tous les manuels d'histoire qu'ils avaient lus ou que leurs instituteurs leur avaient commentés reprenaient ces propositions. J. et M. Ozouf ont montré, citant un extrait du livre du maître du cours de morale édité chez Payot en 1907, combien il était la préfiguration exacte des articles et des discours prononcés dès les premiers jours d'août 1914. Ils posent cette question : « Cette classe ouvrière qui part faire la guerre, le ʺ cœur meurtri ʺ, ne rappelle-t-elle pas, par-delà les années, ces héros des manuels d'histoire, les généraux au cœur pacifique, guerriers malgré eux ? » [274].

Contrairement à ce qu'on avait bien voulu dire [275], c'était cet esprit que les instituteurs avaient répandu [276].

---

271. *Le Bonnet rouge*, 17 mars 1916.

272. *L'Humanité*, 3 août 1914, salle Wagram.

273. Pierre Nora, « Ernest Lavisse, son rôle dans la formation du sentiment national », art. cité, p. 104.

274. Jacques et Mona Ozouf, « Le thème du patriotisme dans les manuels scolaires », art. cité, p. 31.

275. Voir J.-J. Becker, *Le Carnet B*, op. cit., p. 34 et suiv. Le « scandale de Chambéry ». Voir également Jacques Alègre, « Les instituteurs », *Europe*, mai-juin 1964, p. 24 : « En fait, il n'existe pas plus de hiatus dans la position des instituteurs que dans celle d'un Vaillant ou d'un Guesde, pacifistes convaincus jusqu'en août 1914 ... Les instituteurs qui disent ʺ oui ʺ à la guerre ne renient ... pas les principes dont ils sont nourris et qu'ils ont propagés. Puisque les socialistes allemands et les socialistes

« Nul ne pourra se permettre aujourd'hui de mettre en doute le patriotisme des instituteurs », proclame le *Journal des instituteurs* [277], glorifiant ceux qui avaient affiché des idées avancées, qui avaient même subi pour cela les rigueurs administratives, d'avoir « obtenu la plus éclatante des réhabilitations par leur courage, leur bravoure, leur enthousiasme patriotique » [278].

Un autre journal d'instituteurs, rappelant les polémiques récentes, s'exclamait : « Tiens ! elle se conduit bien, cette jeunesse. Pas si corrompue, hein ! » [279].

A dire vrai, il est peu probable que la masse des ouvriers, ni même les socialistes ou les syndicalistes, aient, comme Jouhaux plus tard, analysé les sentiments qui les ont conduits, sans véritables problèmes, à se porter à la défense de la patrie. L'antériorité et la profondeur des sentiments patriotiques expliquent suffisamment que, les circonstances en outre y prédisposant, le ralliement du mouvement ouvrier à la défense nationale ait eu lieu sans difficultés. L'explication du « retournement », fondamentalement, nous semble là.

Néanmoins, d'autres facteurs sont venus se superposer ou s'imbriquer au premier. La pression de l'opinion publique d'abord. Nombreux sont les dirigeants de la CGT à l'avoir invoquée.

Chanvin, le secrétaire de la Fédération du bâtiment, le déclare au congrès de son organisation en 1918 : « Nul ne peut nier qu'un grand courant patriotique s'était emparé de la foule du peuple et l'on s'en allait avec enthousiasme à la frontière. Le comité confédéral était là devant un fait accompli, impuissant à enrayer le mouvement » [280].

Le thème a sans cesse été repris au congrès de la CGT de la même année :

> *Bidegaray :* « Ceux-là (c'est-à-dire ceux qui préconisaient l'insurrection, la grève générale...) n'ont pas eu le courage d'appliquer leur conception parce qu'ils ne le pouvaient pas et, Dumoulin, tu as très bien fait de dire : " Nous avons été débordés par un torrent de chauvinisme national " » [281].
>
> *Savoie :* « J'ai entendu des camarades dans le congrès qui me disaient que ... la CGT avait failli à son devoir au 2 août 1914 en ne déclarant pas la grève générale ». L'orateur ajoutait, après avoir rappelé que la décision

---

français n'ont pu empêcher le conflit ..., il importe de défendre sans réserve une France républicaine et pacifique contre une Allemagne féodale et agressive... »

276. Les instituteurs avaient eu une « action en profondeur » qui explique partiellement l'unanimité de la ferveur nationale en août 1914, estime R. Girardet (*La société militaire. op. cit.*, p. 246).

277. 25 octobre 1914.

278. En article de tête, « Nos héros », 25 octobre 1914.

279. *Revue de l'enseignement primaire*, 30 août 1914. Article signé « Populo » (un inspecteur en retraite, semble-t-il).

280. *Compte rendu du congrès de la Fédération du bâtiment, op. cit.*

281. *Congrès de la CGT, c.r. sténographique*, p. 173, 17 juillet.

des congrès prévoyait que les syndiqués n'avaient pas d'ordre à recevoir pour agir et qu'ils devaient immédiatement se rendre dans les Bourses du Travail : « Demandez aux secrétaires de Bourses du Travail, d'unions, ce qui s'est passé dans les syndicats. Je peux dire qu'en ce qui concerne le Syndicat des boulangers, nous avons voulu quand même faire une réunion pour voir ce que l'on pouvait faire. Nous étions trente-cinq à la salle de l'Egalitaire. Voyez-vous, en admettant que nous aurions dû, en raison des circonstances, faire la grève, voyez-vous dans quelle situation nous nous serions trouvés. Nous aurions... été meurtris, massacrés... » [282].

*Merrheim :* « Il est certain que j'étais le premier à le dire, et je l'ai répété dans des dizaines de réunions, que si nous avions voulu, à ce moment, nous opposer à la guerre, dès juillet 1914, nous aurions été balayés par la folie nationaliste qui s'était déchaînée dans le pays » [283].

Celui qui allait devenir peu de mois plus tard le premier secrétaire général du Parti communiste, Frossard, a probablement trouvé les meilleures formules pour décrire la situation de 1914 :

« Il faut que ces choses-là soient dites. La vérité, c'est que le 31 juillet 1914, si nous avions voulu essayer de résister, nous aurions été emportés par le torrent de chauvinisme qui déferlait à ce moment-là sur le pays.

La vérité, il faut avoir le courage de le dire, la vérité c'est qu'on ne fait pas de grève générale sans grévistes, c'est qu'il n'y a pas d'insurrection sans insurgés. La vérité, c'est que même si nous avions essayé d'appliquer nos résolutions de congrès, nous aurions été balayés par ceux-là mêmes qui, dans la masse ouvrière, aujourd'hui lassés par la guerre nous reprochent de ne pas agir en ce moment.

Camarades, nous n'avons rien fait, parce que nous ne pouvions rien faire » [284].

Ces déclarations ne sont-elles pas toutefois des justifications a posteriori de l'attitude prise en 1914 ? Il est important de remarquer que, si certaines émanent de partisans de l'union sacrée, d'autres sont le fait d'adversaires comme Merrheim, Frossard, qui animèrent la tendance minoritaire de la CGT. Même ceux qui contestèrent l'attitude ultérieure de la direction de la CGT ne s'élèvent pas contre ce qu'elle fit alors, tout au moins parmi ceux qui avaient des responsabilités. Ainsi, lorsqu'un délégué cheminot, Sigrand, attaque avec virulence le comportement de Jouhaux *dès le début,* Bidegaray peut lui répliquer : « Tu n'étais pas syndiqué à ce moment-là » [285].

En tenant compte du contexte que nous connaissons, on peut donc considérer qu'elles reflètent bien la réalité. Ce qui ne signifie pas que la formulation n'en soit pas exagérée. Les dirigeants syndicalistes avaient intérêt à grossir le trait pour mieux assurer leur position. Les opposants

---

282. *Congrès de la CGT, c.r. sténographique, op. cit.,* p. 183, 17 juillet.
283. *Congrès de la CGT, c.r. sténographique, op. cit.,* p. 197, 17 juillet.
284. *Congrès de la CGT, c.r. sténographique, op. cit.,* p. 131, 16 juillet.
285. *Ibid.,* p. 129, 15 juillet.

à la guerre auraient-ils été *massacrés* ? Les masses étaient-elles véritablement animées d'une *folie nationaliste* ? Il faut faire la part d'un vocabulaire qui, en toutes circonstances d'ailleurs, était volontiers emphatique.

Mais des sources extérieures au mouvement ouvrier confirment la réalité de cette pression de l'opinion publique sur le comportement de ses dirigeants.

Une note de synthèse des Renseignements généraux l'analyse de la façon suivante :

> « (Il) consista à se rallier sans réserves à l'opinion générale d'après laquelle toute considération politique, philosophique ou sentimentale devait céder devant le fait brutal de l'agression allemande. Les dirigeants de la CGT comprirent sans doute que les intérêts de la classe ouvrière ne pouvaient être séparés dans la circonstance de ceux de la nation tout entière. Il est probable aussi que, ne se faisant aucune illusion sur les chances de réussite d'un mouvement révolutionnaire, ils furent préoccupés d'éviter les mesures préventives du gouvernement » [286].

Plus polémique que ce commentaire volontairement sec et incolore, un article du *Temps* du 10 août est aussi une bonne illustration de ce rôle de l'opinion publique. A *L'Humanité* qui souhaitait qu'on ne réveillât pas les controverses d'hier, *Le Temps* répliquait que les dirigeants socialistes n'avaient pas à se targuer de leur rôle dans la réconciliation nationale. Ils n'y étaient pas pour grand-chose : « Habitués à suivre leurs troupes et non pas à les guider, ces chefs savaient bien qu'ils ne pouvaient pas s'opposer au mouvement patriotique dont toutes les catégories de Français étaient également animées. C'était comme une lame de fond qui aurait emporté et brisé les résistances sacrilèges » [287].

*Le Temps*, pour des raisons politiques, ne voulait pas exagérer les « mérites » des chefs socialistes. Ce faisant, il exagère leur passivité. Il n'en reste pas moins que, sur le fond, il a raison de souligner la pression qu'ont subie les responsables socialistes comme les syndicalistes. Qu'ils aient cédé bien volontiers à la force qui s'exerçait sur eux, ou au contraire à leur corps défendant, importe assez peu ici. C'est sa réalité qui a une signification historique, car comme le soulignait Savoie au congrès de la CGT en 1918 : « Dans nos résolutions de congrès, nous ne suivions que nos pensées personnelles, nous *minorité* organisée de la classe ouvrière..., mais dans une situation concrète " une organisation comme la nôtre " est obligée de raisonner comme la masse et de se mettre à sa place » [288].

---

286. A.N. F 7 133348. Note du 31 octobre 1914 de la préfecture de police sur l'attitude de la CGT et de l'Union départementale des syndicats ..., depuis l'ouverture des hostilités.

287. Article « Commencez ».

288. *Congrès de la CGT, op. cit.*, p. 182, 17 juillet.

Un autre facteur explique enfin l'attitude du mouvement ouvrier. Il s'est rallié à la guerre parce qu'il n'a pas pu l'empêcher. Contrairement à ce qu'il pourrait paraître, ce n'est pas une évidence. Entre s'opposer à la guerre et proclamer qu'on accepte de s'y associer, il y avait une position intermédiaire sur laquelle le mouvement ouvrier aurait pu se maintenir. Or d'innombrables déclarations font ressortir que, puisqu'un mouvement d'opposition n'avait pu dépasser le stade de l'esquisse, il fallait concourir activement à la défense nationale. Elles ont été faites à tous les niveaux. A celui des dirigeants nationaux. Salle Wagram, le 2 août, successivement Louis Dubreuilh, Edouard Vaillant, Jean Longuet, Marcel Cachin, Compère-Morel, Marcel Sembat ont développé ce thème au nom du Parti socialiste [289].

Mais il en a été de même au niveau des fédérations départementales du Parti socialiste, des unions locales des syndicats, des journaux socialistes de province, des maires socialistes de grandes villes, de conseils municipaux...

On a quelquefois évoqué une autre cause du « retournement » : Georges Dumoulin l'avait appelé « le Carnet B de la corruption ». Les dirigeants du mouvement ouvrier auraient été soudoyés, non seulement par la non-application du Carnet B, mais par l'attribution d'avantages personnels, en particulier des *sursis d'appel*.

> « Il faudrait faire le tour des fédérations, disait-il, fouiller les Bourses du Travail et les unions des syndicats pour voir tous les hommes, tous ceux qui ont été touchés par la grâce de la Sacrée Union. Il faudrait voir non seulement les gros, mais les petits fonctionnaires du syndicalisme. Et ceux-là ont fait le bloc majoritaire dans les conférences confédérales. Bloc solide, parce qu'il est la majorité des redevables... » [290].

Il est vrai que deux de ceux qui ont joué un rôle majeur dans la direction de la CGT à ce moment, Léon Jouhaux et Jules Bled, secrétaire de l'Union des syndicats de la Seine, ont bénéficié de sursis d'appel. Petit avantage d'ailleurs en ce qui concerne ce dernier cas : d'abord réformé, il avait ensuite été versé dans les services auxiliaires où il bénéficia de ce sursis [291]. Quelques-uns des plus notables des autres dirigeants, Griffuelhes, Merrheim, Yvetot, étaient réformés, ainsi d'ailleurs que des hommes comme Gustave Hervé ou Almereyda [292]. Il est possible qu'en suivant le conseil de Dumoulin et en épluchant systématiquement la situation militaire de tous les cadres de la CGT, on obtienne quelque résultat, mais ce n'est pas sûr. Comme nous le verrons

---

289. *L'Humanité*, 3 août.

290. G. Dumoulin, *Les syndicalistes et la guerre, op. cit.*, p. 16-17. Voir également P. Monatte, *Trois scissions syndicales, op. cit.*, p. 143-149.

291. A.N. F 7 13574. Note du 30 mars 1915.

292. *Ibid.*

très vite, les ouvriers ont été nombreux à être renvoyés à l'arrière et, si on considère par exemple les cas cités par Gérard et Michèle Raffaëlli pour le département de la Loire, on s'aperçoit qu'il n'y a guère eu de discrimination [293]. Cette remarque ne signifie pas que le gouvernement n'ait pas cru utile de faire bénéficier d'avantages les militants syndicaux dont il avait apprécié la coopération à la défense nationale, elle ne signifie surtout pas qu'au cours de la guerre, on n'ait pas utilisé la menace d'un renvoi au front pour tempérer l'ardeur de militants trop décidés, mais il paraît impossible que cela ait pu avoir une influence sur le comportement des militants syndicaux au moment décisif des premiers jours de la guerre. Une étude plus complète pourrait montrer que cette sorte de corruption a contribué à maintenir la cohérence du bloc majoritaire favorable à l'union sacrée au cours de la guerre, elle n'a sûrement joué aucun rôle dans le « retournement »...

Le ralliement massif du mouvement ouvrier français à la défense nationale ne doit tout de même pas laisser supposer qu'il n'y eut pas de réticences.

Un exemple qui nous est apparu révélateur parce que discret, secret, ignoré, et qui, pourquoi pas, a pu se répéter un certain nombre de fois, est cité par le député Aristide Jobert dans ses *Souvenirs*. Dans les derniers jours de juillet, un jeune soldat lui rend visite. C'est le fils d'un de ses camarades socialistes, socialiste lui-même, antimilitariste. Il vient lui demander conseil sur l'attitude à tenir. Angoissé, la mort dans l'âme, Jobert l'engage à rejoindre son régiment. Le jeune homme est indigné : « Et votre devise : plutôt l'insurrection que la guerre ! Vous nous trompiez alors, vous les militants socialistes... » [294].

Il y a là l'indice que le glissement vers la défense nationale ne s'est pas toujours fait sans déchirements. Mais, dans l'état actuel de notre documentation, ceci ne peut être considéré que comme l'expression de rares exceptions. Dans sa masse, encouragé par la décision de ne pas appliquer le Carnet B et par le tour solennel donné aux obsèques de Jean Jaurès, retrouvant sous la façade de l'antimilitarisme, de l'antipatriotisme ou du pacifisme le sentiment profondément enraciné que défendre une patrie — surtout si elle était de surcroît démocratique — n'était pas renoncer à ses convictions, bousculé et pressé par l'opinion

---

293. Ainsi Clovis Andrieu, ancien secrétaire du Syndicat des charpentiers en fer de la Seine — service armé classe 1896 — est renvoyé dans la Loire en 1915. Il y devient secrétaire du Syndicat des métaux de Firminy et est un des dirigeants des mouvements de grève de 1917 et 1918. Il avait été un des condamnés de l'affaire du Sou du Soldat avant la guerre de 1914 (voir J.-J. Becker, *op. cit.*, p. 44). Nicolas Berthet, classe 1895, renvoyé à l'arrière comme ouvrier à la Manufacture d'armes de Saint-Etienne, figurait sur la liste des « principaux révolutionnaires de la Loire » (A.N. F 7 13053). Il en fut de même pour Benoît Liothier et Jean-Baptiste Rascle (voir J.-J. Becker, *op. cit.*, p. 32 et 54). Or, si le premier est considéré « comme ayant mis de l'eau dans son vin », le second au contraire fut un militant « minoritaire » (Voir G. et M. Raffaelli, p. 237 et 262).

294. A. Jobert, *op. cit.*, chapitre XIV.

publique, conscient en outre de son incapacité à s'opposer à la guerre, le mouvement ouvrier tout naturellement versait dans la défense nationale qu'on allait bientôt appeler l'union sacrée.

## Les problèmes de l'Eglise

L'attitude du mouvement ouvrier face à une guerre éventuelle était seule à faire vraiment problème. Ne doit-on pourtant pas s'interroger si, pour l'Eglise, accepter l'union sacrée dans le cadre d'un régime détesté alla de soi ?

D'après Guy-Grand, « ... le loyalisme du clergé fut complet, montrant par là que son patriotisme et son sens de la justice étaient plus impérieux que les hésitations de son chef spirituel » [295]. Un rapport du préfet de police sur les « catholiques militants » confirme cette opinion. Leur attitude « n'a fait l'objet d'aucune remarque particulière ». Cela lui paraît d'ailleurs parfaitement normal puisque les catholiques s'étaient « toujours affirmés patriotes » et « leurs chefs » « les partisans les plus déterminés de la loi de trois ans » [296].

De son côté, la presse catholique fait état du retour volontaire en France de nombreux religieux qui avaient été expulsés et qui veulent accomplir leur devoir [297]. Ils sont acclamés par la foule en gare de Cerbère, signale La Semaine religieuse de Perpignan. « Franciscains, dominicains, jésuites, prêtres de tous ordres venus en France pour se mettre à la disposition de l'autorité militaire » [298].

Ce tableau doit pourtant être complété. La situation n'a pas été aussi simple que ces premières remarques pourraient le laisser supposer. La presse catholique devait, en effet, tout en exaltant le patriotisme manifesté par le clergé français, ne pas désavouer la position assurément plus réservée prise par la papauté. Ce difficile équilibre est réalisé dans La Semaine religieuse de Paris du 8 août, premier numéro à comporter des observations de caractère politique. Sous le titre « Le Pape Pie X exhorte à la paix les catholiques du monde entier », le journal publiait d'abord la déclaration que le pontife avait confiée à L'Osservatore Romano du 2 août. Après avoir dépeint « son âme déchirée par la plus poignante douleur », le pape appelait au rétablissement rapide de la paix.

---

295. *Op. cit.*, p. 165. Voir aussi Delecraz, *op. cit.*, p. 259. « Il faut reconnaître d'ailleurs que, dans tous ses sermons, le clergé affirme le plus pur patriotisme ».

296. A.N. F 7 13574. Rapport du préfet de police du 16 octobre 1914 sur l'attitude des catholiques.

297. *Semaine religieuse de Paris*, 5 septembre 1914, chronique : « Le clergé français et la guerre ».

298. Archives de l'archevêché de Paris. N° d'août 1914 de *Dieu, Patrie, Liberté.* Bulletin bi-mensuel pour la défense des intérêts religieux, patriotiques et sociaux.

Immédiatement ensuite, *La Semaine religieuse* insérait une lettre du cardinal Amette, archevêque de Paris, d'un ton résolument patriotique : « La Patrie appelle aux armes ses enfants. ... Prions pour que nos armes soient victorieuses comme elles l'ont été tant de fois dans le passé ».

En contrepartie enfin, le numéro contenait une revue de presse des *Semaines religieuses* ou *catholiques* des diocèses de province, dont la tonalité était plutôt pacifiste [299].

Ce balancement semble bien être la traduction de la difficulté pour la hiérarchie catholique à accepter pleinement les impératifs de la défense nationale, sans pour autant se mettre en contradiction avec la pensée pontificale. L'analyse attentive de ce numéro de la *Semaine religieuse de Paris* conduit à observer qu'au moins pour le clergé, le ralliement à la défense nationale entraînait quelque gêne. En outre, là encore, il y a une certaine distance entre participer à la défense nationale et accepter l'union sacrée. L'Eglise pouvait-elle la franchir ? Le cardinal Amette invita les fidèles à le faire : « En face du danger qui menace le pays, toute division cesse parmi ses fils. Tous se lèvent dans un mouvement unanime de fidélité au devoir et de dévouement à la Patrie... » [300].

Mais il savait que ce n'était pas chose facile : le cardinal dut « grouper autour de lui tous les fidèles, leur faire oublier toutes les rancunes et les maintenir, clercs et laïques, au service du gouvernement hostile, mais régulier, qui assumait à ces heures tragiques la défense de la Patrie... » [301]. Ces lignes écrites lors des obsèques de l'archevêque de Paris montrent que pratiquer l'union sacrée avec la République « persécutrice » provoquait au moins des contrariétés. Les déclarations de certains l'ont manifesté sur le moment même, ainsi celles du chanoine Poulin au Sacré-Cœur, le 17 octobre 1914 : « Nous y sommes venus, nous autres catholiques (à l'union nationale), non sans un peu de frémissement en souvenir des cruelles blessures qui nous avaient été faites, mais

---

299. Ainsi sous le titre : « *Dans les diocèses.* Communiqués épiscopaux sur les questions religieuses soulevées par l'état de guerre », *La Semaine religieuse de Paris*, du 6 août 1914 (p. 188-189), publiait un communiqué de l'évêque de Châlons-sur-Marne prescrivant des prières « en faveur du maintien de la paix européenne » (*Semaine religieuse de Châlons*) ; un autre de l'archevêque de Sens : « A l'heure où de très graves dangers menacent la paix de l'Europe et peuvent mettre en danger notre chère patrie, le premier devoir des catholiques est de recourir à la prière ... . Pour obtenir de Dieu qu'il daigne écarter de notre pays le fléau de la guerre ou, si cette terrible épreuve ne devait pas nous être épargnée, qu'il nous accorde du moins la paix intérieure et protège nos armes, nous continuerons à prier d'un cœur et d'une voix unanimes ». *La Semaine catholique de Sées* écrivait : « En présence des graves événements de l'heure actuelle, c'est un devoir pour tout chrétien de se tourner vers le Dieu tout-puissant qui tient en ses mains les destinées des nations et de lui demander de nous conserver le bienfait inappréciable de la paix. Mgr l'Evêque recommande très vivement cette intention à tous ses diocésains ». Communiqué de l'évêché de Moulins : « Au milieu des circonstances graves que traverse l'Europe, au moment où la guerre qui vient d'éclater entre deux peuples et le danger d'en voir résulter d'autres guerres où la France pourrait être engagée, cause d'universelles alarmes, nous devons plus que jamais recourir à la prière pour écarter ce fléau ».

300. *Semaine religieuse de Paris*, 8 août.

301. A.A.P. 5 B 11 10. Coupures de presse sur les funérailles du cardinal Amette en 1920 (Extrait du journal *La Belle France*).

du moins avec générosité et sans arrière-pensée. Puisse-t-on s'en souvenir au jour de la victoire... » [302].

De plus, les archives conservent la trace de quelque incidents — il est vrai bien rares — provoqués par des ecclésiastiques ou des « militants » catholiques qui n'ont accepté ni la défense nationale, ni l'union sacrée.

Un rapport du préfet des Hautes-Pyrénées relate qu'il a fallu arrêter un ecclésiastique du canton de Rabastens pour le soustraire aux fureurs de la foule : il avait prononcé un sermon sur le thème que la guerre était le fléau que Dieu déchaîne sur les peuples impies [303]. Un curé de Charente-Inférieure est inculpé de publication par discours de fausses nouvelles alarmistes et de tentatives de détournement d'un militaire dans l'accomplissement de ses devoirs. Ces propos auraient été tenus dans un train. Il les nie, mais le maire du village, interrogé, confirme que, depuis la mobilisation, il s'était signalé par des paroles antipatriotiques et alarmistes [304]. A Doullens, ce sont deux vieilles filles chargées du catéchisme qui provoquent une émeute contre elles : elles sont accusées d'avoir, au cours de leurs leçons, affirmé « qu'une défaite de la France serait le juste châtiment de son impiété » [305].

Il ne faut pas exagérer l'importance d'une tendance dont nous avons si peu de traces. Elle n'a sûrement pas affecté la masse des catholiques. Elle témoigne pourtant qu'au moins dans le clergé, tant en raison de l'attitude *pacifiste* de la papauté que des souvenirs des luttes anticléricales récentes, accepter l'union nationale provoqua quelques soupirs.

Il est d'ailleurs symptomatique qu'une fraction de l'opinion publique mettait en doute, ou était prête à mettre en doute, la sincérité du ralliement des catholiques. Ainsi cette discussion entre deux Beauvaisins pendant les journées difficiles de la fin du mois d'août : « Vous n'êtes pas Allemand, c'est entendu ... nous vous croyons sur parole. Mais il est certain que vous êtes croyant et vous devez penser que ce qui nous arrive est une punition du bon Dieu », dit-on à un catholique [306].

Les rumeurs sur le manque de patriotisme du clergé ont sans aucun doute été nombreuses : suivant les cas, on accusait les ecclésiastiques de sympathie pour l'Allemagne, d'être responsables de la guerre ou de considérer le conflit comme une punition. On en retrouve trace dans les notes communales : plusieurs fois, en particulier dans les fiches de Haute-Savoie, souvent établies par des curés [307]. Ainsi cette remarque

---

302. *Semaine religieuse de Paris*, 24 octobre.

303. A.N. F 7 12938. Hautes-Pyrénées. Rapport du préfet du 16 août. Le préfet note que le curé était « d'esprit peu équilibré », mais était-ce vrai ou en matière d'excuse ?

304. A.D. Deux-Sèvres, 4 M 6/29. Rapport du commissaire de police de Parthenay du 10 novembre 1914.

305. A.N. F 7 12939. Rapport du sous-préfet de Doullens du 24 août.

306. Raphaël Dufresne, *Journal d'un Beauvaisin non mobilisé*, 25 août.

307. A.D. Haute-Savoie, 1 T 218.

provenant de la commune de Nangy : « Comme *partout* il y a eu quelques individus qui croient, soit par ignorance, soit par parti pris, que ce sont les curés qui font la guerre, etc., etc. D'autres disent que c'est le pape... ».

Le développement de ces rumeurs fut assez important pour que Maurice Pujo, dans *L'Action française*[308], s'en émeuve et dénonce les bruits qu'on colportait, surtout lorsque cela alla mal : « C'est la faute aux curés » qui veulent « se venger de la Séparation ». Dans plusieurs départements du Sud-Ouest, on propage que l'Etat-Major est vendu aux curés et fait exprès de faire battre la République. Les *Semaines religieuses* de province se sont souvent fait l'écho des accusations portées contre le clergé[309]. Au mois de septembre, *La Croix* proclame, en première page et sur deux colonnes : « Le mépris ne suffit pas ». Après s'être élevé contre les « bavards » qui sont encore à continuer contre l'Eglise « l'absurde lutte d'un anticléricalisme idiot », l'auteur poursuit : « Nous sommes étonnés du nombre de *Semaines religieuses* et de journaux de province qui sont obligés de s'occuper de ces malfaiteurs. Nous-mêmes recevons beaucoup d'échos de ces sottises. Voici par exemple une lettre du Sud-Est où l'on nous dit que *l'instituteur* s'en va déblatérant que ce n'est pas l'empereur Guillaume, mais que ce sont les " cléricaux " qui ont voulu la guerre et qui l'ont provoquée ».

L'article comporte un post-scriptum : « Pour répondre à ces calomnies, *La Semaine religieuse d'Auch* écrit : " Seigneur mon Dieu, pourquoi avez-vous fait l'homme si bête ! " »[310].

Plus démonstrative encore est la brochure que l'abbé Louis Calendini croit devoir consacrer, en 1915, à la défense du clergé de la Sarthe[311]. Il rappelle d'abord les calomnies subies par le clergé, communications avec l'Allemagne par appareil de TSF, quête pour le roi de Prusse (*sic*), dépôt de bombes explosives. Il explique ensuite que le clergé de France, et en particulier celui de la Sarthe, a toujours été un ardent défenseur de la patrie, qu'il a été patriote dans le passé, qu'il a été patriote le 1er août 1914, que les prêtres se joignirent à ceux qui commentaient les affiches (de mobilisation) pour déclarer « hautement que, comme les autres, ils feraient leur devoir »[312], que cela n'a pas été plus facile pour

308. *L'Action française*, 3 septembre. « Infamies ».

309. Connue sous le nom de « rumeur infâme », ces bruits n'ont d'ailleurs pas cessé de courir pendant la guerre. Dans les archives de l'archevêché de Paris (5 B II-XIII) figurent deux enveloppes pleines de coupures de presse comportant tous les articles et articulets concernant la Papauté et publiés dans la période suivante, rassemblés sous le titre « la rumeur infâme ». Un article de *L'Echo de Paris* du 25 avril 1916 précise quels sont les principaux griefs invoqués par la « rumeur infâme » : 1) Les curés ont fait déclarer la guerre, maintenant ils la font durer. 2) Les curés envoient de l'argent à l'ennemi. (Voir également sur cette question, ci-dessous, p. 464 et suiv.)

310. *La Croix*, 18 septembre 1914.

311. Louis Calendini, *Le clergé de la Sarthe et la guerre (1914-1915)*, Le Mans, 1915, 15 p.

312. *Op. cit.*, p. 7.

eux que pour les autres de quitter leur famille et leur paroisse, que comme aumôniers, brancardiers, infirmiers, ou simplement soldats, ils montrent une énergie morale particulière, que ceux qui n'ont pas été mobilisés font œuvre patriotique en priant, en consolant, en travaillant.

L'abbé Calendini conclut : « Nul n'a donc le droit de l'impliquer dans les événements de l'heure présente. Pas plus que le magistrat, pas plus que le maître d'école, le curé n'est l'auteur de la guerre. Il la subit hélas ! comme les autres et à l'heure où la patrie demande son concours, il répond : " Présent " ».

Cette défense et illustration du rôle du clergé dans la guerre méritait-elle cette longue analyse ? N'est-elle pas l'œuvre d'un prêtre agissant seul et souffrant d'une maladie de la persécution ou au contraire répond-elle à une situation réelle ? Une lettre de Mgr Raymond, évêque du Mans, et qui sert de préface à cet opuscule, permet de croire plutôt à la seconde hypothèse :

> « ... Le clergé de France a été dès le commencement de la terrible guerre, indignement calomnié. Des gens aussi peu développés quant à l'intelligence qu'obstinés dans la malveillance à l'égard des ministres de Dieu ont accusé nos prêtres d'être les amis des Allemands, de faire des vœux et des prières pour la victoire de l'Allemagne, d'envoyer de l'argent en Prusse !... Que sais-je encore ?
> Il faut, disent quelques-uns, mépriser des propos aussi ineptes que méchants en les laissant passer. Tout le monde n'est pas de cet avis. Vous avez pensé, Monsieur le curé, qu'il y avait quelque chose à faire pour notre clergé du diocèse du Mans, dont le patriotisme en 1914-1915 continue fièrement et noblement les traditions d'il y a 45 ans ...
> Le tract que vous avez consacré à cette défense ... est loin d'être inutile, car la calomnie, si basse qu'elle soit, trouve où ramper dans les bas-fonds de la société ... ».

Dans le ralliement de catholiques à l'union nationale, il y a donc quelque complexité. Pour beaucoup des catholiques, accepter la guerre a été facile, agréable même. Songeons à Péguy : « Je suis heureux de partir, j'aime mieux la guerre cette année que l'année prochaine... »[313] ; songeons à Claudel : « Dimanche 26, le matin en allant à la messe, grande affiche blanche au coin de la rue chez le marchand de tabac, le beau mot de délivrance et d'aventure : *Krieg !* »[314].

La guerre est accueillie comme purificatrice. L'union sacrée, en revanche, a trouvé le clergé plus réticent et, dans l'opinion publique, la sincérité de ce ralliement a été quelquefois contestée.

---

313. Gabriel Olivier, « Les adieux de Péguy », *Le Monde*, 1er novembre 1964.
314. « Le Journal de Paul Claudel. L'année 1914 », *Le Figaro littéraire*, 18 au 24 février 1965.

## Le remaniement du gouvernement

La ministère Viviani que la guerre avait surpris à la tête de la France était de centre-gauche. Au moment où socialistes, syndicalistes, catholiques se ralliaient à l'union sacrée, n'était-il pas légitime que le gouvernement s'étende sur sa droite et sur sa gauche, afin de symboliser l'union nationale ?

Ce n'était pas l'avis unanime. Quelques jours avant le remaniement qui eut lieu, *Le Radical* remettait vertement en place un confrère qui en faisait la suggestion : « Son intervention mérite d'être signalée, car elle étonne et détonne dans le moment où elle se produit. En quoi, s'il vous plaît, l'union est-elle conditionnée par la composition du gouvernement ? »[315].

La démission du premier cabinet Viviani, le 26 août 1914, et la formation du second le même jour n'avaient d'ailleurs pas pour seul motif de manifester la concorde nationale, mais d'abord de permettre le remplacement d'un certain nombre de ministres du temps de paix qui s'étaient trouvés peu à l'aise pour résoudre les problèmes posés par la guerre[316]. Leur second objet fut cependant d'élargir les bases politiques du gouvernement : sur sa gauche, deux ministres socialistes firent leur entrée : Marcel Sembat aux travaux publics et Jules Guesde, sans portefeuille, tandis que, sur sa droite, Aristide Briand s'installait à la Justice, Théophile Delcassé aux Affaires étrangères, Alexandre Millerand à la Guerre et Alexandre Ribot aux Finances[317]. Dans des proportions variées, toutes les nuances de l'opinion publique française étaient représentées, sauf la droite cléricale et nationaliste. Poincaré aurait souhaité qu'entrent au gouvernement des hommes comme le comte de Mun ou comme Denys Cochin[318], mais il avait dû y renoncer. Même sans, pour

---

315. *Le Radical*, 24 août.

316. Voir Henry Contamine, *La victoire de la Marne, op. cit.*, p. 167 et suiv. Plusieurs ministres changèrent d'attribution, mais un certain nombre quittèrent le gouvernement, le ministre des Finances, Joseph Noulens, député radical du Gers ; le sous-secrétaire d'Etat à la guerre, Octave Lauraine, député P.R.D. de Charente-Inférieure ; le ministre des Travaux publics, René Renoult, député radical de Haute-Saône ; le ministre des Colonies, Maurice Raynaud, député radical de Charente ; Charles Couyba, sénateur radical de Haute-Saône et surtout Adolphe Messimy, député radical de l'Ain et ministre de la guerre. Ce dernier, en particulier, semblait avoir perdu la maîtrise de ses nerfs et les dossiers sont remplis de ses télégrammes fourmillant d'injonctions brutales, de menaces de sanctions, d'ordres formels et sans réplique... Ainsi, il télégraphie au gouverneur militaire de Lyon le 20 août : « Me signaler mauvaise attitude et mauvais esprit des conducteurs provenant de la 15ᵉ région n'est pas une solution. Il vous appartient de prendre les mesures et de faire des exemples » ; au préfet de Meurthe-et-Moselle (probablement le 22 août) : « Vous invite expressément à ne pas envoyer au gouvernement des télégrammes inspirés sans doute de sentiments généreux, mais de nature à impressionner l'opinion. Calmez les nerfs de la population et commencez par calmer les vôtres. Vous voudrez bien vous souvenir en outre que vous êtes dans la zone des armées et que vous ne relevez que du général commandant en chef seul. Tenez-le vous pour dit. » (A.M., cabinet du ministre, cabinet militaire ; télégrammes sorties, registre 33).
Le préfet ainsi *admonesté* par l'impétueux Messimy était Léon Mirman, ancien directeur de l'Assistance publique, qui venait de remplacer le 9 août le préfet Reboul, malade.

317. Voir Jean Jolly, *Dictionnaire des parlementaires français, op. cit.*, T. I, page 69.

318. Voir R. Poincaré, *op. cit.*, Tome V, p. 182.

le moment, approfondir cette question, on peut considérer comme significatif que l'état politique de la France permettait plus facilement de faire participer à la direction du pays des socialistes, dont le ralliement à l'union sacrée posait au départ bien des questions, que des représentants du courant nationaliste pour qui cela n'en avait guère posé.

Toujours est-il que *L'Echo de Paris,* qui aurait pu se trouver marri de l'exclusive dont la tendance qu'il représentait était victime, se félicita au contraire de la formation du nouveau gouvernement. Il y voyait surtout deux noms, ceux de Millerand et de Delcassé. Comme l'écrivit Barrès, « les patriotes s'étonnaient, jusqu'à l'inquiétude, de l'ostracisme opposé aux noms de Delcassé et de Millerand... [319].

A. de Mun se félicitait aussi à peu près exclusivement de l'arrivée de Delcassé et Millerand [320]. « Je ne dirai rien des autres, remarque-t-il de façon aigre-douce, me bornant à souhaiter que l'accession des socialistes unifiés apporte une force au gouvernement, et à noter, pour m'en donner la confiance, les paroles de M. Jules Guesde. Il a dit hier au rédacteur d'un journal " qu'il entrait au ministère non pour gouverner, mais pour combattre ". Soit ! Sur ce terrain-là, nous nous entendrons » [321].

Maurras, quant à lui, souhaitait se maintenir sur le plan des principes. Il importait qu'on ne prétende pas faire un second gouvernement de la défense nationale, c'est-à-dire celui d'une « Révolution devant l'ennemi ». Quant aux hommes, il insistait sur les qualités de Millerand et acceptait les socialistes d'autant que, pour lui, contrairement à d'autres, « Jules Guesde (avait) toujours été patriote » [322].

Du côté socialiste, Gustave Hervé exaltait en termes lyriques la formation du nouveau ministère [323], mais la principale préoccupation était de *justifier* la présence dans le gouvernement de deux ministres *unifiés.* Sur deux colonnes de sa première page, *L'Humanité* [324] publiait un manifeste du Parti socialiste [325] expliquant que c'était le résultat d'une décision unanime des organismes dirigeants, qu'il ne fallait pas confondre cette démarche avec une « ordinaire participation à un gouvernement bourgeois », car c'était de « l'avenir de la nation » qu'il s'agissait aujourd'hui. Il était nécessaire que « l'unité nationale, dont la révélation

---

319. *L'Echo de Paris*, 28 août 1914, « Un nouveau gage de victoire ».

320. *Ibid.*, 27 et 28 août, « Discipline de fer ».

321. *L'Echo de Paris*, 28 août.

322. *L'Action française*, 28 août.

323. *La Guerre sociale*, 21 août. « Le Ministère de la Victoire ». « Chacun, Guesde, Ribot !, Delcassé, Briand, Poincaré, reçoit sa gerbe de fleurs. Quant à Millerand, " l'homme des trois ans ", c'est la meilleure recrue de l'équipe. *The right man at the right place ...,* le plus grand travailleur de la terre : un sang-froid à toute épreuve... ».

324. 28 août.

325. Signé à la fois par le groupe socialiste au parlement, par la CAP et par le conseil d'administration de *L'Humanité.*

réconfortait tous les cœurs au début de la guerre, manifeste toute sa puissance ».

Ces justifications furent admises : les observateurs des Renseignements généraux à l'intérieur du Parti socialiste constatèrent que l'entrée de Guesde et de Sembat dans le gouvernement avait été accueillie avec satisfaction par les militants et que « les dispositions des élus et des membres influents du Parti socialiste à l'égard du gouvernement (étaient) des plus favorables » [326].

Curieusement, c'est la presse du centre qui se montra la plus réservée envers le nouveau ministère. Du côté gauche, *Le Radical* insistait si lourdement sur sa volonté de ne plus voir dans certains nouveaux ministres ses adversaires d'hier que cela en devenait suspect, surtout en se souvenant de son hostilité de principe à l'élargissement du gouvernement [327]. Du côté droit, *Le Temps* appréciait le « nouvel accent » donné au ministère par Millerand [328]. En revanche, il admettait mal, puisqu'on avait été *jusqu'à* choisir deux membres du « Parti socialiste le plus avancé », qu'on n'ait pas fait appel à Barthou, le père de la loi de trois ans. *Le Temps* n'opposait l'exclusive à personne, mais il aurait souhaité qu'il en fût de même « de tous les côtés » [329].

Mais, en dehors de la presse et des états-majors politiques, la formation d'un nouveau ministère apparut-elle comme un événement important à l'opinion publique ? Autant qu'on puisse le dire, il ne semble guère. La situation est trop préoccupante pour qu'on s'y intéresse. C'est du moins l'impression qui ressort en raison de la rareté des documents qui y font allusion. Il est significatif, en particulier, que les rapports administratifs en parlent si peu. Le préfet de l'Yonne signale au ministre de l'Intérieur que « la nouvelle de la constitution du ministère a été accueillie avec satisfaction par la population » [330], les commissaires centraux ou spéciaux de Toulon [331], Saint-Etienne [332] et Bordeaux [333] rapportent que « ce ministère de conciliation et de défense nationale a recueilli tous les suffrages » que « sa composition est bien accueillie », que l'entrée de Millerand et de Delcassé « provoquent la meilleure impression » et « font renaître la confiance » ; enfin le maire d'Héricourt, en Haute-Saône, informe le préfet que « le remaniement ministériel a été

---

326. A.N. F 7 13574. Rapport du préfet de police sur l'attitude des socialistes, 16 octobre 1914.

327. 28 août.

328. 29 août.

329. 28 août.

330. A.N. F 7 12939. Rapport du préfet du 27 août.

331. A.D. Var, 3 Z 4/4 Toulon, 28 août.

332. A.N. F 7 12936. Saint-Etienne, le 28 août.

333. A.N. F 7 12936. Bordeaux, le 27 août.

bien accueilli, lorsque l'on a appris qu'il s'agissait d'un ministère d'union et de défense nationale » [334].

Ce sont tous les documents dont nous disposons. On peut en conclure que l'événement a reçu un bon accueil, avec moins d'arrière-pensées que dans la presse, qu'il a été replacé dans la perspective de la concorde nationale quand il a été commenté, mais on a rarement pensé que c'était nécessaire. Au niveau de l'analyse historique, le remaniement du gouvernement est bien l'achèvement de la réalisation de l'union sacrée, même s'il traduit bien des ambiguïtés, il l'est sûrement beaucoup moins au niveau de la perception par l'opinion publique, qui avait, il est vrai, le 26 août, d'autres soucis !

Au mois d'août 1914, sous la pression des événements, les différents courants politiques, intellectuels, spirituels, ont accepté ou proclamé leur ralliement à l'idée de la concorde nationale. Le philosophe Alain écrivait à son ami Halévy, le lundi 3 août 1914 : « Je m'engagerai dès que je pourrai. On me fait prévoir au recrutement un délai de 3 jours au moins. As-tu moyen de l'abréger ? Ce que tu feras pour toi, fais-le pour moi. Engageons-nous au plus vite dans la nécessité la plus étroite » [335].

Le député socialiste Marcel Cachin établissait quelques semaines plus tard ce bilan : « Notre pays n'a jamais offert un spectacle aussi grand, aussi réconfortant d'unité morale en face du danger... » [336].

Ce que la tradition allait appeler l'union sacrée s'était réalisé. Il reste à nous interroger sur la signification précise qu'il fallait donner à une formule bien générale.

---

334. A.D. Haute-Saône, 146 R 1, 29 août.
335. Alain, *Correspondance avec E. et F. Halévy, op. cit.,* lundi 3 août 1914, p. 141.
336. *L'Humanité,* 11 septembre 1914.

# Chapitre 2

# Conceptions et limites de l'union sacrée

La formule d'union sacrée est en elle-même ambiguë parce qu'elle amalgame deux notions, celle de la défense nationale et celle de l'union de tous les Français.

Ces deux idées sont liées parce que l'union des Français avait comme motif les nécessités de la défense nationale. Il peut donc être délicat de prétendre séparer ce qui est ainsi uni. Pourtant, si on analyse le « Pourquoi nous combattons » des différents courants de l'opinion publique française, il apparaît bien vite que les conceptions qui ont mené les uns et les autres à l'union sacrée étaient fort différentes et, partant, l'idée qu'ils s'en faisaient.

En outre, l'union sacrée s'est inscrite dans une perspective à court terme puisque la guerre devait être brève. On ne s'installait pas dans une longue parenthèse de la vie politique traditionnelle, le combat politique n'était suspendu que pour quelques semaines, pensait-on. Il était donc tentant de justifier ses positions d'avant-guerre et de préparer le renforcement de son influence ultérieure. Il est donc indispensable de préciser ce que chacun entendait par union sacrée et quelles limites il assignait à son union avec les autres Français.

## L'union sacrée et les socialistes

La plupart des thèmes qui devaient illustrer la conception que se firent les socialistes de l'union sacrée furent développés dès la réunion qu'ils tinrent à la salle Wagram le dimanche 2 août 1914 : prévue à l'origine pour définir les modalités de la suite du combat pour la paix, elle fut consacrée, en raison de la rapidité des événements, à proclamer le ralliement des socialistes à la *défense nationale* [1].

Il était d'abord nécessaire pour les socialistes de n'avoir pas l'air de se renier, d'autant que certains n'hésitaient pas à le prétendre. Dans la *Revue des deux mondes*, Francis Charmes feignait de confondre militarisme et patriotisme et affirmait que « la gauche française s'était ralliée aux positions du « nationalisme intégral » abandonnant sa propre idéologie... » [2].

De nombreux articles de *L'Humanité* au mois d'août 1914 insistèrent sur la continuité entre l'attitude actuelle des socialistes et les idéaux socialistes. Georges Guy-Grand constatait en effet qu'apparemment désavoués par les faits, les socialistes ne se sentaient pas *humiliés* et encore moins *vaincus* et qu'il n'y avait pas eu chez eux la moindre *conversion*. « Une conversion eût consisté dans la répudiation de leur idéal : rien de tel ne se produisit ». Il ajoutait : « Ils allaient même jusqu'à garder la même foi dans l'excellence de leur politique extérieure, qu'on avait eu, suivant eux, le tort de ne pas suivre » [3]. Attitude publique face à leurs adversaires, mais attitude « privée » également dans le cadre des organisations socialistes. Ainsi Emile Goude, député du Finistère, s'adressant à la fin du mois d'août aux militants de la section de Brest, affirmait que les socialistes n'avaient abdiqué aucun de leurs principes [4]. Pierre Renaudel, au cours d'une polémique avec *Le Temps*, assurait : « Nous pouvons porter haut la tête, sûrs d'avoir fait avec calme, avec décision, tout notre devoir... » [5].

Il n'était donc pas question de renier le pacifisme de Jaurès, ni le pacifisme en général :

> « Et tous les pacifiques et tous les pacifistes seront des nôtres également. C'est parce qu'il a voulu la paix entre les peuples que Jaurès a été le plus souvent outragé. C'est à la cause de la paix qu'ont été sa dernière pensée et son dernier effort. Après l'avoir servie sans défaillance, il est tombé pour elle, assassiné par un soi-disant patriote... [6].

C'est pour affirmer le maintien de cette solidarité profonde, malgré les événements, que la commission exécutive du parti examinait dans les

---

1. A défaut de Jaurès assassiné et de Guesde malade, les orateurs furent Edouard Vaillant, Louis Dubreuilh, Jean Longuet, Marcel Sembat et Marcel Cachin. Voir l'analyse que nous avons faite de cette réunion, in A. Kriegel et J.-J. Becker, *op. cit.*, p. 125-128.

2. M. Wolkowitsch, art. cité, p. 512.

3. Georges Guy-Grand, *op. cit.*, p. 145, 148.

4. A.N. F 7 13074. M 1094 U. Rapport de synthèse sur les socialistes et la guerre, 20 février 1915. Ancien employé de l'arsenal, Emile Goude fut député de Brest de 1910 à 1936.

5. *L'Humanité*, 10 août 1914.

6. *Ibid.*, 4 août.

semaines suivantes [7] un vœu tendant à obtenir que le corps de Jaurès soit transféré au Panthéon [8].

Sur la question des trois ans, les socialistes pouvaient prêter le flanc ; ils y furent particulièrement attentifs. Le 31 octobre, lors d'une réunion de la 11e section [9], l'ancien député Lavaud [10] annonça qu'une petite brochure serait distribuée : elle contenait un discours de Jaurès qui permettait de réfuter les arguments des partisans des trois ans [11]. Mais depuis le début des hostilités, les socialistes n'avaient jamais manqué l'occasion d'affirmer combien ils avaient eu raison dans leur politique militaire avant la guerre. Ils arguaient de ce que *l'attaque brusquée* n'avait pas eu lieu, encore que leurs adversaires rétorquaient que c'était justement grâce à l'existence d'une solide couverture qui avait été permise par la loi de trois ans [12]. Autre argument : il était apparu très vite que les Allemands avaient mis immédiatement en ligne leurs unités de réservistes. Compère-Morel le souligne le 26 août : « Ce qu'a fait l'Allemagne, c'est ce qu'avait prédit dans de nombreux articles celui dont la mort a laissé un si grand vide parmi nous ». Et d'expliquer comment les Allemands s'étaient rendu compte de l'insuffisance de « l'armée de caserne » : de quel crime contre la patrie ils (les responsables civils et militaires) se rendraient coupables s'ils n'utilisaient pas toutes les forces humaines nationales disponibles... » [13]. Au moment où se disputait la bataille de la Marne, Pierre Renaudel revint sur la question : « Elle (l'Allemagne) a fait appel *avant nous* à toutes ses réserves puisqu'aussi bien, hélas, on ne nous écouta pas jadis, pour l'organisation totale de la nation armée » [14]. Quelques jours plus tard, c'est Edouard Vaillant qui affirma que le déroulement de la guerre était la démonstration de l'importance de la nation armée et qu'il donnait raison aux socialistes dans leur lutte contre les trois ans [15].

Solides sur ce terrain, du moins le croyaient-ils, les socialistes risquaient d'être moins à l'aise à propos de l'attitude des socialistes allemands. Or, les renier n'était-ce pas renier Jaurès qui avait rompu tant de lances en leur faveur ? [16]

---

7. Le 14 septembre 1914.

8. A.N. F 7 13074. Rapport du préfet de police du 16 octobre 1914 sur l'attitude des socialistes.

9. Section du 11e arrondissement de Paris.

10. Jean-Baptiste Lavaud, ancien porcelainier, fut député du 11e de 1910 à 1914.

11. A.N. F 7 13074 M/1094 U.

12. *Le Temps*, 7 août 1914.

13. *L'Humanité*, 26 août. « A quand ».

14. *Ibid.*, 6 septembre. « Toutes les hypothèses ».

15. *Ibid.*, 16 septembre. « Accord national et convictions socialistes ». Il faut souligner que, dans l'esprit des promoteurs des trois ans, l'allongement du service militaire était lié à l'emploi prioritaire de l'armée d'active parce qu'en fait il n'y avait pas incompatibilité entre avoir trois classes sous les drapeaux au même moment et utiliser les réserves.

16. On se souvient en particulier de la polémique qui l'opposa à Charles Andler.

*L'Humanité* s'employa d'abord à montrer que les socialistes allemands étaient en fait du côté de la France et Pierre Renaudel fit grand cas pour sa démonstration d'un texte voté par les socialistes allemands du club de lecture de ... Paris : « Nous ne pouvons plus aimer une patrie qui attaque un peuple pacifiste. Nos sympathies s'adressent à vous qui défendez le sol de la liberté » [17].

Evidemment les socialistes allemands ... de Berlin avaient, eux, voté les crédits de guerre. Mais pouvait-on leur reprocher de vouloir défendre leur pays contre l'invasion ... russe ! En outre, en se référant à des déclarations du député social-démocrate Haase, il apparaissait qu'ils « avaient protesté contre la politique impérialiste », que « des millions d'Allemands se trouvaient entraînés malgré eux dans la catastrophe ». De ce fait, l'élan des socialistes allemands mobilisés serait bien faible, surtout par rapport à celui des socialistes et des syndicalistes français convaincus de « lutter pour la liberté et le droit... » [18]. Le journal socialiste français n'hésitait pas à faire état, sous réserves tout de même, de l'exécution de Rosa Luxemburg et de Karl Liebknecht en raison de leur opposition à la guerre. Compère-Morel décrivait la sombre situation de Berlin où sans cesse avaient lieu des émeutes, où se poursuivaient les réunions politiques destinées à organiser la lutte contre la guerre : il disait que de nombreux sociaux-démocrates avaient refusé de prendre les armes ! [19]

Il fallut tout de même se rendre à l'évidence : l'attitude des socialistes allemands n'avait pas été celle qu'on avait crue ou rêvée ; le compte rendu de la séance du 5 août au Reichstag était parvenu. Changement d'argument alors ! Comment, sur quelles pièces les socialistes allemands auraient-ils pu prouver les mensonges de l'exposé fait par le Chancelier ? On ne pouvait rien leur reprocher. Le jour où ils sauront, « leur colère sera terrible » [20].

Il est presque pathétique de suivre cet effort désespéré des socialistes français de se raccrocher au moindre fait, au moindre faux-bruit, pour démontrer que leurs camarades allemands ne se sont pas conduits ... comme eux.

La conviction, cependant, commence à faiblir : on peut encore annoncer que le *Vorwärts*, le grand quotidien socialiste allemand, a été mis à sac par les militaristes berlinois parce qu'il aurait mis en valeur les responsabilités de l'Empereur [21], mais il faut bien reconnaître que, con-

17. *L'Humanité*, 7 août. Article de tête, sous le titre « Socialistes ».
18. *Ibid.*, 13 août, « Les socialistes allemands et la guerre », signé H.
19. *Ibid.*, 16 août, « A Berlin », par Compère-Morel.
20. *L'Humanité*, 22 août, « Devant le Monde », signé H.
21. *Ibid.*, 27 août.

trairement à une information précédente, Liebknecht n'a pas été fusillé et qu'il est au contraire entré dans l'armée [22].

Le 8 septembre, *L'Humanité* publiait avec satisfaction un article du *Vorwärts* [23] : il se félicitait de l'entrée des ministres socialistes dans le gouvernement français parce qu'en raison de leurs sentiments révolutionnaires bien connus, ils ne pouvaient être considérés comme des complices du tsarisme et qu'ils étaient certainement prêts à une paix sans conquêtes ; le journal allemand souhaitait que la politique des socialistes allemands aille aussi dans ce sens. Mais, quelques jours plus tôt, il avait fallu rapporter la démarche entreprise par le dirigeant socialiste allemand Sudekum auprès des socialistes italiens pour les encourager à maintenir une stricte neutralité [24], et c'est avec véhémence qu'Edouard Vaillant avait pris à partie un autre article du *Vorwärts* : « La violence et l'hypocrisie impérialiste s'y révèlent sans voiles. La guerre — c'est toujours le même mensonge — aurait été engagée uniquement contre le tsarisme... » [25].

E. Vaillant, qui ne s'était guère manifesté au mois d'août, écrit maintenant presque tous les jours dans *L'Humanité* et il n'hésite plus, sur cette lancée, à fustiger les socialistes allemands. « Imbécillités doctrinaires », titre-t-il dans son article. Il dénonce ceux qui voudraient chercher des excuses ou des circonstances atténuantes à « l'impérialisme allemand » : « Je n'ai jamais tant détesté les doctrinaires que depuis ces déclarations suintant la vilenie morale et la lâcheté intellectuelle », proclame le vieux communard [26].

Toute la rédaction de *L'Humanité* n'adopte pas ce ton. On cherche encore à maintenir la balance égale en reproduisant, par exemple, un article du socialiste belge Vandervelde [27] expliquant les déchirements des socialistes allemands écartelés entre leurs sympathies pour la France et leur haine contre l'autocratie russe. D'après lui, le moral des troupes allemandes serait d'ailleurs faible parce qu'un soldat sur trois est un électeur socialiste [28].

Progressivement, les socialistes ont de plus en plus de mal à étayer la confiance qu'ils voulaient conserver aux sociaux-démocrates allemands. Certains ne manifestent bientôt plus aucune retenue ; F.C. Laisant écrit, à propos de la social-démocratie allemande [29] :

---

22. *Ibid.*, 24 août.

23. 28 août.

24. *L'Humanité*, 3 septembre 1914, « Socialistes allemands et socialistes italiens ».

25. *L'Humanité*, 6 septembre 1914, « Suprême injure ».

26. *Ibid.*, 8 septembre.

27. Publié d'abord par le *Daily Chronicle*.

28. *L'Humanité*, 18 septembre.

29. *L'Ecole émancipée*, 17 octobre 1914.

« Sur sa tombe, on pourra inscrire
Ci-gît la servante passive,
Ci-gît la prostituée de l'Impérialisme allemand ».

Tandis que G. Hervé s'adresse à Liebknecht : « ... Vous êtes un des rares socialistes allemands à qui je puisse écrire sans nausée [30] ».

Ces divergences correspondent aux hésitations qui existent à l'intérieur du Parti socialiste : certains militants croient qu'on doit répudier « sans hésitation et pour longtemps la social-démocratie allemande » [31]. D'autres, comme Dormoy, pensent que les torts ne sont pas tous de son côté [32]. A cette même réunion de la commission exécutive de la fédération de la Seine, Lévy communique des informations recueillies en Suisse par Renaudel : le Kaiser avait promis de très grands avantages sociaux, l'intérêt du prolétariat allemand avait obligé les socialistes à se rallier... [33].

Au fur et à mesure que les jours passèrent, il fut de plus en plus difficile de maintenir l'affirmation de la solidarité avec les socialistes allemands mais, au mois d'août, ce n'est pas encore le cas.

L'union sacrée ne signifie pas non plus que les socialistes acceptent d'adopter une attitude chauvine envers les Allemands. L'exemple le plus éclatant en fut donné lors de la mort du député socialiste de Mannheim, Ludwig Franck, dans les combats de Lunéville. *L'Humanité* écrit avec tristesse : « ... Nous ne voulons pas cacher que sa disparition est une de celles qui nous restent sensibles et qui nous font maudire les horreurs de la guerre » [34]. Franck était l'ami et l'admirateur de Jaurès, rappelle-t-on. Il avait été un des « instigateurs de la conférence parlementaire de Berne en faveur de la paix » [35]. Gustave Hervé, dont les tendances « chauvines » inquiétaient déjà certains [36], écrit une belle oraison funèbre : « Cher ami, dormez en paix sur notre terre française. Dans notre guerre de délivrance, qui est la dernière des guerres, nous n'oublions pas le peuple allemand » [37].

Le Parti socialiste veut en effet que le « peuple allemand » comprenne son dessein et qu'il ne puisse croire à « une haine de race et à un

30. *La Guerre sociale*, 31 octobre 1914.

31. Rossignol, Jégou, Pasquier, à la commission exécutive de la fédération de la Seine du 2 novembre 1914 (A.N. F 7 13074. M/1094 U). De même à Bordeaux, l'instituteur socialiste Rebeyrol « critique vivement les socialistes allemands ».

32. A.N. F 7 13071. M/1094 U.

33. Rapport de la préfecture de police du 4 novembre 1914 sur la réunion de la commission exécutive du PSU du 2 novembre.

34. 13 septembre 1914.

35. 16 septembre.

36. Dans une séance du 24 août de la commission exécutive du Parti socialiste, un des participants, Grenier, a souligné « l'effet très fâcheux produit dans les milieux socialistes par les articles d'Hervé ... et Lévy a ajouté que l'état d'esprit chauvin gagnait le groupe socialiste parlementaire » (A.N. F 7 13574. Rapport du préfet de police, 16 octobre 1914.)

37. *La Guerre sociale*, 13 septembre 1914, « Sur la mort d'un ami allemand ».

chauvinisme aveugle... » [38]. Pour cela, il faut s'opposer au déferlement de haine qui risque de recouvrir le pays. Le quotidien socialiste de Toulouse consacre un article à rapporter des conversations avec des prisonniers blessés arrivés en gare de Matabiau ; par des anecdotes, il entend prouver que « l'Allemand n'est pas la brute qu'on dit » et il conclut : « Les Allemands sont des hommes comme nous, des êtres que l'on doit tuer parce qu'ils nous tuent, mais des hommes quand même » [39].

Mais, si cette guerre n'est pas un reniement, quels objectifs les socialistes doivent-ils lui fixer dans le cadre de l'union des Français ?

C'est d'abord une guerre pour la liberté, « celle pour laquelle nos pères allaient au combat et mouraient en chantant » [40], une guerre qui s'inscrit dans le droit fil de celles de la Révolution : « les soldats français de la République sont les fils des soldats de la Révolution » [41]. L'écrivain socialisant Louis Pergaud le ressentait bien ainsi : « J'ai l'intime conviction que cette guerre est salutaire et qu'elle est la suite et la continuation des campagnes de la révolution » [42]. « Il faut remonter aux guerres de la Révolution pour retrouver ce souffle de liberté qui agite aujourd'hui l'Europe » [43].

C'est ensuite une guerre pour la démocratie ; la « République ne sera pas ingrate lorsque tous ces prolétaires qui se battent pour elle reviendront » [44] ; pour l'indépendance des peuples, celle de la Pologne : « Est-ce possible ? La Pologne ressuscitée ? La Pologne tirée du tombeau ? Et par qui ? Par le Tsar ! C'est un miracle... », écrit Marcel Sembat [45] ; celle de tous les peuples balkaniques [46]. La guerre doit aussi donner leurs droits civils et politiques aux Juifs de Russie [47].

A tous les peuples, enfin, la guerre doit apporter la République, annonce Jules Guesde dans *Le Populaire du Centre* : la victoire de la France signifierait « la création d'une République allemande, d'une République de Bohême, d'Autriche, de Hongrie » [48]. Que *La République allemande* doive sortir de la guerre [49], c'est un thème qui revient sans cesse sous la plume des journalistes socialistes. « Sur les ruines de la

---

38. *L'Humanité*, 11 août 1914.

39. 27 août 1914, cité par Alain Lévy, *op. cit.*

40. *Le Bonnet rouge*, 3 août 1914.

41. Vincent Auriol dans *Le Midi socialiste*, 11 août 1914.

42. 22 janvier 1915. Cité par J. Alègre, art. cité, p. 29.

43. *L'Humanité*, 17 août.

44. *Ibid.*, « Poussée de démocratie ».

45. *L'Humanité*, 18 août. A noter que l'enthousiasme pour le tsarisme ne dure guère : « ... Quel crédit peut-on accorder aux promesses libérales d'un gouvernement qui délibérément et frivolement, rompt la trêve nationale dès les premiers jours ?... » (*L'Humanité*, 27 août).

46. *La Guerre sociale*, 22 août.

47. *L'Humanité*, 19 août.

48. 17 septembre 1914, cité par Rosmer, *op. cit.*, T. I, p. 587, et Francis Conte, *op. cit.*, p. 116.

49. Voir aussi *Le Bonnet rouge*, 3 août 1914.

famille des Hohenzollern, puisse au plus tôt s'établir la République allemande avec laquelle la République française pourra faire une paix honorable, une paix définitive ! » [50]. Les militants le pensent comme les journalistes : ceux de la section de Saint-Etienne, après avoir exalté la France « la plus libre des Patries, le champion du Droit, l'espoir de la douloureuse humanité... », « tiennent à rappeler qu'ils ne séparent pas la France de la République, ni la République de la Civilisation » [51].

Les socialistes ne manquent pas une occasion de souligner comme le fait un manifeste commun des Partis belge et français [52], que cette guerre dont on accepte de « subir les dures nécessités » est celle de la liberté, du droit des peuples à disposer d'eux-mêmes, qu'il y a une sorte d'identité entre la France, la République et le droit. La France qui se bat n'est pas la France éternelle, c'est la France républicaine. Alors que l'Empire a été responsable de la défaite de la France en 1870, c'est la République qui, en 1914, apporte la certitude de la victoire [53]. « Nous ne séparons pas la République de la Patrie » [54]. « Disons au peuple allemand que nous lui apportons la liberté, que notre victoire aura pour résultat de l'arracher au cauchemar de l'impérialisme ... A l'Allemagne adressons notre cri de liberté : vive la République » [55]. « Nous attendons les nouvelles avec une fièvre où se mélangent le destin de la France, celui de l'Humanité et celui de notre propre vie », écrit le jeune écrivain Jean-Richard Bloch [56].

Ces objectifs que les socialistes attribuaient au conflit et qui, à leurs yeux, justifiaient l'union sacrée, n'éclipsaient cependans pas le fait que la guerre restait une chose terrible. Gabrielle Bouët, dans *L'Ecole émancipée*, évoquait à propos de la tristesse de la rentrée la douleur de voir « sombrer dans la tourmente » les rêves de paix [57]. Un autre instituteur se faisait difficilement à cette idée, « à cette chose monstrueuse qui dépasse en horreur tout ce que l'imagination la plus vaste puisse conce-

---

50. *L'Humanité*, 16 septembre, « Le châtiment », par Marcel Cachin.

51. A.N. F 7 12936. Déclaration du Parti socialiste unifié adressée au préfet de la Loire, le 4 août 1914, signée de Benjamin Ledin, de *L'Action*, membre du Parti socialiste, et de Pinturier, secrétaire de la section stéphanoise.

52. Publié en article de tête sur deux colonnes dans *L'Humanité* du 6 septembre 1914. Signé du côté français par J. Guesde, Jean Longuet, Marcel Sembat, Edouard Vaillant ; du côté belge par Edouard Anseele, Louis Bertrand, Camille Huysmans, Emile Vandervelde.

53. *L'Humanité*, 10 septembre 1914, par E. Vaillant.

54. *Ibid.*, 19 septembre.

55. *Ibid.*, 9 août.

56. 26 août, « Correspondance », *Europe*, mars-avril 1957, p. 181. Nous faisons à peu près uniquement allusion aux socialistes dans ce paragraphe, mais cette étude aurait pu être étendue à l'ensemble du mouvement ouvrier. Comme le note un rapport sur la CGT, les termes employés par les syndicalistes sont à peu près identiques : « Pour elle, la cause de la France est devenue la cause de l'humanité. Il faut faire du patriotisme pour sauver la République et la liberté universelle. Il ne faut pas seulement conserver les libertés syndicales, mais il faut prêter la main aux Allemands — après la guerre — pour instaurer la République germanique ». (A.N. F 7 13574. M/9542, 6 août 1914).

57. 3 octobre 1914, « Aux institutrices ».

voir »[58]. La guerre reste une guerre contre la guerre. « Réalisez cette unité pour le triomphe de la paix universelle », demande à ses syndiqués l'union départementale des syndicats du Nord[59]. Dès le 17 août, *Le Midi socialiste* publiait un article du député de l'Isère, Raffin-Dugens, souhaitant la défaite allemande pour arrêter le fleuve de sang[60]. C'est donc une *guerre pour la paix*, le principe même de la guerre devant être écrasé par cette guerre[61]. Il allait de soi que, dans ce cadre, la France devait être « magnanime et généreuse ». « Limitons les horreurs de la guerre »[62].

Tous leurs principes, tous leurs idéaux, les socialistes entendaient les réinvestir dans leur conception de l'union des Français. Il en était toutefois un, fondamental, qui risquait de trouver difficilement sa place. Comment le projet socialiste, c'est-à-dire celui de la transformation de la société, pouvait-il s'insérer dans une formule qui, par essence, niait les oppositions de classe, affirmait la solidarité de tous les groupes sociaux entre eux ?

La question fut très vite agitée. Dès les premiers jours du mois de septembre, E. Vaillant donnait sa réponse :

> « Question posée : dans cet accord unanime des Français, le Parti socialiste n'efface-t-il pas ses traits caractéristiques et ne se confond-il pas avec les partis bourgeois ?
> Réponse : en luttant pour son indépendance, la France lutte pour la paix du monde, de sorte que devoir patriotique et devoir socialiste se fortifient l'un par l'autre »[63].

Sensiblement plus tard[64], un autre militant socialiste, Sadrin, apportait sa réponse à l'occasion de la commémoration de l'anniversaire de Louise Michel. Les antimilitaristes et les révolutionnaires d'hier avaient eu raison de défendre le droit et la liberté, mais il ne faudrait pas, la guerre terminée, laisser exploiter à leur détriment ce patriotisme passager : « Si Louise Michel était là, elle dirait : faites votre devoir, mais rappelez-vous que l'ennemi de l'extérieur n'est pas le seul et que celui de l'intérieur sera, après la guerre, l'adversaire que vous aurez à combattre, car c'est lui qui tentera d'étouffer le mouvement révolutionnaire »[65].

---

58. *Revue de l'enseignement primaire*, M.T. Laurin, 16-23-30 août 1914. On peut d'ailleurs se demander si Vaillant, par exemple, partage encore cette horreur de la guerre lorsqu'il stigmatise ceux qui voudraient rester neutres « maudissant la guerre et ses crimes, sans même voir qui les a causés... » (*L'Humanité*, 8 septembre 1914, « Imbécillités doctrinaires »).

59. A.D. Nord R 145.

60. Cité par Alain Lévy, *op. cit.*

61. *L'Humanité*, 11 août.

62. *Ibid.*, 9 août.

63. *L'Humanité*, 11 septembre 1914, « Réponse à un ennemi ».

64. 31 janvier 1915.

65. A.N. F 7 12911. Note de synthèse M/1094 U, *Les socialistes et la guerre*, Paris, 20 décembre 1915.

Nombreux sont les socialistes à estimer que les horreurs de la guerre, son existence même auront « ouvert les yeux au peuple français », ce qui devait être favorable à la propagation du socialisme [66]. Le député Lauche affirmait qu'il y aura, après la guerre, « une recrudescence formidable dans le Parti socialiste » [67].

Le *comité d'action* qui regroupe des socialistes et des syndicalistes travaille pour la défense nationale, mais « sans perdre un instant nos principes socialistes, et notre but final ». Une fois la guerre victorieuse, ce sera « le début d'un nouvel effort pour la poursuite de notre idéal socialiste » [68].

Le caractère « utilitaire » de la participation à la défense nationale est souvent exprimé assez naïvement. Le maire socialiste de Brest fait préparer un ordre du jour patriotique pour prendre de vitesse les conseillers municipaux de la minorité [69]. Le député Goude explique l'intérêt de l'entrée de Guesde et Sembat dans le ministère : ainsi, « ils sont au courant de tout ce qui se passe et peuvent renseigner le Parti » ; en outre, par la suite, on pourra « se prévaloir des services rendus au pays ... par l'entremise de deux de ses chefs les plus influents » [70].

Le problème de l'avenir du socialisme n'a donc pas été esquivé, il n'était pas toutefois au centre des préoccupations et il fut abordé assez rarement. Les raisons en sont simples : les socialistes n'ont même pas pensé alors, semble-t-il, à l'hypothèse d'un bouleversement de la société pendant la guerre. Encore une fois, la perspective d'un conflit de très courte durée l'explique. Ce qui se faisait ne devait pas « servir » pendant les quelques semaines ou les quelques mois d'hostilités, mais après. Le grain semé germerait alors.

Il n'y a donc pas eu changement sur ce point plus que sur d'autres, mais adaptation aux circonstances. Les socialistes n'ont pas eu conscience que l'union sacrée ait été contradictoire avec l'idéologie qu'ils défendaient jusqu'à présent. Au contraire, les événements préparaient des conditions plus favorables à la réalisation des idées socialistes. Il est exact que les « chefs prolétariens » ont « prôné l'union sacrée avec leur propre bourgeoisie » [71], si on accepte la problématique et le vocabulaire de cette sentence, mais ni eux, ni leurs troupes, autant qu'on peut le savoir, n'ont estimé que cette attitude momentanée modifiait leurs propres fins.

---

66. A.N. F 7 13074, rapport de la préfecture de police, 4 novembre 1914. Réunion de la commission exécutive du PSU du 2 novembre.

67. A.N. F 7 13074, rapport de la préfecture de police, 1ᵉʳ novembre 1914.

68. A.N. F 7 13074, rapport du secrétariat du comité d'action du 5 décembre 1914.

69. A.N. F 7 12936, Brest, 6 août 1914, rapport du commissaire spécial.

70. A.N. F 7 12911, M/1094 U.

71. François Noël, *Débat communiste*, 15 septembre 1964.

La position prise par les socialistes peut donc se résumer en quelques phrases : ils n'avaient rien à renier de leur attitude passée ; ils n'avaient pas eu tort d'avoir confiance dans les socialistes allemands et ils n'avaient pas à accepter un chauvinisme antigermanique ; la guerre restait une chose affreuse, mais d'un mal pouvait sortir un bien : elle pouvait favoriser les progrès de l'humanité en faisant d'abord comprendre la vérité du socialisme et en permettant ainsi son extension ; le Parti socialiste, enfin, en se ralliant à l'union avec les autres Français, ne se confondait pas pour autant avec la bourgeoisie.

Mais, de ces idées que les socialistes entendaient maintenir et défendre dans le cadre de l'union des Français découlaient mécaniquement les limites qu'ils ne pouvaient accepter de franchir. Sans tarder, ils s'émurent et ripostèrent à ce qui leur paraissait des attaques antirépublicaines, « cléricales » ou « militaristes ».

Dès le 9 août, *L'Humanité* réagit vigoureusement à une attaque de *L'Action française :* c'est aux royalistes à faire oublier qu'il n'y a pas si longtemps, ils combattaient la République. « L'union nationale, oui, la réconciliation, oui, mais avec tous ceux qui acceptent la forme démocratique que le pays s'est librement donnée. Que les royalistes ne nous obligent pas à le leur rappeler ».

Lorsque le sénateur Gervais accuse les fuyards du XVᵉ corps[72] de s'être souvenus « des idées antimilitaristes d'antan », Renaudel proteste vigoureusement : « Nous ne laisserons pas l'insinuation cheminer, la calomnie filtrer »[73].

Lorsque *La Croix* écrit : « Combien apparaît aujourd'hui la folie de la lutte acharnée que les socialistes livrèrent contre les mesures militaires nécessaires », *L'Humanité* rétorque sans aménité : « Nous ne voulons aujourd'hui que souligner une fois pour toutes la perfidie de ces " conciliateurs ", dont les hypocrites effusions nationales se terminent d'ordinaire par une onctueuse injure murmurée à voix basse »[74].

Les militants socialistes s'inquiètent très vite de la renaissance d'un péril clérical. Lors d'une réunion du comité d'action socialo-syndicaliste du 5 octobre, G. Lévy annonce que *L'Humanité* et *La Bataille syndicaliste* allaient engager une campagne contre cet état d'esprit. Il soumet aussi à l'assemblée un projet tendant à organiser des visites aux blessés dans les hôpitaux et les gares par les membres du Parti et les femmes socialistes[75].

72. Voir ci-dessous cinquième partie, p. 546 et suiv.

73. *L'Humanité*, 25 août.

74. 30 août 1914.

75. A.N. F 7 13574. Rapport du préfet de police du 16 octobre 1914. Ceci voulait être une réponse à l'activité des femmes catholiques et des religieuses que certains trouvaient excessive (voir ci-dessous p. 446, note 130 et p. 477-478.

A la CAP du Parti socialiste, on est troublé des attaques menées contre les partis républicains en général et le parti socialiste en particulier par les journaux « réactionnaires », même si on souhaite ne pas polémiquer — ce qui est loin d'être toujours vrai — et ne pas rompre « la trêve des partis »[76]. Les rapports préfectoraux relèvent la nervosité grandissante des militants socialistes devant cette situation[77] ; mais on espère que la présence de ministres socialistes permettra d'agir efficacement contre la propagande cléricale[78].

En 1915, Emile Verhaeren dédicaçait ainsi un livre : « Celui qui composa ce livre où la haine ne se dissimule point, était jadis un vivant pacifique. ... Pour l'auteur de ce livre, aucune désillusion ne fut plus grande ... Elle le frappa au point qu'il ne se crut plus le même homme. Pourtant, comme en cet état de haine où il se trouve, sa conscience lui semble comme diminuée, il dédie avec émotion ces pages à l'homme qu'il fut autrefois »[79]. Citant ces lignes, Barbara Tuchman[80] en tirait la conclusion que les idéaux humanitaires, la fraternité socialiste avaient fait « long feu », que le nationalisme les avait balayés « comme une rafale brutale ».

Une analyse attentive de ce que dirent, de ce qu'écrivirent les socialistes ne permet pas de souscrire à ce jugement, au moins pendant les premiers temps de la guerre. Le mouvement ouvrier, car la position de la CGT, dans la mesure où elle s'exprime, se calque sur celle du Parti socialiste, n'a en rien renoncé à son idéal, en se ralliant à l'union des Français : socialisme, fraternité humaine restent le fond de leur pensée. Peut-être se payaient-ils de mots, mais la vigueur avec laquelle ils l'exprimaient ne permet pas d'apercevoir un renoncement à leurs idéaux.

## L'union sacrée et les radicaux

Déterminer l'opinion radicale est toujours tâche ardue : les structures du parti étaient très lâches, la presse multiple, sans qu'un organe puisse vraiment être considéré comme officiel. On ne peut compter davantage sur les rapports administratifs : l'administration, largement entre des

---

76. A.N. F 7 13074. M/2755, « Chez les Unifiés », 30 décembre 1914.

77. A.N. F 7 13074, rapport du commissaire spécial de Brest (20 octobre 1914), rapport du préfet de la Dordogne (20 décembre 1914).

78. A.N. F 7 12911, M/1094 U, 20 février 1915.

79. Emile Verhaeren, *La Belgique sanglante*, NRF, Paris, 1915, 154 p., p. 9. (Nous avons rétabli le texte exact qui, traduit en anglais, puis retraduit en français, se trouvait considérablement modifié dans l'ouvrage de B. Tuchman). La dédicace est datée du 19 avril 1915.

80. *Op. cit.*, p. 297.

mains radicales, n'allait pas enquêter sur elle-même. Par nature enfin, le radicalisme couvrait une portion très hétérogène de l'opinion publique.

D'après G. Guy-Grand, les « radicaux triomphaient », n'ayant rien à se reprocher[81]. A vrai dire, c'était aller un peu vite. Si l'opposition aux trois ans pouvait être « reprochée » aux socialistes, la même critique pouvait être faite à bon nombre de radicaux. De même, leur politique étrangère avait été dans les derniers temps très proche de celle préconisée par les socialistes, même si les principes en étaient différents, même s'ils n'avaient jamais envisagé de s'opposer à une guerre éventuelle. La grande différence entre socialistes et radicaux était que ces derniers n'éprouvaient pas le besoin de justifier leur acceptation de la guerre par rapport à eux-mêmes, à leurs adhérents ou à leurs électeurs. Toutefois, comme les socialistes, ils entendaient que leur participation à la défense nationale s'inscrive dans la filiation de la politique qu'ils avaient suivie avant la guerre.

Le Radical reflétait, à la rigueur, la pensée des radicaux, tout au moins du Parti radical dans cette période. Le plus frappant peut-être dans l'analyse du contenu de ce quotidien est ce qui n'est pas dit. Au cours du mois d'août, pas une allusion à la loi de trois ans... Le Radical s'attache surtout à montrer quel est le but du combat — une fois admis qu'il a été imposé à la France : le « droit»[82], « l'idée éternelle »[83], un « idéal universel de paix et de justice entre les hommes »[84], avec plus de précision « le triomphe de toutes les nationalités opprimées par la brutalité germanique »[85].

Un autre thème revient sans cesse, l'esprit dans lequel la guerre doit être menée, c'est celui de la Révolution française. On en appelle aux « fils des héros de Valmy et de Jemmapes »[86], on rappelle que les mots républicain et patriote sont synonymes. L'ardeur est la même que celle des glorieux ancêtres de 1789[87], « ...la grande tradition révolutionnaire de la nation armée se réalise sous nos yeux... »[88].

Des buts et de l'esprit du combat se dégagent les bases sur lesquelles doit se réaliser l'union des Français. Le nationalisme est rejeté : le 13 août, l'organe radical le précise sans ambiguïtés, dans un article intitulé « Guerre nationale et non revanche ».

Rappelant l'agression dont la France est la victime, il dénonce les

---

81. G. Guy-Grand, *op. cit.*, p. 143.
82. *Le Radical*, 6 août, communiqué du comité exécutif du Parti radical.
83. *Ibid.*, 2 août.
84. *Ibid.*, 13 août.
85. *Ibid.*, 19 août.
86. *Ibid.*, 6 août.
87. *Ibid.*, 2 août.
88. *Ibid.*, 6 août.

mensonges d'Outre-Rhin (mais étaient-ils seulement d'Outre-Rhin ?) suivant lesquels les Français se livraient à une guerre de revanche.

« La Revanche ! Pendant plus de quarante ans, la France démocratique et pacifique en a repoussé l'idée ; moins que jamais, elle l'eût accueillie en 1914, au risque d'incendier le monde ». L'auteur de l'article ajoutait cet avertissement : « Que personne, maintenant, en France, ne parle de revanche ! »[89].

Pour les radicaux, les limites de l'union des Français devaient également être définies avec précision. *Le Radical* n'avait pas été le dernier à stigmatiser la conduite des hauts fonctionnaires qui ne s'étaient pas montrés à la hauteur de leur tâche[90], mais il se rendit bien vite compte que, parmi les contempteurs de l'administration républicaine, tous n'étaient pas désintéressés. Le sénateur de La Guadeloupe, Henry Béranger, se chargea de mettre les choses au point[91]. Un titre en gros caractères sur les deux premières colonnes proclamait : « Réconciliation, oui. Réaction, non ! »

La réconciliation ne devait pas signifier abdication, reniement des convictions ; elle ne devait pas être le « voile » de la réaction. L'auteur de l'article en profitait pour dénoncer les campagnes en faveur « d'on ne sait quelle dictature religieuse et administrative », les attaques contre la « faillite » des « pouvoirs civils » sous prétexte qu'un sous-préfet ou un receveur des postes avait failli. Il rappelait quelle épuration avait été nécessaire parmi les généraux sans qu'on en conclût pour autant à la faillite du « pouvoir militaire » ; il s'étonnait que les évêques se présentent comme les seuls défenseurs de la cité, que seuls — semblait-il — les aumôniers et les curés faisaient leur devoir civique. « Comme réconciliation nationale, c'est un peu excessif », écrivait-il, et il avertissait que les républicains ne se laisseraient pas faire.

L'importance de la mise au point du *Radical* ne doit pas être sous-estimée. Elle manifeste l'exaspération des milieux politiques *républicains* devant une conception de l'union sacrée qui leur semble bien inquiétante. Elle provoque de vives réactions : le journal reçut un avertissement officiel du Ministère de la guerre de ne pas recommencer sous peine d'être saisi[92].

Henry Béranger ne se laissait pas intimider et il reprenait bientôt la plume pour estimer que les observations du ministre de la Guerre s'adressaient plus efficacement à ceux qui « dénigraient systématiquement les institutions de la République au profit d'une résurrection des

---

89. *Le Radical*, 13 août.

90. *Ibid.*, 31 août, « Après le sous-préfet de Péronne ». Le journal n'était pas tendre pour ces « préfets de combat » qui se refusaient à devenir des « préfets de guerre ».

91. 17 septembre 1914. Ce cri d'alarme est lancé aussitôt que *Le Radical* put reparaître. Le dernier numéro publié à Paris est daté du 3 septembre et le premier numéro édité à Bordeaux du 16 septembre.

92. *Le Radical*, 19 septembre.

anciens partis... »[93]. Quelques jours plus tard, le *Radical* s'en prenait à Albert de Mun : « ...Serait-il las de célébrer le pur patriotisme ? » « Les républicains pratiquent loyalement la consigne. M. de Mun pourra-t-il s'y dérober plus longtemps ? »[94]

Il est excessif de faire du *Radical* le seul porte-parole d'un radicalisme dont on sait qu'il est surtout provincial dès cette époque. Toutefois, la consultation d'un grand journal comme *La Dépêche*, expression du radicalisme toulousain, est bien décevante. Avec la guerre, le journal se réfugie dans l'anonymat. Mis à part quelques lieux communs sur « la guerre de la civilisation contre la barbarie... » ou sur « les nationalités opprimées qui tressaillent au souffle de la liberté qui passe sur elle »[95], quelques commentaires particulièrement affligeants sur la vilenie allemande[96], pas un article de fond qui permettrait de savoir comment *La Dépêche* concevait l'union sacrée, formule que d'ailleurs elle n'employait pas, pas plus que la plupart des autres journaux.

Malgré la pauvreté de notre information, on peut estimer que, lorsqu'elles sont exprimées, conception et limites de l'union sacrée sont assez proches chez les radicaux et les socialistes : ne pas se renier, ne pas laisser mettre en cause la République sous le couvert de la trêve des partis.


## L'union sacrée et la droite

Il est explicable que les conceptions des radicaux sur l'union des Français aient manqué de relief dans la mesure où, étroitement associés à la direction du pays depuis quinze ans, occupant une position centrale sur l'échiquier politique, l'union autour de la nébuleuse qu'ils formaient pouvaient leur paraître aller de soi. En outre, un certain manque de précision dans l'expression de leurs attitudes politiques rendait plus facile un accord au moins verbal. Il n'en allait pas de même pour les forces en conflit avec la société ou avec le régime. C'est ce que nous avons vu pour les socialistes à gauche ; qu'en était-il pour la droite ?

Il est nécessaire de distinguer entre une droite ou un centre-droit, républicain ou libéral qui n'était pas en situation de rupture avec l'ordre établi, qui participait même aux activités gouvernementales et une droite « nationaliste » qui, elle, se situait en dehors des « limites » du régime.

Pour la première, comme pour les radicaux, il n'y a pas d'organisation, de presse, de rapports qui permettent de définir, « officiellement »

---

93. *Ibid.*, 23 septembre, « Par et pour la liberté ».

94. *Le Radical*, 10 octobre.

95. 17 août.

96. « Entre ces fauves et nous, rien de commun » (12 août) ; « ...Il est connu depuis longtemps qu'un Français à lui seul a au moins autant d'esprit qu'un million d'Allemands » (11 août).

en quelque sorte, quelles furent ses conceptions de l'union. *Le Temps*, pourtant reflète ou inspire assez bien ce courant. Il nous est apparu que le plus simple était de l'analyser.

*Le Temps* ne manque évidemment pas de proclamer son attachement à l'union sacrée, mais en précisant : « Nous estimons qu'il n'y a pas d'inconvénients à rappeler le souvenir des divergences anciennes quand on le fait sans acrimonie... »[97]. A vrai dire, les divergences dont fait état *Le Temps* ne semblent guère anciennes et leur rappel n'est pas dépourvu d'acrimonie. Pour prendre cet exemple, lors du petit remaniement ministériel du début du mois d'août, ce commentaire ne manque pas d'aigreur : « Il est déplorable qu'au moment où le pays tout entier obéit à un seul mot d'ordre : " Pas de politique ! ", on trouve des politiciens qui en font encore et ne veulent faire que cela »[98].

Il faut surtout remarquer que *Le Temps* ne laisse pas passer une occasion de prendre le contre-pied des thèmes défendus par les socialistes et de leur rappeler leurs erreurs.

Les socialistes affirment-ils défendre la France et la démocratie, *Le Temps* répond : « Défendons la France tout court »[99]. La guerre est un très grand mal, disent-ils. Non, ce n'est pas « le plus grand des maux. Il faut redouter en effet davantage l'abaissement de la dignité nationale et la servitude »[100].

Les trois ans ? Certes, il ne faut pas troubler la « prodigieuse union de tout un peuple », il ne faut pas se souvenir de ce que pensait hier tel ou tel ministre[101], mais quand vient l'anniversaire du vote de la loi[102], le journal ne peut s'empêcher de rendre un « hommage public » à ses « bons ouvriers », de remercier l'Etat-Major qui l'applique et de saluer une « loi de salut national »[103]. Si Pierre Renaudel, dans *L'Humanité*, invite *Le Temps* à ne pas « réveiller les polémiques anciennes », il y consent bien volontiers, mais c'est pour ne pas « abuser des avantages que nous offrent les circonstances. La lumière pénétrera les esprits même les plus réfractaires grâce à la leçon des événements »[104].

Les socialistes allemands ? Ils ont tout « accepté », « les mensonges », « les agressions », « les fourberies », « les reniements »... Com-

---

97. 29 août.

98. 5 août.

99. 4 août.

100. 10 août.

101. « Ce n'est pas ici qu'on lira rien de désagréable ou de blessant pour le ministre de la Guerre qui vient de se démettre. M. Messimy ne fut jamais de nos amis politiques, et nous avons combattu avec énergie ses conceptions militaires », écrivit *Le Temps* quand Messimy quitta le gouvernement (29 août). Est-il mal intentionné de penser que *Le Temps* n'avait rien oublié ?

102. 8 août 1913.

103. 8 août 1914.

104. 10 août. « Commencez ! »

plices d'infamies, hypocrites [105], des « patriotes allemands zélés », « leurs journaux sont débordants d'amour pour la « patrie allemande » [106].

L'internationalisme ? « La guerre n'a pas tué que des hommes, mais elle a tué des idées. Qui oserait aujourd'hui parler d'internationalisme ? ... L'internationalisme, construction récente et fragile de l'esprit, s'est effondré devant le patriotisme » [107].

Ce sont peut-être les rédacteurs du *Temps* qui, les premiers, ont utilisé la formule « faillite de l'Internationale », non pour la regretter, assurément, mais pour en dissiper les illusions : « Nous n'avons pas besoin d'insister sur cette cruelle leçon puisque les socialistes français — enfin détrompés — font leur devoir comme tout le monde » [108].

L'analyse du *Temps* au mois d'août 1914 nous a semblé particulièrement instructive. Dans le style volontiers condescendant qui est le sien, il n'a cessé de prêcher la réconciliation des Français et n'a cessé, de la même encre, de rappeler leurs erreurs à ses anciens (?) adversaires politiques. Est-ce une conclusion prématurée de se demander en quoi résidait l'union sacrée ?

On comprend, dans ces conditions, que, pour le courant nationaliste, l'union sacrée ne consista pas simplement à composer des variations sur la réconciliation des Français, mais à voir dans les événements la *revanche* de ses idées et à le faire savoir... Beaucoup plus que pour les radicaux, la guerre n'était-elle pas pour eux un triomphe [109] ?

Il est juste, néanmoins, de reconnaître que *L'Action française*, par exemple, mit nettement une sourdine à sa virulence habituelle. Les Renseignements généraux constatèrent avec satisfaction que Maurras, Bainville, Vaugeois, tout en sortant parfois dans leurs polémiques des limites que devaient imposer l'union sacrée, « n'en conservent pas moins une part d'aménité et souvent même de courtoisie vis-à-vis de leurs adversaires ». Ils se félicitaient même qu'ayant « souscrit délibérément au Pacte d'union sacrée » dès le début de la mobilisation, Maurras avait été parmi les plus ardents défenseurs des ministres républicains, qu'il les soutenait « même et surtout contre les Républicains » [110]. Certains abon-

---

105. 13 août.

106. 26 août.

107. 26 août.

108. 31 août. Cette formule, dont les adversaires de la Deuxième Internationale dans le mouvement ouvrier allaient beaucoup se servir par la suite, apparaît également ce même 31 août en titre d'un article du *Nouvelliste de Lyon*, journal conservateur, mais ce n'est que la reprise de l'article du *Temps*.

109. *Op. cit.*, p. 136 et suiv. Analysant les chroniques de Maurice Barrès, Michel Baumont constate : « Son aspiration à l'union sacrée est authentique, ainsi que son souci d'impartialité, même si d'inévitable façon cette union devait se traduire, pour lui, par le retour de la gauche aux thèses nationalistes ». (« Un témoignage sur la guerre de 1914-1918. Chronique de la Grande Guerre de Maurice Barrès », *L'Information historique*, janvier-février 1973, p. 21).

110. A.N. F 7 12935. Rapport sur *L'Action française*, 22 septembre 1915. Un tel comportement se conçoit aisément : entre les Républicains et l'Action française, les divergences portaient beaucoup plus sur le régime et sur les dangers qu'il faisait courir à la nation, d'après les monarchistes, que sur la con-

nés de *L'Action française* ne tardèrent pas à trouver d'ailleurs qu'il manifestait trop de modération [111].

En revanche, il n'en fut pas de même de Léon Daudet : la lecture de *L'Action française* confirme la modération relative des premiers et la virulence de Daudet lorsqu'après l'accident qui l'avait immobilisé pendant le mois d'août, il reprit sa place dans la rédaction du journal. Faut-il penser que, revenant quand les choses allaient mal, il ne fut pas touché par cette sorte de bienveillance des uns envers les autres que les premiers jours du conflit avaient engendrée ?

La mesure des journalistes de *L'Action française* ne doit cependant pas être exagérée. Ils ne vont pas jusqu'à admettre dans la famille « nationaliste » ceux qu'ils estiment trop fraîchement convertis. G. Hervé encourt le courroux de Maurice Pujo quand il ose soutenir que tous les Allemands ne sont pas des brutes ou des poltrons et que les Français ne peuvent pas remporter que des victoires... : « Un patriote moins récent, gêné par des habitudes de respect, hésiterait à s'exprimer avec cette liberté. Si lyrique et si sentimental qu'il s'affiche par ailleurs dans ses effusions, le patriotisme révolutionnaire de M. G. Hervé en paraît un peu particulier. Et il m'est pénible d'y reconnaître le son de la même voix qui se pâmait d'aise en racontant des histoires de crosses en l'air » [112].

Mais l'essentiel pour les nationalistes, tant pour ceux de *L'Action française* que pour ceux de la *Ligue des patriotes*, est d'insister sur les thèmes qu'ils développaient avant guerre et que les circonstances leur semblent confirmer.

L'*antigermanisme*, dont on n'est pas surpris qu'il s'exprime avec violence : « L'Allemagne au-dessous de tout » [113], « la vermine du monde », « le système Attila » [114]. « Il est bien établi que la race alle-

---

ception nationale. La réaction de *L'Action française* à un article d'Ernest Lavisse est révélatrice de ce que nous avançons ici. Dans une lettre adressée au *Temps* (24 août 1914) et intitulée « La découverte de la France par les Français », E. Lavisse s'émerveillait de la façon dont le patriotisme des Français, que l'on croyait endormi se manifestait : « Ne pensez-vous pas, demandais-je à Pierre Mille, que nos ennemis ont pris pour argent comptant nos calomnies sur nous-mêmes ? Oui, m'a répondu Pierre Mille. Nous leur avons fait une sale farce ! ». Quelques semaines plus tard, le *Journal des instituteurs* (4 octobre 1914) publiait un autre article d'E. Lavisse : « A la jeunesse de France ». « ...Oh ! merci, merci ! Merci pour la belle fin de vie que vous donnez aux vieillards qui, depuis 44 ans, ont tant souffert de l'abaissement de la Patrie ! ».
Le 25 août, Maurras s'écriait dans *L'Action française* : « Je ne sais si j'oserai dire en termes assez vifs notre joie. M. Lavisse nous manquait, à nous qui, peu ou prou, sommes ses anciens écoliers ... Lui qui avait été entre, 1885 et 1890, une sorte de Boulanger, professeur et docteur d'un patriotisme intellectuel des plus militants, il assista au nationalisme et il n'en fut pas.
Il suffisait donc que la République soit mise entre parenthèses — et la guerre permettait de sembler le faire — pour que l'Action française soit satisfaite. Comme l'a écrit P. Nora à propos justement de Lavisse : « Il n'y avait dans le contenu même du sentiment national (chez Lavisse), rien qui choquât profondément le plus ardent des nationalistes ».

111. Voir Eugen Weber, *op. cit.*, p. 113.
112. *L'Action française*, 22 août, « Patriotisme spécial ».
113. *L'Action française*, 23 août, article de C. Maurras.
114. *Ibid.*, 24 août. Article de Léon Daudet. *Ibid.*, 26 août. *Id.*

mande prise en corps était incapable de promotion »[115], constate Maurras. Dans *L'Echo de Paris*, on demande de « boycotter » Wagner[116] ; Camille Saint-Saëns regrette l'excès de louange dont ont été entourés écrivains et compositeurs allemands ; il revendique d'être le père du mot souvent rapporté : « ...Si l'art n'a pas de patrie, les artistes en ont une »[117].

Les exemples pourraient sans peine être multipliés, encore que la presse nationaliste ne l'emportât pas toujours dans ces excès sur celle qui ne l'était pas !

La *xénophobie*, qui s'exprime plus discrètement, surtout lorsqu'il est question d'étrangers souhaitant combattre pour la France, mais qui n'en est pas moins réaffirmée au niveau des principes par Maurras :

« C'est l'union civile qui importe et, pour la maintenir, il importe aussi de maintenir sévèrement les cadres de notre nationalité. Nous ne défendons pas autre chose en Lorraine ! »[118].

*L'exaltation de la guerre,* qui n'est pas en soi un malheur, mais une « guerre sainte »[119], cette guerre qui permet la revanche. Si certains radicaux voulaient prescrire la notion de revanche, ce n'est pas le sentiment d'Albert de Mun. « La Revanche ! Mot vibrant... » s'exclame-t-il lorsque les troupes françaises pénètrent dans Mulhouse, « le jour sacré de la Revanche »[120].

Le terme est d'ailleurs ambigu. Revanche sur les Allemands assurément, mais aussi revanche sur l'adversaire intérieur. Maurice Barrès lie clairement les deux notions :

> « Revanche de l'Alsace, revanche de l'armée. Merci, Alsace et Lorraine, de votre indomptable fidélité. merci, messieurs les officiers ! Quelle semaine de récompense pour vous ! Durant des années, votre prestige en France avait été éclipsé. Durant des années, les affronts ne vous avaient pas été ménagés »[121].

Rappelant la célèbre formule par laquelle les antimilitaristes désignaient souvent les officiers : « Vous, les ˝ brutes galonnées ˝, vous êtes au jugement de l'univers, en train de sauver la civilisation », Maurice

---

115. 5 août.

116. 31 août.

117. *L'Echo de Paris*, 19 septembre, « Germanophilie ».

118. *L'Action française*, 3 août. Cette opinion de *L'Action française* lui est d'ailleurs propre. Sur le même sujet, *Le Temps*, tout en soulignant que la France ne manquait pas de soldats, estimait que « la présence de tant d'étrangers sous nos couleurs est la démonstration vivante de cette vérité : que la France et ses alliés combattent pour la civilisation et pour la liberté du monde » (23 août).

119. Franc-Nohain, *L'Echo de Paris*, 7 août.

120. *Ibid.*, 9 août.

121. *Ibid.*, 10 août. M. Barrès, « L'Alsace et l'armée ». L'écrivain exprimait ici ce qu'Henri Contamine (*op. cit.*, p. 64) résumait ainsi : « ...Pour beaucoup d'officiers, mener la nation en armes, c'est une sorte de revanche ».

Barrès concluait : « Honneur aux officiers de France ! Vive l'armée dont voici la revanche ! ».

Pour comprendre l'ampleur de cette revanche, il est nécessaire de reproduire presque tout l'article que Barrès publie dans *L'Echo de Paris* du 20 août [122] :

> « Quand je retourne vers les mois passés qui furent remplis de tant d'ignominies, je me dis : comment de ce cloaque est donc sortie cette France si pure ? ...
>
> Au terme de la mobilisation, à la veille de la bataille gigantesque où les intérêts de notre patrie, de la justice et de la civilisation sont étroitement confondus, les Français, chapeau bas, veulent saluer, remercier l'Etat-Major de l'armée.
>
> Ah ! les bons citoyens, les esprits solides, les vrais savants, les dignes élèves et successeurs de tous nos grands hommes. Comme ils ont bien travaillé ! Comme ils ont justement méprisé tous ces nigauds de pacifistes qui démoralisaient les courages en assurant que les bons Allemands ne voulaient pas la guerre ! Comme ils ont courageusement serré les rangs sous la mitraille des gens haineux qui les décimaient ! En ai-je vu jetés à terre par les politiciens, de ces courageux officiers ! N'importe ! Sans même relever leurs morts, ils reprenaient la besogne, continuaient à préparer la mobilisation, à la tenir jour par jour en rapport avec les dispositions allemandes.
>
> Vous rappelez-vous le temps où les politiciens ruinaient le service des renseignements ? Vous rappelez-vous le temps où ils économisaient sur nos approvisionnements ? ...
>
> Ah ! Revoyons-les avec une joyeuse horreur, les années maudites qui sont bien écoulées ! Que de tapage, que de querelles, que de conspirations venimeuses et de bêtises dangereuses ! Combien étions-nous pour dire : " La véritable, la seule affaire, c'est la préparation morale et matérielle à la guerre " ? ...
>
> Heureusement dans ces années de folie, pour le salut du génie français et de la civilisation humaine, l'Etat-Major jamais n'a cessé de travailler.
>
> A cette heure, aux armées de la France, dans quelque petite ville de Champagne, il y a des hommes qui taisent obstinément leurs noms (nul compte rendu ne les mentionne), mais de qui la gloire et le génie ne tarderont pas à éclater au milieu des transports de la reconnaissance nationale, des hommes qui avaient été persécutés par l'intrigue de telle manière que c'est miracle si un ministre patriote a pu les remettre en selle ? ... Cette poignée d'hommes assure le salut du monde ... Nous allons être sauvés par la vertu que déploie dans ce mois d'août notre nation et par la vertu accumulée secrètement durant des années dans notre corps d'officiers.
>
> Je ne rappelle pas les temps abjects pour le plaisir d'y salir ma plume, trop heureuse depuis vingt jours de peindre avec des couleurs d'azur, d'or et d'argent les premiers feux, l'aurore de notre renaissance. Je dis les persécutions que subirent les officiers du haut commandement et toute l'armée pour marquer d'autant mieux leur mérite réel. On aboyait, ils travaillaient ...
>
> Par légèreté, par inintelligence, par égoïsme de parti, on essaya alors de nous désarmer. Nous fûmes sauvés par la clairvoyance de ces gens-là.

---

122. « Cet admirable Etat-Major ».

Ils parlèrent peu ou point, mais ils avaient réfléchi pendant des années. Et la patrie fut garantie par les hommes politiques qui eurent l'esprit et le cœur de recueillir le fruit de ces longues méditations et de se ranger à la thèse de l'Etat-Major.

C'est justice que l'on salue les grands serviteurs anonymes qui n'ont pas permis que nous fussions livrés au hasard.

La patrie confiante remercie cet admirable Etat-Major. »

Tout y est ou presque : les *ignominies* de la période passée, le *cloaque*, les *années maudites*, les *temps abjects*, les *politiciens* qui s'en prenaient aux courageux officiers, qui *ruinaient* le service de renseignements, les *persécutions*, les *nigauds de pacifistes...*

Cet article n'avait probablement pas l'intention d'être une profession de foi : il est pourtant essentiel parce que, sous couvert de glorifier l'Etat-Major, il règle leur compte à tous ceux qui, en principe, continuaient de gouverner la France. C'était beaucoup plus de cela qu'il s'agissait que d'exalter le commandement, même si le 20 août ses erreurs n'étaient pas encore évidentes [123].

On ne peut mettre en doute chez les partisans de l'union sacrée la volonté de défendre la France. Mais, une fois de plus, il apparaît que pour chacun la réconciliation des Français ne pouvait se faire que sous condition de l'abandon par les autres de ce à quoi ils avaient cru. Pour les nationalistes, elle devait se faire sur la base des thèmes nationalistes. C. Maurras l'avait d'ailleurs clairement indiqué dès les premiers jours : « En proclamant hier à cette place une volonté d'amnistie nationale, nous ne prétendons pas amnistier les institutions destructives, ni aucune des idées qui feraient descendre ce noble peuple au tombeau » [124].

Les parlementaires ne sont pas relevés de la condamnation qui les frappait : « Les parlementaires ont fait assez de mal au pays avant la guerre : vont-ils sous l'œil atone du gouvernement continuer leur œuvre néfaste... ? », interroge *L'Echo de Paris*, qui pourtant abrite quelques illustres parlementaires [125].

La revanche à l'intérieur n'allait pas sans que soit posé le problème religieux. Junius [126], dans *L'Echo de Paris*, s'étonne que « l'appel à la

---

123. Encore que *L'Echo de Paris* ait déjà été amené à transformer sensiblement les réalités. Ainsi A. de Mun, évoquant *l'attaque brusquée ...* qui n'avait pas eu lieu, écrivait, le 12 août : « Si une idée avait, dans ces dernières années, paru hors de discussion, c'était celle de l'attaque foudroyante... », alors que cela avait justement été un des principaux terrains de polémique entre partisans et adversaires des trois ans ! De même, le 7 août, il montrait comment l'attaque allemande à travers la Belgique ne surprenait pas : «...C'est que la manœuvre allemande est connue dans tous ses détails, qu'ainsi elle ne prend au dépourvu, à l'heure présente, aucun de ceux qui dirigent nos armées... »

Quelques semaines plus tard, le général Cherfils, commentateur du même journal, n'hésitait pas à écrire, pour couvrir une autre faute de l'Etat-Major : « ...La présence de gros canons dans les armées de bataille constitue une hérésie. La raison l'avait établi, le général Langlois aussi. L'expérience le prouve... » (16 septembre).

124. *L'Action française*, 4 août.

125. 25 août.

126. Pseudonyme collectif des principaux rédacteurs politiques du journal.

protection divine ait été si soigneusement proscrit » des messages du président de la République, de la lettre du ministre de la Guerre au généralissime, etc. : « Prononcer officiellement le nom de Dieu est-il donc devenu pour la France si inutile et si dangereux... ? » [127].

C'est presque chaque jour que, dans *L'Echo de Paris*, dans les billets de Junius ou de Franc-Nohain, dans les articles de Barrès ou d'A. de Mun, on exalte le rôle des aumôniers, on se réjouit de la renaissance religieuse, du retour en force de la religion après les « persécutions » [128] : « Ce n'est pas en vain que depuis dix jours on prie d'un bout à l'autre de la France ! Ce n'est pas en vain que les autels, durant toute cette semaine, furent assiégés, officiers et soldats confondus ! Ce n'est pas en vain qu'après cinq siècles, l'image de Jeanne d'Arc béatifiée est revenue planer sur la patrie, comme sur la cité romaine, le palladium antique ! » [129]. A. de Mun se félicite du nombre de médailles pieuses qui ont été distribuées : « Je crois bien qu'ils l'ont tous. Si vous saviez ce qu'on a donné depuis quinze jours ... sans que jamais ou presque une seule fût refusée !... » [130].

Le danger ramène à Dieu : « C'est pour cela que toute renaissance de vie guerrière dans une nation s'accompagne d'une renaissance de vie religieuse » [131].

L'union sacrée ne peut justifier de passer l'éponge sur le passé ; elle ne peut davantage faire admettre les justifications que la presse socialiste donne de son acceptation de la guerre. Ainsi, l'idée qu'il y aurait une distinction à faire entre le peuple allemand et ceux qui le dirigent, entre

---

127. *L'Echo de Paris*, 7 septembre.

128. Persécutions dont on n'hésite pas à rappeler vivement le souvenir. Ainsi *L'Express de l'Ouest* attaque violemment le député-maire de Nantes, Guist'hau, considéré comme responsable de la mort de l'ancienne supérieure du Sacré-Cœur de Nantes, tuée en Belgique, parce que quelques années plus tôt, il avait procédé à l'expulsion du Sacré-Cœur (24 septembre). Ce qui vaut d'ailleurs à ce journal d'être saisi et suspendu pour deux jours (A.N. F 7 12936. Rapport du commissaire spécial de Nantes, 29 septembre 1914).

129. *L'Echo de Paris*, A. de Mun, « Dieu avec nous », 12 août.

130. *L'Echo de Paris*, A. de Mun, 20 août, « Nos petits soldats ».
En réalité cette distribution de médailles ne va pas sans quelques réactions. Non seulement les autorités s'en inquiétèrent (voir p. 476-477), mais elle allait provoquer une vive polémique de presse. Dans *La Guerre sociale* du 30 septembre 1914, Gustave Hervé publiait un retentissant article : « Jusqu'à la braguette ». Protestant contre les excès de zèle des « bonnes sœurs » qui oubliaient trop facilement qu'il n'y avait pas que des soldats catholiques et pratiquants, il écrivait : « ...Ce sont des saintes filles ! Mais qu'elles sont envahissantes... Ne pourriez-vous pas, dans leur propre intérêt, les prier de ne pas profiter de la guerre pour mettre des médailles jusque dans nos braguettes ? »
Maurice Barrès ripostait dans *L'Echo de Paris* (2 octobre 1914), et G. Hervé commentait cette réponse (*La Guerre sociale*, 3 octobre) : « Si je suis inquiet, c'est pour les bonnes sœurs, pour ces saintes filles qui ne comprennent pas quelle réaction anticléricale elles vont déchaîner contre elles malgré leur dévouement, en laissant poindre au chevet de nos blessés l'esprit d'intolérance et de fanatisme qui les a déjà fait jadis, malgré leurs services, expulser des hôpitaux ».
On pouvait lire également dans le *Journal des instituteurs* (1er novembre 1914) sous le titre « Les institutrices à l'hôpital » : « ... On ne dira jamais assez les services qu'elles ont rendus dans les ambulances, dans les hôpitaux, simplement, *sans pensée de prosélytisme, sans jamais entreprendre sur la conscience des blessés...* »

131. *Ibid.*, 30 août. Nous aurons évidemment a nous interroger sur la réalité de cette renaissance religieuse dans un autre chapitre (voir p. 452 et suiv.)

la caste des officiers prussiens et le peuple, que ce serait du côté allemand une guerre d'officiers est combattue sans ménagement : « Cette vieille niaiserie ne date pas d'hier... », « naïveté », se moque Léon Daudet [132]. « Il faut combattre l'idée qu'on ne ferait pas la guerre au peuple allemand » [133]. « L'Etat teuton est l'expression de la nature, de la situation, de l'intelligence et de la volonté teutonne, ni plus, ni moins » [134]. « La vérité est que le tempérament allemand, du haut en bas de l'Empire et dans tous les milieux, est un tempérament féroce... » [135].

Il ne faut donc pas berner l'opinion en lui faisant croire qu'établir une république allemande serait un progrès [136]. Le but de la guerre ne peut être que de frapper le peuple allemand : « La nation allemande tout entière a besoin d'une leçon pour le profit du genre humain » [137], « la civilisation exige que le Français, l'Anglais, le Russe, le Belge, maintenant qu'ils tiennent le porc allemand, le saignent sans merci sur leur billot » [138].

*L'Action française*, revient très souvent sur le thème d'une guerre nation contre nation, d'une guerre « nationaliste » [139]. Dès son article du 4 août, qui est un peu pour Maurras ce qu'est celui du 20 août pour Barrès, il a averti que c'était un rêve de penser que cette guerre était la dernière, que ce serait une guerre pour la paix. L'internationalisme n'existe pas, son impuissance n'est pas un « accident », mais « un fait essentiel de vingt siècles d'histoire humaine ». Les événements viennent d'infliger un « épouvantable démenti » à ceux qui essaient de « sauver l'honneur de l'internationalisme » [140].

*L'Action française* ne reproche pas aux socialistes de défendre leurs idées. Elle aurait même une certaine sympathie pour des minoritaires qui font preuve de rigueur doctrinale, mais elle doit bien constater que ces idées ont fait des « faillites éclatantes [141].

Les conceptions et les limites de l'union sacrée, du courant nationaliste, ne se traduisirent pas seulement par des manifestations idéologiques. Très rapidement, des attaques au moins indirectes se développèrent

---

132. *Action française*, 22 août.
133. *Ibid.*, 15 août, Maurras.
134. *Ibid.*, 4 août.
135. *Ibid.*, 22 août, Léon Daudet.
136. *Ibid.*, 4 août, Maurras.
137. *Ibid.*, 11 août, Pierre Lasserre.
138. *Ibid.*, 22 août, Léon Daudet.
139. Encore le 20 et le 25 août, par exemple.
140. *L'Action française*, 11 août.
141. *Ibid.*, 4 août, Maurras. Au contraire, Maurice Barrès croit que les socialistes ont été convertis aux idées nationalistes : « Ah ! Viennent-ils jusqu'à vous, Déroulède, au fond de votre tombe, les applaudissements de vos frères les socialistes acclamant l'heure des réparations dues au droit ? » (*L'Echo de Paris*, 5 août).

contre le régime. Le personnel des administrations républicaines, les préfets en particulier, furent visés.

Nous avons déjà eu l'occasion de l'indiquer : lorsque des défaillances se produisirent, les journaux radicaux ou socialistes réclamèrent des mesures. Compère-Morel écrivit dans L'Humanité : « Que font vos préfets, et vos sous-préfets, M. le ministre de l'Intérieur ? Ils n'ont pas tous fichu le camp, j'espère ! » [142]. Il réclamait, si cela était nécessaire, qu'on nomme des commissaires de la nation.

La presse nationaliste fit écho à cette critique du manque d'efficacité de certains administrateurs : « Les préfets ne répriment pas assez vigoureusement les fausses nouvelles » [143]. « Les vrais responsables de l'affolement, ce sont les administrateurs des régions menacées, préfets et sous-préfets... Contre ceux-là, il n'y aura jamais de trop grande sévérité... » [144].

Mais elle poussa davantage son analyse : qui sont ces gens à qui il est nécessaire qu'une instruction spéciale du 26 août demande de ne pas abandonner leur poste ? demande Franc-Nohain, et il répond : « ...Vous les reconnaissez : ce sont les " préfets à poigne " des élections dernières, ce sont les hommes d'énergie que l'on avait mobilisés tout exprès pour lutter contre " les forces coalisées de l'Eglise et de la réaction militariste ". Et maintenant qu'ils ont écrasé la réaction, que leurs " administrés se débrouillent avec les Uhlans ", " ils filent en automobile " » [145].

Mais pourquoi ce régime a-t-il de tels serviteurs ? Pourquoi ces préfets font-ils preuve de « frousse intense », pourquoi « ces tristes bonshommes », cette « défaillance des cadres administratifs » ? Henri Vaugeois diagnostique : « Ce sont les « institutions » qui ont corrompu les « hommes » [146]. Et l'assaut continue. En face des « géants », les combattants, il y a les « nains », les politiciens « abrutis hier pacifistes ou deuxannistes... » [147].

Quand ils sont en âge de combattre, ils se dérobent. C'est le moment aussi où commencent les campagnes contre les « embusqués », qui ne furent d'ailleurs pas le privilège d'un côté ou d'un autre de l'opinion publique, mais, dans L'Echo de Paris, on y met un accent particulier en s'étonnant que les bureaux se soient soudainement grossis et « précisément » « de ce qu'on pourrait appeler la fine fleur de l'aristocratie républicaine ». « Saluons donc comme ils le méritent tous les politiciens en

---

142. 31 août.

143. L'Echo de Paris, 2 septembre.

144. Ibid., 29 août, A. de Mun.

145. Ibid., 30 août.

146. L'Action française, 30 août.

147. Ibid., 29 août, Léon Daudet, « Les géants et les nains ».

uniforme chamarré, saluons tous les jeunes lièvres et tous les vieux renards qui au premier bruit des hostilités se sont si ingénieusement et prudemment garés des risques de guerre... » [148].

Un préfet est dénoncé comme « retardataire » parce qu'il n'a pas voulu entrer dans une église ; et pourtant Franc-Nohain, l'auteur de cet article, l'affirme, il s'était promis de ne plus manifester d'irritation et, ajoute-t-il, de laisser en paix « ces pauvres embusqués », de les « laisser souffler » dans leurs « terriers »... [149].

Quelle aubaine néanmoins quand un défaillant, ou dénoncé comme tel, porte le nom d'une personnalité radicale connue. « Paniquards », « ils sont comme le fils Mesureur », leur jette L. Daudet [150].

C'est donc bien le régime et ses principes qui sont mis en cause [151], et les contemporains n'en sont pas dupes. En riposte à des attaques du même genre, mais publiées par *Le Matin*, Daniel Renoult pouvait écrire le 12 septembre : « ...Nous savons qu'il est certains personnages qui songent déjà aux lendemains de la guerre et qui brûlent d'assouvir leurs haines politiques ou autres à la faveur du déchaînement des passions longtemps contenues. Une petite terreur nationaliste et réactionnaire ferait leur joie... » [152].

C'est pourtant à travers les haines, le mot n'est probablement pas trop fort, concentrées sur deux personnes, Joseph Caillaux et le général Percin, que les limites de l'union sacrée sont le plus sensibles.

---

148. *L'Echo de Paris*, 29 août, Franc-Nohain, « La peau du lion ». Il faut d'ailleurs reconnaître qu'il est assez habituel dans chaque secteur de l'opinion publique de dénoncer les embusqués chez les autres. Ainsi les « embusqués » ... « sont à peu près tous des réacteurs et des cléricaux », écrit en date du 10 septembre 1914, dans son *Journal de guerre*, Jules Moméja (A.D. Tarn-et-Garonne).

149. *L'Echo de Paris*, 5 septembre, Franc-Nohain, « Un retardataire ».

150. *L'Action française*, 27 août. Le lieutenant André Mesureur était le fils de Gustave Mesureur, directeur de l'Assistance publique depuis 1902, ancien président du conseil municipal de Paris, député radical de 1887 à 1902, ministre dans le cabinet Bourgeois (1895-1896), donc une personnalité radicale importante, qui avait prononcé le discours d'ouverture du Congrès de 1901, développant en particulier le thème « pas d'ennemis à gauche » (voir A. Charpentier, *Le Parti radical*, op. cit., p. 425). Le « fils » Mesureur fut le héros malheureux d'une affaire assez confuse. Fortement éprouvé nerveusement par les premiers combats auxquels il participa en Belgique, il obtint de son colonel un repos de 10 jours. Il en profita pour regagner Paris où il s'occupa des affaires du service qu'il dirigeait à l'Assistance publique. C'est alors qu'il fut arrêté sous l'inculpation de désertion. Néanmoins, le 1er conseil de guerre de Paris, devant lequel il fut traduit, l'acquitta à l'unanimité des voix dans sa séance du 3 octobre 1914.
L'affaire Mesureur provoqua de gros remous dans la presse. Le tribunal reçut des lettres accusant les radicaux et les francs-maçons de protéger un déserteur qui aurait dû être fusillé. Pour prendre un exemple, *La Libre parole* (2 octobre) se félicitait qu'enfin fut fixée la date de la comparution de Mesureur devant le conseil de guerre, car « je demandais avant-hier si on allait laisser jusqu'à la fin des hostilités à l'abri derrière les murailles du Cherche-Midi le lieutenant Mesureur qui a abandonné son poste ».
Le 4 octobre, le même journal consacra toute une colonne au procès Mesureur. Le compte rendu, s'il ne montre guère de sympathie pour l'accusé, est assez objectif d'ailleurs et ne conteste pas l'acquittement.

151. Voici par exemple un entrefilet de *La Croix* (12 septembre 1914). « Le *Journal officiel* publie un décret suspendant de ses fonctions M. Payot, recteur de l'académie d'Aix, pour avoir quitté son poste sans autorisation. M. Payot est le directeur de la revue *Le Volume*, auteur de traités sur la morale laïque. C'est un pontife du " laïcisme" ».

152. *L'Humanité*, « Odieuses excitations ».

A vrai dire, les traces publiques de l'hostilité envers Caillaux n'apparaissent pas beaucoup dans la grande presse aux mois d'août et de septembre 1914[153]. Une étude rapide pourrait même faire penser que l'ancien président du Conseil est disparu des préoccupations des Français, sauf à être justement étonné qu'on en parle brusquement si peu. L'attitude envers J. Caillaux fait partie de ces problèmes d'opinion publique particulièrement difficiles à résoudre.

Malgré le manque de documents, l'hostilité envers Caillaux[154] — qui d'ailleurs dépasse les milieux nationalistes — doit être très sensible puisque, lors du remaniement ministériel de la fin du mois d'août, bien qu'il fût le plus apte assurément à reprendre la direction des finances, on n'osa pas faire appel à lui, « étant donné », comme l'écrit alors Gyp, « qu'il n'est pas encore accepté d'avoir des assassins et des traîtres comme ministres... »[155].

L'union sacrée n'a donc en rien atténué le climat d'excitation à la haine qui entourait Caillaux : il n'y a pas de trace que J. Caillaux et sa femme, reconnus boulevard de la Madeleine fin octobre 1914, y aient été agressés par la foule, comme le dit Favral[156], mais il est sûr, par contre, que le gouvernement a préféré à ce moment l'envoyer « en mission » en Amérique du Sud[157].

Dans l'immédiat, les principales victimes de l'hostilité que soulevait le député de Mamers furent — indirectement — les territoriaux de cette calme bourgade de la Sarthe.

C'est une bien curieuse affaire. Le 2 septembre 1914, huit officiers appartenant aux 26e et 27e régiments territoriaux de Mamers étaient

---

153. Toutefois, un article comme celui de *La Libre parole* du 4 août, même si ce journal n'a plus l'importance qu'il a eue deux décennies plus tôt, est significatif par sa virulence : « Une faute contre l'Union » (à propos du petit remaniement ministériel ; pourquoi Briand et Delcassé ne sont pas entrés au gouvernement). « ...Mais la combinaison a échoué par suite du veto du sieur Caillaux, qui prétendait être rappelé au gouvernement.

Ainsi le sieur Caillaux, à l'heure où tous les Français cherchent à s'unir, se refuse à abdiquer ses haines de factieux et oublie que le verdict du jury de la Seine le flétrit comme l'auteur principal d'un assassinat.

Nous nous abstenons le plus possible actuellement des polémiques d'ordre politique. Mais le Congolais a commencé : nous devons marquer le coup, le mauvais coup.

Caillaux s'en consolera en pensant qu'il a, une fois de plus, témoigné sa bonne amitié aux Allemands.

Par bonheur pour le pays, les Excellences ministérielles ne peuvent plus faire beaucoup de mal : la parole — et l'action — est aux chefs de l'Armée et de la Marine, qui, eux, sont de vrais chefs » (Gabriel Maucourt).

154. Voir entre autres Gaston Martin, *Joseph Caillaux*, Paris, 1931, 210 p. ; Alfred Fabre-Luce, *Caillaux*, Paris, Gallimard, 1933, 285 p. ; Roger de Fleurieu, *Joseph Caillaux*, Paris, 1951, 308 p. ; et aussi le pamphlet particulièrement violent d'Urbain Gohier, *Vers la guerre civile. Joseph Caillaux ou la nouvelle conspiration de Catilina*, brochure de 8 pages, juin 1915.

155. Gyp, *op. cit.*, p. 156.

156. C. Favral, *op. cit.*, p. 269. Les biographes de Caillaux qui font allusion à l'agression dont il fut victime à Vichy en 1916 n'en parlent pas. De même, Joseph Caillaux n'en dit rien dans le tome III de ses *Souvenirs*, mais il ne dit rien non plus de ce qu'il a fait depuis la déclaration de guerre jusqu'à son départ en Amérique latine.

157. C'est au mois de novembre que Joseph Caillaux partit pour l'Amérique du Sud.

arrêtés, incarcérés à Rouen et déférés en conseil de guerre. Cinq étaient inculpés de violation de consigne en présence de l'ennemi, deux de désertion et un de ne pas avoir rejoint le poste qui lui était assigné. Que s'était-il passé ? Après avoir combattu dans le Nord, sur ordre d'un colonel faisant fonction de commandant d'armes à Arras, ils avaient ramené leurs unités pour se reconstituer à leur dépôt de Mamers dans les derniers jours du mois d'août 1914. Leur attitude n'était vraisemblablement pas condamnable, puisque dès le 5 octobre, les inculpés bénéficièrent d'un non-lieu [158].

Il n'est pas exagéré de penser que leurs malheurs provinrent pour l'essentiel de la volonté de certains de mêler le nom de Caillaux à une péripétie de guerre, à vrai dire surprenante, mais où il n'avait que faire.

L'affaire, en outre, permettait de faire coup double, en y impliquant le général Percin. Le 1er septembre, un rescapé de la débandade écrivait : « On dit sous le manteau de la cheminée que nous sommes victimes d'une négligence du général Percin, de célèbre mémoire » [159].

Adversaire le plus convaincu des trois ans parmi les officiers généraux, Percin avait été rappelé au service au début de la guerre et affecté au commandement de la 1re région militaire. A ce titre, il s'était installé à Lille le 3 août 1914. L'évacuation précipitée de la place le 24 août [160], dont il ne pouvait pourtant être tenu pour responsable, allait déclencher contre lui une campagne de rumeurs [161] dont les traces sont fort nombreuses. Cette campagne fut d'ailleurs favorisée, sinon provoquée, par le bureau de presse du Ministère de la guerre qui laissait passer plusieurs articles malveillants à son égard [162] et empêchait par contre, jusqu'au début du mois d'octobre, *La Guerre sociale* par exemple de publier les protestations du général : « Je ne suis ni fou, ni malade, ni insuffisant. Je suis tout simplement républicain. Il n'en faut pas plus pour certains pour me couvrir de boue » [163].

Il faut faire la part des choses. Dans les périodes troublées, les rumeurs courent vite. Il est tout de même étrange que le général, héros de l'affaire — politique — la plus importante de ces premières semaines de guerre, soit justement celui qui fut juste avant le conflit le principal adversaire des nationalistes.

158. Archives des conseils de guerre. Conseil de guerre de Rouen, liasse des non-lieux du 14 septembre au 17 décembre 1914.

159. Voir Aris-Rudel (Chanoine Ambroise Ledru), *Souvenirs manceaux de la Grande Guerre 1914*, publiés par fascicules de juin 1918 à février 1920, Le Mans, 323 p.

160. Voir Henry Contamine, *op. cit.*, p. 143-145 ; Cardinal Achille Liénart, « Le sort de Lille en 1914 », *Revue du Nord*, 186, 1964. Pierre Trochon, *Lille avant et pendant l'occupation allemande*, 1922, 349 p. A.N. 86 A.P. 1, *Journal du préfet Félix Trépont*.

161. Voir en particulier A.N. 96 A.P. 3, lettre adressée par le général Percin, le 25 septembre 1914, à Charles Saint-Venant, conseiller général socialiste du Nord.

162. *La Libre parole*, 26 août ; *L'Action française et L'Echo de Paris*, 29 août.

163. 3 octobre 1914.

Quelles conclusions peut-on tirer de ce courant d'hostilité que l'on discerne autour de Caillaux et de Percin ? La première est qu'il ne faut pas en exagérer l'importance : braquer le projecteur sur une affaire comme celle de Percin risque de faire perdre les perspectives. La deuxième est, toutefois, que la limite de l'union sacrée était vite atteinte. La troisième, enfin, que le contexte favorisait la diffusion dans l'opinion publique du message nationaliste et de ses connotations.

## L'union sacrée et les Eglises

### L'ÉGLISE CATHOLIQUE

Nous l'avons déjà vu, l'adhésion de l'Eglise et des catholiques à la défense nationale avait été de soi, même si, chez certains, cette attitude avait suscité quelque incrédulité. Par contre, accepter l'union avait nécessité de surmonter des rancœurs encore fraîches.

Or, l'Eglise allait constater avec surprise et enthousiasme que la guerre provoquait un magnifique retour vers les autels. Les témoignages abondent. La presse catholique — on le conçoit — les a recueillis précieusement, que ce soit *Le Pèlerin* qui accorde une place particulière à toutes les manifestations d'une recrudescence de la foi chez les soldats et dans le pays, que ce soit *La Croix* qui intitule un article « Le Renouveau religieux »[164].

Lors de la messe célébrée à l'occasion de l'anniversaire de la bataille de Champigny organisé par la Ligue des patriotes, l'abbé Auriault s'écriait : « Jamais la France n'a été plus catholique »[165]. L'archevêque de Paris, le cardinal Amette, décrivait « l'admirable mouvement .... de foi religieuse qui soulève notre pays tout entier »[166]. Le climat du départ d'un bataillon à Poitiers apparaît comme « digne des plus beaux souvenirs de la France chrétienne »[167]. Les bombardements de la cathédrale de Reims sont déplorables, mais on est « réconforté et rempli d'espérance par les spectacles de foi et de charité que cette guerre suscite... »[168].

Ce renouveau de la foi se traduit par l'affluence aux cérémonies religieuses. « Dès le premier jour de la mobilisation nos églises furent pleines, nos confessionnaux assiégés, les tables de communion plusieurs fois bondées de fidèles », rapporte le futur cardinal Baudrillart[169]. On lui a

---

164. 1er septembre 1914.
165. A.N. F 7 12873, Note F 626, Paris, le 7 décembre 1914.
166. *Le Semaine religieuse*, 29 août.
167. *Ibid.*
168. *Semaine religieuse*, 26 septembre.
169. *Ibid.*, 22 août (reprise d'un article de *La Croix*).

cité une paroisse de la Somme où depuis longtemps presque personne ne pratiquait plus ; elle compte un peu plus de 300 habitants — 66 ont communié. Dans une petite paroisse de l'Eure, « encore plus noyée dans l'indifférence », la récitation du chapelet en commun est organisée chaque soir. Il suffit qu'une séance de prières en commun soit annoncée pour qu'aussitôt la foule accourre, et si nombreuse que l'église est bientôt trop petite, dit *La Semaine religieuse* [170]. Certains curés, surtout en banlieue, craignent de manquer d'hosties devant le flot des paroissiens [171]. Le 13 septembre, l'archevêque de Paris organise une cérémonie de prières pour la France à Notre-Dame ; l'affluence est encore beaucoup plus grande que celle — nombreuse — à laquelle on pouvait s'attendre, 100 000 personnes se pressaient dans l'église et sur le parvis, estime *L'Echo de Paris* [172], chiffre que, plus modestement, *La Semaine religieuse de Paris* réduit à 40 000 [173].

La presse catholique insiste sur la foi montrée par les soldats. Sur 100 soldats de telle unité, 90 font leurs prières matin et soir et les quatre cinquièmes des autres ne les font pas seulement parce qu'ils oublient [174]. « ...Pas un homme ne refuse les sacrements, tous les réclament comme le ferait le plus pieux des séminaristes. J'ai déjà distribué plus de 1 000 médailles scapulaires. C'est la foi en action... », s'émerveille un aumônier militaire [175], tandis que d'autres affirmaient que « presque tous » les soldats « mourraient la médaille de Marie sur la poitrine, le chapelet aux doigts, la prière aux lèvres... » [176].

Certains se consolent de la guerre par cette poussée de la foi [177]. « La guerre vaut une mission », car « en face du danger, la foi des croyants s'avive, celle des négligents se réveille et les incrédules eux-mêmes sentent poindre en eux cette crainte du jugement divin qui est le commencement de la sagesse... » [178]. Ce curé des Ardennes pense aussi que le passage de ces pieux soldats bretons dans des régions peu chrétiennes a valeur de mission [179].

N'y-a-t-il pas cependant quelque exagération dans cette édifiante des-

---

170. *Ibid.*

171. *Ibid.*, 15 août.

172. 14 septembre 1914.

173. 19 septembre. P. Bouyoux, dans son étude de l'opinion publique à Toulouse, (*op. cit.*, p. 104) donne l'exemple du curé de Saint-Exupère écrivant dans le *Bulletin paroissial* de septembre : « Qu'avons-nous vu depuis le 2 août ? Un réveil de la foi dans le cœur des chrétiens. Notre église est remplie tous les soirs à l'heure des prières publiques pour la France ... Il ne faut pas se lasser de l'affirmer : nous sauverons la France à coups de prières et de communions ».

174. *Le Pèlerin*, 20 décembre 1914, sous le titre, « La foi de nos soldats ».

175. *La Semaine religieuse*, 7 novembre 1914, p. 563. *La semaine religieuse de Toulouse*.

176. *Le Pèlerin*, 8 novembre 1914.

177. *Ibid.*, 20 décembre.

178. *Ibid.*, 8 novembre.

179. *La Semaine religieuse*, 12 septembre (rapporté par la *Semaine religieuse de Reims*.)

cription du retour de la France à la foi que nous propose la presse catholique ?

Non, à en croire le témoignage d'un homme qui n'a pourtant guère de sympathies pour l'Eglise : « Jane (sa fille) me dit que, jamais, elle n'avait vu autant de gens à la procession du 15 août » [180].

Pourtant, d'après le chanoine Reynaud, de Digne [181], il faudrait quelque peu nuancer. Sans doute « ...La religion et la piété de nos soldats... » fut un grand sujet d'édification pour la population [182] ; rien qu'à la cathédrale, trois cents communions de soldats eurent lieu à la Toussaint et à Noël, sans doute la foule vint nombreuse au pied des autels, mais elle était principalement composée de femmes et de jeunes filles : « ...On y voit un groupe d'hommes, mais combien on aurait voulu les voir plus nombreux ! » [183]. En outre, note l'archiprêtre, cet élan se ralentit plus tard.

Il nous a donc paru nécessaire d'essayer de *mesurer* l'intensité de ce retour à la foi. Les notes d'instituteurs nous ont fourni un instrument utilisable.

En principe, les instructions reçues par les instituteurs ne comportaient pas de rubrique concernant la *vie spirituelle* [184]. Toutefois, elle figurait en Haute-Savoie, où le questionnaire « relatif à la conservation de la tradition orale » était sensiblement différent [185], et une question sur les cultes avait été ajoutée en Charente. Ce dernier point est d'autant plus important que, comme nous le savons, c'est de ce dernier département que nous sont venues les plus nombreuses réponses. En outre, rédigées par des instituteurs, on peut être persuadé qu'ils n'auront pas eu tendance à majorer la fréquentation des églises, le risque serait plutôt inverse.

Nous avons pu relever des remarques sur l'assistance aux cérémonies du culte dans 34 communes de Charente : dans 27 cas, elles signalent la progression de l'affluence ou tout au moins de la ferveur des participants. Cela ne signifie pas que le phénomène ne s'est pas produit dans les autres communes du département, mais la rubrique *cultes* souvent n'est pas remplie, ou bien la réponse a été conçue dans un sens différent, en général sous celui de leur organisation : de nombreuses fois, en effet, s'était posé le problème de la suppléance du prêtre mobilisé. Quelquefois, la réponse a été surtout l'occasion de mettre en valeur la persis-

---

180. A. Moméja, *op. cit.*, p. 33, 15 août.
181. *Digne pendant la guerre*, *op. cit.*, chapitre deuxième.
182. *Ibid.*, p. 14.
183. *Ibid.*, p. 13.
184. Voir *supra* p. 262, note 10.
185. Voir *supra* p. 263.

tance de l'opposition entre curés et maîtres d'école [186]. Il nous a donc semblé préférable de raisonner seulement par rapport aux réponses qui ont abordé la question de l'affluence aux cultes [187]. Il en ressort que ceux qui ont constaté une progression sont largement majoritaires, ce qui confirme les observations déjà faites. Toutefois, quelle furent l'importance et la nature de cette progression ?

Dans certaines communes, on a le sentiment que l'affluence fut très supérieure à l'habitude : « Les gens ont afflué aux offices » [188]. Mais on insiste plutôt en général sur la progression de la ferveur. Ce cas extrême en donne un exemple : « Saint-Quentin (de Chalais) est une des rares communes de France où la foi religieuse s'est conservée comme au Moyen Age. Gens simples, absolument rebelles à toute idée nouvelle ... ils pratiquent la religion catholique avec une ferveur extraordinaire. Etant donné cette mentalité, on comprend très bien que la guerre n'a eu d'autre effet que de redoubler leur ardeur ... » [189]. Dans l'ensemble, cependant, la progression de l'ardeur religieuse est qualifiée de façon assez modérée.

« Le nombre et l'assiduité des fidèles aux offices *paraissent* être en progression sensible » [190]. « *Il est à noter* une recrudescence de la fréquentation des offices religieux » [191]. « Plus de monde aux offices qu'avant la guerre » [192] ; « ...offices religieux suivis avec *un peu plus* de régularité... » [193] ; « ...le nombre des personnes assidues aux exercices religieux *semble* avoir augmenté... » [194] ; la fréquentation des cérémonies du culte catholique est pratiquée plus régulièrement qu'avant la guerre et par un plus grand nombre de personnes » [195]. Dans d'autres cas, il est précisé que ce sont seulement les femmes qui assistent en plus grand nombre au culte [196].

Des instituteurs, beaucoup moins nombreux, n'ont pas constaté de progression de la fréquentation religieuse. Le nombre des fidèles est

---

186. Ainsi, dit l'instituteur de Chasseneuil (A.D. Charente J 80), le culte a été assuré » par des intérimaires, prêtres de missions, qui n'ont pas toujours pratiqué l'union sacrée et il est arrivé maintes fois qu'au prône du dimanche, il y ait eu des manifestations désagréables à l'adresse des membres de l'enseignement ». Le narrateur ajoute : « Je pourrais citer des faits précis, mais à quoi bon : ces hommes sont vraiment d'un autre âge ».

187. Encore qu'on puisse légitimement penser que si beaucoup de narrateurs n'en parlent pas, c'est parce que le phénomène ne fut pas d'une ampleur telle qu'il rendît indispensable de la mentionner.

188. A.D. Charente J 76, commune d'Agris. En même temps d'ailleurs que les offices étaient multipliés et qu'on faisait des processions dans les rues avec de nombreux cierges.

189. A.D. Charente J 93.

190. *Ibid.* J 76, commune d'Ars.

191. *Ibid.* J 78, commune de Bionssac.

192. A.D. Charente J 80, commune de Chasseneon.

193. *Ibid.* J 81, commune de Fouquebrune.

194. *Ibid.* J 81, commune de Dignac.

195. *Ibid.* J 81, commune de Deviat.

196. *Ibid.* J 87, commune de Nouzon.

resté le même à Mornac [197], « les offices sont assez fidèlement suivis comme avant guerre » [198], « comme avant, pas plus, pas moins » [199]. Dans certaines communes peu pratiquantes, la guerre n'a, semble-t-il, pas eu d'effet sur cette situation. A Puymoyen, à quelques kilomètres d'Angoulême, les fidèles sont aussi rares dans la commune qu'avant la guerre [200] ; à Grand-Madieu, il y a aussi peu d'affluence qu'en temps de paix [201].

Cette progression de la ferveur religieuse semble surtout, aux dires de nos informateurs, avoir été très provisoire. « Plus de pratiquants *au début* de la guerre, note-t-on ici [202] ; plus d'assistance aux offices au début, puis « retombée dans l'indifférence générale », signale-t-on ailleurs [203], ou encore « plus de ferveur *au début* » [204], « un peu plus d'assistance *au début* de la guerre » [205]. A Angeac, où la population était pratiquante, il y a eu « recrudescence de la foi *au début* », des messes spéciales avaient lieu le mardi et le vendredi. « ...Très suivies au début, ces messes le sont moins maintenant. Cette recrudescence de la foi diminue ». Et, comme l'écrit, avec un espoir mal dissimulé, l'instituteur : « L'idée de l'impuissance des prières sur les événements actuels naîtrait-elle dans l'esprit de nos populations rurales ? » [206].

Une dernière indication peut être tirée de l'analyse de cette rubrique. Quels motifs expliquent cette poussée religieuse ? La recherche de la *consolation* [207], d'un *appui* [208], d'une protection : « Il semble toutefois que le danger couru par les membres des familles ait rendu celles-ci plus pratiquantes » [209]. L'instituteur de Taponnat conclut sévèrement : c'est un « zèle accru », mais un « zèle intéressé » [210].

De l'étude du dossier charentais se dégage donc une impression plus nuancée que ne le laissait prévoir l'examen de la presse catholique. La poussée religieuse est certaine dans les premières semaines de la guerre, ce n'est pas une lame de fond.

Le dossier de la Haute-Savoie est plus dense que celui de la Charente. Nous ne possédons des fiches que pour trente-six communes, mais

---

197. *Ibid.* J 87.
198. *Ibid.* J 89, commune de Puyreaux.
199. *Ibid.* J 90, commune de Rouillac.
200. *Ibid.* J 89.
201. *Ibid.* J 83.
202. A.D. Charente J 90, commune de Rivières.
203. *Ibid.* J 92, commune de Saint-Gervais.
204. *Ibid.* J 84, commune de Lesterps.
205. *Ibid.* J 83, commune de Houlette.
206. *Ibid.* J 76.
207. *Ibid.* J 87, commune de Montignac.
208. *Ibid.* J 78, commune de Bionssac.
209. *Ibid.* J 80, commune de Chenon.
210. A.D. Charente J 94.

dans presque toutes, la rubrique *vie spirituelle* a été remplie. Toutefois, là encore, le sens de la question n'a pas été compris partout de la même façon. L'un a cru qu'on lui demandait d'indiquer quels journaux lisaient ses concitoyens [211] ! D'autres se sont préoccupés simplement des problèmes d'organisation de la vie religieuse, tel celui qui constate que la mobilisation du curé a rendu difficile l'enseignement du catéchisme [212]. Mais dans vingt-trois réponses, il est fait allusion à l'intensité de la vie religieuse : on est donc plus assuré que la tendance qui s'en dégage est bien l'expression de l'ensemble de la documentation. En outre, en Haute-Savoie, les rédacteurs de ces notes ont rarement été des instituteurs, plus souvent des maires et surtout des curés, ce qui a donc chance de donner une coloration différente de la Charente du point de vue de l'appréhension des problèmes religieux. Enfin, si on en croit la carte de la pratique religieuse de la France rurale dressée par le chanoine Boulard [213], alors que la Charente était rangée dans la partie de la France de tradition chrétienne, mais indifférente, la plus grande partie de la Haute-Savoie était composée de paroisses chrétiennes.

Dans dix-huit cas, donc dans la très grande majorité, l'accroissement de l'intensité de la vie religieuse est notable. Est-ce seulement le fait du hasard si le pourcentage s'établit à 78 % par rapport aux communes pour lesquelles nous avons une indication, contre 79 % pour la Charente, c'est-à-dire des chiffres à peu près identiques, malgré des conditions tout à fait différentes ?

Dans certaines communes, les observateurs ont constaté simplement la progression de la foi, en considérant que c'était la manifestation d'un fait général : « Comme partout, les exercices religieux sont suivis avec plus d'assiduité qu'en temps ordinaire » [214]. C'est un fait incontestable et incontesté », affirme le curé des Gets [215]. Il y a « plus de participants que d'ordinaire aux cérémonies », dit l'instituteur de Groisy [216]. « On a pu constater, dans la plupart des paroisses, la reprise des pratiques religieuses à l'occasion de la guerre. Bien des gens qui les avaient oubliées sont revenus aux pieux exercices de leur jeunesse... » [217].

Dans quelques cas, il y a beaucoup de prudence dans les affirmations : à Morzine, la vie spirituelle est « sensiblement » plus intense [218] ; à Sallenôves, mais c'est un instituteur en retraite qui parle, les femmes

---

211. A.D. Haute-Savoie T 218, commune de Reignier.
212. *Ibid.*, commune de Thairy.
213. Chanoine F. Boulard, *Essor ou déclin du clergé français*, Paris, Ed. du Cerf, 1950, 480 p., P. 169.
214. A.D. Haute-Savoie 1 7 218, commune d'Annecy-le-Vieux.
215. *Ibid.*
216. *Ibid.*
217. A.D. Haute-Savoie 1 T 218, commune de Viuz-le-Chiesaz. Le curé.
218. *Ibid.* 1 T 218.

*peut-être* ont été plus assidues et encore à la suite des « puissantes exhortations du curé » [219].

Mais, dans de nombreuses communes, c'est une catégorie ou une autre de la population qui participe plus volontiers aux exercices religieux : « ...Presque toujours des personnes qui fréquentaient déjà l'église » à Alby. Pour les autres, on compte sur l'avenir [220]. A Chens, le curé rapporte que ce fut d'abord le fait des hommes atteints par la mobilisation : pour eux, il a célébré la messe le lundi 3 août à 3 heures du matin. Quant au reste des habitants du village, « les pieux fidèles sont devenus meilleurs, certains indifférents sont devenus bons », mais « les sectaires au point de vue religieux ont paru le devenir davantage ! » [221]. Ces fiches montrent donc que le comportement n'a pas été homogène. Dans d'autres cas, la « recrudescence de dévotion » n'a été que le fait des femmes [222].

A Frangy, nous ne savons pas quelle était la fonction du correspondant, le renouveau religieux aurait été principalement le fait des « personnes oisives » ou des « familles d'embusqués ». Par contre, les travailleurs fréquentent moins les offices et « la grande majorité des véritables poilus des tranchées sont demeurés incrédules » [223]. On peut craindre toutefois que ce témoignage ne soit pas parfaitement serein ! Néanmoins, plusieurs autres fiches — très peu nombreuses certes — font état d'une situation inchangée par rapport à l'avant-guerre [224]. L'une d'entre elles, mais qui traite de deux paroisses à la fois, donne l'indication d'une assistance moindre. Comme c'est le curé qui le dit, on peut le croire... Il l'explique par le grand nombre de mobilisés [225].

Cette poussée — variable — de la foi s'est quelquefois maintenue. Le maire de Faverges estime que la « prolongation imprévue des hostilités » entraîne « une plus grande fréquentation des églises » [226] ; à Saint-Jorioz, où la population était « pratiquante » en temps de paix, la vie spirituelle a pris plus d'intensité et « cela s'est généralement maintenu » surtout lorsque les travaux des champs furent moins exigeants [227]. Mais, le plus souvent, il y a eu fléchissement après le zèle des débuts. C'est le cas à Thônes où le correspondant est le directeur du collège Saint-

---

219. *Ibid.*

220. *Ibid.*

221. *Ibid.*

222. *Ibid.*, commune de Gruffy.

223. A.D. Haute-Savoie 1 T 218, commune de Saint-Félix.

224. *Ibid.*, communes des Houches, du Lyaud, de Montmin. A vrai dire, le contexte permet difficilement de savoir si ce qui n'est pas changé est l'intensité de la vie religieuse ou simplement son organisation.

225. A.D. Haute-Savoie 1 T 218, commune de Cusy et Noye.

226. *Ibid.*

227. *Ibid.*

Joseph : « ...Les fidèles ont afflué à l'église, surtout pendant les premiers mois de la guerre ... des communions sans nombre ont été distribuées... ». Plus tard il y a eu un « certain fléchissement » [228]. De même à Saint-Gervais, où, au début de la guerre, on a constaté une grande recrudescence de la vie religieuse. L'église paroissiale était visitée à toutes les heures de la journée par de nombreux fidèles. Il y avait des foules recueillies à tous les offices ». Mais « cette ferveur des premiers mois s'est un peu ralentie avec la durée de la guerre... » [229]. On retrouve les mêmes appréciations dans d'autres paroisses, « léger fléchissement » [230], « chute de l'assiduité » [231].

Le dossier de la Haute-Savoie confirme celui de la Charente. A quelques nuances près, il porte principalement sur l'appréciation de la qualité du réveil religieux. Les motifs invoqués par les instituteurs charentais dissimulaient mal un certain a priori antireligieux. Ce n'est pas le cas en général en Haute-Savoie. Des explications sont rarement données car les auteurs des notes — souvent des ecclésiastiques — ont dû trouver cette renaissance parfaitement normale, sans qu'il soit besoin de la commenter. Le maire de Saint-Jean-de-Sixt se contente de souligner que la religion reste « un des plus puissants leviers que l'on ait jamais connus pour maintenir haut et ferme le courage et l'énergie... » [232], et un autre correspondant que « beaucoup de mères cherchent une consolation dans la religion » [233].

L'attitude par rapport à la religion a été pour l'essentiel semblable en Haute-Savoie et en Charente ; on note une recrudescence nette de la foi religieuse, mais dont il ne faut pas exagérer l'importance, et surtout provisoire. Comme le dit un curé, plus qu'extérieurement, c'est intérieurement que « la gravité des circonstances a pu faire plus intense encore la vie spirituelle » [234].

Il est regrettable que nos conclusions ne se fondent que sur les documents fournis pas deux départements. Il est vraisemblable cependant que si tant d'autres témoins n'ont pas cru bon de mettre en évidence la renaissance religieuse, c'est parce qu'elle s'est maintenue dans des limites modérées. La France n'a pas été saisie par un mouvement de conversion. Les anticléricaux n'ont pas rendu les armes. Jules Moméja, cet érudit de Moissac, commente aigrement ce qu'il peut voir du réveil reli-

228. A.D. Haute-Savoie 1 T 218.
229. Ibid.
230. Ibid., commune de Saint-Félix.
231. Ibid., commune de Metz.
232. Ibid.
233. Ibid., commune de Nangy.
234. A.D. Haute-Savoie 1 T 218, commune de Sévrier.

gieux : « Il fallait s'y attendre car, aux jours de danger, la lâcheté et la peur se sont toujours muées en religiosité et en fanatisme »[235].

Des chrétiens comme le jeune Raymond Lefebvre, il est vrai pacifiste, n'ont pas, non plus, été impressionnés :

> « On dit que la guerre, comme tout grand malheur collectif, ramène l'homme à faire acte de foi. On dit cela parce que jamais on n'a vu, depuis un demi-siècle, tant de monde dans les églises. Compte-t-on pour de la foi cette précaution qu'on prend avant d'entrer dans les zones des meurtres ? Que vaut cette adoration à base de guerre ? ...
> Pour tout dire, il faut que j'aie un bien grand dégoût des anticléricaux si je ne me sens point tenté de me joindre à leur troupe »[236].

Il y a donc, nous semble-t-il, une certaine discordance entre la réalité et le ton triomphant de la presse catholique. Il est vrai qu'après les années bien grises traversées par l'Eglise, la situation pouvait apparaître favorable. Mais l'important pour elle n'était pas seulement de s'émerveiller ou de feindre de s'émerveiller, il était indispensable de profiter des circonstances pour se faire rendre la place qui lui avait été contestée dans la société française. Cela explique une certaine exagération et la publicité qui fut faite à ce retour aux autels.

Dans cette optique, un intérêt tout particulier devait être porté dans l'immédiat à l'existence et à l'activité des aumôniers militaires. Dès le 3 août, A. de Mun se fit l'interprète des familles chrétiennes pour réclamer l'organisation des aumôneries à l'armée[237]. Une souscription était lancée dans les colonnes de *L'Echo de Paris* pour en couvrir les frais. Répondant à une requête du cardinal Amette, une circulaire du 22 août instituait un corps des aumôniers militaires volontaires[238]. La hiérarchie catholique était convaincue qu'aumôniers ou simples soldats, les prêtres avaient à ce moment un rôle décisif à jouer.

« Croyez bien, persuadez-vous bien que beaucoup auront les yeux sur vous. Croyez bien, persuadez-vous bien que vous tenez cette fois de vos mains, pour une bonne part, l'avenir de la religion dans notre pays », écrivait Mgr Touche, évêque d'Orléans, aux ecclésiastiques mobilisés[239].

Comme pour la renaissance religieuse, la presse catholique se chargea de donner le maximum de retentissement à l'attitude du clergé : « Le clergé est admirable », écrit *Le Pèlerin*. « On ne sent presque pas de mal

---

235. J. Moméja, *op. cit.*, p. 33, en date du 15 août 1914.

236. Cité par Shaul Ginsburg, « La jeunesse de Raymond Lefebvre : un itinéraire 1891-1914 », *Le Mouvement social*, janvier-mars 1973, p. 102, d'après des texte dactylographiés retrouvés par l'auteur dans les Archives Barbusse.

237. *L'Echo de Paris.*

238. A.A.P. 1 D XI-27, *Eléments pour une vie du cardinal Amette.*

239. *La Semaine religieuse de Paris,* 14 août.

quand elles nous soignent », disait-on des religieuses [240]. On pouvait même se féliciter — a posteriori — de la loi des « curés sac au dos ». Bien que « contraire aux droits de l'Eglise », elle « aura eu, du moins, ce bon effet de multiplier pour nos soldats les facilités de recevoir les sacrements et de faire tomber bien des préventions irraisonnées contre le clergé... » [241].

*La Semaine religieuse* n'était pas en reste : « Cette guerre fourmille de traits sublimes, de scènes grandioses où le prêtre-soldat et l'aumônier militaire jouent le principal rôle » [242].

En réalité, dans ce domaine aussi, il y avait une certaine différence entre le dit et le fait. Un rapport de l'archevêché de Paris se montrait beaucoup moins enthousiaste. Il y avait assurément de bons aumôniers mais, en raison d'un recrutement hâtif, beaucoup n'étaient pas à la hauteur de leur tâche. Le rapport distinguait plusieurs types de mauvais aumôniers. Ceux qui étaient trop peu « surnaturels ». La fonction les avait attirés par « l'espoir du panache, la gloriole ou par le désir d'éviter un service militaire plus pénible ». Ils avaient « peu le souci des âmes qui leur (étaient) confiées ».

Un second groupe était formé par les « gaffeurs » au « zèle maladroit et intempestif ». Ils auraient voulu que les hommes communient plusieurs fois par jour ; ils les inondaient de médailles, de petits drapeaux du Sacré-Cœur, ils agaçaient les officiers.

Il y avait encore les « vaniteux » qui jouaient « au soldat comme de petits garçons ». Ils portaient des galons sur leur soutane, sur leur calot, sur leur chemise. Résultat : on se moquait d'eux.

Enfin, une dernière catégorie était formée par les « mondains ». Ils prenaient les habitudes des officiers. Ils fumaient, buvaient, allaient même au café dans les villes.

La conclusion du rapport était que, d'une part, tous ces errements étaient dûs à la liberté dont jouissaient des prêtres qui ne dépendaient plus d'aucune autorité religieuse, et que, d'autre part, une réorganisation était nécessaire sous la direction d'un aumônier-général qui devrait être l'archevêque de Paris [243].

Ce document ne comporte pas d'appréciation statistiques sur l'étendue du mal. On peut penser qu'elle devait être assez grande pour justifier un rapport aussi sévère. Or les défaillances de certains aumôniers, si elles compromettaient leur mission spirituelle, exposaient encore davantage à l'échec leur mission politique. Or cette mission était de tirer tous les avantages d'un retour de la France au christianisme.

---

240. 1er novembre 1914, p. 10 et 11.
241. *Ibid.* p. 10.
242. 31 octobre.
243. A.A.P. 5 B II — XIII, octobre 1915.

Dans *La Semaine religieuse* du 22 août, Alfred Baudrillart l'exprimait avec précision :

« *Pour le Christ et pour la France*
Qui nous eût dit, il y a seulement quelques semaines, que ces deux causes pourraient sitôt se trouver solidaires, autrement que dans nos vœux ? Et pourtant, le miracle s'est fait. En redevenant tout à fait française, l'âme nationale se retrouve catholique. La transformation s'accomplit dans les individus : *le contre-coup politique suivra* » [244].

L'effort de l'Eglise devait avoir pour but d'obtenir ce contre-coup. D'abord en montrant que les souffrances et les malheurs que la France pouvait encore connaître étaient nécessaires au rachat de ses fautes. « Nous en avons la ferme espérance, cette guerre effroyable sera notre rédemption. Dans les tranchées se prépare en silence un mouvement qui régénérera les pays », écrit un chanoine de Digne [245]. « La France doit une rançon pour ses fautes, déjà le sang des soldats, tant de souffrances l'ont en partie soldée », prêche le chanoine Poulin au Sacré-Cœur [246] ; « ...Epreuve sans égale que Dieu nous impose... », dit Albert de Mun [247] ; « C'est dur, mais c'est Dieu qui le dit », titre-t-on dans *La Croix* : « Le monde qui s'oublie à ce point a besoin d'un châtiment. Le mot de pénitence fait bondir. Combien il est nécessaire cependant ... Nous voudrions que chacun comprît que c'est par la croix, le sacrifice, la violence faite à soi-même qu'on apaise la colère divine » [248].

Il est donné une insistance particulière à ce thème quand la situation devient mauvaise : évoquant la situation critique, *La Semaine religieuse* du 5 septembre 1914 commente : « Au milieu des épreuves que la Providence nous envoie, les âmes en effet se retournent vers Dieu d'abord, mais aussi vers leurs pasteurs pour apprendre d'eux comment elles pourront écarter les *châtiments redoutés que nous avons trop conscience d'avoir mérités...* » [249].

La réponse est simple, il faut s'en remettre à Dieu, le cardinal Amette l'a rappelé dès les premiers jours du conflit : « Dieu reste l'arbitre souverain des destinées des peuples... » [250]. Le grand moyen d'obtenir la victoire : « Cherchez d'abord le royaume de Dieu et le reste vous sera donné par surcroît ! » [251]. Quand vient la victoire, A. de Mun ne doute

---

244. Article d'abord publié par *La Croix*.
245. Chanoine A. Reynaud, *op. cit.*, p. 15.
246. Le 17 octobre, repris dans *La Semaine religieuse* du 24 octobre.
247. *L'Echo de Paris*, 6 septembre 1914.
248. *La Croix*, 2 septembre.
249. *La Semaine religieuse*. 12 septembre.
250. *L'Echo de Paris*, 5 août 1914.
251. *La Semaine religieuse de Paris*, 12 septembre 1914.

pas que la protection de la Vierge implorée par tant de Français n'ait été déterminante [252].

Le R.P. Janvier, lors du pélerinage de la Ligue patriotique des Françaises, promet au Christ qu'après la victoire « la France emploiera sa force à la faire aimer et à répandre jusqu'aux extrémités du monde la gloire de son nom et la lumière de son Evangile » [253].

Toutefois, il est nécessaire d'imposer ce point de vue aux pouvoirs publics. *La Croix* apostrophe « nos gouvernants » qui se refusent à inscrire le nom de Dieu dans les appels officiels. Ils vont contre la « Sainte Raison qui démontre l'existence d'un Dieu gouvernant le monde, ils vont contre les traditions de la France qui fut toujours chrétienne... ». On frissonne à l'idée que « Dieu ne punisse terriblement une nation dont les gouvernements, *seuls dans le monde*, s'obstinent à l'ignorer ». On les exhorte à reconnaître leur erreur, à s'incliner « sous la main de Dieu ». On les adjure de promettre qu'ils assisteront officiellement à la consécration de la basilique du Sacré-Cœur, qu'ils demanderont aux Chambres l'établissement de la fête nationale de Jeanne d'Arc [254].

On peut estimer qu'une partie de l'opinion catholique était sincèrement angoissée de l'athéisme officiel du régime républicain [255]. Il n'en reste pas moins que la vigueur de cette pression fait transparaître les « arrière-pensées politiques ». C'est *Le Temps* qui le dit pour s'élever contre les prétentions de *La Croix* de porter atteinte aux principes essentiels du régime républicain, ce que ce journal conteste avec véhémence, exprimant ainsi d'après lui la volonté de 80 % de l'armée et de la nation qui ont recours à Dieu [256]. Cette polémique nous a paru importante. Que *Le Temps* se soit ému, prouve que l'affaire n'était pas secondaire.

L'Eglise catholique, utilisant un réel mouvement de retour à la foi, même s'il ne fallait pas le surestimer, tentant d'affoler l'opinion par les périls courus, cherchait à profiter des circonstances pour arracher au gouvernement l'abandon de la laïcité et refaire de la France « la fille aînée de l'Eglise » [257]. Il en était de l'Eglise comme de toutes les autres familles spirituelles françaises : l'union sacrée devait servir à ses propres

---

252. « Ça marche », *L'Echo de Paris*, 11 septembre.

253. *La Semaine religieuse de Paris*, 3 octobre.

254. *La Croix*, 2 septembre. Franc, pseudonyme du père assomptionniste Bertoye, véritable directeur de la *Croix* à ce moment (voir *Histoire générale de la presse*, T. III, *op. cit.*, p. 434).

255. Dans une correspondance privée, (il s'agit donc bien d'un sentiment ressenti et non d'une œuvre de propagande), une personnalité catholique entretient, à plusieurs reprises, le chanoine Dupin, secrétaire de l'archevêque de Paris de son indignation devant le refus du gouvernement de demander des prières nationales : « ...Je suis hanté par la pensée que des combats sanglants continueront sans assurer la victoire, par suite bien des vies humaines seront inutilement sacrifiées... » (A.A.P. 5 B 3 — Lettres de novembre 1914 de Charles Morel d'Arleux).

256. Franc, « Article étrange », *La Croix*, 1er octobre.

257. *La Semaine religieuse de Paris*, 12 septembre.

fins et ceux qui ne les admettaient pas étaient assurés de « manquer à la trêve des partis »[258].

L'Eglise devait profiter sans tarder de cette position favorable, car elle n'était pas aussi confortable qu'il aurait pu sembler. Nous avons déjà évoqué comment, lors de son ralliement à l'union, elle avait dû éviter les dangers représentés par les positions pontificales. La difficulté restait d'importance, elle risquait de compromettre tous les avantages politiques que le catholicisme français pouvait espérer tirer de la situation.

Un rapport des Renseignements généraux sur le mouvement catholique[259] a résumé la question de la façon suivante :

> « On n'a pas oublié les interprétations plus ou moins malveillantes auxquelles avait donné lieu l'attitude du pape dans les premiers temps de la guerre. Ses hésitations à dénoncer la violation de la neutralité belge et les excès allemands qui ont suivi, la réprobation qu'il laissait peser sur le nationalisme du clergé français, ses appels et ses prières pour une paix immédiate, les paroles malencontreuses qu'il avait laissé échapper au cours d'une interview accordée au journaliste Latapie, avaient gravement indisposé contre lui, non seulement les anticléricaux qui en triomphaient, mais un grand nombre de catholiques influents, qui voyaient dans Benoît XV un germanisant, sinon un ennemi avéré de notre pays »[260].

Déjà, au moment de la mort de Pie X[261], *L'Echo de Paris* avait protesté contre les accusations formulées à son endroit d'être un pape antifrançais : « Rien n'est plus odieux et plus faux. Le pape réunissait tous les catholiques dans son cœur paternel et jamais il ne manque une occasion de manifester à la France sa profonde affection... »[262]. Mais sa disparition allait concentrer la polémique autour de son successeur. *L'Echo de Paris* avait immédiatement proclamé : « L'élection de Mgr Della Chiesa est un succès pour la France »[263]. En réalité, les papiers rassemblés pour établir une histoire de la vie du cardinal Amette et conservés aux archives de l'Archevêché de Paris montrent que l'hostilité de l'opinion française, même catholique, à Benoît XV, fut une des préoccupations primordiales de l'archevêque de Paris[264].

Dès sa prise de fonction, Benoît XV avait publié une lettre en faveur de la paix où il invitait les gouvernements à oublier leurs différends : bien « assez de misères et de deuils accablent cette vie mortelle » et « il n'y a

---

258. *La Croix*, 1er octobre.

259. A.N. F 7 13213. Rapport de 43 pages daté du 4ᵉ trimestre 1916.

260. P. 43.

261. Que le cardinal Amette attribuait à son désespoir de n'avoir pu empêcher la guerre d'éclater (*La Semaine religieuse*, 22 août).

262. 21 août 1914. Marquis de Blaisel.

263. 4 septembre 1914.

264. A.A.P. 1 D XI-27.

vraiment pas sujet de la rendre encore plus misérable et triste... » [265].
Dans sa première encyclique, il témoignait de son émotion devant l'horrible fardeau de la guerre ; il conjurait les princes et les peuples de
« mettre fin à la lutte fratricide... » [266]. On ne peut à distance
qu'approuver les propos du nouveau pape. Toutefois, replacés dans le
contexte, ils comportaient un grave inconvénient pour l'Eglise de
France : Benoît XV se gardait bien de manifester une préférence pour
un camp ou pour l'autre et il fallait de fort subtiles exégèses pour
déduire d'une réponse du pape à l'archevêque de Reims qu'il condamnait formellement les « Vandales » [267]. Et l'opinion publique ne se forme
pas à partir de subtilités. L'Eglise de France en était consciente : dans
un document établi par l'archevêché [268], il était rappelé que Benoît XV
avait reçu le cardinal Amette lors de son élection et lui aurait dit : « Mes
sympathies sont pour l'Entente, mais vous comprenez que je ne puis pas
le dire ! », et qu'il avait adopté ensuite une attitude de neutralité dont
aucune pression ne put le faire sortir. « Ce fut pour les Français, qui ne
connaissaient pas les sentiments secrets du pape, une douloureuse déception », que les adversaires du catholicisme exploitèrent et entretinrent.
Cela dépassa même les adversaires du catholicisme puisque, d'après ce
texte, seuls de toute la presse parisienne, deux journaux rendirent justice
au pape, *La Croix* et *L'Action française*.

Benoît XV fut très sensible à cette incompréhension puisque, dans un
consistoire tenu le 22 janvier 1915, il dut rappeler les raisons de son attitude, qu'il lui était impossible d'être d'un parti puisque le Saint-Père
avait « des fils nombreux dans les deux camps », que, d'ailleurs, avoir
un comportement contraire ne servirait pas la cause de la paix, tout en
risquant de provoquer de graves perturbations à l'intérieur de l'Eglise :
par des condamnations sans efficacité, le pape n'aurait pu qu'entraîner
la persécution des catholiques d'Allemagne. Une dernière raison justifiait le point de vue de la papauté, d'après ce document, dont on peut
cependant penser qu'elle n'aurait pas été de nature à améliorer leurs sentiments envers le pape si les Français l'avaient connue : à un moment où
la victoire de l'Allemagne ne faisait de doute pour personne, en dehors
de l'Entente, était-il indispensable d'exaspérer le vainqueur ?

Le Pape était donc conscient de l'impopularité de sa position en
France, mais il accusait la presse française de ne pas avoir su ou voulu
en expliquer les raisons à ses lecteurs. Il s'en prenait également au gouvernement français : contrairement au gouvernement allemand, qui
s'était montré plus habile en empêchant les attaques contre la papauté, il

---

265. *La Semaine religieuse de Paris*, 19 septembre.
266. *Le Pèlerin*, 29 novembre 1914, commentaire de l'Encyclique, p. 2.
267. *Ibid.*, p. 14. « Le Pape condamne le crime de Reims et bénit la Belgique ».
268. A.A.P. 10 XI-27. *A propos de l'élection pontificale*, texte dactylographié de 8 pages.

avait contribué à developper l'incompréhension en faisant une « réponse sèche » à la lettre adressée par le nouveau pape (3 septembre 1914) dans laquelle, pourtant, ce denier formulait le vœu que la providence fît tourner les événements à l'avantage de la France.

« L'affaire Latapie », en juin 1915, allait être l'aboutissement de ce divorce entre l'opinion française et la papauté. Chronologiquement, cet incident se place largement au-delà des limites de notre étude, mais il éclaire les problèmes posés à l'Eglise de France dès le début des hostilités.

Voici comment un document dactylographié des archives de l'Archevêché en relate les péripéties [269] :

> « Au milieu de l'année 1915, le malentendu qui régnait à l'état latent entre le pape et la France s'aggrava subitement. Le journal *La Liberté*, dans son numéro du 25 juin 1915, publia le récit d'une audience que Benoît XV avait accordée à l'un de ses rédacteurs, M. Latapie, les propos que le journaliste prêtait au pape avaient en effet de quoi attrister les Français et les catholiques eux-mêmes. Ils étaient en fait erronés, et l'on en eut bientôt la preuve. Mais quand l'interview parut, et dans un journal réputé plutôt favorable à l'Eglise, il causa dans le grand public français une vraie consternation ».
>
> (L'article reprochait à Benoît XV de mettre sur le même plan les deux partis, par exemple le torpillage du *Lusitania* et le blocus qui condamnait à la famine des milliers d'êtres innocents).
>
> « Dès le 25 juin, trois jours après la publication de l'interview, le cardinal Amette avait écrit à Benoît XV pour libérer sa conscience, disait-il à une de ses correspondantes, et pour faire part ˮ en toute liberté filiale ˮ au chef de l'Eglise de l'effet produit par l'article.
>
> Pour apaiser l'opinion catholique, il publia dans *La Semaine religieuse* du 3 juillet 1915 une note succincte, mais décisive, où il opposait aux sentiments que le journaliste avait prêtés au pape les témoignages non équivoques de bienveillance que Benoît XV avait donnés à la Belgique et à la France, et il concluait : ˮ Les catholiques français ne voudraient donc pas faire le jeu des ennemis de l'Eglise et de la France en laissant ébranler par de perfides manœuvres leur confiance filiale envers le pontife suprême ˮ. Le pape allait le féliciter bientôt d'avoir si bien exprimé sa pensée dans *La Semaine religieuse*.
>
> A Rome, le cardinal Gasparri dénonçait les propos prêtés au pape, de même sur Pie X du silence gardé par la papauté sur la violation de la neutralité belge.
>
> En fait, l'auteur de l'article avait plus résumé la pensée de la Curie que celle du pape. Mais l'impression pénible persista dans l'opinion publique, la grande presse ne fit aucun écho aux démentis ».

Ce document fait allusion à une lettre du cardinal Amette adressée au pape le 25 juin 1915 [270]. Son texte nous a semblé également très important :

---

269. A.A.P. 1 D-XI-27.
270. A.P.P. 1 D XI-30, lettre manuscrite.

« Très Saint Père,

Je crois remplir mon devoir et faire acte de dévouement filial envers le Saint-Siège, en vous faisant part respectueusement et en toute sincérité de l'impression produite en France par la publication d'un entretien que Votre Sainteté aurait accordé récemment à un rédacteur du journal *La Liberté*.

Parmi les catholiques, clergé et fidèles, cette impression est unanime, et c'est celle d'une peine profonde. L'écho m'en arrive de tous côtés de la part d'évêques, de prêtres, de députés et d'hommes politiques importants, de publicistes chrétiens aussi bien que d'une foule de personnes. Tous sont désolés et se disent découragés et, parmi les adversaires, c'est une satisfaction mauvaise et perfide, parce qu'ils espèrent trouver là des armes pour empêcher la France de renouer avec le Saint-Siège et pour entraver le retour à la religion de l'armée.

Je dois avouer à Votre Sainteté qu'il y a trois semaines, à la suite d'une audience que vous avez accordée à un rédacteur de *L'Echo de Paris*, le directeur de ce journal, M. Simond, était venu me communiquer le compte rendu de cette audience que ce correspondant lui avait envoyé. Ce compte rendu était à peu près semblable à celui que vient de publier *La Liberté*. M. Simond estimait que le publier serait nuire au Saint-Siège. J'ai partagé cet avis et l'interview n'a pas paru.

Sans doute, nous savons et nous disons que c'est dans vos discours et dans vos lettres qu'il faut chercher la vraie pensée et les vrais sentiments de Votre Sainteté, et que vous avez clairement réprouvé les iniquités commises et manifesté votre affection paternelle envers la France et la Belgique, mais on nous objecte que si, parmi les attentats allemands, il en est sur lesquels la pleine lumière n'est peut-être pas faite, il en est d'indiscutables et pour lesquels ils ne sauraient alléguer d'excuses valables (la lettre en cite des exemples, comme le bombardement de la cathédrale de Reims...)

Assurément aussi, Votre Sainteté avait des motifs légitimes de désirer que l'Italie ne prît pas part à la guerre. Mais Votre Sainteté, déclarant qu'elle a fait tout ses efforts pour empêcher cette participation, les adversaires en prirent prétexte pour lui reprocher de servir les intérêts de l'Autriche et de l'Allemagne.

Que Votre Sainteté me pardonne de lui dire ces choses qu'il m'est si pénible d'entendre, je le fais, encore une fois, parce que je lui suis très profondément dévoué et que je souffre de la voir méconnue et que je crois lui rendre service en la renseignant sur l'état des esprits.

*Je le fais aussi parce que j'ai conscience que l'avenir de la religion en France est en jeu, et que, si rien ne venait modifier les dispositions présentes de la nation par rapport au Saint-Siège, les conséquences les plus fâcheuses en pourraient résulter...* »[271].

La conclusion de la lettre de l'archevêque de Paris donne la clef de l'attitude de l'Eglise par rapport à l'union sacrée. Patriote, voire nationaliste, l'Eglise de France a vibré d'espoir au renouveau de foi qu'elle sentait se produire dans la population au début de la guerre. Elle a

---

271. Souligné par l'auteur.

employé de grands efforts pour le faire savoir et l'amplifier [272]. Elle pouvait en tirer de grandes espérances pour l'avenir, mais l'attitude de la papauté risquait de lui faire perdre, et au-delà, ce qu'elle espérait gagner. D'où un comportement inquiet, équivoque, la nécessité de se réfugier dans de délicates exégèses...

Ainsi, en janvier 1915, un grave incident éclatait : le pape avait ordonné une journée de prières en faveur de la paix. Le cardinal Amette fit publier le décret pontifical dans *La Semaine religieuse* et *Le Pèlerin* [273]. Le gouvernement fit saisir ces journaux. La journée eut tout de même lieu [274] et le cardinal affirma aux fidèles [275] : « ...Vous avez compris que, cette fois comme toujours, il est aisé d'accorder votre soumission au Vicaire de Jésus-Christ avec votre amour ardent pour la Patrie ... En priant pour la paix, nous prions donc pour la victoire de la France et de ses alliés ».

Or, la simple logique conduisait à considérer que des prières pour la paix adressées à l'ensemble des chrétiens pouvaient autant impliquer la victoire de l'Allemagne que celle de la France !

L'ÉGLISE RÉFORMÉE

Les problèmes posés par l'union sacrée à l'Eglise catholique ne troublèrent pas l'Eglise réformée. Des personnalités protestantes avaient joué un grand rôle dans l'établissement de la République, l'électorat protestant se portait volontiers sur les candidats des partis de gauche. Il n'y avait pas de contentieux politique entre la France et les protestants : la guerre n'avait pas à être pour eux l'occasion d'une revanche. Cela se traduisit par une conception plus sereine de l'union sacrée que dans l'opinion catholique.

Les orateurs protestants mirent d'abord l'accent sur la profondeur de l'unité nationale qui devait être réalisée par la guerre. Au temple de l'Oratoire, le pasteur Wagner appelait à une « moisson magnifique et belle d'une unité nationale, d'unité spirituelle, faites du respect de tous pour chacun en son originalité et sa conscience et du rapport de chacun pour tous » [276], mais c'est au pasteur Wilfrid Monod qu'il revint d'asso-

---

272. Et l'empêcher de retomber. Ainsi *Le Pèlerin* du 22 novembre dans un article « Tenir jusqu'au bout » : « Il faut tenir jusqu'au bout pour le salut du pays. Telle doit être aussi la consigne de ceux qui ne sont pas engagés sur la ligne de feu : " Tenir " dans la prière jusqu'à ce que Dieu nous ait accordé le salut du pays. Il ne faut pas qu'au vif élan des premiers jours vers le ciel succède la lassitude... »
Sur un autre plan, mais dans le même esprit, les archives de l'archevêché (A.A.P. 5 B II — 4 — 5 B II — 10 — 5 B 3 — 1 D XI — 27) gardent de nombreuses traces du souci que, dans les œuvres qui se multiplient en faveur des blessés, des mutilés, des orphelins, les catholiques apparaissent pleinement en temps que tels. Ainsi lorsqu'il est question de créer les Pupilles de la Nation, se manifeste une vive hostilité à une institution où la place de l'Eglise n'était pas prévue (A.A.P. 5 B 3).

273. 30 janvier 1915.

274. 7 février 1915.

275. A.A.P. 1 D XI-27.

276. *Discours à l'Oratoire*, 27 novembre 1914.

cier dans le même hommage les morts exemplaires des différentes « confessions » religieuses ou politiques, le pasteur brancardier Bertin Aguillon, le rabbin Jean Bloch, tué en présentant le crucifix à un blessé qui le lui demandait, le comte Albert de Mun, épuisant ses dernières forces à écrire les articles qui soutenaient le moral de la nation, ou encore Jaurès « assassiné pour avoir trop passionnément aimé la paix » [277].

Sous la plume des journalistes protestants, on trouve également très vite l'idée d'un rapprochement des Eglises, sans pour autant sousestimer les difficultés de l'entreprise. On espère tout de même que « catholiques, protestants (pourront communier) dans l'amour du drapeau et dans la défense du sol national ». But plus limité : la guerre doit permettre, escompte-t-on, un rapprochement entre protestants « libéraux » et protestants « orthodoxes » [278].

Les protestants refusent également de donner une teinte nationaliste à l'union sacrée : il s'agit de défendre « l'âme de la France » [279], mais cela ne doit pas entraîner d'accepter l'esprit de la guerre. Il fallait entendre par là que le conflit ne signifiait pas la renonciation aux principes pacifistes, à la fraternité des peuples. Il fallait refuser de céder à ceux qui traitaient de billevesées, de nobles, mais pitoyables chimères ces principes, mais au contraire riposter : « Le monde étant aussi barbare, combien les grands principes sont nécessaires !... » « Ne hissons point le drapeau blanc de la défaite... [280]. Il n'était pas possible d'accepter le principe de la guerre. Il fallait être chrétien et défendre son cœur contre les « démons de la guerre ». « Non ! Jusqu'à notre dernier souffle, nous maudirons la guerre » [281]. Par son absurdité et par son horreur, la guerre démontrait la « divine vérité » de l'enseignement du Christ [282]. Contrairement à certaines guerres « méprisables » provoquées uniquement par « l'esprit de lucre d'un groupe de capitalistes », de ces guerres pour une « forêt de bananiers ou pour une querelle de négrillons », cette guerre était une « juste » guerre, une « grande guerre », elle était un « sursaut de la conscience humaine ». « Le Royaume des Cieux devait être conquis aujourd'hui par la violence » [283]. Mais guerre pour le droit, pour l'idéal, pour la « justice », pour « l'humanité », il ne fallait pas qu'elle soit entachée par l'esprit de vengeance [284]. « Je tremble que le désir de représailles n'envahisse peu à peu nos cœurs et n'emprisonne, à notre

277. *Ibid.*, 13 décembre 1914.
278. *Evangile et Liberté*, 22 août. H. Draussin.
279. *Discours à l'Oratoire*, Wilfrid Monod, 2 août 1914.
280. *Ibid.*
281. *Ibid.*, J.D. Roberty, 16 août.
282. *Ibid.*, W. Monod, 15 novembre.
283. *Discours à l'Oratoire*, « Pour la Gloire », A. Wautier d'Aygalliers, 18 octobre 1914.
284. *Le Christianisme au XXᵉ siècle*, P. Doumergue, 6 août. Le thème est repris dans tous les numéros par *Evangile et Liberté*.

insu, la limpide source de notre enthousiasme », disait le pasteur Monod en apprenant les exactions allemandes. « O notre Père, préservez-nous d'une pareille déchéance »[285]. Très souvent et très longuement, en particulier au mois de septembre, celui qui était une des personnalités les plus représentatives de l'Eglise réformée en France revient sur la question : « Père pardonne-leur, car ils ne savent pas ce qu'ils font ! ».

Conscient de tout ce qu'on pouvait lui objecter, la violation du territoire belge, l'incendie de Louvain et de la cathédrale de Reims, l'achèvement des blessés, conscient de devoir être incompris, il n'en continue pas moins de croire qu'en ne maintenant pas l'esprit de pardon, il rabaisserait « l'idéal évangélique »[286].

Sans se douter combien leurs craintes étaient prématurées, les sermonnaires protestants mettent en garde contre les dangers d'une paix de vengeance. « Il y a des victoires qui corrompent et qui se transforment en défaites »[287]. Avec lucidité d'ailleurs, ils expliquaient que « la guerre ne tuerait pas automatiquement la guerre » et que, sans l'établissement de la fraternité internationale, la victoire matérielle se transformerait en défaite spirituelle et que les alliés vainqueurs pourraient être « frustrés » des fruits de leur effort[288].

A relire ces textes souvent d'une grande hauteur de vues, patriotes sans rejeter les grands principes de fraternité, appelant au combat sans aimer la guerre, dénonçant les violences de l'adversaire sans admettre qu'on en tire vengeance, on pourrait penser que nous avons enfin trouvé un groupe, minoritaire certes[289], mais qui sut adhérer à l'union sacrée, à la fois sans avoir l'air de renier certains de ses principes et sans espérer en tirer un profit quelconque, politique ou autre, un groupe pour qui l'union était bien l'expression d'un mouvement en profondeur, désirant sincèrement l'oubli des querelles passées. « ...L'alouette gauloise s'élèvera vers le ciel bleu et fera retentir aux oreilles de tous une chanson toute nouvelle, un chant de foi, de liberté, de tolérance, de justice et d'amour », imagine le pasteur John Viénot[290].

En réalité, si les protestants n'avaient pas de revanche à prendre sur le régime, ils n'en appréciaient pas pour autant le déclin moral : « Ayons la courageuse franchise de l'avouer : à plus d'un égard, notre nation offrait certains symptômes alarmants d'anémie et même de dégénérescence... ... Et quand la guerre éclata sur eux comme la foudre (les Français) se passionnaient pour les péripéties du scandaleux procès où

---

285. *Discours à l'Oratoire*, « Au nom de l'Eternel », 23 août 1914.

286. *Ibid.*, « En face du crucifié », 11 septembre.

287. *Discours à l'Oratoire*, 18 septembre, A. Wautier d'Aygalliers.

288. *Ibid.*, 15 novembre, W. Monod.

289. Les protestants sont alors en France 600 000 (*Evangile et liberté*, 28 novembre 1914).

290. *Discours à l'Oratoire*, « La France nouvelle », 8 novembre, J. Viénot.

s'étalèrent les dessous les plus répugnants de la démagogie et de l'adultère... » [291]. Ils ont donc vu dans la guerre la brusque possibilité d'un retournement : « Soudain tout changea... » [292].

Arrêt sur le chemin de la décadence, mais arrêt aussi sur le chemin de l'athéisme. On se félicite, comme les catholiques, du réveil du sentiment religieux endormi [293]. « C'est un fait, il y a devant nous une France nouvelle, une France à laquelle plusieurs d'entre nous croyaient profondément ... Cette France nouvelle est idéaliste et religieuse ». « Nos journaux, habiles à tourner la voile au vent, osent imprimer à nouveau et souvent le nom sacré... » [294]. « Et même si auparavant vous étiez déjà religieux, ne l'êtes-vous pas davantage ? » [295].

Mais il ne faut pas laisser passer le moment favorable : « Il faut que la grande, l'héroïque épreuve nationale soit bienfaisante pour les âmes, les rapprochent plus étroitement et pour toujours du Dieu que notre pays, nos Eglises ont trop peu et trop mal servi... » [296].

Il faut surtout faire tous les efforts pour amplifier le mouvement qui se dessine : « La tâche des chrétiens ... consiste à préparer, à stimuler, à hâter, au sein de nos Eglises d'abord et de notre peuple tout entier, un gouvernement de repentance et de foi... [297].

La victoire doit être celle de la foi. L'ère dans laquelle nous entrons sera « un siècle de foi profonde... » [298].

Chez les protestants, l'union ne se conçoit donc pas non plus sans prosélytisme religieux et, de façon plus spécifique, sans prosélytisme protestant. Les aumôniers protestants ne cèdent pas sur ce point à leurs homologues des autres confessions et ils recherchent aussi l'efficacité, tel celui qui décrit ainsi sa pratique : « Avec ceux-là (les blessés), j'imite carrément mes collègues catholiques, et je parle à tous sans m'inquiéter de savoir s'ils sont catholiques ou protestants... » Il souhaite d'ailleurs

291. *Discours à l'Oratoire*, « Nos légions invisibles », 6 septembre., W. Monod.

292. *Ibid.*

293. *Evangile et liberté*, 5 décembre 1914, « Plus près de toi, mon Dieu ! », H. Draussin.
Nous ne savons guère si, comme les églises, les temples furent davantage fréquentés. Dans le Gard, où la population protestante était nombreuse, les instituteurs n'ont pas fourni de renseignements sur ce sujet. En Charente, où il y avait aussi d'importantes communautés protestantes, une seule remarque, à Montignac (A.D. Charente J 87) : église et temple sont « un peu plus fréquentés ».
On peut toutefois glaner quelques observations dans la presse protestante. A Alais, « dans l'Eglise réformée évangélique, on constate que depuis la guerre, les cultes sont beaucoup plus suivis. Un culte de famille, le dimanche soir, et une réunion de prière, le jeudi soir, ont été établis » *(Christianisme du XXe siècle)*, 17-24 septembre), de même que dans les sermons : « Et puis les églises sont pleines. Chaque dimanche, nous voyons revenir à nous des amis, des frères qui nous avaient oubliés ou bien qui, de loin, regardaient nos églises comme un refuge pour les mauvais jours » *(Discours à l'Oratoire*, 8 novembre J. Viénot).

294. J. Viénot, « La France nouvelle », *Discours à l'Oratoire*, le 8 novembre.

295. *Ibid.*

296. *Le Christianisme au XXe siècle*, 17-24 septembre, B. Couve.

297. *Ibid.*

298. *Evangile et liberté*, 18 septembre, Louis Lafon.

être rattaché à l'Etat-Major d'où « il serait plus facile d'atteindre les divers régiments... »[299]. Cependant, ne serait-ce que pour des raisons matérielles, ce prosélytisme se manifeste avec plus de discrétion que celui des catholiques.

L'esprit d'union des protestants ne les conduit pas non plus à se montrer indulgents envers la mémoire du pontife défunt ou l'activité de son successeur.

La mort du premier ne les a pas portés à des considérations lénifiantes : elle n'était pas due à son pacifisme, mais à ce que celui qui s'était cru « ingénuement » le suzerain des princes et des peuples, avait vu son autorité bafouée par le plus catholique des souverains, François-Joseph[300]. C'était un « pape du Moyen Age », perdu au 20e siècle. Son attitude envers la France avait été « déplorable ». Conduisant la barque de saint Pierre avec une « gaffe », cet « infaillible » n'avait su démontrer que son « incapacité », « esprit rétrograde ». Aucun pape —avec autant de bonnes intentions — n'avait fait autant de mal à son siècle[301].

Quant à Benoît XV, si on voulait bien reconnaître qu'il était plus intelligent que son prédécesseur, « ce qui n'est pas difficile »[302], sa politique fut bientôt attaquée avec violence par le pasteur Louis Lafon[303]. On lui reprochait sa « neutralité », de ne pas condamner les atrocités et les crimes « pour ne mécontenter personne ».

« Où l'on espérait rencontrer le Vicaire du Christ ... on ne trouve qu'un politique impassible qui, pour des raisons d'opportunité, ne veut prendre parti ni pour les bourreaux, ni surtout pour les martyrs ! ».

Le même pasteur ironise sur la nécessité de ménager le catholicisme allemand « dont on attend encore tant de services » et « la catholique Autriche, la seule nation du monde qui est encore soumise au Vatican ! ». Il s'interroge sur la façon dont, une fois A. de Mun mort, « les Barrès, les Bazin, les Bourget, vont nous arranger cela ». L'auteur affirme toutefois qu'il ne fallait voir là aucun « fanatisme protestant ».

En vérité, les protestants avaient d'autant moins de raisons de ménager l'Eglise catholique et d'éviter de la frapper là où elle était sensible, qu'eux-mêmes n'étaient pas à l'abri des attaques.

---

299. *Evangile et liberté*, 14 novembre, pasteur Jézéquel.

300. Dans un autre article d'*Evangile et liberté* du 12 septembre 1914, un écho, « Papolâtrie », ironise sur les pieuses légendes qui entourent la mort de Pie X. Que le pape ait été contrarié par une guerre qui mettait dans un cruel embarras la « diplomatie en soutane » qui ne voulait mécontenter aucun des belligérants, certes, mais il était peu croyable que la « contrariété produise la bronchopneumonie et augmente la catarrhe (sic) sénile, voilà qui serait nouveau dans les annales de la pathologie... ».

301. *Evangile et liberté*, 29 août 1914, H. Draussin.

302. *Ibid.*, 5 décembre 1914.

303. *Ibid.*, 26 décembre 1914, Louis Lafon.

Nous fûmes très surpris quand le pasteur Henri Bosc [304] nous affirma qu'au début de la première guerre mondiale les familles protestantes avaient souvent été victimes de médisances, parce qu'elles étaient réputées avoir des sympathies pour l'Allemagne, puissance protestante, parce que des descendants des huguenots français servaient comme officiers prussiens ... Divers documents montrent l'existence d'un courant de cette nature.

D'après le commissaire de police d'Hyères, par exemple, l'évêque de Fréjus avait déclaré dans un sermon « qu'il ne voyait, quant à lui, dans ce conflit armé, que la lutte de deux religions, le protestantisme et le catholicisme » [305].

Un pasteur cite à son auditoire ce mot d'une femme belge : « Et ceux qui se conduisent ainsi, ce sont des protestants ; le Dieu des protestants, c'est le diable ! » [306].

C'est Frédéric Masson qui, dans *L'Echo de Paris* [307], assimile la Réforme aux « enseignements de moines libidineux », qui, en détruisant Louvain, a voulu s'en prendre au catholicisme.

L'hebdomadaire protestant *Evangile et Liberté* [308] cite un extrait d'une lettre de Pierre Mille adressée à A. de Mun et publiée dans *L'Echo de Paris* : même les protestants allaient à l'église pour pouvoir pleinement communier avec la patrie.

Le mois suivant, le même hebdomadaire [309] consacra toute une chronique à la question en réponse à un article de Louis Latapie publié dans un organe catholique, *Le Soleil du Midi* [310].

L'auteur prétend d'abord que les attaques contre le clergé, accusé d'être responsable de la guerre, dont il est fait état, sont mythiques [311], ou ne peuvent être dues qu'à « quelque feuille de chou anticléricale de sixième ordre ». En revanche, il prend très au sérieux les accusations lancées conte le protestantisme « visant à le rendre solidaire de la barberie allemande et de l'hypocrisie du Kaiser ». Ce sont des journaux « fort répandus » qui ont imprimé la « perfide allégation que la destruction de la cathédrale de Reims portait la signature de Luther... ». Quant à Latapie, il lui était reproché d'attribuer à Luther une citation qui justifiait toutes les horreurs de la guerre.

---

304. Secrétaire général de la Société de l'histoire du protestantisme qui nous donna de précieuses indications dans un entretien qu'il nous accorda la 7 février 1967.

305. A.D. Var 4 M/43 27 novembre 1914 « ce qui d'ailleurs, d'après le commissaire, indispose beaucoup d'auditeurs ».

306. *Discours à l'Oratoire*, 13 septembre, J. Viénot.

307. 23 septembre 1914.

308. 10 octobre 1914.

309. 21 novembre 1914, Henri Draussin.

310. Numéro des 14 et 15 novembre 1914.

311. En réalité nous savons qu'elles furent loin d'être les mythes.

Un autre journaliste protestant signale ces « quelques personnes égarées par le malheureux esprit de secte » qui « ont jeté la suspicion sur le patriotisme des protestants français ». « C'est une guerre de religion, ont-elles dit : Guillaume II et les Allemands sont protestants ; il en veulent à la France catholique et les protestants français ne peuvent pas oublier que leurs agresseurs sont des coréligionnaires... » [312].

On peut penser que, comme tout groupe minoritaire, les protestants étaient particulièrement sensibles aux injures qui leur étaient faites. Ceci explique le malaise qu'en ressentaient les communautés protestantes. « ...Français jusqu'à la moelle des os, Français à la deuxième puissance, puisque nos ancêtres se sont cramponnés à la mère-patrie... » [313], les protestants pouvaient — moins que d'autres — supporter qu'on mettre en doute leur patriotisme. « ...M. Pierre Mille ne voudrait sûrement pas nous faire l'injure de croire qu'on l'est moins (patriote) au temple qu'à la cathédrale » [314].

Mais les protestants n'entendaient pas non plus accepter que leur religion soit mise en cause. Crier à la faillite du protestantisme, c'était admettre tout autant la faillite du catholicisme à cause de l'Autriche, des socialistes, des libres penseurs... [315] ; on ne pouvait pas plus attaquer Luther que Kant, Beethoven ou Richard Wagner [316]. Si beaucoup de journalistes « s'obstinaient » à appeler le Dieu du Kaiser « le Dieu de Luther », pourquoi ne pas appeler le Dieu des catholiques français « le Dieu de Simon de Montfort » ou « le Dieu de Cauchon » [317].

Les protestants français s'indignaient contre ceux qui prétendaient assimiler par un « déplorable anachronisme » leur religion à celle de l'ennemi, et ils auraient souhaité que les journaux catholiques qui ne participaient pas à cette campagne eussent un mot de blâme pour de tels procédés [318]. En tout cas, ils refusaient de laisser transformer une guerre nationale en une nouvelle « guerre de religion » [319].

Argument suprême dans cette polémique, *Evangile et Liberté* établit la comptabilité des protestants, des catholiques et des orthodoxes qui se trouvaient dans chaque camp ; l'hebdomadaire rappelait que seule la majorité des Allemands était protestante, que l'Autriche-Hongrie était

---

312. *Evangile et liberté*, 28 novembre 1914, Georges Rivals.
313. *Discours à l'Oratoire*, 2 août 1914, W. Monod.
314. *Evangile et liberté*, 10 octobre 1914.
315. *Discours à l'Oratoire*, 13 septembre 1914, J. Viénot.
316. *Evangile et liberté*, 21 novembre 1914, Henri Draussin.
317. *Evangile et liberté*, 21 novembre 1914, D. Bouchenin.
318. *Ibid.*, H. Draussin.
319. *Discours à l'Oratoire*, 13 septembre, J. Viénot. « Nous ne laisserons pas M.F. Masson transformer en ˮ guerre de religion ˮ cette immense guerre de 1914 où la France lutte pour son existence avec le concours de ses alliés anglais protestants contre le piétisme de Guillaume II et le cléricalisme de François-Joseph ». (Pages intitulées *Notes et additions)*.

catholique, qu'il y avait au total plus de catholiques du côté des puissances centrales que dans le camp de l'Entente où les Russes étaient orthodoxes et les Anglais, en majorité, protestants. Une statistique permettait enfin d'établir les tenants de chaque religion dans les deux groupes d'adversaires [320].

Les arguments utilisés dans cette controverse peuvent paraître assez puérils, mais ils jettent d'étranges lueurs sur la façon dont certains concevaient l'union sacrée.

En outre, et cela était aussi vrai pour les catholiques que pour les protestants, cette discussion soulignait l'ambiguïté d'une attitude qui voulait faire du patriotisme l'auxiliaire de la religion.

« Gott mit Huns » ironisait Latapie en réponse au « Gott mit uns » [321], mais si, comme le proclamait le pasteur John Viénot, cette guerre devait être couronnée par la « victoire de Dieu » [322], une question demandait réponse : Dieu pouvait-il être dans les deux camps ? Il n'y avait place pour le doute chez A. de Mun : « ...Ce sera dans la suite des temps l'honneur de notre douce France d'être encore une fois, comme à Tolbiac et à Poitiers, le soldat de la civilisation chrétienne. Nous assistons encore une fois au geste de Dieu par les Francs » [323].

Mais il n'était pas toujours possible d'éviter le débat. Pour le R.P. Janvier, la prière et l'évocation de Dieu ne valaient que par la valeur de l'âme d'où elles émanaient « qu'il s'agisse de l'âme d'un individu ou de l'âme d'un peuple ». Dans ces conditions, que les empereurs d'Allemagne et d'Autriche prient aussi Dieu n'avait pas d'importance [324].

La réponse protestante était à peu près la même. Elle refusait à ceux qui avaient déclenché le conflit de pouvoir invoquer le Tout-Puissant, elle se gardait d'imiter ce comportement qui associait le nom de Dieu aux violences humaines, mais sa cause étant juste, Dieu ne pouvait être qu'avec la France : « Remettons avec confiance entre les mains de notre Dieu, le Dieu de justice, notre patrie, la France ... éternelle ! » [325].

Il va de soi néanmoins qu'au même moment les hommes d'Eglise des puissances centrales tenaient des propos exactement inverses et exactement identiques. « ...Si jamais une guerre fut juste, c'est bien celle-ci, car elle est justifiée, tant au point de vue du droit strict qu'au point de vue moral... », déclarait Mgr Csernasch, primat de Hongrie [326].

---

320. *Evangile et Liberté*, 28 novembre 1914, G. Rivals.

321. *Le Soleil du Midi*, 14-15 novembre 1914.

322. *Discours à l'Oratoire*, 13 septembre.

323. *L'Echo de Paris*, 16 août 1914, « Gesta Dei ».

324. *La Semaine religieuse*, 3 octobre 1914, pélerinage de la Ligue patriotique des françaises, Notre-Dame de Paris.

325. *Le Christianisme au XXᵉ siècle*, 20 août 1914, « Dieu et Patrie », Charles Corbières.

326. *Ibid.*, 20 août 1914.

Enfin, cet appel de la religion au secours de la victoire pouvait être dangereux aussi bien pour l'une que l'autre confession ... en cas de défaite, encore que du côté catholique, certains avaient déjà agité le risque ou la nécessité de la punition de la France pour ses péchés, et que, du côté protestant, d'autres faisaient remarquer que « les effets de la prière ne se jugent pas à leurs résultats matériels, mais à l'élévation spirituelle qu'elle procure » [327].

## Les inquiétudes des autorités civiles

Les autorités civiles, au moins aux échelons local ou départemental, ont été souvent assez rapidement convaincues que l'union sacrée ne faisait pas disparaître les problèmes politiques, au point d'être vivement préoccupées d'une renaissance du cléricalisme qui, en liaison dans certains cas avec l'autorité militaire, aurait pu mettre en péril la République.

Un certain nombre de documents permettent de saisir l'étendue et le caractère de ces inquiétudes. Au mois d'octobre, le préfet de police fit le point dans un rapport adressé au ministre de l'Intérieur [328]. Il soulignait d'abord la « vitalité » dont faisaient preuve les catholiques, la façon dont leur presse mettait habilement en valeur les sacrifices et les activités politiques des prêtres et des religieuses, les succès que cette propagande obtenait, manifestés par l'augmentation très importante du nombre de lecteurs de *L'Echo de Paris* et de *La Liberté*, par les « foules considérables » attirées par des cérémonies, comme le pèlerinage de supplications à Jeanne d'Arc.

Le préfet établissait ensuite les conséquences à en escompter, d'après lui : l'utilisation par les catholiques du renouveau de foi religieuse pour obtenir une participation à la direction des affaires après la guerre, pour rétablir les relations entre le gouvernement de la République et le Vatican [329] et, dans l'immédiat, des risques sérieux pour l'union sacrée.

Le préfet montrait comment l'initiative de l'archevêque de Lyon, le cardinal Sevin, de faire signer des pétitions pour que des prières publiques aient lieu avec le concours du gouvernement, avait soulevé l'hostilité de journaux, *révolutionnaires* comme *La Bataille syndicaliste* et *La Guerre sociale*, mais également *modérés* comme *Le Temps*. La polémi-

---

327. Pasteur Jean-Emile Roberty, « Les prières non exaucées », 22 novembre 1914, in *Discours à l'Oratoire*.

328. A.N. F 7 13574, *Rapport sur l'attitude des catholiques*, 16 octobre 1914.

329. Un bruit avait couru dans les milieux ecclésiastiques, dit le préfet de police, que l'ambassadeur Cambon avait été voir le cardinal Amette avant son départ pour le conclave, chargé d'une mission par le président de la République et le Ministère des Affaires étrangères, indiquant ainsi qu'ils se préoccupaient du choix du nouveau pape.

que toutefois s'était vite arrêtée, » chacun des partis en présence ne voulant pas prendre sur lui de rompre la trêve d'union nationale... ».

A vrai dire, ce rapport ne nous apprend pas grand'chose que nous ne sachions déjà, sauf l'attention que les pouvoirs publics portaient à l'activité catholique et aux propos que tenaient les ecclésiastiques. Dès le lendemain, un autre rapport relevait les paroles agressives d'un prédicateur [330].

Des mises en garde viennent aussi des départements : en Saône-et-Loire, les trois sous-préfets de Charolles, Chalon-sur-Saône et Louhans, interrogés, ne manifestent pas d'inquiétudes. Ce n'est pas le cas de celui d'Autun [331]. Les partis républicains observent la trêve [332] « imposée par les événements » ; en revanche, il signale plusieurs tentatives blâmables du côté du clergé. Quelques prêtres ont lancé du haut de la chaire des anathèmes qu'il a fallu réprimer avec « tact », mais « fermeté ». Toutefois, ce qui lui paraît vraiment alarmant, « c'est l'ingérence cléricale dans les hôpitaux militaires ». Le clergé y règne en « maître », « ...Au chevet des malades règne une odeur de sacristie ». Des salles des écoles publiques du Creusot sont encombrées de statues, de gravures pieuses. Il faudrait que les autorités militaires y veillent, mais il y a peu de chance qu'« on obtienne cela des officiers supérieurs ou des médecins-chefs ». Une enquête menée en compagnie du député socialiste Bras n'a rien donné : « naturellement les soldats n'ont rien voulu dire ». Le sous-préfet ne croit pas pourtant que la population soit « entamée » et que, pour le moment, la République ait à craindre « ses ennemis de l'intérieur » [333].

Le préfet de l'Allier se plaint que des insignes du Cœur-de-Jésus soient distribués au passage des trains de soldats à Paray-le-Monial ; lors de la traversée du département où « l'opinion des populations est nettement républicaine », cela risque de provoquer des conflits. Il y a là une « manœuvre » à « enrayer » [334].

Même plainte du préfet de l'Aube envers les dames de la Croix-

---

330. A.N. F 7 13574 ; notice quotidienne du 17 octobre 1914.
*Cérémonies catholiques* ... « La neuvaine annuelle en l'honneur de Saint-Denis a pris fin hier. Dans la matinée, l'abbé Aubert, curé de Saint-Alexandre de Javel, a prononcé devant cent personnes un sermon au cours duquel il a déclaré : " Si au début de cette guerre, les gens qui ont entre leurs mains les destinées de notre pays, qui ont martyrisé l'Eglise et bafoué le Saint-Siège, avaient demandé le pardon de leurs crimes, Jésus-Christ aurait sans doute pardonné et peut-être fait un miracle, mais ils ne l'ont pas voulu et ne le veulent pas " ».

331. A.D. Saône-et-Loire, 51 M. 20 septembre 1914.

332. Observons d'ailleurs que le sous-préfet emploie le mot *trêve* et non celui d'*union*.

333. Toute une correspondance est encore échangée entre le préfet de Saône-et-Loire, le sous-préfet de Chalon-sur-Saône, le commissaire de Mâcon à propos d'une chapelle établie dans le buffet de la gare de Montchanin et qui a provoqué les interventions du député socialiste Bouveri et du député radical Simyan (A.D. Saône-et-Loire, 51 M).

334. A.N. F 7 12937, Moulins, 11 août.

Rouge installées en gares de Romilly et de Nogent-sur-Seine : outre de la boisson, elles distribuent médailles religieuses, chapelets, scapulaires, brochures religieuses. Les autorités militaires devraient les inciter à « plus de discrétion dans leur propagande »[335].

A Lourdes, l'évêque s'est porté à la rencontre d'un détachement de trois cents hussards. Il a ensuite célébré la messe à leur intention et prononcé un sermon à la basilique. Après que les officiers aient déjeuné avec le prélat, le détachement rangé à cheval sur l'esplanade a été béni. Avisé par le préfet, le commandant d'armes a infligé une réprimande au chef du détachement pour cette « manifestation religieuse »[336].

Les autorités civiles bordelaises ont été particulièrement soucieuses du péril « cléricalo-militaire ». L'affaire commence avec le rappel au service du général Oudart, choix qui cause « une impression des plus défavorables dans les milieux républicains ». Il lui est reproché de s'être déclaré « ostensiblement réactionnaire » depuis son passage dans la réserve, d'appuyer les manifestations cléricales et d'être un « grand admirateur des Camelots du Roi ». Pour faire bonne mesure, le préfet estime que la diminution de ses capacités intellectuelles le place sous l'influence d'un « comité réactionnaire ». L'intérêt de la République, et c'est souligné deux fois, exigeait que le gouvernement le sache[337]. Le préfet télégraphie pour empêcher la nomination de ce général hostile au gouvernement[338]. Sans succès dans l'immédiat, mais le ministre de la Guerre le consulte quand, quelques semaines plus tard, il est question d'appeler le général Frater à la tête de la 52e division territoriale[339]. Le préfet ne veut pas s'engager sur le terrain militaire, mais il signale que cet officier est connu comme « un clérical fanatique » d'ailleurs mis en disponibilité lors de l'application de la loi sur les congrégations religieuses[340].

Mise à part cette difficile question du choix des généraux, d'autres faits préoccupent l'administration bordelaise. Le 17 août, un rapport du commissaire spécial signale que « chacun (dans les milieux cléricaux) s'emploie à tirer tout le profit possible des événements et à reconquérir ainsi l'influence catholique d'antan. Tout leur est prétexte à manifestation dans ce but ». Une cérémonie religieuse organisée par la Croix-Rouge à la mémoire des premières victimes de la guerre est présidée par

335. *Ibid.*, Troyes, 13 août.

336. A.N. F 7 12938, Hautes-Pyrénées, Tarbes, le 20 août, rapport du préfet.

337. A.N. F 7 12936, rapport du commissaire du 2 août.

338. A.M. cabinet du ministre, cabinet militaire, entrées, registre 2.

339. A.M. cabinet du ministre, cabinet militaire, télégrammes sorties, registre 33.

340. A.M. cabinet du ministre, cabinet militaire, télégrammes entrées, registre 5, 2 septembre. En revanche, la nomination du général de Cassagnac est chaudement approuvée par le préfet de Haute-Vienne. Il offre toutes garanties au point de vue des opinions politiques (A.N. F 7 12936. Limoges ; 8 janvier 1914. Préfet au ministre de l'Intérieur).

le cardinal Andrieu, dont on craint qu'il n'en profite pour manifester une fois de plus sa combativité politique. « Dans les milieux républicains, on trouve cette manifestation un peu prématurée et on lui attribue un but plutôt politique »[341]. Le général Oudart participe à cette cérémonie avec quatre mille personnes « attirées par des appels parus dans la presse réactionnaire ». Seul parmi les parlementaires du département, le sénateur Monis accepte d'y participer. « ...Les fonctionnaires, flairant la manifestation cléricale, se sont abstenus »[342].

On pourra peut-être s'étonner dans ces conditions que le même commissaire bordelais ait fait état de « l'union patriotique de tous les citoyens sans distinction de partis ». Cela doit conduire à être assez méfiant envers ce type de formule souvent répété. En réalité, cette affirmation était du 2 août, c'est-à-dire à un moment où la « réalisation » de l'union pouvait faire prendre les apparences pour la vérité, et surtout, dans le cas présent, le but d'une telle assertion était de contester l'établissement de l'état de siège jugé inutile et inquiétant[343]. Dans ses *Mémoires*, le préfet de la Gironde du moment, Olivier Bascou, l'a expliqué : « On ne voit pas bien, l'ordre étant parfait, la raison qui a pu motiver une pareille décision. En tout cas, c'est clair. Le pouvoir est mesuré par le galon... »[344].

Les fonctionnaires civils ont dans l'ensemble — semble-t-il — très mal supporté la remise de tous les pouvoirs aux autorités militaires, par amour-propre, mais aussi par crainte d'abus de celles-ci dans l'exercice de leur autorité.

Les traces de grincements sont fréquentes dans les dossiers : violent incident entre le sous-préfet d'Autun et le commandant d'un dépôt[345], maladresse des mesures prises par l'autorité militaire, affirme le préfet de la Manche[346], aigreur du préfet de l'Aube quand il reçoit l'ordre de transmettre le courrier adressé aux ministères par l'intermédiaire du GQG[347], rapports particulièrement tendus entre le préfet du Nord et le sous-préfet d'Hazebrouck d'une part, et le gouverneur de Dunkerque, le général Bidon d'autre part[348]. « Puisque je suis momentanément et, je me plais à l'espérer, pas pour longtemps, placé sous ses ordres... », écrit le 30 août le sous-préfet à l'intention de ce dernier...

---

341. A.N. F 7 12936, Bordeaux, 17 août. *Ibid.*, Bordeaux, 18 août, télégramme chiffré du préfet au ministre de la Guerre, ministre de l'Intérieur, président du Conseil.

342. A.N. F 7 12936, rapports du commissaire de Bordeaux du 18 août et du 20 août.

343. A.N. 12936. Bordeaux, 2 août.

344. O. Bascou, *op. cit.*, p. 96.

345. A.D. Saône-et-Loire 52 M, septembre 1914.

346. A.N. F 7 12938, Manche, Saint-Lô, le 8 août.

347. A.N. F 7 12937, Aube, Troyes, le 14 août.

348. A.D. Nord R 25 1914/1918. Dossier 4. Correspondance général Bidon — préfet du Nord. Dossier 5. Incident du général Bidon et du sous-préfet d'Hazebrouck. Voir également A.N. 96 A.P. Journal de Félix Trépont, p. 69.

Ces exemples pourraient être multipliés. Il ne faut certes pas les généraliser, mais ils témoignent de la fréquence des rapports peu coopératifs entre les autorités militaires et des autorités civiles qui s'en méfient, outre qu'elles ne sont pas persuadées de leur compétence...

Que les généraux n'aient pas voulu être des Boulanger, comme l'affirme Henry Contamine [349], c'est vraisemblable — encore aurait-il fallu que les circonstances soient favorables à une telle entreprise, que se serait-il passé en cas de défaite ? —, mais certains craignaient qu'ils voulussent l'être. Dans les milieux socialistes par exemple, le décret de clôture de la session parlementaire produisit du mécontentement. D'après les Renseignements généraux, E. Vaillant se montra très surpris lors de la réunion de la commission exécutive du Parti socialiste. Il déclara que c'était une grande faute. « C'est, aurait-il dit, l'abaissement du pouvoir civil devant le pouvoir militaire » [350].

A. Moméja se plaint que « la dictature militaire s'appesantit lourdement. Il faut veiller sur sa langue... » [351].

Plusieurs fois dans ses *Carnets,* Galliéni fait allusion aux soupçons qu'il sent peser sur lui. Cela aurait même été la raison du voyage à Paris, au mois de septembre, de Briand et de Sembat [352].

Compte tenu de la situation, le gouvernement ne pouvait guère soutenir les fonctionnaires civils contre les militaires. En cas de conflit ouvert, il devait donner raison à ces derniers. Ainsi le sous-préfet d'Autun est rappelé à plus de circonspection par le préfet : il proteste avec énergie contre une enquête faite, d'après lui, de façon unilatérale [353]. En revanche, le gouvernement pouvait se montrer plus vigoureux contre les « menées cléricales » ou les attaques antirépublicaines.

En application d'une circulaire envoyée par télégramme par le ministre de l'Intérieur [354], le préfet du Var appelle ses subordonnés à lui signaler « toute organisation d'ordre politique ou religieux qui, à la faveur des événements actuels, chercherait à se livrer à des actes de manifestation ou à des pratiques ayant un caractère de propagande nettement antirépublicain... » [355].

---

349. *Op. cit.,* p. 65.

350. A.N. F 7 13574, rapport du 16 octobre du préfet de police sur l'attitude des socialistes.

351. A. Moméja, *op. cit.,* p. 95, 11 septembre.

352. Galliéni, *op. cit..* Dans des « préliminaires », l'auteur des notes P.B. Gheusi, qui servit à l'Etat-Major de Galliéni, écrit : « Ces confidences à lui-même n'auraient jamais été publiées si ses ennemis — et quelquefois certains de ses admirateurs — n'avaient essayé de camper sa haute silhouette devant l'Histoire dans une attitude d'un " soldat factieux ", d'un ambitieux latin ou d'un " fauteur de coup d'Etat ", prêt à provoquer et à saisir en sa faveur l'occasion de quelque aventure politique, fut-ce devant l'ennemi » (p. 11).

353. A.D. Saône-et-Loire 51 M.

354. A.D. Saône-et-Loire, télégramme du ministre de l'Intérieur aux préfets.

355. A.D. Var 4 M 43. Draguignan, le 17 septembre 1914.

Le 3 octobre, Malvy adressait aux préfets une note confidentielle du ministre de la Guerre aux généraux commandant les régions. Elle leur prescrivait de rejeter les démarches pressantes faites par les autorités ecclésiastiques de célébrer les offices religieux dans les établissements d'enseignement public où étaient installés des hôpitaux temporaires. Il était précisé que, pour éviter les atteintes à la neutralité, les offices religieux ne pouvaient avoir lieu que dans les chapelles des hôpitaux militaires [356]. Un commentaire du ministre de l'Intérieur accompagnait la circulaire Millerand prescrivant de signaler aux commandants de région tous les actes de nature « à porter atteinte au principe de neutralité de l'Etat en matière confessionnelle... » [357].

Le recteur de l'Académie de Poitiers interdisait l'établissement de chapelles dans les établissements scolaires [358] ne possédant pas de chapelle régulièrement affectée aux cultes. Il craignait que la multiplication des manifestations religieuses se transforme « trop aisément » en actes de pression sur les militaires appartenant à d'autres cultes et que « de telles manifestations (soient) susceptibles de provoquer au détriment de l'union nécessaire de tous les Français de regrettables réclamations... » [359].

Cette « guerre des chapelles » peut paraître dérisoire avec le recul du temps. On ne peut, pourtant, en négliger l'importance. Le pasteur Louis Lafon dénonce « un acte d'intolérance que peut expliquer, mais que ne justifie en rien, un prosélytisme catholique peut-être excessif » [360], mais, en réalité, il faut la considérer beaucoup plus comme une contre-attaque de pouvoirs civils inquiets devant le lent investissement de la nation par une action religieuse soupçonnée d'être une menace pour la République. Cela se passe en demi-teintes — comme le dit le sous-préfet d'Autun : « Son action (celle du clergé) est très habile, elle est certaine, mais il m'est impossible de citer des faits précis » [361] —, néanmoins, sous le couvert de l'union sacrée, on perçoit une lutte non dénuée de vigueur.


L'union sacrée, mythe ou réalité ? Une réponse simple à cette interrogation est difficile parce que la réalité justement fut complexe.

Quand Poincaré appela à l'union de tous face à l'ennemi, il fut sans aucun doute entendu. Presque unanimement les Français communièrent

356. A.D. Saône-et-Loire 51 M.

357. A.D. Deux-Sèvres 4 M 6/29, note du 3 octobre 1914.

358. Louis Bouët, dans la rubrique « Défense laïque » de *L'Ecole émancipée* (17 octobre), se demande pourquoi tant d'écoles laïques sont occupées par l'armée, alors que les écoles libres ne sont pas touchées.

359. *Ibid.*

360. *Evangile et liberté*, 31 octobre 1914.

361. A.D. Saône-et-Loire 51 M, rapport du sous-préfet, 20 septembre.

dans la défense nationale. Incontestablement aussi, ils se rapprochèrent les uns des autres, les exemples en sont multiples ; des dirigeants syndicalistes, socialistes, radicaux crurent possible de s'asseoir à côté d'évêques, de nationalistes, de monarchistes...

Partant de là, tant dans l'immédiat que dans l'avenir, beaucoup ont voulu attribuer à l'union sacrée une autre dimension. L'union n'aurait plus été seulement le dépassement *provisoire* et dans *un but précis* des catégories politiques ou spirituelles habituelles, mais elle serait supposée les avoir fait disparaître. Puis — cela a été vrai surtout dans les polémiques internes au mouvement ouvrier —, on en était même arrivé à cette conception que l'union sacrée avait été le symbole de la capitulation des forces *pacifistes* devant les forces *bellicistes*.

A vrai dire, l'union sacrée n'a jamais été, ne pouvait être cela. Les nécessités du moment exigeaient que les manifestations des divergences s'estompent, mais elles n'avaient pas le pouvoir de faire disparaître les divergences elles-mêmes. Suivant une formule que les pouvoirs publics affectionnèrent, les circonstances imposaient la trêve. Même cette trêve, si des efforts louables furent faits pour la respecter, ne le fut que de façon inégale, ... surtout quand les choses allèrent mal.

Ainsi la municipalité de Rouen [362] dut faire placarder sur les murs de la ville l'avertissement suivant : « Lâches, tous ceux qui depuis quelque temps colportent jésuitiquement des bruits tendant à faire croire que la situation actuelle est due à un régime politique. Ceux-là sont de misérables menteurs et de mauvais Français... » [363].

*L'Humanité* acceptait de prendre acte des affirmations d'Arthur Meyer dans *Le Gaulois* et de Maurice Pujo dans *L'Action française* qu'il ne se faisait pas de propagande royaliste. Mais le quotidien socialiste s'étonnait cependant de cette allusion de *l'Action française* « aux terribles responsabilités que les événements rendent éclatantes » [364]. Le lendemain, Marcel Cachin en appelait à l'unité nationale, bien décidé à persévérer dans cette voie « sans considérer qu'autour de nous, on oublie parfois ce devoir patriotique au premier chef ! » [365]. Le même jour, Daniel Renoult s'indignait : « Ils continuent ! ». « Tout en continuant à chanter l'union nationale, les feuilles réactionnaires, chaque jour inlassablement, dirigent contre la République et le socialisme des attaques perfides ». Mettant en cause *L'Action française, Le Temps, La Liberté*, le journaliste s'en prenait à ceux qui « s'efforcent cyniquement

---

362. Municipalité « progressiste », donc de droite, qui avait été réélue au premier tour le 5 mai 1912.

363. A.N. F 7 12939, Seine-Inférieure, 2 septembre.

364. Pierre Renaudel, 4 septembre. « Non, ce n'est pas l'heure ».

365. 5 septembre. « Sang-froid et confiance ».

de profiter des épreuves de la patrie pour servir les intérêts des oligarchies ou des castes auxquelles ils appartiennent... » [366].

Ces lignes étaient publiées la veille même du jour où allait s'engager la bataille de la Marne : justifiés ou non, ces propos montraient combien certains doutaient même de l'existence de la trêve. En tout cas, il n'a jamais été question pour les uns ou pour les autres d'aller au-delà.

Les socialistes étaient convaincus que les événements — malgré les apparences — leur donneraient raison et que les horreurs de la guerre accéléraient l'évolution de l'humanité vers leur idéal de fraternité universelle, les catholiques étaient convaincus que les épreuves ramèneraient à l'Eglise ceux qui s'en étaient éloignés et surtout lui redonneraient dans la société française la place qui lui avait été enlevée, les nationalistes n'étaient pas moins convaincus que les réalités de la guerre balaieraient à jamais les billevesées pacifistes et internationalistes, ainsi que le régime qui les engendrait... Chacun était donc convaincu que l'après-guerre serait le moment de son triomphe et s'y préparait avec plus ou moins de discrétion. Il va de soi que, dans ces conditions, aucun camp n'était prêt à se rendre à l'autre.

Toutefois un doute subsiste. Quelles qu'aient été les intentions des cadres politiques ou spirituels du pays, la masse de la population n'avait-elle pas compris, elle, l'union sacrée comme la victoire d'une conception sur l'autre ? Les troupes n'avaient-elles pas devancé ou abandonné leurs chefs et, hypothèse la plus vraisemblable dans les circonstances du moment, les troupes de la gauche « pacifiste » n'avaient-elles pas rejoint celles de la droite « belliciste » ? En d'autres termes, la politique suivie par les dirigeants syndicalistes ou socialistes n'avait-elle pas profondément désorienté les électeurs de la gauche ?

Il est évidemment difficile de le dire, difficile de la mesurer. Pourtant, le hasard a favorisé notre enquête et nous a permis non pas de disposer d'une certitude, mais au moins d'un indice.

Joannès Marietton, député socialiste de la sixième circonscription du Rhône [367] depuis 1906, mourait peu de temps après sa réélection, en 1914. Le premier tour de l'élection partielle destinée à son remplacement eut lieu le 26 juillet, avec Marius Moutet comme candidat socialiste. On sait d'ailleurs que c'est pour soutenir ce dernier que Jaurès prononça à Vaise, le 25 juillet, l'ultime discours qu'il fit en France [368].

Les résultats du premier tour furent très proches de ceux du mois de mai précédent, avec tout de même un léger effritement des positions de la droite.

---

366. *L'Humanité*, 5 septembre.

367. C'est-à-dire le 5ᵉ arrondissement de Lyon, les quartiers de Vaise, Saint-Just, Pierre-Scize et Saint-Georges.

368. Voir ci-dessus p. 214-215.

Le second tour eut lieu le 9 août. Contrairement à ce qu'on pouvait penser, le pourcentage des votants fut relativement élevé. Le préfet le constata : « On escomptait une abstention quasi générale. Tout autre a été le résultat. La presque unanimité des électeurs présents à Lyon ont voulu dans les circonstances graves que traverse la France affirmer leurs sentiments »[369].

S'il n'y eut pas à proprement parler de campagne, en l'absence des deux candidats mobilisés, la presse lyonnaise de droite avait tout de même clairement indiqué qu'un seul vote, celui en faveur du candidat « progressiste » à qui les événements avaient donné « malheureusement raison » était « patriotique »[370].

Or le candidat socialiste fut non seulement élu, mais avec un pourcentage sensiblement accru par rapport aux élections précédentes[371]. On cherche donc vainement dans les résultats de cette compétition électorale les traces de cette vague chauvine et nationaliste qui serait censée avoir submergé la France.

Il est en général abusif de tirer des conclusions globales d'un cas particulier : il nous est apparu cependant que certains enseignements de l'élection de Vaise pouvaient avoir une portée dépassant cette circonscription. Le premier est que les résultats infirment totalement qu'il y ait eu une quelconque capitulation d'un courant de pensée devant un autre : les positions acquises n'ont guère été modifiées, si ce n'est le léger renforcement de l'implantation socialiste. Le second, enfin, est que la trêve des partis n'a aucunement le sens d'une disparition des partis.

L'union sacrée n'est pas un mythe. Même si ce ne fut pas sans accrocs, même si ce ne fut pas sans que se manifestent avec plus ou moins de virulence, aigreurs, rancœurs, oppositions, haines quelquefois, pour l'essentiel c'est bien l'esprit d'union qui l'emporta, *l'union pour se défendre.*

En revanche si, comme certains l'ont fait immédiatement, et d'autres plus nombreux par la suite, on a voulu dire que l'union sacrée était une réconciliation qui niait les clivages sociaux, politiques ou religieux, un contresens a été commis, mais un contresens qui par sa diffusion même a largement obscurci le sens réel de la formule...

La réalité de l'union sacrée, deux citations empruntées à Jean Longuet et à Maurice Barrès permettent de la symboliser. Quand parvint la nouvelle de la mort de Péguy, Jean Longuet conclut son article : « Je veux seulement saluer la mémoire de cet écrivain de race, de ce " militant " qui fut le camarade de beaucoup d'entre nous et auquel nous

---

369. A.N. F 7 12938, Rhône, Lyon, 10 août.
370. *La Dépêche de Lyon*, 7, 8, 9 août.
371. 56,9 % des suffrages exprimés contre 53,3 %.

avons pardonné ses erreurs de pensée pour son rare talent et son incontestable bravoure » [372]. Maurice Barrès écrivait de son côté : « Nous sommes fiers de notre ami. Il est tombé les armes à la main face à l'ennemi... Mais plus qu'une perte, c'est une semence ; plus qu'un mort, un exemple, une parole de vie, un ferment de vie. La Renaissance tirera parti de l'œuvre de Péguy, authentifiée par le sacrifice... » [373]..

L'un et l'autre faisaient l'union autour du grand écrivain tué sur le champ de bataille, mais ce qui était vérité pour Barrès restait erreur pour Longuet !

---

372. L'Humanité, 19 septembre.
373. L'Echo de Paris, 17 septembre.

*Cinquième partie*

# LES ILLUSIONS PERDUES

« Où sont maintenant les illusions dont on nous a nourris depuis quinze jours ? Désormais le salut ne peut plus être que dans la durée de notre résistance ».

RAYMOND POINCARÉ Au service de la France.

Les premières semaines de la guerre allaient être pour l'opinion publique française celles des *illusions perdues*.

Les oppositions politiques et religieuses qui déchiraient la nation de façon si profonde n'étaient qu'à peine estompées, mais le consensus s'était réalisé autour de l'idée de défense nationale. Convaincus d'être agressés, les Français qui, pour la plus grande part d'entre eux, n'avaient ni souhaité, ni vraiment attendu le conflit, étaient bien décidés maintenant à relever le gant. Leur indignation était telle qu'ils s'étaient facilement persuadés que, nantie d'une bonne cause, la France était assurée d'une victoire rapide.

Les réalités furent plus rudes et l'opinion publique réagit avec beaucoup de sensibilité, sinon avec affolement, face à des situations auxquelles elle n'étaient pas préparée.

La longueur de la guerre effaça par la suite le souvenir des extrêmes par lesquels l'esprit public était passé aux mois d'août et de septembre 1914 et du manque de sérénité que les Français avaient opposé à l'écroulement de leurs espérances. Les contemporains, en revanche, en eurent conscience au point qu'un préfet, celui de l'Yonne, crut pouvoir établir une courbe de l'évolution de l'état moral des populations de son département pendant cette période.

C'est à l'analyse de ces soubresauts de l'opinion publique que nous avons voulu d'abord consacrer cette dernière partie.

*Chapitre 1*

# Les Français au mois d'août

## Confiance

Croire en une guerre courte n'était pas absurde... La preuve, c'est que cela faillit bien arriver. Au début du mois de septembre, les Allemands furent près d'atteindre la victoire, et quelques jours plus tard, après la bataille de la Marne, les Franco-Anglais auraient pu également y prétendre, s'ils avaient été moins éprouvés et s'ils avaient su aussi mieux exploiter leur avantage. Comme l'a écrit H. Contamine : « A y bien réfléchir, la guerre longue n'était pas plus fatale que la plupart des autres événements... » [1].

Il est toutefois plus surprenant que les Français aient cru avec un tel ensemble que la guerre serait courte et victorieuse. On pouvait penser que quelques grandes batailles décideraient du sort de la guerre, mais comment expliquer que la conviction ait à ce point régné que l'Allemagne, dont la puissance militaire était si souvent évoquée, serait mise à genoux sans difficultés ? Et pourtant, ce double postulat fut admis sans restrictions ou presque.

Dans les notes laissées par les instituteurs charentais, une guerre courte est pronostiquée 87 fois [2]. C'est donc, mise à part la notion d'ordre et de méthode avec laquelle se fit la mobilisation, l'indication que nous avons trouvée le plus souvent.

Nous avons dressé, à titre d'exemple, un tableau des termes utilisés qui expriment cette conviction d'une guerre courte [3].

---

1. H. Contamine, *La Revanche*, *op. cit.*, p. 85.

2. A.D. Charente, J 76 à J 95.

3. D'après les 114 premières communes de la Charente (par ordre alphabétique, de J 76 à J 82) pour lesquelles nous avons des fiches : l'idée de guerre courte y est explicitement exprimée 30 fois.

| | |
|---|---|
| *guerre courte*, sans autre qualification, | 5 fois. |
| *de courte durée,* | 4 — |
| *de très courte durée,* | 1 — |
| *pas longue,* | 1 — |
| *ce ne sera pas long,* | 1 — |
| *ne durera pas longtemps,* | 2 — |
| *ne peut être de longue durée,* | 1 — |
| *retour avant longtemps,* | 1 — |
| *— bientôt,* | 1 — |
| *— prochain,* | 1 — |
| *vite réglé,* | 2 — |
| *guerre rapidement faite,* | 1 — |
| *retour dans deux mois,* | 2 — |
| *— dans trois mois,* | 2 — |
| *— dans quelques mois,* | 4 — |
| *pour les vendanges,* | 1 — |
| *cet hiver,* | 1 — |
| *victoire prompte,* | 4 — |
| *victoire prochaine*[4], | 1 — |

La fréquence de ces indications montre bien que c'était un sentiment général. Comme, de plus, il n'avait pas été demandé aux instituteurs de préciser le sentiment de leurs concitoyens sur la durée du conflit, il faut que cela ait été — comme c'est d'ailleurs compréhensible — un des points sur lesquels les conversations aient roulé le plus fréquemment[5].

Il est néanmoins étonnant que tous les avis ou presque aient été identiques, d'autant qu'en citant d'autres fiches charentaises, nous aurions pu montrer un optimisme encore plus grand. A Reparsac, on imaginait être à Berlin dans un mois[6], à la Rochefoucauld, avant un mois[7] ! A Turgon, on escomptait un conflit de 15 jours à un mois[8]. C'était des pessimistes qui envisageaient une guerre de cinq à six mois[9].

Une nuance toutefois. Les documents n'expriment pas toujours la certitude, mais quelquefois l'espoir d'une guerre courte. Il ne semble pas pourtant que les narrateurs aient utilisé les deux formules dans un sens très différent.

---

4. Ce tableau compte 37 expressions parce que certains instituteurs en ont employé plusieurs pour illustrer la même idée.

5. Il est souvent précisé d'ailleurs, ce qui n'est pas le cas pour d'autres observations, que c'est là l'avis général. Ainsi, à Aigre, le narrateur souligne : « D'ailleurs tout le monde est persuadé que la guerre sera de très courte durée » (A.D. Charente J 76).

6. A.D. Charente J 90.

7. *Ibid.*

8. A.D. Charente J 94.

9. A.D. Charente J 88, commune de Nieuil.

L'idée que la guerre serait courte est à peu près toujours complétée par l'idée qu'elle serait victorieuse. Toutes les expressions que nous avons relevées, implicitement ou explicitement, mettent en rapport ces deux idées. Nulle part il n'est dit, ni même laissé supposer, que l'issue du conflit, pour être proche, pourrait être incertaine... En outre, si nous nous reportons aux expressions que nous avions collationnées pour illustrer *l'élan patriotique*, au moment du départ, celle de *confiance* fut une des plus fréquemment utilisées, 24 fois en Charente, ce qui la plaçait en deuxième position après celle *d'enthousiasme* [10]. Dans certains cas, c'était uniquement l'instituteur qui, dans un discours patriotique, affirmait sa confiance dans la victoire [11], ailleurs, c'était toute la population qui « a(vait) pleine et entière confiance dans l'issue de la lutte » [12] ou qui reprenait le travail, « confiante dans la victoire prochaine » [13]. Plus souvent, c'étaient les mobilisés qui partaient avec confiance, « la plus grande confiance se reflétait sur les visages » [14].

Mais ne trouve-t-on dans les notes des instituteurs charentais aucune affirmation contraire ? Personne ne mettait-il en doute que la guerre dût être courte et victorieuse ? L'instituteur de Parzac répond à cette interrogation au moins pour sa commune : « Je ne crois pas ... que la hantise de la défaite ait torturé aucun cerveau » [15]. Dans une commune cependant, quelques doutes sont émis, un ancien met en garde contre les Prussiens et rappelle les souvenirs de 1870 [16]. Mais cela est très rare. Lorsqu'on évoque la guerre précédente, c'est en général pour assurer que « ce n'est plus comme en 1870 », « nous sommes prêts » [17].

Les notes charentaises sur ce thème sont donc très homogènes. Les autres départements pour lesquels nous disposons de fiches établies par les instituteurs donnent la même impression. Il est toujours affirmé que la guerre sera courte et, de façon explicite ou implicite, qu'elle sera victorieuse. Toutefois dans les Côtes-du-Nord, cette idée n'est exprimée que dans 11 communes sur 68, dans le Gard, dans 6 sur 63, en Haute-Savoie, dans 8 sur 36. Les pourcentages varient donc d'un département à l'autre : l'idée présente dans 27 % des communes en Charente n'apparaît que dans 22 % d'entre elles en Haute-Savoie, 16 % dans les Côtes-du-Nord, 9 % dans le Gard. Peut-on en tirer l'indice que la confiance aurait été moins forte dans certains départements ? Peut-on, par exemple, penser que, dans le Gard où les idées pacifistes avaient pénétré

---

10. A.D. Charente J.
11. Commune d'Aigre, A.D. Charente J 76.
12. Commune de Gardes, *Ibid.* J 82.
13. Commune de Bernac, *Ibid.* J 78.
14. Commune d'Empuré, A.D. Charente J 81.
15. A.D. Charente J 88.
16. Commune de Gourville, A.D. Charente J 83.
17. Commune de Chazelles, A.D. Charente J 80 ; également commune de Fouqueure J 82.

davantage, cela s'est traduit par une moindre certitude de la brièveté de la guerre ? Peut-être, mais l'hypothèse est fragile parce que, quel que soit le nombre de fois où s'exprime l'idée de la guerre courte, on ne trouve jamais, ou à peu près jamais, celle qu'elle pourrait être longue. Ce sont invariablement les mêmes formules : « Retour prompt et triomphant » [18], « tout le monde pense que la guerre sera courte » [19], on se disait au revoir, à la victoire, dans trois mois au plus » [20], « à Berlin avant la Noël » [21],..

Une seule fois, dans une commune des Côtes-du-Nord, à La Harmoye, l'instituteur signale que « la population a vécu dans une sorte de crainte vague, d'anxiété même ; elle n'avait qu'à demi confiance ; l'on entendait souvent des mots tels que ceux-ci : « Les Boches sont des malins, nous ne les battrons pas » [22].

La seule originalité était quelquefois d'expliquer pourquoi la guerre devait être courte, en mettant en cause « les engins de guerre actuels » [23], ce que d'autres traduisaient : la guerre sera courte, mais « terrible » [24].

Comme nous l'avons déjà vu en Charente, le souvenir de la guerre de 1870 apparaît rarement autrement que comme un repoussoir : « ce ne sera pas comme en 1870 » [25], « nous sommes autrement prêts qu'en 1870 » [26], ce ne sont pas les « mêmes conditions qu'en 1870 » [27]. A Saint-Brieuc, cependant, un isolé profère : « Ce sera comme en 1870 : nous sommes déjà trahis » [28].

En vérité, quelles que soient les sources utilisées, on trouve toujours le thème d'une guerre de courte durée. Que ce soit dans une commune du Puy-de-Dôme [29] ou de l'Isère où les femmes espèrent que « l'exode (c'est-à-dire le départ de leurs maris) sera de courte durée » [30], que ce soit à Ajaccio : « Nous en avons pour 15 jours, trois mois, six mois ». Personne ne parlait d'un an [31], ou dans la Somme : « Nous voulons

---

18. A.D. Côtes-du-Nord, série R, commune de Languenan.

19. A.D. Gard 8ᵉ R 1, Saint-Christol-les-Alais.

20. A.D. Haute-Savoie, 1 T 218 Thairy.

21. AD. Côtes-du-Nord, Saint-Lormel.

22. A.D. Côtes-du-Nord. Le contexte ne permet d'ailleurs pas de savoir : si cette attitude concerne les premiers jours de la guerre, la formulation incite même à penser le contraire.

23. A.D. Haute-Savoie, commune d'Alby.

24. Par exemple A.D. Gard, commune de Genolhac, de Saint-Hippolyte-de-Montaigu.

25. A.D. Gard, Codognan.

26. A.D. Gard, commune de Saint-Hippolyte-de-Montaigu.

27. A.D. Côtes-du-Nord, commune de Ploubalay.

28. A.D. Côtes-du-Nord. Dans le Dauphiné, il se trouve aussi quelques vieillards pour rappeler les souvenirs de 1870. Ainsi à Petit-Robins-de-Livron dans la Drôme, un ancien prisonnier de guerre met en garde : « Ce sera dur ! Je les connais, ils sont nombreux. Méfions-nous surtout des pièges qu'ils vont nous tendre » (Voir C. Petit-Dutaillis, art. cité, p. 25).

29. A.D. Puy-de-Dôme R 01342, commune de Verrières.

30. « La guerre de 1914 à Lalley et dans le Trièves » (Le Dauphiné, 11 octobre 1914).

31. Louis Lumet, La défense nationale, op. cit., p. VIII.

494

encore croire en disant l'adieu que la guerre sera courte ... Ce n'est rien si nous sommes rentrés pour les semailles »[32]. Que l'on fasse état des propos d'un jeune normalien du Cambrésis : « ...Il faut bien espérer, comme le répète Papa, que pour Noël la guerre sera finie et lui rentré »[33], d'un grand écrivain : « La guerre ne peut pas durer long-temps ; dans trois mois, tout sera fini »[34], d'un historien connu : « Au début des hostilités, cette préoccupation (de la durée de la guerre) n'exis-tait pas. Chacun était convaincu que la campagne serait terminée avec une ou deux grandes batailles »[35], d'un dirigeant syndicaliste : « De tous les coins du pays, on est parti avec cette idée fausse, avec cet espoir fou que la guerre serait foudroyante, rapide », ou d'un préfet : « La guerre ne doit pas durer. Personne n'en doute. Cela a été érigé en axiome. les militaires, les parlementaires, les économistes, les publicistes l'ont dit, écrit... »[37].

Et il allait presque toujours de soi également que la guerre serait vic-torieuse, comme à Noyon où « l'atmosphère n'était pas au pessimisme. Il semblait que nul ne considérât une invasion comme probable »[38] ; ou comme en Lorraine où, le jour de la mobilisation, le directeur de *L'Est Républicain* notait : « Tous ont confiance, et nul ne serait le moins du monde étonné que le succès de nos armes nous amenât bientôt jusqu'à Strasbourg »[39].

A dire vrai, le préfet de Meurthe-et-Moselle qui, malade, allait très rapidement céder son poste, ne partageait pas cet optimisme. Il « consi-dérait la guerre avec horreur... Il était très courageux. Pourtant il ne (voyait) pas les choses très en beau »[40]. On peut aussi, de-ci, de-là, rele-ver quelques indications pessimistes. Dans une localité du Cher, les habi-tants, « sauf deux ou trois familles, étaient plutôt portés au pessimisme ; aucun espoir, nous devions être battus... »[41]. Un témoin affirme qu'à Paris, dès le 2 août, les « fuyards » sont nombreux qui préfèrent quitter la capitale, convaincus que nous sommes battus d'avance. Cette opinion

---

32. Abbé Vignon, *Beauquesne... op. cit.*, p. 7.

33. Gaston Prache, *1914-1918. Dans mon pays envahi (Journal d'un adolescent)*, T.I., 1914-1917, 126 p., T.II., 1918, 65 p., multigraphié, 1968-1969, (Ce sont des notes restées en l'état pendant cin-quante ans). En date du 14 août 1914.

34. G. Olivier, « Les adieux de Péguy », *Le Monde*, 1er septembre 1969.

35. Arthur-Lévy, *1914, op. cit.*, p. 172.

36. G. Dumoulin, *Les syndicalistes et la guerre, op. cit.*, p. 26. Après avoir ajouté qu'il aurait fallu prévoir qu'elle serait longue, Dumoulin notait qu'elle aurait pu être courte « par l'écrasement rapide de la France par les armées du Kaiser, ce que personne n'admettait, pas plus nous que les autres... »

37. Olivier Bascou. *op. cit.*, p. 99.

38. Augustin Baudoux, *Noyon pendant la guerre, op. cit.*, p. 13.

39. René Mercier, *Journal d'un bourgeois, op. cit.*, p. 25-26.

40. René Mercier, *Journal d'un bourgeois, op. cit.*, p. 31.

41. A.D. Cher R 1516, commune de Parnay.

aurait été particulièrement répandue chez les hommes de soixante ans et plus qui ont gardé le souvenir vivace de nos défaites de 1870 [42].

Aucune raison ne permet de rejeter ces derniers témoignages : il faut simplement reconnaître qu'ils sont vraiment l'exception [43].

Ce constat appelle une réflexion. Pourquoi cette sorte d'inconscience de l'opinion publique française, non pas tant en ce qui concerne la durée éventuelle de la guerre — nous l'avons déjà dit, ce n'était pas absurde —, mais en ce qui touche la certitude de la victoire ?

On pourrait l'expliquer par la volonté de conjurer le sort, ou encore l'interpréter comme une manifestation verbale à laquelle on ne croyait guère. Il n'y a pas beaucoup de traces d'une telle attitude, si ce n'est cette sage remarque, mais isolée : « Au fond, on ignore la force des ennemis » [44].

En revanche, J. Bainville donne peut-être une des clefs de ce comportement en remarquant dans son *Journal*, en date du mois de juillet 1914 : « Croire à la brièveté de la guerre, c'est peut-être encore une façon de ne pas croire à la guerre, une autre forme d'une incrédulité presque universellement répandue en France et qui, devant le fait accompli, s'attache à une dernière espérance. ...Ces raisons qu'on invoquait hier contre la possibilité d'un grand conflit européen, on les élève aujourd'hui en faveur d'une paix rapide... » [45].

Cette interprétation nous semble la bonne. L'opinion publique française ne pouvait plus rejeter l'idée du conflit, puisque le conflit était là. Mais elle était portée à le minimiser, à ne voir en lui qu'un contre-temps de brève durée dans l'écoulement normal des jours. La plupart des remarques que nous avons glanées ont bien ce sens. Ce ne sera pas long, nous allons vite régler cela. Il ne faut pas voir là, dans la plupart des cas du moins, le résultat d'une évaluation du rapport de forces, d'une estimation des moyens dont disposaient les adversaires. Au mieux, cet élément était assez secondaire, il ne pouvait servir qu'à conforter l'idée essentielle, celle du refus que la guerre puisse interrompre durablement la vie habituelle. Comme nous l'avons vu en analysant cette notion de guerre courte, il y a une combinaison difficile à dissocier entre l'affirmé et l'espéré. On dit que la guerre sera courte parce qu'on souhaite qu'elle le soit. Ce n'est pas du domaine du rationnel. Les Français de l'époque n'étaient ni absurdes, ni inconscients. Il leur importait peu d'analyser les techniques militaires, ni de connaître la réalité des choses. Tout simplement ils ne voulaient pas être partis longtemps de chez eux.

---

42. A. Delecraz, *op. cit.*, p. 30-31.

43. On ne peut toutefois négliger l'inquiétude que renfermait ce type de formules : « Chacun espère que l'angoisse ne sera ni trop longue, ni trop cruelle » (Chanoine Le Sueur, *op. cit.*, p. 16).

44. C. Petit-Dutaillis, art. cité, commune de Saint-Paul d'Izeaux (Isère).

45. Jacques Bainville, *Journal inédit, op. cit.*, p. 17-18.

Il apparaît bien une fois de plus qu'on ne peut pas déchiffrer le comportement des hommes en cet été 1914, quelles que soient leurs responsabilités dans la vie politique et sociale, quelles que soient leurs options idéologiques ou religieuses, si on oublie un seul instant qu'ils n'avaient aucunement le sentiment de s'engager dans une guerre longue qui allait bouleverser le sort du monde, mais qu'ils pensaient seulement régler une fois pour toutes et en quelques semaines une querelle de voisinage.

Certes, le 1er août 1914, ils n'imaginaient pas changer de siècle !

## Chauvinisme

De cette confiance irrationnelle en la proximité de la victoire, une fraction de l'opinion publique française passe rapidement à l'exaltation chauvine : c'est ainsi que l'on peut qualifier les diverses manifestations de xénophobie qui se produisirent dans les premiers jours du mois d'août 1914. Qu'un réflexe d'hostilité envers les ressortissants des pays adverses se soit produit n'a en soi rien d'étonnant, ni de remarquable. Rares sont les pays qui y échappent en pareille circonstance. Il n'en reste pas moins qu'une série d'incidents odieux ou cocasses ont alors témoigné de l'état d'excitation d'une partie des Français.

Des Allemands ou des Autrichiens, qui se trouvaient en France au moment où la guerre éclata, furent l'objet de persécutions ou de sévices plus ou moins graves. Dans certains cas, les événements prirent une tournure sérieuse, en particulier dans le Nord. Le conflit fut vif dans la région des houillères, opposant les mineurs français et des mineurs autrichiens et allemands qui étaient d'ailleurs des Polonais : le sous-préfet de Douai rapporta que de nombreux étrangers furent arrêtés et molestés par la foule, en particulier des « mineurs polonais »[46]. Des incidents eurent lieu dans « divers points du bassin houiller », des « rixes se sont produites » ; un ouvrier allemand succomba à une fracture du crâne[47]. A Lallaing, des manifestations hostiles visèrent les huit cents Polonais employés par la Compagnie des Mines d'Aniche[48]. A Douai, 1 500 personnes firent un « mauvais parti » à un sujet allemand ; les mineurs français menacèrent de ne pas descendre si l'on n'expulsait pas les Polo-

46. A.D. Nord R 29. 3.

47. A.N.F 7 12938. 3 août, rapport du préfet du Pas-de-Calais. A.N.F 7 13348, 3 août, rapport du commissaire spécial de Lens.

48. A.N.F 7 12938. préfet du Nord, 5 août. Dans un article de *La guerre sociale*, du 9 août, Gustave Hervé fait allusion à la tension qui a régné à Lallaing. Un professeur polonais venu voir son ami le curé attaché à la véritable colonie de mineurs polonais du lieu, est soupçonné par la foule. Sa maison est assiégée, sa femme frappée. Hervé croit que le sort des mineurs a été pire encore. Des fugitifs ont parlé de morts...

49. A.D. Nord R 28. 5 août.

nais, mais les autorités militaires les avertirent que leurs sursis d'appel seraient supprimés s'ils se mettaient en grève [49].

A l'autre extrémité du territoire, à Nice, on peut citer l'exemple d'un sujet allemand, reconnu par la foule, et rudement malmené. Ralph Schor, dans son étude sur Nice pendant cette période, montre comment ces incidents pouvaient tourner au drame, des « lynchages s'organisaient », dont les Alsaciens et les Lorrains, en raison de leur accent, étaient les victimes désignées [50].

Outre ces incidents, dont nous n'avons relevé que quelques-uns parmi tous ceux qui se produisirent, la vague antigermanique se traduisit par un assaut contre les magasins allemands qui fut à peu près général.

D'après les rapports des préfets, qui restent pourtant en général assez discrets sur ces événements, à Marseille, un « groupe de gens sans aveu » brise la devanture d'un magasin de meubles et s'y livre à de « sérieuses déprédations » [51] ; à Bordeaux, « la foule se rue » sur deux magasins allemands [52] ; à Lille, les devantures de la maison Miele, du Téléphone privé, du Royal Hôtel, maisons allemandes ou « accusées de l'être », sont brisées [53]. Dans ce cas, le préfet minimise, car « tout s'est borné à des dégâts matériels... » [54]. Les commerçants allemands de Nantes ont eu plus de chance : ils n'ont été que « conspués » [55]. En revanche, à Périgueux, « un groupe important de soldats suivi d'environ 5 000 personnes » a attaqué le magasin d'horlogerie et de dentelles d'un sujet allemand. Le magasin fut saccagé sans toutefois être pillé. La propriétaire, sa femme (française) et ses enfants se réfugièrent à grand peine dans une maison voisine. Motif : on aurait entendu ce commerçant crier « Vive l'Allemagne », accusation que l'enquête de police ne parvint pas à établir [56].

Ces rapports glanés dans les archives préfectorales sont bien incomplets : ainsi, pour la seule ville de Marseille, ce n'est pas un seul magasin qui a été attaqué, mais aussi l'Hôtel de Noailles parce qu'il était orné d'un panonceau de l'Automobile-club d'Autriche-Hongrie, un magasin d'objets de voyage sur la Canebière dont le propriétaire (français) s'appelait M. Allemand. Des incidents se produisirent aussi à la Brasserie de Bohême [57]. Dans une ville comme Toulouse, pour laquelle nous ne disposons pas de rapports administratifs, les magasins de commerçants

50. Voir Ralph Jean-Claude Schor, *Nice pendant la guerre de 1914-1918*, publication de la Faculté des lettres d'Aix-en-Provence, 1964, 394 p., p. 31.

51. A.N.F 7 12937, préfet des Bouches-du-Rhône, 4 août.

52. A.N.F 7 12936, commissaire spécial de Bordeaux, le 4 août.

53. A.D. Nord R 30.6, commissaire de Lille.

54. A.N.F 7 12938, préfet du Nord, 5 août.

55. A.N.F 7 12936, commissaire spécial de Nantes, 8 août.

56. A.D. Dordogne 1 M 86, 5 août.

57. *Le Petit Marseillais*, 5 août.

allemands installés depuis longtemps rue Saint-Rome sont saccagés[58]. Le maire de Toulouse fut obligé de lancer un appel à ses administrés dans lequel il flétrissait les actes de violence commis contre des Allemands résidant depuis longtemps dans la ville, contre des commerçants français d'origine alsacienne ou de nationalité suisse, contre des Français mêmes circulant sur la voie publique et pris pour des Allemands[59].

Seul un dépouillement exhaustif de la presse de province permettrait vraisemblablement de connaître toute l'ampleur que prit le mouvement, car la presse parisienne n'en souffle mot. En revanche, elle est davantage prolixe sur ce qui se passe à Paris, et c'est là, semble-t-il, que ces manifestations eurent le plus de gravité.

Un chroniqueur signale parmi les boutiques saccagées et pillées la cristallerie de Bohême Appenzedt[60], la Brasserie viennoise, le maroquinier Klein, les chaussures Salamander[61]. Mais il y en eut bien d'autres : le Royal Café, place de l'Opéra, de nombreuses brasseries, Muller, Pschorr[62], Zimmer[63], un magasin d'art, boulevard des Italiens, où tout fut brisé[64]. D'après *Le Petit Parisien*, des faits semblables se sont produits un peu partout[65] et en particulier dans le onzième arrondissement, où les boutiques tenues par des étrangers ont été fort nombreuses à être ravagées[66]. La plupart des saccages eurent lieu les 2 et 3 août, mais ils continuèrent encore sporadiquement quelques jours. Ainsi, dans son numéro du 7 août, *L'Humanité* relatait le pillage d'un magasin de chaussures. Son propriétaire « né de parents français » était « le plus vieux commerçant du quartier de Javel ».

L'attention se concentre principalement autour des boutiques Maggi. Si on suit *Le Temps*[67], les faits furent les suivants : « Des cris hostiles à l'Allemagne furent poussés vers quatre heures de l'après-midi (le 3 août) devant le laboratoire de la société Maggi, à l'angle des rues Condorcet et Rochechouart ». Une première tentative d'attaque fut empêchée par quelques agents, « mais trois heures plus tard, la surveillance de la police s'étant relâchée, un attroupement de plusieurs centaines de personnes se produisit au même carrefour. Quelques individus se lancèrent à l'assaut du rez-de-chaussée où est installé le laboratoire et y pénétrèrent. Les vitres volèrent en éclat. Puis (ce fut la mise à sac) sous les yeux

---

58. Voir P. Bouyoux, *op. cit.*, p. 84 et suiv.

59. *La Dépêche de Toulouse*, 8 août.

60. En réalité une épicerie fine.

61. Antoine Delecraz, *op. cit.*, p. 50.

62. *Le Temps*, 4 août.

63. *L'Action française*, 3 août.

64. *Le Temps*, 3 août.

65. 3 août.

66. 4 août.

67. 4 août.

de quelques agents impuissants. On y mit le feu. Il en fut de même rue de Maubeuge, où tout le matériel d'un dépôt Maggi devint la proie des flammes, les devantures de plusieurs magasins de la même société furent brisées » [68].

D'après *L'Action française*, « du haut en bas de la rue Montmartre, les succursales de Maggi ont été saccagées par une troupe de manifestants » [69]. Gyp a assisté à l'attaque de la boutique de la rue de Chartres à Neuilly : « ...On entend un tapage affreux, un bruit de verre cassé, de bois qui craque... C'est une des petites boutiques bleues de la laiterie Maggi que démolit et pille — sous l'œil indulgent de la police — une bande de petits gredins immondes, dont l'aîné n'a pas dix-huit ans. Les meubles voltigent dans la rue. Les carreaux cassés éclaboussent les passants. Le lait coule sur le trottoir et dans le ruisseau. Les femmes de la boutique pleurent à chaudes larmes en assistant, impuissantes, au chambardement de leur vie qui s'écrabouile, elle aussi, au milieu de ces débris... » [70].

De Paris, le mouvement se propagea ensuite en banlieue : les boutiques Maggi furent saccagées à Saint-Germain-en-Laye, à Chatou, au Vésinet [71], à Chantereine près de Mantes [72].

Sans que nous ayons eu pour but ici de relater la totalité des faits [73], il apparaît bien qu'une flambée de violences a atteint l'ensemble de la France, mais ces actes ont-ils été réellement le fait de « la foule » ? Les indications qui nous sont rapportées sont rarement précises. Dans un cas, à Saint-Germain-en-Laye, le commissaire de police donne le chiffre de deux mille personnes [74], à Bordeaux, son collègue dit « la foule » [75]. En général, les appréciations sont modestes. A Chantereine, il est fait état d'un « petit groupe, surtout de jeunes gens » [76], à Lille d'« individus » [77], à Marseille d'un « groupe » [78]. *L'Action française* mentione « une troupe de manifestants » [79]. Devant les laboratoires Maggi, le reporter du *Temps* a vu un attroupement de « plusieurs centaines de personnes », mais ce sont « quelques individus seulement qui se lancèrent à l'assaut » [80]. La « bande » était forte de plus de trois cents personnes,

---

68. *Ibid.*
69. *3 août.*
70. Gyp. *op. cit.*, p. 55-56.
71. A.N.F 7 12936, le commissaire, 3 août 1914.
72. A.N.F 7 12939, le préfet de Seine-et-Oise, 5 août.
73. Voir également Annie Kriegel, et J.-J. Becker, *op. cit.*, p. 161 et suiv.
74. A.N.F 7 12936, 3 août.
75. A.N.F 7 12938, 5 août.
76. A.N.F 7 12936, 4 août.
77. A.N.F 7 12938, 5 août.
78. A.N.F 7 12937, 4 août.
79. *3 août.*
80. Le *Temps*, 3 août.

dit *Le Petit Parisien* [81]. « Les petits apaches s'organisent en monôme d'ailleurs peu nombreux. Ils sont une dizaine au plus », écrivait Gyp. « La foule !... Il faut la voir, la foule ! », reprenait-elle un peu plus loin [82].

On peut donc estimer que ces actes ont été le fait dans la plupart des cas d'un très petit nombre de personnes. Toutefois, même si la « foule » ne participe pas, elle a pu par son attitude laisser faire, voire approuver. Gyp décrit les gens debout au seuil de leurs boutiques ou « arrêtés curieusement dans la rue », sous « les regards ravis des voisins » [83]. *L'Humanité* dépeint un groupe de trente ou quarante individus s'acharnant sur une cuve prise dans une succursale Maggi « sans même s'apercevoir de la stupidité d'une action *qui recueillait d'ailleurs les bravos de la foule* » [84]. « La population contemple d'un œil goguenard ces ruines... », remarque *L'Action française* [85]. D'autres sources ne font pas état de cette approbation, mais ne signalent pas non plus d'oppositions à ces exactions ; comme le note A. de Mun, « la foule inoffensive et joyeuse s'est amusée d'abord... » [86].

Personne cependant n'entendit prendre à son compte ces manifestations et surtout ces manifestants. « Il est bien établi que les Camelots du Roi ne sont pour rien dans ces désordres », assure *L'Action française*, ils sont le fait surtout « d'éléments louches » [87]. « Ignoble petite bande », écrit Gyp [88]. « Voleurs et incendiaires », affirme un autre chroniqueur [89]. Ce sont « des jeunes gens mal notés, désœuvrés, qui ont commis le délit », rapporte le commissaire de Mantes [90]. Albert de Mun les fustige : « Quelques vauriens » [91].

Il est d'ailleurs exact que ces saccages n'ont pas toujours été désintéressés, qu'ils se sont fréquemment accompagnés de pillages. Ainsi, le tiroir-caisse de l'épicerie Boivin, rue de Clignancourt, est vidé [92] ; dix-sept personnes sont jugées le 31 octobre 1974 : on a retrouvé chez elles des paires de chaussures, des valises volées au magasin Salamander de l'avenue de Clichy [93].

---

81. 3 août.
82. Gyp, *op. cit.*, p. 57-58.
83. *Ibid.*, p. 56.
84. 4 août.
85. 3 août.
86. *L'Echo de Paris*, 4 août.
87. 3 août.
88. *Op. cit.*, p. 56.
89. A. Delecraz, *op. cit.*, p. 33.
90. A.N.F 7 12936, 4 août.
91. *L'Echo de Paris*, 4 août.
92. *Le Petit Parisien*, 4 août.
93. Archives des conseils de guerre, 2ᵉ conseil de guerre de Paris.

Il se glisse pourtant une pointe de justification dans certaines appréciations : « Tout cela est mis sur le compte d'un excès de patriotisme », note le commissaire de Mantes [94]. Dans une optique semblable, *Le Temps* demande aux Parisiens « d'imposer silence à (leurs) justes colères » [95]. Ce journal semble d'ailleurs considérer que le point de départ de toutes les violences aurait été l'attentat commis par un Allemand tirant sur un officier français : « La nouvelle s'est répandue aussitôt dans Paris et a provoqué des incidents regrettables dont quelques commerçants ont été les victimes » [96].

D'autres ne firent pas preuve de cette simplicité et mirent en doute la spontanéité de ces actes. Gyp, elle, ne croit pas à « la foule indignée » : « Ceux qui ont vu la mise à sac de la petite boutique de la rue de Chartres ne croiront jamais à un mouvement spontané de brutalité populaire » [97]. Lors du saccage des Maggi de la région de Mantes, le commissaire de police a remarqué que le petit groupe était « excité » par des individus portant un brassard officiel de la mairie de Meulan [98]. Quant au rédacteur de *L'Humanité*, il s'étonne : « Pourquoi la rage imbécile des pillards, *qui semblaient obéir à un mot d'ordre,* s'est-elle ruée sur des établissements où le lait est d'aussi bonne qualité et moins cher ? » [99]. En d'autres termes, la concurrence commerciale pourrait bien expliquer les avatars subis par les boutiques Maggi [100].

Toutefois cette explication n'est pas suffisante, car on ne peut oublier que Maggi avait été une des cibles favorites de Léon Daudet lorsqu'il prétendit dénoncer l'espionnage allemand en France [101]. Il affirmait en effet qu'il s'agissait d'une société allemande, alors que, preuves à l'appui, Maggi assurait être une société suisse [102]. Un procès avait d'ailleurs été engagé par la société Maggi contre *L'Action française*, mais, en juillet 1914, l'affaire avait été renvoyée après les vacances judiciaires, c'est-à-dire au mois de novembre [103].

---

94. A.N.F 7 12936, 4 août.

95. *Le Temps*, 4 août.

96. *Le Temps*, 4 août.

97. *Op. cit.*, p. 59-60.

98. A.N.F 7 12936, 4 août.

99. 7 août.

100. Le préfet des Alpes-Maritimes se plaint, dans un rapport au ministre de l'Intérieur, « des tentatives faites (à Antibes) dans un but peu honorable (vengeance personnelle ou concurrence commerciale) contre un Allemand naturalisé français » (A.N.F 7 12937, 3 septembre).

101. Dans la seule année 1914, *L'Action française* avait consacré des articles attaquant Maggi les 26 et 27 février, le 16 mars, le 7 juin, les 12 et 18 juillet.

102. Voir sur Maggi et l'Action française, Eugen Weber, *op. cit.*, p. 110-112. Dans un article de *la Guerre sociale* du 16 août, G. Hervé faisait état des renseignements que lui avait fournis le fondé de pouvoir de la société Maggi : le conseil d'administration était présidé par un Suisse, F. Soutter, et comprenait deux autres Suisses et trois Français, ce qui était prouvé par des actes notariés. Les chefs de service de la société comprenaient 10 Français et deux Suisses. Quant aux employés de rang plus modeste, ils étaient au nombre de 2 441 Français et de 92 Suisses.

103. *L'Action française*, 8 juillet 1914.

Une fois la guerre commencée, et Léon Daudet momentanément hors jeu [104], *L'Action française* ne renia rien de ce qu'elle avait prétendu avant-guerre. Dans une polémique avec *L'Humanité* [105], Charles Maurras [106] et Maurice Pujo [107], s'ils condamnaient des violences « inopportunes », se félicitaient « d'avoir dénoncé certaines entreprises d'espionnage cachées sous le masque commercial » [108]. Aussi, si rien ne prouve que des militants de l'Action française aient joué un rôle direct dans les pillages, les excitations de leur journal n'ont certainement pas été pour rien dans le sac des boutiques Maggi. D'ailleurs comme l'assurait Maurras, l'argument suivant lequel le ravitaillement en produits laitiers de Paris risquait de souffrir des circonstances n'était qu'un « nouvel effort de publicité des Allemands de la société Maggi » [109]. Quant à toutes les boutiques victimes, elles aussi, des pillards et qui se proclamaient « bien françaises », il n'était pas difficile de montrer, affirmait-il, que leurs propriétaires étaient des « Hébreux venus de l'autre côté de la frontière » [110].

Plusieurs chroniqueurs ont vraisemblablement approché la vérité en écrivant, comme Gyp, que cette affaire était « un énorme succès pour M. Léon Daudet et une grande joie pour les laitiers du quartier » [111], ou, comme Arthur Lévy, qu'elle était le résultat des incitations de « concurrents jaloux » utilisant les excitations nationalistes préexistantes [112]. On peut ajouter un troisième élément, la contagion du pillage. Il est trop facile de rejeter toute la responsabilité sur des voleurs professionnels ou des « apaches » sortis des bas-fonds. Les dix-sept personnes jugées ensemble le 31 octobre 1914 pour le pillage des établissements Salaman-

---

104. Voir ci-dessus p.240.

105. Le 7 août, *L'Humanité* écrivait que les laiteries Maggi ne pourraient rouvrir « qu'après avoir, par l'intermédiaire de la presse honnête et libre, fait justice de l'abominable campagne de mensonges menée contre elles par un journal que tout le monde connaît ».
Le 9 août, dans un article intitulé « Réponse », *L'Humanité* s'indignait de ce que *L'Action française* osait agiter à son égard « l'accusation infâme de l'or allemand ». Elle faisait un parallèle entre l'attitude de *L'Action française* au moment du meurtre de Jaurès où, après l'avoir sans cesse attaqué, elle prétendait n'avoir aucune responsabilité dans son assassinat, et celle qu'elle observait face aux scènes de pillage, lorsqu'elle se dégageait de toute responsabilité « avec une admirable élégance », sans cesser pour autant de calomnier Maggi. Et *L'Humanité* menaçait : si *L'Action française* ne modifiait pas son comportement, les socialistes ne pourraient continuer à siéger à ses côtés dans les comités de bienfaisance qui venaient de se créer : « Ce n'est pas sans un grand esprit d'abnégation que les socialistes que nous sommes ... font effort pour oublier que dans les comités en question se trouvent des hommes qui combattent la République avec perfidie et sont prêts à ramener la royauté, peut-être même au prix des désastres de la Patrie qu'ils exploiteraient s'ils se produisaient. L'union nationale, oui, la réconciliation, oui, mais avec ceux qui acceptent la forme démocratique que le pays s'est librement donnée. Que les royalistes ne nous obligent pas à le leur rappeler ».

106. « Uhde, Maggi et l'Avant-Guerre », 2 colonnes en 1re page, le 9 août.

107. « L'ordre avant tout », 3 août ; « A propos de Maggi », 8 août ; « La question Maggi », 10 août.

108. *L'Action française*, 3 août.

109. *Ibid.*, 9 août.

110. *Ibid.*, 4 août.

111. Gyp, *op. cit.*, p. 57.

112. Arthur-Lévy, *op. cit.*, p. 39.

der habitaient toutes la même rue, impasse de la Défense, une toute petite voie donnant dans l'avenue de Clichy où se trouvait le magasin. L'exemple est instructif : on a été voler entre voisins profitant de l'occasion [113].

Il ne faut donc pas exagérer la signification de ces actes de vandalisme qui furent souvent le fait de petits groupes et provoqués quelquefois par la concurrence commerciale ou l'esprit de rapine : ils ont pu, dans un certain nombre de cas, n'être que *marginalement* d'inspiration nationaliste. Cette inspiration ne doit tout de même pas être écartée.

L'ambiguïté du mouvement explique cependant que la réaction de la presse fut dans l'ensemble très vive. Ce fut vrai de la presse d'information : *Le Petit Parisien* parle des « heures troubles que nous traversons » et développe longuement les « mesures rigoureuses prises contre les fauteurs de troubles » [114]. Ce fut vrai de la presse de gauche. G. Hervé s'indigne : « Au mur les pillards ! », proclame-t-il et il poursuit : « Misérables imbéciles qui ont déshonoré la France », « le rouge me monte au front quand je vois ces magasins éventrés... » [115]. *L'Humanité* déplore la faiblesse des pouvoirs publics : « ...La vérité, c'est que pendant des heures la grande ville a été livrée à des bandes hurlantes, qui, librement, ont commis sacs et pillage » [116]. Ce fut vrai aussi de la presse de droite. Pour *L'Echo de Paris,* ces agissements sont « inadmissibles ». Il en appelle à l'opinion publique pour en empêcher le retour [117]. *L'Humanité* n'est pas seule à accuser la police d'avoir « toléré et même quelquefois ... favorisé ces violences » [118], *L'Echo de Paris* note aussi : « La police aurait dû immédiatement arrêter ces emportements. Elle ne l'a pas fait... » [119].

Il est difficile en réalité de dire si les autorités ont laissé faire ou ont été impuissantes devant un mouvement imprévu, mais le préfet de police en fut rendu responsable ; en quarante-huit heures, Hennion perdit sa popularité, affirme un chroniqueur [120]. D'ailleurs, bien qu'engagée avec un temps de retard, la réaction fut vigoureuse. Des patrouilles circulèrent dans Paris, « pour étouffer le mouvement dans l'œuf », affirme le préfet de police [121]. Plus de cinq cents personnes furent déférées devant

---

113. Rendant compte du procès de pillards en correctionnelle, *L'Humanité* remarquait : « Aucun n'a essayé de se justifier et tous, penauds, disaient qu'on leur avait donné les objets volés ou bien " qu'ils avaient fait comme les autres " » (8 août).

114. 4 août.

115. *La Guerre sociale*, 6 août.

116. 4 août : « Assez de sauvageries ».

117. Albert de Mun, 4 août.

118. 4 août.

119. 4 août.

120. A. Delecraz, *op. cit.*, p. 33. Un mois plus tard, le préfet de police Hennion démissionnait pour raisons de santé.

121. *Le Petit Parisien*, 4 août.

les conseils de guerre, sans compter celles jugées en flagrant délit par le tribunal correctionnel. Les condamnations y furent assez sévères : vingt-six prévenus jugés le 6 août recueillaient entre quatre mois et deux ans de prison [122]. En revanche, les conseils de guerre qui commencèrent à statuer quelques jours plus tard — une fois l'émotion retombée — se montrèrent plus indulgents, se contentant en général de frapper les prévenus de quelques jours de prison avec sursis. Néanmoins, les trois conseils de guerre de Paris consacrèrent pendant un certain temps le plus clair de leur activité à juger par fournées les pillards [123].

Quant à l'opinion publique, si elle parut quelquefois complice au début, elle se ressaisit vite. Tout au moins, il nous semble en trouver une preuve dans le fait qu'un grand nombre d'arrestations n'eurent pas lieu en flagrant délit, mais dans les jours suivants sur dénonciations et après des perquisitions qui permirent de retrouver des objets volés. Ainsi la population ne s'est pas faite l'auxiliaire des voleurs.

Ajoutons toutefois que l'émotion fut suffisante pour que de nombreux commerçants inquiets affichent sur leurs vitrines leur qualité de Français : « Je baisse la tête de honte, écrivait G. Hervé, quand je vois nos commerçants français réduits, pour se mettre à l'abri de pareils actes de sauvagerie, à pavoiser leur maison, à clouer leur livret militaire à la devanture, à étaler sur leurs vitres un patriotisme qui sent la peur et la terreur » [124].

Une véritable crise d'espionnite allait d'ailleurs se conjuguer à ces manifestations violentes : l'affaire du bouillon Kub en fut l'illustration la plus éclatante.

Filiale de Maggi, la société des Bouillons Kub avait placé un peu partout en France des panneaux publicitaires. Sur les plaques émaillées figuraient des chiffres qui n'étaient autres que le numéro d'ordre des services de l'Enregistrement et la date à laquelle les droits de timbre avaient été payés. La position de ces panneaux installés évidemment en des endroits passants et les chiffres « mystérieux » qui y étaient inscrits donnèrent naissance à de fantastiques rumeurs. C'est ainsi que l'on préten-

---

122. *Ibid.*, 7 août.

123. A titre d'exemple, sont consacrées presque complètement à ces affaires les liasses de jugements du 14 au 28 août, du 16 au 26 septembre du 1er conseil de guerre de Paris, celles du 17 au 27 août, du 3 au 8 septembre du 2e conseil de guerre, celles du 28 août au 12 septembre du 3e conseil de guerre, etc.

124. *La Guerre sociale*, 6 août. A. Delecraz (*op. cit.*, p. 73 à 75) a reproduit un article de *L'Intransigeant* citant les inscriptions portées sur les boutiques : voici à titre d'exemple ce passage : « Dick, du passage des Panoramas, a apposé sa carte d'électeur au milieu d'un fanion tricolore ; Yarff, le tailleur de la rue Montmartre, informe le public qu'il est Français, qu'il s'appelle en réalité Fray (Yarff retourné), il y a joint sa feuille de mobilisation. La maison The Sport est française, son directeur, M. Galand, est maire de Dourdan ; Roddy, le chemisier du boulevard des Italiens, est un médaillé de 1870 ; le patron de la fabrique de montres Exact, a rejoint le 31e à Melun ; Bradley, tailleur, 32, boulevard des Italiens, annonce : " Je suis sujet anglais, mon personnel, uniquement français, est parti pour la guerre, Vive la France ! " et sa patente est légalisée par le commissaire de police ! »...

dit que sur chaque plaque se trouvaient les renseignements nécessaires pour le ravitaillement dans la région d'une armée d'invasion : « En un mot, les Allemands devaient s'avancer sur notre territoire au moyen des indications réunies à l'avance sur ces plaques... ». Un détachement fut envoyé de l'Ecole militaire qui, toute une journée, parcourut la région parisienne en automobile pour détruire les plaques Kub [125]. Il ne s'agit pas là de l'invention d'un chroniqueur en mal de copie. Les archives administratives montrent que les autorités prirent au sérieux les informations les plus fantaisistes sur cette affaire. Le général commandant de la 9e région télégraphiait au préfet des Deux-Sèvres pour l'informer qu'un agent de publicité était venu l'avertir que les affiches des Bouillons Kub placées sur les voies ferrées indiquaient les aiguilles, bifurcations, ouvrages d'art. Leur situation avait été relevée depuis un mois par un inspecteur de la maison Kub [126]. Le préfet de la Vendée avertissait le ministre de l'Intérieur que les représentants de la société Kub avaient dressé des plans du département avec indication des distances kilométriques du chef-lieu aux principales localités, de ces localités entre elles, de l'importance des villes et des bourgs [127]...

Outre les affiches Kub, même s'ils n'obtinrent pas la même célébrité (pourquoi ?) furent visés les panneaux publicitaires des pneumatiques Continental. Un représentant français de cette marque, qui avait longtemps séjourné en Allemagne, était venu prévenir le préfet du Lot-et-Garonne : les indications portées sur les affiches de cette marque intéressaient les services d'espionnage allemand ; la dimension des placards, les mentions diverses qui y étaient portées, étaient des signes conventionnels [128].

Après avoir ainsi reçu de nombreuses mises en garde, le ministre de l'Intérieur réagit à son tour. Par télégramme, les préfets reçurent instruction de faire détruire d'extrême urgence les affiches des Bouillons Kub placées le long des voies ferrées et particulièrement aux abords des ouvrages d'art importants, viaducs, bifurcations [129].

Dans les jours qui suivirent, des préfets rendirent compte de l'exécution des ordres : le préfet de Vendée, qui avait d'ailleurs fait détruire les affiches de Maggi et Kub avant même d'en avoir reçu notification [130] ; les préfets de Charente-Inférieure [131], de Haute-Saône, où, pour faire bonne mesure, on avait fait également enlever les panneaux des pneus

---

125. A. Delecraz, *op. cit.*, p. 125.
126. A.D. Deux-Sèvres, 4 M 6/29.
127. A.N.F 7 12939, Vendée, 4 août.
128. A.M.Cabinet du ministre, cabinet militaire, tel. chiffrés, registre 3, Montauban 7 août.
129. La trace de ce télégramme se trouve par exemple dans les archives des Deux-Sèvres 4 M 6/29.
130. A.N.F 7 12939, 10 août, rapport du préfet.
131. A.N.F 7 12937, 11 août, rapport du préfet.

Continental [132], des Deux-Sèvres où l'on ne s'était attaqué qu'aux affiches placées le long des voies [133], de la Somme, où le sous-préfet de Péronne s'était aperçu que ces affiches étaient placardées sur la poudrière et le dépôt de mitrailleuses ! [134], du Nord [135]...

D'une façon générale, la presse ne s'est guère attardée sur cette affaire. Il s'est trouvé néanmoins des journaux pour transformer les soupçons en certitude. Exemple : un petit journal local qui publiait ce placard : « Avis aux Automobilistes et Cyclistes. Détruisez les affiches du Bouillon Kub. Ce sont autant d'indications pour les espions allemands » [136].

Dans ces conditions, la destruction des affiches du Bouillon Kub est devenue un objectif pour les manifestations de patriotisme : à Lille, un groupe d'environ six cents personnes parcourent diverses rues « en chantant des refrains patriotiques et en enlevant les plaques-réclames du Bouillon Kub » [137] ; à Perros-Guirec, « on s'intéresse à la manœuvre d'une douzaine de gamins en train de décrocher une affiche des Bouillons Kub, posée comme par hasard, ajoute le narrateur, à l'entrée du pont de la voie ferrée » [138] ; à Bourges, des jeunes gens, au cours d'une manifestation, descellent une plaque-réclame du bouillon Kub [139] ; à Périgueux, ce sont encore des jeunes gens qui « aux applaudissements de la foule » arrachent ces panneaux [140].

Il n'y eut dans certains cas qu'un pas à franchir pour considérer comme espions les voyageurs de commerce de la maison Kub. L'un d'entre eux, arrêté le 4 août, est déféré devant le conseil de guerre, mais bénéficie d'un non-lieu [141], un autre est arrêté à La Rochelle [142].

L'affaire du Bouillon Kub a donc dépassé le stade des rumeurs, puisque les pouvoirs publics en ont cautionné l'authenticité.

Qu'un des premiers actes de guerre, resté un peu ignoré il est vrai, ait été de lancer toutes les polices de France à la poursuite des affiches du Bouillon Kub ne manque pas de piquant. Toutefois cela nous semble un bon exemple d'une opinion publique saisie par l'excitation chauvine. Du haut en bas de l'échelle sociale, le sens critique est anesthésié.

« La sottise nous gagnerait-elle tous aujourd'hui ? » s'interroge un

---

132. A.N.F 7 12939, 4 août, *Ibid.*
133. *Ibid.*
134. *Ibid.*
135. A.N.F 7 12938, 4 août, *Ibid.*
136. *Le Centre* (Montluçon), 5 août.
137. A.D. Nord. R 30/6, rapport du commissaire de police, 5 août.
138. C. Le Goffic, *op. cit.*, p. 32.
139. A.D. Cher, 25 M 54, rapport du commissaire de police du 6 au 7 août.
140. A.D. Dordogne 1 M 86, rapport du préfet du 5 août 1914.
141. Conseil de guerre de Limoges, août 1914.
142. A.N.F 7 12937, 15 août.

de nos témoins et, avec un mélange d'ironie et d'amertume, il rapporte les propos « tout vibrants d'indignation » d'un professeur du collège de la ville : « ...Les affiches du Bouillon Kub ont été posées par des agents prussiens... », un ordre ministériel est arrivé pour faire disparaître ces « machiavéliques » affiches. « Moi, ajoute-t-il, je n'ai pas attendu, j'ai déchiré les affiches que j'ai pu atteindre... » [143]. Un autre remarque tout de même : « Je suis sceptique. Tout cela me semble par trop machiavélique. L'ennemi n'a-t-il pas à sa disposition nos cartes d'Etat-Major ? Et n'a-t-il pas tenu à jour sur chaque localité française tous les renseignements qui peuvent lui être nécessaires ? » [144]. Mais, pour quelques-uns qui ne s'en laissent pas conter, combien d'autres ? Le directeur de *L'Est républicain* écrit sans sourciller dans son journal personnel :

> « Vous rappelez-vous l'horrible badigeonnage de la grande maison qui est au bout du pont de Mont-Désert, où, en lettres énormes et rouges sur fond jaune, se détachait le mot de *Kub* ? Cette publicité qui salissait presque toutes les maisons aux abords des ponts de Nancy, indiquait des points de repère aux aéroplanes allemands qui auraient pu ainsi, en connaissance de cause, faire sauter les voies. Il en était ainsi dans toutes les villes de frontière et à Paris. J'ignore comment notre service de renseignements a connu cette destination, mais il l'a connue, et vivement il a fait passer au goudron toutes ces dangereuses réclames » [145].

L'affaire du Bouillon Kub est exemplaire, et c'est pourquoi nous nous sommes un peu attardé sur elle, mais ce n'est qu'un des aspects de la crise d'espionnite que traverse alors l'opinion publique française [146]. Le commissaire de Bordeaux note, jour après jour, les manifestations du phénomène : 4 août, dénonciations en masse de prétendus suspects [147] ; 7 août, de plus en plus de dénonciations d'Allemands ou supposés tels [148] ; 10 août : « toujours l'espionnite »... [149]. Si certains le prennent avec désinvolture : « Qui n'a pas son espion ? Moi, c'est une espionne... » [150], d'autres ne cachent pas une certaine inquiétude : le préfet des Alpes-Maritimes s'émeut de la véritable pluie de dénonciations anonymes qui n'épargnent personne, ni le préfet, ni le général-gouverneur, ni le maire [151] ; A. Moméja se plaint : « Cet état d'esprit inquiète, à bon droit, tous ceux qui n'ont pas encore perdu la tête » [152].

143. A. Moméja, *op. cit.*, p. 8, 4 août.

144. R. Dufresne, *Journal d'un Beauvaisin non mobilisé, op. cit.*, 5 août.

145. René Mercier, *op. cit.*, 54-55.

146. A.N.F 7 12936, rapport au contrôleur général des services de recherche judiciaire, 15 août 1914. « Vague d'espionnite », remarque le commissaire spécial de Brest.

147. A.N.F 7 12936.

148. *Ibid.*

149. *Ibid.*

150. A. Delecraz, *op. cit.*, p. 105, 6 août.

151. A.N.F 7 12937, 3 septembre. Déjà au début du mois, le préfet s'était plaint « des bruits les plus fantaisistes et les plus odieux qui n'épargnent personne » (A.N.F 7 12937, 10 août).

152. A. Moméja, *op. cit.*, p. 17.

L'espionnite provoqua une multitude d'incidents : véniels, quand quelques personnes sont simplement houspillées comme à Chalon-sur-Saône [153], ils peuvent être révoltants comme à Saint-Etienne, où un malheureux, accusé d'avoir l'accent allemand, est maltraité parce qu'on ne pouvait obtenir qu'il parlât, et pour cause, il était sourd-muet [154], ou graves comme à Tulle, où un sujet suisse est agressé, de même d'ailleurs qu'un cheminot pris pour un photographe allemand [155]. A Toulouse, un Allemand faillit être lynché, il fut sauvé par l'intervention d'un général [156].

On ne compte pas les arrestations de faux espions : le commissaire de la gare du Nord décrit cette « phobie des espions » qui fait arrêter de nombreux suspects sous de simples apparences [157]. Dans une petite localité de l'Yonne, le 3 août au soir, l'instituteur secrétaire de mairie est appelé en toute hâte pour interpeller un suspect : c'est un marchand de beurre de la région ; 4 août, 1 heure de l'après-midi, deuxième suspect : c'est un instituteur ; 4 août, 3 heures de l'après-midi, troisième espion : une dizaine d'hommes poussent brutalement dans la mairie un jeune homme les mains attachées, les vêtements déchirés ; quelque instants plus tard, il faut encore le relâcher... [158]. Et il en a été partout de même, souvent avec des conséquences très désagréables pour les intéressés : le maire de Beaumont-sur-Oise arrêté n'est remis en liberté qu'au mois de septembre [159], un photographe arrêté dans les Vosges, le 9 août, subit le même sort [160]. Un Lyonnais appréhendé par les habitants d'un petit village de Lozère subit quelques jours d'incarcération [161].

Comme nous avons déjà pu le remarquer, souvent tout sens critique est annihilé. Ce n'est pas le cas du préfet du Lot-et-Garonne : un télégramme officiel ayant été adressé le 6 août à toutes les gares : « Une femme grand chapeau à plumes donne des bonbons empoisonnées. Arrêtez-la ainsi que toute la bande... », il se demande si ce n'est pas là l'œuvre de mauvais plaisants ou « d'individus cherchant à troubler les esprits » [162]. Mais son collègue de Lot prend au sérieux quelques jours plus tard un télégramme du parquet de Millau avertissant du passage

153. A.N.F 7 12936, commissaire de Chalon-sur-Saône, 19 août.

154. *Ibid.*, commissaire de Saint-Etienne, 6 août.

155. A.N.F 7 12937, préfet de la Corrèze, 4 août.

156. P. Bouyoux, *op. cit.*, p. 84. D'après le *Bulletin municipal de 1914*, séance du conseil municipal du 31 août.

157. A.N.F 7 12936, Paris, 12 août.

158. André Lottier, *La guerre vue du village, op. cit.*, p. 5-8.

159. A.N.F 7 12936, Versailles, 11 septembre 1914.

160. *Ibid.*, Neufchâteau (Vosges), rapport du commissaire spécial du 2 septembre 1914.

161. A.N.F 7 12938, préfet, 9 août.

162. A.N.F 7 12938, 9 août.

d'une autre suspecte distribuant des pâtes de coing empoisonnées, et il signale que « cette dépêche a profondément alarmé la population... »[163].

Agressions contre les ressortissants des Puissances centrales, saccages des établissements allemands ou supposés tels, chasse aux espions, par leur multiplication, par leur extension à l'ensemble du territoire, ces actes reflètent un état d'esprit qu'on peut, semble-t-il, attribuer à de larges fractions de l'opinion publique. On est conduit toutefois à s'interroger sur les raisons qui ont provoquée cette véritable « explosion chauvine » et sur ses conséquences.

L'explication ne peut négliger les réactions hystériques de foules énervées et crédules. Souvent le processus de la violence a été celui décrit par ce journaliste de Beauvais :

> « Et puis, tout à coup, on pense qu'on doit être entouré d'espions. Il n'a fallu que quelques mots d'un vieux qui a rappelé les histoires de 70. On se regarde l'un l'autre...
> Quelqu'un a cru entendre un homme murmurer, parmi des paroles incohérentes : " Vive l'Allemagne ! ". Vite, il le désigne à la vengeance publique et l'homme, poursuivi avec furie à travers le square de la gare, reçoit tant de coups qu'il est obligé, pour ne pas succomber, de se réfugier dans le bureau de la grande vitesse, où il s'affala, épuisé. Ce pauvre homme, reconnu bientôt par ses amis, est bien incapable du moindre forfait »[164].

Elle ne peut négliger également qu'il y avait, bien entendu, des ... espions.

Mais tout cela ne rend pas compte complètement du phénomène. Avant la guerre, le peuple français n'avait pas été gagné par le nationalisme ; ses premières réactions au conflit l'ont montré. Mais les semences du nationalisme avaient été déposées et, à la chaleur de l'événement, elles avaient rapidement germé. Dans cette croissance, le rôle différé de l'Action française a sans doute été grand. En mars 1913, Léon Daudet avait publié *L'Avant-Guerre,* dans lequel il se proposait de dénoncer l'espionnage juif allemand en France depuis l'affaire Dreyfus[165] ; ce fut, d'après Eugen Weber, son premier grand succès d'édition[166] : onze mille cinq cents exemplaires avaient été vendus lors de la déclaration de guerre. Cette diffusion n'avait pas de quoi transformer l'opinion publique française, mais plusieurs exemples prouvent son influence.

Charles Le Goffic a vu entre Perros-Guirec et Trégastel, outre les

---

163. *Ibid.*, 15 août, préfet du Lot.
164. R. Dufresne, *op. cit.*, 5 août.
165. Léon Daudet, *L'Avant-Guerre*, Paris, Nouvelle Librairie Nationale, 1913, 312 p.
166. E. Weber, *L'Action française, op. cit.*, p. 108.

baigneurs traditionnels, de « benoîtes tribus d'Allemands » qui s'étaient installées « cette année » dans les auberges, les villas écartées, les îles, à l'embouchure des rivières... Ces pacifiques « baigneurs » allemands, nous dit-il, c'étaient les troupes de « l'avant-guerre » si persévéremment et si vainement dénoncées par L. Daudet... [167].

Un observateur, qui se veut d'esprit rassis comme Delecraz, rapporte qu'un de ses confrères tenait d'un ministre qu'il y avait à Paris cent vingt mille Allemands de plus qu'on ne croyait, que les « pigeonniers » appartenaient pour la plupart à des Allemands, que le directeur de l'Hôtel Astoria, au service des Allemands, avait de quoi équiper mille cinq cents hommes dans ses caves, que le directeur des Moulins de Corbeil était officier de réserve allemand. « C'est à n'y pas croire », note l'auteur, qui ajoute : « Léon Daudet et Gustave Téry avaient signalé la situation anormale du directeur des Moulins de Corbeil » [168].

Autre exemple, l'affaire Boring. Les Boring, quatre Alsaciens établis marchands de vin à Lunel (Hérault), sont arrêtés au début de la guerre pour bénéficier ensuite d'ailleurs d'un non-lieu [169]. L'Action française du 15 mars 1914 les avait dénoncés : « Encore un point stratégique important acquis par un industriel allemand », s'indignait-elle parce que cette maison de commerce était située à proximité de la voie ferrée et d'un parc de matériel militaire [170].

A ces quelques exemples, il faudrait ajouter les affaires Maggi et Kub que nous avons déjà longuement évoquées. Ceci nous éclaire sur le rôle de l'Action française : elle avait indiqué par avance les objectifs que les manifestants croyaient découvrir. Par un curieux phénomène d'interférence, les actes de violence étaient justifiés par les accusations de Maurras, Daudet, Pujo, et les accusations se trouvaient justifiées par les violences elles-mêmes. Comme le remarquait E. Weber à propos de Maggi : « C'est ainsi que Daudet fut à même de justifier ses accusations non prouvées en se référant à une mesure officielle prise à cause de ces accusations mêmes » [171].

---

167. Charles Le Goffic, *op. cit.*, p. 415. Dans le même ordre d'idées, le *Journal de Nice*, du 14 août 1914 écrivait : « Il importe de le dire bien haut : les Allemands avaient véritablement envahi la Côte d'Azur. La mobilisation des barbares armées du Kaiser a permis de constater combien cette infiltration lente, continuelle et méthodique, avait livré à nos pires ennemis, tous espions, une partie de nos industries hôtelières et florales ». Cité par Ralph J.C. Schor, *op. cit.*, p. 29-30.

168. *Op. cit.*, p. 99-100 en date du 6 août. Le directeur des Grands Moulins de Corbeil, Lucien Baumann, Alsacien naturalisé français en 1907, était une des cibles préférée de L. Daudet qui, pour les besoins de la cause, le traitait de « Juif allemand ».

169. Conseil de guerre de Bordeaux, non-lieu du 14 octobre 1914.

170. Il est curieux de noter que dans l'article de *L'Action française* pourtant précis et détaillé, rien n'indique que les Allemands ainsi dénoncés étaient des Alsaciens ! Que lors de cette crise chauvine, les victimes aient été très souvent des Alsaciens pris pour des Allemands n'est pas très étonnant, surtout si l'on songe à l'attitude ambiguë d'un journal comme *L'Action française* et aussi d'une partie de l'opinion publique à leur égard.

171. *Op. cit.*, p. 112, note a.

Replacée dans ce contexte, « l'explosion chauvine » n'apparaît plus comme un épiphénomène. Elle n'est pas seulement le fait d'un énervement passager dû à la brutalité du passage de la paix à la guerre. Après avoir accepté la guerre — même avec réticences — l'opinion publique, tout au moins dans certaines de ses parties, semblait moins réservée à l'égard d'un nationalisme qu'elle avait jusqu'à présent rejeté.

Léon Daudet ne s'y trompa pas. A peine revenu à son journal à la fin du mois d'août, il en durcit le ton, comme le soulignent les rapports des Renseignements généraux [172]. Il y publie une série d'articles, « La chasse aux maisons boches », qui sont, soit la réédition de certains passages de son *Avant-guerre*, soit l'exposé de faits nouveaux signalés par des correspondants ; un peu plus tard, en janvier 1915, il inaugure ses attaques contre Thurnauer, administrateur de la Thomson-Houston en France, contre Louis Le Chatelier, président du conseil d'administration des Hauts-Fourneaux et Aciéries de Caen, contre Emile Ullmann, directeur du Comptoir national d'escompte..., non sans efficacité. Lors de l'assemblée générale des Hauts-Fourneaux et Aciéries de Caen, le 29 juin 1915, le président du conseil d'administration dut longuement s'expliquer sur les liens de la société avec August et Fritz Thyssen. Il relata comment même un ministre avait cru qu'il s'agissait d'une affaire allemande, que, dans les premiers mois de la guerre, on avait tenté de présenter la société comme une tentative de germanisation d'une partie de la France. On avait même répandu le bruit que le directeur des travaux de la société avait été fusillé comme espion. On avait imprimé dans un journal que l'empereur d'Allemagne en personne était venu quelques mois avant la guerre, à Caen, présider un dîner donné par la société. Comme l'observait Le Chatelier, il était tentant d'exploiter ces thèmes en « l'état de nervosité de l'opinion » [173].

La Thomson-Houston était également obligée de se défendre en raison de ses liens avec l'Allgemeine Elektrizität Gesellschaft. Son administrateur, Thurnauer, Américain naturalisé depuis vingt ans mais d'origine allemande, envoyé en France par la General Electric pour fonder la Thomson-Houston française, fut obligé de démissionner [174].

Ces exemples, ainsi que la reprise des campagnes de L. Daudet, sont partiellement postérieurs à l'explosion chauvine du début du mois d'août. Toutefois, il nous a semblé qu'ils s'inscrivaient directement dans son prolongement. L'état d'esprit qu'ils caractérisent n'a pas seulement été passager, mais commençait à constituer dans l'opinion publique française un élément stable fait à la fois d'exaltation chauvine et de crédulité antigermanique.

---

172. A.N.F 7 13915, rapport sur l'Action française, 22 septembre 1915.
173. Compte rendu de l'assemblée générale des Hauts-Fourneaux et Aciéries de Caen.
174. Compte rendu de l'assemblée générale de la Thomson-Houston du 17 juin 1915.

Mélange de haine et de mépris envers l'adversaire, cette « explosion chauvine » était aussi génératrice d'illusions : elle tendait à faire croire que la puissance allemande résidait dans cette perfide pénétration clandestine de la France et qu'après avoir ainsi déjoué les plans de l'ennemi... en molestant ses nationaux ou soi-disant tels, on renforçait la capacité de vaincre. On peut également se demander si ce n'était pas aussi une façon de se convaincre de détermination patriotique.

## Précautions

Un certain nombre de faits permettent en effet de s'interroger sur la profondeur du sentiment patriotique des Français.

Premier signe : l'assaut donné aux banques et les queues immenses qui se formèrent devant les bureaux des caisses d'épargne. Peut-on estimer que ce fut la manifestation d'un certain manque de confiance dans les destinées de la patrie ?

Le mouvement fut tel en effet que le ministre des Finances fut obligé de prendre un arrêté réduisant à 50 F maximum les remboursements des caisses d'épargne. De son côté, le ministre de l'Intérieur invita les préfets à prévoir un service d'ordre pour éviter ou combattre les troubles [175].

L'ampleur des retraits mit certaines banques en difficulté. Ainsi, le Crédit lyonnais « dut, dit le rapport du conseil d'administration, rendre des centaines de millions en quelques jours » [176]. Le Comptoir national d'escompte ne cacha pas qu'il connut une situation difficile [177].

Les témoignages ne laissent pas de doute sur l'importance de ce qui s'est passé. L'interprétation est pourtant plus délicate qu'on ne pourrait le supposer, d'autant que les contemporains ont plus constaté qu'analysé. Il y a eu « panique financière », estime l'historien Arthur-Lévy, écrivant au jour le jour [178]. C'est ce qu'on a pensé également au Comptoir national d'escompte : les craintes du public « se changèrent vite en panique... », d'où ces retraits de fonds, « panique encore accrue par la raréfaction de la monnaie, conséquence d'un dangereux mouvement de thésaurisation » [179]. Un journaliste auxerrois ne partage pas ce point de vue, il note avec un certain bon sens : « Cette attitude n'était pas causée par la panique, mais bien plutôt dictée par l'esprit de prévoyance, car beaucoup craignant une conflagration européenne ... se

---

175. A.D. Deux-Sèvres. 4 M 6/29, télégramme de l'Intérieur n° 11, 12 et 13, sans date.
176. Rapport du conseil d'administration du Crédit lyonnais, 29 avril 1915.
177. Rapport du conseil d'administration à l'assemblée générale du 24 avril 1915.
178. A. Lévy, op. cit., p. 14 et suiv.
179. Assemblée générale du 24 avril 1915.

prémunissaient de fonds qui permettront d'atteindre la fin des hostilités » [180].

Quoi qu'il en ait été, panique ou prévoyance, probablement les deux, la prévoyance déclenchant la panique par un phénomène de boule de neige, il est important de constater que le mouvement a eu lieu *avant* la mobilisation. Les rapports des préfets ou des commissaires sont datés du 30 et du 31 juillet. Il semble donc que la crainte du manque d'argent, la fuite devant le papier-monnaie à un moment où le cours forcé n'avait pas encore été établi [181] sont plutôt dues à la crainte de la guerre qu'à un manque de patriotisme ou de confiance une fois la guerre déclarée.

L'interprétation de la ruée sur les magasins d'alimentation signalée dès le 30 juillet [182] peut être vraisemblablement la même. Ce mouvement a été moins spectaculaire que le précédent. D'une façon générale, les préfets en parlent peu, mais les chroniqueurs ont observé que « les épiceries et les magasins de comestibles (étaient) envahis par la foule » [183].

Le récit fait par un journaliste de Beauvais est en même temps tentative d'explication :

> « C'est une ruée dans les magasins pour s'approvisionner de marchandises. La mobilisation prend tant de monde qu'on s'imagine que tout commerce va cesser. La nation entière est armée : que va-t-on devenir ? Rien n'a eu lieu de semblable dans le passé qui puisse donner une indication.
>
> Les quelques boutiques qui sont fermées, parce que leurs propriétaires sont mobilisés, donnent l'impression que la vie civile va s'arrêter.
>
> On fait queue chez les épiciers. On achète comme si l'on allait subir un siège [184].

Cette explication nous a semblé intéressante : elle s'insère dans la conception d'une guerre courte. Elle se réfère à la même illusion : la guerre n'est pas un état qui peut se prolonger, mais seulement une crise brève pendant laquelle toute activité civile est exclue. Cela justifie dans une certaine mesure les précautions financières et alimentaires prises par la population.

Il est donc probablement aventuré d'imputer au manque de patriotisme que les pères de famille se soient munis d'argent, que les femmes aient fait des provisions, mais la flambée des prix qui accompagne ces précautions permet beaucoup plus sûrement de s'interroger sur les limites de l'exaltation nationale. On assiste en effet, dans les premiers jours d'août, à une très vive hausse des prix. Est-elle générale ? Non, très vraisemblablement. Mais elle a été très répandue.

---

180. Henri Médard, *Films de guerre. La mobilisation à Auxerre*, Auxerre, 1916, p. 13.
181. Il est décrété le 4 août.
182. Dans *La Bataille syndicaliste* par exemple.
183. A. Delecraz, *op. cit.*, p. 7, 31 juillet.
184. R. Dufresne, *op. cit.*, 3 août.

Elle provoqua de vives réactions dans le public. A Paris, il est quelquefois difficile de distinguer entre les boutiques saccagées parce que leurs propriétaires étaient considérés comme allemands et celles qui le furent parce que les prix y étaient jugés abusifs. Des échos de ces troubles parviennent d'à peu près toutes les régions de la France.

Un peu partout également, les autorités interviennent pour enrayer ce mouvement de hausse des prix. Ainsi le préfet de la Manche prend des mesures vigoureuses contre « l'esprit de lucre » d'autant « que les populations normandes sont quelquefois difficiles à secouer : c'est pourquoi il m'a paru utile d'employer un langage énergique »[185].

Presque tous les journaux régionaux publient des arrêtés de tel ou tel maire taxant le prix des denrées.

Qu'une forte demande de produits ait provoqué une vive montée des prix n'est pas un phénomène bien original. Il est plus étrange que, dans ces circonstances, la réaction immédiate d'une fraction de la population, de seulement une minorité de commerçants peut-être, mais d'une minorité significative puisque cela se produisit un peu partout, ait été de profiter financièrement de la situation. Doit-on voir là simplement le réflexe normal de commerçants qui ont l'occasion de faire de bonnes affaires ? N'est-ce pas le signe d'une certaine fragilité de la conviction patriotique ? On peut justifier le souci de stockage de produits alimentaires, la volonté d'être muni d'argent, encore qu'elle manifeste au moins le manque de confiance dans le papier-monnaie, on ne peut par contre trouver de justification acceptable de la hausse des prix.

Il y a quelques contradictions en outre entre cet ensemble de préoccupations matérielles et l'exaltation chauvine dont parallèlement d'autres faits témoignent, encore qu'on le sait, les attitudes humaines ne sont pas toujours cohérentes et que, pour beaucoup, témoigner d'un patriotisme exalté n'exclut pas le sens de ses intérêts.

## Enthousiasme

La courbe du moral de la population de l'Yonne établie par le préfet de ce département montre que l'état de l'opinion publique, « très bon » dans les premiers jours du mois d'août, ne cessa de s'améliorer pour devenir « enthousiaste » vers la fin de la première dizaine du mois et resta à ce stade pendant les dix jours suivants. Fait pour l'Yonne, ce constat semble avoir été vrai pour l'ensemble de la France.

Comment peut-on expliquer ce mouvement ascendant du moral des Français, alors que, dès le début du conflit, ils étaient déjà animés d'une confiance en leur victoire aussi remarquable qu'aveugle ?

---

185. A.N.F 7 12938, Saint-Lô. le 4 août, rapport du préfet.

Certaines explications sont de caractère secondaire, sans être pour autant dépourvues d'importance. Contrairement à ce qui s'était passé en 1870, les Français eurent le sentiment de ne pas être seuls. C'était l'évidence, mais il faut se souvenir de ce complexe d'isolement dont la France avait souffert si longtemps. « Toute l'Europe est avec nous ; c'est quelque chose », écrivait-on à un professeur de l'université de Clermond-Ferrand [186] ; « ...Nous avons des amis puissants... », disait-on en Charente [187]. Le soulagement qu'impliquent ces remarques tenait moins à l'alliance russe depuis longtemps considérée comme acquise qu'à l'attitude de l'Italie et surtout à celle de l'Angleterre.

On sait combien le risque que l'Angleterre ne s'engageât pas avait jusqu'au dernier moment provoqué d'appréhension dans les milieux dirigeants français [188]. On retrouve les traces de cette inquiétude dans l'opinion publique ; ainsi, aux deux extrémités du pays, le préfet des Basses-Pyrénées signalait au gouvernement que « l'opinion publique se pos(ait) avec inquiétude la question de savoir quelle sera l'attitude de l'Angleterre dans le grave conflit qui a surgi... » [189], tandis qu'un historien de Calais souligne que « la plus grosse inquiétude des Calaisiens concernait l'attitude britannique car, sans la flotte anglaise, ils craignaient d'être bombardés » [190]. A plusieurs reprises on remarque cette crainte dans les notes prises par les instituteurs des Côtes-du-Nord. A Pléboul, à l'annonce de la mobilisation, « des groupes se forment et tous ont hâte de savoir ce que fera l'Angleterre » [191], à Ploubazlanec, on se demande : « Et l'Angleterre, que va-t-elle faire ? « « Sans la protection de la flotte anglaise, notre littoral paimpolais aurait indubitablement souffert des horreurs de l'invasion : note flotte de la Manche et de l'Océan était notoirement insuffisante pour arrêter les vaisseaux ennemis » [192].

Lorsque l'Angleterre se range aux côtés de la France, les manifestations de satisfaction sont nombreuses : un « grand enthousiasme », dit le commissaire spécial de Chalon-sur-Saône [193], de même que le préfet du Rhône [194], « excellente impression », rapporte le préfet de Seine-Inférieure [195]. Cette satisfaction se maintient puisque, quelques jours plus tard, le préfet du Pas-de-Calais notait encore que le passage des troupes

---

186. Archives Desdevises du Dézert, 1, p. 32, lettre datée du 16 août 1914, Bibliothèque universitaire de Clermont-Ferrand.

187. A.D. Charente J 80, commune de Chazelles.

188. R. Poincaré, *op. cit.*, T.IV, ch. XI et XII.

189. A.N.F 7 12938, Basses-Pyrénées, 2 août.

190. Albert Chatelle et G. Tison, *Calais pendant la guerre*, Paris, Quillet, 1927, 286 p., p. 6.

191. A.D. Côtes-du-Nord, série R.

192. *Ibid.*

193. A.N.F 7 12936, rapport du 19 août 1914.

194. A.N.F 7 12938, Lyon, 5 août.

195. A.N.F 7 12939, Rouen, 5 août.

anglaises en gare d'Arras « donnait lieu pendant toute la journée à des manifestations d'enthousiasme populaire... » [196].

Dans le département des Côtes-du-Nord, le « soulagement (est) général » à Ploubazlanec lorsqu'on apprend que l'Angleterre prendra part à la lutte « pour venger la violation de la Belgique » [197]. On manifeste « une grande joie » dans l'île de Bréhat, bien que, comme l'explique l'instituteur, la population ait conservé jusqu'en août 1914 « antipathie » et « défiance » envers les Anglais qui avaient plusieurs fois ravagé l'île dans l'histoire, mais elle « apprécie à sa juste valeur l'appui de la flotte anglaise » [198], la « joie » est « exubérante » à Saint-Julien [199]. A Quintin, c'est « confiance » que donne l'appui britannique [200], tandis qu'à Saint-Connec, on estime que le concours anglais justifie que « l'affaire se règle tout de suite » [201].

Ce récit d'un instituteur d'Angoulême montre l'importance attachée à l'événement :

> « Quel rôle allait jouer la Grande-Bretagne ? Les opinions les plus contradictoires se donnaient libre cours quand subitement un télégramme d'une agence parisienne nous apprend ... que l'Angleterre déclare la guerre à l'Allemagne.
>
> Des éditions spéciales des journaux locaux ... et des grands régionaux ... confirment cette nouvelle.
>
> Un soupir de soulagement s'échappe de toutes les poitrines ... Chacun est d'avis qu'avec le concours de la flotte britannique, la fortune pourrait nous sourire cette fois » [202].

Les chroniqueurs n'ont pas manqué également de faire sa part à l'entrée en lice de l'Angleterre. A Abbeville, on remercie « la Providence de nous avoir donné les Anglais pour alliés » [203], à Beauvais, on salue d'un « Ça, c'est une chance » l'annonce de la même nouvelle [204].

La neutralité italienne fut, elle aussi, accueillie « avec grande joie » ; le geste italien « raffermit les consciences » et « redouble les espérances » [205]. Deux préfets au moins ont montré l'écho de l'événement dans l'opinion publique de leurs départements. Pour celui du Puy-de-Dôme, la « confirmation officielle de la neutralité de l'Italie ... a encore exalté

---

196. A.N.F 7 12938, préfet, 15 août.

197. A.D. Côtes-du-Nord, série R.

198. *Ibid.*

199. *Ibid.*

200. *Ibid.*

201. *Ibid.*

202. A.D. Charente J 76.

203. Chanoine Lesueur, *op. cit.*, p. 14.

204. R. Dufresne, *op. cit.*, 4 août.

205. Arthur-Lévy, *op. cit.*, p. 42-43, 3 août.

son élan » [206]. Pour celui du Vaucluse, elle a été accueillie « avec enthousiasme » [207].

« C'est un bon atout », dit-on à Beauvais, tandis que dans l'île de Bréhat, la nouvelle cause aussi une « grande joie » [208] ; à Quintin, on estime qu'elle donne « confiance à la nation » [209].

Il est concevable que dans un département frontalier comme les Hautes-Alpes, l'attitude de l'Italie ait été suivie de près. Les notes des instituteurs de ce département montrent que l'inquiétude a été vive dans les villages de la frontière : à Puy-Saint-Pierre, « tout le monde était dans la plus grande anxiété, comptant à chaque instant entendre tonner les canons italiens du Chaberton » [210]. On prend des précautions : « On remplit les malles de linge et d'effets, on enferme ce que l'on a de plus précieux et on porte le tout dans les caves » [211].

Il faut d'abord souligner qu'il n'y eut pas de poussée chauvine à l'encontre des travailleurs italiens nombreux à être employés dans la région. La population « ne se laisse aller à aucune acrimonie envers les Italiens résidant à Embrun et qui avaient toujours vécu avec les Embrunais en bonne confraternité » [212].

Plus en amont dans la vallée de la Durance, à Saint-Crépin, « dans la matinée commence l'exode des ouvriers italiens. On les voit se diriger par bandes vers Briançon, un paquet sur l'épaule. Comme nous, ils se posent cette question angoissante : l'Italie va-t-elle faire la guerre à la France ? Deux d'entre eux qui nous rencontrent hors du village nous saluent en souriant. Nous répondons avec bienveillance. Ils s'arrêtent et nous disent : « Nous allons en Italie parce que nous n'avons pas de travail, nous n'allons pas pour prendre les armes contre la France. La France et l'Italie ne peuvent se battre... » [213].

Quelques traces de ces préoccupations apparaissent également dans les documents de Haute-Savoie : à Saint-Jorioz, on se demande ce que vont faire les Italiens. A Cusy, « on prête peu d'attention à l'Italie jusqu'au jour où l'on apprit avec joie sa neutralité » [214].

L'impression générale est que la neutralité italienne a été accueillie avec d'autant plus de soulagement qu'on ne considérait pas l'Italie comme une ennemie.

---

206. A.N.F 7 12938, Puy-de-Dôme, 3 août.
207. A.N.F 7 12939, Vaucluse, 3 août.
208. A.D. Côtes-du-Nord, série R.
209. *Ibid.*.
210. Fort italien qui dominait Briançon.
211. C. Petit-Dutaillis, art. cité, p. 58.
212. *Ibid.*, p. 51.
213. Cité par J.-J. Becker, « L'appel de guerre en Dauphiné », art. cité, p. 40.
214. A.D. Haute-Savoie, 1 T 218.

On peut donc estimer que l'opinion publique a accueilli très favorablement le concours anglais et la neutralité italienne : il faut reconnaître tout de même que le nombre de remarques que nous avons pu glaner dans nos différentes sources à ce sujet est assez faible et que si ces événements ont contribué à créer le climat d'euphorie qui allait régner quelques jours, la prise — temporaire — de Mulhouse eut un effet infiniment plus grand.

### LA PRISE DE MULHOUSE

Cet incident de guerre porte en effet au plus haut le moral des Français et fut à l'origine des plus grandes illusions.

Dès le 2 août, le 7e corps avait été appelé à se préparer à une opération en Haute-Alsace dans le but d'y retenir des forces allemandes aussi nombreuses que possible, de couper les ponts sur le Rhin et de soutenir le flanc des troupes opérant en Lorraine.

Médiocrement menées par le général Bonneau, les forces françaises occupaient sans grande difficulté Mulhouse dans la soirée du 7 août pour la reperdre d'ailleurs tard dans la nuit du 9 août [215].

A en croire le journal de Jacques Bainville, la nouvelle de la prise de Mulhouse n'aurait pas provoqué un enthousiasme débordant :

> « Emotion grave. Aucun transport. Aucune manifestation : une joyeuse surprise. Les visages un peu crispés depuis dix jours se détendent … Je n'aurais jamais cru que le jour où les Français rentreraient en Alsace serait un jour aussi calme, et même (comment ne pas le dire ?) un jour aussi ordinaire » [216].

L'impression d'Arthur-Lévy fut assez proche :

> « Le septième jour de guerre, des soldats français ont occupé Mulhouse... vous entendez bien, Mulhouse ! Qui de nous eût supposé, il y a huit jours seulement, que la reprise d'une ville aussi importante, aussi chère à l'âme française, n'aurait pas produit une explosion d'allégresse...
> Et cependant les fenêtres demeurent impassiblement sombres... sombres comme la pensée de la France » [217].

La presse, pourtant, n'a pas méprisé l'événement. Les gros titres ont été de règle, aussi bien, pour prendre des exemples opposés, dans *L'Echo de Paris* que dans *L'Humanité*.

Dans le premier de ces journaux [218], un titre important proclame au milieu de la première page : « Entrée des troupes françaises à Mulhouse », et Albert de Mun célèbre l'événement : « Mulhouse est pris ...

---

215. Henry Bidou, *Histoire de la grande guerre, op. cit.*, p. 62-63.
216. Jacques Bainville, *Journal inédit, op. cit.*, p. 26.
217. Arthur-Lévy, *op. cit.*, p. 50.
218. Numéro du 9 août.

Après 44 ans de deuil et d'attente douloureuse, voici donc que se lève pour nos frères de là-bas l'aurore de la délivrance ... quand le drapeau tricolore va entrer dans Mulhouse, fier et claquant au vent, imaginez-vous le transport... »[219].

Dans le second[220], le titre barre toute la largeur de la page : « Les Français à Mulhouse », et dans un article de tête de deux colonnes en gros caractères, *L'Humanité* assure : « Cette nouvelle aura un immense retentissement dans les cœurs de tous nos soldats, dans les cœurs de tous les Français ».

Certes il n'est pas possible de déduire de l'enthousiasme de la presse celui de la population, mais nous disposons de nombreux documents qui semblent bien prouver que la prise de Mulhouse a été profondément ressentie par l'opinion publique.

Dans certains cas, le registre reste modéré : « La prise de Mulhouse, les premiers combats d'Alsace, les exploits du général Pau furent salués dès le début comme des événements d'un heureux augure ; c'est avec une vive émotion, toute patriotique mais contenue, que la population accueillit les premières nouvelles »[221]. Dans d'autres, il y a un soupçon de scepticisme : « La nouvelle de nos premiers succès fut reçue avec un certain enthousiasme. La prise de Mulhouse causa une telle satisfaction que beaucoup de bons citoyens voyaient déjà l'Allemagne abattue et nos soldats à Berlin »[222]. Mais, en général, il n'y a pas de réserve, que ce soit dans l'expression des sentiments individuels : « Je rapporte (de Cambrai) *Le Matin et Le Petit Parisien*. Nos soldats sont entrés en Alsace ; ils ont pris Altkirch et s'approchent de Mulhouse : je n'en puis croire mes yeux, mon cœur bat violemment... », écrit un jeune normalien[223]. Ou dans celle de sentiments collectifs : au Creusot, le maire se rend sur le Boulevard pour annoncer la bonne nouvelle ; elle est accueillie par des « applaudissements frénétiques », le drapeau est hissé sur l'Hôtel de Ville[224] ; à Vierzon, « Un long frémissement d'enthousiasme et d'orgueil secoue la cité vierzonnaise. Le dimanche 9 août est un beau dimanche ! »[225]. A Moissac, « Tout le monde est frémissant d'enthousiasme parce que vient d'arriver la nouvelle que nous avons conquis Mulhouse... »[226]. Rentrant de Bretagne le jour où est annoncée la nouvelle, C. Le Goffic constate l'enthousiasme au cours de son voyage[227].

219. Titre : « L'Aurore ».

220. Numéro du 9 août.

221. Marius Beaup, « La guerre de 1914 à Lalley et dans le Trièves », « art. cité », *Le Dauphiné*, 11 octobre 1914.

222. A.D. Charente-Maritime, 2 J 28, *Rioux pendant la guerre*.

223. Gaston Prache, *op. cit.*, samedi 8 août, p. 20.

224. A.D. Saône-et-Loire, *La guerre vue du Creusot*.

225. A.D. Cher 15/16, Histoire de Vierzon.

226. Arthur Moméja, *op. cit.*, 9 août, p. 26.

227. Charles Le Goffic, *op. cit.*, p. 57.

Fig. 37. La prise de Mulhouse et les rapports préfectoraux

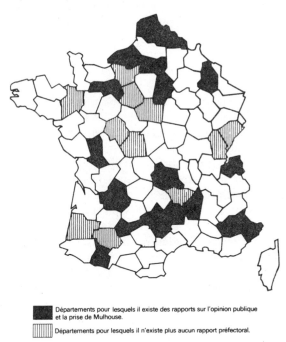

■ Départements pour lesquels il existe des rapports sur l'opinion publique et la prise de Mulhouse.

▥ Départements pour lesquels il n'existe plus aucun rapport préfectoral.

La concordance des rapports préfectoraux est encore plus frappante que ces impressions dispersées.

Dix-huit préfets évoquent l'événement (voir croquis n° 37). Si on tient compte de ce que, comme nous le savons, nous ne disposons pas des rapports des préfets de tous les départements, nous avons un pourcentage exceptionnellement élevé de rapports concernant la même question.

Les préfets de seize des dix-huit départements emploient le terme « enthousiasme » : un enthousiasme sans qualificatif dans les Basses-Alpes [228], l'Ardèche [229], l'Oise [230], la Haute-Savoie [231], le Nord [232], *grand* en Seine-et-Marne [233] et dans les Hautes-Pyrénées [234], *très grand* dans les

228. A.N.F 7 12937, Digne, 9 août.
229. *Ibid.*, Privas..
230. A.N.F 7 12938, Beauvais, *id.*
231. A.N.F 7 12939, Annecy, *id.*
232. A.D. Nord R 28, sous-préfet d'Avesnes, 9 août.
233. A.N.F 7 12939, Melun, 9 août.
234. A.N.F 7 12938, Tarbes, *id.*

Deux-Sèvres[235], *considérable* dans la Meuse[236], *vif* dans le Puy-de-Dôme[237] et *le plus vif* en Dordogne[238], *indescriptible* dans le Tarn-et-Garonne[239], la Seine-Inférieure[240] et les Alpes-Maritimes[241], *indicible* en Lozère[242], *ému* dans le Pas-de-Calais[243]. Dans quelques cas, les préfets ont mis en valeur d'autres sentiments qui ont accompagné l'enthousiasme, une *grosse émotion* à Mende[244], *la plus profonde joie* à Nice[245].

Ils ont également signalé les manifestations que l'enthousiasme a provoquées : des communes ont pavoisé dans les Deux-Sèvres[246] ; à Mende, la municipalité a fait décorer de drapeaux un monument, exemple imité pour un certain nombre de maisons[247].

Plusieurs préfets insistent sur le fait que l'enthousiasme ne s'est pas produit seulement en un endroit du département : en Lozère, le préfet a été avisé par ses sous-préfets que les mêmes manifestations de satisfaction ont eu lieu dans tous les arrondissements[248], en Haute-Savoie dans *tout* le département[249], dans la Meuse, dans la plus grande partie du département[250]. En revanche, d'autres ne peuvent l'affirmer que pour la ville-préfecture, ainsi celui de la Dordogne pour Périgueux[251].

Lorsque certains préfets n'ont pas employé le terme d'enthousiasme, cela ne signifie pas que les sentiments exprimés dans le département aient été plus modérés. Dans l'Orne, le préfet rapporte que « l'annonce de l'entrée des Français en Alsace a provoqué une explosion de joie dont il est impossible de décrire la vivacité. Tout le monde pleurait, on se serrait les mains dans les rues... »[252]. De même, le sous-préfet de Cambrai note que la population a appris la nouvelle de la prise de Mulhouse « avec joie »[253]. Seul le préfet de l'Aveyron se contente de parler de « satisfaction à la nouvelle des premiers succès »[254].

---

235. A.N.F 7 12939, Niort, *id.*

236. A.N.F 7 12938, 17 août.

237. *Ibid.*, Clermont-Ferrand, 17 août.

238. A.D. Dordogne 1 M 86, 9 août.

239. A.N.F 7 12939, 9 août.

240. *Ibid.*

241. A.N.F 7 12937, Nice, 10 août.

242. A.N.F 7 12938, 9 août.

243. *Ibid.*

244. A.N.F 7 12938, 9 août.

245. A.N.F 7 12937, 10 août.

246. A.N.F 7 12939, 9 août.

247. A.N.F 7 12938, *id.*

248. *Ibid.*, 10 août.

249. A.N.F 7 12939, 9 août.

250. A.N.F 7 12938, 17 août.

251. A.D. Dordogne 1 M 86, 9 août.

252. A.N.F 7 12938, 9 août.

253. A.D. Nord R 28, rapport du sous-préfet de Cambrai, 9 août.

254. A.N.F 7 12937.

On ne peut donc guère douter, même si les indications dont nous disposons pour Paris sont nettement plus réservées, qu'au moins dans une large partie de la province, la prise de Mulhouse n'ait été accueillie avec de véritables transports de joie.

Cela est important : l'opération en Haute-Alsace n'avait pas grande signification militaire, Mulhouse reperdue allait être à nouveau occupée quelques jours plus tard pour être ensuite abandonnée et, le 24 au matin, le drapeau tricolore avait définitivement disparu de l'Hôtel de Ville [255]. Mais qu'elle ait pu à ce point surexciter une confiance déjà trop grande en une victoire facile fut générateur de nouvelles et graves illusions [256] et prépara une chute d'autant plus profonde de l'état moral des Français quand ils furent mis devant les dures réalités.

## Panique

L'explosion d'enthousiasme qui salua la prise de Mulhouse n'a laissé que peu de traces dans le récit historique. Il en est de même de la profonde dépression que subit le moral des Français à la fin du mois d'août. La lecture de la presse ne permet guère de s'en rendre compte, d'autant que les journaux considéraient qu'ils avaient plutôt pour mission de combattre les tendances au pessimisme de l'esprit public que d'analyser son état réel. Ainsi, le 29 août, A. de Mun écrivait : « Alors voulez-vous me dire pourquoi l'affolement ? Car il y en a et c'est un scandale » [257]. « Imposons silence aux trembleurs », proclamait un rédacteur de l'hebdomadaire protestant *Evangile et Liberté* [258].

---

255. Henry Bidou, *op. cit.*, p. 76.

256. Parmi les illusions, on peut ranger non seulement celle d'une pénétration facile en Alsace, mais aussi l'idée d'un accueil enthousiaste des Alsaciens. Cette double illusion était aussi présentée par le directeur de *L'Est républicain*, René Mercier : « Les choses vont admirablement. A ce moment, m'assure-t-on, nous occupons Munster, Colmar, Altkirch. En Alsace, on nous accueille comme des sauveurs. Le général Pau affirme que nous serons à Strasbourg sans qu'un seul coup de canon soit tiré » (8 août, *op. cit.*, p. 63).
L'accueil des Alsaciens semble avoir été assez différent, il fut en tout cas prudent. « Les réactions des populations libérées furent souvent décevantes », note H. Contamine, *op. cit.*, p. 76. Le témoignage de Charles Spindler montre cette ambiguïté des sentiments des Alsaciens qui auraient bien voulu ne pas être pris dans la tourmente. En date du 13 août, il écrit par exemple (*op. cit.*, p. 26) : « On prévoit que les Français vont envahir nos contrées par Saint-Blaise. Cette perspective est assez alarmante ». Citons également ces extraits des souvenirs d'E. Richard de Colmar (*op. cit.*, p. 11-12) : (Lorsqu'il fut fait appel à la générosité des Alsaciens en faveur des troupes allemandes), « les Colmariens se montrèrent très larges ; d'innombrables lettres de remerciement provenant des corps de troupe en même temps que des soldats isolés en font foi... ».
« La population colmarienne avait généreusement répondu aux appels à son bon cœur. Pour elle les soldats allemands étaient des *armi kaïwa* (pauvres diables) tout comme les soldats français... ».
Dans un article du 18 septembre intitulé « Impressions d'un Alsacien », *Le Temps* note effectivement la *réserve* observée à l'arrivée des troupes françaises. Mais, ajoute-t-il, « ceux qui connaissaient la situation en Alsace ne s'attendaient pas à des démonstrations exubérantes, à de grands discours, à des fêtes publiques ». Puis l'article explique longuement les raisons de ce manque d'enthousiasme apparent (?) des Alsaciens.

257. *L'Echo de Paris*, 29 août.

258. 5 septembre.

En conséquence, les journaux offraient une présentation optimiste des événements qui peut paraître dérisoire à la connaissance des faits, mais qui, dans l'immédiat, tendait à maintenir l'opinion en dehors de toute réalité. Même s'il ne faut pas attacher une importance excessive au célèbre titre que *Le Matin* du 24 août imprimait sur six colonnes : « Les Cosaques à cinq étapes de Berlin » [259], quelques exemples de titres permettent d'illustrer ce rôle de la presse :

*Le Matin* [260] : « La Belgique tient bon, l'armée d'invasion voit son offensive brisée et s'arrête, la cavalerie teutonne pratique surtout avec une grande maîtrise le demi-tour » ;

*L'Humanité* [261] : « Nos troupes continuent d'avancer en Alsace. Les forces allemandes se retirent en désordre en abandonnant un énorme matériel » ;

*L'Echo de Paris* [262] : « Nouveaux et importants succès des troupes françaises ».

Plus encore, le contenu de certains articles ne témoignait guère de bon sens : « Vive les Cosaques, qu'ils soient les bienvenus », écrivait Maurice Barrès, en annonçant le 31 août la situation tragique des Allemands pris à revers en Lorraine par les Russes [263] !

Quant au chroniqueur militaire de *L'Echo de Paris*, il ne craignait pas de publier le 3 septembre (!) le commentaire suivant :

« ...Déjà les chemins de fer ramènent vers l'Allemagne des renforts alarmés. L'épouvante galope sur les derrières des hordes barbares. Après la bataille prochaine devant Paris, ce sera la débâcle. L'armée allemande ne sera plus même une foule : elle deviendra un troupeau que nous chasserons jusqu'au Rhin.

1806 va se renouveler ! Préparez vos pointes, les cavaliers de France ! ».

Informée de cette façon, l'opinion publique française n'était guère préparée à supporter le choc des événements. Un journaliste parisien apprend avec *stupéfaction* de la bouche d'un officier blessé rencontré le 20 août : « Nous reculons » [264]. A la fin du mois, le commissaire de la

---

259. En réalité, il s'agit de l'édition du soir qui pratiquait les titres énormes et « accrocheurs », alors que la présentation de l'édition du matin était beaucoup plus sobre. On sait que, six jours plus tard, l'armée russe commandée par le général Samsonov, qui s'était d'abord avancée en Prusse Orientale, était enfoncée, puis encerclée par les troupes allemandes avant d'être anéantie, et que son chef se suicida (voir général Daniloff, *La Russie dans la guerre mondiale*, Paris, 1925, et plus récemment, sous forme romancée, Alexandre Soljénitsyne, *Août 1914*, Paris, Editions du Seuil, 1972. 509 p.)

260. 13 août.

261. 18 août, sur 3 colonnes

262. 16 août, sur 2 colonnes.

263. *L'Echo de Paris*.

264. A. Delecraz, *op. cit.*, p. 332 : « Je reste un peu étourdi sous le choc de cette parole brutale. Je sens un vide immense en moi... ».

gare du Nord relate le retour précipité des familles restées en villégiature sur les plages de la Manche ; les voyageurs affolés racontent leur « pénible odyssée en la dramatisant ». Il commente : « On trouve en général que ces histoires de fuite et d'invasion contrastent fâcheusement avec le silence de la presse »[265].

Si la presse ne disait rien, c'est qu'elle en avait reçu l'instruction : avec la proclamation de l'état de siège, le premier acte de l'autorité militaire avait été d'interdire aux journaux la publication de toutes nouvelles intéressant la défense nationale[266], et les préfets veillèrent à ce que ces instructions soient strictement appliquées[267]. L'aurait-elle voulu d'ailleurs, que la presse n'aurait guère pu donner d'informations, car elle ne savait pas grand'chose ! Une fois la guerre éclatée, le commandement avait considéré qu'il était inutile, préjudiciable même d'informer les civils, quels qu'ils soient, gouvernement compris[268]. Quand Raymond Poincaré se plaint au ministre de la Guerre de n'être pas tenu au courant, celui-ci lui répond qu'il n'en sait pas davantage...

Et le président de la République notait avec amertume : « ...Comment le chef de l'Etat et le gouvernement peuvent-ils remplir tous leurs devoirs envers le pays, s'ils ne sont pas exactement informés ? »[269].

Ce fut encore pire lorsque le gouvernement s'installa à Bordeaux. Dans une lettre du 2 septembre, le ministre de la Guerre exigeait du Grand Quartier Général qu'un fil direct soit établi entre Paris et le GQG et entre Bordeaux et le GQG. Le colonel Pellé répondait de façon assez désinvolte que, pour satisfaire au désir du gouvernement, il pourrait faire établir une liaison directe avec Paris ... pendant deux heures par jour. Quant à la liaison avec Bordeaux, il craignait qu'elle ne rencontre de grosses difficultés techniques[270].

L'ignorance dans laquelle était tenu le gouvernement est bien illustrée par ce témoignage. Le 29 août, le sénateur-maire de Noyon, Ernest Noël, veut l'informer de l'approche des Allemands : « Non sans peine, il obtient la communication avec le Ministère de l'intérieur. Les nouvelles

---

265. A.N.F 7 12936, Paris, le 28 août 1914.

266. Voir R. Mercier, *op. cit.*, p. 35.

267. A.D. Dordogne 1 M 86, 8 août 1914. Certains préfets même trouvèrent la surveillance insuffisante, ainsi celui du Lot-et-Garonne, qui attirait l'attention sur les informations des « grands régionaux », « la population attachant souvent trop d'importance à certaines nouvelles... » (A.N.F 7 12938).

268. Voir H. Contamine, « Gouvernement et commandement — Colloque 1917 », *Revue d'histoire moderne et contemporaine*, janvier-mars 1968. Egalement Barbara Tuchman, *op. cit.* p. 183.
Le goût du secret de l'Etat-Major était tel que même des officiers s'en plaignaient. Ainsi, à propos d'un changement de position, un colonel écrivait dans ses Souvenirs : « On ne nous donnait aucune raison de cette contre-marche. Est-ce bien ? Est-ce mal ? En se taisant, le commandement garde mieux le secret des opérations, mais il jette un peu de trouble dans les esprits qui s'imaginent volontiers que le commandement s'est trompé ou qu'il hésite. Or il faut éviter à tout prix un manque de confiance dans le valeur du commandement ». (Général Desfontaines, *op. cit.*, p. 11).

269. Raymond Poincaré, *op. cit.*, p. 62. Voir aussi p. 84, 105.

270. A.M. 16 N 293. (Anciennement carton 375), pièces 109/13, 2 septembre, 8 h 30.

qu'il donne semblent y jeter la stupeur, comme si en haut lieu on ignorait tout de l'avance ennemie » [271].

Les communiqués du GQG ne contribuèrent guère à éclairer l'opinion : on leur reprochait sinon leur opacité [272], du moins leur laconisme [273], une « sobriété de langage qui (était) loin de satisfaire les moins exigeants » [274], une « parcimonie » dans l'information, — dont le gouvernement était bien à tort accusé — [275], ou encore leur « insignifiance » [276]. Arthur-Lévy s'en étonne dans son journal en date des 16-22 août : il ironise sur le communiqué du 18 qui ne mentionnait qu'une patrouille de dix uhlans dispersés à Dinant : « Ainsi, quatre millions d'hommes sont en présence, même aux prises, et l'on nous propose d'admettre que l'intérêt de la journée a gravité autour d'une dizaine de cavaliers en patrouille ! » Après avoir encore noté que « les rédacteurs militaires n'ont pas le don de la narration », que « l'interprétation » des communiqués est bien difficile, il conclut : « C'est insulter notre force morale que de nous servir des mièvreries semblables » [277].

La publication d'un *Bulletin des communes*, sorte de Bulletin officiel établi par le Ministère de l'intérieur pour informer les populations, ne changea guère les choses dans la mesure où on l'incrimine de « ne pas donner davantage de renseignements sur les faits de guerre » [278].

D'ailleurs, une instruction du 5 août aux généraux commandant les régions avait prescrit de ne laisser publier sur les opérations que les « nouvelles anecdotiques favorables... » [279]. Aussi, comme le dit le préfet de la Nièvre dès le 7 août, « un certain scepticisme commence à se faire jour » dans une population jusque-là confiante, devant le « fait que (les) nouvelles sont uniformément favorables » [280]. Il revient à la charge quelques jours plus tard : « Comme les pertes françaises ne sont jamais indiquées, cela donne lieu à toutes les suppositions... » [281]. Implicitement, le préfet de la Nièvre posait la question de savoir si le silence du commandement était justifié ou non.

J. Bainville, dans son *Journal*, approuvait cette attitude : « La rareté ou l'absence des nouvelles est une dure école et enseigne au public que la

271. Augustin Baudoux, Robert Reignier, *op. cit.*, p. 17.

272. Barbara Tuchman (*op. cit.*, p. 183) parle de « chefs d'œuvre d'opacité ».

273. Louis Bedex, *Belle-Ile pendant la guerre, op. cit.*, mardi 1er septembre.

274. M. Beaup, *op. cit.*, p. 187, fin août.

275. A. Delecraz, *op. cit.*, p. 71.

276. Arthur-Lévy, *op. cit.*, p. 71.

277. Arthur-Lévy, *op. cit.*, p. 71-73. Ailleurs, il note : « Ainsi une bataille de six jours est avérée le 23, alors que le deuxième bulletin du 20 débutait par ces mots : " Sur le front, rien de nouveau en Alsace-Lorraine " ».

278. A.N.F 7 12937, Digne, 9 août, rapport du préfet.

279. A.M./C.M./C.M., télégramme sorties, registre 33, 5 août.

280. A.N.F 7 12938, Nevers, 7 août.

281. *Ibid.*, 14 août.

guerre est une chose sérieuse » et, ajoutait-il, « le non-combattant n'est plus rien. Il le sent et il se tait » [282].

C'est également l'avis d'Albert de Mun : « Il faut faire montre de *calme* et de *patience* devant le silence de l'Etat-Major » [283]. « Silence », titre-t-il son article du 22 août, et il commente longuement la nécessité de ne rien savoir de ce qui se passe [284]. Jusqu'à un certain point tout de même ! Le 27 août, il estime que « les communiqués en disent trop ou pas assez, entretenant la nervosité » [285].

Il n'est pas surprenant que des écrivains proches de l'Etat-Major aient défendu ces conceptions. La presse de gauche les accepte aussi au début. G. Hervé, par exemple, explique qu'il est nécessaire d'être discret, qu'on ne peut donner des nouvelles qui renseigneraient l'adversaire [286], mais bientôt il réclame qu'on n'en profite pas pour dire n'importe quoi : « Nous avons confiance dans le gouvernement. Pourquoi ne nous ferait-il pas confiance à nous, la nation, et ne nous dirait-il pas tout, le bon et le mauvais ? » [287].

Marcel Sembat proclame dans *L'Humanité* : « Force et vérité ». « Cacher la vérité, c'est préparer la panique » …« La vérité est salutaire et tonique… » [288].

Il est facile de se rendre compte que deux problèmes se superposaient, celui du secret militaire, dont personne ne mettait en doute la nécessité [289], et celui du moral de la nation. Les uns estimaient que le non-combattant avait le devoir d'une foi aveugle dans « notre » Etat-Major. Les autres pensaient que la force d'un pays reposait sur l'élan moral de toute la population, ce qui est vrai, et que celui-ci ne serait que renforcé par le fait qu'on ne lui cacherait rien, ce qui est plus douteux…

Mais, consciemment ou inconsciemment, on mélangeait les deux problèmes. Le résultat fut que le manque d'informations devint de plus en plus difficilement supportable.

Chez certains, le manque d'informations faisait naître des craintes de caractère politique : « Nous vivons une ère de silence et de perte absolue de toute liberté, sous la lourde chape de plomb de ce qu'on nous assure indispensable au succès …, mais qui fait malencontreusement songer à la revanche, possible à tout prendre, d'une caste militaire et politique dont nous ignorons tous, et très complètement, l'état d'âme et le but » [290].

282. J. Bainville, *op. cit.*, p. 37-38, 17 août.

283. *L'Echo de Paris*, 11 août 1914.

284. *Ibid.*, même thème également le 23 août.

285. *L'Echo de Paris*.

286. *La Guerre sociale*, 10 août.

287. *Ibid.*, 20 août.

288. *L'Humanité*, 24 août.

289. « Excellente mesure dont je me réjouis, car je suis un bon citoyen acceptant joyeusement les disciplines nécessaires… », écrit le directeur de *L'Est républicain* (R. Mercier, *op. cit.*, p. 35).

290. Arthur Moméja, *op. cit.*, p. 50, 22 août.

Mais, dans la plupart des cas, les inquiétudes eurent trait à la situation militaire. Très précoces à Bordeaux où elles se manifestèrent dès le 5 août [291] ou à Toulon, dès le 6 août [292], elles furent plus tardives dans la Manche [293], l'Orne [294] ou la Haute-Savoie [295]. Pour le moins, l'opinion publique se montrait *surprise* de ne pas savoir ce qui se passait « dans l'Est », rapportait le sous-préfet d'Hazebrouck [296]. On était évidemment *impatient* de savoir [297]. A Beaucaire, dans le Gard, « le matin, l'arrivée des journaux est attendue impatiemment par une foule compacte et avide de nouvelles », « le soir à l'entrée du pont suspendu et sur les quais du canal sont stationnées plus de deux cents personnes attendant *Le Soleil du Midi* ou *Le Radical*, journaux de Marseille qui mentionnent les nouvelles de dernière heure » [298].

Les notes des instituteurs, au moins celles des Côtes-du-Nord, expriment aussi cette impatience : on attend avec *anxiété* les nouvelles des premières rencontres [299], d'autant que même les journaux sont mal distribués. A Saint-Julien, ce n'est pas avant la mi-août que *L'Ouest-Eclair* organise un service automobile pour desservir les cantons de l'intérieur du département ; à Saint-Lormel, « les journaux ne paraissent plus » ; à Penc'hoat, faute de journaux, un homme se rend à bicyclette à la mairie de Pontrieux ou à celle de Guingamp pour rapporter le communiqué officiel ; à Treveneuc, les journaux n'arrivent plus. On affiche de rares communiqués officiels et la foule se masse au lieu d'affichage [300]. Ce n'est qu'en allant au marché à Saint-Brieuc, par exemple, qu'on apprend la nouvelle de la retraite de Charleroi, c'est aussi par hasard qu'on apprendra la victoire de la Marne... [301].

Au moins dans une commune, il est vrai, « les nouvelles de guerre sont attendues sans impatience et accueillies sans passion » [302], mais le contexte n'indique pas clairement si cela est vrai dès les premières semaines de la guerre. Mis à part ce comportement inhabituel, il n'y a aucun doute qu'il existe à peu près partout une forte impatience d'avoir des nouvelles.

On pourrait peut-être penser que cette démonstration était inutile, que cela allait de soi, et qu'il aurait été bien étrange qu'il en ait été

---

291. A.N.F 7 12936, Bordeaux, commissaire spécial.
292. A.D. Var 4/M/43, Toulon, 6 et 8 août, sous-préfet.
293. A.N.F 7 12938, Saint-Lô, 22 août, préfet.
294. *Ibid.*, Alençon, 23 août. préfet.
295. *Ibid..* Annecy. 30 août, 2 septembre. oréfet.
296. A.N. Nord. R 28, 9 août.
297. A.N.F 7 12939, Haute-Savoie, 16 août, préfet.
298. A.D. Gard 8ᶜ R 1.
299. A.D. Côtes-du-Nord, série R, commune de Ploubalay.
300. *Ibid.*
301. *Ibid.*, commune de Saint-Julien.
302. *Ibid.*, commune de Rouillac.

autrement. Certes ! Mais il est significatif qu'il en soit fait si souvent mention. Cela montre que l'opinion publique eut conscience de l'insuffisance qui existe dans de domaine. Il est en outre révélateur que, dans cette mobilisation dont tout le monde s'est accordé à reconnaître la parfaite organisation, aucune place n'ait été faite à l'information des non-combattants. Non seulement les journaux n'ont guère de nouvelles à donner à leurs lecteurs, mais encore ils ne parviennent plus dans les localités isolées. Sans guère schématiser, les choses se passèrent comme si les villages ayant fourni leurs jeunes hommes, le reste ne les concernait plus !

Cette carence de l'information favorisa de plus la circulation de toutes sortes de bruits. Plusieurs préfets s'en inquiétèrent. Des bruits fantaisistes ont circulé pendant la journée, signale celui de la Lozère [303] ; « de nombreuses informations inexactes sont affichées », remarque celui des Hautes-Pyrénées » [304] ; on fait courir « des nouvelles contradictoires », ajoute celui du Lot [305].

Le fait de ne pas informer les populations posa des problèmes particuliers dans les régions frontières où pénétraient les journaux étrangers.

Le préfet des Basses-Pyrénées attire l'attention du ministre de l'Intérieur sur un article du 19 août du journal espagnol *Pueblo vasco* [306], intitulé : « Grande déroute des Français », puis sur la *Gaceta del Norte* [307], qui titre, le 23 août : « Un désastre français en Lorraine » [308]. Enfin il signale le *Correo del Norte* [309] qui, dans son numéro du 25 août, s'élève contre les informations diffusées en France : « Contrairement à tous les mensonges répandus par la presse et aux prétendues déroutes continuelles des Allemands, la Belgique est presque entièrement envahie par les troupes de l'Empereur ». Un peu plus loin, il commente vigoureusement les accusations de lâchetés portées par les Français contre les Allemands : « ...Avec ces mensonges ridicules, les Français s'attireront le mépris de tous les hommes sensés. Grâce à Dieu, il y en a beaucoup de ceux-là en Espagne » [310].

De son côté, le préfet des Hautes-Pyrénées signale les exagérations « manifestes » du *Heraldo* au sujet de « prétendus revers français » et il ajoute cette remarque : « Les déclarations de ces journaux (affolent)

---

303. A.N.F 7 12938, 3 août.

304. *Ibid.*

305. *Ibid.*

306. Considéré comme clérical et antifrançais.

307. Journal de Bilbao.

308. A.N.F 7 12938, Pau, le 22 août.

309. Journal carliste, considéré également comme violemment antifrançais. Le préfet des Basses-Pyrénées estime d'ailleurs que la campagne antifrançaise est d'inspiration carliste, qu'elle est animée par le clergé basque et qu'elle trouve des « échos complaisants » dans le clergé du pays basque français (A.N.F 7 12938, Pau, 28 août).

310. A.N.F 7 12938, Pau, 28 août.

l'opinion. On se figur(e) que le gouvernement cach(e) des désastres... » [311].

Une réaction simple était d'empêcher l'entrée en France des journaux étrangers dont les nouvelles déplaisaient : le préfet des Basses-Pyrénées propose d'interdire les journaux « tendancieux », celui des Hautes-Pyrénées le fait sans plus attendre. Même problème sur la côte méditerranéenne où le préfet du Var fait saisir des journaux italiens parmi lesquels la *Gazetta del Popolo* « qui publie des nouvelles de la guerre dans un sens toujours ... hostile à la France... » [312].

Mais on conçoit aisément que ces mesures étaient à double tranchant, parce qu'elles étaient susceptibles de provoquer bien des interrogations sur la situation réelle.

Les inconvénients de la conception de l'information pratiquée par les militaires étaient donc multiples et les critiques se multiplièrent au fur et à mesure qu'ils apparurent : « On se figure peut-être ménager notre nervosité au moyen de réticences, dit Arthur-Lévy. C'est aller directement contre le but » [313].

La France est un peu désorientée en ce moment, parce qu'elle ne sait pas... Qu'on prenne garde que cette ignorance ne se transforme vite en un doute déprimant ... Pour tendre tous les ressorts de sa volonté, elle a besoin de connaître quel est l'effort qui s'impose... », s'inquiète le pasteur Louis Lafon [314].

Le député du Havre, Jules Siegfried, se plaint qu'on retarde les dépêches Havas, ce qui provoque le mécontentement de la population [315].

Ces critiques furent souvent le fait des autorités administratives : le préfet des Côtes-du-Nord écrit : « Ce serait une folie insigne de ne pas informer la population » [316]. Le préfet de l'Aude demande que l'on publie des nouvelles « pour calmer l'énervement de la population » [317]. Le moral est moins bon, affirme le préfet de la Corrèze, « le plus grand soulagement qu'on puisse apporter à l'esprit public est le sentiment qu'il est exactement renseigné. L'inquiétude que ferait peser sur les esprits un sentiment de défiance serait plus démoralisante que la nouvelle évidemment sincère de certains revers » [318]. De telles remarques émaillent la correspondance de nombreux préfets.

D'autres s'en prennent indirectement à la conception de l'information en mettant en évidence le bon effet sur le moral de la population

---

311. *Ibid.*, Hautes-Pyrénées, 28 août.

312. A.N.F 7 12939, Draguignan, 23 août.

313. *Op. cit.*, p. 74.

314. *Evangile et liberté*, 5 septembre 1914.

315. A.N.F 7 12936, Le Havre, 25 août.

316. A.N.F 7 12937, Saint-Brieuc, 6 août.

317. *Ibid.*, Troyes, 3 août.

318. *Ibid.*, Tulle, 24 août.

des nouvelles que l'on veut bien publier. « La population est moins énervée, moins impatiente, les nouvelles officielles ayant un peu calmé l'émotion générale »[319]. « ...La précision des renseignements a donné une satisfaction aux populations qui ont repris toute confiance »[320]. « Le premier télégramme officiel ... soutient (la population) dans ses sentiments patriotiques »[321] ; « excellent effet » du bulletin télégraphique parce que, par la précision des détails fournis, il a dissipé le « courant de pessimisme ». Le pays a l'impression d'être mis en face des réalités[322]. Quelques jours plus tard, le préfet du Tarn-et-Garonne répète à peu près la même chose[323].

Ainsi, de toutes sortes de façons, une vive pression se manifestait progressivement pour que l'opinion soit exactement informée[324], pour que l'on tienne compte, dans l'évaluation des forces en présence, d'un élément non négligeable, la force d'âme de la nation, mais, dans l'immédiat, ce ne fut pas le cas.

Dans ces conditions, ce n'est guère à la presse qu'on peut demander de nous informer sur les fluctuations de l'esprit public dans cette période. Les rapports des préfets, en revanche, nous permettent une meilleure approche.

Si on fait abstraction d'un rapport du sous-préfet d'Hazebrouck du 3 août, suivant lequel la nouvelle publiée par *L'Echo du Nord* que les Allemands étaient à Liège avait jeté la *consternation*[325], il faut attendre un rapport du préfet du Vaucluse du 14 août pour que se manifestent les premiers signes d'un fléchissement du moral. Il y est fait allusion à *l'anxiété* et à la *nervosité* de la population d'Avignon[326]. Rien dans les jours suivants : le 17, le préfet de la Gironde signale le *calme* de la journée à Bordeaux[327], le 18, celui de l'Yonne estime que la population du département a été *favorablement impressionnée* par les nouvelles de la journée, et qu'elle témoigne « une grande confiance envers nos chefs et un véritable enthousiasme pour la valeur de nos troupes »[328], le 20, à

319. A.D. Dordogne, 1 M 86, 6 août.

320. A.N.F 7 12939, Yonne, 30 août.

321. A.N.F 7 12938, Lot, 3 août.

322. A.N.F 7 12939, Saint-Lô, Manche, 1er septembre.

323. A.N.F 7 12939, Montauban, Tarn-et-Garonne, 22 août.

324. Nous avons trouvé tout de même au moins un cas où on pouvait se féliciter d'être si mal informé ! A Cusy, en Haute-Savoie, (A.D. Haute-Savoie 1 T 218), le curé écrivait : « Les premiers communiqués lus avidement laissèrent à peine soupçonner l'écrasement de la Belgique et la défaite de Charleroi. Jamais la confiance n'a paru faiblir ».

325. A.D. Nord, R 28.

326. A.N.F 7 12939. Avignon, 14 septembre. En fait, cela correspond à l'opinion publique des jours précédents, car ce rapport du 14 fait allusion à un télégramme du 13 que nous ne possédons pas.

327. A.N.F 7 12936, Bordeaux, 17 août.

328. A.N.F 7 12939, Yonne, 18 août.

Bordeaux encore, le commissaire remarque que le « calme est persistant » [329].

C'est à partir du 21 que le ton commence à changer. Le préfet du Tarn-et-Garonne « constate toujours le même entrain, la même bonne volonté dans la population dont le moral est excellent » [330], mais le commissaire de Bordeaux fait part d'un certain énervement provoqué par l'annonce de la prise de Bruxelles [331].

Depuis le 23 août, presque pour chaque jour, il existe un nombre assez important de rapports de préfets ou de commissaires spéciaux sur le moral de la population [332]. Cela nous a permis d'en extraire les termes et les expressions qui soulignent un désarroi croissant de l'opinion.

| | *23 août* | |
|---|---|---|
| un peu d'anxiété | | Yonne |
| anxiété croissante | | Aveyron |
| inquiétude croissante | | Bordeaux |
| émotion | | Paris |
| un certain émoi | | Pas-de-Calais |
| population très préoccupée | | Var |

| | *24 août* | |
|---|---|---|
| grande anxiété | | Manche |

| | *25 août* | |
|---|---|---|
| populations impressionnées | | Haute-Savoie |
| énervement accentué | | Gironde |
| grande nervosité | | Manche |
| trouble | | Pas-de-Calais |
| une certaine émotion | | Orne |
| vive émotion | | Basses-Pyrénées |
| très vive émotion + | | Dordogne |
| nouvelle émotion | | Seine-Inférieure |
| esprits surexcités | | Dordogne [333] |
| vif mouvement | | Haute-Vienne |
| très vif regret | | Hautes-Pyrénées |
| impression des plus pénibles + | | Seine-Inférieure |
| grande tristesse | | Haute-Vienne |
| pessimisme | | Pas-de-Calais |
| un certain pessimisme | | Hautes-Pyrénées |
| enthousiasme des débuts absolument disparu | | Meuse |
| esprit mauvais (du paysan) | | Haute-Vienne |
| tournure inquiétante de l'esprit public | | Gironde |
| découragement | | Manche |
| découragement profond + | | Haute-Vienne |

= + les expressions ainsi signalées sont en rapport avec l'affaire du 15e corps que nous étudierons plus tard.

---

329. A.N.F 7 12936, Bordeaux, 20 août.

330. A.N.F 7 12939, Tarn-et-Garonne, 21 août.

331. A.N.F 7 12936, Bordeaux, 21 août.

332. Les documents dont nous faisons état dans les tableaux suivants sont tirés des liasses des A.N.F 7 12936, 12937, 12938, 12939.

333. A.D. Dordogne, 1 M 86.

| | |
|---|---|
| anxiété croissante | Var [334] |
| public vivement impressionné (d'une façon défavorable) | Allier - Var |
| inquiétude profonde | Calvados |
| très vive émotion | Aube |
| quelques légers symptômes de découragement | Deux-Sèvres |
| signes manifestes d'abandon et de dépression morale | Tarn-et-Garonne |

*27 août*

| | |
|---|---|
| déception douloureuse | Nièvre |
| émotion | Vosges - Lyon |
| inquiétude | Nancy - Haute-Vienne |
| nervosité | Haute-Vienne |
| un peu de découragement | Haute-Vienne |
| pessimisme | Dordogne [335] |
| pessimisme " exagéré " | Rhône |
| consternation | Dordogne |
| panique | Vosges |

*28 août*

| | |
|---|---|
| enthousiasme à peu près disparu | Bordeaux |
| opinion inquiète | Nièvre |
| public très inquiet | Bordeaux |
| public nerveux | Limoges - Nièvre |
| émotion considérable | Limoges |
| grande émotion | Deux-Sèvres |
| population anxieuse | Aveyron |
| angoisse | Deux-Sèvres |
| tristesse considérable | Limoges |
| bruits les plus pessimistes | Bordeaux |
| public résigné | Bordeaux |

*30 août*

| | |
|---|---|
| état moral pas trop affecté | Ardèche |
| plus l'enthousiasme des premiers jours | Meuse |
| énervement | Toulon |
| stupeur | Toulon |
| panique | Seine-et-Marne |

*31 août*

| | |
|---|---|
| opinion publique fâcheusement impressionnée | Rhône |

*1er septembre*

| | |
|---|---|
| panique gagne de plus en plus | Seine-et-Marne |

*2 septembre*

| | |
|---|---|
| légère anxiété | Yonne |

L'analyse de ces tableaux permet un certain nombre d'observations. La première est la progression en nombre des rapports pessimistes du 21

---

334. A.D. Var. 3 Z 4/4, Toulon, commissaire.
335. A.D. Dordogne, 1 M 86.

au 25 août : 1, le 21 ; 6, le 23 ; 11, le 25. La tendance s'inverse le 26 : 6 rapports pessimistes le 27 août ; 5, le 29 ; 4, le 30 ; un seul les jours suivants.

Deuxième observation, le nombre de départements concernés : 1 le 21, 5 nouveaux le 23, 1 le 24, 9 le 25, 5 encore le 26, 6 le 27, 1 le 30, soit au total 28 départements sur les 75 pour lesquels nous disposons en principe de rapports. Mais pour certains départements, la série des rapports conservés est incomplète.

Troisième observation : la progression dans l'emploi des termes ou des expressions manifeste la dégradation du moral de la population. Ainsi à *l'émotion* et à *l'inquiétude* viennent s'ajouter, le 25, le *pessimisme* et le *découragement*, la *dépression morale*, le 26, la *consternation* et la *panique*, le 27, la *résignation*, le 29, la *stupeur*, le 30.

Ces trois observations permettent de penser que ce mouvement d'opinion a été brutal, vaste et profond.

Brutal : citons l'exemple du Tarn-et-Garonne, où le préfet note, le 21 août, qu'il constate « toujours le même entrain, la même bonne volonté dans la population dont le moral est excellent » et, cinq jours plus tard, enregistre « des signes manifestes d'abandon et de dépression morale... » [336].

Vaste : si on tient compte que tous les préfets ne se préoccupaient pas de l'état moral des populations qu'ils administraient, que nous ne disposons pas de tous les rapports, que les préfets hésitent toujours à décrire la situation quand elle est sombre parce qu'ils risquent d'en être rendus responsables [337] — d'ailleurs certains préféraient insister sur les mesures qu'ils avaient prises pour redresser la situation [338] —, il est très vraisemblable qu'une large fraction de l'opinion publique française a été touchée par une vague de pessimisme.

Profond : les termes employés par certains préfets — surtout en fonction des observations précédentes — attestent que le moral était souvent très bas.

---

336. A.N.F 7 12939. 21 et 26 août.

337. Ainsi, le 14 août, le préfet du Vaucluse se déclare « désolé » de l'interprétation donnée à son télégramme du 13 août où il exprimait « anxiété et désir de la population d'Avignon devenue nerveuse et son sentiment personnel... » Cet exemple montre la difficulté de la position des préfets et pourquoi ils étaient souvent obligés d'édulcorer leurs propos pour éviter qu'on ne les accuse de partager les sentiments qu'ils rapportaient. On peut donc penser que, d'une façon générale, la vision qui nous est donnée par les rapports des préfets est plutôt adoucie par rapport à la réalité.

338. Note à la presse pour rappeler que tout discours tenu en public et de nature à exercer une influence fâcheuse sur l'esprit de la population est interdit et susceptible d'envoyer le contrevenant en conseil de guerre (A.N.F 7 12938, préfet de la Manche, 24 août), arrestation des individus qui crient à la trahison (A.N.F 7 12939, préfet de la Haute-Vienne, 27 août), appel au calme et au sang-froid (A.N.F 7 12939, préfet de Seine-Inférieure, 31 août), appel contre les illusions d'une victoire facile (A.N.F 7 12939, préfet du Tarn-et-Garonne, 26 août), « placard invitant le public à se tenir en garde contre les rumeurs » pour essayer de « détourner » l'émotion du public (A.N.F 7 12938, préfet de la Nièvre, 29 août), action sur les magistrats municipaux pour influer sur leurs compatriotes et signaler ceux qui sèment le trouble (A.D. Deux-Sèvres, sous-préfet de Melle, 28 août), efforts pour arrêter la panique (A.N.F 7 12939, préfet des Vosges, 27 août ; A.N.F 7 12938, préfet de Meurthe-et-Moselle, 27 août ; A.N.F 7 12939. Préfet de Seine-et-Marne, 30 août).

Toutefois une remarque doit être faite. Elle a trait à la brièveté d'un mouvement culminant le 25 pour se résorber ensuite. Il est possible, à première vue, d'en douter et d'attribuer la diminution des rapports pessimistes au fait que les préfets ne pouvaient pas répéter tous les jours la même chose et qu'à partir du début de septembre, la situation a conduit probablement un certain nombre d'entre eux à cesser d'envoyer des rapports à un gouvernement à la dérive, et qui d'ailleurs quittait Paris. Cette conclusion a probablement une part de vérité, mais elle doit au moins être fortement nuancée.

En effet, le 23 août, seul un rapport en provenance de Saint-Etienne affirme que le « moral est bon » [339]. Le 25, face à une avalanche de rapports pessimistes, il n'y a guère que le préfet de l'Orne pour affirmer « que la population ne désespère nullement du résultat final » [340] et celui de la Seine-Inférieure pour penser que « la population dans son ensemble ne perd pas son sang-froid et garde confiance » [341]. Mais, dès le 26 août, le préfet de l'Aube juge que « la profonde dépression semble surmontée » [342].

On ne peut pas attacher trop d'importance aux remarques optimistes qui proviennent le 27 août de la Nièvre : « L'état d'esprit reste bon et confiant » [343] et du Rhône : « L'état d'esprit n'est cependant pas mauvais » [344], parce qu'elles sont mêlées à d'autres qui le sont beaucoup moins et qu'elles furent bientôt infirmées par les préfets des mêmes départements, mais il est intéressant de noter que, le 28 août, le préfet du Lot exalte l'état d'esprit *excellent* de la population de son département [345] et surtout que deux de ses collègues, le préfet des Deux-Sèvres [346] et celui de l'Ariège [347] jugent qu'après certaines alarmes les populations se sont « ressaisies » [348].

Le 29, c'est le tour du préfet de la Meuse de constater que « l'opinion publique des villes s'est un peu reprise » [349].

Le 30, face à quatre rapports pessimistes à des degrés divers, le pré-

---

339. A.N.F 7 12936, Saint-Etienne, commissaire spécial.

340. A.N.F 7 12938.

341. A.N.F 7 12939.

342. A.N.F 7 12937. Troyes.

343. A.N.F 7 12938, préfet.

344. *Ibid.*

345. A.N.F 7 12938, préfet. Tout en craignant que ce ne soit un peu la rançon de l'indifférence : « Elle (la population) semble ne pas comprendre toute la portée et la grandeur de la lutte engagée. Loin du théâtre de la guerre, elle s'en fait une idée incomplète... ».

346. A.N.F 7 12939, 28 août.

347. A.N.F 7 12937, 28 août.

348. L'opinion du préfet des Deux-Sèvres n'était pas unanimement partagée puisque le même jour le sous-préfet de Melle, dans ce même département, lui écrivait qu'une « impression de découragement » s'était produite sur beaucoup d'esprits (A.D. Deux-Sèvres, 4 M 6-29, 28 août).

349. A.N.F 7 12938, tandis que celui de la Haute-Vienne opposait l'état d'esprit excellent d'une partie de son département à la nervosité de Limoges (A.N.F 7 12939).

fet de la Haute-Saône considère que « l'état moral des populations reste excellent et (que) l'on garde *généralement* confiance dans le succès final de nos armes » [350].

Le 31, il y a trois rapports confiants pour un plus réservé. Le préfet du Lot estime que la gravité de la situation exalte le patriotisme de ses administrés [351], le préfet de Seine-Inférieure que « l'esprit des habitants, dans son ensemble, reste satisfaisant », malgré l'exode des populations du Nord maintenant suivi par celui des populations normandes [352]. Quant au préfet du Tarn-et-Garonne, après avoir précédemment signalé le fléchissement qui s'était produit, il est d'avis que les esprits se sont ressaisis [353].

Le 2 septembre, enfin, le préfet du Tarn-et-Garonne confirme le redressement de l'opinion publique [354]. A Rouen, le calme renaît [355], dans l'Orne, les populations ne se sont pas départies de « leur calme et de leur sang-froid » [356]. Il n'y a ce jour, à notre connaissance, qu'un rapport pessimiste.

Il n'apparaît donc pas impossible, au vu de cette documentation, qu'après avoir connu une profonde et brutale dépression, l'esprit public se redressa dans une certaine mesure dès les derniers jours du mois d'août.

Les notes prises par les instituteurs confirment-elles cette profonde dépression morale ? Des indications sur l'opinion publique au cours du mois d'août figurent dans les dossiers de trois départements, Charente, Côtes-du-Nord et Gard [357].

Dans les Côtes-du-Nord, des allusions au moral de la population peuvent être relevées pour quatorze communes [358]. Allusions indirectes quand est décrite « l'arrivée des premiers réfugiés venant de la région de Charleroi et du Nord dans un état lamentable au physique et au moral » ou que sont rapportés les récits sur les atrocités allemandes [359], les rumeurs qui courent, ainsi celle colportées par deux femmes décrivant « un talus de morts » de plus de deux mètres de haut « d'un bout à l'autre de la ligne entre la France et l'Allemagne » [360], les discussions sur

---

350. A.N.F 7 12939, Vesoul.

351. A.N.F 7 12938.

352. A.N.F 7 12939, Rouen.

353. A.N.F 7 12939.

354. *Ibid.*

355. *Ibid.*, Rouen, préfet.

356. A.N.F 7 12938, Orne, préfet.

357. Il n'y en a pas pour la Haute-Savoie. Quant aux départements de l'académie de Grenoble, les notes, en général, ne concernent que le moment de la mobilisation.

358. Sur 68 communes au total pour lesquelles les témoignages d'instituteurs existent.

359. A.D. Côtes-du-Nord, série R, Evran.

360. *Ibid.*, Henansal.

la situation en Belgique : « On a dû être battu ..., les uns l'affirment, les autres le démentent » [361].

Dans d'autres cas, les allusions au moral sont directes, soit pour dire que les mauvaises nouvelles ne l'entament pas : ici « les esprits restent calmes, même durant les heures les plus tristes » [362], ailleurs on a supporté « avec un courage stoïque les mauvaises nouvelles du début » [363] ou encore « les cœurs sont étreints », mais « on garde l'espoir » [364], soit plus souvent pour enregistrer son fléchissement. La retraite de Charleroi provoque « une immense stupeur » [365] ; des instituteurs notent « l'angoisse » [366], la « consternation » [367], le « découragement » [368]. Le pessimisme est profond : « On disait que la place de Maubeuge avait été vendue et qu'infailliblement la France allait succomber... » [369]. « Les Prussiens vont arriver à Paris ; nous allons vers la Révolution ; nous sommes perdus, etc... » [370]. « Les armées allemandes menaceraient Paris. On parle de trahison, de débâcle » [371]. « On entend déjà parler de trahison, de défaite » [372]. « Pénible mois d'août », résume-t-on ailleurs [373].

Les événements semblent avoir été mieux supportés dans le Gard : les notes n'y font référence que dans six communes [374] et seulement deux fois de façon particulièrement pessimiste. Dans un cas, le terme de *panique* est employé, une panique provoquée « par de faux-bruits de trahison » [375], dans le second cas, le narrateur qui a relevé de « l'angoisse », une « immense tristesse », parle « d'époque sinistre [376]. Dans d'autres communes, le pessimisme a été nuancé : à Aigues-Mortes, l'arrivée des premiers avis de décès a provoqué de l'*angoisse*, la prise de Lunéville de l'*inquiétude*, des *réflexions pessimistes*, mais la « crainte de l'invasion de la capitale ... n'a fait qu'effleurer l'esprit public » [377]. A Aigues-Vives, il n'y a eu « qu'un peu de pessimisme » seulement pendant la marche rapide des Allemands sur Paris [378]. Dans une dernière

361. *Ibid.*, Moncontour.
362. *Ibid.*, Maroué.
363. *Ibid.*, Lanvellec.
364. *Ibid.*, Ploubazlanec.
365. *Ibid.*, Tréveneuc.
366. *Ibid.*, Paimpol.
367. *Ibid.*, Saint-Lormel, Quintin.
368. *Ibid.*, Plumaudan.
369. A.D. Côtes-du-Nord, série R, Saint-Gildas.
370. *Ibid.*, Saint-Bihy.
371. *Ibid.*, Saint-Lormel.
372. *Ibid.*, Quintin.
373. *Ibid.*, Pordic.
374. Sur 63 pour lesquelles nous avons des documents.
375. A.D. Gard 8ᵉ R 1, Ribaute.
376. *Ibid.*, Aubais.
377. *Ibid.*
378. A.D. Gard 8ᵉ R 1.

commune enfin, il est précisé que, même « aux heures les plus critiques », « la majeure partie de la population a fait preuve de sang-froid et a manifesté sa confiance inébranlable »[379].

En Charente, les fluctuations de l'opinion publique au mois d'août sont évoquées dans quinze communes sur cent quatorze analysées[380], soit en moyenne un peu plus souvent que dans le Gard, un peu moins que dans les Côtes-du-Nord. Dans cinq cas, elle n'a pas été très atteinte par les mauvaises nouvelles : la population a su « calmer ses inquiétudes » aux « heures tout particulièrement douloureuses »[381], elle ne s'est jamais départie de « son calme, ni de sa résignation aux heures difficiles... »[382] ; elle « a supporté vaillamment la nouvelle des premiers revers »[383]. « Pas de panique »[384], malgré les défaites qui n'empêchent pas au moins dans une commune « l'optimisme de continuer à régner en maître »[385]. Dans deux autres communes, « la majorité reste confiante », malgré « quelques pessimistes »[386], de l'angoisse, oui, mais sans récriminations[387]. Toutefois, les autres exemples montrent un moral beaucoup moins bon. Depuis les « cœurs remplis d'inquiétude et d'appréhension »[388] jusqu'à l'anxiété portée à « son comble »[389], depuis la « confiance ébranlée »[390] jusqu'au « courage chancelant » des habitants d'Angoulême au début du mois de septembre, les notations qui le manifestent sont nombreuses. « Les plus optimistes perdent courage. On voit déjà Paris investi et la France entière envahie. Quelle horrible vision !... »[391]. « Les mines étaient alors bien inquiètes et parfois bien découragées »[392], « les mauvaises nouvelles, sous forme de rumeurs apportées par des gens qui fuient en automobile la région du Nord, commencent à se répandre dans le public, amplifiées, dénaturées. La défiance est partout, on parle de généraux traîtres exécutés sommairement ou fusillés ... L'avenir est bien sombre et le présent bien triste »[393].

---

379. *Ibid.*, Sommières.
380. Les premières, par ordre alphabétique, parmi les communes charentaises pour lesquelles nous avons des documents.
381. A.D. Charente J 77, Baignes-Sainte-Radegonde.
382. *Ibid.*, J 80, La Chévrerie.
383. *Ibid.*, J 81, Ebréon.
384. *Ibid.*, J 81, Fouqueurs.
385. A.D. Charente J 81, Courgeac.
386. *Ibid.*, J 78, Bionssac.
387. *Ibid.*, J 78, Boutiers-Saint-Trojan.
388. A.D. Charente J 75, Aignes.
389. *Ibid.*, J 78, Blanzac.
390. *Ibid.*, J 79, Champniers.
391. *Ibid.*, J 76.
392. *Ibid.*, J 80, Chateauneuf.
393. *Ibid.*, J 82, Fouquebrune.

Citons enfin ce témoignage à la chronologie précise provenant de la commune de Nanclars [394] :

> 16 août : « Cette semaine l'enthousiasme s'est un peu refroidi... »
> 23 août : « Stupeur. On vient d'apprendre la défaite de Charleroi !... L'avance des Allemands jette la consternation. »
> (Puis, après avoir noté le pessimisme grandissant) :
> 6 septembre : « Toute la semaine s'écoule dans une attente pleine d'anxiété ».

En admettant que les communes de ces départements pour lesquelles nous n'avons pas de renseignements se soient comportées comme les autres, il apparaît qu'avec des nuances, avec des différences notables d'une commune à l'autre, la baisse du moral a été forte au moins dans deux départements. Parler d'un écroulement de l'opinion publique serait excessif, il serait plus juste de parler d'une chute très marquée de la confiance. Mais ce qui nous a semblé le plus significatif est la disposition à la résignation, à l'acceptation de la défaite. On semble facilement admettre la fatalité de l'échec. On ne sent pas une volonté de sursaut, de raidissement. De surcroît, contrairement à ce que permettraient de supposer les rapports préfectoraux, on ne trouve pas trace ici d'un relèvement du moral qui se serait produit avant même la bataille de la Marne.

Une question demeure. Comment le moral de la population a-t-il pu être à ce point entamé ? Comment, en si peu de jours, l'opinion publique est-elle passée des manifestations de l'enthousiasme à parfois celles de la panique ?

Trop peu d'informations, trop d'informations, une mauvaise conception de l'information sont-elles en mesure de l'expliquer ? Dans la très grande majorité des cas, les préfets mettent en cause les nouvelles officielles comme en font foi les tableaux suivants :

*La dépression de l'opinion publique est la conséquence*

*1. des nouvelles d'une façon vague (11 fois)*

|  |  |
|---|---|
| - dernières nouvelles | Haute-Savoie, 25 août |
| - dernières nouvelles officielles | Basses-Pyrénées, 25 août |
| - nouvelles peu favorables | Haute-Vienne, 27 et 29 août |
|  | Ariège, 28 août |
|  | Deux-Sèvres, 28 août |
| - nouvelles d'hier | Tarn-et-Garonne, 26 août |
| - dépêches d'hier | Aube, 26 août |
| - moindre nouvelle qui laisse entrevoir un revers | Manche, 25 août |
| - premières nouvelles qui laissent deviner l'invasion du territoire | Tarn-et-Garonne, 31 août |

---

394. *Ibid.*, J 79.

2. *de la nouvelle d'un fait précis (13 fois)*
   - prise de Bruxelles                                          Bordeaux, 21 août
                                                                 Aveyron, 23
                                                                 Pas-de-Calais, 23
   - bataille de Charleroi                                       Var, 26
   - nouvelles de l'échec de l'offensive                         Nièvre, 27
   - les difficultés dans le Nord                                Deux-Sèvres, 28
   - la situation militaire en Belgique et en Lorraine           Var, 23
   - progression des Allemands vers Paris                        Haute-Saône, 30 août
   - pointe offensive vers La Fère                               Var, 30
   - annonce du repli de nos troupes                             Orne, 25
   - annonce du repli au Nord et à l'Est                         Seine-Inférieure, 25
   - affaire du 15ᵉ corps                                        Seine-Inférieure, 25
                                                                 Haute-Vienne, 25

3. *d'un communiqué du GQG (4 fois)*
   - communiqué du 26                                            Allier, 26 août
                                                                 Deux-Sèvres, 28
   - communiqué du 29 (de la Somme aux Vosges...)                Nièvre, 29
                                                                 Deux-Sèvres, 29

4. *d'un fait de guerre constaté (7 fois)*
   - le passage des fugitifs fuyant les régions envahies         Pas-de-Calais, 25 août
                                                                 Vosges, 26
                                                                 Nièvre, 29
                                                                 Seine-Inférieure, 31 août et
                                                                     2 septembre
                                                                 Seine-et-Marne, 1ᵉʳ septembre
                                                                 Aube, 8 septembre
   - avis du ministre de la Guerre de mettre Lyon en défense     Rhône, 27 août

5. *des rumeurs, interprétations... (12 fois)*
   - absence de nouvelles de Russie                              Aveyron, 23 août
   - récits des blessés                                          Haute-Vienne, 27
                                                                 Paris, 31
   - nouvelles les plus invraisemblables, les plus alarmantes    Paris, gare du Nord, 23 août
   - bruits les plus absurdes                                    Haute-Vienne, 27
   - bruits les plus pessimistes                                 Gironde, 29
   - non-emploi de tous les réservistes, en particulier
     faute d'équipements                                         Gironde, 29
   - les récits d'atrocités allemandes                           Seine-et-Marne, 30 août,
                                                                     1ᵉʳ septembre
   - la " politique "                                            Haute-Vienne, 25 août

Au total, les préfets donnent 47 fois une explication de la baisse du moral qu'ils constatent. Dans 28 cas, la cause en est une nouvelle désignée avec précision ou non ; dans 7 cas, elle est la conséquence d'opérations militaires, comme le passage des réfugiés des régions envahies, et dans 12 autres cas seulement, la baisse du moral est due à des rumeurs ou à des motifs sans rapport direct avec la réalité des opérations militaires.

Ainsi, la place de l'irrationnel, de la rumeur mal contrôlée est assez faible dans ce fléchissement du moral des Français qui est, en revanche, directement provoqué par les échecs militaires. On peut donc se demander par quelles voies les Français ont été malgré tout informés.

Et d'abord, en dépit des apparences, la presse n'a-t-elle pas joué un rôle plus important qu'on ne pourrait l'imaginer au premier examen ?

Nous avons essayé de nous en rendre compte en analysant les titres de quelques journaux.

Nous en avons choisi trois dans ce but, *Le Matin*[395], quotidien de grande information, *L'Humanité* pour représenter la gauche, *L'Echo de Paris* pour la droite.

Jusqu'au 21 août exclu, aucun titre du *Matin* ne laisse supposer la moindre difficulté, sauf le 14 août, où sur une colonne et parmi sept autres titres, on peut lire : « Deux succès pour un mécompte ». Ainsi la prise de Mulhouse a été annoncée sur six colonnes et en utilisant des lettres de trois centimètres de hauteur, « l'Armée française est entrée en Alsace », mais aucun titre ne signala la perte de la ville, tout au moins jusqu'au 21 août où fut annoncé « Mulhouse reconquise » de façon plus modeste, seulement deux colonnes et avec des lettres de moins d'un centimètre[396].

Mêmes observations pour *L'Humanité*. Pas un titre pessimiste jusqu'au 21 août. Là aussi, la prise de Mulhouse fut annoncée, sur six colonnes, avec des caractères de deux centimètres, mais la perte de la ville ne le fut pas. Là aussi fut annoncé que « l'héroïque défense de Liège brise l'offensive allemande »[397], mais pas que la ville fut prise.

Dans *L'Echo de Paris*, le premier titre pessimiste apparaît le 22 août.

Ainsi jusqu'au 21-22 août, si on s'en tient aux titres, mais c'est ce qui est censé frapper le lecteur, l'opinion publique a été mise à l'abri de toute impression de difficulté.

A partir de cette date, la digue de l'optimisme s'effrite. La situation ne permet plus de transformer en grande victoire un succès local et de passer complètement sous silence les développements inquiétants des opérations.

Il nous a été possible, en calculant les proportions de titres optimistes, pessimistes ou neutres[398] par période ou par journal, d'enregistrer cette mutation.

---

395. Nous ne considérons que l'édition du matin de ce quotidien, compte tenu que l'édition du soir est d'un caractère assez différent (voir p. 524, note 259).

396. En contrepartie, l'édition du soir de la veille (20 août) l'avait annoncée sur six colonnes et avec des caractères de 2 centimètres et demi.

397. 8 août, sur quatre colonnes.

398. Si pour les deux premières catégories, il n'y a pas en général d'ambiguïtés, la définition de la troisième est plus incertaine ; nous avons entendu par titres neutres des titres purement informatifs, ne préjugeant ni d'un succès, ni d'un échec, mais, dans la pratique, la détermination est quelquefois difficile. Par exemple, nous avons rangé dans cette catégorie « Héroïque résistance de Longwy » (*L'Humanité*, 28 août). En fait, suivant le point de vue, on peut considérer ce titre aussi bien comme optimiste que comme pessimiste. Autres exemples, des titres en apparence de pure information, tels « Les communiqués de guerre de 23 h 30 » (*L'Echo de Paris*, 15 août) ou « La situation d'ensemble » (*L'Echo de Paris*, 1er septembre) n'ont pas la même résonance dans une période de victoire ou une période de défaite.

*Proportion de titres optimistes, pessimistes, neutres*
*Période du 7 au 20 août*

*L'Echo de Paris,* 28 titres,
     dont 21 à tonalité optimiste, soit 75 %,
          7 à tonalité neutre, soit 25 %,
          0 à tonalité pessimiste, soit 0 %.

*L'Humanité,* 25 titres,
     dont 16 à tonalité optimiste, soit 64 %,
          9 à tonalité neutre, soit 36 %,
          0 à tonalité pessimiste, soit 0 %.

*Le Matin,* 52 titres,
     dont 31 à tonalité optimiste, soit 59 %,
          21 à tonalité neutre, soit 40 %,
          1 à tonalité pessimiste, soit moins de 1 % [399].

D'un journal à l'autre, les pourcentages varient, mais la tendance est la même : absence à peu près totale de titres de nature à engendrer le doute, majorité de titres optimistes. L'élément surprenant est peut-être que, des trois journaux considérés, ce soit celui de grande information qui adopta l'attitude la plus réservée.

*Période du 21 au 31 août*

*L'Echo de Paris,* 34 titres,
     dont 15 à tonalité optimiste, soit 44 %,
          12 à tonalité neutre, soit 35 %,
          7 à tonalité pessimiste, soit 20 %.

*L'Humanité,* 28 titres,
     dont 12 à tonalité optimiste, soit 43 %,
          15 à tonalité neutre, soit 53 %,
          1 à tonalité pessimiste, soit 3 %.

*Le Matin,* 47 titres,
     dont 12 à tonalité optimiste, soit 25 %,
          24 à tonalité neutre, soit 51 %,
          11 à tonalité pessimiste, soit 23 %.

La rupture est spectaculaire : chute considérable des titres optimistes, montée plus ou moins forte des titres pessimistes, progression et prééminence dans deux cas sur trois de titres neutres. Pour des raisons compréhensibles, les journaux ne se laissent pas aller au pessimisme, mais le cœur n'y est plus.

---

399. Total supérieur à 52 parce qu'un de ces titres était pour moitié optimiste, et pour moitié pessimiste.

Néanmoins, le pourcentage de titres optimistes, tant dans *L'Echo de Paris* que dans *L'Humanité*, soit 44 et 43 %, reste à un niveau élevé qui peut paraître surprenant. En réalité, sur les 15 titres optimistes de *L'Echo de Paris*, six sont publiés le même jour, le 21 août, ce qui réduit considérablement le pourcentage véritable pour les autres jours de la période envisagée. Quant à *L'Humanité*, 8 de ces 12 titres optimistes ne concernent pas les opérations en France, mais celles de l'armée russe ou de la flotte anglaise. Le recours aux victoires vraies ou supposées des alliés suppléait à la possibilité de donner une image favorable des opérations de l'armée française.

### Période du 1er au 3 septembre
(avant que ne commence l'exode vers Bordeaux)

*L'Echo de Paris,* 3 titres,
      3 à tonalité neutre.

*L'Humanité,* 7 titres,
      dont 3 à tendance optimiste,
        4 à tendance neutre.

*Le Matin,* 12 titres,
      dont 2 à tendance optimiste,
        9 à tendance neutre,
        1 à tendance pessimiste.

Dans cette troisième période, les journaux ont délibérément opté pour le titre neutre, surtout si on observe que les trois titres optimistes de *L'Humanité* sont consacrés à la Russie.

Les caractères mis en valeur par cette étude sont un peu estompés par l'utilisation que nous avons faite de l'ensemble des titres : aussi, pour serrer la vérité de plus près, il nous a paru nécessaire de refaire les mêmes calculs à partir seulement du titre principal ou des titres principaux déterminés par la taille des lettres[400], le nombre de colonnes occupé. Les résultats en apparaissent dans le tableau suivant :

### Période du 7 au 20 août

|  | L'Echo de Paris | L'Humanité | Le Matin |
|---|---|---|---|
| Nombre de titres principaux...... | 13 | 17 | 16 |
| Titres optimistes ............... | 9 | 9 | 12 |
| Titres neutres................... | 4 | 8 | 4 |
| Titres pessimistes .............. | 0 | 0 | 0 |

---

400. Il n'est pas toujours facile d'apprécier l'importance d'un caractère, car un caractère gras ne donne pas la même impression qu'un caractère fin, même de hauteur équivalente.

| | | | |
|---|---|---|---|
| Nombre de titres principaux...... | 11 | 11 | 17 |
| Titres optimistes ............... | 3 | 1 | 3 |
| Titres neutres.................. | 6 | 10 | 11 |
| Titres pessimistes .............. | 2 | 0 | 3 |

*Période du 1ᵉʳ au 3 septembre*

| | | | |
|---|---|---|---|
| Nombre de titres principaux...... | 3 | 3 | 5 |
| Titres optimistes ............... | 0 | 0 | 0 |
| Titres neutres.................. | 3 | 3 | 5 |
| Titres pessimistes .............. | 0 | 0 | 0 |

Ce tableau confirme, en les appuyant, les traits que nous avions pu discerner. Première période euphorique, puis les journaux laissent apparaître le pessimisme, enfin, redressant la barre, ils se confinent progressivement dans une information aussi neutre que possible.

La convergence avec la courbe de l'opinion publique révélée par l'analyse des rapports préfectoraux est assez frappante. En particulier, le redressement de l'opinion publique qui se manifeste d'après ces rapports dans les tout derniers jours d'août et les premiers de septembre, alors que la situation avait plutôt tendance à empirer, peut peut-être trouver son explication dans l'attitude de la presse qui, après avoir laissé passer son pessimisme, est revenue à plus de sérénité. Evidemment, cela est presque insensible à la lecture que nous en faisons bien longtemps après l'événement ; il n'est pas sûr qu'il en ait été de même pour le contemporain, d'autant que l'information par le journal venait se fondre dans un réseau de nouvelles aux origines diverses.

Un ensemble de témoignages de caractère fort hétérogène permet, nous semble-t-il, de saisir par quels autres cheminements le doute a pénétré dans l'esprit des Français, tout en approfondissant leurs réactions face à la situation.

Ces documents confirment d'abord que, sans qu'on puisse toujours en déterminer aisément l'origine, un peu avant, un peu après le 20 août, des rumeurs inquiétantes commencèrent à circuler [401]. A Toulouse, « le 22 août marque un tournant » ; l'atmosphère change soudain en ville sans que la presse — on l'a vu — y soit pour quelque chose [402]. Ce jour-là, « les rumeurs les plus folles » circulent ... L'absence totale de nouvelles officielles peut seule en expliquer la diffusion rapide... » [403]. A

---

401. Comme l'écrit le préfet de la Gironde : « Tout à coup, des nouvelles transpirent. Malgré le mutisme officiel, malgré la censure, des bruits sinistres courent... » (O. Bascou, *op. cit.*, p. 115).

402. Nous ferons quelques réserves sur ce point. Comme l'a montré notre étude, si superficiellement la presse ne semble pas changer, en réalité, à partir de ce moment, son ton se modifie. Il est vraisemblable que cela a pu alerter une population aux aguets.

403. P. Bouyoux, *op. cit.*, p. 100.

Moissac, dès le 20 août, « des bruits d'échec probable en Belgique commencent à circuler assez sourdement : et cela me rend malade... » [404]. Des lettres de soldats ont joué leur rôle. Le 18 août près de Cambrai, Gaston Prache note : « Lettre de Papa visiblement moins confiant devant la tournure des événements » [405].

L'annonce des premiers décès contribua à développer le climat d'inquiétude, la mort n'était plus une abstraction : « (Vers la mi-août) il y avait eu un premier mort parmi les mobilisés de la commune. Les gens avaient pleuré, entrevoyant soudain que le courage n'était pas plus fort que les armes à feu » [406]. Ce sentiment des réalités est renforcé par les cérémonies qu'on croit nécessaire d'organiser les premiers temps. De « splendides funérailles » sont faites au premier blessé mort dans les hôpitaux de Vierzon [407], la population tout entière s'associe à l'enterrement des deux premiers blessés décédés dans les hôpitaux de Cahors [408].

En même temps, se répandirent des bruits sur l'importance des pertes : le 17 août, dans le Gard, on dit que certains bataillons de recrutement local ont été éprouvés, le préfet pense qu'il serait nécessaire et urgent de renseigner les familles [409]. Fin août, à Toulouse, on parle d'une liste de 900 morts arrivée à la mairie. Le maire dément et affirme qu'il n'a reçu notification que de 6 décès, ce que personne ne croit (il y a eu en réalité 256 Toulousains tués dans la seconde quinzaine du mois d'août). « De nombreux témoins se souviennent de l'affolement qui régna à Toulouse dans cette période » [410]. D'ailleurs l'inquiétude est justifiée par les blessés arrivés des frontières et qui signalent des pertes importantes [411]. Récits corroborés par le passage ou l'arrivée de très nombreux trains sanitaires. A la fin du mois d'août, en une semaine, 1 500 blessés arrivent en Vendée [412], 3 000 sont déjà à Vichy depuis le

---

404. A. Moméja, *op. cit.*, p. 42.

405. G. Prache, *op. cit.*, p. 22.

406. Louise Weiss, *op. cit.*, p. 181 (T. 1). Dans un livre récent, Alfred Fabre-Luce rend assez bien compte de ce phénomène : « Vers la fin d'août, j'ai vu arriver à Deauville le premier train de blessés. Des hommes couchés sur des civières, c'est toujours émouvant, surtout quand on n'y est pas encore habitué. Mais mon impression ne se réduisait pas à cela. Elle comportait une gêne que je n'ai vraiment analysée que par la suite. Ces blessés ne disaient rien, mais leur silence semblait refuser, par pitié, de livrer à l'arrière un affreux secret de l'avant. Leurs visages pâles et souffrants s'inscrivaient en faux contre un mythe. Dans ... (les) années précédentes, on avait à peu près oublié la réalité de la guerre. Cela peu paraître incroyable aujourd'hui. Pourtant les historiens mentionnent l'effet de choc que produisit, quand elle fut énoncée par un chef militaire, cette simple constatation : " Le feu tue ". On imaginait vaguement la guerre comme une sorte de loterie où certains disparaîtraient " glorieusement " tandis que les autres (dont on comptait bien faire partie) reparaîtraient joyeux et chamarrés » (*J'ai vécu plusieurs siècles*, Paris, 1974, 403 p., 119-120).

407. A.D. Cher, R 15/16, Histoire de Vierzon.

408. A.N.F 7 12938, Lot, rapport du préfet du 1ᵉʳ septembre.

409. A.N.F 7 12936, note chiffrée du préfet au Ministère de l'intérieur, 17 août 1914, 19 h 25.

410. P. Bouyoux, *op.cit.*, p. 101.

411. A.N.F 7 12936, rapport du commissaire spécial de Bordeaux du 25 août.

412. Fernand Tardif, *La Vendée pendant la guerre, op. cit.*, p. 41.

24 août[413]. D'autres sont signalés à Saint-Etienne[414]. A partir du 20 août, les rapports du commissaire de Bourges sont consacrés pour l'essentiel au passage en gare des trains de blessés. Le général commandant la 8e région s'est déplacé pour saluer le premier convoi, mais c'est quatre ou cinq trains qui passent chaque jour avec plusieurs centaines de blessés[415]. A Toulouse, un premier convoi de 270 blessés est arrivé le mercredi 25 août à 9 heures du matin. Un journal comme *L'Express du Midi* essaie bien de ne pas dramatiser en parlant de la « belle humeur confiante » des blessés[416], mais *Le Midi socialiste* est navré : « Oh, le pénible défilé que celui d'hier ! »[417]. D'ailleurs, les convois suivants ne sont plus annoncés qu'après coup et sans détail[418].

Un autre élément fut de nature à provoquer l'effritement du moral, les bruits sur le manque de combativité de certaines unités. L'attaché militaire français à Berne s'en fit l'écho. Les Alsaciens auraient été choqués par le « manque de moral » de réservistes de la 14e division[419].

Dans ce domaine toutefois, la grosse affaire fut celle du 15e corps. Le 24 août, le sénateur de la Seine, Auguste Gervais, un ancien officier, resté au parlement un spécialiste des questions militaires — il appartenait à la commission de l'armée du Sénat — publiait dans *Le Matin* un petit article « La vérité sur l'affaire du 21 août ». Il y accusait une division du 15e corps « composée de contingents d'Antibes, de Toulon, de Marseille et d'Aix », d'avoir « lâché pied devant l'ennemi ». D'après lui, cette « défaillance » avait entraîné un recul sur toute la ligne. Il ajoutait que « surprises sans aucun doute par les effets terrifiants de la bataille, les troupes *de l'aimable Provence* ont été prises d'un subit affolement ».

Nous ne suivons pas tout à fait Georges Liens qui consacre ses travaux à cette affaire quand il écrit : « C'était là une grossière calomnie. Seule l'imprévoyance de l'Etat-Major était cause de l'échec de la bataille des frontières »[420].

Rendre responsable une seule unité de la défaite française n'avait évidemment aucun sens, mais il était en revanche exact que la retraite avait été pénible et, le 21 août au matin, le général de Castelnau, comman-

413. A.N.F 7 12937, rapport du préfet de l'Allier, 24 août.

414. A.N.F 7 12936, rapport du commissaire, 28 août.

415. A.D. Cher 25 M 54, rapports du 20 au 21, 21 au 22, 22 au 23, 23 au 24, etc.

416. 26 août.

417. 26 août.

418. P. Bouyoux, *op. cit.*, p.105.

419. A.M. cabinet du ministre, cabinet militaire, registre 29, 16 août 1914.

420. « L'affaire dite du 15e corps et l'opinion française », *Conférences de l'Institut historique de Provence*, janvier-février 1967, n° 1. Voir également René Paquiet, « La bataille des frontières et le 17e corps » (erreur typographique), *La Dépêche du Midi*, 2 août 1964. Marquis de Lordat, *Heurs et malheurs languedociens*, 1957, ch. IV, « Hommage aux soldats diffamés du Languedoc et de Provence » ; et surtout Jules Belleudy, *Que faut-il penser du 15e corps d'armée ?* Menton, Imprimerie coopérative, 1921, 356 p.

dant la deuxième armée dont faisait partie le 15ᵉ Corps, adressait un message au GQG : « Etat moral peu satisfaisant dans les corps de troupe »[421]. La différence avec ce qu'avait avancé le sénateur Gervais, différence de taille, était que le 15ᵉ corps n'avait pas été seul à connaître des moments difficiles. Comme l'a souligné H. Contamine, « lors du premier choc, bien d'autres furent aussi malheureux que les Méridionaux »[422].

Il ne nous appartient pas ici de savoir quelles furent les véritables raisons qui poussèrent le sénateur Gervais à publier cet article, manœuvre de Messimy contre Clemenceau dont, en calomniant les électeurs — il était sénateur du Var —, on se vengeait des attaques de *L'Homme libre*[423], ou volonté de Messimy de donner un moral d'acier aux troupes en dénonçant les défaillances et en promettant des sanctions exemplaires. Il est, en revanche, utile de connaître les réactions qu'il provoqua. Elles sont de plusieurs types.

D'abord la réaction ou plutôt les réactions de la presse. On peut en distinguer au moins quatre : la première est l'indignation contre l'incohérence de la censure, incohérence dont on n'est pas persuadé qu'elle soit fortuite. *L'Humanité* s'en prend aux « étranges complaisances » des bureaux de la Guerre[424]. *L'Intransigeant* adopte une position semblable, de même que *Le Radical*, qui veut bien accepter les disciplines nécessaires à condition qu'elles soient « permanentes et logiques »[425].

Une deuxième réaction est la protestation contre « l'article inqualifiable »[426] du « politicien »[427]. *L'Echo de Paris* le dit sans ambages : « Les parlementaires ont fait assez de mal au pays avant la guerre ; vont-ils, sous l'œil atone du gouvernement, continuer leur œuvre néfaste ? »[428].

Une troisième attitude consiste à minimiser l'événement, c'est celle du *Temps* : « Une défaillance passagère s'est produite, déplorablement exagérée, et d'ailleurs presque aussitôt réparée glorieusement »[429], ou de

---

421. Henry Bidou, *op. cit.*, p. 90.

422. Henry Contamine, *op. cit.*, p. 131. En voici un exemple : A. Moméja, dans son journal en date du 7 septembre, fait état d'une lettre de son fils (ou gendre ?) mobilisé comme médecin, et expédiée de Troyes le 2 : « Quelles tristes pensées lui inspire tout ce qu'il voit, tout ce qu'il entend. Le 11ᵉ d'infanterie a été décimé grâce à l'impéritie de je ne veux savoir quel chef ; tous les médecins de ce régiment ont été tués, il y a eu de nombreuses défections ; des lâches s'enfuient et se cachent... » (*op. cit.*, p. 86).

423. G. Liens, art. cité.

424. 25 août.

425. 25 août. Gyp dit à peu près la même chose : « La censure qui coupe inexorablement les plus minces renseignements sur les opérations de guerre, pensait probablement à autre chose quand elle a eu l'article sous ses ciseaux... à moins qu'elle n'ait fait exprès de regarder ailleurs à ce moment-là... », pour conclure : « En lisant *Le Matin*, je pensais que j'aurais du plaisir à moucher Monsieur le sénateur Gervais dans son dernier article » (*op. cit.*, p. 148-149).

426. *L'Eclair*, 25 août, Judet.

427. *L'Action française*, 29 août.

428. 25 août.

429. 28 août.

*La Dépêche* (de Toulouse), avec le souci particulier, dans ce cas, de bien souligner qu'il ne s'agit pas de soldats du Sud-Ouest qui, eux, se battent avec le « plus grand entrain » [430].

Une dernière réaction a été plus rare, mais elle a eu en Clemenceau un porte-parole puissant ; elle fut de ne pas se voiler la face : stigmatisant le moment de panique, la faiblesse déplorable, le mal causé des plus graves, Clemenceau accepte de tenir compte de la « nature impressionnable des Méridionaux », mais il s'étonne du manque de fermeté de l'encadrement [431].

La défaillance du 15e corps a donc inspiré aux journaux des réflexions assez variées, mais il faut retenir que, s'ils la jugent plus ou moins grave, aucun ne met véritablement en doute la réalité du fait.

Un deuxième type de réaction fut celle des populations méridionales. En leur nom, *Le Populaire du Midi* stigmatisait « l'ignoble injure » du sénateur Gervais [432] ; le maire de Sanary, dans le Var, prenait un arrêté interdisant la vente du *Matin* dans sa commune pendant la durée de la guerre [433] ! Son collègue d'Hyères faisait de même [434]. Le préfet du Var faisait part au gouvernement de l'émotion dans le département, des commentaires « très vifs » du *Petit Marseillais* et du *Petit Var* [435]. Le sous-préfet de Toulon soulignait la *stupeur* de la population, puis la colère qui succéda à l'abattement du premier moment [436]. Le conseil municipal de Toulon « proclam(ait) son indignation » [437]. L'émotion fut donc sans aucun doute très forte. Toutefois, elle ne s'attache guère à la matérialité des faits. Elle refusait d'admettre que les troupes du Midi aient pu faiblir.

Un troisième type de réaction est assez différent, c'est celui des populations des régions non directement concernées. Le commissaire de Bordeaux rapporte les récits de blessés : ils confirment que, dans le région de Morhange, le 15e corps « a flanché », « une partie a refusé nettement de marcher au feu » [438]. Dans la Loire, le préfet témoigne de la « grosse émotion » provoquée et de la nécessité d'un communiqué du gouvernement, car, ajoutait-il, « de nombreuses personnalités qualifiées

---

430. 26 août.

431. *L'Homme libre*, 24 août.

432. 26 août.

433. A.D. Var 3 Z 4/4, 27 août.

434. A.D. Var 4 M/43, 25 août.

435. A.N.F 7 12939, Draguignan, 28 août.

436. A.D. Var 4 M/43, Toulon, 27 août.

437. *Ibid.* Procès-verbal de la séance du conseil municipal de Toulon du 26 août 1914. Il met d'ailleurs autant en cause Clemenceau que Gervais : « ...Il est outré d'avoir à constater que M. Clemenceau ait eu l'inconscience de venir apporter à l'acte méprisable de son collègue du Sénat l'autorité que lui donne sa double qualité de sénateur du Var et d'ancien président du Conseil et voue les actes de ces deux représentants du peuple au mépris public ».

438. A.N.F 7 12936, 25 août 1914.

pour se faire l'écho de l'opinion publique » lui ont fait remarquer que l'autorité des communiqués officiels risquait d'être diminuée auprès de la population, si de telles précisions étaient données qui ne s'y trouvaient pas... [439]. En Dordogne, l'article du *Matin* a produit une *très vive émotion*. La dépêche officielle (un communiqué publié le 25) a tranquillisé « des esprits déjà surexcités par l'attente des résultats de la grande bataille... », mais, à Périgueux, « l'opinion publique a été plus lente à calmer » [440]. Enfin, de Moissac, A. Moméja rapporte : « ...Ce ne sont qu'indignations rageuses ... malédictions contre le 15e corps (dont les soldats) par leur lâche débandade nous auraient forcés d'abandonner une préfecture... » [441]? Réaction contraire, mais tout aussi significative de l'effet de l'événement : un ouvrier métallurgiste de Montbard (Côte-d'Or) est traduit devant le conseil de guerre de Bourges ; il est accusé d'avoir proclamé : « Les soldats du Midi ont levé la crosse en l'air ; ils ont bien travaillé et il faudrait que tout le monde en fasse autant » [442].

Notre documentation est insuffisante pour affirmer que l'opinion publique tout entière a été bouleversée par l'attitude vraie ou supposée du 15e corps. Beaucoup de témoins n'y font pas allusion. Toutefois, Georges Liens affirme :

> « Une odieuse et tenace légende se créa bien vite qui résista aux efforts répétés des parlementaires du Sud-Est et à tous les démentis officiels et est aujourd'hui encore bien loin d'être éteinte. Elle devait peser sur les troupes du Midi pendant toute la durée de la guerre et leur valoir les pires brimades, aussi bien de la part des militaires que de la population civile de la France du Nord et surtout de l'Est » [443].

La résonance de l'affaire du 15e corps permet d'estimer qu'elle ne fut pas un élément négligeable dans la dégradation du climat de confiance [444]. D'autant que si les attaques contre les troupes du Midi étaient globalement injustes, il est bien évident que tout n'allait pas pour le mieux puisque, sur demande de Joffre, des cours martiales étaient éta-

---

439. A.M. cabinet du ministre, cabinet militaire, entrées, télégrammes chiffrés, registre 5, Saint-Etienne, 24 août.

440. A.D. Dordogne, 1 M 86, rapport du préfet du 25 août.

441. *Op.cit.*, p. 60, le 25 août.

442. Conseil de guerre de Bourges, un mois de prison, par jugement du 20 octobre 1914 (délit du 26 août). Le prévenu s'est défendu d'avoir prononcé de telles paroles, mais qu'il les ait vraiment dites ou qu'on ait cru qu'il les disait, ce n'est pas très différent du point de vue qui nous intéresse ici.

443. G. Liens, art. cité. C'est ce qu'indique aussi avec plus de nuance Jacques Pech de Laclause « Languedociens et Provençaux du 15e corps englobés dans la 11e armée du général de Castelnau furent parfois accusés d'avoir cédé en Lorraine et rendus responsables des revers du début », « Le département de l'Aude et la guerre de 1914-1918 », *Bulletin de la Société d'études scientifiques de l'Aude* 68, 1968, p. 280.

444. On peut d'ailleurs — au moins à titre anecdotique — rapporter ce propos d'André Bellessort : « L'écho de l'article (d'A. Gervais) était venu jusqu'à Ceylan, et un de nos compatriotes en fut insulté dans un hôtel de Kandy » (*Revue des deux mondes*, 1er janvier 1915, p. 32).

blies [445], et avant même qu'elles puissent fonctionner, le ministre de la Guerre autorisait l'Etat-Major « à prendre ou prescrire toutes mesures quelconques nécessaires dans l'intérêt de la discipline militaire et du maintien rigoureux de l'ordre public » [446]. Pour ne prendre que cet exemple, le général commandant chef rendait compte de l'exécution, le 10 septembre, de deux soldats de la 40e DI pour « abandon de leur poste en présence de l'ennemi » [447].

L'atmosphère morale commençait donc à sérieusement se dégrader quand fut publié le célèbre communiqué : « Situation inchangée, de la Somme aux Vosges ». A Vierzon, « peu d'attention » lui fut apportée, nous dit-on [448], mais Louise Weiss se souvient :« Là-dessus, l'employé de la mairie, avec son papier griffonné, apparut. Nous lûmes ... Atterrés, nous nous dévisageâmes » [449]. « C'est la stupeur », écrivait un journaliste de Beauvais : « La Somme ! Les Allemands sont bien réellement sur les bords de la Somme, comme nous le disaient les fugitifs qu'on ne voulait pas croire. Les communiqués précédents nous parlaient de la frontière et tout d'un coup celui d'aujourd'hui nous dit : la Somme ! On nous a pris pour des enfants, on a craint de nous faire peur » [450].

Certains furent à ce point médusés qu'ils eurent des réactions d'incrédulité. Dans un rapport de 1915, le secrétaire général de la préfecture des Basses-Alpes écrivait :

---

445. Voir Guy Pedroncini, *1917. Les mutineries de l'armée française*, Paris, Julliard, Collection Archives, 1968, 293 p., p. 19-24. D'une façon générale, nous n'avons pas abordé le problème du moral des combattants, ne serait-ce que parce que la documentation est extrêmement réduite pour la première période de la guerre. Ce n'est qu'au bout de quelques mois que le commandement s'en est préoccupé, alors que, dans l'optique d'une guerre courte, cela ne lui avait pas semblé utile. Ces quelques notes tirées des mémoires du général Desfontaines (*op. cit.*, p. 27, 34, 40 et 58) nous ont semblé confirmer que l'état d'esprit des combattants était également atteint : 22 août : « Quelque pénible que soit cette constatation, il est nécessaire de la faire pour donner une idée exacte du moral de la troupe : celle-ci s'est repliée sans avoir vu un seul Boche » (après avoir subi de violents tirs d'artillerie). (Le général fait allusion au combat de Signeulx, à la frontière belge. Le 4e R.I. qui faisait partie du 5e corps avait déjà perdu environ 1 500 hommes tués, blessés, disparus, sur un effectif d'environ 3 000 les jours précédents.) 24 août : « Ce jour-là et les jours suivants, on fut obligé de mettre en arrière des sous-officiers avec quelques hommes sûrs avec la consigne de tirer sur les fuyards. Le commandement utilisait sa cavalerie à barrer la route à ceux qui se " défilaient " ». 26 août : « Lacotte (colonel d'un autre régiment) est très pessimiste ; ses troupes paraissent plus démoralisées que les nôtres. Le temps est aussi triste que nos pensées ; il pleut toute la soirée, pendant la nuit et le lendemain matin ». 7 septembre : « Une véritable panique s'est produite, explicable par le manque de cadres et le surmenage ». Citons Patrick Faucon : « La justice militaire révèle près de 55 abandons de poste devant l'ennemi au mois d'août 1914 pour la 24e D.I., en général des cas de panique. L'impact des premières pertes est si fort que le général Roques signale au 30 août 1914 plus d'une centaine de soldats qui se sont présentés aux ambulances avec des blessures volontaires dont la plus grande partie à la main et surtout à la main gauche » (Carton A.M. 24 N 443) (*Le 12e corps français en Italie* (Une étude du moral), mémoire de maîtrise, sous la direction de R. Rémond, Nanterre, 1973, 220 p. dactyl., p. 41).

446. A.M. cabinet du ministre, cabinet militaire, télégrammes sorties, registre 33, 3 septembre.

447. *Ibid.*, registre 29, communication du GQG du 16 septembre 1914.

448. A.D. Cher R 15/16, histoire de Vierzon.

449. Louis Weiss, *op. cit.*, T. 1, p. 182.

450. R. Dufresne, *op. cit.*, 29 août.

« Pourrions-nous oublier ce Bulletin [451] tragiquement mémorable, où il fut, pour la première fois, question de la Somme dans le compte rendu des opérations ! " La Sambre, voulez-vous dire ? téléphonait-on de tous les côtés ; en tel moment et dans semblable matière, il est inexcusable de commettre de ces coquilles-là ". Comme on aurait voulu le mériter, ce reproche ! On pleurait presque d'avoir raison, car la " coquille ", pour cette fois, était malheureusement imaginaire » [452].

Dans le Var, c'est le préfet lui-même qui crut à une erreur et biffa « Somme » qu'il remplaça par « Sambre ». Mais le directeur des Postes lui confirmait bientôt qu'il s'agissait vraiment de la Somme... [453].

Dans ces conditions, les termes qui illustrent l'inquiétude sont devenus plus vifs : « désolation et colère » à Moissac [454], « consternation » au Creusot [455].

Parallèlement, se développait le « cauchemar de 1870 », comme l'a bien ressenti Micheline Wolkowitch en analysant la *Revue des deux mondes* :

> « Pendant les premières semaines de la guerre, on peut dire que la Revue se réfère constamment à 1870, elle ne réussira à s'affranchir du " cauchemar " qu'après la Marne, avec l'automne, quand les conditions de lutte vont se révéler entièrement différentes de celles du conflit franco-prussien et qu'il faudra s'installer dans la guerre » [456].

J. Bainville affirme que c'était surtout le fait des vieillards :

> « Je suis très frappé de l'impression persistante de tous ceux qui doivent à leur âge d'avoir vu l'autre guerre ... et qui, en lisant les journaux, ne cessent de répéter : " Comme en 1870 ! ". Les communiqués officiels entortillés, les explications que l'on donne des mouvements de « concentration en arrière », etc., sont pour ceux-là du *déjà lu*, comme les paroles de confiance excessive des quinze premiers jours étaient du *déjà entendu* [457] ».

Le lendemain, il ajoute « les témoins de 1870 ... sont dans l'état d'esprit nihiliste de la défaite sans espoir, du désastre inévitable, de la chute dans le noir et le néant voulue par une aveugle destinée ». Mais « les générations nouvelles refusent d'écouter ce langage-là... » [458].

---

451. Le *Bulletin des communes* établi dans les préfectures, qui avait pour but de renseigner les populations. Créé au mois d'août, il devait paraître pendant six mois.

452. A.D. Basses-Alpes, CX 1672.

453. A.D. Var 4/M 43, Draguignan, le 29 août.

454. A. Moméja, *op. cit.*, p. 60, 25 août, p. 61, 26 août.

455. A.D. Saône-et-Loire. *La guerre vue du Creusot, op.cit.*

456. Micheline Wolkowitch, art. cité, p. 508.

457. Jacques Bainville, *op. cit.*, p. 58, 29 août.

458. *Ibid.*, p. 62, 30 août.

A vrai dire, Bainville faisait preuve d'optimisme. Le « comme en 1870 » n'a pas été l'apanage des anciens. Le chanoine Le Sueur l'a noté très tôt à Abbeville, chez certains dès le 12-14 août [459]. A Beauvais, ce ne sont pas seulement les plus âgés qui s'écrient : « Mais c'est 70 qui se répète ! » [460]. Il n'est pas fréquent de trouver cette remarque dans les notes d'instituteurs, elle y figure cependant. Par exemple, à Blanzac, en Charente, « l'anxiété est à son comble » lorsque le territoire est envahi : « Est-ce que ce serait encore la défaite comme en 1870 ? » [461].

Dans d'autres cas, elle n'est pas séparée de la notion de trahison. Ainsi à La Rochefoucauld, « on parlait déjà de défection ... Ces mots, « nous sommes vendus comme en 1870 », revenaient souvent dans les conversations » [462], ou à Ribaute, dans le Gard : « Le mot général était : " Ce sera comme en 1870. Il y aura des Bazaine " » [463].

Le sentiment de la gravité de la situation a pu ne provoquer que tristesse : « ...Le pays est calme et bien triste... » [464], mais bien souvent il a engendré la peur, la terreur, la panique et la fuite.

La fuite a été d'abord celle — compréhensible — des populations qui essayaient de se mettre à l'abri des atteintes directes de la guerre : « Ces paysans de France fuyant devant un ennemi dont nous ne pouvions les protéger, composaient un cruel tableau, le plus enrageant peut-être de tous ceux que la guerre nous offrit », notait Marc Bloch [465]. Mais ce sont encore plus des évacués que des fuyards.

En revanche, ailleurs on a été proche de la panique. C'est ce que dit le préfet de l'Yonne : « On signale déjà des uhlans aux abords très proches de notre département. La situation devenait grave. On peut dire que ce fut le moment le plus critique où l'administration préfectorale dut s'employer de toute son énergie pour relever un moral troublé, qui eût pu vivement se transformer en panique... ». Cependant, d'après lui, il n'y eut pas d'affolement général, mais seulement de *vives anxiétés* et des *terreurs partielles* [466]. Ce récit qui justement vient d'une localité de l'Yonne s'embarrasse moins de périphrases :

> « 4 septembre 1914 : les Allemands avancent ... La terreur qu'ils jettent sur leur passage fait tache d'huile et touche toute la région. Le frisson de la peur gagne presque tout le monde ... Le défilé des réfugiés a

459. Chanoine Le Sueur, *op. cit.*, p. 19 : « ...On constate, dans la société abbevilloise, à la suite de la résistance désespérée des Belges contre les attaques formidables des Allemands, un singulier état d'esprit, abattu chez les uns, élevé chez les autres : on ne sait trop pourquoi : les uns voient tout en noir, comme en 1870, les autres tout en rose ».

460. R. Dufresne, *op. cit.*, 25 août.

461. A.D. Charente, J 78.

462. A.D. Charente J 90.

463. A.D. Gard 8ᵉ R 1.

464. Louis Bedex, *Belle-Ile, op. cit.*

465. Marc Bloch, *op. cit.*, p. 12.

466. Gabriel Letainturier, *op. cit.*, p. XIII.

ajouté encore à l'effroi. Ces pauvres gens ont raconté des faits qui font frémir et ont achevé la démoralisation. Alors on a parlé de faire comme eux ...

Et je compte ceux qui resteront au village et tiendront tête... je n'en vois guère : ceux seulement qu'un devoir impérieux y attache et ceux qui sont entêtés à y mourir plutôt que d'abandonner leur maison » [467].

L'affolement qui se produit dans ce village est d'autant plus significatif qu'il se situe à plus de cent kilomètres à vol d'oiseau du point extrême de l'avance allemande.

On conçoit l'ampleur du phénomène dans les régions atteintes ou approchées davantage par l'avance allemande. Dans la Somme, mais aux limites du Pas-de-Calais, l'abbé Vignon raconte : « Le vendredi 28 (août) nous amène les lamentables tristesses de la panique. De la région de Cambrai, Bapaume, Cômbles, Albert... avec des cortèges de misère et d'effarement » [468].

A Abbeville, que le flot allemand laissa pourtant de côté, « dès midi le 25 août, la panique se manifeste. Les gens du Nord ... commencent à déferler ... c'est bien de l'épouvante qu'entraînent avec eux ces malheureux... ». Aussi les « gens aisés » s'en vont : « La panique prend un air vraiment honteux ». Lorsque les Allemands se rapprochèrent encore, les populations sont prises d'une « panique folle ». « On ne nomme plus Abbeville que *Frousseville* et les partants les *francs-fileurs de Frousseville* ». Quand les autorités militaires font, dans l'affolement, semble-t-il, sauter les ponts, « la panique augmente dans des proportions énormes. Tout ce qui avait encore automobile fuyait vers le centre, les moins fortunés prenaient les derniers trains, pleins à rompre... » [469].

A Beauvais, le passage des « fugitifs » provoque aussi l'affolement. « La déroute est contagieuse. Beaucoup de Beauvaisiens se décident à quitter la ville ». « Les Beauvaisiens s'enfuient. Au coin de la rue des Jacobins et de la rue Sadi-Carnot, dans un attroupement, le maire d'une commune voisine qui, en ce moment critique, aurait dû se trouver au milieu de ses administrés, clame d'une voix étranglée : il faut fuir, il faut fuir ! On l'approuve manifestement ». « La plupart des notabilités ont quitté la cité. La plupart des habitants ont quitté leurs foyers. Combien restons-nous ?... » [470].

La nature de cette panique semble dépasser largement le désir de se mettre en dehors des atteintes de l'ennemi. A Paris, le mouvement de fuite est considérable. Arthur-Lévy le décrit ainsi :

---

467. André Lottier, *op. cit.*, p. 3.
468. Abbé Vignon, *Beauquesne, op. cit.*, p. 12.
469. Chanoine Le Sueur, *op. cit.*, p. 21 et suiv.
470. R. Dufresne, *op. cit.*, 30 août.

« La panique d'hier s'accentue encore, parmi les retardataires de l'exode, à l'avertissement que les portes de Paris seront fermées dorénavant à sept heures et demie du soir, et qu'à compter d'après-demain aucune automobile ne pourra plus sortir de Paris. C'est le signal de la fuite effrénée » [471].

Mais Paris était vraiment menacé, au moins de siège, les souvenirs de 1870 peuvent expliquer la fuite. En revanche, la manœuvre allemande ne semble pas viser la Seine-Inférieure. Pourtant, devant l'exode, le maire de Rouen est obligé de faire placarder une affiche véhémente, intitulée « Les Lâches », dont voici quelques extraits :

« LÂCHES, tous ceux qui depuis hier matin s'enfuient dans de luxueuses autos qui n'ont jamais été signalées aux services de la réquisition, voitures bien pourvues d'essence alors que les industriels en ont manqué, qui emportent loin d'un ennemi que l'on n'aperçoit pas encore leurs riches propriétaires affolés, pâles et tremblant sur le volant de direction ! ...
LÂCHES, tous ceux qui depuis quelque temps colportent jésuitiquement des bruits tendant à faire croire que la situation actuelle est due à un régime politique. Ceux-là sont des misérables menteurs et de mauvais Français... » [472].

Le *Journal du Havre* [473] publie une note du préfet appelant à garder son sang-froid, qu'il n'y avait « nulle raison de quitter sa résidence et d'abandonner ses biens et ses affaires ».

Les vagues de l'exode portent la crainte à longue distance. A Vierzon, on ne voulait pas croire à la gravité de la situation jusqu'au moment où passent en gare des réfugiés de Compiègne et de Château-Thierry. Puis c'est le défilé des voitures : « C'est toute la bourgeoisie parisienne en une course folle qui va chercher refuge dans le Midi... ». Ce sont aussi les réfugiés du Nord, les Belges : « Tous se suivent, roue dans roue, en une procession lamentable sur laquelle plane on ne sait quoi de lugubre et qui se poursuit durant quatre jours et quatre nuits ». Conclusion : à Vierzon, « la consternation est grande. On se rend parfaitement compte que si les Allemands prennent Paris, ils marcheront sans désemparer sur Vierzon, comme en 1870 » [474].

Beaucoup plus loin encore, à Grenoble, le directeur du grand journal local, *Le Petit Dauphinois*, Joseph Besson, est poursuivi pour avoir, le 30 août publié une édition spéciale où, sur toute une page, en caractères d'affiche, s'étalait la nouvelle de la décision du général Galliéni de faire

---

471. Arthur-Lévy, *op. cit.*, p. 124, 3 septembre.

472. A.N.F 7 12939, Seine-Inférieure, Rouen, 2 septembre.

473. 1er septembre 1914. Le lendemain, 2 septembre, un article du même journal stigmatisait « les fauteurs de panique ».

474. A.D. Cher R 15/16, histoire de Vierzon.

évacuer la zone militaire de Paris. Cette nouvelle avait déclenché plusieurs heures de panique dans la population grenobloise [475].

Dans une région aussi reculée que le Trièves, la situation n'est guère meilleure : « A Lalley et dans les villages voisins, ces mauvaises nouvelles ont pris corps ; partout elles ont trouvé un écho. Elles sont colportées, amplifiées, souvent inocemment par des esprits frustes. C'est une *panique* qui est à la veille de se produire » [476].

A Toulouse enfin, résume P. Bouyoux, « l'inquiétude rendait les Toulousains perméables à toutes les rumeurs et leur faisait perdre facilement leur calme... » [477].

Les attitudes que d'autres catégories de documents nous avaient permis d'apercevoir se trouvent singulièrement aggravées. Cela est explicable : les préfets, comme nous l'avons déjà vu, se croyaient obligés d'atténuer les réalités. La vérité est qu'à la fin du mois d'août, la peur, la fuite irraisonnée, le sentiment de la défaite ont très largement imprégné les populations : après les excès de confiance, c'est bien souvent le sauve-qui-peut, la conviction du désastre inévitable. Comme l'écrivait Arthur Moméja : « Quel irréparable malheur se cache-t-il sous ce silence gouvernemental... ? » [478].

Le 3 septembre 1914, *L'Humanité* proclamait sous la plume de Compère-Morel : « La Nation se lève en armes ». Cela nous semble davantage ressortir de l'incantation que de la réalité [479].

Ne peut-on trouver confirmation de ce que nous avançons dans l'indifférence au milieu de laquelle se déroula le départ du gouvernement pour Bordeaux, comme si, dans le désastre général, cela n'avait plus d'importance ? Il est assez remarquable que nous ne disposions que de

---

475. Joseph Besson fut acquitté par le conseil de guerre de Grenoble, mais le journal socialiste *Le Droit du peuple* avait dénoncé les « mauvais Français », « les semeurs de panique » (31 août).

476. Marius Beaup, *op. cit.*, 2 septembre.

477. A. Bouyoux, *op. cit.*, p. 103.

478. *Op. cit.*, p. 72, mardi 1er septembre.

479. D'ailleurs, comme la plupart de ses confrères, une partie de la rédaction de *L'Humanité* partait à Bordeaux pour créer une édition départementale. De même, si Maurice Barrès restait à Paris, Albert de Mun qui, quelques jours plus tôt, accusait les administrateurs de ne pas avoir su « empêcher le lamentable exode dont la gare du Nord a offert le douloureux spectacle » (*L'Echo de Paris*, 29 août), était parti pour Bordeaux. Les députés de Paris se réunissaient pour décider de leur conduite. Ils estimaient avoir un « double devoir », « soit de répondre à l'appel du gouvernement pour assurer avec lui la défense nationale (c'est-à-dire se rendre à Bordeaux), soit demeurer dans Paris assiégé... ». Chacun restait libre de faire ce qui lui semblait bon. « Unanimes par le cœur », proclamait un Maurice Barrès embarrassé (*L'Echo de Paris*, 4 septembre 1914), mais il y avait, en réalité, une certaine discordance entre d'une part cette attitude et d'autre part les vitupérations qui avaient accablé les fonctionnaires accusés d'abandonner leur poste et les ordres comminatoires qu'ils recevaient du gouvernement : sur instruction de ce dernier, les préfets avaient adressé à leurs sous-préfets le télégramme suivant, le 29 août : « Vous invite de la façon la plus formelle à n'abandonner votre poste que par ordre du gouvernement ou de l'autorité militaire. Vous devez aux populations l'exemple du calme et du sang-froid. Les mesures les plus rigoureuses seront prises à l'égard de ceux qui manqueraient à leurs devoirs » (A.D. Saône-et-Loire 51 M). Il faut d'ailleurs souligner que certains journaux ne partirent pas, ainsi *La Guerre sociale* de Gustave Hervé. « Ai-je besoin de dire que *La Guerre sociale* reste à son poste de combat ? Que d'autres journaux déménagent, c'est leur affaire. Nous, nous restons ; comme Mac-Mahon, le Mac-Mahon de Sébastopol » (4 septembre).

quatre rapports de préfets qui fassent allusion à un événement qui aurait dû avoir une profonde résonance. Leurs commentaires sont d'ailleurs pleins de circonspection. Le préfet du Vaucluse se contente de témoigner du calme « plein de dignité » de ses administrés à la lecture de l'appel du gouvernement [480], celui de Haute-Savoie, par contre, insiste sur *l'émotion* de la population, même si « sa confiance reste entière » [481]. Dans le Tarn-et-Garonne, la population « *paraît* comprendre les impérieuses nécessités qui ont commandé cette résolution » [482]. Celui du Lot, enfin, après avoir remarqué que la population avait été insuffisamment préparée à cette nouvelle, qu'elle en avait donc été surprise, se déclare toutefois « *persuadé* que demain l'opinion ressaisie reviendra à l'entière confiance qu'elle a témoignée jusqu'ici pour le résultat final de la guerre » [483].

Réactions donc particulièrement peu nombreuses, et sans chaleur. Tenu à moins de réserve dans ses *Souvenirs*, le préfet de la Gironde relate que la nouvelle de l'arrivée du gouvernement fut très mal accueillie à Bordeaux, au point qu'un haut fonctionnaire envoyé en éclaireur aurait déconseillé de poursuivre le projet. Le préfet estima cependant que le gouvernement pouvait tout de même venir et il fut effectivement reçu avec *calme* malgré les premières colères... [484].

Les notes d'instituteurs sont, sur ce chapitre, particulièrement peu nombreuses également, deux seulement dans le Gard. A Aubais, l'instituteur tout en condamnant de tels propos, rapporte que nombre de personnes disent : « Les lâches ! Au lieu de contribuer à la défense de la capitale, ils s'en vont » [485]. A Saze, au contraire, la population est *vivement* impressionnée, mais « approuve les sages mesures prises par le gouvernement » [486].

A Fouqueure en Charente, on a considéré le départ du gouvernement pour Bordeaux comme une « simple mesure de prévoyance » [487], tandis qu'à Barbezieux on a seulement constaté qu'un grand nombre d'automobiles se dirigeaient vers Bordeaux... [488] ; à Châteauneuf, toutefois, le narrateur estime que le départ du gouvernement pour Bordeaux n'était pas fait pour calmer l'anxiété [489].

Les chroniqueurs se sont également peu attachés à l'événement,

---

480. A.N.F 7 12939, 3 septembre.
481. *Ibid.*
482. A.N.F 7 12939, 3 septembre.
483. A.N.F 7 12938, 3 septembre.
484. Olivier Bascou, *op. cit.*, p. 116 et 122.
485. A.D. Gard 8ᵉ R 1.
486. A.D. Gard 8ᵉ R 1.
487. AD. Charente J 82.
488. *Ibid.*, J 77.
489. *Ibid.*, J 80.

même quand ils l'ont mentionné, sauf pour regretter ce départ subreptice « à minuit »[490] ou pour déplorer la « journée terrible »[491] qu'il symbolisait.

On peut néanmoins imaginer qu'on en a parlé dans les conversations. Ainsi à Bourges, un courtier en vins a manifesté sa colère devant une vingtaine de personnes : « Les officiers sont des fainéants pour laisser entrer les Prussiens à Paris et Poincaré est un lâche ; il s'est sauvé à Bordeaux »[492].

En bref, l'opinion publique n'a pas, semble-t-il, apprécié le départ du gouvernement pour Bordeaux. Autant qu'une documentation médiocre permet de le dire, elle n'y a guère vu une volonté de raidissement de la défense nationale. Mais cette opinion publique était suffisamment abattue pour que le départ du gouvernement lui porte à peine un coup supplémentaire. Comme le dit à Belle-Ile un de nos témoins : « Mardi 2 : ...rien de nouveau si ce n'est que le gouvernement serait, dit-on, à Bordeaux... »[493].

De l'ensemble des documents dont nous disposons, on peut retirer une vue assez exacte de la façon dont le moral de la population a subi, à la fin du mois d'août 1914, une profonde dépression. La presse n'en a pas été la seule responsable, encore que son rôle n'ait pas été négligeable comme nous avons essayé de le montrer et comme l'affaire du 15e corps le confirme, mais une série de facteurs sont venus se combiner pour provoquer un effet qu'une presse aussi grise aurait été incapable de produire.

Etait-il toutefois nécessaire d'insister autant sur le fait que le sentiment de graves revers militaires ait entraîné une grave chute du moral des Français, était-il utile d'en faire la démonstration ? Cela n'allait-il pas de soi ? Dans une certaine mesure peut-être mais, si l'opinion publique française avait été animée d'un patriotisme sans failles, aurait-elle ainsi fléchi ? Au reçu des mauvaises nouvelles, n'aurait-elle pas répondu par une volonté accrue de surmonter l'épreuve, plutôt que par l'immédiat découragement, l'abandon, le fatalisme de la défaite ? Or ce ne fut pas le cas. L'opinion publique apparaît incapable d'accepter une mau-

---

490. A. Lévy, *op. cit.*, p. 121. C'était aussi l'avis de Poincaré : « Pourquoi la nuit ? J'aurais, du moins, voulu qu'on partît au grand jour, au vu et au su de la population dont on nous force à nous séparer, mais c'est l'administration militaire qui est maîtresse des chemins de fer... » (*op. cit.*, T. V, p. 236).

491. A. Moméja, *op. cit.*, p. 71, 3 septembre.

492. A.D. Cher 25 M 54, rapport du commissaire central de Bourges du 4 au 5 septembre.

493. Louis Bedex, *op.cit.* Il n'en fut pas de même pour les troupes, si on en croit Jules Jeanneney. Dans une lettre à Georges Clemenceau, du 18 novembre 1914, le sénateur de la Haute-Saône revient sur le départ du gouvernement à Bordeaux, il écrit la « fuite » et considère qu'il a eu un « effet énorme, ce fut un coup de massue » (Archives privées de J. Jeanneney).

vaise nouvelle, tout au moins dans un premier temps. Un préfet l'a bien exprimé, celui de la Manche : « Malgré les explications fournies dans les communiqués de la Guerre sur les alternatives inéluctables par lesquelles nous allons passer, la moindre nouvelle qui laisse entrevoir un revers porte aussitôt le public au découragement... » [494].

En d'autres termes, après avoir fait preuve d'un excès de confiance, l'opinion publique a été frappée de plein fouet par la révélation que la guerre n'était pas l'entreprise facile dont on s'était donné l'illusion. Pendant vingt jours, cet excès de confiance avait été nourri par le manque d'informations, mais à partir du 21 août, l'opinion sombre dans le désarroi.

Cela nous permet de conclure à l'extrême fragilité du moral français dans cette période, l'esprit public réagissant un peu comme la girouette au coup de vent.

Ce que nous avançons ici ne nous paraît pas reconstruction d'historien. Les réflexions de l'instituteur d'une toute petite commune de Charente sont éloquentes : en date du 20 septembre, après la victoire de la Marne, il écrivait :

> « Quel enthousiasme ! On s'aborde, on rit... Phénomène non moins curieux et qui donne bien l'impression de versatilité du caractère français : une transformation s'est accomplie spontanément dans l'attitude générale... Hier encore, ... il fallait des prodiges d'efforts, de raisonnements, d'explications pour enrayer le découragement. Aujourd'hui, c'est la confiance illimitée, c'est de l'emballement ! Ceux qui furent les plus découragés sont ceux qui manifestent la plus grande foi en un succès complet... Ne faudrait-il pas calmer cet enthousiasme comme on fut obligé de réconforter le découragement ? » [495].

---

494. A.N.F 7 12938, 25 août.
495. A.D. Charente J 87, commune de Nanclars.

*Chapitre 2*

# La dernière illusion

Du 6 au 13 septembre, se livra la bataille de la Marne, à l'issue de laquelle le commandement français utilisa pour la première fois le terme de « victoire ».

Le graphique établi par le préfet de l'Yonne sur le moral de la population de son département [1], enregistre un redressement qui le ramenait au niveau de l'enthousiasme provoqué au début du mois d'août par l'occupation temporaire de Mulhouse.

Les illusions dissipées par les défaites de la fin du mois précédent étaient-elles revenues aussi vite qu'elles s'étaient envolées ? Les Français, faut-il se demander, croyaient-ils de nouveau à une échéance proche et victorieuse du conflit ?

Les commentaires de certains journalistes, tels ceux des deux grands écrivains de *L'Echo de Paris*, pourraient le laisser croire. Pour Maurice Barrès : « Joffre a lâché le mot. Le mot que nous attendions depuis quarante-quatre ans. Nul commentaire, nul adjectif. La France a retrouvé la victoire ... A travers les siècles désormais, les générations successives vont glorieusement honorer les soldats de 1914 » [2]. Et pour Albert de Mun ; « ...Alors comprenez-vous la joie, l'ivresse, l'orgueil ? C'est la poursuite, la poursuite des Allemands sur le sol français ! Imaginez l'enthousiasme, la griserie... » [3].

Ceux du chroniqueur militaire du même journal, le général Cherfils, les dépasse cependant d'un ton. C'est ainsi qu'il écrivait, le 15 septembre.

---

1. Voir ci-dessus, p. 485.
2. 14 septembre 1914, « La Victoire ».
3. *L'Echo de Paris*, 14 septembre, « La Poursuite ».

« Maintenant c'est la victoire. Ses ailes frémissantes vont porter nos armées jusqu'au Rhin. Le triomphe final n'a jamais été en doute, mais il pouvait se faire attendre davantage ...

Il n'y a rien derrière les Allemands : aucun renfort, aucun repli organisé, aucun plan, aucune armée de réserve, rien à quoi accrocher leur fuite éperdue pour tenter un retour offensif. C'est la débâcle absolue. Elle ne s'arrêtera que par la curée, comme en 1806... »[4].

Deux jours encore et le stratège de *L'Echo de Paris*, qui semble ignorer les défaites des Russes en Prusse-Orientale, annonçait : « A la fin septembre, (ils) tiendront garnison à Berlin »[5].

On ne retrouve pas ce délire dans *L'Humanité*, mais ses rédacteurs envisageaient aussi la proximité de la victoire : « ...La fortune se décide en notre faveur. Paris est dégagé et bientôt sans doute l'envahisseur, qui déjà recule devant nos armées, sera peut-être chassé du sol français », estimait Edouard Vaillant le 13[6]. Le 15, il voyait la guerre portée en Allemagne : « C'est le commencement de l'écrasement de l'impérialisme prussien. C'est bien le commencement de la victoire définitive des armées alliées... »[7].

La veille, Marcel Cachin, après avoir rendu hommage à la « vigoureuse clairvoyance du général Joffre » pressentait « avec plus de confiance que jamais l'issue prochaine du conflit... »[8].

*Le Temps* fut moins emphatique. Il signala toutefois dans son *Bulletin du jour* du 14 septembre « la retraite précipitée des Allemands », leur « déroute peut-être demain » qui rejetterait en Allemagne « une armée lasse, affaiblie, démoralisée ». Un de ses journalistes croyait que « (c'était) l'ère des grandes épopées françaises qui recommenç(ait)... »[9].

Dans la presse de grande information, *Le Journal*, pour prendre ce témoin, est assez avare de commentaires ; il proclame tout de même, le 13 : « C'est la Victoire », « L'armée allemande s'enfuit poursuivie par nous sans relâche ».

A se satisfaire de ces citations, on pourrrait donc être tenté de croire au renouveau des illusions. En réalité, une analyse plus approfondie des journaux conduit à une certaine circonspection. Leur aspect d'abord reste terne : aucun titre ne dépasse deux colonnes de largeur, les caractères sont de taille fort modeste. La largeur des titres était, il est vrai, réglementée par la censure[10], mais si la nouvelle de la victoire avait vraiment provoqué des transports d'allégresse, les directeurs de journaux

---

4. *L'Echo de Paris.*

5. 17 septembre.

6. « Espoir et confiance ».

7. « Certitude ».

8. *L'Humanité.* « Première victoire ».

9. *Le Temps*, 15 septembre 1914.

10. Titres des articles limités à la largeur de deux colonnes.

n'auraient-ils pas transgressé les instructions officielles ? En outre, tout en exprimant de la satisfaction, les journalistes sont souvent prudents dans leurs formulations. Pas dans *L'Echo de Paris* certes, mais l'impression laissée par la lecture de *L'Humanité* est beaucoup plus celle du *soulagement* et de *l'espoir* que de *l'enthousiasme*. De même, *Le Temps* multiplie les réserves. Il ne nie pas les « brillants succès remportés », mais ce ne sont que « le gage certain des victoires définitives »[11]. « Nous ne tenons pas encore *la victoire*, mais nos armées ont remporté *une grande victoire* »[12]. « ...L'heure présente ... ne doit cependant pas nous aveugler sur les efforts qui restent à faire »[13].

Même son de cloche dans *Le Journal*[14]. Ernest Lavisse, après y avoir rappelé l'excès de défaitisme de certains, entend ne pas tomber dans un excès d'optimisme : « Réjouissons-nous ... Mais, en même temps, malgré que nous en ayons, par un effort pénible mais résolu, pensons à de possibles retours de fortune »[15].

Les titres quotidiens de cet organe expriment cette réserve nécessaire :

---

après un crescendo depuis le 9 septembre jusqu'au 12,

| 9 septembre | Violents combats sur toute la ligne. L'ennemi vigoureusement repoussé sur les rives de l'Ourcq et vers la Marne. |
|---|---|
| 10 | Nos succès se confirment. |
| 11 | La bataille continue très violente en Champagne. L'ennemi bat en retraite. |
| 12 | Quatre jours de bataille. Nos combats victorieux sur la Marne Les Allemands se retirent en désordre. |

ils marquent une crête, d'ailleurs sans excès d'hyperboles, les 13 et 14,

| 13 septembre | C'est la Victoire ; L'armée allemande s'enfuit poursuivie par nous sans relâche. |
|---|---|
| 14 | Deux bulletins de victoire du généralissime Joffre. L'ennemi poursuivi bat en retraite dans le plus grand désordre. |

puis, dès le 16 septembre, ils effectuent un decrescendo.

| 16 septembre | L'ennemi résiste avec opiniâtreté, mais doit néanmoins se replier. |
|---|---|
| 17 | La bataille de l'Aisne. L'ennemi se retranche et s'efforce de retarder notre poursuite. |
| 18 | La bataille continue violente. |

---

11. 13 septembre.
12. 15 septembre.
13. 15 septembre.
14. « Ce n'est pas encore la victoire, mais c'est déjà une victoire... » (14 septembre).
15. 12 septembre.

Toutefois, cette réserve relative des journaux [16] exprime-t-elle ce que ressentit alors l'opinion publique ?

Certains d'entre eux l'ont clairement affirmé : « Une joie profonde », écrivait *Le Temps*, s'est répandue de proche en proche à travers toutes les catégories de la société, mais « volontiers recueillie et silencieuse » [17]. *Le Journal* confirme : la « nouvelle de la victoire » a été accueillie avec calme dans le pays » [18], tandis que l'éloignement de l'adversaire de Paris provoquait « un énorme soulagement » [19].

Ainsi, à lire attentivement les journaux, la victoire de la Marne aurait produit une moins grande poussée d'enthousiasme qu'on imagine souvent.

D'autres sources laissent-elles la même impression ? Les notes d'instituteurs, en raison du questionnaire qui leur servait de cadre, étaient peu adaptées à traiter d'un événement précis. La bataille de la Marne est cependant quelquefois mentionnée. Cinq instituteurs du Gard y font allusion [20]. A Aigues-Mortes, la victoire « a remis un peu de joie dans les cœurs des patriotes » ; à Aigues-Vives, elle a renforcé *la foi* dans le succès final ; à Ribaute, elle « a stimulé un peu le courage des habitants » avant que « les deuils ... (ne) viennent semer le découragement moral » ; à Saze enfin, « la retraite des Allemands produit un soulagement populaire immense ». La joie est peinte sur tous les visages ... La victoire de la Marne proclamée par le généralissime est accueillie sur la place publique aux cris de « Vive la France ! Vive le général Joffre » [21].

Six remarques dans les fiches des Côtes-du-Nord [22]. La victoire a ranimé « les courages » à Treveneuc ; à Ploubazlanec, elle « rendit confiance aux pusillanimes et aux pessimistes » ; à Pordic, « le 11 septembre et les jours suivants, on s'arrache les journaux, on se félicite, on est heureux... » ; dans l'île de Bréhat, ce fut « un enthousiasme extraordinaire et on croit entrevoir la fin de la guerre... », mais à Trélat-Taden, il n'y eut « aucun étonnement », « c'était pressenti ».

Dans une autre note, on ne se félicite pas de la victoire. Le narrateur met au contraire en valeur la désillusion ressentie parce que ce ne fut pas

---

16. Même impression ressentie par P. Bouyoux en analysant la presse de Toulouse : prudence dans l'annonce de la victoire, qui n'est pas reçue comme une nouvelle choc (*op.cit.*, p. 116-118).

17. 15 septembre.

18. 14 septembre.

19. 12 septembre.

20. A.D. Gard 8ᵉ R 1.

21. Le cinquième témoignage provenant du Gard doit être utilisé avec précaution, car il semble avoir un caractère assez polémique : « Et pendant cette période de succès éclatants, les mauvais patriotes dont les propos m'avaient fait bondir d'indignation ne trouvèrent ni un mot d'admiration, ni une parole de reconnaissance à l'adresse de nos héros. Ils rongeaient leur frein en silence, désappointés de voir irréalisables les beaux projets qu'ils avaient échafaudés sur les ruines de la République » (Commune d'Aubais).

22. A.D. Côtes-du-Nord. Série R.

« la victoire décisive que l'on avait crue »[23]. Dernier cas enfin, l'instituteur s'indigne du manque de munitions qui avait empêché de repousser les « Boches »[24] au-delà des frontières[25].

Plusieurs remarques également dans les fiches établies par les instituteurs charentais : après la Marne, « les poitrines de nos travailleurs respirèrent plus librement »[26], « la bataille de la Marne ... semble avoir relevé le moral de la population et ranimé sa confiance un instant ébranlée... »[27], « immense soulagement suivi d'un enthousiasme bien légitime... »[28], « enthousiasme provoqué par la victoire de la Marne »[29], « joie modérée dans ses manifestations, mais profonde »[30], « joie sans manifestations bruyantes »[31], « confiance »[32], « espoir »[33].

En contrepartie, un instituteur observe que « la victoire de la Marne paraît naturelle et n'excite pas l'enthousiasme »[34], même si, pour un autre, elle provoqua « *l'illusion* que la guerre sera glorieusement terminée dans quelques mois »[35].

Un si petit nombre d'exemples ne permet pas de s'appuyer sur des données quantitatives : il est significatif toutefois que le terme *d'enthousiasme* ne soit venu que trois fois sous la plume de nos témoins et que la plupart des formulations manifestent une certaine retenue.

Ce témoignage venu d'un village de l'Yonne semble confirmer cet état d'esprit :

> « 14 septembre 1914 : Cette fois c'est bien une victoire puisque l'ennemi recule sur tout le front. La victoire de la Marne nous épargnera sans doute la ruine de notre région. Et comme on est égoïste, on ne pense d'ailleurs qu'au danger immédiat qui recule, à l'Allemand qui se retire : ce cauchemar qu'est l'invasion nous apparaît lointain et nous respirons.
>
> Et puis, seulement, nous songeons aux pauvres soldats qui viennent de mourir pour nous sauver, et les larmes coulent, silencieuses, sur les joues des braves gens »[36].

---

23. Commune de Quintin.

24. Le mot *Alboche* est le seul connu en août 1914. Son abréviation *Boche* l'a progressivement remplacé entre septembre et décembre 1914. D'après J. Norton Cru, *Témoins*, Paris, 1929, p. 569.

25. Commune de Saint-Gildas.

26. A.D. Charente J 76, commune d'Aignes.

27. *Ibid.*, J 79, commune de Champniers.

28. A.D. Charente J 78, commune de Blanzac.

29. *Ibid.*, J 77, commune de Barro.

30. *Ibid.*, J 78, commune de Boutiers-Saint-Trojan.

31. *Ibid.*, J 83, commune de Gimeux.

32. *Ibid.*, J 82, commune de Fouquebrune.

33. *Ibid.*, J 83, commune de Grand-Madieu.

34. *Ibid.*, J 82, commune de Fouqueure.

35. *Ibid.*, J 81, commune de Courgeac.

36. André Lottier, *op. cit.*, p. 4.

De la joie à Paris bien sûr, nous dit Arthur-Lévy, mais surtout du soulagement : « Le soulagement est général » [37]. Il l'illustre dans une autre page : « Les membres sont plus alertes ; la tête est plus libre » [38].

En revanche, Arthur Moméja, souvent grognon, manifeste ici plus de ferveur. Le 10 septembre, il écrivait : « Tout me fait redouter la nouvelle imminente de quelque grand désastre », mais, le 12, il laissait éclater son enthousiasme : « Je lis avec une joie indicible la dépêche officielle m'annonçant la déroute des Allemands. Dieu soit loué ! J'ai été quelques jours un bien faux prophète de malheur... » [39].

Les sources administratives sont à peu près défaillantes. Un rapport du commissaire spécial de Nantes indique que « la population s'est ressaisie après les nouvelles du succès de nos troupes » [40] ; un autre, du commissaire de Saint-Etienne constate que « les victoires de nos troupes ont réconforté tous les courages » [41], tandis que le commissaire de Bordeaux remarque que la « gaieté insouciante habituelle a été renforcée encore par la nouvelle de nos succès » [42].

L'opinion publique semble bien, en définitive, avoir réagi de façon ambiguë à l'annonce de la victoire de la Marne. Elle n'a pas boudé le succès, mais elle ne s'est pas laissé aller non plus, en général, à une explosion de joie. Le sentiment fort répandu qu'on « l'avait échappé belle » en est probablement la cause. Comme le notait Jacques Bainville, le 12 septembre, « le plus gros du péril passé, chacun avoue ses craintes. Albert de Mun lui-même, qui a tenu vaillamment le coup depuis le début et affirmé un optimisme inébranlable, convient aujourd'hui qu'il a cru pendant quelques jours à la catastrophe sans remède » [43]. Un instituteur de la Charente a exprimé d'une autre façon la même idée : « Toutefois, les ennemis avaient montré leur puissance, nos campagnards avaient tremblé et il en reste chez quelques-uns une crainte vague, un pessimisme inavoué... » [44].

Une autre impression explique les sentiments mélangés qu'inspira la victoire, on ne savait pas trop pourquoi et comment on en avait réchappé. D'où l'idée qui se répandit rapidement, celle du « miracle de la Marne ».

A vrai dire, l'emploi du terme de *miracle* n'est pas immédiatement contemporain de l'événement. On ne le trouve dans aucun des journaux importants dont les articles tendent plutôt à prouver combien le succès

---

37. *Op. cit.*, p. 177.
38. *Op. cit.*, p. 169.
39. Arthur Moméja, *op. cit.*, p. 92 et 99.
40. A.N.F 7 12936, Nantes, 13 septembre 1914.
41. *Ibid.*, Saint-Etienne, 14 septembre.
42. A.N.F 7 12936, Bordeaux, 14 septembre.
43. J. Bainville, *op.cit.*, p. 82.
44. A.D. Charente J 76, commune d'Aignes.

avait des causes logiques, que ce soit *L'Humanité* qui exprime sa conviction que la retraite n'avait d'autre but que de mieux choisir son terrain de combat [45], ou *L'Action française* dans laquelle Léon Daudet consacrait un éditorial aux « raisons de leur défaite » [46].

Le premier à avoir utilisé le terme est vraisemblablement Maurice Barrès, dans un article du 22 décembre 1914 [47], où il affirmait : « ...C'est l'éternel miracle français, le miracle de Jeanne d'Arc... la sainte et patronne de la France ».

En commentant cette phrase dans un ouvrage publié en 1918, le général F. Canonge remarquait :

> « Il n'est pas étonnant que le mot de ¨ miracle ¨ soit venu sous sa plume : ce mot est, en effet, employé d'une façon courante dans le langage commun, surtout lorsque, directement intéressé, on a échappé sans savoir comment à un danger sérieux ; on dit alors couramment ¨ c'est un miracle ¨ ou ¨ il est miraculeux que ¨.
> D'une façon générale ... la victoire de la Marne mit chacun en présence de quelque chose de mystérieux, tant le renversement des forces opposées fut rapide et complet » [48].

Mais le propos de Barrès était plus ambigu parce qu'en fait il sous-entendait que le miracle était de nature religieuse, sa phrase s'inscrivait en effet, dans le cadre d'une proposition de loi pour instituer la Fête nationale de Jeanne d'Arc. Ce n'est pas par hasard non plus si le terme fut repris dans les propos ou les écrits d'ecclésiastiques : dès 1915, le pasteur J.E. Roberty ou l'abbé Stephen Coubé publiaient de petits opuscules intitulés « le miracle de la Marne » [49]. Des années plus tard, un moine, ancien combattant de la Marne, prêchant à Reims, s'écriait : « Il a fallu que Dieu intervienne » [50].

On conçoit que, dans ces conditions, l'emploi du terme de miracle ait provoqué quelques réticences. Dès 1915 également, Gustave Babin notait :

> « On a dit ¨ le miracle de la Marne ¨.
> ... Si toutes les rencontres ... où la volonté, la clairvoyance, le génie enfin d'un grand capitaine entraînant, exaltant l'âme de toute une armée, de tout un peuple acharné à défendre sa liberté et sa vie, a dompté la fortune et arraché de force la victoire, apparaissent marquées d'un signe surnaturel, alors va pour miracle ! » [51].

---

45. 13 septembre.

46. 18 septembre.

47. *Chronique de la Grande Guerre*, op. cit., T. II, p. 303.

48. Général F. Canonge, *La guerre de 1914. La bataille de la Marne*, Paris, 1918, 137 p., p. 127-128.

49. J.E Roberty, *Le miracle de la Marne*. Sermon prononcé à l'Oratoire du Louvre le 10 septembre 1916, 1916, 32 p. Stephen Coubé, *Le miracle de la Marne et Sainte-Geneviève*, Paris, 1915, 32 p.

50. Marie-B. Guénin (des Frères-prêcheurs), *La victoire de la Marne, œuvre des hommes et œuvre de Dieu*, paroles prononcées en la cathédrale de Meaux, 6 septembre 1925, Langres, 1953, 15 p.

51. Gustave Babin, *La bataille de la Marne (6-12 septembre 1914)*, Paris, Plon, 1915, 89 p., p. 1.

Mais seulement après avoir rendu aux combattants l'hommage qui leur revenait :

> « Ce revirement, ce sursaut, cette suprême exaltation de l'âme française, consciente de sa haute noblesse et de ses impérieux devoirs, de son radieux passé de gloire et de la bienfaisante mission qu'il lui reste à poursuivre, ce fut cela " le miracle " ! » [52].

Plus tard Gustave Hanotaux essayait de combiner ces éléments disparates afin que chacun y trouve sa part :

> « ...Cette reprise merveilleuse de la fortune tient du miracle : miracle de résolution et d'énergie de la part des chefs, miracle d'endurance et d'entrain de la part des soldats, au-dessus de tout, miracle dû à la force des âmes, miracle de la France qui ne voulait pas périr, miracle de la loi immanente des choses et de la volonté divine qui ne voulut pas que la France pérît » [53].

Ces gloses sur ou autour du terme *miracle* montrent bien la conscience que chacun pouvait avoir de l'aspect défavorable que comportait le fait d'accepter d'avoir été sauvé par un miracle. Cette « part péjorative », certains l'ont ressentie vivement et dénoncée. Ce fut le cas des rédacteurs de la *Revue historique* [54].

Charles Bémont, rendant compte en 1916 d'un carnet de route d'un officier de l'armée d'Afrique, remarquait : « ...Il proteste en passant (p. 106) contre la malencontreuse expression de " miracle de la Marne ", qui tend à rien moins qu'à ravaler le mérite des chefs qui menèrent l'armée à la victoire et celui des soldats qui la remportèrent » [55].

La victoire de la Marne ne devait pas être considérée comme un hasard heureux dans l'action militaire, mais elle marquait « une étape de l'histoire de la civilisation, puisqu'elle (avait) brisé l'offensive du militarisme le mieux armé, le plus orgueilleux, le moins scrupuleux qui fut jamais » [56].

Retenons de ce débat que, si le terme de miracle n'a pas été employé immédiatement et a été combattu par la suite, l'idée d'un événement surprenant, mal expliqué, a frappé les esprits. Le besoin de certains journaux d'affirmer qu'il n'en était rien le confirme. Il est donc concevable que l'opinion publique ait reçu avec satisfaction les bénéfices du miracle, mais qu'elle se soit abstenue d'exagérer les signes extérieurs de sa joie eu égard à la façon dont le succès était venu. Comme l'a dit également Jacques Bainville : « Avec un admirable sang-froid, le pays s'est gardé

---

52. Gustave Babin, *op. cit.*
53. *Cité par F. Canonge, op. cit.*, p. 129.
54. Voir Michel Martin, *op. cit.*, p. 380.
55. *Revue historique*, 122, 1916, p. 152.
56. *Ibid.*, p. 153.

d'illuminer, de pavoiser et même de manifester pour la victoire de la Marne »[57].

Il apparaît que la façon dont le pays reçut la nouvelle de la victoire ne fut pas très différente des sentiments des soldats eux-mêmes. Les indications, assez rares il est vrai, dont nous disposons montrent que le moral de l'armée n'a pas été amélioré par la victoire. Comme nous l'avons déjà vu, pour éviter une désagrégation de la discipline de l'armée pendant la période de la retraite, Joffre avait demandé le rétablissement de cours martiales, dont la justice était plus expéditive que celle des conseils de guerre ordinaires (les cours martiales étaient baptisées conseils de guerre spéciaux). Or l'activité des cours martiales ne fut pas arrêtée par la victoire de la Marne. Le colonel Desfontaines, par exemple, rapporte que la première condamnation d'un soldat de son régiment, à vingt ans de détention et à la dégradation pour abandon de poste en présence de l'ennemi, eut lieu le 7 octobre[58], suivie le 16 octobre par la première exécution dans la forêt d'Argonne d'un autre de ses soldats[59].

Les conseils de guerre des régions n'ont pas eu à s'occuper en principe des abandons de poste devant l'ennemi. Néanmoins, un sondage dans les archives de ces conseils montre qu'ils ont eu tout de même à connaître d'un certain nombre de cas. En général, les soldats qu'ils jugèrent affirmèrent avoir été séparés de leurs unités après un engagement et que, malgré leurs recherches, ils n'avaient pas réussi à les retrouver. Il n'en fut pas toutefois toujours ainsi. Le conseil de guerre de Châlons-sur-Marne jugea le 2 octobre un prévenu qui, après avoir participé à plusieurs combats, s'était endormi. Réveillé et resté seul, il eut l'idée de déserter. Employé des Chemins de fer, il explique son geste par un *mouvement de faiblesse*. C'était le 17 septembre 1914[60]. Même cas pour un journalier normand jugé le 19 novembre[61]. Un mécanicien blessé rentré chez lui en convalescence y resta, trouvant le délai insuffisant. C'est là qu'il fut arrêté par les gendarmes[62]. Le premier conseil de guerre de Paris condamna trois hommes qui, apparemment pris de panique après un combat, avaient fui ; ils avaient pris le premier train pour Paris où ils furent arrêtés[63]. Un autre fut jugé par le conseil de guerre de Lyon :

---

57. J. Bainville, *op. cit.*, p. 86.

58. Général Desfontaines, *op. cit.*, deuxième cahier.

59. *Ibid.*, cinquième cahier.

60. Conseil de guerre de Châlons-sur-Marne, liasse du 2 au 27 octobre 1914, 5 ans de détention.

61. Conseil de guerre de Rouen, liasse du 19 au 28 novembre 1914, 5 ans de détention.

62. *Ibid.*, 3 ans de travaux publics.

63. Conseil de guerre de Paris, liasse du 6 au 14 novembre 1914.

arrêté par les gendarmes bien loin du front, il rentrait chez lui à petites journées [64]...

Ces quelques exemples glanés dans les dossiers des conseils de guerre auraient pu être multipliés. Certes, par rapport à la masse de l'année, ces soldats défaillants ne représentent qu'une infime proportion : il n'y a pas d'armée sans déserteurs. Toutefois, nous n'avons pas cru pouvoir négliger l'indication ainsi fournie pour deux raisons : ces gens qui rentrent chez eux n'ont pas de caractère particulier, ce ne sont ni des déclassés, ni des militants politiques. Leur geste, même très minoritaire, même exceptionnel, témoigne que le moral de l'armée était au moins inégal. Deuxième raison : des textes de contemporains confirment cette médiocrité de l'état d'esprit juste après la victoire de la Marne. Dans ses *Cahiers,* en date du 25 septembre, le colonel Desfontaines notait : « Pendant cette période du 14 au 25 septembre, nous avons connu une des périodes de guerre les plus pénibles : surmenage physique, manque de vivres, pertes non remplaçables des derniers officiers de l'active, découragement de la troupe » [65]. Témoin aussi cette page de Maurice Genevoix citée par H. Contamine [66] : « Une seule impression me possédait, lancinante : la poursuite avait cessé, les Boches s'étaient arrêtés et il allait falloir se battre, dans cette débâcle du corps et de l'esprit. Je me sentais infiniment seul, glissant chaque minute un peu plus vers une désespérance dont rien ne viendrait me sauver... » [67].

N'est-ce pas là une des clefs de l'explication du faible enthousiasme provoqué par la victoire, ou plus exactement du caractère fugace de la satisfaction ressentie ?

L'opinion publique (civils et soldats) s'est rendu compte que la bataille de la Marne n'était pas la victoire décisive que certains, trop pressés, lui avait promise : Jacques Bainville prétend que c'est « sans émotion » qu'il « apprend ... que la défaite des Allemands est un peu moins complète qu'on l'avait cru d'abord... » [68].

Albert de Mun écrit, le 17 septembre : *« Comme il fallait s'y attendre »,* « le mouvement de retraite des Allemands, d'abord confus et précipité, s'est ralenti et régularisé. Une armée aussi forte, aussi solide dans la main de ses chefs, ne se laisse pas entraîner par la défaite à la débâcle... » [69]. Les numéros précédents de *L'Echo de Paris* ne préparaient pas, certes, à ce « comme il fallait s'y attendre » !

Un instituteur charentais est sûrement plus proche de la réalité en ne cherchant pas à masquer l'ampleur de la déception : « On s'imaginait

---

64. Conseil de guerre de Lyon, liasse de novembre (n° 262 à 306).
65. Général Desfontaines, *op.cit.*, 1er cahier, p. 91.
66. Henry Contamine, *La Victoire..., op.cit.*, p. 369.
67. Maurice Genevoix, *Ceux de 1914*, Paris, Flamarion, 1950, 620 p., p. 66.
68. Jacques Bainville, *op.cit.*, p. 86, 15 septembre.
69. *L'Echo de Paris.*

déjà nos braves poilus reconduisant, au pas accéléré, jusqu'au Rhin, les barbares ... Aussi, la déconvenue est profonde à l'annonce que l'ennemi s'accroche avec opiniâtreté à ce sol... » [70].

Il suffit de lire les journaux pour s'en rendre compte. Nous l'avions déjà senti à travers les titres du *Journal*. Il en est de même pour *Le Matin*. Le 13, il proclamait « la déroute allemande s'accentue », mais, le 18, il remplaçait dans son titre *la bataille de la Marne* par *la bataille de l'Aisne* en l'accompagnant de ce commentaire : « Sur tous les fronts, la bataille se poursuit avec acharnement ». Il n'était plus question de victoire décisive.

La conséquence est que le pays qui s'était engagé dans une guerre courte prend maintenant conscience que cette éventualité devenait improbable. La question de la prolongation de la guerre passe alors au premier plan, même s'il est juste de reconnaître que certaines publications avaient mis assez tôt l'accent sur le fait que le conflit ne serait pas aussi court qu'on l'avait tout d'abord pensé.

Dès le 15 août, la *Revue des deux mondes* avait publié cet avertissement : « Nous ne nous faisons aucune illusion : la formidable partie est à peine engagée et nous savons très bien qu'elle sera difficile, pénible... » Elle le répète le 1er septembre : « On s'attend à ce qu'elle (la guerre) soit longue et difficile... » [71]. Le 20 août, *Le Temps* intitulait un de ses articles : « Savoir durer ! ».

« Combien de temps durera la guerre ? » est un jeu très à la mode dans les conversations du moment, dit l'auteur. Il ne veut pas ajouter son incompétence à celle de tous ceux qui donnent leur avis : il souhaite cependant mettre les « gens pressés » en garde contre les « illusions dangereuses ». La guerre sera longue, pense-t-il, sans d'ailleurs préciser ce qu'il entend par là.

Le 5 septembre, l'hebdomadaire protestant *Evangile et Liberté* demande à la presse d'être prudente : « La guerre sera-t-elle de courte durée ? Nul ne le sait... gardons-nous donc des illusions... » [72].

Le 8, Pierre Renaudel, dans *L'Humanité*, appelle les autorités à mobiliser toutes les ressources : « Le gouvernement doit agir comme si la guerre devait durer ».

Ainsi, face à « la confiance irraisonnée dans le peu de durée des hostilités » [73] qui était le lot commun, des avertissements avaient commencé à se faire entendre assez tôt. On peut donc penser que l'échec de la poursuite après la bataille de la Marne n'a pas joué comme un déclic, mais qu'il a pris sa place dans la progressive prise de conscience d'une

70. A.D. Charente J 78, Blanzac.
71. Voir M. Wolkowitsch, art. cité, p. 509.
72. *La guerre et la presse.*
73. A.D. Charente-Maritime, 2 J 28, *Rioux pendant la guerre.*

durée probablement longue de la guerre [74]. Que cette prise de conscience ait été progressive, qu'elle se soit faite par étapes, ainsi à Fouqueure en Charente, « les soldats après avoir écrit qu'ils seront de retour pour les vendanges, puis pour la Toussaint, donnent comme probable leur arrivée pour la Noël, on y compte un peu » [75], qu'elle se soit insinuée lentement dans les esprits nous semble confirmé par le peu de place que les instituteurs lui ont consacré, après en avoir donné tant à l'idée de la guerre courte. En effet, comment mettre en valeur une idée qui se forge lentement, qui s'établit presque sans qu'on s'en aperçoive ? Il est donc extrêmement rare de trouver une remarque comme dans cette commune des Côtes-du-Nord : « On se rend enfin compte que la lutte sera longue, très longue... » [76]. Dans quelques autres villages s'exprime le pessimisme qu'engendrent « la longueur imprévue » [77], la tristesse devant la prolongation de la guerre et l'approche de l'hiver, « les gens ont peu d'espoir » [78]. Les optimistes pourtant n'ont pas encore tous désarmé : à Valleraugue, dans le Gard, en date du 12 octobre, des territoriaux mobilisés « partent joyeusement et espèrent revenir dans deux ou trois mois » [79] ; d'autres appellent « guerre courte » un retour pour les travaux du printemps [80].

En vérité, même ceux qui commençaient à croire au prolongement de la guerre le faisaient dans des proportions encore modestes.

Arthur-Lévy écrivait en date du 12 septembre que depuis une quinzaine de jours, pas un entretien, une conversation où il n'ait été demandé et répété : « Croyez-vous que la guerre durera encore longtemps ? » mais, ajoutait-il, « l'incrédulité serait unanime si quelqu'un émettait l'hypothèse d'une prolongation de la guerre au-delà de trois mois » [81]. Il revient sur le sujet quelques jours plus tard : « A l'heure actuelle, le plus pessimiste des Français croirait déjà avoir perdu la raison, s'il entrevoyait au-delà de six mois le terme des hostilités » [82].

Marc Bloch rapporte dans ses *Souvenirs de guerre* en date du 1er au 4 octobre : « Tout le monde commençait à se rendre compte qu'il fallait s'attendre à une campagne d'hiver » [83].

Alain écrivait à Halévy, le 30 septembre : « ...Je ne pense pas

74. Analysant la presse de Toulouse, P. Bouyoux place au mois d'octobre le moment où les journaux se font l'écho de la question que tout le monde pose : combien de temps durera encore la guerre ? Mais les différents journaux conviennent d'un allongement prévisible du conflit avec un certain décalage, *Le Midi socialiste* dès le 20 octobre, *La Dépêche* le 6 novembre, *L'Express* le 7 novembre (*op. cit.*, p. 119-120).

75. A.D. Charente J 82.

76. A.D. Côtes-du-Nord, série R, commune de Rouillac.

77. A.D. Charente J 76, commune d'Aignes.

78. A.D. Hautes-Alpes, commune de Saint-Hilaire, 30 octobre 1914.

79. A.D. Gard 8e R 1.

80. *Ibid.*, commune de Saint-Christol-les-Alès.

81. *Op.cit.*, p. 172-173.

82. *Ibid.*, p. 201, 18-24 septembre.

83. *Op. cit.*, p. 26.

grand'chose de l'avenir commun, mais la guerre durera certainement encore quelques mois... » [84].

Le 9 octobre, un de ses amis apprend à Arthur Moméja que, d'après Paulin Dupuy, le député du Tarn-et-Garonne, l'ancien ministre des Affaires étrangères, de Selves, s'étant enquis au Ministère de la guerre à Bordeaux de la durée des hostilités, avait obtenu comme réponse, une année [85].

Peu à peu, on s'installait dans la guerre, mais avec toujours une très grande incertitude quant à sa durée. On ne rencontre encore personne pour imaginer qu'elle puisse durer plusieurs années. Ces incertitudes, ce manque d'imagination ont probablement été un des facteurs qui allaient permettre aux soldats de « tenir » si longtemps, croyant toujours étape après étape qu'ils en étaient au dernier effort...

En outre, il était bien compréhensible que l'opinion publique ait un avis au moins aussi hésitant que celui du Haut-Commandement, comme en fait foi la lettre que le général Joffre adressait, le 19 septembre 1914, au ministre de la Guerre :

> « L'expérience des guerres passées montre que la capacité offensive des troupes diminue à mesure que celles-ci, par l'effet des combats successifs qu'elles ont à livrer, voient diminuer leurs cadres et disparaître leurs meilleurs éléments.
>
> La campagne actuelle avec ses fatigues, ses combats ininterrompus de jour et de nuit pendant plusieurs semaines, ne peut qu'amener plus rapidement encore qu'autrefois une usure réciproque des forces en présence.
>
> Nos troupes possèdent encore actuellement la vigueur nécessaire pour vaincre la résistance de l'ennemi dans la lutte qu'il peut offrir sur la Meuse et les coupures du terrain jusqu'au Rhin, comme il le soutient en ce moment sur l'Aisne ; mais ces temps d'arrêt successifs qui peuvent être imposés à notre offensive montrent qu'il est prudent de compter sur une campagne dure et prolongée et non sur un succès absolument décisif, pouvant amener à bref délai la fin de la guerre.
>
> L'utilisation de nos ressources militaires doit être faite en vue de maintenir nos armées actuelles en bonne situation de combat, et le manque de cadres ne nous permet pas de constituer de nouvelles armées. Nous ne pouvons donc agir avec la rapidité qui serait nécessaire pour amener une décision définitive dans un temps relativement limité... » [86].

A partir de la fin du mois d'août, et malgré la Marne (à cause d'elle peut-être), par un lent cheminement, s'était dissipée la dernière illusion, celle d'une guerre courte. Une bonne partie des comportements des Français jusque-là était liée à la conviction que la guerre ne serait qu'une brève parenthèse avant la reprise de la vie normale. Dans la mesure où l'issue du conflit commençait à se perdre dans les lointains, les attitudes des Français allaient aussi s'en trouver modifiées.

---

84. Correspondance Alain-Halévy, *op. cit.*, p. 147.

85. Arthur Moméja, *op. cit.*, p. 189-190.

86. A.M. cabinet du ministre, cabinet militaire, registre 29. C'est dans cette même lettre que Joffre suggérait au gouvernement de faire appel à des troupes japonaises.

# CONCLUSION

Plus de soixante ans se sont écoulés depuis l'été de 1914 et, depuis près de quinze ans, fait rare dans sa longue histoire, la France n'a plus été engagée dans aucun conflit militaire. Mais pendant ces quinze années, elle a connu des bouleversements intellectuels et moraux peut-être plus importants que ceux de la guerre de 1914. Quinze années pendant lesquelles on a quelquefois l'impression que certains mots ont perdu leur résonance, celui de patrie par exemple. Or l'histoire que nous avons essayé de conter est pourtant, dans une grande mesure, celle des rapports entre les Français et leur patrie.

Il n'était donc pas inutile de tenter de comprendre les comportements des Français pendant l'été 1914, après les avoir débarrassés de la gangue dont les légendes et les polémiques les ont ultérieurement enveloppés. Avec le temps, en effet — et dans une certaine mesure malgré les historiens —, une image de l'opinion publique au début de la première guerre mondiale s'est imposée, d'autant mieux acceptée qu'elle avait pour elle la caution des premières bandes cinématographiques. On peut la schématiser ainsi : en août 1914, le peuple français tout entier s'est levé pour combattre l'Allemagne qui l'avait attaqué. Il l'a fait avec enthousiasme, parce que l'occasion lui était ainsi offerte de prendre une revanche espérée pendant quarante-quatre ans et de reconquérir les deux provinces qui lui avaient été enlevées. Son attitude s'explique d'autant mieux qu'il existait depuis quelques années une véritable atmosphère de veillée d'armes. Face aux provocations allemandes en effet et sous l'impulsion de la jeunesse, un renouveau nationaliste s'était manifesté qui avait embrasé progressivement l'ensemble de la population française. Une fois la guerre commencée, tous les Français se retrouvèrent au sein de l'union sacrée qui fit disparaître oppositions politiques, sociales ou spirituelles au profit du seul nationalisme.

Ce récit était d'autant moins contesté qu'un sentiment de piété envers les morts pouvait paraître le justifier, du moins dans certaines de ses parties.

Un autre système d'explication ne présentait pas l'opinion publique de façon très différente. Les Français se seraient comportés comme nous venons de le décrire, du moins au moment de la mobilisation, mais pas pour les raisons que nous avons dites. Ils l'avaient fait parce qu'ils avaient été trompés. Ils n'avaient pas vu que la guerre était le résultat des rivalités impérialistes parce que ceux qui étaient chargés de les éclairer et de les conduire, la deuxième Internationale, le Parti socialiste, la CGT, avaient *failli*, et plus brutalement avaient *trahi*.

Il faut d'ailleurs reconnaître que la diffusion de ces schémas n'a pas été générale et que nombre d'ouvrages d'histoire se sont montrés infiniment plus nuancés et plus prudents. En vérité, plus que l'inexactitude, c'est la brièveté des allusions à l'opinion publique qui est remarquable, dans les manuels scolaires par exemple. En revanche, ces versions des faits ont trouvé d'innombrables véhicules dans les discours politiques ou commémoratifs, les articles de presse, les ouvrages de grande vulgarisation, les romans... Leurs auteurs n'étaient pas tous innocents, mais beaucoup ont cru certainement ne faire que répéter des vérités établies et démontrées.

Dans un premier temps, sans avoir la prétention de remettre en cause ces affirmations, il nous avait semblé qu'elles souffraient d'avoir été jusqu'à présent beaucoup plus affirmées que démontrées. Il nous est apparu, dans un second temps, qu'elles avaient en outre l'inconvénient d'être assez gravement erronées. Dire en quoi elles l'étaient et comprendre pourquoi une image fausse avait été construite devint alors notre préoccupation.


Nous croyons l'avoir montré. Au moment où l'ordre de mobilisation parvint jusqu'au plus reculé des villages de France, ce ne fut pas une bonne nouvelle. Il a fallu, plus tard, bien solliciter les réalités pour transformer en accueil enthousiaste ce qui n'avait été souvent que consternation, stupeur ou résignation.

Il n'est pas vrai que la mobilisation ait été bien accueillie en France, ce que les rapports des préfets, quand on les analyse de près, laissent pressentir. Mais les témoignages des instituteurs, qui nous ont permis de descendre bien davantage dans les profondeurs de l'opinion publique, ne laissent pas de doute. De très loin, ce sont les sentiments réservés, sinon hostiles qui l'ont emporté. Qu'on nous entende bien, hostile ne signifie pas qu'on ne voulait pas répondre à l'ordre de mobilisation, mais seulement qu'on appréciait peu d'être appelé à la guerre. Est-ce d'ailleurs si étrange ? Même si cela dérange quelques idées reçues, il n'est pas extraordinaire que la joie n'ait pas régné à la pensée que, quelques heures plus tard, les premiers de l'immense armée des réservistes allaient partir, abandonnant familles, biens, travail...

Comme nous l'avons montré aussi, les sentiments des uns et des autres n'ont pas été homogènes. Il y a eu effectivement des enthousiastes, même s'ils n'ont été qu'une faible minorité. Il est probable également que l'accueil de la mobilisation a été sensiblement plus frais à la campagne qu'en ville, encore qu'il soit plus difficile d'apprécier les sentiments réels des citadins, surtout dans les grandes villes. Il est possible que les populations de l'Est aient mieux accepté la guerre que dans d'autres régions, mais nous n'en savons rien. Il n'apparaît guère en tout cas que la couleur politique des départements ait eu une grande influence sur le comportement de leurs habitants.

Comme à tout moment, l'opinion publique a été hétérogène, diverse ; il n'en reste pas moins que pour l'essentiel elle a accueilli sans élan l'ordre de mobilisation.

Que l'attitude de l'opinion publique à ce moment précis, celui où fut publié le décret de mobilisation générale, ait été profondément déformée dans les récits traditionnels de la guerre, nous a paru d'autant plus grave que cette altération a rendu possibles les déformations que l'on a fait subir à la présentation de l'esprit public en amont et en aval.


Une première explication de cette reconstruction a posteriori de la réalité a résidé, croyons-nous, dans l'enchaînement intellectuel qui exigeait qu'à une mobilisation faite dans l'enthousiasme corresponde une France préalablement nationaliste, et inversement. Il était donc nécessaire que nous nous interrogions sur les sentiments réels des Français à la veille du conflit.

Le premier constat que nous avons pu faire est que l'existence d'un véritable renouveau nationaliste à l'approche de la guerre est tout à fait contestable. Que, depuis les années 1890, un nouveau nationalisme soit apparu en France, certes, mais sa pointe visait davantage le régime que l'Allemagne. En outre, ses succès furent limités. Encensant l'armée, utilisant l'Eglise, il influença sans aucun doute une fraction vraisemblablement importante de la jeunesse universitaire. Il ne fut pas sans écho dans les classes moyennes parisiennes. Il gagna à sa cause des écrivains importants et, dans le domaine des lettres, son audience fut notable. Mais ailleurs ? Il put revendiquer comme un succès l'élection d'un président de la République qui n'était pourtant pas l'un des siens, il put applaudir à l'adoption d'une nouvelle loi militaire, mais dans quelle mesure le pays avait-il été concerné par la formation (provisoire) d'une majorité à tendance nationaliste dans une Chambre des députés qui n'avait pas été élue pour cela ? Aux élections qui eurent lieu à la date normale, au printemps 1914, alors que la nouvelle loi de trois ans se trouvait au cœur du débat, on constate qu'aucune poussée nationaliste ne se manifeste. Au contraire. Réserve faite d'ailleurs qu'être partisan des trois ans n'engageait pas *ipso facto* dans le camp nationaliste, les seuls à gagner sans discussion des voix et des sièges dans une proportion impressionnante furent les socialistes qui, avant et pendant la campagne électorale, s'étaient montrés les adversaires les plus conséquents de la loi des trois ans. Ce ne fut pas la seule raison de leur victoire, mais elle y contribua. Toutes les autres formations politiques, à gauche comme à droite, stagnèrent ou reculèrent. On ne peut pas affirmer que, globalement, la gauche a gagné les élections, mais ce ne fut certainement pas la droite non plus. Le baromètre électoral n'est pas infaillible, les indications qu'il donne sont rarement simples à interpréter, on ne peut cependant lui faire dire le contraire de ce qu'il marque. Où était donc cette poussée nationaliste qui se dissipait le jour des élections ?

Une hypothèse que d'autres travaux pourraient chercher à vérifier serait qu'une poussée nationaliste aurait effectivement eu lieu en 1912-1913, et que les parlementaires, réceptifs à l'opinion publique, l'auraient alors réfléchie ? Elle n'a en tout cas guère duré.

A la veille de la guerre, il n'y a pas en France de courant nationaliste qui, par sa puissance, ait modifié le rapport des forces politiques, les rapports entre la droite et la gauche. Le nationalisme n'est pas sans dynamisme, ni sans vitalité ; il influence quelques groupes sociaux assez restreints, mais il est loin d'avoir envahi l'esprit des Français. Cela ne signifie pas qu'il n'ait pas déposé des semences dont certaines germèrent dans les premiers jours du conflit et dont on retrouva les effets lors de ce que nous avons appelé l'exaltation chauvine. Les attaques contre Maggi et Kub en furent un bon exemple. Mais il n'est pas sans importance que le dernier gouvernement qui ait réussi à se former, avant que la guerre n'éclatât, ait été présidé par un ancien socialiste qui avait voté contre la loi de trois ans. Il est également significatif que le président du Conseil que l'on annonçait pour après les vacances fût Joseph Caillaux, celui des chefs radicaux qui avait le plus clairement indiqué sa volonté d'un rapprochement avec l'Allemagne.


Doit-on pour autant rejeter l'idée d'une atmosphère de *veillée d'armes*, même si nous avons réussi à faire partager notre conviction de l'absence d'un flux nationaliste notable à la veille de 1914, car on peut ne pas aimer la guerre, ne pas la souhaiter, faire tout son possible pour l'empêcher et savoir pourtant que le risque d'y être confronté est considérable ? La réponse à cette question est plus complexe et plus difficilement cohérente.

Que, depuis 1905, l'idée de la possibilité d'une guerre, idée bien atténuée dans la période précédente, ait repris créance, cela va de soi ; que plusieurs crises aient semblé dangereuses pour la paix, sans doute. Les

Français en vivaient-ils pour autant dans la crainte permanente de la guerre et étaient-ils préparés à la perspective d'une guerre inéluctable ?

Certaines manifestations pourraient le faire croire. Ainsi, depuis plusieurs années, les différents courants du mouvement ouvrier avaient cherché à s'accorder, au plan international, sur les moyens à mettre en œuvre pour empêcher une guerre éventuelle provoquée par les rivalités impérialistes. De congrès en congrès, la deuxième Internationale avait remis la question à l'ordre du jour de ses travaux. En France, la CGT et le Parti socialiste s'en préoccupaient également de façon permanente et Jaurès avait de plus en plus consacré son activité à la défense de la paix. Lors de son congrès de juillet 1914, les débats du Parti socialiste avaient principalement tourné autour d'un projet de motion sur la façon d'empêcher une guerre d'éclater. Il n'y a donc pas d'incertitude : l'opinion ouvrière — au moins celle qui était influencée par le mouvement ouvrier — était avertie des risques de guerre.

A l'autre pôle de l'opinion, une fraction du courant nationaliste se complaisait à exalter la grandeur de la guerre et en appelait la venue.

Pourtant chez les premiers, les débats étaient fort académiques, on prenait son temps. On n'en était encore qu'à discuter d'une motion à présenter au congrès de l'Internationale fixé au mois d'août, plusieurs semaines donc après la crise qui provoqua la guerre et qu'on ne pressentait en aucune façon...

Chez les seconds, l'évocation de la guerre tenait plus de la phraséologie, voire de la métaphysique, que d'une éventualité véritablement prévue.

Les indications sont multiples que, dans les milieux les plus divers, on n'attendait plus la guerre qu'on avait souvent redoutée les années précédentes.

Pour se tenir à cet exemple, il est révélateur que les milieux financiers et les milieux industriels aient abordé les débuts de la guerre dans un total état d'impréparation. Ils n'appréhendaient pas plus un conflit que le président de la République ou le président du Conseil s'embarquant, en dépit de l'attentat de Sarajevo, pour un long voyage en Baltique...

La surprise, l'incrédulité furent le fait d'une large fraction de l'opinion publique lorsque parvint l'ordre de mobilisation. Le phénomène fut plus marqué dans les campagnes que dans les villes, où les nouvelles du déroulement de la crise pendant une semaine avaient préparé les esprits, mais il traduisit bien l'état mental d'une population qui ne s'attendait pas à un conflit. Nous avons même cru pouvoir conclure que le maintien de l'intérêt porté au procès de Mme Caillaux jusqu'aux tout derniers jours de juillet a exprimé le peu d'importance que l'opinion publique attachait aux événements qui étaient en train de se dérouler à l'extérieur.

On a dit et redit que la France s'attendait à la guerre à la veille de

1914. Elle aurait peut-être dû s'y attendre. Mais, aussi paradoxal que cela paraisse, l'opinion publique française en était beaucoup moins préoccupée que dans les années précédentes. L'horizon international s'était éclairci. « L'atmosphère (n'était) pas du tout à la guerre des peuples »[1].

Il faut se résigner, la notion de veillée d'armes doit être, dans une très large mesure, considérée aussi comme une idée toute faite.

Avoir accepté — sans examen très sérieux — que le nationalisme ait été une des composantes majeures de l'opinion publique à la veille de 1914, en avoir, dans une certaine mesure, induit que les Français vivaient dans une atmosphère de veillée d'armes, n'est donc pas sans lien avec l'idée, acceptée elle aussi sans discussion, d'un accueil enthousiaste de la guerre par l'opinion publique française.

De la même façon s'explique, nous semble-t-il, que l'action menée pour la paix par les organisations ouvrières ait été à ce point sous-estimée. A voir le peu de cas qui est fait de leurs actes, il serait possible en effet de supposer que ceux qui avaient promis de s'opposer à la guerre n'ont rien tenté. Il n'en fut rien. La recension partielle que nous avons pu établir montre qu'au moment de la crise de juillet 1914 un mouvement non négligeable en faveur de la paix s'est développé, que dans de nombreux départements et dans de nombreuses villes, démonstrations, réunions, distributions de tracts, collages d'affiches, ont eu lieu et que les réunions en particulier ont quelquefois rassemblé des auditoires impressionnants. Toutefois, loin de voir son ampleur s'accroître, de trouver un nouveau dynamisme en marchant, le mouvement s'étouffa.

Les explications en sont vraisemblablement les suivantes. La première, qui a rarement été mise en valeur, fut la brièveté de la crise. Toute la stratégie pacifiste fut fondée sur la conviction d'avoir le temps de mobiliser les opinions publiques des différents pays pour que leur pression sur les gouvernements soit décisive. D'où ce mot d'ordre particulièrement insistant chez Jaurès : « Du sang-froid ! ». Mais, dans la pratique, les événements ne cessèrent de devancer les hommes.

La deuxième est justement le choix de cette stratégie parmi les deux qui étaient possibles. En principe, l'action de la CGT aurait dû être de caractère révolutionnaire, c'est-à-dire qu'elle aurait dû se traduire par l'organisation d'une agitation aboutissant à la grève générale, sans se préoccuper ni du contexte national, ni du contexte international. Cette action fut d'ailleurs amorcée, mais pas à l'initiative de la direction de la CGT. A celle d'un petit groupe de journaliste de l'organe syndical, *La Bataille syndicaliste*. Elle ne fut pas sans écho, ne serait-ce que par le

---

1. Gaston Prache, *Journal d'un jeune normalien du Nord, op. cit.*, T 1, p. 7.

succès de la manifestation souvent violente qui eut lieu le 27 juillet à Paris. Mais elle fut consciemment freinée, puis arrêtée par les dirigeants de la CGT, Jouhaux à leur tête. Pour deux raisons au moins. D'abord parce qu'une action de type révolutionnaire en France n'aurait pu se coordonner avec aucune autre à l'étranger, en particulier en Allemagne. Ensuite parce que, même en France, elle était vouée à l'échec puisque, si un certain mouvement se produisait à Paris, la province ne répondait pas. Du moins c'est ce que croyaient les dirigeants de la CGT et que cette idée-force du syndicalisme révolutionnaire qu'était la spontanéité ne manifestait guère son efficience.

Une troisième raison de l'abandon de la stratégie révolutionnaire est moins liée à l'événement : les principaux dirigeants de la CGT étaient convaincus depuis un certain temps déjà que leur verbalisme révolutionnaire était en fait profondément inadapté à l'état réel de la société française et que l'antipatriotisme, thème permanent des dix dernières années, n'avait véritablement imprégné qu'une minorité assez faible de la classe ouvrière. De plus, même dans cette minorité, il y avait une grande distance entre affirmer son antipatriotisme en temps de paix et en adapter les conséquences en temps de guerre. Si on ajoute à cela la crise que traversait la CGT depuis plusieurs années, son déclin en effectifs, on conçoit que la stratégie révolutionnaire ait paru pour le moins aventureuse...

Il ne restait dans ces conditions qu'à se laisser glisser progressivement vers la deuxième stratégie possible, celle des partis socialistes : la pression pacifique et internationale sur les gouvernements. Elle était beaucoup moins irréaliste que la première parce qu'elle ne s'attaquait pas à la défense nationale, mais elle était difficile à mettre en œuvre et surtout lente. Elle exigeait en particulier une réunion du Bureau socialiste international, et dans des circonstances où chaque moment comptait, les principaux dirigeants socialistes européens furent retenus deux jours à Bruxelles. Cette deuxième stratégie exigeait du temps. Il n'y en eut pas.

Dotés d'une stratégie inapplicable et d'une autre que les circonstances rendirent inefficace, les militants ouvriers furent réduits à l'impuissance. La fraction de l'opinion publique qu'ils influençaient en eut assez rapidement conscience et très vite, tout en témoignant pour la paix, elle fut sans illusions. Cela permet de comprendre pourquoi le mouvement pacifiste s'étouffa avant même que la mobilisation soit décidée. On ne peut penser pour autant que ces pacifistes impuissants et déçus se soient transformés en quelques instants en sectateurs enthousiastes de la guerre.


Une deuxième explication permet également de comprendre pourquoi la mémoire collective a conservé le souvenir de Français enthousiasmés par le décret de mobilisation : deux moments distincts ont été confondus, ont été amalgamés, celui de la réception de l'ordre de mobilisation, le samedi après-midi, 1er août, et celui du départ des mobilisés qui se prolongea pendant une quinzaine de jours.

En procédant aux mêmes investigations et aux mêmes analyses que pour l'arrivée de l'ordre de mobilisation, il nous est apparu que tous les types de sources utilisées conduisaient à la même conclusion : les mobilisés montrèrent plus d'ardeur au moment du départ, faisant preuve de résolution et d'entrain. Là encore, il ne faut pas exagérer. Ce ne fut pas l'enthousiasme partout ; il s'exprima principalement dans les trains. Nombre de récits laissent d'ailleurs l'impression qu'il fut assez factice, en tout cas surfait, quelles qu'en aient été les manifestations extérieures.

Il n'en reste pas moins que l'opinion publique a donné l'impression d'évoluer entre ces deux moments. L'explication ne pouvait s'en trouver, avons-nous cru, que dans les raisons que les futurs combattants et leurs familles donnèrent à leur départ. L'analyse est venue confirmer ce que la mise au point sur l'état de l'opinion publique à la veille de la guerre nous avait laissé entrevoir : le nationalisme n'y a guère tenu de place, la revanche fut peu évoquée, l'Alsace-Lorraine encore moins.

L'opinion essentielle fut que la France en général et son gouvernement en particulier étaient pacifiques. Cette conviction n'est pas étonnante si on se souvient que Jaurès lui-même s'en portait garant à Bruxelles et que ce ne fut que dans les dernières heures de sa vie qu'il jugea insuffisamment vigoureux les actes du gouvernement français en faveur de la conservation de la paix. D'où une déduction simple : la France était attaquée, il fallait la défendre et, comme cette attaque venait d'un voisin dont on avait traditionnellement à se plaindre, c'était là l'occasion de régler la question une fois pour toutes. Il n'y avait pas d'autre issue. Le moteur du comportement des mobilisés n'a donc pas été l'esprit de conquête, mais l'indignation contre l'agression dont ils s'estimaient victimes.

On comprend dans ces conditions qu'on soit parti avec résolution, pour faire un travail nécessaire, mais que la joie, l'enthousiasme n'ont tenu qu'une place modérée dans les réactions de l'opinion publique : « Il s'agit de faire son devoir sans forfanterie et sans faiblesse », écrivit le pacifiste Emile Guillaumin [2].

Erreur en amont, déformation en aval. De l'attitude supposée de l'opinion publique au moment de la mobilisation, on a fait découler ensuite l'appréciation portée sur l'union sacrée.

_____

2. Lettre d'Emile Guillaumin, du 3 septembre 1914, citée par Jean Gaulmier, « Le pacifisme d'Emile Guillaumin », *Le Bourbonnais rural*, 9 novembre 1973. Cultivateur et écrivain, Guillaumin fut une grande figure du syndicalisme paysan dans le Bourbonnais.

Cette formule, plus que bien d'autres, a été retenue comme symbole du comportement des Français en 1914. Mais, victime de son succès, elle a évoqué par la suite des connotations fort contradictoires. Pour les uns, elle fut la manifestation la plus éclatante de la trahison socialiste, la traduction de ce péril toujours menaçant pour les organisations ouvrières, la collaboration de classes ; pour d'autres, elle fut un moment rare dans l'histoire d'un peuple dont les divisions sont un trait permanent, celui où, presque miraculeusement, les oppositions auraient disparu ; pour d'autres encore, elle fut simplement l'adhésion de l'ensemble des Français aux idées nationalistes.

Les réalités furent bien autres et elles le furent pour deux raisons. La première est que le contenu d'une formule comme l'union sacrée a nécessairement varié au cours d'une période de plusieurs années et qu'il n'est pas acceptable de le définir dans les premiers mois de la guerre en fonction de ce qu'il a pu être plus tard. La deuxième est que, là encore, on a amalgamé deux notions différentes, celle de la volonté de défense nationale et celle de l'union de tous les Français.

La première notion n'offre pas matière à discussion. Mis à part quelques cas de refus, quelques réticences, la volonté de défendre le pays a été le fait de la presque unanimité des Français. De ce point de vue, on peut dire que le pays s'est levé pour se défendre.

L'analyse de la seconde notion est beaucoup plus complexe. Qu'il y ait eu aspiration à l'union, qu'il y ait eu de multiples proclamations de la volonté d'union, que beaucoup aient même cru sincèrement à la disparition des oppositions, certainement. Suffit-il cependant que l'on proclame l'union pour que les oppositions entre groupes politiques, sociaux, spirituels, s'évanouissent, comme si elles n'avaient jamais reposé sur des bases réelles ?

La question se simplifie si on n'oublie pas que, lancée au début du mois d'août par Poincaré, la formule d'union sacrée ne fut guère employée pendant un certain temps et qu'on lui préféra ordinairement celle de trêve des partis. En réalité, on a eu tendance à oublier par la suite que cette union sacrée qui se réalisa en août 1914 n'avait été conçue que pour une courte période, puisque l'opinion publique, ainsi d'ailleurs que la plupart des responsables à tous les niveaux, était convaincue que la guerre serait brève, de quelques semaines seulement.

« On se représentait cette guerre comme un épisode bref et glorieux. On n'imaginait pas qu'elle pourrait mettre en cause les monnaies, l'équilibre social, le rôle de l'Europe dans le monde. Seul parmi nos gouvernants, Joseph Caillaux entrevoyait l'ampleur du désastre. Cette inconscience est la principale explication des événements de 1914 »[3].

---

3. Alfred Fabre-Luce, *J'ai vécu plusieurs siècles, op. cit.*, p. 49-50.

Dans cette optique, l'union sacrée n'était pas considérée comme une formule politique durable, elle était simplement accordée à l'idée d'une trêve. Ce n'est pas parce qu'un royaliste et un républicain s'entraident pour combattre un incendie qu'ils cessent pour autant d'être royaliste ou républicain.

L'instauration de cette trêve fut d'ailleurs favorisée par l'habileté du gouvernement qui sut ne pas appliquer le Carnet B et s'associer aux obsèques de Jaurès. Si le gouvernement avait appliqué, comme prévu, le Carnet B, il est tout à fait probable que cela n'aurait pas provoqué de troubles, mais il aurait rendu impossible la trêve. Comment la CGT et le Parti socialiste (même si peu de ses membres étaient inscrits au Carnet B) auraient-ils pu soutenir l'action du gouvernement dans ces conditions ?

Il en fut de même pour les obsèques de Jaurès. L'assassinat du dirigeant socialiste a provoqué dans le pays moins d'émotion que la lecture des journaux ne pourrait le faire croire. En tout cas, la mobilisation survenant quelques heures après, le grand bouleversement qu'elle provoqua a largement balayé l'impression faite par l'événement. Le gouvernement aurait pu s'abstenir de donner aux obsèques un tour solennel. En le faisant, il a rendu plus facile à la CGT et au Parti socialiste leur participation à la défense nationale.

Ces remarques faites, il est plus aisé de comprendre la nature de la trêve. D'une part, chacun campait sur ses positions. Les pacifistes continuaient à croire que la guerre était le mal et les nationalistes qu'elle pouvait être un bien. L'Eglise catholique n'oubliait pas les persécutions qu'elle estimait avoir subies de la part de la République, l'Action française ne s'était pas ralliée au régime républicain, les socialistes et les syndicalistes pensaient toujours qu'il fallait transformer la société. Et chacun persévérait à proclamer bien haut ses convictions, tout en s'abstenant ou en prétendant s'abstenir d'attaquer celles des autres. Les nationalistes et la droite en général ne se privaient pas, par exemple, d'accabler de sarcasmes les rêveries internationalistes de leurs adversaires.

D'autre part, respecter la trêve ne signifiait pas qu'on ne pensait pas à l'avenir politique, à un avenir proche. Il était donc nécessaire pour les différents courants politiques et spirituels de faire en sorte, une fois la défense du pays assurée, que les événements tournent à leur profit, donc de renforcer leur position sur le plan de l'argumentation et sur le plan des faits. C'est ainsi que les socialistes et les syndicalistes, tout en démontrant que la guerre, bien loin de condamner les positions qu'ils avaient défendues, rendait plus nécessaire que jamais l'édification d'une société nouvelle, entendaient que leur rôle dans le domaine de la défense nationale et leur aide dans la solution des questions humanitaires accroissent leur influence.

C'était toutefois pour l'Eglise que s'ouvraient les perspectives les plus favorables. L'entrée en guerre avait provoqué un incontestable retour aux manifestations de la foi, même si, dans les organes catholiques, on tendait à l'orchestrer et à l'exagérer. L'espoir fut donc clairement exprimé que, rompant avec un passé haïssable, la République tirât la leçon de la guerre et retournât dans le giron de l'Eglise. L'insistance fut telle que l'existence de ce courant, qui avait la sympathie de nombreux officiers, fit craindre à beaucoup d'éléments de gauche qu'un véritable péril clérico-militaire menaçait la République. D'ailleurs, le remaniement ministériel de la fin du mois d'août se garda d'englober dans le nouveau gouvernement la droite cléricale et nationaliste.

La prolongation de la guerre a, par la suite, fait oublier que l'union sacrée n'avait eu à l'origine qu'un caractère provisoire, qu'elle n'était qu'une trêve. En outre, à partir de l'image qui s'était également imposée d'un accueil enthousiaste de la mobilisation, la conception de l'union sacrée dut s'inscrire dans le prolongement de cette attitude. Elle prit alors la signification d'un rassemblement de tous les Français sur des positions nationalistes. Elle devenait le triomphe d'un courant de l'opinion française sur un autre, la reddition des pacifistes aux nationalistes, le triomphe de l'esprit belliciste. En vérité, ces conclusions erronées n'ont été que la conséquence logique de prémisses contestables.

L'union sacrée n'a pas été ce que l'on a dit ou cru. Le consensus s'est réalisé autour de l'idée de défense nationale, mais pour le reste, au moins au début de la guerre, c'est un phénomène ambigu et complexe, qui se situe plus au niveau des apparences que des réalités. Sans être inexistantes, les manifestations d'union étaient fragiles ou très circonstancielles. Personne, à vrai dire, ne les comprenait comme l'abandon de ses positions fondamentales.


L'évolution de l'opinion publique pendant la fin de l'été et les débuts de l'automne 1914 s'inscrivit logiquement dans le comportement des Français avant et pendant l'éclatement du conflit.

Peu préparés à l'idée de la guerre, s'y engageant avec regret, mais indignés par l'agression dont ils estimaient être les victimes, convaincus que, parce qu'ils étaient les soldats d'une bonne cause, ils vaincraient rapidement, ils étaient mûrs pour être la proie des illusions et des déceptions. Illusion quand un incident de guerre comme la prise momentanée de Mulhouse fit croire que cette guerre décidément serait facile. Déception qui tourna par endroits à la panique quand fut révélée l'ampleur des défaites subies : on a alors l'impression que la population civile — au moins — était incapable de faire face à l'adversité et que l'opinion publique était prête à s'abandonner à l'idée d'une défaite inévitable.

Illusion encore quand la bataille de la Marne permit de croire à nouveau que la victoire était proche. Illusion fugace toutefois parce qu'il ne fallut que quelques jours pour que s'établît la certitude qu'il s'agissait d'une victoire et non de la victoire. D'ailleurs, la victoire n'avait pas provoqué l'enthousiasme imaginé après coup. La joie avait été nuancée, teintée de la surprise d'avoir échappé au désastre, presque *par miracle*, comme l'idée devait bientôt s'en répandre. Avec le recul, l'événement apparaissait moins comme le résultat de la volonté nationale que comme celui de forces irrationnelles qui l'avaient suppléée. Déception quand la guerre menaça de durer, non plus quelques semaines, mais quelques mois peut-être. Les combattants étaient partis avec la conviction que, pour ceux qui en réchapperaient — et qui ne le croit pas en ces circonstances ? —, ils seraient bientôt de retour à la maison ; aussi l'opinion publique eut du mal à accepter *cette guerre qui tuait*, qui multipliait les ruines, qui n'était plus ce rapide règlement de comptes qu'elle n'avait pas souhaité, mais qu'elle avait admis puisqu'il lui était imposé.

Dans leur masse, les Français restèrent fermement patriotes, mais le cœur n'y était plus tout à fait. Leur désenchantement ne tarda pas à se manifester. Dans une lettre à son ami Halévy, en janvier 1915, Alain, pourtant engagé volontaire, observait :

> « Beaucoup de citoyens et même d'officiers sont comme moi ; ils considèrent qu'ils sont soumis à une épreuve de courage absurde et inutile, bien mieux, dont les conséquences sont et seront désastreuses quelle que soit la terminaison ; cela n'empêche pas qu'un homme de caractère tienne le coup, je remarque même qu'il n'y a que ceux-là qui tiennent le coup... » [4].

Un chroniqueur inscrivait dans son *Journal* en date du 31 décembre 1914 : « Ici finit la déplorable année 1914 qui a vu se déchaîner la nouvelle mêlée des nations » [5].

Déplorable, absurde, inutile, conséquences désastreuses... A la fin de l'année 1914, au début de l'année 1915, beaucoup de Français commençaient à ne plus très bien comprendre ce que signifiait cette aventure dans laquelle ils étaient engagés.

Ce sentiment fut particulièrement sensible dans certains milieux ouvriers, socialistes ou pacifistes. Emportés par le tourbillon des événements, puis atterrés par les risques courus par la France, ils s'étaient associés presque sans réserve à la défense nationale, ils avaient accepté une guerre contraire à toutes leurs aspirations. Pour eux aussi, la victoire de la Marne marqua un tournant. Il n'a pas été souvent observé, nous semble-t-il, qu'un homme comme Romain Rolland, devenu, avec quelque exagération peut-être, le symbole d'une prise de conscience sur

---

4. Alain, *Correspondance...*, *op. cit.*, p. 171.
5. Arthur Moméja, *op. cit.*, p. 187.

la guerre, *n'a pris la parole* — et il le dit explicitement — que lorsque le sort de la France ne fut plus un jeu, au moins momentanément. De même, si certaines attitudes de Jouhaux, en particulier, avaient provoqué quelques remous au sein de la CGT dès le début de septembre, ce n'est qu'à partir d'octobre-novembre que commencèrent à réellement s'y manifester les interrogations sur la guerre et sa légitimité et sur la légitimité d'y participer. Ce courant est encore tout à fait marginal, quantitativement infime, d'autant que les organisations socialistes et syndicalistes — même si elles ne sont jamais tombées dans une léthargie complète — n'ont pas retrouvé une grande activité, mais il est la marque d'un début de rupture dans le consensus national.

La description de l'opinion publique pendant l'été 1914 à laquelle nos recherches nous ont permis d'aboutir soulève à son tour un certain nombre de questions.

La première est celle de la nature du consensus national qui s'est réalisé en France. Au moment où les Français acceptaient la guerre, les Allemands, les Russes, les Anglais ... l'acceptaient aussi. On peut donc se demander si l'attitude française présente quelque originalité par rapport à ce qui s'est passé ailleurs. Est-ce que la même chose a eu lieu dans tous les pays concernés ?

Superficiellement, oui ! Mais nous ne pouvons pas affirmer que derrière les apparences se sont trouvées les mêmes réalités. Seules des études comparables menées pour les autres pays permettraient de dire ce qu'il en fut réellement [6]. Il y a de bonnes raisons de penser que les motifs qui, dans chaque pays, ont poussé au moins une large majorité à accepter la guerre, ont été différentes.

La voie française fut celle de l'unanimité dans la volonté de se défendre. Attitude normale ? Oui, en théorie. Pourtant le France a vécu deux autres expériences apparemment de même nature, en 1870 et en 1939. Il semble bien que, ni dans un cas, ni dans l'autre, le comportement de l'opinion publique ait été le même. Les Français avaient-ils, en 1870, véritablement le sentiment de se défendre ? Avaient-ils, en 1939, la volonté de se défendre ?

En août 1914, derrière les apparences d'un pays divisé, il y a accord profond sur un certain nombre de valeurs essentielles. En fait, la France offre alors vraiment le spectacle d'une nation.

---

6. Jean Guéhenno (*La mort des autres, op. cit.*, p. 163) fait état de la surprise de Trotsky et de l'explication qu'il avançait devant l'élan des masses en Autriche-Hongrie, pourtant « une prison des peuples » : « Il existe beaucoup de gens dont toute la vie, jour après jour, se passe dans une monotonie sans espoir. C'est sur eux que repose la société contemporaine. Le tocsin de la mobilisation générale intervient dans leur existence comme une promesse. Tout ce dont on a l'habitude et la nausée est rejeté : on entre dans le royaume du neuf et de l'extraordinaire... La guerre s'empare de tous, et, par suite, les opprimés, ceux que la vie a trompés, se sentent alors comme à un niveau d'égalité avec les riches et les puissants... ».

N'y-a-t'il donc plus de différences régionales, d'opposition de classes ? Tout au long de notre étude, nous avons montré des différences de comportement d'une région à une autre, d'un village à un autre, sur un point ou un autre, mais sans pouvoir en tirer des conclusions significatives d'ordre général. Il est possible que notre documentation en soit responsable, il est possible aussi que, mises à part des nuances dues au tempérament régional ou à la situation géographique, il n'y ait pas eu de véritable différence.

Quant aux oppositions de classes, elles ne se sont plus manifestées après le bref combat mené pour sauver la paix, qui ne vise d'ailleurs jamais à entraver la défense nationale. Les ouvriers se comportèrent comme les autres catégories de la population, même s'ils furent légèrement plus réticents à accepter la guerre. On pourra éternellement gloser sur la « trahison » socialiste ou syndicaliste, dresser des réquisitoires, scruter au microscope l'attitude de tel ou tel dirigeant ouvrier, le fait essentiel est que, *momentanément* au moins, les masses ouvrières françaises ont fait primer la nation sur la classe, ou plus exactement qu'elles n'ont pas vu de différences entre les intérêts de l'une et ceux de l'autre, ou encore qu'apportant un brutal démenti aux propos sur leur non-appartenance à une patrie, elles ont eu clairement conscience d'en posséder une. Nous n'en déduirons pas que le fait national prime toujours le fait social, même s'il y en a beaucoup d'exemples. Mais, dans ce cas, c'est incontestablement la puissance du fait national qui s'est manifestée.

Pour l'essentiel, nos conclusions corroborent celles de Michelle Perrot :

> « L'insigne médiocrité [7] de la résistance à la guerre et ensuite la faiblesse du " défaitisme " ont un sens. La guerre de 1914 marque à certains égards l'achèvement de la " nation française " : en lui intégrant la classe ouvrière, cette " refoulée " du 20ᵉ siècle. Ainsi à l'image léniniste d'une classe ouvrière trahie par ses chefs sociaux-démocrates, convient-il peut-être d'en substituer une autre, celle d'une minorité de militants, conscients des horreurs de la guerre, mais aussi de leur impuissance devant l'étendue du sentiment national populaire » [8].

Encore une fois cependant, il ne faut pas se tromper sur le contenu de ce sentiment national : il a tiré alors toute sa puissance de la conviction partagée presque unanimement que l'on était acculé à se défendre. Il n'est pas possible d'en tirer la conclusion que l'existence des nations rend inéluctable les conflits. Comme les autres causes de guerre, le sentiment national ne joue que dans certaines conditions, mais c'est toujours,

---

7. La formule est excessive, comme nous l'avons montré précédemment.
8. Michelle Perrot et Annie Kriegel, *Le socialisme français et le pouvoir*, Paris, EDI, 1966, 221 p., p. 89.

soit dans leurs calculs, soit dans leurs explications, « une grande erreur des hommes que de minimiser la force vive du sentiment national »[9].

Une deuxième interrogation est d'un ordre tout différent. Comment a-t-il été possible, s'il est vrai que l'opinion publique française ne s'est déterminée que par rapport au court terme, qu'elle ait supporté une épreuve de plus de quatre années ?

Une réponse approfondie nécessiterait que l'analyse de l'évolution de l'opinion publique soit menée de l'automne 1914 jusqu'au 11 novembre 1918. Il n'est toutefois pas impossible de présenter quelques observations.

La première est que si le moral des Français ne s'est pas maintenu pendant toute la durée de la guerre au niveau où il s'est trouvé au début du mois d'août (il n'était pas à toute épreuve et il avait montré ses fragilités dès la fin du mois), s'il a pu fluctuer, ses oscillations n'ont pas été suffisantes en l'absence de défaites majeures pour désagréger le consensus national, même si, au cours des années, celui-ci s'est effrité, voire lézardé.

La deuxième est qu'on ne peut négliger le rôle de la censure. La direction de l'information permit aux autorités civiles et militaires d'effacer autant qu'il était possible les reliefs des événements. L'inconvénient était de limiter l'exaltation patriotique, mais l'avantage d'éviter les sautes d'humeur exagérées de l'opinion publique au gré des circonstances. De plus, comme la censure s'était très vite arrogé le droit de pénétrer dans le secteur politique, l'opinion était tenue, dans une très large part, en dehors des tentatives de paix et des polémiques qu'elles auraient suscitées. Cela lui évitait de se laisser aller à des rêveries pacifiques.

Une troisième observation n'est vraisemblablement pas la moins importante. Pendant longtemps, les Français ne se sont pas installés dans une guerre de longue durée ; ils le faisaient en quelque sorte dans de courts termes successifs, dans de brèves périodes assez imprécises, mal définies, mais correspondant chaque fois à l'idée du dernier effort. Il est possible que si d'entrée, c'est-à-dire dès l'automne 1914, civils et militaires avaient été conscients que l'issue était reportée à plusieurs années, un phénomène de rejet se soit produit ; en revanche, il était toujours acceptable de tenir quelques mois encore...

Une dernière observation découle des constatations que nous avons faites dès les premiers mois de la guerre. Les mesures prises par le gouvernement, telles que la décision de servir des allocations aux familles nécessiteuses, les nombreux emplois procurés par les industries de guerre aux femmes ainsi qu'à de nombreux ouvriers rappelés à l'arrière, ont assuré à l'ensemble de la population des conditions matérielles supporta-

---

9. Jean-Baptiste Duroselle, *Le Monde*, 16 juillet 1970.

bles, au moins jusqu'au moment où l'inflation a commencé à faire sentir ses effets. Il n'y a pas de doute — et les contemporains en ont été conscients — que cela a permis de supporter la longueur du conflit.

Ces rapides remarques n'ont pas la prétention d'épuiser ce sujet, mais ont au mieux celle de déterminer quelques directions de recherches ultérieures. En outre, si dans cette première période, l'absence d'une documentation suffisante nous a contraint de seulement effleurer l'étude du moral de l'armée, son analyse devient possible et nécessaire pour la suite de la guerre, encore que, dans les pays où des mouvements révolutionnaires se sont produits, « initialement » ils ont plutôt été le fait de « l'arrière ».

La plus grande partie de notre enquête a consisté à décrire la psychologie collective des Français pendant l'été 1914.

P. Renouvin estimait, il y a quelques années, que c'était dans ce domaine, celui de la *psychologie sociale*, que l'étude historique de l'opinion publique était « peut-être appelée à trouver son champ d'application le plus valable » [10].

Nos recherches confirment largement ce point de vue. Est-il toutefois possible d'aller plus loin ? Peut-on espérer montrer que l'opinion publique est un élément d'explication dans le déroulement des événements ? En d'autres termes, l'opinion publique possède-t-elle un poids spécifique ? Son histoire relève-t-elle seulement de l'histoire des mentalités ou a-t-elle aussi sa place dans l'histoire générale ?

Peut-on dire qu'en 1914 l'opinion publique française a eu une part dans le déroulement des événements ?

Non, si on entend par là qu'elle a poussé à la guerre. L'opinion publique ne la souhaitait pas et n'y croyait pas. Oui, si on veut dire qu'elle l'a acceptée, dans la mesure où se réalisa le consensus pour la défense nationale. Certes, il ne semble pas qu'il y ait eu un risque sérieux que la mobilisation soit entravée. Mais il n'allait pas de soi qu'elle eût lieu dans un ordre parfait, ni que, dans sa totalité ou presque, la population concourût avec bonne volonté à la défense nationale. Il est utile de souligner que la gouvernement avait quelques doutes sur ce point puisqu'il avait multiplié les précautions pour ne pas risquer d'apparaître comme responsable du conflit — ce qui avait aussi pour but de se concilier l'opinion internationale — et que ce n'était pas sans hésitations qu'il s'était décidé à ne pas appliquer le Carnet B. Il avait donc certaines craintes quant aux risques de subversion.

Nous ne croyons pas en vérité que, même si le gouvernement français

_____

10. « L'étude historique de l'opinion publique », *Revue des travaux de l'Académie des sciences morales et politiques*, 1er semestre 1968, p. 133.

n'avait pas aussi bien réussi à montrer qu'il n'avait pas de responsabilités dans l'éclatement du conflit, un mouvement d'opinion assez puissant pour s'opposer à la guerre se soit développé. En revanche, l'évolution ultérieure de l'opinion publique aurait pu être tout à fait différente. Ne doit-on pas se demander en effet si les défaites de 1870 et de 1940 n'ont pas été en grande partie le résultat, dans le premier cas, du désintérêt partiel d'une opinion qui ne se sentait que peu concernée, dans le second cas du refus de l'opinion d'accepter véritablement les sacrifices de la guerre ? C'est-à-dire que la réalisation d'un puissant consensus national dans les premières semaines d'une guerre, ou son absence, a des conséquences durables sur la suite des événements.

On ne peut donc pas conclure à une influence directe de l'opinion publique sur l'éclatement de la guerre. Néanmoins, en acceptant la guerre, elle l'a rendue possible. Ce n'est pas là truisme. Il n'est pas négligeable qu'elle l'ait acceptée avec résolution et il n'est pas indifférent d'avoir compris pourquoi.

Une dernière question ne doit pas être esquivée. L'opinion publique fut-elle libre de son choix ? Ne fut-elle pas subornée ?

Comme l'opinion publique se détermine moins en fonction des réalités que de la façon dont elle les perçoit, ne fut-elle pas sciemment trompée ?

C'est une des explications que Roger Martin du Gard avance dans son célèbre *Eté 1914*[11]. La presse serait la grande fautive. Elle aurait brouillé les cartes, obscurci la notion d'agresseur, permis à chaque peuple de se sentir attaqué, menacé dans son honneur. On ne peut nier que ce fut le cas de certains journaux. Mais en dehors même de l'influence, à notre sens excessive, qui serait ainsi accordée à la presse dans la formation de l'opinion publique, cela signifierait que seule la presse « vénale », la presse « aux ordres » ou la presse nationaliste aurait été entendue, qu'il n'y aurait pas eu de presse indépendante. C'est faire bon marché de la diversité des opinions de la presse française.

C'est une démarche assez courante de considérer que l'opinion publique a été abusée à partir du moment où on conteste ses choix, c'est aussi quelquefois une façon de la disculper, par la suite, de ses comportements.

En 1914, la question allemande, de même que les questions de défense, n'étaient pas des problèmes nouveaux pour l'opinion publique : on peut donc estimer qu'elle s'est déterminée en connaissance de cause, que même la surprise ne l'a pas désorientée au point de l'abuser. Il est certainement plus proche de la réalité historique d'admettre que l'opinion publique n'est pas cette sorte d'écervelée, jouet de toutes les intri-

---

11. *Les Thibault*, T. IV, Paris, Gallimard, Bibliothèque de la Pléiade, p. 595-596.

gues, mais que ses déterminations répondent à des considérations infiniment plus réfléchies, même si, par la force des choses, elle ne peut connaître tous les dessous des cartes.

Cette explication d'une opinion trompée par la presse nous paraît finalement à la fois superficielle et artificielle.

En revanche, une autre interprétation avancée par R. Martin du Gard semble plus se rapprocher de la réalité. Comme il le fait dire par un de ses héros : « C'est tout à fait le drame d'Œdipe ... Œdipe aussi était averti. Mais, au jour fatal, il n'a pas reconnu dans les événements ces choses terribles qui lui étaient annoncées... ». De même, l'opinion pourtant avertie et qui veillait n'a pas reconnu dans ce qui se passait les événements redoutés. « Pourquoi ? Peut-être simplement parce que, dans tous ces événements attendus, redoutés, s'est glissé un peu d'imprévu, un rien, juste assez pour modifier légèrement leur aspect et les rendre subitement méconnaissables... » [12].

Le déroulement des événements ne contredit pas cette appréciation. Quand le risque de guerre se manifesta, un mouvement d'opposition, nous le savons, apparut, mais il n'eut pas d'effet sur l'engrenage de la guerre. Les événements allaient trop vite et la protestation n'avait pas de prise parce que ce qui se passait ne ressemblait pas à ce qu'on avait imaginé. Même ceux qui connaissaient l'explication des conflits par les rivalités des impérialismes distinguaient mal comment cela s'appliquait à l'attitude de la France. Aussi, le mouvement de protestation fit long feu et les dirigeants socialistes et syndicalistes ne firent que le constater.

Il est cependant nécessaire qu'à cette interprétation de R. Martin du Gard nous présentions une objection : et si l'opinion n'avait pas reconnu le schéma annoncé tout simplement parce qu'il ne correspondait pas *véritablement* à la réalité ? On ne peut oublier que, si on ne conteste guère à notre époque que les rivalités impérialistes ont alourdi le climat international, soixante ans de travaux n'ont pas permis de démontrer qu'elles aient eu une part décisive dans le déclenchement de la guerre.


Le 1er août 1914, la France a basculé dans la guerre. Elle l'a fait sans se rendre compte de ce que cela signifiait vraiment. L'opinion publique n'imaginait pas qu'avec le début du conflit européen un monde finissait et que s'engageait un processus de fantastiques bouleversements dont la Grande Guerre ne fut que la première phase.

Mais elle l'a fait parce qu'elle était une nation et, parce qu'elle était une nation, même si elle prit bientôt conscience de la catastrophe que la guerre représentait, de l'absurdité de ce suicide collectif de l'Europe, son opinion publique, pour l'essentiel, allait tenir jusqu'au bout.

---

12. *Op. cit.*, p. 595-596.

# Problèmes de méthode

*Pierre Renouvin, « L'étude historique de l'opinion publique », Revue des travaux de l'Académie des sciences morales et politiques,* 1er semestre 1968.
— « L'opinion publique en France devant la guerre, en 1914 : programme de recherches », *Comité des travaux historiques. Bulletin de la Section d'histoire moderne et contemporaine,* 1964, p. 39-44.
Jacques Ozouf, « L'instituteur (1900-1914) », *Le Mouvement social,* juillet-septembre 1963 (Les enquêtes rétrospectives).
— « Mesure et démesure : l'étude de l'opinion », *Annales (Economie — Société — Civilisations),* mars-avril 1966, p. 324-345.
— « L'opinion publique : apologie pour les sondages », in *Faire de l'histoire,* T.III. *Nouveaux objets* (sous la direction de Jacques Le Goff et Pierre Nora), Paris, Gallimard, 1974, p. 220-235.

# Les sources

## A. LES ARCHIVES

### 1. Les archives nationales (AN)

Principalement la série F 7,
*sur les activités socialistes :* 12495 à 12502, 12525, 13609, 13070, 13072, 13074, 13075.
*sur la CGT,* 13571, 13572, 13574.

*sur les anarchistes,* 13053, 13054, 13055, 13057, 13058.
*sur la Ligue des patriotes,* 12873.
*sur l'Action française,* 13194, 13195.
*sur les catholiques,* 13213, 12881.
*sur l'antimilitarisme, le pacifisme...,* 13333, 13335 à 13344, 13345, 13346, 13347, 13348, 13065, 12911, 13372, 13375, 13961.
*sur les élections législatives de 1914,* 12822.
*sur l'opinion publique pendant la période de tension précédant la guerre et les premières semaines du conflit,* 12934, 12936, 12937, 12938, 12939.

Dans la série BB (procureurs généraux), 18/2530, 2531.


## 2. Les archives départementales (AD)

*Basses-Alpes :* CX 1672 ; *Calvados,* série M ; *Côte-d'Or,* supplément moderne, 3536, 3501, 3158 ; *Cher,* R 15 16, 1 J 78, 25 M 54 ; *Charente-Inférieure,* 2 J 28 ; *Dordogne,* 1 M 86 ; *Drôme,* 200 M 111, 200 M 112, 200 M 117, 200 M 122 ; *Gard,* 15 M ; *Ille-et-Vilaine,* 1 F 1768 ; *Indre-et-Loire,* rapport du préfet à la session d'août 1914 du Conseil général de Mont-de-Marsan ; *Loire,* 19 M 37, 19 M 38, 21 M 34 ; 10 M 166 ; 10 M 167 ; *Nord,* R 28-R 29, R 30, R 55-56, R 145 ; *Pas-de-Calais,* 1 Z 227, 1 Z 290 ; *Puy-de-Dôme,* Série J, Notes et documents rassemblés par Desdevises du Dézert ; *Rhône,* 4 M Police, 4 M 799/4 et 822/4 ; *Haute-Saône,* 145 R 1, 2, 3, 146 R, 147 R et 148 R ; *Saône-et-Loire,* liasse « vie locale », « La guerre vue du Creusot », 30 M 44, 51 M ; *Seine-et-Marne,* 3 R ; *Deux-Sèvres,* 4 M 6/29 ; *Tarn,* rapports du préfet au ministre de l'Intérieur (août 1914) ; *Tarn-et-Garonne,* Jules Moméja. Journal de guerre (1914-1918) (12 gros cahiers consultables seulement depuis 1958), 30 M 5 ; *Vaucluse.* J 13 ; *Var,* 4 M 43, 3 Z 4/4.


## 3. Les archives de la préfecture de police (APP)

B a/748, B a/755, B a/1535.


## 4. Les archives militaires (AM)

*Cabinet du ministre, cabinet militaire* (5 N), 5 N 8 à 86 (août 1914 à octobre 1915) 5 N 230 (carton 157)
*Section presse* (5 N 332-337), Cartons 322, 323, 324, 348, 353, 362, 364, 366 ; 368 à 383 ; 643 à 645.
*Etat-Major, 1er bureau* (7 N 569/577), Carton 1715 ; *2e bureau* (7 N 944/959), Carton 2855 ; *3e bureau* (7 N 1736/1785), Cartons 3306, 104, 137. *Grand Quartier Général* (16 N), Cartons 48, 121.


## 5. Les archives de la justice militaire, 179 liasses de jugements et 39 liasses de non-lieux pour la période du 1er août 1914 au 1er décembre de la même année.

## 6. Les archives religieuses

*Archives de l'Archevêché de Paris.* Série 5 B 11, liasses 3, 4, 10, 11, 12, 13, 14.
Série 1 D XI 27, XI 30.

## 7. Les archives des banques et de la Chambre de commerce de Paris

En réalité plutôt les rapports de conseil d'administration de nombreux établissements financiers et industriels, ainsi que le *Bulletin de la Chambre de commerce de Paris,* les procès-verbaux (in extenso) des séances du bureau de la Chambre de commerce de Paris, les comptes rendus (in extenso) des assemblées des présidents des Chambres de commerce de France.

## 8. Les archives syndicales

Notamment les procès-verbaux des sessions du conseil fédéral de la Fédération des instituteurs (1913-1918), les archives Monatte, les archives Péricat (Institut d'histoire sociale).

## B. LA PRESSE

Outre les auteurs dont les articles ont été rassemblés dans des recueils, Maurice Barrès, Léon Blum, Gustave Hervé, Jean Jaurès, Romain Rolland, les principaux journaux consultés sont les suivants :

*Journaux de Paris :*
Extrême-gauche : *La Bataille syndicaliste, L'Humanité, La Guerre sociale, Le Bonnet rouge.*
Gauche : *Le Radical, L'Homme libre.*
Centre : *L'Eclair, Le Temps.*
Droite : *L'Echo de Paris, L'Action française, l'Autorité.*
Grande information : *Le Journal, Le Petit Parisien, Le Matin.*

*Journaux de province :*
Journaux régionaux : *Le Réveil du Nord, L'Est Républicain, Le Progrès de la Côte-d'Or, Le Progrès de Lyon, La Dépêche de Lyon, Le Petit Dauphinois, Le Droit du peuple* (Grenoble), *Le Petit Provençal, Le Petit Marseillais, Le Petit Méridional, La Dépêche de Toulouse, L'Express du Midi* (Toulouse), *Le Midi socialiste* (Toulouse), *La Petite Gironde, La France de Bordeaux et du Sud-Ouest, La liberté de Bordeaux et du Sud-Ouest, Le Courrier du Centre* (Limoges), *Le Populaire du Centre* (Limoges), *Le Moniteur du Puy-de-Dôme), Le Nouvelliste de Bretagne, Ouest-Eclair* (Rennes), *Le Courrier du Havre, Le Journal du Havre, Le Havre, Le Journal de Rouen.*
Journaux départementaux : *Le progrès de la Somme, La Charente, L'Avenir de la Dordogne, Le Journal de Mamers, Le Courrier de Mamers.*

*Périodiques spécialisés :*
catholiques : *La Semaine religieuse, Le Pélerin ;*
protestants : *Evangile et Liberté, Le Christianisme au XX<sup>e</sup> siècle.*
financiers : *La Semaine financière, minière, commerciale, industrielle et politique.*
d'instituteurs : *Revue de l'enseignement primaire, Journal des instituteurs, L'Ecole émancipée.*

## C. LES TÉMOINS

### 1. Mémoires et souvenirs

La première catégorie de témoins est formée par ceux qui, à un titre ou un autre, ont joué un rôle et ont cru bon de raconter leur participation aux événements. L'utilisation de ces Mémoires, Souvenirs..., exige toujours certaines précautions.

#### 1. D'HOMMES POLITIQUES

Joseph Caillaux, *Mes mémoires,* notamment le tome III, *Clairvoyance et force d'âme dans les épreuves* (1912-11930), Paris, Plon. 1947, 399 p.
— *Agadir, ma politique extérieure,* Paris, 1919, 243 p.

Winston Churchill, *The world crisis* (1911-1918), Londres, 1943, 820 p. (1<sup>re</sup> édition 1931).

Abel Ferry, *Les Carnets secrets* (1914-1918), Paris, Grasset, 1957, 255 p.

Charles Humbert, *Chacun son tour,* Paris, 1925, 442 p.

Aristide Jobert, *Souvenirs d'un ex-parlementaire* (1914-1919), Paris, 1933, 288 p.

Louis Malvy, *Mon crime,* Paris, Flammarion 1921, 286 p.

Adolphe Messimy, *Mes souvenirs,* Paris, Plon, 1937, XXVIII-428 p.

Raymond Poincaré, *Au service de la France, Neuf années de souvenirs,* Paris, Plon, T. III (1926), IV (1927), V (1928).
— *Les origines de la guerre* (conférences prononcées en 1921 à la Société des conférences), Paris, Plon, 1921, 283 p.

Alexandre Ribot, *Journal et correspondance inédites* (1914-1922), publié par le docteur A. Ribot, Paris, Plon, 1936, 307 p.

André Tardieu, *Avec Foch* (août-novembre 1914), Paris, Flammarion, 1939, 283 p.

#### 2. DE MILITANTS POLITIQUES OU SYNDICAUX

Marcelle Capy, *Une voix de femme dans la mêlée,* préface de R. Rolland Paris, 1916, Librairie Ollendorff, 155 p. (L'auteur était journaliste à *La Bataille syndicaliste*).

Hyacinthe Dubreuil, *J'ai fini ma journée*, Paris, Librairie du compagnon-
nage, 1971.

Georges Dumoulin, *Carnets de route, 40 années de vie militante*, Lille, éditions de l'Avenir, s.d., 320 p.
— *Les syndicalistes français et la guerre*, Paris, éditions de la Bibliothèque du travail s.d., (1918), 26 p.

Jean Goldsky, *La réincarnation de Judas. Les trente deniers de G. Hervé.
Histoire d'une trahison*, Paris, Edition de la tranchée républicaine, (s.d.
1917 ?), 15 p.

Gaston Guirand, *P'tite gueule*, Paris, Charpentier, 1938, 261 p. (roman,
mais en annexe un récit d'Auguste Savoie, militant syndical, sur son
arrestation temporaire).

Louis Lecoin, *De prison en prison*, Antony, édité par l'auteur, 1947, 253 p.

Jean Marie, « Souvenirs du passé », *Le Mouvement social*, 70, janvier-mars
1970 (Le narrateur était le secrétaire « révolutionnaire » du Syndicat des
mineurs d'Epinac en 1914).

Pierre Monatte, *Trois scissions syndicales*, Paris, Ed. Ouvrières, 1958, 256 p.

Raymond Péricat, *La guerre vue par un ouvrier* (Voir archives syndicales).

Docteur Fraissex, *Au long de ma route*, Limoges, Imp. de Rivet 1946,
132 p. (Souvenirs d'un militant socialiste, puis communiste de Haute-
Vienne, maire d'Eymoutiers).

Charles Tillon, *La révolte vient de loin*, Paris, 1972, 10/18, 446 p.

Emile Vandervelde, *Souvenirs d'un militant socialiste*, Paris, Denoël, 1939,
294 p.


## 3. DE GÉNÉRAUX

Maréchal Fayolle, *Cahiers secrets de la Grande Guerre*, présentés et annotés
par Henry Contamine, Paris, Plon, 1964, 343 p.

Général Galliéni, *Carnets* (publiés par son fils Gaëtan Galliéni). Paris, Albin
Michel, 1932, 316 p.

Maréchal Joffre, *Mémoires* (1910-1917), Paris, Plon, 1932, 2 tomes, 955 p.


## 4. DE DIPLOMATES

Beyens (Baron), « Deux années à Berlin (1912-1914) », *Revue des deux
mondes*, 1er-15 juillet 1929.

Georges Louis, *Les Carnets de...* (ambassadeur de France en Russie), T. II,
1912-1917, Paris, Rieder, 1936, 266 p.

Maurice Paléologue, *Journal (1er janvier 1913-28 juin 1914), Au Quai
d'Orsay, A la veille de la tourmente*, Paris, Plon, 1947, 329 p.

Schoen (Baron de), *Mémoires* (1900-1914). Paris, Plon, 1922, 322 p.


## 5. DE PRÉFETS

Olivier Bascou, *L'anarchie et la guerre*, Paris, Félix Alcan, 1921, 256 p.
(L'auteur était préfet de la Gironde en 1914).

Pierre Bordes, *Le département de la Sarthe et la Guerre* (août 1914-août 1915), Le Mans, imp. de Drouin, 1915, 48 p.

Etienne Coyne, *Le Tour de France d'un préfet de 1914,* Montauban, 1915, 148 p. (L'auteur était préfet de la Haute-Saône).

Gabriel Letainturier, *Deux années d'efforts de l'Yonne pendant la guerre* (août 1914-août 1916), Auxerre, Tridon-Gallot, 1916, XXXII-452 p.

Fernand Tardif, *Un département pendant la guerre,* La Roche-sur-Yon, 1917, 281 p. (L'auteur était préfet de la Vendée).

6. D'ÉCRIVAINS, JOURNALISTES, UNIVERSITAIRES (qui peuvent être en même temps des hommes politiques)

Alain, *Souvenirs de guerre,* Paris, Paul Hartmann, 1952, 246 p.

Jacques Bainville, *Journal inédit, 1914,* Paris, Plon, 1953, 247 p.

Maurice Barrès, *Mes Cahiers,* 10 (janvier 1913-juin 1914), Paris, 1936, VIII-475 p. T. II (juin 1914-décembre 1918), Paris, 1938, XXII-443 p.

Marc Bloch, *Souvenirs de guerre (1914-1915),* Cahier des Annales, 26, 1969, 56 p.

Henry Bordeaux, « Il y a quarante ans ; souvenirs de la mobilisation ». *Ecrits de Paris,* 143, 1956, p. 49-56.

Paul Claudel, « Journal, L'année 1914 » *Le Figaro littéraire,* 18-24, février 1965.

Léon Daudet, *L'hécatombe, Récits et souvenirs politiques, 1914-1918,* Paris, Nouvelle Librairie Nationale. 1923, 308 p.

Alfred Fabre-Luce, *J'ai vécu plusieurs siècles,* Paris, Fayard, 1974, 403 p.

François Gadrat, « Deux anniversaires », *Education nationale,* 25, 24 septembre 1964.

Maurice Genevoix, *Ceux de 1914,* Paris, Flammarion, 1950, 620 p.

Jean Guéhenno, *La mort des autres,* Paris, Grasset, 1958, 214 p.

Gyp, *Le journal d'un cochon de pessimiste.* Paris, Calmann-Lévy, 1918, 358 p.

André Latreille, « 1914, Réflexions sur un anniversaire », *Le Monde, 31 décembre 1964.*

Charles Paix-Séailles, *Jaurès et Caillaux* (Notes et Souvenirs), préface d'Henri Barbusse, Paris, s.d., 190 p.

Romain Rolland, *Journal des années de guerre (1914-1918),* Paris, Albin Michel, 1952, 1910 p.

— *De Jean-Christophe à Colas Breugnon,* pages de journal de R. Rolland, Paris, 1946, 181 p.

Louise Weiss, *Mémoires d'une Européenne,* T. I (1893-1919), Paris, Payot 1970, 316 p.

## 2. Les correspondances

Un certain nombre de correspondances ont été publiées qui, dans la mesure où elles n'ont pas été tronquées, offrent les témoignages les plus spontanés.

xxx, « Août 1914 (Lettres d'un jeune lieutenant à ses parents) », *Revue du Rouergue*, 18 (71), 1964, p. 271-280.

Alain, *Correspondance avec Florence et Elie Halévy*, Paris, Gallimard, 1958, 467 p.

Henri Barbusse, *Lettres à sa femme (1914-1917)*, Paris, Flammarion, 1937, 261 p.

Jean-Richard Bloch, « Lettres 1914-1918 », *Europe*, 135 à 143, 1957.

Eugène E. Lemercier, *Notes* (1905-1914), suivies de *Lettres inédites*, Paris, Berger-Levrault, 1924, 108 p. (Tué en 1915, l'auteur était peintre et compositeur).

Charles Péguy, « Quelques lettres inédites de guerre », *Amitiés Charles Péguy*, n° 80, 1960, p. 5-8.

Louis Pergaud, *Correspondances (1901-1915)*, Paris, Mercure de France, 1955, 288 p.

Gratien Rigaud, « Lettre du 2 août 1914 », *Revue du Rouergue*, 91, 1969, p. 325-327 (L'auteur était un jeune soldat).


## 3. Les témoins des événements

Cette catégorie très importante de témoins est différente de celle du § 1 parce que leur récit, qu'il soit celui de journalistes, d'écrivains, d'historiens même ou de simples gens, est le fait de témoins au plein sens du terme plutôt que celui d'acteurs ou d'écrivains qui cherchent également à tirer la philosophie de l'événement.

Aris-Rudel (Chanoine Ambroise Ledru), *Souvenirs manceaux de la Grande Guerre 1914*, Le Mans, Imp. Benderitter, 1920, 323 p. (préalablement publié par fascicules, de février 1918 à juin 1920).

Marius Beaup, « La guerre de 1914 à Lalley et dans le Trièves. Notes et impressions », publié dans le *Dauphiné* (petit hebdomadaire de l'Isère), à partir du 11 octobre 1914.

Louis Bedex, « Journal d'un vieux bellevillois (1914-1919) », *Bulletin de l'Association pour l'histoire de Belle-Ile-en-Mer*, 1968, 19 p.

Fernand Berrete, *Une commune rurale du Lot-et-Garonne : Fieux (2 août 1914-2 août 1915)*, Agen, Imprimerie moderne, 1915, 46 p. (L'auteur était le maire de Fieux).

Louis Calendini, *Le clergé de la Sarthe et la guerre (1914-1915)*, Le Mans, Imprimerie de Monnoyer, 1915, 15 p.

Antoine Delecraz, *1914, Paris pendant la mobilisation (31 juillet-22 août)*, Genève, « La Suisse », 1915, 344 p. (L'auteur est journaliste et correspondant d'un journal suisse).

Fernand Demeulenaere, *L'histoire de Douai et des environs de 1914 à 1918*, Douai, G. Sannier, 1963, 143 p.

Raphaël Dufresne, *Journal pendant la Grande Guerre d'un Beauvaisin non mobilisé*, Beauvais, s.d., 42 feuilles de 6 colonnes recto. Publié en feuilleton dans la *République de l'Oise* pendant la guerre, couvre la période du 1er août au 10 avril 1915.

Charles Le Goffic, *Bourguignottes et Pompons rouges*, Paris, C. Crès, 1916, XII, 298 p. (En première partie, scènes de la mobilisation en Bretagne).

Arthur Lévy, *1914, août, septembre, octobre à Paris*, Paris, Plon, 1917, 293 p.

André Lottier, *La guerre de 1914-1918 vue du village*, Auxerre, 1965, 15 p. (Extrait du *Bulletin des Sciences Historiques et Naturelles de l'Yonne*, tome 100, 1963-1964).

Louis Lumet, *La défense nationale*, Paris, Ed. Boccard, 1915, 342 p. (Introduction de XXI p. sur la mobilisation en particulier en Corse).

Jean Marot, *Première rencontre avec... Souvenirs de la mobilisation et des premiers mois de la guerre*, Chalon-sur-Saône, Imprimerie du *Progrès de Saône-et-Loire*, 1926, 126 p.

Henri Médard, *Films de guerre. La Mobilisation à Auxerre, du 1er août au 17 août 1914*, Auxerre, 1916, 61 p. (L'auteur est journaliste à *La Bourgogne*, un des journaux d'Auxerre).

René Mercier, *La vie en Lorraine, I-II. (Août-septembre 1914)*, Nancy, 1914, 247 et 221 p.
— *Journal d'un bourgeois de Nancy*, Paris, Berger-Leurault, Paris, 1917, 263 p. (L'auteur était le directeur de *L'Est républicain*).

Joachim Merlant (Capitaine), *Souvenirs des premiers temps de guerre*, Paris, Berger-Levrault, 1919, 61 p.

Joseph Pascal, *Mémoires d'un instituteur*, Paris, La Pensée universelle, 1974, 160 p.

André Picquet, *Quelques souvenirs, Douai 1914*, Abbeville, 1933, 297 p.

F. Plantefol, « Souvenirs sur 1914-1917 », *Cahiers Charles Maurras*, 28, 1968, p. 27-31.

Eugène Plouchart, *Ma petite ville de guerre, Fontainebleau*, Fontainebleau, 1918, 142 p. (Réunion d'articles parus d'abord dans l'*Abeille de Fontainebleau*, 1917-1918).

Gaston Prache, *1914-1918. Dans mon pays envahi (Journal d'un adolescent)*, 2 tomes : I. 1914-1917, 126 p., II, 1918, 65 p., multigraphié 1968-1969.

Louis Preschey, *Francastel pendant la guerre, 1914-1918*, Saint-Just-en-Chaussée, 1922, 383 p.

Adrien Reynaud (Chanoine), *Digne pendant la guerre 1914-1918*, Digne, 1920, 148 p. (L'auteur était curé-archiprêtre de la cathédrale de Digne).

Edouard Richard, « Souvenirs des premiers jours de la guerre 1914-1918 », *Annuaire de la Société historique et littéraire de Colmar*, 1964 (L'auteur était conseiller municipal de Colmar en 1914 et fut maire après la guerre).

Joseph Serand, « Comment Annecy a vécu la mobilisation de 1914 », *Annesci, 11*, 1964, p. 80-82.

André Thérive, « Août 1914 », *Ecrits de Paris*, juillet-août 1967, p. 107.

Firmin Vignon (Abbé), *1914-1918, Beauquesne, La Grande Guerre, Notes et Souvenirs*, Mayence, 1922, VIII-37 p. (L'auteur était le curé de Beauquesne).

Henry d'Yvignac, *A l'ombre des chênes*, Paris, « Le Breton de Paris », 1916, 101 p. (Scènes de mobilisation à Paris).

## 4. Etude et récits d'après des témoignages

Sans qu'on puisse les assimiler aux ouvrages publiés par les témoins des événements, une série d'études ou de récits font appel directement au témoignage.

xxx, « La guerre de 1914 à Saint-Valéry », *Bulletin de la Société d'archéologie et d'histoire de Saint-Valéry*, 2, 1968, 14 p.

Augustin Baudoux, Robert Régnier, *Une grande page de notre histoire locale. Noyon pendant la première guerre mondiale* (1914-1918), Chauny, 1962, 105 p.

Jean-Jacques Becker, « L'appel de guerre en Dauphiné », *Le Mouvement social*, octobre-décembre 1964.

Noël Becquart, « L'opinion publique en août 1914 dans le département de la Dordogne (rapports du préfet François Canal) », *Bulletin de la Société historique et archéologique du Périgord*, 1969.

André Billy et Moïse Twersky, *Comme Dieu en France* (*L'épopée de Ménaché Foïgel*, T. II), Paris, Plon, 1927, 245 p. (Roman, mais dont la documentation semble solide).

Pierre Bouyoux, *L'opinion publique à Toulouse pendant la première guerre mondiale*, Toulouse, 1970, Microfiches, Hachette, 528 p.

Georges Castellan, « Histoire et mentalité collective : essai sur l'opinion publique française face à la déclaration de guerre de 1914 », *Bulletin de la Société d'histoire moderne*, 2, 1964, et *Actes du Colloque, Jaurès et la nation*, Toulouse, Association des publications de la Faculté des lettres et sciences humaines, 1966.

Albert Chatelle et Georges Tison, *Calais pendant la guerre* (1914-1918), Paris, Arisitide Quillet, 1927, 286 p.

Marius Dargaud, « La grande bourgeoisie française devant les événements d'août 1914 », *Actes du 91e congrès national des sociétés savantes*, Rennes, 1966, T. III, p. 407-438.

Jean Gaulmier, « Le pacifisme d'Emile Guillaumin », in *Le Bourbonnais rural*, 9 novembre 1973.

Claude-Joseph Gignoux, *Bourges pendant la guerre.* (*Histoire économique et sociale de la guerre mondiale*), Paris, Presses universitaires de France, New Haven, Yale University Press, 1926, XVI-64 p. (Une étude à peu près uniquement économique et sociale).

Charles Petit-Dutaillis, « L'appel de guerre en Dauphiné », *Annales de l'Université de Grenoble*, 27 (1), 1915. Compte rendu de Christian Pfister in *Revue historique*, 119, mai-août 1915, p. 416.

J.-Robert Lefèvre, *Compiègne pendant la guerre* (1914-1918), Compiègne, 1926, 223 p.

Yves Lequin, « 1914-1918 », L'opinion publique en Haute-Savoie devant la guerre », *Revue savoisienne*, 1967, p. 1 à 18.

Achille Le Sueur (Chanoine), *Abbeville et son arrondissement pendant la guerre (Août 1914-novembre 1918)*, Abbeville, F. Paillant, 1927, 207 p.

Jacques Pech de Laclause, « Le département de l'Aude et la guerre de 1914-1918 », *Bulletin de la Société des études scientifiques de l'Aude*, 8, 1968, p. 277-291.

Raymond Recouly, *Les heures tragiques d'avant-guerre*, Paris, La Renaissance du Livre, 1922, 343 p.

Ralph Jean-Claude Schor, *Nice pendant la guerre de 1914-1918*, Publication des Annales de la Faculté des Lettres d'Aix-en-Provence, multigraphié, Aix, 1964, 394 p.

Pierre Trochon, *La Grande Guerre (1914-1918). Lille avant et pendant l'occupation allemande*, Tourcoing, J. Duvivier, 1922, XI-349 p.

René V. Wehrlen, « Les débuts de la guerre 1914-1918, vus et vécus par Mgr Etienne Frey », *Annuaire de la Société historique et littéraire de Colmar*, 1964 (Etienne Frey était alors curé-doyen de Colmar).

# D. LES SOURCES IMPRIMÉES

De nombreux ouvrages, sans pouvoir être assimilés dans tous les cas à des documents, peuvent être aussi considérés comme des sources de l'opinion publique sur un point ou un autre.

## 1. Les rapports franco-allemands avant 1914

xxx, *Compte rendu de la Conférence interparlementaire franco-allemande à Berne*, Nach der texten und der Stenographie veröffentlicht von Organisation komittee, Berlin, 1913.

Pierre Albin, « Le risque de guerre », *Revue de Paris*, 1er mai 1913, p. 207 à 224.

Charles Bonnefon, « Les causes économiques de la guerre », *Revue de Paris*, 15 janvier 1915.

Georges Bourdon, « Le pacifisme allemand d'avant-guerre », *Revue de Paris*, 1er août 1918, p. 515-532.

P.A. Helmer, « Les pangermanistes et Guillaume II », *Revue de Paris*, 15 avril 1913.

Jean Longuet, *Les socialistes allemands contre la guerre et le militarisme*, Paris, Librairie du Parti socialiste, 1913, 31 p.

Albert Malet, « La guerre européenne actuelle prévue dès 1912 par un ami des Serbes, M. Albert Malet », *Revue hebdomadaire*, 32 et 33, 1914.

*Documents diplomatiques français* (1871-1914), IIIe série (1911-1914, IIIe série (1811-1914), T. 1er janvier-16 mars 1914 ; 17 mars-23 juillet 1914, Imprimerie nationale, 1936.

*Die Grosse Politik der europaïschen Kabinette* (1871-1914), vol. XXXIX (Les approches de la guerre mondiale, 1912-1914), Berlin 1922-1927.

Karl Kautsky, *Documents allemands relatifs à l'origine de la guerre*, Paris, Costes, 1922 (traduction de l'ouvrage allemand paru en 1919).

## 2. L'Alsace-Lorraine

xxx, « Un Alsacien ». Opinion sur les sentiments de l'Alsace-Lorraine »,
*Revue de Paris,* 15 janvier 1914.

Auguste Lalance, *Mes souvenirs* (1830-1914), introduction d'E. Lavisse,
Paris-Nancy, 1914, XVI-77 p. (publié d'abord in *Revue de Paris,* 1ᵉʳ au
15 février 1914).

André Laugel, *La culture française en Alsace,* conférence de la Ligue des
Jeunes Amis de l'Alsace, Paris, 1912, 32 p.

Rodolphe Reuss, *Voix d'Alsace-Lorraine, Question d'Alsace-Lorraine,* Paris,
Fischbacher, 1918.

Julien Rovere, *L'Affaire de Saverne* (novembre 1913-janvier 1914), Paris,
Bossard, 1919, 75 p.

Charles Spindler, *L'Alsace pendant la guerre.* Strasbourg, Treuttel et Würtz,
1925, XI-763 p.

## 3. Les problèmes militaires

M. Imhaus et R. Chapelot, *Les armées des principales puissances au printemps 1913,* Paris, 1913, 467 p.

Jean Jaurès, *L'Armée nouvelle,* (1ʳᵉ édition 1911). Rééditée en 1969,
Col. 10/18, 315 p. Présentation par Madeleine Rebérioux.

Patrice Mahon (Commandant), « Le service de trois ans et les armements allemands », *Revue des deux Mondes,* 15 avril 1913 (Connu comme écrivain sous le
nom d'Art-Roé, tué en 1914).

Henri Mordacq (Lieutenant-colonel), *La guerre du XXᵉ siècle. Essais stratégiques,*
Paris, Berger-Levrault, 1914, XIII-303 p. (Mordacq, devenu général, fut le chef
du cabinet de Clemenceau en 1917)

Alexandre Percin (Général), *1914, les erreurs du Haut-Commandement,* Paris,
Albin Michel, 1919, 285 p. (Un des adversaires les plus convaincus des trois ans
avant et après la guerre).

## LA BATAILLE DE LA MARNE : ÉTUDES
## ET RÉACTIONS PROCHES DE L'ÉVÉNEMENT

Gustave Babin, *La bataille de la Marne* (6-12 septembre 1914), Paris, Plon, 1915,
89 p.

Général Fernand Canonge, *La guerre de 1914. La bataille de la Marne,* Paris,
L. Fournier, 1918, 137 p.

Abbé Stephen Coube, *Le miracle de la Marne et Sainte-Geneviève,* Paris, s.l., 1915,
32 p.

Marie-B. Guenin, *La victoire de la Marne, œuvre des hommes et œuvre de Dieu,*
Paroles prononcées en la Cathédrale de Meaux, 6 septembre 1925, Langres,
1953, 15 p.

J.E. Roberty, *Le miracle de la Marne,* Sermon prononcé à l'Oratoire du Louvre le
10 septembre 1916, 32 p.

## 4. Les comportements idéologiques

Un ouvrage nous a paru particulièrement précieux :

Georges Guy-Grand, *Le Conflit des Idées dans la France d'aujourd'hui* (Trois visages de la France), Paris, Marcel Rivière, 1921, 269 p. (une partie en a été écrite avant 1914).

### A. NATIONALISME, MILITARISME...

Agathon (H. Massis et A. de Tarde), *Les jeunes gens d'aujourd'hui,* Paris, Plon-Nourrit, 1913, 298 p. (La célèbre enquête...).

Léon Daudet, *L'avant-guerre,* Paris, Nouvelle Librairie Nationale, 1913, 322 p.

Emile Faguet, « La jeunesse miraculeuse », *Revue des deux mondes,* 15 avril 1913, P. 839-850.

Emile Henriot, *A quoi rêvent les jeunes gens ? (Enquête sur la jeunesse littéraire),* Paris, Champion, 1913, 148 p. (Paru d'abord sous forme d'articles dans *Le Temps* des 23, 24 avril, 7, 13, 27 mai et 4 juin 1912).

Albert Malet, *Conférence sur la guerre des Balkans* faite à la *Société normande de géographie,* le 25 février 1913, Rouen, 1913, 12 p.

Henri Massis, *Avant-postes (Chronique d'un redressement, 1910-1914),* Paris, Librairie de France, 1928, 170 p. (Recueil d'articles publiés avec A. de Tarde.).

Albert de Mun, *L'heure décisive,* Paris, E. Paul 1913, 360 p. (Recueil d'articles parus dans *L'Echo de Paris).*

Charles Péguy, « Notre jeunesse », *Cahiers de la Quinzaine,* 12ᵉ cahier, 11 série, Paris, 1910, 22 p.

Etienne Rey, *La renaissance de l'orgueil français,* Paris, 1912, 209 p.

Gaston Riou, *Aux écoutes de la France qui vient,* Paris , 1913, 336 p.

### B. PACIFISME, ANTIMILITARISME

Rémy de Gourmont, « Joujou patriotique », *Mercure de France, 1891.*

Gustave Hervé, *Mes crimes ou onze ans de prison pour délits de presse, modeste contribution à l'histoire de la liberté de la presse sous la IIIᵉ République,* Paris, Edition de *La Guerre Sociale,* 1912, 382 p.
— *Leur patrie,* Paris, Librairie de propagande socialiste, 1906, 286 p.
— *Le Congrès de Stuttgart et l'antipatriotisme,* Paris, *La Guerre Sociale,* Discours prononcé à Paris le 12 septembre 1907, 32 p.

Louis Gravereaux, *Les discussions sur le patriotisme et le militarisme dans les congrès socialistes,* (thèse de droit) Paris, 1913, 255 p. (Etude très complète de l'antimilitarisme et de l'antipatriotisme, non seulement dans les congrès socialistes, mais aussi syndicalistes, importante en raison de sa date de parution).

Léon Jouhaux, *I. Le syndicalisme français, II. Contre la guerre,* Paris, Rivière, 1913, conférence faite à Berlin, 61 p.

Hubert Lagardelle, « L'idée de patrie et de socialisme », *Le Mouvement socialiste,* mai-août-septembre-octobre 1906.

Marcel Laurent, Philippe Norard, Alexandre Mercereau, *La paix armée et le problème d'Alsace-Lorraine dans l'opinion des nouvelles générations française,* Paris, Figuières, février 1914, VIII-130 p. (Un anti-Agathon).

Henri Massis, *L'université d'hier contre la loi de trois ans*, 15 mars 1913 (publié dans *Avant-Postes*, cf. ci-dessus).

— *Romain Rolland contre la France*, Paris H. Floury, 1915, 40 p.

Gabriel Séailles, *Une affirmation de la conscience moderne, le vrai patriotisme* Paris, Edition de la Société française pour l'arbitrage entre les nations, s.d., 29 p.

Marcel Sembat, *Faites un roi, sinon faites la paix*, Paris, 1913, 278 p.

André Tardieu, « La campagne contre la Patrie », *Revue des deux mondes,* 1er juillet 1913.

Georges Yvetot, *Nouveau manuel du soldat, la Patrie, L'Armée, la Guerre*, Paris, 1908, 16e édition, 32 p.

## 5. Le mouvement ouvrier et les problèmes de la guerre

Georges Haupt, *Correspondance entre Lénine et Camille Huysmans* (1905-1914), Paris-La Haye, Mouton, 1963, 165 p.

Karl Kautsky, *Vergangenheit und Zukunft der Internationale*, Wien, 1920, 88 p. (Le passé et l'avenir de L'Internationale).

Jean Maitron et Colette Chambelland, *Syndicalisme révolutionnaire et communisme. Les Archives de P. Monatte,* Paris, Maspero, 1968, 462 p.

Une source importante est représentée par :

*Le Parti socialiste, la guerre et la paix* (Toutes les résolutions et tous les documents du Parti socialiste de juillet 1914 à fin 1917), Paris, Librairie de *L'Humanité*, 1918, 224 p.

et par :

*Confédération générale du travail*, XIIIe Congrès, juillet 1918, *Compte rendu des travaux*, Paris, Imprimerie nouvelle, 1919, 306 p.

Discours de Léon Jouhaux au XIIIe Congrès de la C.G.T., *L'Action syndicale*, Edition de *La Bataille*. Paris, 1919, 30 p.

*Fédération Nationale des Travailleurs de l'Industrie du Bâtiment*, VIe Congrès National, Versailles, *Compte rendu des scéances*. Paris, 1918, 309 p.

## 6. Vie politique française et élections de 1914

xxx, *Programmes, professions de foi et engagements électoraux de 1914. 11e législature*, Paris, Chambre des députés, 1919, 1356 p. (« Le Barodet »).

Georges Lachapelle, « Les élections générales et la nouvelle Chambre », *Revue des deux mondes,* 1er juin 1914.

Georges Lachapelle, *Elections législatives des 26 avril et 10 mai 1914*, Paris, Librairie des publications officielles, 1914, 288 p.

# Les travaux

La dernière partie de notre bibliographie contient les travaux universitaires, mais aussi des ouvrages de vulgarisation que les caractères de la période ont multipliés et plus encore des livres polémiques ou ouvertement partisans que la nature des questions abordées a provoqués. Une difficulté à différencier ces trois catégories est que, suivant les optiques choisies, d'aucuns considèrent comme polémiques ou partisans ce que d'autres apprécient comme travaux et vice versa.

## 1. Les ouvrages consacrés à l'ensemble de la Grande Guerre :

Henry Bidou, *Histoire de la Grande Guerre*, Paris, Gallimard, 1939, 696 p.

Jean-Baptiste Duroselle, *La France et les français (1914-1920)*, Paris, Editions Richelieu, 1972, 355 p.

Marc Ferro, *La Grande Guerre (1914-1918)*, Paris, Gallimard, coll. Idées, 1969, 384 p. (L'auteur nous propose une vision souvent nouvelle de l'événement).

### LES OUVRAGES CONSACRÉS AUX OPÉRATIONS EN PRUSSE-ORIENTALE

Général Youri Danilov, *La Russie dans la guerre mondiale,* Paris, Payot, 1925, 558 p.

et un roman qui a valeur d'étude historique :

Alexandre Soljénitsyne, *Août 1914*, Paris, Le Seuil, 1972, 509 p.

### LES OUVRAGES OU LES ÉTUDES CONSACRÉS À LA SEULE ANNÉE 1914

Il faut mettre à part les deux ouvrages de :

Henry Contamine, *La victoire de la Marne* (Coll. Trente journées qui ont fait la France), Paris, Gallimard, 1970, 460 p.

— *La Revanche* (1871-1914), Paris, Berger-Levrault, 1957, 280 p.,

qui nous ont souvent servi de guide dans notre travail, et une œuvre romanesque :

Roger Martin du Gard, *Les Thibault*, Tome V, *L'Eté 1914*, publiée en 1936, parce qu'elle a souvent été jugée — partiellement à tort — comme valant ouvrage d'histoire. Voir à ce propos J. Schlobach, « *L'été 1914* », *Le Mouvement social*, oct.-déc. 1964.

On peut citer en outre les très intéressantes remarques de :

Jean Stengers, « *July 1914* : some reflections », *Annuaire de l'Institut de philologie et d'histoire orientales et slaves,* tome XVII (1963-1965), Bruxelles, 1966, p. 105-149, sur le rôle qu'ont pu jouer les opinions publiques dans le déclenchement du conflit.

## 2. Les forces politiques et les élections

Alain Bomier-Landowski, *Les groupes parlementaires de l'Assemblée nationale et de la Chambre des députés de 1871 à 1914*, D.E.S. (sous la direction de P. Renouvin, 1952), Bibliothèque Lavisse, n° 74.

## 3. Le nationalisme avant 1914

### LE PROBLÈME DE LA RENAISSANCE DU NATIONALISME

Maurice Baumont, *Aux sources de l'Affaire* (L'Affaire Dreyfus d'après les Archives diplomatiques), Paris, Les productions de Paris, 1959, 291 p.

Philippe Bénéton, « La génération de 1912-1914 », *Revue française de science politique*, octobre 1971.

Raoul Girardet, *Le nationalisme français (1871-1914)*, Paris, A. Colin, 1966, 277 p.

— *La société militaire dans la France contemporaine* (1815-1939), Paris, Plon, 1953, 333 p.

— « Pour une introduction à l'histoire du nationalisme français », *Revue française de science politique,* 8 (3), 1958.

Emile Tersen, « Panorama de la France en 1914 », *Europe,* mai-juin 1964

surtout l'œuvre de l'historien américain :

Eugen Weber, « Some contents on the nature of the nationalist revival in France before 1914 », *International Review of social history,* 1958, Royal Van Gorcum Ltd, Assen, Nertherlands, 1958.

— *The nationalist revival in France (1905-1914)*, Berkeley, 1959, X-237 p.

— « Le renouveau nationaliste en France et le glissement vers la droite (1905-1914) », *Revue d'histoire moderne* 1958, n° 5, p. 114-128.

### SUR L'ACTION FRANÇAISE

Le livre essentiel est encore de :
Eugen Weber, *L'Action française,* Paris, Stock, 1964, 649 p., traduit de l'américain (Standford, Calif., 1962).

complété par :

Pierre Nora, « Les deux apogées de l'Action française », *Annales E.S.C.,* janvier-février 1964, p. 127-141.

### SUR LA PLACE DU NATIONALISME DANS L'ENSEIGNEMENT

Numa Broc, « Histoire de la géographie et nationalisme en France sous la IIIᵉ République (1871-1914) », *L'Information historique,* janvier-février 1970.

Alice Gérard, « La représentation de l'histoire contemporaine dans les manuels de l'enseignement secondaire (1902-1914). Communication à la Société d'histoire moderne, 1ᵉʳ mars 1970 », *Bulletin de la Société d'histoire moderne,* 14, 1970.

Pierre Nora, « Ernest Lavisse : son rôle dans la formation du sentiment national », *Revue historique,* juillet-septembre 1962.

Jacques Ozouf, « Le thème du patriotisme dans les manuels scolaires », *Le Mouvement social*, 49, octobre-décembre 1964.

Louis Thomas, *L'évolution de l'activité gymnique et les problèmes d'organisation-gestion*, Secrétariat d'Etat à la Jeunesse et aux Sports, 1972. Multigraphié, 149 p. (Gymnastique et nationalisme).


## 4. L'opinion française et l'Allemagne

Deux ouvrages essentiels, d'un Allemand :

Gilbert Ziebura, *Die deutsche Frage in der öffentlichen Meinung Frankreichs von 1911-1914* (La question allemande dans l'opinion publique française de 1911 à 1914), Collection Verlag, Berlin-Dalhme, 1955, 223 p. (Compte rendu d'Alfred Grosser in *Revue française de science politique*, janvier-mars 1956),

et, d'un Français, une très grande thèse :

Claude Digeon, *La crise allemande de la pensée française (1870-1914)*, Paris, Presses universitaires de France.


## 5. La question d'Alsace-Lorraine

L'étude de l'attitude des Alsaciens dans la période d'avant-guerre a été renouvelée par :

Jean-Marie Mayeur, *Autonomie et politique en Alsace, La Constitution de 1911*, Paris, Armand Colin, 1970, 212 p.


## 6. Les trois ans et les problèmes militaires

Le livre le plus important, même s'il n'est pas exempt de partialité et doit être lu avec précaution, est celui de :

Georges Michon, *La préparation à la guerre : la loi de trois ans*, Paris, Marcel Rivière, 1935, 233 p.

L'attitude de la presse pendant les débats sur les trois ans a été particulièrement étudiée par :

Hubert Tison, *L'opinion publique française et la loi de trois ans (1913-1914)* (Mémoire de maîtrise 1965 sous la direction de M. Droz), 292 p.

Georges Merlier, « L'esprit d'offensive dans l'armée française en 1914 à la lecture de Grandmaison et d'autres publications de l'époque », Communication à la Société d'histoire moderne du 5 juin 1966, *Bulletin de la société d'histoire moderne*, 4, 1966.


## 7. Les origines et les responsabilités de la guerre

L'étude de ces questions n'entre pas dans notre recherche ; toutefois, les très nombreuses publications qui leur ont été consacrées abordent très souvent les problèmes de l'opinion publique.

Camille Bloch, *Les causes de la guerre mondiale*, Paris, 1953, Paul Hartmann, 253 p.

Jules Isaac, *Un débat historique : 1914, les problèmes des origines de la guerre*, Paris, Rieder, 1933, 270 p.

Pierre Renouvin, *Les origines immédiates de la guerre* (28 juin - 4 août 1914), Paris, 2ᵉ édition, 1927, 326 p.

Cf. également « Les origines de la guerre de 1914 », *Le Monde*, 30 juillet 1964.

La mise au point la plus récente sur l'ensemble du problème a été faite par :

Jacques Droz, *Les causes de la Première guerre mondiale. Essai d'historiographie*, Paris, Le Seuil, 1973, 187 p.

La place des questions économiques dans les origines de la guerre se trouve abordée par les importantes thèses récentes de :

Raymond Poidevin, *Les relation économiques et fiancières entre la France et l'Allemagne de 1898 à 1914*, Paris, Armand Colin, 1969, 919 p.

et de :

René Girault, *Emprunts russes et investissements français en Russie* (1887-1914), Paris, A. Colin, 1973, 624 p.


## 8. Le mouvement ouvrier et la guerre

Le mouvement ouvrier a suscité une très riche littérature, ne serait-ce que par la place que les polémiques y occupent. Son comportement devant le problème de la guerre et devant l'éclatement de la guerre est un des points les plus controversés de notre étude.

### OUVRAGES GÉNÉRAUX SUR LE MOUVEMENT OUVRIER

Sur le mouvement syndical :

Robert Brécy, *Le mouvement syndical en France. Essai bibliographique.* Paris-La Haye, Mouton, 1963, 219 p.

Sur le mouvement socialiste :

George D.H. Cole, *A history of socialist thoughts* T. III *The Second International*, I. 1889-1914, II. 1914-1956 Londres, Macmillan, 1956, XVIII-1043 p.

Jean-Jacques Fiechter, *Le socialisme français de l'Affaire Dreyfus à la Grande Guerre*, Genève, Droz, 1965, 291 p.

Annie Kriegel, *Aux origines du communisme français (1914-1920), contribution à l'histoire du mouvement ouvrier français*, Paris, Mouton, 1964, 2 volumes, 995 p.

Annie Kriegel, *Le pain et les roses*, Paris, Presses universitaires de France, 1968, 258 p.

Sur le mouvement anarchiste :

Jean Maitron, *Histoire du mouvement anarchiste en France (1880-1914)*, thèse Lettres, Paris, Société Universitaire d'Editions et de Librairie, 1951, 744 p.

Sur l'attitude des gouvernements français face au mouvement révolutionnaire :

A. Fryar Calhoun, *The politics of internal order : French government and revolutionnary labor (1848-1914)*, Princeton, 1973, 623 p. dactyl.

Nous donnons ici quelques études sur un groupe ou une région où nous avons trouvé des renseignements intéressant notre étude :

Sur les instituteurs :

François Bernard, Louis Bouet, Maurice Dommanget, Gilbert Serret, *Le syndicalisme dans l'enseignement* (Histoire de la Fédération de l'Enseignement des origines à l'unification de 1935), présentation de Pierre Broué, Tome I, 264 p., Tome II, 301 p. Multigraphié. Grenoble Coll. Documents de l'I.E.P., 1966.

Max Ferre, *Histoire du mouvement syndical révolutionnaire chez les instituteurs. Des origines à 1922,* thèses Lettres, Paris, Sudel, 335 p.

*Sur les mineurs :*

la grande thèse de :

Rolande Trempé, *Les mineurs de Carmaux* (1898-1914), préface de Jacques Godechot, Paris, Editions ouvrières, 1971, 2 volumes, 1013 p.

Jacques Julliard, « Jeune et vieux syndicat chez les mineurs du Pas-de-Calais », *Le Mouvement social,* avril-juin 1964.

*Sur les métallurgistes :*

Christian Gras, « La Fédération des métaux en 1913-1914 », *Le Mouvement social* octobre-décembre 1971.

*Sur la région de la Loire :*

Petrus Faure, *Le Chambon Rouge. Histoire des organisation ouvrières et des grèves au Chambon-Feugerolles,* Le Chambon-Feugerolles, 1929, 120 p.
— *Histoire du mouvement ouvrier dans la Loire.* Saint-Etienne, 1957, 504 p.

*Sur la région parisienne :*

Claudia Monti, *L'union des Syndicats ouvriers du département de la Seine de 1910 à 1914.* Mémoire de Maîtrise (sous la direction de R. Rémond), Nanterre, 1972, 153 p.


## LE MOUVEMENT OUVRIER DEVANT LA GUERRE

J.-J. Becker et Annie Kriegel, *1914, la guerre et le mouvement ouvrier français,* Paris, Armand Colin, Coll. Kiosque, 1964, 244 p.

J.-J. Becker, *Le Carnet B.,* Paris, Klincksieck, 1973, 227 p.

V.M. Daline, « La C.G.T. au début de la première guerre mondiale », *Annuaire d'études française,* Moscou, 1964, p. 219-253 (en russe, mais avec un résumé en français).

Milorad M. Drachkovitch, *Les socialismes français et allemand et le problème de la guerre (1870-1914),* Genève, Droz, 1953, XIV-385 p. (très important).

Georges Haupt, *Le Congrès manqué,* Paris, Maspero, 1965, 299 p. (Le Congrès de l'Internationale qui aurait dû avoir lieu en août 1914).
— *Socialism and the Great War. The collapse of the Second International,* Oxford, Clarendon Press, 1972, 270 p.

Georges Haupt, « Guerre ou Révolution ? L'Internationale et l'Union Sacrée en août 1914 », *Les Temps modernes 281, 1969.*

Jacques Julliard, « La C.G.T. devant le problème de la guerre (1900-1914) », *Le Mouvement social* 49, octobre-décembre 1964.

Annie Kriegel, « Patrie ou Révolution, le mouvement ouvrier français devant la guerre (juillet-août 1914) », *Revue d'histoire économique et sociale,* 43 (3), 1965.

Annie Kriegel, « Nationalisme et internationalisme », *Preuves,* 1931 1967 (cf. également l'échange de correspondance auquel donne lieu cet article sous le titre « Août 1914 et le mouvement ouvrier français, » *Preuves,* 196, 1967.

Michelle et Gérard Raffaelli, *Introduction bibliographique, méthodologique et biographique à l'étude de l'évolution économique et sociale du département de la Loire* (1914-1920). *Le mouvement ouvrier contre la guerre* (Mémoire de maîtrise sous la direction de R. Rémond), Nanterre, 1969, 317 p. dactyl.

Alfred Rosmer, *Le mouvement ouvrier pendant la guerre,* Tome I, *De l'Union Sacrée à Zimmerwald,* Paris, Librairie du Travail, 1936, 590 p. (Passionné et volontairement partisan, mais utile).

Nous avons enfin consulté quelques ouvrages, essentiellement polémiques, c'est pourquoi nous les donnons à part :

Charles Favral, *Histoire de l'arrière.* Paris, Jidéher, s.d. (vraisemblablement 1930 en fonction du contexte), 318 p.

J. Rocher, *Lénine et le mouvement zimmerwaldien en France,* Paris, bureau d'Editions, 1934, 83 p. (Sur les débuts de l'opposition à la guerre. Truffé d'erreurs ou d'inventions, mais ce qui est dit est encore repris dans des publications actuelles).

Alfred Rosmer et René Modiano, *Union Sacrée, 1914,* préface de Marcel Martinet, Cahiers mensuels Spartacus n° 26, avril-mai 1948.

Claude Servet, Paul Bouton, *La trahison socialiste de 1914,* Paris, Bureau d'Editions, 1931, 160 p.

## 9. Biographies

### BARRÈS

Michel Baumont, « Maurice Barrès et les morts de la guerre de 1914-1918 », *L'Information historique,* 1, janvier-février 1969.

Zeev Sternhell, *Maurice Barrès et le nationalisme français,* Paris, Presses de la Fondation nationale des sciences politiques.

### BRIAND

Georges Suarez, *Artistide Briand, sa vie, son œuvre,* T. II (1904-1914), Paris, Plon, 1938, 515 p.

### CAILLAUX

Alfred Fabre-Luce, *Caillaux,* Paris, Gallimard, 1933, 285 p.
Roger de Fleurieu, *Joseph Caillaux,* Paris, 1951, 308 p.
Gaston Martin, *Joseph Caillaux,* Paris, Alcan, 1931, 210 p.

## CLEMENCEAU

Gaston Monnerville, *Clemenceau*, Paris, Fayard, 1968, 767 p.
Georges Wormser, *La République de Clemenceau*, Paris, Presses universitaires de France, 1961, 522 p.

David R. Watson, *Georges Clemenceau, a political biography*, London, E. Methuen, 1974, 463 p.


## LUCIEN HERR

Charles Andler, *Vie de Lucien Herr (1864-1926)*, Paris, Presses universitaires de France, 1932, 338 p.


## JEAN JAURÈS

En attendant les travaux que des historiens français préparent, la principale biographie de Jaurès est due à un américain :

Harvey Goldberg, *Jean Jaurès*, Paris, Fayard, 1970, 634 p. Traduit de *The life of Jean Jaurès*, Wisconsin University, 1962.

Voir également :

Marcelle Auclair, *La vie de Jaurès ou la France avant 1914*, Paris, Editions du Seuil, *1954, 673 p.*

et écrit dans un esprit polémique :

Charles Rappoport, *Jean Jaurès*, Paris, 1915.

Mais de nombreux articles ou communications concernent tel ou tel moment de l'activité de Jaurès dans la période que nous avons considérée ; ils sont principalement rassemblés dans

xxx, Actes du colloques, *Jaurès et la nation*, organisé par la Faculté des lettres de Toulouse et la Société d'études jaurésiennes, Toulouse, 1965, 242 p. Un ensemble de très riches communications.

et dans le *Bulletin de la Société des études jaurésiennes*

Deux ouvrages sur la mort de Jaurès :

François Fonvieille-Alquier, *Ils ont tué Jaurès !* Paris, Laffont, 1968, 364 p.

Jean Rabaut, *Jaurès et son assassin*, Paris, Ed. du Centurion, 1967, 239 p.


## JOUHAUX

Bernard Georges et Denise Tintant, *Léon Jouhaux, cinquante ans de syndicalisme*, T. I (Des origines à 1921), Paris, Presses universitaires de France, 1962, 551 p.

Raymond Millet, *Jouhaux et la C.G.T.*, Paris, Denoël, 1937.


## MERRHEIM

Edouard Dolléans, *Alphonse Merrheim*, Paris, Librairie syndicale, 1939, 47 p.

Christian Gras, « Merrheim et le capitalisme », *Le Mouvement social*, avril-juin 1968.

## PÉGUY

Henri Guillemin, « Malheureux Péguy », *Europe*, 422 et 423, 1964.

Daniel Halévy, *Péguy et les Cahiers de la Quinzaine*, Paris, Grasset, 1941, 397 p.

Georges Olivier, « Les adieux de Péguy », *Le Monde*, 1er septembre 1964.

André Robinet, *Péguy entre Jaurès, Bergson et l'Eglise*, Paris, Seghers, 1968, 351 p.

Jacques Viard, « Une lettre inconnue de Charles Andler à Charles Péguy en 1913 », *Revue d'histoire moderne et contemporaine*, juillet-septembre 1972.

« Péguy, Jaurès et la nation », *Carnet de l'amitié Péguy*, 1966.


## PELLOUTIER

Jacques Julliard, *Pelloutier et les origines du syndicalisme d'action directe*, Paris, Le Seuil, 1971, 559 p.


## POINCARÉ

Pierre Miquel, *Poincaré*, Paris, Fayard, 1961, 638 p.

Gordon Wright, *Raymond Poincaré and the French presidency*, Stanford, Stanford University Press, 1942, IX-271 p.


## ROMAIN ROLLAND

Jean-Bertrand Barrère, *Romain Rolland par lui-même*, Paris, Editions du Seuil, 1955, 192 p.

René Cheval, *Romain Rolland, L'Allemagne et la guerre*, Paris, Presses universitaires de France, 1963, 769 p. (Thèse de lettres).

Marcelle Kempf, *Romain Rolland et l'Allemagne*, Paris, 1962, 298 p.

Sven Stelling-Michaud, « Le choix de R. Rolland in 1914 », *La Pensée*, 132, 1967.

Les articles sur R. Rolland dans le numéro spécial d'*Europe*, « 1914 » (mai-juin 1964).


## ALFRED ROSMER

Christian Gras, « Alfred Rosmer et le mouvement révolutionnaire international », *L'Information historique*, septembre-octobre 1971.


## ALBERT THOMAS

B.W. Schaper, *Albert Thomas, trente ans de réformisme social*, Paris, Presses universitaires de France, 1960, 381 p.

# INDEX DES NOMS *

---

* Les noms en italique correspondent aux auteurs cités, qui n'interviennent pas à titre d'acteurs ou de témoins.

Breton (Jules), député républicain-socialiste, 372.
Briand (Aristide), 32, 67, 71, 73 (n. 145), 386, 421, 450 (n. 153), 480.
*Broc (Numa)*, 36 (n. 125), 37 (n. 128).
*Broué (Pierre)*, 107 (n. 142).
Broutchoux (Benoît), militant syndicaliste, 169 (n. 117), 172, 395 (n. 182), 396, 398.
Brunet (Antoine-Frédéric), député socialiste, 186 (n. 234).
Brunschvig (Léon), 37 (n. 131).
*Bulletin de géographie historique*, devenu *Bulletin de la section de géographie*, 37.
*Bulletin des communes*, 526, 551.
Bureau socialiste international, 114 (n. 205), 215, 217, 218, 219, 222, 223, 224, 225, 226, 227, 228, 579.
Burian (Edmond), soc. tchèque, 222 (n. 174).

Cabrol (Albert), député socialiste, 158 (n. 12).
Cachin (Marcel), 80 (n. 174), 137 (n. 57), 187 (n. 239), 231 (n. 227), 232, 369, 414, 424, 426 (n. 1), 432 (n. 50), 482.
*Cadars (Louis)*, 136 (n. 55).
Caillaux (Joseph), 22, 29 (n. 70), 44, 58 (n. 34), 60 (n. 46), 63, 64, 78, 85 (n. 7), 92, 121, 126, 131 (n. 35), 136, 137, 138, 139, 143 (n. 95), 240, 246 (n. 333), 250, 449, 450, 451, 452, 576, 581.
Caillaux (Mme), 4, 235, 577. Procès de 131 à 136.
Calendini (Abbé Louis), 419, 420.
Calinaud, syndicaliste, 378.
Calmette (Gaston), 22 (n. 13), 26, 131.
Calveyrach, dirigeant syndicaliste, 196 (34).
Cambon (Jules), 28 (n. 65), 127.
Camelinat (Louis), socialiste, 215 (n. 130).
Camelots du Roi, 25, 26, 176, 240, 241, 247, 478.
Camin (Maurice), journaliste, 109 (n. 161).
Canonge (G^al Fernand), 565, 566 (n. 53).
Carnet B, 4, 85, 93, 142 (86), 143, 168, 175 (n. 161), 192 (n. 10), 197 (n. 38), 239, 347, *379 à 400*, 405, 406, 414, 415, 582, 588.
Carnot (Adolphe), 67 (n. 108).
*Caroll (E.M.)*, 21 (n. 8).
Carpentier (Georges), 109 (n. 163).
Cartier de Saint-René, 343 (n. 117).
Cassagnac (Paul de), 251.
Cassagnac (G^al de), 478 (n. 340).
*Castellan (Georges)*, 130 (n. 30), 243, 245, 247, 248 (n. 348).
Castelnau (G^al de), 546, 549 (n. 443).
Cazalet (Charles), 36 (n. 126).

*Cazaubon (Bernard)*, 214 (n. 121), 230 (n. 223).
Céline (Louis Ferdinand), 258.
Cels (Jules), député, 74 (n. 151).
CGT, 5, 84, 86, 87, 88, 89, 90, 91, 92, 93, 94, 95, 96, 97, 98, 99, 115, 129, 169, 172, 175, 178, 184, 185 (n. 221), 189, *190 à 211*, 216, 217, 219, 221, 226, 227, 229, 234, 249, 253 (n. 24), 254, 339, 343 (n. 117), 375, 376, 378, 388, 389, 390, 398, 400 (n. 219), 401, 402, 403, 404, 405, 407, 409 (n. 270), 411, 413, 436, 574, 577, 578, 579, 582.
Chalopin (André), instituteur, 85 (n. 8).
*Chambelland (Colette)*, 129, 136 (n. 53), 98 (n. 44), 201 (58), 203 (n. 69), 204 (n. 72), 389 (n. 145).
Chanvin, militant syndicaliste, 205 (n. 77), 388, 391, 392, 411.
Chapon (Fernand), militant syndicaliste, 169 (n. 112).
Charmes (Francis), 95, 426.
*Charpentier (Armand)*, 58 (n. 34), 449 (n. 150).
Charpentier (G.), militant socialiste, 170 (n. 126).
Chasles, militant syndicaliste, 168 (n. 105).
*Chatelle (Albert)*, 300 (n. 75), 311 (n. 150), 516 (n. 190).
Chatillon-Commentry, 49.
Chaumié (Jacques), député, 74 (n. 151).
Chautemps (Alphonse), 56 (n. 20).
Cherfils (G^al), 445 (n. 123), 559.
Churchill (Winston), 125 (n. 1), 126 (n. 9).
Claudel (Paul), 420.
Clemenceau (Georges), 20, 64 (n. 90), 72, 81, 125, 137 (n. 57), 141 (n. 77), 247 (n. 342), 370, 386, 392, 393, 403, 547, 548, 557 (n. 493).
Clouard (Henri), 41.
Club alpin français, 36.
Cochin (Denys), 421.
Cohen (Marcel), 37 (n. 131).
*Cole (G.D.H.)*, 233.
Collège de France, 37 (n. 131).
*Combat (Lille)*, 175 (n. 161).
Combes (Emile), 63 (n. 75).
Comité d'action, 434, 435.
Comité de secours national, 376.
Compère-Morel (Adéodat), 80 (n. 174), 99, 109, 110, 111 (n. 176, 177, 179, 180, 183), 113, 114, 220 (n. 162), 414, 427, 448, 555.
*Comte (Gilbert)*, 371 (n. 11).
Comptoir national d'escompte de Paris, 128, 512, 513.
Constans (Paul), député socialiste, 167 (n. 95), 241 (n. 292), 301 (n. 75).
*Contamine (Henry)*, 20 (n. 4), 28, 29, 32 (n. 90), 34, 36 (n. 124), 43 (n. 173), 44,

(n. 44), 201 (n. 58), 203 (n. 69), 204 (n. 72), 389 (n. 145).

Malato (Charles), journaliste, 72 (n. 135), 192, 194.

Malet (Albert), 34, 35, 36 (n. 120), 61 (n. 68).

Malvy (Louis), 4, 22 (n. 13), 82 (n. 202), 192 (n. 12), 206 (n. 85), 232, 375 (n. 56), 380, 381, 383, 384, 385, 386, 387, 388, 389, 390, 391, 392, 393 (n. 164), 394 (n. 169), 481.

Manet, militant syndicaliste, 197 (n. 38).

*Manévy (Raymond)*, 92 (n. 59), 260 (n. 2).

*Marcel (Gabriel)*, 14.

Marcel (Pierre), 374.

Marchand, syndicaliste (Bâtiment), 378.

Marchant, syndicaliste (Tonneau), 201, 211.

Marck (Charles), dirigeant syndicaliste, 192, 196 (n. 34), 202 (n. 61).

Marie (François), dirigeant syndicaliste, 94, 192, 195, 378.

Marie (Jean), syndicaliste, 339.

Marietton (Joannès), député socialiste, 215 (n. 126), 483.

Marin (Louis), 68 (n. 113).

*Martin (Gaston)*, 450 (n. 154).

Martin (Jean), conseiller général socialiste, 186 (n. 230).

*Martin (Michel)*, 566 (n. 54).

Martin du Gard (Roger), 45 (n. 186), 146, 352 (n. 172), 589, 590.

Martinet (Antony), sénateur, 372.

Martinet (Marcel), 337 (n. 84).

Marx (Karl), 80 (n. 173), 103, 110, 221 (n. 166).

Massis (Henri), 30 (n. 78), 33, 34, 37.

Masson (Frédéric), 473, 474 (n. 319).

Masson (Hippolyte), maire socialiste de Brest, 169 (n. 118).

Mathiez (Albert), 58 (n. 38).

*Matick (Paul)*, 93 (n. 65).

*Matin (Le)*, 186, 216, 251, 252, 269, 310, 449, 520, 524, 541, 542, 543, 546, 548, 549, 569.

Maurras (Charles), 22 (n. 13), 25, 39, 42, 45, 71, 240, 371 (n. 11), 376, 422, 441, 442 (n. 113), 443, 445, 447, 503, 511.

Mauss (Marcel), 37 (n. 131).

*Mayeur (Jean-Marc)*, 54, 55 (n. 15), 99 (n. 99).

Mazet, militant syndicaliste, 169 (n. 112), 342 (n. 109).

Médard (Henri), 371 (n. 14), 514 (n. 180).

Meiller (Benoît), syndicaliste-anarchiste, 353 (n. 186).

Melvil (André), journaliste, 59 (n. 44).

Menier (Gaston), député, 56 (n. 20), 60.

Mercereau (Alexandre), 18.

Mercier (Gustave), militant syndicaliste, 180.

Mercier (René), directeur de l'*Est Républicain*, 248 (n. 350), 301 (n. 75), 495 (n. 39, 40), 523 (n. 256), 525 (n. 266), 527 (n. 289).

Méric (Victor), 92 (n. 59).

Merlant (Joachim), 130.

Merle, journaliste, 375 (n. 56).

*Merlier (Georges)*, 29, 43, 44 (n. 179).

Merrheim (Alphonse), 91, 93, 190, 196 (n. 34), 202, 205 (n. 77), 207, 208, 209, 210, 211, 378, 397 (n. 197), 402, 412, 414.

*Mesliand (Claude)*, 294 (n. 32).

Messimy (Adolphe), 63 (n. 74), 82 (n. 201), 85, 138, 141 (n. 77), 142 (n. 86), 143 (n. 94), 196, 206 (n. 81), 238, 346, 376, 380, 381, 392, 421 (n. 316), 440 (n. 101), 547.

Mesureur (André), 449.

Mesureur (Gustave), 449 (n. 150).

Metternich (Chancelier), 117.

Meyer (Arthur), 482.

Meyer (Henriette), militante pacifiste, 183 (n. 210).

Michaloud, militant syndicaliste, 164 (n. 79).

Michel (Henri), sénateur, 71 (n. 132).

Michel (Louise), 433.

*Michon (Georges)*, 21, 22 (n. 17), 28 (n. 64), 29 (n. 71), 31 (n. 84), 34, 39 (n. 149), 44 (n. 183), 46, 47 (n. 202), 64 (n. 81), 67 (n. 109), 73 (n. 145), 82 (n. 204).

*Midi socialiste (Le)*, 433, 546.

*Milhaud (Albert)*, 58 (n. 34), 63 (n. 75).

Mille (Pierre), 473, 474.

Millerand (Alexandre), 23, 28, 39, 67, 68, 87, 103, 421, 422, 423, 481.

Minot, militant syndicaliste, 205 (n. 77), 209, 210, 378.

*Miquel (Pierre)*, 30 (n. 79), 32 (n. 90).

Mirman (Léon), préfet, 13, 421 (n. 316).

*Miroir (Le)*, 269.

Mistral (Paul), député socialiste, 167 (n. 94).

Mithouard (Adrien), président du conseil municipal, 24 (n. 30).

Moméja (Jules), 311 (n. 150), 449 (n. 148), 454 (n. 180), 459, 460 (n. 235), 480, 508 (n. 143, 152), 520 (n. 226), 527 (n. 290), 545 (n. 404), 547 (n. 422), 549, 551 (n. 454), 555, 557 (n. 491), 564, 571, 584 (n. 5).

Monaco (Prince de), 315.

Monatte (Pierre), 97 (n. 92), 129, 136 (n. 53), 196 (n. 34), 201, 203 (69), 378, 389, 414 (n. 290).

Monis (Ernest), 479.

# INDEX DES NOMS DE LIEUX*

* Pour en faciliter la consultation, les communes de France ont été regroupées par département, le nom et le cadre des départements étant ceux de 1914.

629

# INDEX DE LA BIBLIOGRAPHIE

*Ce livre a été*
*composé, imprimé et broché*
*par l'Imprimerie Chirat*
*42540 Saint-Just-la-Pendue*
*en novembre 1977*
*Dépôt légal N° 1029*